НОВЫЙ АНГЛО-РУССКИЙ
И
РУССКО-АНГЛИЙСКИЙ
СЛОВАРЬ

(НОВОЕ ПРАВОПИСАНИЕ)

СОСТАВИЛ

М. А. О'БРАЙН

Д-Р. ФИЛОС., ПРОФ. КОРОЛ. УНИВЕРС. В БЕЛЬФАСТЕ
ЧЛЕН КОРОЛ. ИРЛАНДСКОЙ АКАДЕМИИ

II.
РУССКО-АНГЛИЙСКАЯ ЧАСТЬ

ЛОНДОН: ДЖОРДЖ ЭЛЛЕН И ЭНВИН

NEW ENGLISH-RUSSIAN
AND
RUSSIAN-ENGLISH
DICTIONARY

(NEW ORTHOGRAPHY)

BY

M. A. O'BRIEN, M.A., PH.D.
THE QUEEN'S UNIVERSITY, BELFAST; MEMBER OF THE ROYAL IRISH ACADEMY

II.
RUSSIAN-ENGLISH

LONDON: GEORGE ALLEN & UNWIN LTD.

FIRST PUBLISHED IN GREAT BRITAIN 1930

SECOND IMPRESSION 1939

THIRD IMPRESSION 1942

FOURTH IMPRESSION 1944

FIFTH IMPRESSION 1945

SIXTH IMPRESSION 1948

PRINTED IN GREAT BRITAIN

BY BRADFORD AND DICKENS, LONDON, W.C.1

Предисловие

Наше издание должно заполнить давно уже ощущавшийся пробел — дать дешевый, практичный и вполне современный словарь английского и русского языков.

Мы не жалели труда, чтобы при всей сжатости об'ема дать возможно больше слов и выражений как литературного, так и разговорного языка настоящего времени. Особое внимание обращалось на следующие пункты:

1. Внесены все слова современного языка, относящиеся к области коммерции, науки и спорта.

2. Внесены также слова устарелые, провинциализмы, американизмы и выражения разговорной речи, которые могут встречаться при чтении романов, газет и коммерческой переписки.

3. Особое внимание уделено синонимам. Здесь пояснительные слова в скобках указывают на различные оттенки значения слов. Ср. напр. **Shift, Business** и т. п.

4. Произношение каждого английского слова обозначено при помощи весьма простой, но вполне научной системы фонетической транскрипции.

5. В обеих частях дано множество грамматических деталей, так что флексия каждого отдельного слова, а в русско-английской части и переходы ударения сразу бросаются в глаза.

6. В обеих частях отмечено ударение каждого русского слова.

7. В обеих частях даны форма совершенного и несовершенного вида всех русских глаголов.

8. Правописание английских слов дано по Oxford Standard Dictionary. Русские слова даны по новому оффициальному правописанию.

При обработке материала составитель постоянно пользовался образцовыми словарями обоих языков. В особенности составитель обязан следующим сочинениям: Pawlowsky: Deutsch-Russisches und Russisch-Deutsches Wörterbuch; Даль: Толковый Словарь живого великорусского языка; Karl Blattner: Taschenwörterbuch der russischen Sprache (Langenscheidt); Koiransky: Deutsch-Russisches und Russisch-Deutsches Taschenwörterbuch (Tauchnitz); The Concise Oxford Dictionary.

М. А. О'Брайн.

Preface

This dictionary has been designed to supply the long-felt want of a cheap, handy and thoroughly up-to-date Dictionary of the English and Russian languages.

No effort has been spared to make this work a compendious dictionary of handy size, dealing as completely as possible with the words and phrases of both the written and spoken language of the present time. Special attention has been paid to the following points:

1. The inclusion of all recent words which have gained currency in commerce, science and sport.

2. The inclusion of obsolete words, provincialisms, Americanisms and colloquial expressions which the reader may come across in novels or newspapers or in commercial use.

3. Special attention has been devoted to synonyms. In these cases catchwords in brackets indicate the various shades of meaning; cf. for example under **Shift, Business.**

4. The pronunciation of every English word is indicated by means of a very simple but thoroughly scientific system of phonetic transcription.

5. In both parts very full grammatical details are given, so that the inflection of any word, and in the Russian-English part changes in the accentuation can be seen at a glance.

6. In both parts the accentuation of every Russian word is indicated.

7. In both parts the Perfective and Imperfective Aspects of every Russian verb have been given.

8. As regards Spelling; for English that of the Oxford Standard Dictionary has been adopted. For Russian the new official Orthography has been used.

In the preparation of this work constant recourse has had to be made to the standard works of lexicographers in both languages. The author gratefully acknowledges his indebtedness to the following works: Pawlowsky: Deutsch-Russisches und Russisch-Deutsches Wörterbuch; Dalj: Толковый словарь живого великорусского языка; Karl Blattner: Taschenwörterbuch der russischen Sprache (Langenscheidt); Koiransky: Deutsch-Russisches und Russisch-Deutsches Taschenwörterbuch (Tauchnitz); The Concise Oxford Dictionary.

M. A. O'Brien.

Сокращения — **Abbreviations**

A. = accusative, винительный падеж.
a. = adjective, имя прилагательное.
abbr. = abbreviation, сокращение.
abstr. = abstract, отвлеченное.
abus. = abusive, бранное слово.
ad. = adverb, наречие.
agr. = agriculture, земледелие.
Am. = Americanism, американизм.
an(at). = anatomy, анатомия.
arch. = architecture, архитектура.
arith. = arithmetic, арифметика.
art. = artistic, искусство.
artic. = article, член.
astr. = astronomy, астрономия.
bib(l). = biblical, библейское.
bot. = botany, ботаника.
c. = conjunction, союз.
cf. = confer = compare, сравни.
chem. = chemistry, химия.
coll. = collective noun, имя собирательное.
comm. = commerce, торговля.
comp. = comparative (degree), сравнительная степень.
cpds. = (in) compounds, в сложных словах.
culin. = culinary, кухня.
D. = dative, дательный падеж.
dent. = dental, зубоврачебное.
dim. = diminutive, уменьшительное.
ec(cl). = ecclesiastical, церковное.
e. g. = exempli gratia (for example), например.
el(ect). = electricity, электричество.
f. = feminine gender, женский род.
fam. = familiar, фамильярное выражение.
fig. = figurative, выражение образное, переносное.
fkl. = folklore, фольклор.
foll. = following, следующее (слово).
fort. = fortification, фортификация.
fpl. = feminine gender plural, женский род множественного числа.
fr. = frequentative, глагол многократного вида.
Fut. = future, будущее время.
G. = genitive, родительный падеж.
geog. = geography, география.
geol. = geology, геология.
geom. = geometry, геометрия.
gpl. = genitive plural, родительный падеж множественного числа.
gramm. = grammar, грамматика.
gsg. = genitive singular, родительный падеж единственного числа.
her. = heraldry, геральдика.
hort. = horticulture, садоводство.
I. = instrumental, творительный падеж.
ich(th). = ichthyology, рыбоводство.
i. e. = (id est) that is, то-есть.
Imp. = imperative (mood), повелительное наклонение.
indecl. = indeclinable, несклоняемое.
Inf. = infinitive (mood), неопределенное наклонение.
int. = interjection, междометие.
Ipf. = imperfect, прошедшее время несовершенное.
iter. = iterative, повторительное.
jur. = jurisprudence, юридич. наука.
leg. = legal, право.
log. = logic, логика.
m. = masculine gender, мужеский род.
mach. = machinery, машиностроительство.
mar. = marine, морское дело.
math. = mathematics, математика.
mech. = mechanics, механика.
med. = medicine, медицина.
met. = metallurgy, металлургия.
mil. = military, военное дело.
min. = mineralogy, mining, минералогия.
mom. = momentaneous, однократный.
mpl. = masculine gender plural, мужеский род множественного числа.
mus. = musical, музыка.
N. = nominative, именительный падеж.
n. = neuter gender, средний род.
npl. = neuter gender plural, средний род множественного числа.
num. = numeral, имя числительное.
obs(ol). = obsolete, устарелое слово.
opt. = optics, оптика.
orn(ith). = ornithology, орнитология.
o.s. = oneself, самого себя.
P. = participle, причастие.
paint. = painting, живопись.

parl. = parliamentary, парламент.
pd. = predicative form of the adjective, краткое имя прилагательное.
pdc. = predicative form of the comparative, краткая форма сравнительной степени.
pers. = person, лицо.
Pf. = perfect, прошедшее время совершенное.
phil. = philology, филология.
philos. = philosophy, философия.
phot. = photography, фотография.
phys. = physics, физика.
pl. = plural, множественное число.
poet. = poetry, поэзия.
pop. = popular, народное выражение.
Pp. = past participle, причастие прошедшего времени.
Ppr. = present participle, причастие настоящего времени.
Pr. = prepositive, предложный падеж.
prec. = preceding, предыдущее (слово).
Pres. = present (tense), будущее время.
Pret. = preterite (tense), прошедшее время.
print. = printing, печатание.
prn. = pronoun, местоимение.
prn.dem. = pronoun demonstrative, местоимение указательное.
prn.interr. = pronoun interrogative, местоимение вопросительное.
prn.pers. = pronoun personal, местоимение личное.
prn.poss. = pronoun possessive, местоимение притяжательное.
prn.rel. = pronoun relative, местоимение относительное.
pron. = pronunciation, прощношение.
prov. = provincialism, провинциализм.
prp. = preposition, предлог.
rail. = railway, железнодорожное дело.
rel(ig). = religion, религия.
s. = substantive, имя существительное.
s.b. = somebody, кто-либо.
Sc. = Scotch, шотландское наречие.
sg. = singular, единственное число.
sl. = slavonic (ecclesiastic), церковнославянское слово.
s.o. = someone, что-либо.
spl. = substantive plural, имя существительное множественного числа.
sup. = superlative, превосходная степень.
surg. = surgery, хирургия.
tech. = technical, техника.
theat. = theatrical, театр.
theol. = theology, теология.
typ. = typography, типография.
us. = usual, обычно.
V. = vocative, звательный падеж.
va. = verb active, глагол действительного
va.irr. = verb active irregular, неправильный глагол действительного залога. залога.
v.aux. = verb auxiliary, вспомогательный глагол.
vc. = verb common, глагол общего залога.
v.def. = verb definitive, определительный глагол.
v.imp. = verb impersonal, безличный глагол.
v.irr. = verb irregular, неправильный глагол.
vn. = verb neuter, непереходный глагол.
vn.irr. = verb neuter irregular, неправильный глагол среднего залога.
v.pass. = verb passive, страдательный глагол.
vr. = verb reflexive, возвратный глагол.
vrc. = verb reciprocal, взаимный глагол.
vulg. = vulgar, вульгарное выражение.
zool. = zoology, зоология.

Неправильно спрягаемые глаголы
Irregular Verbs

infinitive	stem		present (fut. perf.)	imperative	adj. pres. partic.		adv. pres. partic.	simple past	adj. past participle,		adv. past participle
	concr.	abstr.			active	passive			active	passive	
8. бр-а-ть	бр-	бирá-	бер-ý, -р-ёшь, -р-ýт	-р-и́	-рýщий	—	-р-я́, -р-учи́	бра-л, -ла, -ло, -ли	-á-вший	-á-нный	-а-в, -вши
9. стл-а-ть	стл-	стилá-	стел-ю́, стéл-ешь, -л-ют	-л-и́	стéлю-щий	стéлемый	стел-я́	стла-л, -ла, -ло, -ли	-á-вший	-áнный	-а-в, -вши
10. зв-а-ть	зв-	зывá-	зов-ý, -в-ёшь, -в-ýт	-в-и́	-вýщий	-в-óмый	-в-я́	зва-л, -ла, -ло, -ли	-á-вший	-á-нный	-а-в, -вши
11. гн=а-ть	гн-	гоня́-	гон-ю́, гóн-ишь, гóн-ят	гон-и́	гóнящий	гон-и́мый	гон-я́	гна-л, -ла, -ло, -ли	гнá-вший	гнá-нный	гна-в, -вши
12. зд-а-ть	зд-	зидá-	зи́жд-у, -жд-ешь, -жд-ут	-жд-и	-ждущий	—	зи́жд-я	зда-л, -ла, -ло, -ли	-á-вший	-á-нный	-а-в, -вши
13. мертв=и́-ть	мертв-	мер-щвля́-	мерщв-л-ю́, мер-тв-и́шь, -тв-я́т	мер-тв-и́	мертвя́-щий	мертв-и́-мый	мертв-я́	мертви́-л, -ла, -ло, -ли	мертви́-вший	-рщвлён-ный	-ви́-в, -вши
14. тер-é-ть	тр-	тирá-	тру, тр-ёшь, тр-ут	тр-и	трýщий	—	—	тёр, -р-ла, -ло, -ли	тёр-ший	тёр-тый	тёр-ши
15. берéчь	берег-	берегá-	берег-ý, -реж-ёшь, -рег-ýт	-рег-и́	-егýщий	-ег-óмый	-ежá	-рёг, -г-лá, -лó, -ли́	-рёг-ший	-режён-ный	-рёг-ши
16. жечь	жг-	жигá-	жг-у, жж-ёшь, жг-ут	жг-и	жгýщий	—	жгучи́	жёг, жгла, жгло, жгли	жёг-ший	жжённый	жёгши
17. лг-а-ть	лг-	лыгá-	лг-у, лж-ёшь, лг-ут	лг-и	лгýщий	—	—	лга-л, -ла, -ло, -ли	лгá-вший	лгá-нный	лга-в, -вши
18. влечь	влек-	влекá-	влек-ý, влеч-ёшь, влек-ýт	влек-и́	влекý-щий	влек-ó-мый	влечá	влёк, -к-лá, -лó, -ли́	влёк-ший	влеч-ён-ный	влёкши
19. толóчь	толк-	толкá-	толк-ý, толч-ёшь, толк-ýт	толк-и́	толкý-щий	—	толчá	толóк, -локлá, -лок-лó, -локли́	толóк-ший	толчён-ный	толóкши
20. тк-а-ть	тк-	тыкá-	тк-у, тк-ёшь, тк-ут	тк-и	ткýщий	ткóмый	тк-учи́	ткал, -ла, -ло, -ли	ткá-вший	ткá-нный	тка-в, -вши
21. грес-ть (ти́)	греб-	гребá-	греб-ý, -б-ёшь, -б-ýт	-еб-и́	-бýщий	—	-б-я́	грёб, греб-лá, -лó, -ли́	грёб-ший	-бённый	грёбши
22. вес-ть(ти́)	вед-	вод=	вед-ý, -дёшь, -д-ýт	-д-и́	-дýщий	-дóмый	-д-я́	вёл, велá, -лó, -ли́	вéд-ший	ведённый	вёдши
23. мес-ть(ти)	мет-	метá-	мет-ý, -т-ёшь, -т-ýт	-т-и́	-тýщий	—	-т-я́	мёл, мелá, -лó, -ли́	мёт-ший	метённый	мётши
24. чес-ть	чт-	читá-	чт-у, чт-ёшь, чт-ут	чт-и	чтýщий	—	чт-я	чёл, чла, чло, чли	чёт-ший	чтённый	чётши
25. вез-ть(ти́)	вез-	воз=	вез-ý, -з-ёшь, -з-ýт	-з-и́	-зýщий	-зóмый	-з-я́	вёз, вез-лá, -лó, -ли́	вёз-ший	вéзенный	вёз-ши
26. нес-ть(ти́)	нес-	нос=	нес-ý, -с-ёшь, -с-ýт	-с-и́	-сýщий	-сóмый	-с-я́	нёс, нес-лá, -лó, -ли́	нёсший	несённый	пёсши
27. би-ть	би(ь)-	бивá-	бь-ю, бь-ёшь, бь-ют	бе-й	бьющий	—	бия́	бил, -ла, -ло, -ли	би́вший	би́тый	би́вши
28. ры-ть	ры-	рывá-	рó-ю, рó-ешь. рó-ют	ро-й	рóющий	рóемый	рóя	рыл, -ла, -ло, -ли	ры́вший	ры́тый	ры́в, -вши
29. пе-ть	пе-	певá-	по-ю́, по-ёшь, по-ют	по-й	поющий	—	поючи́	пел, -ла, -ло, -ли	пéвший	пéтый	пев, -вши
30. бри-ть	бри-	бривá-	брé-ю, брé-ешь, брé-ют	бре-й	брéю-щий	брéемый	брéя	брил, -ла, -ло, -ли	бри́вший	бри́тый	брив, -вши
31. жи-ть	жи(в)-	живá-	жи-в-ý, -в-ёшь, -в-ýт	-в-и́	-вýщий	—	живя́, жи-вучи́	жил, -ла, -ло, -ли	жи́вший	жи́тый	жив, -вши
32. ста-ть	ста(н)-	ставá-	стáн-у, -н-ешь, -н-ут	-н-ь	—	—	—	стал, -ла, -ло, -ли	стá-вший	—	ста-в, -вши

33. ж-а-ть	жм-	жима́-	жм-у, жм-ёшь, жму-т	жм-и	жму́щий	—	жмучи́	жал, -ла, -ло, -ли	жа́вший	жа́тый	жав, -вши
34. ж-а-ть	жн-	жина́-	жн-у, жн-ёшь, жн-ут	жн-и	жну́щий	—	жня, жнучи́	жал, -ла, -ло, -ли	жа́-вший	жатый	жа-в, -вши
35. рас-ти́	раст-	раста́-	раст-у́, -т-ёшь, -т-у́т	-т-и́	-ту́щий	—	-стя́	рос, -сла́, -ло́, -ли́	ро́сший	—	ро́сши
36. кляс-ть	кля(н)-	клина́-	клян-у́, -н-ёшь, -н-у́т	-н-и́	-ну́щий	—	-н-я́	кля-л, -ла́, -ло́, -ли́	-ля́-вший	-ля́-тый	-в, -вши
37. я-ть	им-, ем-	има́-	им-у́, им-ёшь, им-у́т; е́м-л-ю, -л-ешь, -л-ют	им-и́, е́м-ли	иму́щий -лющий	—	— е́м-л-я	я-л, -ла, -ло, -ли	я́-вший	я́-тый	я-в, -вши
38. да-ть	да-	дава́-	да-м, да-шь, да-ст, да-д-и́м, да-д-и́те, да-д-у́т	да-й	—	—	—	да-л, -ла́, -ло́, -ли	да́в-ший	да́-нный	да-в, -вши
39. дава́-ть	—	дава́-	да-ю, да-ёшь, да-ю́т	дава́-й	дающий	дава́-емый	дава́-я	дава́-л, -ла, -ло, -ли	дава́-вший	—	дава́вши
40. сл-а-ть	сл-	сыла́-	шл-ю, -л-ёшь, -л-ют	шл-и	шлющий	—	шл-ючи́	слал, -ла, -ло, -ли	сла́-вший	сла́нный	слав, -вши
41. мы́сл=ить	мысл-	мы-шля́-	мы́шл-ю, мысл-ишь, -л-ят	-л-и	-лящий	мы́сли-мый	—	мы́слил, -ла, -ло, -ли	-сливший	-шленный	-слив, -вши
42. ес-ть	ед-	еда́-	е-м, е-шь, е-ст, ед-и́м, ед-и́те, ед-я́т	ешь	едя́щий	едо́мый	ед-я́	ел, -ла, -ло, -ли	е́вший	е́денный	е́вши
43. лечь	лег-, ляг-	лож= (и́ться)	ля́г-у, ля́ж-ешь, ля́-г-ут	ляг	—	—	—	лёг, -г-ла́, -ло́, -ли́	лёг-ший	—	лёг-ши
44. сес-ть	сед-, сяд-	сад= (и́ться)	ся́д-у, ся́д-ешь, ся́-д-ут	сядь	—	—	—	се-л, -ла, -ло, -ли	се́-вший	—	се́-вши
45. е́х-а-ть	ед-	езд= (ить)	е́д-у, е́д-ешь, е́д-ут	—	е́дущий	—	ед-учи́	е́ха-л, -ла, -ло, -ли	е́ха-вший	—	е́хавши
46. беж=а́-ть	бег-	бега́-	бег-у́, беж-и́шь, бе-г-у́т	бег-и́	бегу́щий	—	—	бежа́-л, -ла, -ло, -ли	бежа́-вший	—	бе́жав, -вши
47. хот-е́-ть	хот-	—	хочу́, хо́чешь, -чет; plural also: хо-т-и́м, -ти́те, -тя́т	—	хотя́щий	—	—	хоте́л, -ла, -ло, -ли	хоте́вший	—	хоте́в, -вши
48. ид-ти́ *or* ит-ти́	ид-, s. past шед-	ход= (ить)	ид-у́, ид-ёшь, ид-у́т	ид-и́	иду́щий	—	идя́, и́дучи	шёл, шла, -ло, -ли	ше́д-ший	—	ше́д-ши
49. бы-ть	бы-, ес-, буд-	быва́-	ес-мь, -си́, ес-ть, ес-мы́, ес-те́, с-уть	буд-ь	су́щий	—	бу́дучи	был, -ла́, -ло, -ли	бы́-вший	—	бы́вши
50. со-зда́ть	-зда-	-здава́ 39.	fut. со-зи́жд-у, -ж-д-ешь, -д-ут *or* со-зда́м, -да́шь, -да́ст, -дад-и́м, -да-ди́те, -даду́т	сози́ж-ди	—	—	—	со́здал, -ла́, -ло́, -ли	созда́вший	со́зданный	созда́в, -вши
51. шиб-и́ть	шиб-	шиба́-	шиб-у́, -б-ёшь, -б-у́т	шиб-и́	-бу́щий	—	шиб-я́	шиб, -б-ла, -ло, -ли	ши́б-ший	ши́блен-ный	ши́бши
52. га́сн-уть	гасн-	гаса́-	га́сн-у, -н-ешь, -н-ут	га́сн-и	га́снущий	—	—	гас, -с-ла, -ло, -ли	га́с-ший	—	га́с-ши

А. Имя существительное

а) Род имен существительных обозначен лишь в тех случаях, когда он не определяется окончанием, напр. при словах на **-ь.**

б) Имена существительные, употребляемые только во множественном числе, даны в именит. пад. множ. числа и обозначены *pl.* Указан также род и, в случае надобности, родит. пад. Напр. **часы́** *mpl.*; **де́ньги** *fpl.* (*G.* -нег).

в) В случаях изменения звуковой формы слова, напр. выпадения **о** или **е** и т. п., указаны формы родит. пад. единственного или множественного числа, напр. **потоло́к** (*gsg.* -лка́), **ча́шка** (*gpl.* -шек); **па́лец** (*gsg.* -льца).

г) Неправильные формы склонения всегда указаны, напр. **телёнок** (*pl.* -ля́та, -лят).

д) Слова уменьшительные даны лишь, если они образуются неправильно.

Б. Имя прилагательное

а) Имена прилагательные даны в именит. пад. единств. числа мужеского рода. Остальные формы даны лишь, если они образуются неправильно.

б) Неправильные формы сравнительной степени даны дважды: раз при положительной степени прилагательного и вторично как самостоятельные слова там, где им надлежит быть по алфавиту. Напр. **лу́чше** дано при слове **хоро́ший** и еще раз под буквой **л.**

В. Глагол

1. Чтобы сразу было видно, как образуется настоящее время глагола, основа отделена от окончания неопределенного наклонения следующим образом:

а) В глаголах, образующих настоящее время с помощью окончаний **-ешь, -ет, -ем, -ете,** основа отделена от окончания простым тире (-).

б) В глаголах, образующих настоящее время с помощью окончаний **-ишь, -ит, -им, -ите,** основа отделена от окончания двойным тире (=).

A. The Noun

a) The gender of nouns is only given in cases where it is not determined by the ending, e. g. nouns in **-ь.**

b) Nouns used only in the plural are given in the form of the nominative plural and are indicated by *pl.* The gender is also indicated and where necessary the form of the genitive, e. g. **часы́** *mpl.*; **де́ньги** *fpl.* (*G.* -нег).

c) Sound changes, such as the omission of **о** and **е**, etc. are indicated by the form of the genitive singular or genitive plural being given, e. g. **потоло́к** (*gsg.* -лка́); **ча́шка** (*gpl.* -шек); **па́лец** (*gsg.* -льца).

d) Exceptional declensional forms are always specially indicated, e. g. **телёнок** (*pl.* -ля́та, -лят).

e) Diminutives are as a rule only given when they are formed irregularly.

B. The Adjective

a) Adjectives are given under the form of the nominative singular masculine. Other forms are only given when irregular.

b) Irregular comparative forms are given twice, first under the positive and secondly in their proper alphabetical position in the dictionary. For example **лу́чше** will be found both under **хоро́ший** and its proper place in the dictionary under **л.**

C. The Verb

1. To show the formation of the present tense of the verb the stem is shown separated from the ending of the infinitive, as follows:

a) In those verbs in which the present is formed by adding **-ешь, -ет, -ем, -ете** to the stem the latter is separated from the ending by a simple hyphen (-).

b) In those verbs in which to form the present **-ишь, -ит, -им, -ите** are added to the stem, the latter is separated from the ending by a double hyphen (=).

в) В глаголах с окончаниями **-овать** и **-евать** знак **+** между **о** или **е** и **вать** указывает на то, что **о** переходит в **у** и **е** в **ю** (за исключением **е** после шипящих **ж, ч, ш, щ,** где оно всегда переходит в **у**) и что настоящее время образуется присоединением окончаний **-ешь, -ет, -ем, -ете** к этому **у** или **ю.**

2. Римские цифры после глаголов имеют следующее значение:

Цифра I. обозначает, что первое лицо ед. числа настоящего времени оканчивается на **-у,** а третье лицо множеств. числа на **-ут** (если остальные личные окончания имеют звук **е**) или **-ат** (если остальные личные окончания имеют звук **и**). После шипящих **ж, ч, ш, щ** вместо окончания **-ят** пишется **-ат.**

Цифра II. обозначает, что первое лицо ед. числа настоящ. времени имеет окончание **-ю,** а третье лицо множ. числа **-ют** (при **-е** в остальных лицах) или **-ят** (при **-и** в остальных лицах).

3) Ара ские цифры 1—7 после римских указывают на изменения согласных, на которые оканчивается основа:

1. обозначает что **г, д, з** переходит в **ж**
2. ,, ,, **к, т, ц** ,, ,, **ч**
3. ,, ,, **с, х** ,, ,, **ш**
4. ,, ,, **ст, ск** ,, ,, **щ**
5. ,, ,, **д** ,, **жд**
6. ,, ,, **т** ,, ,, **щ**
7. ,, ,, что после губных **б, в, м, п, ф** перед **е** и **ю** вставляется **л.**

Указанные измения распространяются на все формы настоящего времени и повелительного наклонения глаголов с окончаниями **-ешь, -ет** и т. д.; в глаголах с окончаниями **-ишь, -ит** согласные изменяются лишь в первом лице единств. числа. Напр. **паха́ть — пашу́ — па́шешь**; но: **лете́ть — лечу́ — лети́шь.**

Арабские цифры 8—52 указывают на таблицу неправильных глаго́лов на стр. X и XI. Напр., глагол, отмеченный цифрой 23, спрягается как глагол, указанный в таблице под ном. 23.

Г. Ударение

I. Имя существительное

Переход ударения с одного слога на другой в формах склонения указан в прямых скобках. Где таких указаний нет, ударение всюду падает на один и тот же слог.

c) In the case of verbs ending in **-овать** and **-евать, a +** between the **о** or **е** and **вать** indicates that this **о** is changed to **у** and the **е** to **ю** (except after the sibilants **ж, ч, ш, щ** when it also is changed to **у**) and that the endings **-ешь, -ет, -ем, -ете** are then added to this stem in **у** or **ю** to form the present tense.

2. The Roman numerals after the verbs have the following significance:

I. This indicates that in the present tense the first person singular ends in **-у,** the third person plural in **-ут** if the verb takes the **е**-endings, in **-ят** however if the verb takes the **и**-endings. Instead of **-ят, -ат** is used after the sibilants **ж, ч, ш, щ.**

II. This indicates that the first person singular of the present tense ends in **ю,** the third person plural in **-ют** if the verb takes the **е**-endings and in **-ят** if the verb takes the **и**-endings.

3. The Arabic numerals 1 to 7 after the Roman numerals indicate the following changes in the final consonant of the verbal stem:

1. indicates that **г, д, з** are changed to **ж**
2. ,, ,, **к, т, ц** ,, ,, ,, **ч**
3. ,, ,, **с, х** ,, ,, ,, **ш**
4. ,, ,, **ст, ск** ,, ,, ,, **щ**
5. ,, ,, **д** is ,, ,, **жд**
6. ,, ,, **т** ,, ,, ,, **щ**
7. ,, ,, that **л** is inserted after the labials **б, в, м, п, ф** before **е** and **ю.**

Note: The above changes take place in all forms of the present and imperative in the case of verbs taking the **е**-endings, but only in the first person of the present tense in the case of verbs taking the **и**-endings.

The Arabic numerals 8 to 52 refer to the table of irregular verbs on page X and XI. For example a verb marked 23. is to be conjugated like verbs No. 23. in the table.

D. Accentuation

I. The Noun

Variable accentuation in the declensional forms of the noun is indicated by letters enclosed in square brackets. Where no such indication is given the accent remains fixed on the same syllable throughout.

[a] ударение падает на окончания падежей. Напр.:

[a] indicates that the accent falls on the case endings e. g.

sg. **стол, -лá, -лý, -лóм, -лé**; *pl.* **столы́, -лóв, -лáм, -лáми, -лáх.**

[b] ударение остается на том же слоге во всех падежах единств. числа, но переходит на окончание во множ. числе, напр.

[b] indicates that the accent remains on the same syllable throughout the singular but falls on the case endings in the plural, e. g.

sg. **вéчер, -ра, -ру, -ром, -ре**; *pl.* **вечерá, -рóв, -рáм, -рáми, -рáх.**

[c] ударение остается на том же слоге во всех падежах единств. ч. и в именит. пад. множ. числа, но переходит на окончание в косвенных падежах множ. числа. Напр.

[c] indicates that the accent remains on the same syllable throughout the singular and in the nominative plural, but falls on the case endings in the other cases of the plural, e. g.

sg. **вор, -ра, -ру, -ром, -ре**; *pl.* **вóры, -рóв, -рáм, -рáми, -рáх.**

[d & h] в единств. числе ударение падает на окончание, во множеств. числе на предпоследний слог. Напр.

[d & h] indicates that in the singular the case endings are accented and in the plural the syllable before the case endings, e. g.

sg. **селó, -лá, -лý, -лóм, -лé**; *pl.* **сёла, сёл, сёлам, сёлами, сёлах.**

[e] ударение падает на окончание во всех падежах за исключением именит. падежа множ. числа, имеющего ударение на первом слоге. Напр.

[e] indicates that the accent falls throughout on the case endings with the exception of the nominative plural in which it falls on the first syllable, e. g.

sg. **овцá, -цы́, -цý, -цóю, -цé**; *pl.* **óвцы, овéц, овцáм, овцáми, овцáх.**

[f] ударение падает на окончание во всех падежах кроме именит. пад. множ. числа и винит. пад. единств. числа, где оно падает на первый слог. Напр.

[f] indicates that the accent falls throughout on the case endings with the exception of the nominative plural and accusative singular in which it falls on the first syllable, e. g.

sg. **бородá, -ды́, -дé, бóроду, -дóю, -дé**; *pl.* **бóроды, -рóд, -дáм, -дáми, -дáх.**

[g] ударение остается на том же слоге во всех падежах кроме предложного падежа единств. числа после предлогов **в** и **на**, имеющего ударение на окончании. Напр. **мель, на мели́.**

[g] indicates that the position of the accent remains unchanged except in the prepositive singular after the prepositions **в** and **на** when it falls on the ending, e. g. **мель, на мели́.**

II. Глагол

II. The Verb

1) Ударение форм настоящего времени отмечено буквами в прямых скобках следующим образом:

1) The accentuation of the present tense is indicated by letters in square brackets as follows:

[a] Ударение падает на личные окончания. Напр. **брать** 8. [a].

[a] indicates that the personal endings are accented, e. g. **брать** 8. [a]

Pres. **берý, -рёшь, -рёт, -рём, -рёте, -рýт.**

[b] Ударение падает на слог, предшествующий личному окончанию. Напр. **вое+вать** II. [b]

[b] indicates that the syllable before the personal endings is accented, e. g. **вое+вáть** II. [b]

Pres. **вою́ю, -ю́ешь, -ю́ет, -ю́ем, -ю́ете, -ю́ют.**

[c] в первом лице ед. числа ударение падает на окончание, во всех остальных лицах на слог, предшествующий окончанию. Напр. **дрем-áть** II. 7. [c].

[c] indicates that in the first person singular the accent falls on the personal ending and in all other persons on the syllable before the ending, e. g. **дрем-áть** II. 7. [c]

Pres. **дремлю́, дрéмлешь, -лет, -лем, -лете, -лют.**

2) Ударение форм прошедшего времени обозначено цифрами, стоящими в тех же прямых скобках позади букв, указывающих на ударение форм настоящего времени. Обозначения следующие:

[1.] Ударение падает на последний слог в единств. числе мужеского рода и на предпоследний слог всех остальных форм, напр. **натер-е́ть** 14. [а 1.]

2) The accentuation of the preterite is indicated by numerals following the letters in square brackets which indicate the accentuation of the present, as follows:

[1.] indicates that the accent falls on the last syllable in the masculine singular form but on the second-last in all the other forms, e. g. **натер-е́ть** 14. [а 1.]

Pret. **натёр, -тёрла, -тёрло, -тёрли.**

[2] Ударение падает на последний слог во всех формах, напр. **вес-ти́** 22. [а 2.]

[2.] indicates that the accent falls on the last syllable in all forms, e. g. **вес-ти́** 22. [а 2.]

Pret. **вёл, вела́, вело́, вели́.**

[3.] Ударение падает на последний слог в мужеском и женском роде единств. числа и на предпоследний слог в среднем роде и во множественном числе. Напр. **сви-ть** 27. [а 3.]

[3.] indicates that the accent falls on the last syllable in the masculine and feminine singular and on the second-last syllable in the neuter and plural, e. g. **сви-ть** 27. [а 3.]

Pret. **свил, свила́, сви́ло, сви́ли.**

[4.] Ударение падает на последний слог в единств. числе женского рода и на первый слог во всех остальных формах. Напр. **помер-е́ть** 14. [а 4.]

[4.] indicates that the accent falls on the last syllable in the feminine singular and on the first syllable in all the other forms, e. g. **помер-е́ть** 14. [а 4.]

Pret. **по́мер, померла́, по́мерло, по́мерли.**

[°] indicates that the ending of the prepositional singular is **у** or **ю**

[*] indicates that the ending of the nominative plural is **а** or **я**.

Согласные

Палатализованные согласные (как напр. в словах топь, белый, брать, дело, семь, тень, небо, соль, дверь, река, верфь, весь, село, зима) английскому языку чужды и не должны произноситься, даже если в транскрипции буквы б, п, с, д, т и пр. стоят перед и, э, е, ю, я.

Обозначения звуков	Приблизительно соответствующие русские звуки	Английские слова, в которых встречаются эти звуки
б	**соба́ка, бары́ш**	book, bat, by, buy, able, sob, cab
в	**вода́, вам**	vale, gave, have
г	**год, голос**	gave, give, go, get, bag, beg
д	**да, дать**	do, did, den, had, hid, end
ж	**жажда, ждать**	rouge (рӯж), exclusion (иксклӯ'жн)
дж	**джут**	journal, judge (джадж), gem (джэм), age (э̄йдж)
з	**зыбь, зо́лото**	zeal (зийл), zinc (зингк), has (хäз), amuse (äмю̄'з)
й	**первая составная часть ю, я; юг, явно**	young (йанг)
к	**как, куда́, крючо́к**	cat (кäт), king (кинг), shrink (шрингк), back (бäк), book (бук), ache (э̄йк)
л	**ла́мпа, лоб**	live, love; ale, all
м	**ма́ло, мать, кому́**	made, milk, am, him
н	**на, нос, луна́**	nap, knob (ноб), mane (мэ̄йн)
нг	**звук, не существующий в русск. языке. Органы речи находятся в том же положении, как при произношении звука г, только заднее нёбо опускается, так что звук проходит одновременно через носовую полость и рот**	sing (синг), song (сонг)
п	**пото́м, пар, под**	pat, pot, pit, park, pink, ape (э̄йп), pap
р	**как р в следующих словах, но с меньшей вибрацией: раз, раб (После гласной и перед согласной р в английском языке не произносится. Если же следующее слово начинается с гласной, то р произносится, напр.: they are = ðэ̄й ā; но: they are in = ðэ̄й āр ин)**	rose, rib, rub
с	**соль, нас**	sing, song, it's, house
т	**то, там**	to, tin, at, it
у	**Согласный звук, обозначаемый этой буквой, в русском языке не встречается, в английском же только перед гласными. При произношении его органы речи принимают положение, необходимое для произношения гласной у, а затем немедленно переходят в положение следующей гласной**	win, water, which (уич)
ф	**фон, флаг**	fly, fun, often, laugh (лāф), off (оф)

Обозначения звуков	Приблизительно соответствующие русские звуки	Английские слова, в которых встречаются эти звуки
х	Английский звук, обозначаемый этой буквой, в русском языке не встречается. Его образуют безголосым выдыхом через рот, причем язык и губы уже находятся в положении, необходимом для произнесения следующей гласной	hat, hut, hit
ч	чин, ча́сто	which, fetch (фэч)
ш	шаг, меша́ть	she, shoe, hash, hush, dish
Специальные обозначения		
þ	Звук, обозначаемый этим знаком, в русском языке не встречается. При образовании его язык касается верхних зубов и струя воздуха **без голоса** пропускается через щель между зубами и языком	thin, breath
ð	Этот звук образуется так же, но только с **голосом**	thou, this, brother

Гласные

Обозначения		
ā	как русск. мать, журна́л, только несколько протяжнее	father, promenade
a	Не встречается по-русски. Задняя часть языка несколько приподымается против положения для произнесения обыкновенного а, передняя же часть языка подымается еще выше. Приблизительно как в слов. раббта, вода́	but (бат), cut (кат)
ă	краткий звук, образуемый при положении языка среднем между ā и э. Сходный (только более протяжный) звук в словах печа́ль, сча́стье	hat, bat, cat, has, have
ā̆	встречается только перед р. Произносится менее открыто чем краткое ă. Является обыкновенно полу-долгим звуком, приблизительно как русск. э́то	there, fair, pair
ĕ	краткий, неопределенный гласный звук, как в словах каранда́ш, шелуха́	stirrup, ivory (ай'вёри)
э	краткое э	bed, better
э̄й	долгое э; в конце органы речи принимают положение как при произношении звука и	late, came
э̆й	тот же звук как и предыдущий, но краткий, в слогах без ударения	educate
ē	долгий смешанный гласный звук, не встречающийся в русском языке	fir, girl
и	краткое и	bit, little
ий	долгое и	beat, street
о	краткое открытое о, почти как в слове го́род, но менее протяжно	not, hot
ō	долгое открытое о. Как в слове го́род, но протяжнее	saw, haul
ōу	долгое закрытое о. В конце органы речи принимают положение для произношения звука у	home, moan
ӯ	долгое у	pool.

Consonants

The palatalized sounds (as in топь, бéлый, брать, дело, семь, тень, небо, соль, дверь, рекá, верфь, весь, село, зимá) do not occur in English, and are not so to be pronounced even where in the transcription a б, п, с, д, т etc. occurs before и, э, е, ю, я

Symbol	Approximate Russian equivalent	Examples in which the sound occurs in English
б	собáка, бары́ш	book, bat, by, buy, able, sob, cab
в	водá, вам	vale, gave, have
г	год, гóлос	gave, give, go, get, bag, beg
д	да, дать	do, did, den, had, hid, end
ж	жáжда, ждать	rouge (рӯж, exclusion (иксклӯ'жн)
дж	джут	ournal, judge (джадж), gem (джэм), age (э̄йдж)
з	зыбь, зóлото	zeal (зийл), zinc (зингк), has (хäз), amuse (ăмю̄'з)
й	as the first element in ю, я; юг, я́вно	young (йанг)
к	как, кудá, крючóк	cat (кäт), king (кинг), shrink (шрингк), back (бäк), book (бук), ache (э̄йк)
л	лáмпа, лоб	live, love; ale, all
м	мáло, мать, комý	made, milk, am, him
н	на, нос, лунá	nap, knob (ноб), mane (мэ̄йн)
нг	does not occur in Russian. The organs of speech are in the same position as for г, the velum however being lowered, allowing the exploded voice to pass through the nasal cavity and the mouth simultaneously	sing (синг), song (сонг)
п	потóм, пар, под	pat, pot, pit, park, pink, ape (э̄йп), cap
р	like the r in the following but not so strongly trilled: раз, раб (After a vowel and before a consonant the р is silent in English. When the following word begins with a vowel the р is slightly pronounced thus: they are = ðэ̄й ā, but: they are in = ðэ̄й āр ин)	rose, rib, rub
с	соль, нас	sing, song, it's, house
т	то, там	to, tin, at, it
у	The consonantal sound represented by this sign does not occur in Russian, it occurs only before vowel sounds. In its production the speech organs start almost in the position for the vowel у and then pass immediatly to the position of the following vowel	win, water, which (уич)
ф	фон, флаг	fly, fun, often, laugh (лāф), off (ðф)

Symbol	Approximate Russian equivalent	Examples in which the sound occurs in English
х	The English sound represented by this sign does not occur in Russian. It is produced by emitting a voiceless current of breath through the mouth with the tongue and lips already in position for the following vowel	hat, hut, hit
ч	as in Russian чин, чáсто.	which, fetch (фэч)
ш	шаг, мешáть	she, shoe, hash, hush, dish
Special Symbols		
þ	The sound represented by this symbol does not occur in Russian. In its production the blade of the tongue is made to touch the back of the upper teeth (or is placed between the two rows of teeth) and a voiceless current of air allowed to stream through the narrowing thus produced	thin, breath
ð	is formed in the same way, but the current of air is voiced	thou, this, brother

Vowel Sounds

Symbol		
ā	as in Russian мать, журнáл but slightly longer	father, promenade
a	does not occur in Russian. The back of the tongue is slightly raised from the position for a and the front of the tongue is often raised as well. Almost as in рабóта, водá	but (бат), cut (кат)
ä	a short sound intermediate in tongue position for ā and э. A similar sound (but somewhat longer) in the words печáль, счáстье	hat, bat, cat, has, have
ä̈	occurs only before р. Not as open as the short ä. It is usually only half-long. Approximately the same as in Russian э́то.	there, fair, pair
ё	a short indistinct vowel as in карандáш, шелýха	stirrup, ivory (ай'вёрп)
э	A short e-sound.	bed, better
э̄й	A long e-sound at the end of which the vocal organs are in the position for the vowel i.	late, came
эй	Same as preceding but first element short. Occurs in unaccented syllables.	educate
ё̄	A long mixed vowel sound. Does not occur in Russian.	fir, girl
и	short i-sound.	bit, little
ий	long i-sound.	beat, street

Symbol	Approximate Russian equivalent	Examples in which the sound occurs in English
о	Short open o-sound as in го́род but not so long.	not, hot
ō	Long open o-sound. As in го́род but longer.	saw, haul
ōу	Long close o-sound. Towords the end the organs of speech are in position for the vowel у.	home, moan
у	Short u-sound.	put, hook
ӯ	Long u-sound.	pool.

Phonetic Transcription

up	а	ago	ё	pool	ӯ	gem	дж	as	з
glass	ā	fir	ё̄	bed	б	yes	й	thin	þ
bad	ä	fish	и	do	д	young	я	this	ð
side	ай	feet	ий	fun	ф	you	ю	fish	ш
now	ау	not	о	hat	х	kill	к	vision	ж
bed	э	saw	ō	law	л	church	ч	red	р
bare	ǟ	home	ōу	man	м	ring	нг	love	в
came	э̄й	put	у	no	н	finger	нгг	we	у
educate	эй	oil	ой	go	г	so	с	wh	ху
				pond	н				

ALPHABET AND SOUNDS

А	а	f**a**rm (stressed), cig**a**rette (unstressed)	Р	р	**r**ed (strongly rolled)
Б	б	**b**ad	С	с	**s**un
В	в	**v**oice	Т	т	**t**en
Г	г	**g**o	У	у	f**oo**d
Д	д	**d**ear	Ф	ф	**f**un
Е	е	**ye**s	Х	х	**ch** in Scottish **loch** or German **ach**
Ж	ж	mea**s**ure	Ц	ц	ca**ts**
З	з	**z**one	Ч	ч	**ch**air
И	и	mach**i**ne	Ш	ш	**s**ure
Й	й	bo**y**	Щ	щ	Dani**sh ch**eese
К	к	**k**ind	Ы	ы	approximates **y** in **pity**
Л	л	**l**ine	Ь	ь	"softens" (palatalizes) preceding consonant
М	м	**m**ine	Э	э	m**e**t
Н	н	**n**ame	Ю	ю	**yu**le
О	о	**o**r (stressed), bac**o**n (unstressed)	Я	я	**ya**rn
П	п	**p**en			

Russian and English

A

а *c.* and, but, if; ~ **и́менно** to wit, "viz."; ~ **ты что?** what do you want? || ~! *int.* [ah! well!

абажу́р *s.* lamp-shade.

абба́т/ *s.* abbot || **-и́сса** *s.* abbess || **-ский** *a.* abbatial || **-ство** *s.* abbacy, abbey.

аберра́ция *s.* aberration.

абон/еме́нт *s.* subscription || **-е́нт** *s.* subscriber || **-е́нтка** *s.* (*gpl.* -ток) (lady-) subscriber || **-и́ро+вать** II. *vn.* to subscribe. [*pl.*

абориге́н *s.* aboriginal; (*in pl.*) aborigines

абрико́с *s.* apricot. [solute.

абсолют/и́зм *s.* absolutism || **-́ный** *a.* ab-

абстра́ктный *a.* abstract.

абсу́рд *s.* nonsense.

абсце́сс *s.* abscess; boil.

аванга́рд *s.* (*mil.*) vanguard, van.

ава́нс *s.* advance (payment).

аванта́ж *s.* advantage.

авантюри́ст/ *s.* adventurer || **-ка** *s.* (*gpl.* -ток) adventuress.

авари́я *s.* (*comm.*) average, damage by sea.

а́вгуст *s.* August.

август/и́нец *s.* Austin friar || **-е́йший** *a. sup.* (most) august.

авиа́/тор *s.* aviator || **-ция** *s.* aviation.

аво́сь *ad.* perhaps, perchance, it is to be hoped; **на** ~ at random || ~ *s.m.* chance, [fortune.

авро́ра *s.* the dawn, aurora.

авто- *in cpds.* = auto-.

авто/биогра́фия *s.* autobiography || **-бу́с** *s.* (motor)bus || **-кра́т** *s.* autocrat || **-крати́ческий** *a.* autocratic || **-кра́тия** *s.* autocracy || **-ма́т** *s.* automaton || **-моби́ль** *s.m.* automobile, motor(-car); **грузово́й** ~ motor-lorry; **наёмный** ~ taxi(-cab) || **-но́мия** *s.* autonomy || **-но́мный** *a.* autonomous.

а́втор/ *s.* author, writer || **-ите́т** *s.* authority || **-ите́тный** *a.* authoritative || **-ство** [*s.* authorship.

ага́т *s.* agate.

аге́нда *s.* dance-programme.

аге́нт/ *s.* agent, representative || **-ство** & **-у́ра** *s.* agency.

агит/а́тор *s.* agitator || **-а́ция** *s.* agitation || **-и́ро+вать** II. *vn.* to agitate.

а́гнец *s.* (*gsg.* -нца) (*sl.*) Lamb (of God), the (Sacred) Host.

аго́ния *s.* agony.

агра́рный *a.* agrarian.

агресси́вный *a.* agressive.

агрикульту́ра *s.* agriculture.

агроно́м *s.* (scientific) agriculturist.

ад/ *s.* [b°] hell || **-́ский** *a.* infernal, hellish.

адама́нт *s.* adamant.

адви́з *s.* (*comm.*) advice.

адвока́т *s.* solicitor, lawyer.

адено́иды *s. mpl.* adenoids *pl.*

администра́ция *s.* administration.

адмира́л/ *s.* admiral || **-те́йство** *s.* admiralty, Court of Admiralty.

а́дрес/ *s.* address || **-ный** *a.*, ~ **стол** inquiry-office || **-о+ва́ть** II. [b] *va.* (к + *D.*) to address || ~**ся** *vr.* (к + *D.*) to apply, to appeal to. [jutant's.

ад'юта́нт/ *s.* adjutant || **-ский** *a.* ad-

а́жио/ *s.* (*comm.*) agio || **-та́ж** *s.* (*comm.*) agiotage, stockbroking.

ажу́рный *a.* transparent; open-work.

аз *s.* [a] (*sl.*) the letter A; **он аза́ не зна́ет** he doesn't know A from B || ~ *prn.* (*sl.*) I.

аза́рт/ *s.* risk, chance; impetuosity, vehemence || **-ный** *a.*, **-ная игра́** game of chance.

азбе́ст/ *s.* asbestos || **-овый** *a.* asbestos.

а́збу/ка *s.* alphabet, ABC || **-чник** *s.*, **-ница** *s.* pupil learning the alphabet; (*Am.*) abecedarian || **-чный** *a.* alphabetical.

азиму́т *s.* azimuth.

азо́т/ *s.* (*chem.*) nitrogen || **-ный** *a.* nitrogenous; **-ная кислота́** nitric acid.

а́ист *s.* stork.

акаде́м/ия *s.* academy || **-и́ческий** *a.* academical || **-ик** *s.* academician.

акваре́ль *s.f.* water-colour.

аква́риум *s.* aquarium.

акведу́к(т) *s.* aqueduct.

аккомпани́ро+вать II. *va.* to accompany.

акко́рд *s.* (*mus.*) accord.

аккумуля́тор *s.* accumulator.

аккура́тный *a.* exact, punctual.

акони́т *s.* (*bot.*) aconite.

акр *s* acre.

акроба́т/ *s.* acrobat || **-и́ческий** & **-ный** *a.* acrobatic.

аксио́ма s. axiom.
акт/ s. (*leg.*) proceeding, document, deed; (*theat.*) act || **-ёр** s. actor || **´-овый** a. documentary; **´-овая за́ла** great hall (of a University) || **-ри́са** s. actress.
акти́в/ность s. *f.* activity || **-ный** a.
актини́ческий a. actinic. [active.
аку́ла s. shark. [a. acoustic(al).
аку́ст/ика s. acoustics *pl.* || **-и́ческий**
акуше́р/ s. accoucheur, obstetrician || **-ка** s. midwife || **-ский** a. obstetric(al) || **-ство** s. obstetrics, midwifery.
акце́нт s. accent.
акце́пт/ & **-а́ция** s. (*comm.*) acceptance || **-о+ва́ть** II. [b] *va.* to accept (a bill).
акци́з s. excise, duty.
акц/ионе́р s. shareholder || **´-ия** s. share; **~ привилегиро́ванная** preferred share, preference share || **-ионе́рный** a., **-ное о́бщество** joint-stock company.
ала́дьи s. *fpl.* (*G.* -дей) small pancakes (of leavened dough). [braical.
а́лгебра/ s. algebra || **-и́ческий** a. alge-
алеба́рд/а s. halberd || **-щик** s. halberdier.
алеба́стр/ s. alabaster || **-овый** a. alabaster.
але́-ть II. *vn.* (*Pf.* по-) to redden, to become (bright) red.
алка́ли s. *n. indecl.* (*chem.*) alkali, potash.
алкало́ид s. alkaloid.
алк-а́ть I. 2. & **алка́-ть** II. (*Pf.* вз-) to hunger (for, after); to thirst (for, after); (*fig.*) to desire, to long for.
алкого́л/ь s. *m.* alcohol || **-и́зм** s. alcoholism || **-и́ческий** a. alcoholic.
алкора́н s. the Koran. [allegoric(al).
аллего́р/ия s. allegory || **-и́ческий** a.
алле́гри s. *n. indecl.* (charity) masked-ball.
алле́я s. alley, avenue (of trees).
аллига́тор s. alligator.
аллилу́ия s. & *int.* (h)alleluia.
аллитера́ция s. alliteration.
аллотро́пия s. allotropy.
алма́з/ s. diamond || **-ный** a. diamond.
ало́й s. & **ало́э** s. *indecl.* aloe.
а́лость s. *f.* redness.
алта́рь s. *m.* altar.
алты́н s. (formerly) 3 copecks. [betical.
алфави́т/ s. alphabet || **-ный** a. alpha-
алхи́м/ик s. alchemist || **-и́ческий** a. alchemistic || **-ия** s. alchemy.
а́лч/ность s. *f.* greed, inordinate desire || **-ный** a. greedy, ravenous, eager for || **-у** cf. **алка́ть.**
а́лый a. scarlet, bright red.
альбатро́с s. albatross.
альбино́с s. albino.
аль/бо́м s. album || **-ко́в** s. alcove || **-мана́х** s. almanach || **-па́ри** *ad.* (*comm.*) at par.
альт/ s. (*mus.*) alto, countertenor || **-и́ст** s. countertenor singer || **-и́стка** s. (*gpl.* -ток) contralto singer.
альтруи́зм s. altruism.
алюми́ний s. aluminium.
амальга́ма s. amalgam.
амазо́нка s. (*gpl.* -нок) riding-habit.
амате́р s. amateur.
амба́р/ s. warehouse, storehouse || **-щик** s. owner *or* manager of a storehouse.
амбасса́да s. embassy.
амби́ция s. ambition. [loophole.
а́мбра/ s. amber || **-зу́ра** s. embrasure,
амбро́зия s. ambrosia.
амбула́нция s. field-hospital; ambulance.
амво́н s. raised part in front of the altar;
амети́ст s. amethyst. [chancel.
ами́нь *int.* amen.
аммиа́к s. ammonia.
амни́стия s. amnesty, general pardon.
амортиза́ция s. amortization.
амо́рфный a. amorphous.
ампут/а́ция s. amputation || **-и́ро+вать** II. *va.* to amputate. [ment.
амуни́ция s. ammunition; military equip-
аму́р s. Cupid; (*in pl.*) amour, love-affair, intrigue. [phitheatre.
амфи́/бия s. amphibian || **-теа́тр** s. am-
ан c. (*vulg.*) but, however.
анабапти́ст s. anabaptist.
анагра́мма s. anagram.
анако́нда s. anaconda.
ана́л/из s. analysis || **-изи́ро+вать** II. *va.* to analyse || **-и́тика** s. analytics || **-ити́ческий** a. analytical.
анало́г/ия s. analogy, similarity || **-и́ческий** a. analogous, similar.
анана́с s. pine-apple.
ана́рх/ия s. anarchy || **-и́ст** s., **-и́стка** s. (*gpl.* -ток) anarchist || **-и́ческий** a. anarchical.
анато́м/ия s. anatomy || **-и́ческий** a. anatomical.
анахоре́т s. anchorite.
анахрони́зм s. anachronism.
ана́фема s. anathema.
анба́р s. storeroom, storehouse.
анга́р s. hangar; shed. [vite, to ask.
ангажи́ро+вать II. *va.* to engage, to in-
а́нгел/ s. angel; **день -а** festival of the anniversary of one's saint, name-day || **-ьский** a. angelic.
анекдо́т s. anecdote.
ане́ксия s. annexion.

анем/ический *a.* anaemic || **-ия** *s.* anaemia.
анили́н/ *s.* (*chem.*) aniline || **-овый** *a.* aniline.
ани́с/ *s.* anise, aniseed || **-овка** *s.* anisette || **-ный** *a.* of aniseed.
а́нкерный *a.* anchor- || **-ые часы́** *s. mpl.* *or* **а́нкер** *s.* patent lever-watch.
анома́л/ия *s.* anomaly || **-ьный** *a.* anomalous, abnormal.
анони́мный *a.* anonymous.
антагони́/зм *s.* antagonism || **-ст** *s.* antagonist, opponent.
анте́нна *s.* antenna; aerial.
анти́к/ *s.* antique || **-ва́рий** *s.* antiquarian, antiquary; second-hand bookseller || **-ва́рный** *a.* antiquarian, second-hand.
антимо́ний *s.* antimony.
антипа́т/ия *s.* antipathy, aversion || **-и́ческий** & **-и́чный** *a.* antipathetic.
антипо́ды *s. mpl.* antipodes *pl.*
антите́за *s.* antithesis.
антихри́ст *s.* Antichrist.
анти́чный *a.* antique.
антоло́гия *s.* anthology.
антр/а́кт *s.* entr'acte, pause, interval || **-аци́т** *s.* anthracite || **-епренёр** *s.* contractor, person who undertakes some enterprise, entrepreneur || **-есо́ль** *s. f.* entresol, low storey between ground and first floor || **-ополо́г** *s.* anthropologist || **-ополо́гия** *s.* anthropology || **-опофа́г** *s.* cannibal.
анфила́да *s.* enfilade; suite of rooms.
анчо́ус *s.* anchovy.
апа́т/ия *s.* apathy || **-и́чный** *a.* apathetic.
апелли́ро+вать II. *vn.* (*leg.*) to appeal.
апелля́ция *s.* appeal.
апельси́н *s.* orange.
аперту́ра *s.* aperture.
аплод/и́ро+вать II. *vn.* (*Pf.* за-) to applaud || **-исме́нты** *s. mpl.* applause, acclamation.
апо/кали́псис *s.* the Apocalypse || **-ло́гия** *s.* apology || **-пле́ксия** *s.* apoplexy || **-пле́ктик** *s.* apoplectic.
апоста́т *s.* apostate.
апо́ст/ол *s.* apostle || **-ольский** *a.* apostolic || **-ро́ф** *s.* apostrophe.
аппара́т *s.* apparatus.
аппети́т *s.* appetite.
апр. (*abbr.*) April.
апре́ль/ *s. m.* April || **-ский** *a.* April.
аппрету́ра *s.* dressing, finishing.
апте́/ка *s.* apothecary's shop, chemist's shop || **-карский** *a.* pharmaceutical || **-карь** *s. m.* [b] (*pl.* -и & -я́) (pharmaceutical) chemist, apothecary, druggist || **-чка** *s.* (*gpl.* -чек) portable medicine-chest || **-чный** *a.* druggist's, pharmaceutical.
арабе́ск/ & **-а** *s.* arabesque.
ара́ва *s.* crowd, multitude.
ара́к *s.* arrack.
аранжи́ро+вать II. *va.* to arrange, to put in order.
ара́п/ *s.* Moor, negro || **-ка** *s.* (*gpl.* -пок) negress || **-ник** *s.* goad, whip.
арб/а́ *s.* a high two-wheeled car || **-итра́ж** *s.* arbitrage || **-у́з** *s.* (water)melon.
аргуме́нт/ *s.* argument, proof || **-и́ро+вать** II. *vn.* to advance an argument.
аре́н/а *s.* arena, scene of conflict || **-да** *s.* rent, lease || **-да́тор** *s.* farmer, tenant, lessee || **-до+ва́ть** II. [b] *va.* (*Pf.* за-) to take a lease of, to farm, to rent.
арест/о+ва́ть II. [b] *va.* (*Pf.* за-) to arrest || **-а́нт** *s.* prisoner.
аристокра́т/ *s.*, **-ка** *s.* (*gpl.* -ток) aristocrat || **-и́ческий** *a.* aristocratic || **-ия** *s.* aristocracy.
арифме́т/ика *s.* arithmetic || **-и́ческий** *a.* arithmetical.
а́рия *s.* (*mus.*) tune, air.
а́рк/а *s.* arch || **-а́да** *s.* arcade || **-а́н** *s.* lasso.
аркти́ческий *a.* arctic.
арлеки́н/ *s.* harlequin, buffoon || **-а́да** *s.* harlequinade.
арм/е́ец *s.* (*gsg.* -е́йца) (regular) soldier || **-е́йский** *a.* army- || **-́ия** *s.* army, troops of the line || **-я́к** *s.* smock-frock.
арома́т/ *s.* aroma, perfume || **-и́ческий** *a.* aromatic.
арсена́л *s.* arsenal.
арсе́ник *s.* arsenic.
арте́ль/ *s. f.* workmen's society || **-ный** *a.* belonging to an Artel || **-щик** *s.*, **-щица** *s.* member of an Artel, (as address) porter.
арте́рия *s.* artery.
артилле́рия *s.* artillery.
арти́ст/ *s.*, **-ка** *s.* (*gpl.* -ток) artist, artiste || **-и́ческий** *a.* artistic.
артишо́к *s.* artichoke.
а́рф/а *s.* harp || **-и́ст** *s.*, **-и́стка** *s.* harpist.
арха/и́зм *s.* archaism, archaic expression || **-и́ческий** *a.* archaic.
арха́нгел/ *s.* archangel || **-ьский** *a.* archangelic.
археоло́г/ *s.* archæologist || **-и́ческий** *a.* archæological || **-ия** *s.* archæology.
архи́в/ *s.* archives *pl.* || **-а́рий** & **-а́риус** *s.* archivist.
архиепи́скоп *s.* archbishop.
архиере́й *s.* bishop; (*bib.*) high priest.
архимандри́т *s.* archimandrite.
архипа́стырь *s. m.* archpriest, prelate.
архипела́г *s.* archipelago.
архите́кт/ор *s.* architect || **-у́ра** *s.* architecture || **-у́рный** *a.* architectural, architectonic.

аршин *s.* a measure of length = 28 inches.
арьергард *s.* (*mil.*) rearguard,rear.
асбест *s.* asbestos.
асептический *a.* aseptic.
аскет *s.* ascetic.
аспид/ *s.* adder; (*min.*) slate || **–ный** *a.*, **–ная доска** a slate.
ассиг/нация *s.* (*obs.*) paper-money, banknote || **–но+вать** II. [b] *va.* to assign, to allot || **–новка** *s.* assignment, money-order.
ассимил/яция *s.* assimilation || **–иро+вать** II. *va.* to assimilate.
ассоциация *s.* association, society, company.
астер/иск *s.* asterisk || **–оиды** *s. mpl.* the asteroids *pl.*
астма/ *s.* asthma || **–тический** *a.* asthmatic.
астролог/ *s.* astrologist || **–ия** *s.* astrology.
астроном/ *s.* astronomer || **–ический** *a.* astronomical || **–ия** *s.* astronomy.
асфальт/ *s.* asphalt || **–иро+вать** II. [b] *va.* to asphalt.
атак/а *s.* attack || **–о+вать** II [b] *va.* to attack.
атаман/ *s.* hetman; robber chieftain || **–ша** *s.* hetman's wife.
ате/изм *s.* atheism || **–ист** *s.*, **–истка** *s.* (*gpl.* -ток) atheist || **–истический** *a.* atheistic(al).
атлас *s.* atlas (volume of maps).
атлас *s.* atlas (thick silk stuff).
атлет/ *s.* athlete || **–ический** *a.* athletic.
атмосфер/а *s.* atmosphere || **–ический** & **–ный** *a.* atmospherical.
атом/ *s.* atom || **–ический** *a.* atomic.
атонический *a.* atonic.
атрофия *s.* atrophy.
аттест/ат *s.* certificate, testimonial || **–о+вать** II. [b] *va.* to certify, to attest.
ату! *int.* huzza! halloo! tally ho! || **~ его!** seize him!
ау! *int.* ho! he! hallo!
ауд/иенция *s.* audience || **–итор** *s.* legal advisor on a court-martial; judge-advocate; judge lateral || **–итория** *s.* auditorium, lecture-room.
аука-ть II. *vn.* (*Pf.* аукн-уть I.) to halloo, to shout.
аукцион/ *s.* auction || **–атор** *s.* auctioneer.
аул *s.* (Caucasian) village.
афелий *s.* aphelion.
афер/а *s.* business, speculation || **–ист** *s.*, **–истка** *s.* speculator, adventurer.
афиш/а *s.*, *dim.* **–ка** *s.* (*gpl.* -шек) playbill, poster; programme.
афоризм *s.* aphorism.
аффект *s.* emotion, passion.
ах! *int.* ah! alas!
аханье *s.* groan, groaning.
аха-ть II. *vn.* (*Pf.* ахн-уть I.) to groan, to sob.
ахинея *s.* nonsense, balderdash.
ахроматический *a.* achromatic.
ахти/ *int.* oh! ah! || **–тельный** *a.* wonderful, splendid.
ацетилен *s.* acetylene.
аэро/лит *s.* aerolith, meteorite || **–навт** *s.* aeronaut || **–план** *s.* aeroplane || **–стат** *s.* air-balloon.

Б

б. (*abbr.*) = **бывший, большой.**
ба! ah! pshaw! goodness!
ба/ба *s.* woman, peasant woman, old woman; (*fig.*) coward, poltroon; (*tech.*) ram-block, rammer, pile-driver; **~-яга, яга-~** *s.* the witch || **–бёнка** *s.* (*gpl.* -нок) & **–бёночка** *s.* (*gpl.* -чек) young woman || **–бень** *s. m.* (*gsg.* -бня) dangler after women || **–бий** (-ья, -ье) *a.* woman's, feminine; **бабье лето** St. Martin's summer; (*Am.*) Indian summer (the fine days in late October) || **–бка** *s.* (*gpl.* -бок) grandmother; **повивальная ~** midwife || **–бки** *s. fpl.* upright posts (scaffolding), trestles; **игра в ~** (game of) knuckle-bones || **–бочка** *s.* (*gpl.* -чек) butterfly || **–бушка** *s.* (*gpl.* -шек) grandmother, old woman || **–бьё** *s. coll.* (*fam.*) women.
багаж/ *s.* [a] luggage, baggage || **–ный** *a.*, **–ная квитанция** luggage ticket; **~ вагон** luggage van.
багор *s.* (*gsg.* -гра) purple || **багор** *s.* [a] (*gsg.* -гра) boathook, fishhook, gaff.
багрец *s.* [a] purple colour.
багр=ить II. *va.* to hook fish, to gaff.
багр=ить II. [a] *va.* to dye, to colour purple.
багр/ове-ть II. [b] *vn.* (*Pf.* по-) to become purple, to redden || **–овый** *a.* purple || **–яница** *s.* purple cloak || **–янка** *s.* (*gpl.* -нок) murex || **–янородный** *a.* born in the purple || **–яный** *a.* purple.
бад/ейка *s.* (*gpl.* -еек) small bucket || **–ья** *s.* [a] (well) bucket, fish-tub || **–яжка** *s.* (*gpl.* -жек) toy || **–яжник** *s.* joker, jester.
базальт/ *s.* basalt || **–овый** *a.* (of) basalt.
базар/ *s.* market, bazaar || **–ный** *a.* bazaar-.
базис *s.* basis, base.
байб/ак *s.* [a] marmot; (*fig.*) idler, lounger, sleepyhead || **–ачий** (-ья, -ье) *a.* marmot's.
байдара *s.* coracle (covered with sealskin).

ба́йк/а *s.* frieze, baize || **-овый** *a.* frieze, of frieze.
бак *s.* (*mar.*) forecastle, foc'sle.
бакала́вр *s.* bachelor (of Arts, etc.).
бакале́/йный *a.*, **-йная ла́вка** grocer's shop, grocery establishment || **-я** *s. coll.* groceries (*esp.* dried fruits, fish, caviar, cheese, etc.).
ба́кен *s.* beacon, buoy.
бакенба́рда *s.* (*us. in pl.*) whiskers *pl.*
бакла́га *s.* bottle; tub; billy-can, flask.
бакл/а́н *s.* cormorant || **-у́ша** *s.* flat piece of wood (from which spoons, etc. are carved); **бить -у́ши** *or* **-у́шнича-ть** II. *vn.* to idle.
ба́ковый *a.* (*mar.*) abaft, larboard.
бакте́рия *s.* bacterium.
бал *s.* [b°] (dance) ball; bullet; mark.
балаг/а́н *s.* (market) show, booth || **-а́нщик** *s.* showman, conjurer || **-у́р** *s.* joker, droll fellow || **-у́р=ить** II. *vn.* to chatter, to tell yarns || **-у́рка** *s.* (*gpl.* -рок) female joker.
бала́карь *s. m.* chatterer, fool.
балала́йка *s.* (*gpl.* -ла́ек) balalaika (three stringed guitar).
баламу́/т *s.* chatterer, tell-tale, busybody || **-т=ить** I. 2. *va.* (*Pf.* вз-) to confuse, to bewilder; to disturb.
бала́нс/ *s.* balance, equilibrium || **-ёр** *s.*, **-ёрка** *s.* (*gpl.* -рок) rope-dancer, equilibrist || **-иро+ва́ть** II. [b] *vn.* to balance.
балахо́н *s.* smock-frock.
балбе́с *s.* simpleton, idiot, lout.
балдахи́н *s.* canopy.
бале́т/ *s.* ballet || **-ме́йстер** *s.* ballet-master || **-ный** *a.* ballet-.
ба́л/ка *s.* (*gpl.* -лок) beam || **-ко́н** *s.* balcony.
балл/ *s.* voting-ball, ballot, mark || **-оти́ро+ва́ть** II. [b] *va.* (*Pf.* вы́-) to vote by ballot, to ballot, to elect by ballot || **-отиро́вка** *s.* (*gpl.* -вок) balloting, ballot.
балла́да *s.* ballad.
балла́ст *s.* ballast.
бало+ва́ть II. [b] *vn.* & **~ся** (*Pf.* из-) to play pranks, to play the fool || **~** *va.* to pet, to spoil (children).
ба́лов/ень *s. m.* (*gsg.* -вня) spoilt child, pet || **-ни́к** *s.* [a], **-ни́ца** *s.* one who spoils children, pets them.
бальза́м/ *s.* balm || **-и́ро+вать** II. *va.* (*Pf.* на-) to embalm || **-овый** *a.* balsamic.
бал/юстра́да *s.* balustrade || **-я́сина** *s.* pillar of a balustrade, baluster || **-я́снича-ть** II. *vn.* (*vulg.*) to joke.

бамбу́к/ *s.* bamboo (cane) || **-овый** *a.* bamboo-, of bamboo.
бана́н/ *s.* banana || **-овый** *a.* banana-.
банда́ж/ *s.* bandage, truss, belt || **-и́ст** & **-ник** *s.* bandagist, truss-maker.
бандеро́ль *s. f.* banderole; (newspaper) wrapper.
банди́т *s.* bandit.
банду́р/а *s.* pandora || **-и́ст** *s.* pandora player.
ба́н=ить II. *va.* to bathe, to wash, to steep (in water).
банк/ *s.* bank || **-́а** *s.* (*gpl.* -нок) (glass) pot, jar, box; **подво́дная ~** sand-bank, shoal || **-ёр** *s.* banker (at cards) || **-е́т** *s.* banquet, feast || **-и́р** *s.* banker || **-омёт** = **-ёр** || **-ро́т** *s.* bankrupt || **-ро́тский** *a.* bankrupt || **-ро́тство** *s.* bankruptcy || **-ру́т=ить** I. 2. *va.* (*Pf.* о-) to bankrupt || **~ся** *vr.* to become bankrupt || **-ру́т** *s.* = **-ро́т** || **-ру́тство** *s.* = **-ро́тство.**
ба́нный *a.* bath-.
ба́ночка *s.* (*gpl.* -чек) (*dim.* of **ба́нка**) small glass vessel.
бант/ *s.*, *dim.* **-́ик** *s.* loop, bow.
ба́н/щик *s.*, **-щица** *s.* owner of a bathing establishment, servant in a bath || **-я** *s.* bath, bathroom; vapour-bath.
бараб/а́н *s.* drum; the tympanum, ear-drum || **-а́н-ить** II. *vn.* (*Pf.* за-, про-) to drum, play the drum || **-а́нный** *a.* drum- || **-а́нщик** *s.* drummer.
бара́к *s.* (wooden) hut.
бара́н/ *s.* ram, wether || **-ина** *s.* mutton || **-ий** (-ья, -ье) *a.* ram's, mutton- || **-ка** *s.* (*gpl.* -нок) (ring-shaped) cracknel.
бара́хта-ться II. *vn.* (*Pf.* за-) to struggle with hands and feet, to sprawl.
бара́шек *s.* (*gsg.* -шка) young wether; (*in pl.*) fleecy clouds, cirri; crests of foam on waves, white horses.
барбари́с *s.* barberry.
ба́рда *s.* distiller's grains.
баре́ж *s.* barège, silky gauze.
барелье́ф *s.* bas-relief.
ба́ржа *s.* barge, lighter.
ба́р/ин *s.* (*pl.* -а & -е) lord, sir; **жить -ином** to live in high style || **-ито́н** *s.* baritone || **-ич** *s.* young nobleman || **-ка** *s.* (*gpl.* -рок) barge || **-ка́с** *s.* long-boat, launch || **-о́ме́тр** *s.* barometer || **-о́н** *s.* baron || **-оне́сса** *s.* baroness || **-о́нский** *a.* baronial, baron's || **-о́нство** *s.* barony || **-с** *s.* panther || **-ский** *a.* lord's, lordly, seigniorial; **жить на -скую но́гу, жить по-ба́рски** to live in grand style || **-ство** *s.* rank of gentleman || **-су́к** *s.* [a] badger.

бáрхат/ *s.* velvet || **-ный** *a.* velvet, velvety.

бáрченок *s.* (*pl.* бáрчата) young nobleman.

бáрщина *s.* (formerly) soccage, compulsory service for lord.

бáры/нька *s.* (*gpl.* -нек) (my) dear lady || **-ня** *s.* lady, my lady, madame.

бары́ш/ *s.* profit, gain || **-ник** *s.* jobber, dealer, profiteer || **-нича-ть** II. *vn.* to buy up, to deal (in); to profiteer.

бáрышня *s.* (*gpl.* -шен) (young) miss.

барьéр *s.* barrier, turnpike.

бас/ *s.* bass, bass viol; **петь -óм** to sing bass || **-и́ст** *s.* bass-singer || **-и́стый** *a.* bass, deep-sounding.

бас=и́ть I. 3. [a] *vn.* to sing bass, to boast.

бас/нопи́сец *s.* (*gsg.* -сца) fabulist || **-ня** *s.* (*gpl.* -сен) fable, fairy-tale, lie || **-овóй** *a.* bass.

басóк *s.* [a] (*gsg.* -скá) bass-string.

басóн *s.* fringe, galloon, trimming, braid.

бассéйн *s.* basin (of a river).

бáст/а *int.* enough! || **-áрд** *s.* bastard || **-иóн** *s.* bastion, bulwark || **-о+вáть** II. [b] *vn.* (*Pf.* за-) to cease work, to strike.

басурмáн/ *s.*, **-ка** *s.* (*gpl.* -нок) Moslem; (*abus.*) unorthodox.

батал/ьóн *s.* battalion || **-ия** *s.* battle, encounter.

батарéя *s.* battery.

бат/и́ст *s.* batiste, cambric || **-óг** *s.* [& a] thick stick, cudgel || **-рáк** *s.* [a] workman, labourer || **-рáчка** *s.* (*gpl.* -чек) charwoman, workwoman || **-юшка** *s. m.* (*gpl.* -шек), **-ька** *s. m.* (*gpl.* -тек) father, dear father, my dear fellow; **как вас по -юшке?** what is your patronymic?

баýл *s.* chest, trunk.

бахвáл *s.* boaster, braggart.

бахвáл-иться II. *vn.* (*vulg.*) to boast, to brag.

бахвáльство *s.* boasting, braggadocio, brassing.

бахромá *s.* border, fringe with tassels.

баци́лла *s.* bacillus.

бáш/енка *s.* (*gpl.* -нок) turret || **-кá** *s.* head; blockhead || **-лы́к** *s.* [a] hood || **-мáк** *s.* [a] shoe || **-мáчник** *s.* shoemaker || **-мачóк** *s.* [a] (*gsg.* -чкá) *dim.* shoe || **-ня** *s.* (*gpl.* -шен) tower; (chess) rook, castle.

баю́ка-ть II. *va.* (*Pf.* у-) to lull to sleep.

баян *s.* rhapsodist, story-teller.

бдéние *s.* watch, vigil; care.

бд=еть II. *vn.* to watch, to be awake, to be vigilant.

бди́тельный *a.* vigilant, attentive.

бег *s.* (Turkish) bey.

бег/ *s.* [b°] running, run; flight, desertion; racecourse; (*pl.* бегá) races || **-ание** *s.* running, racing; **~ на конькáх** skating || **-а-ть** II. *vn.* (*Pf.* по-) to run, to race; to run about || **-емóт** *s.* hippopotamus || **-лéц** *s.* [a] runaway, fugitive; (*mil.*) deserter || **-лый** *a.* fugitive, runaway; fleeting, transient; cursory, superficial || **-овóй** *a.* racing-, race- || **-óм** *ad.* as fast as possible, in a run || **-омéр** *s.* hodometer || **-отня́** *s.* running about || **-ство** *s.* flight, desertion || **-ý, -ýт** *cf.* **бежáть** || **-ýн** *s.* [a] fugitive; runner; race-horse, trotter; upper millstone; pestle.

бед/á *s.* misfortune, ill-luck; misery, need, want, exigency; **что за ~?** what does that matter? **вот так ~** that's the difficulty, there's the rub || **-ненький** *a.* poor; (*as s.*) poor fellow || **-ность** *s. f.* poverty, indigency || **-ный** *a.* poor, exigent, needy; unfortunate, pitiable || **-нé-ть** II. *vn.* (*Pf.* о-) to become poor || **-ня́га** *s. m&f.*, **-ня́жка** *s. m&f.* (*gpl.* -жек), **-ня́к** *s.* poor fellow || **-óвый** *a.* difficult, dangerous; desperate, ticklish || **-окýр** *s.*, **-окýрка** *s.* (*gpl.* -рок) mischief-maker, bird of ill omen || **-рó** *s.* [d] (*pl.* бёдра) hip || **-ственный** *a.* unfortunate, pernicious, calamitous, miserable || **-ствие** & **-ство** *s.* hardship, misery, need || **-ство+вать** II. *vn.* to be in want, in need.

бежáть 46. *vn.* (*Pf.* по-) to run; (от + *G.*) to flee from, to avoid; **часы́ бегýт** time flies, the clock is fast.

без *prp.* (+ *G.*) without, minus.

без- as prefix unless; before heavy consonant groups безо-, and before voiceless consonants бес-.

безалáберный *a.* (*vulg.*) in disorder, unsystematic; absurd.

безбéдный *a.* in comfortable *или* easy circumstances, not badly off.

безбóж/ие *s.* godlessness || **-ник** *s.*, **-ница** *s.* godless person, atheist || **-нича-ть** II. *vn.* to lead a godless life, to act dishonourably || **-нический** *a.* godless, ungodly, wicked || **-ный** *a.* godless, wicked, impious.

безбóкий *a.* with shrunken sides.

безболéзненный *a.* painless; healthy, in perfect health.

безборóдый *a.* beardless, without a beard.

безбоя́зненный *a.* fearless, undaunted, intrepid, dauntless.

безбра́ч/ие & **-ность** *s. f.* single state, single life, celibacy || **-ный** *a.* single, unmarried, celibate.
безве́дрие *s.* bad weather, dirty weather.
безве́р/ие *s.* unbelief, irreligion || **-ный** *a.* unbelieving, irreligious.
безве́тр/енный *a.* calm || **-ие** *s.* calm.
безви́нный *a.* innocent, guiltless; inoffensive.
безвку́сный *a.* tasteless, insipid; in bad taste.
безвозвра́тный *a.* irreparable, irrevocable.
безвозме́здный *a.* free, gratis, gratuitous.
безволо́сый *a.* hairless, bald.
безвре́дный *a.* innocuous, harmless.
безвре́мен/ный *a.* inconvenient, inopportune, untimely || **-ье** *s.* bad weather; calamity; inopportune time.
безвы́/ездный *a.* constant, permanent || **-ходный** *a.* permanent, of long duration; endless; (*fig.*) desperate, helpless, critical.
без/гла́вый *a.* headless || **-глаго́льный** *a.* speechless, silent || **-гла́зый** *a.* eyeless; blind || **-гла́сный** *a.* voiceless, speechless, silent; not entitled to vote; unknown, secret; ~ **това́рищ** sleeping partner || **-голо́вый** *a.* headless; brainless, stupid || **-гра́мотность** *s. f.* inability to read and write, illiteracy, ignorance || **-гра́мотный** *a.* not able to read and write, illiterate, ignorant || **-гре́шный** *a.* sinless, innocent, pure.
без/да́рный *a.* untalented, incompetent || **-де́йствие** *s.* inaction, inertness, inactivity || **-де́лка** *s.* (*gpl.* -лок), **-де́лочка** *s.* (*gpl.* -чек), **-делу́шка** *s.* (*gpl.* -шек) trifle, bauble, gewgaw; rubbish || **-де́льник** *s.*, **-ница** *s.* idler, good-for-nothing || **-де́льный** *a.* unoccupied, idle; not important || **-де́льнича-ть** II. *vn.* to idle, to lounge about; to swindle || **-де́нежный** *a.* without money, penniless; ~ **ве́ксель** proforma bill || **-но** *ad.* gratis || **-де́нежье** *s.* lack of money || **-де́тный** *a.* childless, without issue || **-де́ятельный** *a.* inactive, idle, lazy.
бе́з/дна *s.* abyss; hell; (*fig.*) enormous quantity a great deal (of), a world (of) || **-до́ждица** & **-до́ждие** *s.* drought || **-до́ждный** *a.* rainless, dry, arid || **-доказа́тельный** *a.* not provable, not proved || **-до́лье** *s.* misfortune, misery || **-до́мный** *a.* homeless || **-до́нный** *a.* bottomless, unfathomable, deep || **-доро́жный** *a.* impassable || **-ду́шный** *a.* soulless, lifeless, dead; hard-hearted; unscrupulous || **-дыха́нный** *a.* breathless, lifeless.
без/жа́лостный *a.* unmerciful, pitiless, cruel || **-жённый** *a.* (of a man) unmarried, single, widower || **-забо́тливость** *s. f.* unconcernedness, carelessness || **-забо́тный** *a.* free from care, careless, unconcerned || **-заве́тный** *a.* wild, free; unrestrained || **-зави́стный** *a.* unenvious, free from envy || **-зако́нный** *a.* lawless; illegal, unlawful || **-защи́тный** *a.* unprotected, defenceless || **-звёздный** *a.* starless, clouded, dark || **-зву́чный** *a.* soundless, mute, dull; ~ **го́лос** *a.* hollow voice || **-земе́льный** *a.* landless || **-зу́бый** *a.* toothless; (*fig.*) powerless.
без/ла́дица *s.* disorder, confusion; brawl, dispute, discord || **-ли́ст(вен)ный** *a.* leafless || **-ли́чный** *a.* impersonal || **-ле́сный** *a.* treeless, woodless || **-лу́нный** *a.* moonless || **-лю́дный** *a.* thinly peopled, uninhabited || **-ме́здный** *a.* gratis, gratuitous || **-ме́н** *s.* steel-yard || **-ме́рный** *a.* immense, infinite, immeasurable, enormous || **-ме́стный** *a.* out of work, jobless, unemployed || **-мо́зглый** *a.* brainless, stupid, silly || **-мо́лвие** *s.* silence, quiet, calm || **-мо́лвный** *a.* silent, quiet, taciturn || **-мо́лвство+вать** II. *vn.* to remain silent, to keep quiet || **-мяте́жный** *a.* quiet, tranquil, undisturbed.
без/надёжность *s. f.* hopelessness, desperate state || **-надёжный** *a.* hopeless, desperate || **-нака́занный** *a.* unpunished, exempt from punishment || **-насле́дный** *a.* without heirs || **-нача́лие** *s.* anarchy, lawlessness || **-нача́льный** *a.* without a beginning, eternal || **-но́гий** *a.* legless, footless || **-но́сый** *a.* noseless || **-нра́вственный** *a.* indecent, immoral.
без/о́блачный *a.* cloudless, clear, serene || **-обра́зие** *s.* ugliness, indecency, impropriety || **-обра́з=ить** I. 1. *va.* (*Pf.* о-) to disfigure, deform || **-обра́зный** *a.* ugly, deformed; disorderly, indecent || **-опа́сный** *a.* safe, secure; not dangerous || **-ору́жный** *a.* unarmed || **-остано́вочный** *a.* uninterrupted, ceaseless || **-отве́тный** *a.* silent, shy; assiduous, patient || **-отве́тственный** *a.* not responsible, irresponsible || **-отговоро́чно** *ad.* without an excuse || **-отлага́тельный** *a.* urgent, brooking no delay,

pressing || **–отлу́чный** *a.* uninterrupted, continual, permanent || **–отра́дный** *a.* inconsolable, disconsolate, gloomy || **–отчётный** *a.* irresponsible; arbitrary; involuntary || **–оши́бочный** *a.* faultless, correct, exact, infallible.

без/ра́достный *a.* joyless, sad || **–разде́льный** *a.* indivisible, undivided || **–разли́чный** *a.* indifferent, uniform, equal || **–рассу́дие** *s.* lack of deliberation, thoughtlessness, imprudence, indiscretion || **–рассу́дный** *a.* thoughtless, giddy, rash, indiscreet || **–расчётный** *a.* rash, thoughtless, uncalculating || **–ро́гий** *a.* without horns, hornless, poll- || **–ро́дный** *a.* orphan, without relatives || **–ро́потный** *a.* quiet, humble, resigned || **–рука́вка & –рука́вник** *s.* a sleeveless coat || **–рука́вный** *a.* sleeveless || **–ру́кий** *a.* handless, armless.

без/убы́точный *a.* undamaged, without loss || **–уде́ржный** *a.* irresistible, impetuous || **–укори́зненный** *a.* blameless, irreproachable || **–у́ме-ть** II. *vn.* (*Pf.* о-) to lose one's senses, to become mad || **–у́мец** *s.* (*gsg.* -мца), **–у́мица** *s.* idiot, fool, simpleton, madman || **–у́мнича-ть** II. *vn.* to play the fool || **–у́мный** *a.* idiotic, foolish, mad, insane || **–умо́лкно** *ad.* uninterruptedly, ceaselessly, incessantly || **–у́мство+вать** II. *vn.* to act idiotically, to play the fool || **–упре́чный** *a.* blameless, irreproachable || **–уря́дица** *s.* confusion, disorder || **–усло́вный** *a.* unconditional, implicit, absolute || **–успе́шный** *a.* unsuccessful, useless || **–уста́льный** *a.* untiring, tireless || **–у́сы** *a.* without a moustache; beardless (of corn) || **–уте́шный** *a.* inconsolable, disconsolate || **–у́хий** *a.* earless; without a handle || **–уча́стный** *a.* unfeeling, indifferent.

без'язы́чный *a.* (*sl.*) speechless, silent.

без/ыз'я́тный *a.* without exception || **–ымённый** *a.* nameless, anonymous.

бека́с *s.* snipe.

беке́ш/ & –а *s.* laced fur-lined coat.

белена́ *s.* hen-bane; **он об'е́лся –ы́** he is a bit mad.

бе́л/енький *a.* prettily white, nice and white || **–е́ние** *s.* bleaching || **–е́соватый** *a.* whitish.

беле́-ть II. *vn.* (*Pf.* по-) to become white, pale; to blanch; to fade, to wash out (of colours) || **~ся** *vn.* to shimmer whitely.

бел/ёхонек (**-нька́**, -нько) *a.* snow-white || **–е́ц** *s.* [a] (*gsg.* -льца́) novice (in monasteries).

белиберда́ *s.* nonsense, tomfoolery.

бел/изна́ *s.* paleness, pallor || **–и́ла** *s. npl.* white cosmetic || **–и́льница** *s.* cosmetic box.

бели́=ть II. [a 1.] *va.* (*Pf.* вы-, по-, на-) to bleach (linen), to whitewash (walls) || **~ся** *vr.* (*Pf.* на-) to powder the face white || **~** *vn.* to bleach (of linen).

бе́личий (-ья, -ье) *a.* squirrel's.

бе́лка *s.* (*gpl.* -лок) squirrel.

белкови́на *s.* white of an egg, albumen.

белладо́нна *s.* belladonna.

беллетри́ст *s.* belletrist.

бело/боро́дый *a.* white-bearded || **–бры́сый** *a.* very fair, with white eyebrows and eyelashes || **–брю́хий** *a.* white-bellied || **–ва́тый** *a.* whitish, rather white || **–воло́сый** *a.* white-haired || **–вщи́к** *s.* [a] skinner || **–голо́вый** *a.* white-headed || **–гри́вый** *a.* white-maned || **–кали́льный** *a.* white-hot || **–ка́менный** *a.* white-walled || **–ку́рый** *a.* blond, fair, fair-haired.

бело́к *s.* [a] (*gsg.* -лка́) white (of the eye, of an egg); (*in pl.*) goggle-eyes.

бело/ли́цый *a.* white-faced || **–мо́йка** *s.* washer-woman, laundress || **–па́шец & –поме́стец** *s.* peasant exempt from socage service || **–ри́зец** *s.* (*gsg.* -зца) secular priest || **–ру́чка** *s. m&f.* (*gpl.* -чек) idler, lazy-bones || **–ры́бица** *s.* white salmon || **–те́лый** *a.* white-skinned || **–шве́йка** *s.* (*gpl.* -шве́ек) & **–шве́я** *s.* needle-woman, seamstress.

белу́/га *s.* sturgeon || **–жина** *s.* the flesh of the sturgeon || **–жий** (-ья, -ье) *a.* sturgeon's.

бе́лый *a.* white; grey-haired; pure; **–ое духове́нство** the secular clergy; **–ое ору́жие** side-arms; **–ая куха́рка** head-cook; **–ые стихи́** unrhymed verses, blank verse; **~ свет** the wide wide world.

бельё *s.* [a] linen (for or from the wash); **спи́сок белью́** *or* **белья́** laundry list.

бельме́с *s.*, **ни –а** absolutely nothing.

бельмо́ *s.* [d] cataract (in the eye); (*in pl.*) **–́ы** goggle-eyes *pl.*

бельэта́ж *s.* first storey; (*theat.*) dress-circle.

беля́к *s.* [a] white hare; crest of foam.

бенефи́с *s.* benefit; (*theat.*) benefit-performance.

бензи́н *s.* benzine, petrol.

бенуа́р *s.* (*theat.*) baignoire, box on level of the stalls.

бе́рдо *s.* weaver's reed, comb.

бéрег/ *s.* [b] bank (of a river), coast || **-ý, -éсь, -éтесь** *cf.* **берéчь.**
берёжая *s.* mare in fool.
береж/ёный *a.* protected; careful || **-лéвость** *s. f.* economy, frugality, parsimony || **-лéвый** *a.* economical, frugal.
бéрежный *a.* careful, cautious; frugal.
берёз/а *s.* birch; birch-tree || **-ка** *s.* (*gpl.* -зок) *dim. of* берёза.
берéз/ник *s.* birch wood || **-няк** *s.* [a] birch-grove.
берёзовый *a.* birchen, birch-.
берéйтор *s.* horse-trainer, horse-breaker; riding-master.
берéм/ене-ть II. *vn.* (*Pf.* за-, о-) to become pregnant, to conceive || **-енность** *s. f.* pregnancy, gestation || **-енная** *a.* pregnant; with child.
бéрест *s.* elm, elm-tree.
берёста *s.* outer birch-bark.
берестня́к *s.* [a] elm-grove, grove of elms.
берéчь 15. *va.* (*Pf.* по-) to guard, to take care of; to spare, to save (money); to keep || **~ся** *vr.* to take care, to be on one's guard.
бéрковец *s.* (*gsg.* -вца) = 10 Russian [puds = 350 lbs.
бéркут *s.* golden eagle.
берли́н *s.* berlin (four-wheeled carriage).
берлóга *s.* (bear's) den.
берý *cf.* **брать.**
бéр/це, -цó *s.* [d] shin-bone, shin, tibia.
бес *s.* devil, Satan.
бесéд/а *s.* conversation; company; sermon || **-ка** *s.* (*gpl.* -док) bower, arbour, summer-house || **-о+вать** II. *vn.* (*Pf.* по-) to converse, to chat, to gossip; to preach || **-ование** *s.* conversation; preaching.
бесёнок *s.* (*pl.* -еня́та) young devil, naughty child.
бес=и́ть I. 3. [c] *va.* (*Pf.* вз-) to enrage, to vex, to provoke, to madden || **~ся** *vn.* to fly into a passion, to rave, to rage.
бес/квáсный *a.* not acid, sweet || **-козы́рный** *a.* without a trump || **-колóсый** *a.* earless (of corn) || **-конéчный** *a.* endless; infinite || **-кóнный** *a.* unmounted, horseless || **-кóрмный** *a.* poor in fodder; unfruitful; fruitless || **-кorýстный** *a.* unselfish, disinterested || **-кóстный** *a.* boneless || **-крóвельный** *a.* roofless || **-крóвный** *a.* anaemic, bloodless; unbloody; homeless || **-кры́лый** *a.* wingless, unfledged.
бес/новáтый *a.* possessed, demoniac || **-но+вáться** II. [b] *vn.* to be possessed; to fume, to bluster, to rage || **-óвский** *a.* devilish, diabolical, fiendish || **-óвщи́на** *s.* devilry, devilment.
бес/пáмятность *s. f.* forgetfulness || **-пáмятный** *a.* forgetful || **-пáмятство** *s.* forgetfulness; unconsciousness || **-пардóнный** *a.* merciless, cruel || **-пёрый** *a.* featherless, unfledged || **-пéчный** *a.* careless, care-free, unconcerned || **-плáтный** *a.* gratis, gratuitous, free || **-плóдный** *a.* unfruitful, sterile; fruitless || **-плóтный** *a.* bodyless, incorporeal || **-поворóтный** *a.* irretrievable, irreparable; irrevocable || **-подóбный** *a.* incomparable, peerless, matchless || **-покó=ить** II. *va.* (*Pf.* о-) to disquiet, to disturb; to alarm, to make uneasy || **~ся** *vr.* to be anxious about, to be alarmed; to trouble o.s. about; **не -покóйтесь!** don't trouble || **-покóйный** *a.* uneasy, restless; uncomfortable; tiresome; turbulent || **-покóйствие** *s.* uneasiness, restlessness; anxiety, trouble; disturbance || **-полéзный** *a.* useless, unprofitable || **-пóлый** *a.* sexless; skirtless; floorless || **-помéстный** *a.* without an estate, landless || **-пóмощный** *a.* helpless || **-попóвщина** *s.* a sect without priests || **-порóчный** *a.* blameless, irreproachable || **-поря́док** *s.* (*gsg.* -дка) disorder, confusion || **-поря́дочный** *a.* disorderly; loose, lax, indecent || **-пóшлинный** *a.* free of duty, duty-free || **-пощáдный** *a.* pitiless, cruel, merciless || **-прáвный** *a.* unjust, illegal || **-предмéтный** *a.* purposeless, aimless || **-предéльный** *a.* boundless, endless, infinite || **-прекослóвный** *a.* uncontested, undeniable, incontrovertible || **-премéнный** *a.* unchangeable; without fail, certain || **-премéнно** *ad.* certainly, without fail || **-препя́тственно** *ad.* without let or hindrance, unhindered || **-преры́вный** *a.* continual, uninterrupted, incessant || **-престáнный** *a.* ceaseless, continual || **-при́быльный** *a.* profitless || **-примéрный** *a.* unexampled, incomparable, matchless || **-пристрáстный** *a.* impartial || **-причи́нный** *a.* unfounded, causeless; unjust || **-приютный** *a.* homeless, unprotected || **-пýтица** & **-пýтие** *s.* impassable roads; confusion, disorder; disorderly life, dissoluteness || **-пýтник** *s.*, **-пýтница** *s.* rake, debauchee; sloven; lewd *or* loose man *or* woman || **-пýтный** *a.* dissolute, loose.

бес/свя́зный *a.* incoherent, disconnected || **–семе́йный** *a.* without family; unmarried, childless || **–си́лие** *s.* weakness, debility, frailty || **–си́льный** *a.* weak, weakened, powerless, ineffectual || **–сла́вие** *s.* dishonour, disgrace || **–сла́в=ить** II. 7. *va.* (*Pf.* о-) to dishonour, to disgrace || **–сла́вный** *a.* dishonoured, dishonourable || **–сле́дный** *a.* trackless, without a trace || **–слове́сный** *a.* speechless, silent || **–сме́нный** *a.* permanent, perpetual || **–сме́ртность** *s.f.* immortality || **–сме́ртный** *a.* immortal, undying || **–сме́тный** *a.* immeasurable; numberless; without estimate (of costs) || **–смы́сленный** *a.* senseless, absurd, nonsensical || **–смы́слица** *s.* nonsense, absurdity || **–сне́жный** *a.* snowless || **–со́вестный** *a.* unprincipled, unscrupulous || **–созна́тельный** *a.* unconscious, involuntary || **–со́нница** *s.* sleeplessness || **–со́нный** *a.* sleepless || **–спо́рный** *a.* incontestable, indisputable || **–сре́бреник** *s.*, **–ница** *s.* unselfish person || **–сро́чный** *a.* indefinite; unspecified (as to time); lifelong || **–стра́стный** *a.* impassionate, indifferent, apathetic || **–стра́шный** *a.* intrepid, undaunted, fearless || **–стру́нный** *a.* stringless || **–сты́дный** *a.* impudent, shameless, cheeky || **–сты́дство** *s.* impudence, shamelessness; (*fam.*) cheek || **–счётный** *a.* innumerable, numberless, countless.

бес/тала́нный *a.* unfortunate, unlucky || **–теле́сный** *a.* incorporeal, immaterial || **–толко́вщина** *s.* absurdity, nonsense || **–толко́вый** *a.* nonsensical; unintelligible; stupid || **–́толочь** *s. f.* nonsense || **–трево́жный** *a.* calm, undisturbed || **–тре́петный** *a.* fearless, undaunted || **–те́нный** *a.* shadeless, shadowless || **–тя́гостный** *a.* light, bearable.

бес/хара́ктерный *a.* lacking in character || **–хво́стый** *a.* tailless || **–хи́тростный** *a.* honest, straightforward, artless || **–хле́бица** *s.* lack of bread, failure of crops || **–хле́бный** *a.* lacking in bread; unfruitful, barren || **–цве́тный** *a.* flowerless, colourless || **–це́льный** *a.* aimless, purposeless || **–це́нный** *a.* priceless; invaluable; worthless, cheap || **–це́нок** *s.* (*gsg.* -нка) ridiculously low price; (*fam.*) a song; worthless article; **прода́ть за ~** to sell for a song || **–ча́дный** *a.* (*sl.*) childless || **–челове́чный** *a.* inhuman, cruel || **–че́стие** *s.* dishonour, degradation, ignominy || **–че́ст=ить** I. 4. *va.* (*Pf.* о-) to dishonour, to disgrace || **–че́стный** *a.* dishonourable, unscrupulous; shameful, vile, base || **–чи́нный** *a.* improper, indecent, indecorous || **–чи́нство+вать** II. *vn.* to act indecorously, to misconduct o.s. || **–чино́вный** *a.* without rank || **–чи́сленный** *a.* innumerable, countless || **–чу́вственность** *s. f.*, **–чу́вствие** *s.*, **–чу́вство** *s.* heartlessness, unfeelingness; insensibility || **–чу́вственный** *a.* heartless, unfeeling; insensible || **–шаба́шный** *a.* restless; careless || **–шёрстный** *a.* hairless, without wool || **–шу́точно** *ad.* in earnest.

бето́н *s.* concrete.

беч/ева́ *s.* hawser, tow-rope || **–е+ва́ть** I. [b] *va.* to tow, to haul, to have in tow || **–ева́я** *s.* tow-path || **–ёвка** *s.* (*gpl.* -вок) twine, string || **–евни́к** *s.* tow-path || **–ево́й** *a.* tow-, towing.

бе́ш/енство *s.* insanity, frenzy, madness; delirium; boisterousness, wildness || **–еный** *a.* insane, possessed; delirious, raging, furious || **–у́** *cf.* **беси́ть.**

библе́йский *a.* biblical.

библио/гра́ф *s.* bibliographist || **–графи́ческий** *a.* bibliographical || **–гра́фия** *s.* bibliography || **–ма́н** *s.* bibliomaniac || **–те́ка** *s.* library || **–те́карь** *s. m.* librarian || **–те́чка** *s.* (*gpl.* -чек) small library || **–фи́л** *s.* bibliophile.

би́блия *s.* the Bible, the Scriptures.

бива́к *s.* bivouac.

бива́ть *iter. of* бить.

бига́мия *s.* bigamy.

бие́ние *s.* beat, beating; palpitation, pulsation.

биле́т/ *s.* ticket, card, railway-ticket, bill, note; **креди́тный ~** banknote || **–ик** *s.* small bill, docket.

биллио́н *s.* billion.

билль *s.m.* (parliamentary) bill.

би́ль/я *s.* billiard-ball || **–я́рд** *s.* billiards *pl.* || **–я́рдная** (*as s.*) billiard-room.

бино́кль *s.m.* (a pair of) binoculars; opera-glass.

бинт/ *s.* [a] (*med.*) bandage, dressing || **–о+ва́ть** II. [b] *va.* (*Pf.* за-) to bandage.

биогра́фия *s.* biography.

биоло́гия *s.* biology.

бипла́н *s.* biplane.

би́рж/а *s.* (stock-)exchange; cab-stand || **–еви́к** *s.* [a] stock-jobber, speculator on 'change || **–ево́й** *a.* (stock-)exchange-.

би́р/ка *s.* (*gpl.* -рок) notched stick, tally || **–юза́** *s.* turquoise || **–юзо́вый** *a.* turquoise || **–ю́к** *s.* [a] the wolf, werwolf ||

-ю́лька *s.* (*gpl.* -лек) blade of straw, spillikin; (*in pl.*) (the game of) spillikins, jack-straws.

би́сер/ *s.* (*sl.*) pearls; glass beads || **-ина** *s.* glass bead || **-ный** *a.* pearly || **-ница** *s.* box for glass beads.

бискви́т *s.* biscuit; bisque.

би́т/ва *s.* battle, encounter || **-ко́м** *ad.*, ~ **наби́тый** crammed full, quite full || **-о́к** *s.* [a] (*gsg.* -тка́) beetle, mallet; club.

бить/ 27. *va.* (*Pf.* по-) to strike, to beat; to kill, to slay; (money) to coin || ~ *vn.* to shoot, to gush forth, to stream || **~ся** *vr.* to fight; to worry o.s. with, to tire o.s. out || **-ё** *s.* beating.

бифште́кс *s.* beefsteak.

бич/ *s.* [b] (long) whip, scourge || **-е+ва́ть** II. [b] *va.* to scourge, to whip.

бла́го/ *s.* (*sl.*) good, welfare || ~ *ad.* well || **-ве́рный** *a.* orthodox || **-вест** *s.* ringing (of church-bell) || **-вест=ить** I. 4. *vn.* (*Pf.* от-) to ring, to toll (of the church-bell) || **-вест=и́ть** I. 4. [a] *vn.* to bring good news || **-ве́стный** *a.*, ~ **ко́локол** *s.* the mass-bell || **-ве́щение** *s.* (feast of) the Annunciation, Lady-day (25th March) || **-ви́дный** *a.* pretty; seemingly good, probable, plausible || **-вsле́ние** *s.* affection, kindness, clemency, benevolence || **-вол=и́ть** II. *vn.* (*Pf.* со-) to deign, to condescend, to be pleased to; (к + *D.*) to favour || **-во́ние** *s.* fragrance, aroma || **-во́нный** *a.* fragrant, aromatic || **-воспи́танный** *a.* well-bred || **-вре́менно** *ad.* opportunely, at the right time || **-гове́йный** *a.* devout, pious, reverent, respectful || **-гове́ние** *s.* devotion, piety; veneration || **-гове́-ть** II. *vn.* (пе́ред + *I.*) to revere, to venerate || **-даре́ние** *s.* thanks, thanksgiving || **-дар=и́ть** II. [a] *va.* (*Pf.* по-, от-) (кого́ за + *A*) to thank; **-даря́** (+ *D.*) thanks to || **-да́рность** *s. f.* thankfulness, gratitude; thanks || **-да́рный** *a.* thankful, grateful || **-да́тный** *a.* beneficial, blessed; beatified || **-да́ть** *s.f.* blessing, mercy, favour; abundance || **-де́нственный** *a.* happy, prosperous || **-де́нство+вать** II. *vn.* to thrive, to be prosperous || **-де́тель** *s. m.* benefactor || **-ница** *s.* benefactress || **-де́тельный** *a.* beneficent; beneficial || **-де́тельство+вать** II. *vn.* (*Pf.* о-) (кому́ чем) (*sl.*) to do good, to be beneficent || **-дея́ние** *s.* kindness, beneficence, favour, grace || **-ду́шный** *a.* kind, benevolent, benign || **-жела́тель** *s. m.*, **-ница** *s.* well-wisher, patron || **-зву́чие** *s.* euphony, harmony || **-зву́чный** *a.* euphonic.

благо́й *a.* good, kind, virtuous; obstinate, headstrong; ugly.

благо/изво́л=ить II. *vn.* to like (to), to choose, to condescend || **-ле́пный** *a.* magnificent, elegant || **-мы́сленный** & **-мы́слящий** *a.* well-meaning, well-intentioned || **-надёжный** *a.* hopeful; dependable, sure, trusty || **-наме́ренный** *a.* well-meaning, with good intentions || **-нра́вие** *s.* morality, decency, good behaviour || **-нра́вный** *s.* moral, decent, well-behaved || **-обра́зный** *a.* good-looking, beautiful || **-полу́чие** *s.* happiness, felicity || **-полу́чный** *a.* happy, felicitous, fortunate || **-прили́чный** *a.* becoming, decorous, decent || **-приобре́тенный** *a.* well-gained || **-прия́тель** *s.m.* good friend || **-прия́тный** *a.* pleasant; favourable, propitious || **-разу́мие** *s.* wisdom, prudence || **-разу́мный** *a.* wise, prudent || **-рассмотре́ние** *s.* expert opinion || **-рассужда́-ть** II. *vn.* (*Pf.* -рассу́д=ить I. 1. [c 1.]) to consider, to weigh carefully || **-расположе́ние** *s.* good-will, favour || **-располо́женный** *a.* well-disposed, propitious || **-растворённый** *a.* healthy, salubrious (of the air) || **-речи́вый** *a.* eloquent || **-ро́дие** *s.* noble birth, nobility; **Ва́ше** ~ Your Honour || **-ро́д=ить** I. 1. *va.* to ennoble || **-ро́дный** *a.* noble, aristocratic, of gentle birth || **-ро́дство** *s.* nobility, gentle birth || **-скло́нность** *s. f.* kindness, goodwill, indulgence || **-скло́нный** *a.* (к + *D.*) kind, indulgent (to) || **-слове́ние** *s.* benediction, blessing; consent || **-слове́нный** *a.* blessed || **-словля́-ть** II. *va.* (*Pf.* -слов=и́ть II. 7. [a]) to bless, to give one's blessing; to consecrate, to permit, to bestow || **-состоя́ние** *s.* wellbeing, welfare.

бла́гост/ный *a.* gracious, kind || **-ь** *s. f.* kindness, graciousness.

благо/творе́ние *s.* charity, beneficence || **-твори́тель** *s. m.* benefactor; **-ница** *s.* benefactress || **-твори́тельный** *a.* charitable, beneficent || **-твор=и́ть** II. [a] *vn.* to do good, to perform works of charity || **-уго́дный** *a.* agreeable, pleasant || **-усмотре́ние** *s.* opinion, consideration, judgment || **-успе́шный** *a.* successful || **-устро́енный** *a.* well-arranged, well-organized || **-устро́йство** *s.* good order, good arrangement

|| **–уха́нный** *a.* fragrant, odoriferous || **–чести́вый** *a.* godfearing, pious, devout || **–че́стие** *s.* piety, devotion || **–чи́ние** *s.* order; respectability, decency, decorum || **–чи́нный** *a.* respectable, orderly.

блаж/е́нный *a.* blessed, happy, blissful || **–е́нство** *s.* blessedness, blissfulness || **–е́нство+вать** II. *vn.* to be in a state of bliss. [unruly, capricious.

блаж=и́ть I. [a] *vn.* to be wanton, wild,

блаж/ли́вость *s.f.* wantonness, unruliness, capriciousness || **–но́й** *a.* wanton, wild, capricious.

блажь *s.f.* unruliness; petulance; nonsense, madness; caprice, folly.

бланке́т *s.* blanket; carte-blanche.

бланк/ *s.* blank, form; blank endorsement || **′овый** *a.* blank. [mery.

бланманже́ *s. indecl.* blancmange, flum-

блева́ние *s.* vomiting, puking.

бле+ва́ть II. [a] *vn.* (*Pf.* с-) to vomit, to puke, to spew.

блево́т/а *s.* a fit of vomiting || **–ина** *s.* vomit, substance vomited.

бле́д/ненький *a.* somewhat pale || **–нёхонек** (-нька, -нько) *ad.* pale (as death), deathly pale || **–нова́тый** *a.* somewhat pale, slightly pallid || **–поли́цый** *a.* palefaced || **–ность** *s. f.* paleness, pallor || **–ный** *a.* pale, pallid, wan.

бледне́-ть II. *vn.* (*Pf.* по-) to pale, to grow pallid, to grow *or* turn pale.

блёк/лый *a.* faded, pale, washed out || **–нуть** I. 52. *vn.* (*Pf.* по-) to blanch, to fade.

блеск *s.* gleam, lustre, glimmer.

блесна́ *s.* [d] (tin fish as) bait.

блесну́ть *cf.* **блесте́ть.**

блёстка *s.* (*gpl.* -ток) tinsel, spangle.

блест‹е́ть I. 4. [a 1.] *vn.* (*Pf.* за-, *mom.* блесн-у́ть I. [a]) to gleam, to shine.

бле́яние *s.* bleating.

бле-я́ть II. [c] *vn.* (*Pf.* за-) to bleat.

ближа́йший *sup. of* бли́зкий.

бли́ж/е *ad.&pdc.* nearer; **как мо́жно** ~ as near as possible || **–ний** *a.* near; (*as s.*) neighbour. [vicinity of.

близ *prp.* (+ *G.*) near, close to, in the

бли́з=ить I. 1. *va.* (*Pf.* при-) (к + *D.*) to bring near to || **~ся** *vr.* to approach, to draw near.

бли́з/кий (*pdc.* бли́же, *sup.* ближа́йший) (к + D.) near, at hand || **–не́ц** *s.* [a] twin || **–ору́кий** *a.* short-sighted, nearsighted, myopic || **–ость** *s. f.* nearness, closeness, proximity.

блин/ *s.* [a] pancake || **–о́к** *s.* [a] (*gsg.* -нка́) & **–о́чек** *s.* (*gsg.* -чка) small pancake.

блиста́-ть II. *vn.* to shine, to gleam, to glitter. [magnificent.

блиста́тельный *a.* gleaming, glittering;

блок/ *s.* block, pulley || **–а́да** *s.* blockade || **–иро+ва́ть** II. [b] *va.* to blockade, to obstruct.

бло́нд/а *s.* (*us. in pl.*) silk, lace, blondelace || **–и́н** *s.*, **–и́нка** *s.* (*gpl.* -нок) fairhaired person, a blond *m.*, a blonde *f.* || **–и́нчик** *s.*, **–и́ночка** *s.* (*gpl.* -чек) *dim.* a blond, a blonde || **–овый** *a.* of blonde-

блоха́ *s.* [e] flea. [lace.

бло́шка *s.* (*gpl.* -шек) *dim.* flea.

блуд *s.* fornication, lechery, lewdness.

блуд=и́ть I. 1. [a] *vn.* to lead a dissolute life, to fornicate; to play pranks.

блуд/ни́к *s.* [a] debauchee, dissolute man || **–ни́ца** *s.* dissolute woman || **′ный** *a.* dissolute, lewd, loose; ~ **сын** (*bib.*) the Prodigal Son || **′ня** *s.* (*us. in pl.*) prank, mad trick.

блужда́-ть II. *vn.* (*Pf.* про-) to err, to wander, to stroll, to roam.

блу́за *s.* blouse, workman's smock-frock; (billiards) pocket.

блюде́ние *s.* observation, perception.

блю́д/ечко *s.* (*gpl.* -чек) small dish; **ча́йное** ~ saucer || **–о** *s.* dish; course || **–оли́з** *s.*, **–оли́зница** *s.* parasite, sponge, toady || **–у́** *cf.* **блюсти́** || **–це** *s. dim.* small

блю́ешь *cf.* **блева́ть.** [dish, bowl.

блюсти́ 22. [a 2.] *va.* (*Pf.* со-) to observe, to watch over; to keep, to preserve.

блюсти́тель/ *s. m.*, **–ница** *s.* observer, keeper, guardian || **–ный** *a.* vigilant,

блюю́ *cf.* **блева́ть.** [watchful.

бля́дь *s.f.* whore.

бля́/ха *s.* tin-plate; (brass) plate, badge, ticket || **–ш(еч)ка** *s.* (*gpl.* -ш[еч]ек) *dim. of prec.* [boa.

бо́а *s.m. indecl.* boa(-constrictor); (fur-)

боб/ *s.* [a] bean || **–ёр** *s.* [a] (*gsg.* -бра́) beaverskin; beaver || **–и́на** *s.* bean pod; bobbin || **–и́нка** *s.* (*gpl.* -нок) bean; reel (of cotton thread) || **–ови́на** *s.* beanplant || **–о́вник** *s.* dwarf almond, wild peach || **–р** *s.* [a] beaver; **морско́й** ~ seaotter || **–ро́вый** *a.* beaver's, beaver- || **–ы́ль** *s. m.* [a], **–ы́лка** *s.* (*gpl.* -лок) landless peasant.

Бог *s.* [c] (*V.* Бо́же) God, a (heathen) god; **ей Бо́гу!** by God! **дай** ~! God grant that . . ., would to God that . . .; **сла́ва Бо́гу** thanks be to God.

богаде́ль/ный *a.*, ~ **дом** *or* **–ня** almshouse, poor-house.
богате́-ть II. *vn.* (*Pf.* раз-) to grow, to become rich.
богат=и́ть I. 6. [a] *va.* (*Pf.* о-) to enrich.
бог/а́тство *s.* wealth, riches || **–а́тый** *a.* (*comp.* бога́че & богате́е) rich, wealthy || **–аты́рь** *s. m.* [a] hero, warrior || **–аты́рский** *a.* heroic || **–а́ч** *s.* [a] a rich man || **–а́че** *pdc. of* бога́тый || **–а́чка** *s.* (*gpl.* -чек) a rich woman || **–и́ня** *s.* goddess.
бого/боязли́вый & **–боя́з(нен)ный** *a.* godfearing, pious || **–вдохнове́нный** *a.* divinely inspired || **–ви́дный** *a.* godlike || **–держа́вие** *s.* theocracy || **–ма́з** *s.* bad painter of sacred pictures || **Б–ма́терь** *s. f.* the mother of God, Our Lady || **–ме́рзкий** *a.* godless, impious, infamous || **–мо́л** & **–мо́лец** *s.* (*gsg.* -льца) devotee; pilgrim; **–мо́лица** & **–мо́лка** *s.* (*gpl.* -лок) devotee, pilgrim || **–мо́лье** *s.* prayer; pilgrimage || **–мо́льный** *a.* devout, pious || **–отсту́пник** *s.*, **–ница** *s.* apostate || **–подо́бный** *a.* godlike || **–позна́ние** *s.* knowledge of God || **–почита́ние** *s.* divine worship || **–проти́вный** *a.* godless, impious || **Б–ро́дица** *s.* Our Lady, the mother of God || **–сло́в** *s.* theologian, divine || **–сло́вие** *s.* theology, divinity || **–служе́бный** *a.* of the divine service, mass- || **–служе́ние** *s.* divine service, the mass || **–твор=и́ть** II. [a] *va.* (*Pf.* о-) to deify, to idolize || **–уго́дник** *s.* a just man, a saint; **–ница** *s.* a just woman, a saint || **–уго́дный** *a.* pious, pleasing in the sight of God || **–храни́мый** *a.* protected by God || **–ху́льник** *s.*, **–ница** *s.* blasphemer || **–ху́льнича-ть** II. *vn.* to blaspheme || **–ху́льство** *s.* blasphemy || **Б–явле́ние** *s.* the Feast of the Epiphany, Twelfth Day.
бода́-ть II. *va.* (*Pf.* за-, *mom.* бодн-у́ть I. [a]) to butt, to gore (with the horns).
бодли́вый *a.* fond of butting.
бодмере́я *s.* (*comm.*) bottomry.
бодну́ть *cf.* **бода́ть.**
бодр=и́ть II. [a] *va.* (*Pf.* о-) to encourage, to cheer up || **~ся** *vr.* to take courage, to pluck up heart; to boast.
бо́др/ость *s. f.* alertness; courage; vigour, activity || **–ство+вать** II. *vn.* to be awake, to be alert; to stay up (the night) || **–ый** *a.* alert, vigilant; courageous; fresh, vigorous.
боево́й *a.* battle-, war-; striking.
бое́ц *s.* [a] (*gsg.* -ойца́) champion, fighter, swordsman; **кула́чный ~** boxer, pugilist, prize-fighter.
божба́ *s.* swearing, oath, asseveration.
Бо́же *cf.* **Бог.**
бо́ж/еский & **–е́ственный** *a.* divine || **–ество́** *s.* divinity || **–ий** *a.* God's, of God, divine.
бож=и́ться I. [a & c] *vn.* to swear, to asseverate.
божни́ца *s.* shrine; chapel; heathen temple.
божо́к *s.* [a] (*gsg.* -жка́) small idol.
бой/ *s.* battle, fight, encounter; **брать бо́ем** to take by storm; **кула́чный ~** boxing-match || **_́кий** *a.* (*comp.* бойче́е & бо́йче) nimble, ready, adroit; smart, lively; (ме́сто) frequented || **_́кость** *s. f.* alertness, adroitness || **–коти́ро+вать** II. *va.* to boycott, to outlaw || **–ни́ца** *s.* loop-hole, embrasure || **_́ня** *s.* (*gpl.*-бен) slaughter-house; (*fig.*) massacre, butchery, carnage || **–че́е** *comp. of* бо́йкий.
бок/ *s.* [b ♀] side; **на́ ~, бо́ком** sideways, laterally; **~ о́ ~** side by side || **–а́л** *s.* goblet, (champagne) glass || **–а́льчик** *s.* small goblet || **–ово́й** *a.* lateral, side- || **–с** *s.* a boxing-match, pugilism, prize-fighting || **–сёр** *s.* boxer, pugilist, prize-fighter || **–си́ро+вать** II. *vn.* to box.
болва́н/ *s.* wig-block; (*fam.*) idiot, blockhead || **–ка** *s.* (*gpl.* -нок) ingot of iron.
бо́лверк *s.* bulwark, bastion.
болево́й *a.* painful.
бо́лее *ad.* (*comp.* of мно́го) more, longer.
боле́/зный *a.* unfortunate; pitiable; compassionate || **–знь** *s. f.* illness, sickness, malady.
боле́-ть II. *vn.* (+ *I.*) to be ill, to suffer from; (о + *G.*) to be anxious about.
бол=е́ть II. [a] *v.imp.* to ache, to pain; **у меня́ голова́ боли́т** I have a headache.
бо́ло́н/ь *s. f.* (*bot.*) sap-wood, alburnum || **–а́** *s.* knob, knot (in trees) || **_́ка** *s.* (*gpl.* -нок) lap-dog.
боло́т/ина *s.* a marshy spot || **–истый** *a.* marshy, boggy, fenny, swampy || **–ный** *a.* moor-, bog- || **–о** *s.* moor, fen, swamp, morass.
болт *s.* [a] bolt, rivet, pin.
болта́-ть II. *va.* (*Pf.* вз-) to shake; to whisk, to whip (cream, eggs, etc.) || **~ся** *vr.* to totter, to shake, to dangle; to lounge about; (*Pf.* на-, по-, вы-, *mom.* болтн-у́ть I. [a]) to chatter, gossip, babble, prate.
болт/ли́вый *a.* loquacious, chattering || **–овня́** *s.* chatter, gossip, chit-chat || **–у́н**

s. [a] chatter-box; addle-egg; (*fig.*) failure || **-ýнья** s. (female) chatter-box.
боль/ s.f. pain, ache || **-ни́ца** s. hospital, infirmary || **-ни́чный** a. hospital- || **ˊ-но** ad. painfully; (*fam.*) very, awfully || **-нóй** a. sick, ailing; (*as s.*) patient || **-шáк** s. [a] (*vulg.*) eldest son; village elder || **ˊ-ше** (*comp. of* мнóго & *pdc. of* большóй & вели́кий) greater, more; ~ **всегó** most of all || **-шинствó** s. majority, the most || **ˊ-ший** (*comp. of* большóй & вели́кий) greater, larger; **ˊ-шею чáстью** for the most part, chiefly || **-шóй** a. (*pdc.* бóльше) big, great, large, grown-up || **-шýщий** a. (*fam.*) exceedingly large, enormous.
болячка s. (*gpl.* -чек) scab, scurf.
бóмба/ s. bomb. bomb-shell || **-рдировáние** & **-рдирóвка** s. (*gpl.* -вок) bombardment || **-рди́ро+вáть** II. [b] va. to bombard, to bomb, to shell.
бонбоньéрка s. (*gpl.* -рок) box for sweets.
бонд/áрня s. (*gpl.* -рен) cooperage || **-áрь** s. m. [a] cooper.
бóнна s. (children's) nurse, nursemaid.
бонтóн s. bon-ton, good breeding.
бор s. taking; demand (for goods); coniferous forest.
бордó s. *indecl.* Bordeaux (wine), claret.
бордю́р s. border, trimming; frame.
борéй s. Boreas, the North wind.
борéц s. [a] (*gsg.* -рцá) wrestler, fighter.
борзóй a. speedy, fast (of dogs); **борзáя собáка** greyhound.
бóрзый a. fast (of horses).
бормот-áть I. 2. [c] vn. (*Pf.* про-) to murmur, to mutter, to grumble to o.s.
бормотýн/ s. [a], **-ья** s. mutterer, grumbler.
бóров/ s. (castrated) boar || **-и́к** s. [a] the yellow boletus, edible mushroom || **-óк** s. [a] (*gsg.* -вкá) young pig, small boar.
бород/á s. [f] beard || **-áвка** s. (*gpl.* -вок) wart || **-áтый** a. bearded || **-áч** s. [a] full-bearded man.
борóд(оч)ка s. (*gpl.* -óдок, -óдочек) small beard; key-bit.
бородобрéй s. barber.
бородóк s. [a] (*gsg.* -дкá) punch.
бороздá s. [f] furrow, trench.
борозд=и́ть I. 1. [a] va. (*Pf.* вз-) to furrow, to dig furrows, to ridge; ~ **мóре** to plough the sea.
борóздчатый a. furrowed, full of furrows.
боронá s. [f] harrow.
борон=и́ть II. [a] va. (*Pf.* вз-) to harrow.
бор-óться II. [c] vr. (*Pf.* по-) to struggle, to contend.
борт/ s. border, hem; (billiard) cushion; (*mar.*) board || **-овóй** a. (*mar.*) board-.
борть s.f. [c] wild bees' nest (in a tree-hollow); beehive.
борщ s. [a] beetroot soup.
бóры́ s. *mpl.* [b] folds (in a dress).
борьбá s. struggle, strife.
босикóм ad. barefoot.
босóй a. barefooted, barelegged.
босо/нóгий a. barefooted, barelegged || **-нóжка** s. *m&f.* (*gpl.* -жек), barefooted person || **-тá** s. barefootedness; (*fig.*) extreme poverty.
бостóн s. (*cards*) boston.
босяк s. [a] barefooted person; vagabond, tramp.
ботáн/ик s. botanist || **-ика** s. botany.
бот s. boat; lighter.
ботв/á s. beetroot leaves; leaves and stalks of other vegetables || **-и́нья** s. cold beetroot soup.
ботéлый a. fat, stout, corpulent.
бóт/ик s. small boat || **-и́нка** s. (*gpl.* -нок) (lady's) half-boot || **-фóрт** s. (*us. in pl.*) jack-boots || **-ы́** s. *mpl.* [a] (peasant's) rough boots.
бóцман s. boatswain.
бочáр/ s. [a] cooper || **-ный** a. cooper's || **-ня** s. (*gpl.* -рен) cooperage.
бочéн=иться II. vr. (*Pf.* под-) to lie down on one's side; to set one's arms akimbo.
бочёнок s. (*gsg.* -нка) s. small barrel, keg.
бóчк/а s. (*gpl.* -чек) cask, barrel || **-óм** ad. sideways.
боязли́вый a. timid, timorous.
боя́знь s.f. fear, timidity.
боя́р/ин s. (*pl.* -я́ре, -я́р, etc.) bojar, noble || **-ский** a. noble, bojar's.
бо=я́ться II. [a] va&n. (*Pf.* по-) to fear, to dread, to be afraid (of).
брави́ро+вать II. vn. to brave, to defy.
брáга s. mash; (home-made) beer.
брадобрéй s. barber.
брáжник s. feaster, reveller; (*fam.*) boozer.
брáжнича-ть II. vn. to carouse, to drink; (*fam.*) to booze.
бразды́ s. *fpl.* bridle, reins, curb.
брак/ s. marriage, matrimony; refuse, trash || **-о+вáть** II. [b] va. (*Pf.* за-, о-) to sort out; to reject (what is bad) || **-овщи́к** s. [a] sorter || **-оразвóдный** a. divorce- || **-осочетáние** s. marriage, wedding.
брамáн s. brahmin.
брáмсель s.m. (*mar.*) main-topgallant sail.

бранд/вáхта *s.* guard-ship || **⌐ер** *s.* (*mar.*) fireship || **–мéйстер** *s.* head fireman.
бран=ѝть II. [a] *va.* (*Pf.* по-) to abuse, to scold, to blame || **~ся** *vr.* to quarrel, to bicker.
бран/лѝвый *a.* quarrelsome || **⌐ный** *a.* abusive; martial, war-.
брáный *a.* fancy, chequered.
браслéт *s.* bracelet.
братá-ться II. *vr.* (*Pf.* по-) to fraternize.
брат *s.* (*pl.* брáтья, -тьев etc.) brother; my dear fellow; **двою́родный, троюродный ~** 1st, 2nd cousin; **~ тóлько по отцу́** *или* **мáтери** half-brother.
брáт/ец *s.* (*gsg.* -тца) *dim.* young brother; my dear fellow! || **–ия** *s.* brotherhood, brethren || **–олю́бие** *s.* love of one's brother *or* neighbour || **–оубѝйство** *s.* fratricide (crime) || **–оубѝйца** *s.* fratricide (person) || **–ский** *a.* fraternal, brotherly || **–ство** *s.* brotherhood, confraternity.
брать 8. [a 3.] *va.* (*Pf.* взять 37. [a], *Fut.* возьму́, -мёшь, etc.) to take, to seize; to receive; (у *or* от + *G.*) to borrow from; **это ружьё берёт далекó** this gun carries far || **~ся** *vn.* to take upon o.s., to undertake; **~ за орýжие** to take up arms.
брáчный *a.* nuptial, matrimonial.
брев/енчáк *s.* high forest || **–нó** *s.* [d] (*pl.* брёвна, -вен) beam, balk.
бред *s.* [°] raving, delirium.
брéд=ить I. 1. *vn.* (*Pf.* за-, с-) to dream, to rave, to be delirious.
брéдни *s.fpl.* nonsense; ravings.
брéзга-ть II. *vn.* (+*I.*) to dislike, to have an aversion to, to loathe.
брезг/лѝвость *s.f.* disgust, aversion || **–лѝвый** *a.* fastidious, squeamish || **–у́н** *s.* [a], **–у́нья** *s.* fastidious *or* dainty person.
брезéнт *s.* tarpaulin.
брéзж=иться I. *vn.* to dawn, to break (of the day); to gleam.
брелóк *s.* trinket, charm.
бремен=ѝть I. [a] *va.* to load, to overburden; to oppress.
брéмя *s. n.* [b] (*gsg.* -мени) burden, load.
брéн/ность *s.f.* transitoriness, fragility || **–ный** *a.* fragile, perishable, transitory.
бренч=áть I. *vn.* [a] (*Pf.* за-, про-) to strum, to thrum (on piano, etc.).
брестѝ & **бресть** 22. [a 2.] *vn.* (*Pf.* по-) to lounge, to shamble.
бретёр *s.* bully, brawler, rowdy.
брех-áть I. 3. [e] *vn.* (*Pf.* [с-]брехн-у́ть I. [a]) to bark, to yelp, to bawl; to tell lies; to talk big, to draw the long bow.
бреш *s.* & **брешь** *s.f.* breach.
бриг *s.* (*mar.*) brig.
бригáд/а *s.* brigade || **–ѝр** *s.* brigadier.
брикéт *s.* briquette.
брѝльня *s.* (*gpl.* -лен) barber's (shop), hairdresser's.
брилья́нт/ *s.* brilliant, diamond || **–овый** *a.* diamond-.
брѝт/ва *s.* razor || **–венный** *a.* shaving-; **~ ремéнь** strop.
брить 30. [b] *va.* (*Pf.* вы́-, по-) to shave || **~ся** *vr.* to shave (o.s.).
бритьё *s.* shaving.
брѝчка *s.* (*gpl.* -чек) a light carriage.
бров/ь *s.f.* [c] eyebrow || **–áстый** *a.* with thick eyebrows.
брод *s.* ford.
брод=ѝть I. 1. [c] *vn.* (*Pf.* по-) to stroll, to wander about.
брод/я́га *s.* *m&f.* stroller, vagabond, tramp || **–я́жество** *s.* tramping, vagabondage. [**–у́** *cf.* **бродѝть.**
брож/éние *s.* strolling; fermentation ||
бром/ *s.* (*chem.*) bromine || **⌐овый** *a.* bromic.
броне/нóсец *s.* (*gsg.* -сца) armour-clad (ship); (*zool.*) armadillo || **–нóсный** *a.* armoured, armour-clad.
брóнза *s.* bronze.
бронзо+вáть II. [b] *va.* (*Pf.* на-) to bronze.
брóня *s.* armour, harness.
бросá-ть II. *va.* (*Pf.* брóс=ить I. 3.) to throw, to fling, to hurl; to abandon, to give up || **~ся** *vr.* to rush, to hurl o.s.
брош/ировáние & **–ирóвка** *s.* stitching (books) || **–иро+вáть** II. [b] *va.* (*Pf.* с-) to stitch (books) || **⌐ка** *s.* (*gpl.* -шек) brooch || **–ю́ра** *s.* pamphlet.
брульóн *s.* rough draft, rough copy.
брус/ *s.* (*pl.* бру́сья, -сьев) beam, balk; hone, whetstone; (*in pl.*) parallel bars (for gymnastics) || **–нѝка** *s.* cranberry || **–нѝчник** *s.* cranberry-bush || **–óк** *s.* [a] (*gsg.* -скá) hone, whetstone || **–óчек** *s.* (*gsg.* -чка) *s.* small hone || **⌐твер** *s.* breastwork, parapet.
бру́тто *ad.* gross || **~** *s. indecl.* gross weight.
брыжéйка *s.* mesentery.
брызг/ *s.* sprinkling, spraying; (*in pl.*) spray || **–áлка** *s.* (*gpl.* -лок) & **–áло** *s.* syringe, squirt; spray.
бры́зг-ать I. 1. & **бры́зга-ть** II. *vn.* (*Pf.* бры́зн-уть I.) to splash, to spurt, to sputter.
брыкá-ть II. & **~ся** (*Pf.* брыкн-у́ть I. [a]) to kick.
брысь! *int.* shoo!

брюзг/а́ *s. m&f.* (*gpl.* -зо́г) grumbler, growler || **–ли́вый** *a.* morose, sullen || **´–лый** *a.* bloated || **´–н-уть** I. *vn.* (*Pf.*) to swell up, to become bloated. [to growl.

брюзж=а́ть I. [a] *vn.* (*Pf.* за-) to grumble,

брю́ква *s.* large turnip.

брю́ки *s. fpl.* breeches, trousers.

брюне́т/ *s.* dark man || **–ка** *s.* (*gpl.* -ток) dark woman; brunette.

брюх/а́стый *a.* big-bellied, abdominous || **–а́тая** *a.* pregnant.

брюха́те-ть II. *vn.* (*Pf.* о-) to become pregnant. [pregnancy.

брю́хо *s.* belly, paunch; big belly; (*vulg.*)

брюш/и́на *s.* peritoneum || **–и́ще** *s.* (*fam.*) big belly || **–ко́** *s. dim.* small belly || **–но́й** *a.* abdominal.

бряк! *int.* smash! bang!

бря́ка-ть II. *vn.* (*Pf.* бря́кн-уть I.) to jingle, to rattle || **~** *va.* to fling (away) noisily; to blurt out. [rattle.

бряку́шка *s.* (*gpl.* -шек) (children's)

бряца́ло *s.* clapper. [rattle.

бряца́-ть II. *vn.* to jingle, to clink, to

бу́бен/ *s.* (*gsg.* -бна) tambourine, tabor || **´–чик** *s.* small tambourine || **´–щик** *s.* tambourine player. [cards).

бу́бны *s. fpl.* (*gpl.* -бен) diamonds (at

бугор/ *s.* [a] (*gsg.* -гра́) hillock, hill; heap, mound || **–о́к** *s.* [a] (*gsg.* -рка́) hillock, mound; tubercle || **–ча́тка** *s.* tuberculosis || **–ча́тый** *a.* hill-like; tuberculous.

бу́день *s. m.* (*gsg.* -дня) (*us. in pl.*) work-day, week-day; **в бу́дни** on week-days.

буди́льник *s.* alarm-clock.

буд=и́ть I. 1. [c] *va.* (*Pf.* про-, раз-) to waken; to arouse.

бу́д/ка *s.* (*gpl.* -док) sentry-box; watchman's hut || **–ничный & –нишний** *a.* everyday, work-day. [disquiet.

будора́ж=ить I. *va.* (*Pf.* вз-) to excite, to

бу́дочник *s.* policeman, watchman.

бу́дто *c.* as if; that.

будуа́р *s.* boudoir.

бу́дущ/ий *a.* future, to come, coming || **–ее** *s.* the future, time to come || **–ность** *s. f.* future, futurity.

буера́к *s.* ravine, defile, gorge.

буженина *s.* boiled (*also* fried) pork, pickled pork.

буза́ *s.* a drink made from buckwheat and oats; home-made beer.

бузина́ *s.* elder (-tree).

буй/ *s.* buoy, beacon || **´–вол** *s.* buffalo || **´–ность** *s. f.* impetuosity, boisterousness; pride; turbulence || **´–ный** *a.* boisterous, impetuous; proud; turbulent || **´–ство** *s.* impetuosity, violence, turbulence || **´–ство+вать** II. *vn.* to create disturbance, to act disorderly, to rage, to storm.

бук/ *s.* beech (-tree) || **´–а** *s. m&f.* bugbear, the black man (to scare children); misanthrope, unsociable fellow || **–а́шка** *s.* (*gpl.* -шек) small beetle || **´–ва** *s.* letter (of alphabet), character || **–ва́льный** *a.* literal, word for word, exact || **–ва́рь** *s. m.* [a] ABC-book, spelling-book, primer || **–е́т** *s.*, *dim.* **–е́тик** *s.* bouquet (of flowers and of wine), nosegay || **–ини́ст** *s.* second-hand bookseller || **´–ля** *s.* lock (of hair) || **–си́р** *s.* towrope; tug, tug-boat; **взять на ~** to take in tow || **–сиро+ва́ть** II. [b] *va.* to tow, to take in tow. [office.

булава́ *s.* club; mace; hetman's staff of

була́вка *s.* (*gpl.* -вок) pin.

була́вочка *s.* (*gpl.* -чек) small pin.

бул/а́вчатый *a.* speckled, dappled, spotted || **–а́ный** *a.* fallow, pale yellow, cream-coloured (of horses) || **–а́т** *s.* (Damascus) steel || **–а́тный** *a.* steel || **´–ка** *s.* (*gpl.* -лок) white loaf, (French)

бу́лла *s.* (Papal) bull. [roll.

бу́лоч/ка *s.* (*gpl.* -чек) small French roll || **–ник** *s.* baker || **–ный** *a.* baker's || **–ная** (*as s.*) bakery, baker's (shop).

бултыха́-ть II. [b] *va.* (*Pf.* бултыхн-у́ть I. [a]) to shake, to stir about; to throw into the water || **~ся** *vr.* to plump, to plop (into water).

булы́ж/ник *s.* rough stone, cobble (-stone), pebble || **–ный** *a.* stone.

бульва́р *s.* boulevard, (public) walk.

бульдо́г *s.* bulldog.

бульо́н *s.* broth, beef-tea.

бума́г/а *s.* paper, writing-paper, document; **хлопча́тая ~** cotton || **–омара́тель** *s. m.*, **–ница** *s.* scribbler || **–опрода́вец** *s.* (*gsg.* -вца) stationer || **–опряди́льня** *s.* (*gpl.* -лен) cotton-mill.

бума́ж/(еч)ка *s.* (*gpl.* -а́жек, -а́жечек) paper slip, note, banknote || **–ник** *s.* pocket-book || **–ный** *a.* paper; cotton.

бумазе́я *s.* bombasine, fustian, dimity.

бунт/ *s.* riot, mutiny, insurrection || **–о+ва́ть** II. [b] *va.* to stir up, to incite to rebellion || **~ & ~ся** *vn.* to mutiny, to rebel || **–овско́й** *a.* mutinous, rebellious, riotous || **–овщи́к** *s.* [a], **–овщи́ца** *s.* rebel, mutineer.

бура́ *s.* borax.

бура́в *s.* [a] borer.

бура́в=ить II. 7. *va.* (*Pf.* про-) to bore, to pierce.
бура́к/ *s.* [a] cylindrical vessel of birch-bark; cracker, squib || **-и́** *s. mpl.* (*G.* -бв) beetroot.
бура́н *s.* snow-storm.
бургоми́стр *s.* burgomaster.
бурд/а́ *s.* bad liquor, sloppy beverage || **-ю́к** *s.* [a] wine-skin (of goat-skin in the Caucasus).
буре/ва́л *s.* violent storm || **-ве́стник** *s.* stormy petrel.
бур=и́ть II. [a] *va.* to bore, to pierce.
бу́рк/а *s.* (*gpl.* -рок) brown horse; felt cloak || **-а́л=ить** II. *vn.* to gape about, to stare || **-ало** *s.* sling || **-алы** *s. npl.* (*vulg.*) goggle-eyes.
бурл/а́к *s.* [a] (boat) hauler; (*vulg.*) rude fellow || **-и́вый** *a.* noisy, turbulent; raging.
бурл=и́ть II. [a] *vn.* to storm, to rage, to bluster.
бурми́стр *s.* bailiff, land-agent, steward of an estate.
бу́рный *a.* stormy, tempestuous; wild (of passions).
бурну́с *s.* burnouse, hood.
бу́рс/а *s.* theological seminary || **-а́к** *s.* [a] student of a theological seminary.
буру́н *s.* [a] breakers, surf.
бу́рый *a.* dark-brown, chestnut.
буре́-ть II. *vn.* to become dark brown.
бу́ря *s.* storm, tempest; foul weather.
бу́сы *s. fpl.* glass beads.
бут/ *s.* rubble, rubble foundation || **-афо́р** *s.* (*theat.*) property-man || **-ербро́т** *s.* sandwich.
бут=и́ть I. 2. [a] *va.* (*Pf.* вы́-) to fill up with rubble.
буто́н/ *s.* bud || **-ье́рка** *s.* (*gpl.* -рок) button-hole, nosegay.
бу́тор *s.* (*fam.*) one's goods and chattels; lumber.
буты́л/ка *s.* (*gpl.* -лок) bottle || **-очка** *s.* (*gpl.* -чек) *dim.* small bottle, phial || **-ь** *s. f.* large bottle.
бу́фер *s.* [b] (*pl.* буфера́) buffer.
буфе́т/ *s.* buffet; sideboard; refreshment room || **-чик** *s.*, **-чица** *s.* landlord, bartender.
буфо́н *s.* buffoon, jester.
бух! *int.* bang! bump!
бу́ха-ть II. *va.* (*Pf*, *mom.* бу́хн-уть I.) to bump noisily, to bang || ~ & ~**ся** *vn.* to bump noisily against something, to fall noisily.
бухга́лтер/ *s.*, **-ша** *s.* book-keeper || **´-ия** *s.* book-keeping.
бу́хн-уть I. *vn.* (*Pf.* раз-) to swell, to dilate || ~ *va. cf.* **бу́хать.**
бу́хта *s.* bay, bight.
бу́ч=ить II. *va.* (*Pf.* вы́-) to buck, to wash (in lye).
буя́н *s.* rowdy, brawler, bully; wharf, landing-place.
буя́н=ить II. *vn.* to bluster, to rage.
б. ч. *abbr. of* **бо́льшею ча́стью** for the most part.
бы (б) a particle which added to the Preterite forms the Subjunctive and Conditional.
быва́л/ец *s.* (*gsg.* -льца) an experienced, resourceful man || **-ый** *a.* experienced; which has occurred.
быва́-ть II. *vn.* to be, to be accustomed to; **он быва́ло гуля́л** formerly he often used to take a walk; (*Pf.* по-) (у + *G.*) to visit, to frequent, to call on.
бы́вший *a.* former, ex-, late, quondam.
бык *s.* [a] ox; buttress, stay, pier.
были́н/а *s.* blade of grass; (historical) saga, legend || **-ка** *s.* (*gpl.* -нок) *dim.* blade of grass.
бы́ло used with verbs in the sense of: almost, nearly, about to, on the point of; **я сказа́л ~, я хоте́л ~ говори́ть** I was just about to say; **я чуть ~ не упа́л** I was on the point of falling.
было́й *a.* past, former.
быль *s. f.* true tale, event; fact; historical legend.
быстр/ина́ *s.* [d] rapids (in a river) || **-огла́зый** *a.* quick-eyed || **-оно́гий** *a.* quick-footed || **-ота́** *s.* speed, quickness || **-оте́чный** *a.* swift-flowing.
бы́стрый *a.* quick, swift, rapid.
быт/ *s.* manner of living, state, condition || **-ие́** *s.* existence, being; **кни́га -ия́** Genesis || **´-ность** *s. f.* residence, stay; sojourn, presence || **-ово́й** *a.* true to life || **-описа́ние** *s.* history || **-описа́тель** *s. m.* historian.
быть/ 49. *vn.* to be, to exist; to happen (у + *G.*) to have; **как ~?** what is to be done? || **-ё** *s.* existence, presence.
быч/а́тина *s.* beef || **-а́чий** *a.* bull's, ox-, beef- || **-и́ще** *s.* large bull or ox || **-о́к** *s.* [a] (*gsg.* -чка́) young ox, bullock.
бьёшь, бью *cf.* **бить.**
бюдже́т *s.* budget.
бюллете́нь *s. m.* bulletin.
бюро́/ *s.* bureau, writing-desk || **-кра́т** *s.*, **-ка** *s.* bureaucrat || **-крати́ческий** *a.* bureaucratic || **-кра́тия** *s.* bureaucracy.
бюст *s.* bust.

В

в (before heavy consonant groups **во**) *prp.* (+ *A.*) into, towards; (time) during, on, at; (price) for, the; **в окно́** out of the window; **в день** a day; **в сре́ду**

on Wednesday; (+ *Pr.*) in, on, at; (time) at, about; **в концé гóда** at the end of the year.

в- prefixed to the ordinal numbers in *Pr. pl.*; **в'десятых** in the tenth place.

вáб=ить II. 7. *va.* to lure, to entice.

вавилóны *s. mpl.* flourish, scroll; zigzag.

вáга *s.* (public) weighing-machine, weigh-bridge.

вагóн/ *s.* waggon, carriage ‖ **~-буфéт** dining-car, restaurant-car; **багáжный ~** luggage-van.

вáжива-ть II. *iter. of* водúть & возúть.

вáжнича-ть II. *vn.* (*Pf.* за-) to give o.s. airs, to assume airs, to boast.

вáж/ность *s. f.* importance, gravity; solemnness ‖ **–ный** *a.* important, weighty, grave; of consequence; solemn ‖ **–ня** *s.* (*gpl.* -жен) weigh-house.

вáз/а *s.* vase ‖ **–елúн** *s.* vaseline ‖ **–очка** *s.* (*gpl.* -чек) *dim.* small vase.

вакáн/сия *s.* vacancy, vacant position ‖ **–тный** *a.* vacant, unoccupied.

вакац/иóнный *a.* holiday, vacation- ‖ **´–ия** *s.* holidays, vacation.

вáкса *s.* blacking, shoe-cream.

вáкс=ить I. 3. *va.* (*Pf.* на-) to polish (boots).

вал *s.* [b°] rampart; (*mar.*) wave, roller; (*tech.*) rolling mill.

валáнда-ться II. *vn.* (*Pf.* про-) to waste, to fritter away one's time; to dally, to loiter.

валéжник *s.* windfallen wood, wood blown down.

валёк *s.* [a] (*gsg.* -лькá) splinter-bar of a waggon; washing-beetle; roller.

вáленки *s. mpl.* felt boots.

валéт *s.* knave (at cards).

вáлец *s.* (*gsg.* -льца) roller.

вáлива-ть II. *iter. of* валúть & валя́ть.

вáлик *s.* small roller; cylindrical sofa-cushion, bolster.

вал=úть II. *va.* [c *or* a 1.] (*Pf.* по-, с-) to throw, to upset ‖ ~ *vn.* to come in thick masses; to throng, to crowd ‖ **~ся** *vr.* to topple over, to fall.

вáл/ка *s.* cutting down, felling (of timber); (*mar.*) careening ‖ **–кий** *a.* tottering, unsteady; (на + *A.*) intent, bent on ‖ **–овóй** *a.* wholesale, gross ‖ **–ом** *ad.* in heaps, en gros ‖ **–тóрна** *s.* bugle(-horn), French horn ‖ **–ýн** *s.* round pebble, stone, cobblestone.

вальдшнéп *s.* woodcock, snipe.

вальс/ *s.* waltz ‖ **–иро+вáть** II. [b] *vn.* (*Pf.* про-) to waltz.

валю́та *s.* value, amount; currency.

валя́ль/ня *s.* (*gpl.* -лен) fulling-mill ‖ **–щик** *s.*, **–щица** *s.* fuller.

валя́-ть II. *va.* (*Pf.* по-) to roll; to knead; to full (cloth); (*fam.*) to drub ‖ **~ся** *vr.* to roll o.s.; to wallow.

вам, вáми *prn.* to you, by you *cf.* **вы.**

вампúр *s.* vampire.

вандалúзм *s.* vandalism.

ванúль *s. f.* vanilla.

вáн/на *s.* bath, bath-tub ‖ **–ный** *a.* bath-, bathing ‖ **–ты** *s. fpl.* (*mar.*) shrouds.

вар *s.* boiling water; cobbler's wax; pitch.

вáрвар/ *s.*, **–ка** *s.* (*gpl.* -рок) barbarian ‖ **–ский** *a.* barbarous, savage ‖ **–ство** *s.* barbarity, inhumanity.

варгáн *s.* mouth-organ, jew's-harp.

вáр/ево *s.* broth, soup ‖ **–ега** *s.* woollen glove without fingers, woollen mitten ‖ **–éник** *s.* (*us. in pl.*) small pie filled with curds, etc. ‖ **–ёный** *a.* boiled, cooked ‖ **–éнье** *s.* preserves, jam, jelly.

вар=úть II. *va.* [a] (*Pf.* с-) to cook, to boil; to digest; to brew (beer) ‖ **~ся** *vr.* to boil; to be digested.

вариáнт *s.* variant.

вариáция *s.* variation.

вáр/ка *s.* boiling, cooking; brewing ‖ **–кий** *a.* cookable; good for boiling ‖ **–ничка** *s.* cooking-lamp ‖ **–ня** *s.* (*gpl.* -рен) brewery.

варя́г *s.* Varangian; itinerant pedlar.

вас *prn.* you, your *cf.* **вы.**

васил/ёк *s.* [a] (*gsg.* -лькá) corn-flower ‖ **–úск** *s.* basilisk.

вассáл/ *s.* vassal ‖ **–ьство** *s.* vassalage.

вáт/а *s.* wadding ‖ **–áга** *s.* troop, band, horde, gang.

ватер/клозéт *s.* water-closet ‖ **–лúния** *s.* water-line ‖ **–пáс** *s.* water-level, level.

вáт(оч)ный *a.* wadded, of wadding.

ватрýшка *s.* (*gpl.* -шек) small cake (filled with sweetened curds and currants).

вáф/ельник *s.* wafer-baker ‖ **–ельница** *s.* wafer-baker; waffle-iron ‖ **–ля** *s.* (*gpl.* -фель) wafer, waffle.

вахл/áк *s.* [a] boil; knob (on trees); bump; blockhead ‖ **–áчка** *s.* (*gpl.* -чек) coarse stupid woman.

вáх/мистр *s.* sergeant-major (of cavalry) ‖ **–та** *s.* watch, guard ‖ **–тер** *s.* [b] store-keeper ‖ **–тпарáд** *s.* (*mil.*) parade.

ваш *prn.* your, yours

вая́/льный *a.* sculptural ‖ **–ние** *s.* sculpture ‖ **–тель** *s. m.* sculptor.

вая́-ть II. *va.* (*Pf.* из-) to sculpture, to carve; to cast (metals).

вбега́-ть II. *vn.* & **вбе́гива-ть** II. *fr.* (*Pf.* вбежа́ть 46) to run in.
вберёшь, вберу́ *cf.* **вбира́ть.**
вбива́-ть II. *va.* (*Pf.* вбить 27., *Fut.* вобью́, -бьёшь, etc.) to beat, to drive, to ram in; (*fig.*) to inculcate, to impress.
вби́вка *s.* beating, ramming in.
вбира́-ть II. *va.* (*Pf.* вобра́ть 8. [a], *Fut.* вберу́, -рёшь) to suck in, to absorb, to imbibe.
вблизи́ *ad.* near, in the vicinity, not far off.
вбра́сыв-ать II. *va.* (*Pf.* вбро́с-ить I. 3.) to throw in, to cast in.
вва́лива-ть II. *va.* (*Pf.* ввал=и́ть II. [c]) to throw in, to rush in ‖ **~ся** *vr.* to fall in; to rush in.
введе́ние *s.* introduction; **~ во храм Пресвяты́я Богоро́дицы** the Feast of the Presentation of Our Lady.
введу́, введёшь *cf.* **вводи́ть.**
ввезу́, ввезти́, ввезёшь *cf.* **ввози́ть.**
вверга́-ть II. *va.* (*Pf.* вве́ргнуть 52) to throw, to cast in ‖ **~ся** to cast o.s. in, to precipitate o.s. in.
ввере́ние *s.* intrusting, confiding.
вверже́ние *s.* casting in, rushing in.
ввери́тель/ *s. m.*, **-ница** *s.* confider.
ввёртка *s.* twisting, screwing in.
ввёртыв-ать II. *va.* (*Pf.* ввёрт=е́ть I. 2. [a], *mom.* вверн=у́ть I. [a]) to twist, to screw in.
вверх/ *ad.* upwards, up, upstairs; **~ дном** upside down, topsy-turvy ‖ **-у́** *ad.* above, upstairs.
верчу́ *cf.* **ввёртывать.**
вверя́-ть II. *va.* (*Pf.* вве́р=ить II.) to intrust, to confide.
ввести́ *cf.* **вводи́ть.**
ввечеру́ *ad.* in the evening.
вви́нчива-ть II. *va.* (*Pf.* ввинт=и́ть I. 2. [a]) to screw in.
ввод=и́ть I. 1. [c] *va.* (*Pf.* ввести́ & ввесть 22. [a 2.]) to lead in, to introduce; to insert; to install.
ввод/ *s.* introduction, insertion, installation ‖ **´ный** *a.* introduced, inserted, installed.
ввожу́ *cf.* **вводи́ть** & **ввози́ть.**
ввоз/ & **´ка** *s.* importation; imports *pl.*
ввоз=и́ть I. 1. [c 1.] *va.* (*Pf.* ввезти́ & ввезть 25. [a 2.]) to import, to bring in.
ввóзный *a.* imported, import-; **-ная по́шлина** import-duty.
вволáкива-ть II. *va.* (*Pf.* вволо́чь 18. [a 2.] to draw, to drag in.
ввора́чива-ть II. *va.* (*Pf.* ворот=и́ть I. 2. [c]) to roll in, to shove in.
ввя́зыва-ть II. *va.* (*Pf.* ввяз-а́ть I. 1. [c]) to tie in, to knit in; to implicate in ‖ **~ся** *vr.* to interfere, to meddle in, to become implicated in.
вгиб *s.* fold, bend (inwards).
вгиба́-ть II. *va.* (*Pf.* вогн-у́ть I. [a]) to bend inwards.
вглубля́-ть II. *va.* (*Pf.* вглуб=и́ть II. 7. [a]) to deepen, to make deeper.
вгля́дыва-ться II. *vn.* (*Pf.* вгляд=е́ться I. 1. [a]) (во что) to take careful stock of, to examine thoroughly.
вгнéзжива-ться II. *vr.* (*Pf.* вгнезд=и́ться I. 1. [a]) to settle down, to nestle.
вгоня́-ть II. *va.* (*Pf.* вогна́ть 11. [c], *Fut.* вгоню́, вго́нишь) to drive in, to beat in.
вгреба́-ть II. *va.* (*Pf.* вгрести́ & вгресть 21. [a 2.]) to rake in.
вгружа́-ть II. *va.* (*Pf.* вгруз=и́ть I. 1. [a]) to load, to ship (cargo).
вдава́ть 39. [a] *va.* (*Pf.* вдать 38.) to hand up or in ‖ **~ся** *vr.* to give o.s. up to, to take up.
вда́влива-ть II. *va.* (*Pf.* вдав=и́ть II. 7.) to force in, to crush in.
вда́лбива-ть II. *va.* (*Pf.* вдолб=и́ть II. 7. [a]) to chisel in, to hew in; **~** (кому́-либо что) **в го́лову** (*fig.*) to hammer in to one's brain.
вдал/еке́ & **-и́** *ad.* far away, at a great distance ‖ **-ь** *ad.* (to go) far away, out into the world.
вдать *cf.* **вдава́ть.**
вдвига́-ть II. *va.* (*Pf.* вдви́н-уть I.) to shove, to push in.
вдво́е *ad.* doubly, twice, twofold ‖ **-ём** *ad.* together with another, two together ‖ **-йне́** *ad.* double, twofold, duplicate.
вдева́-ть II. *va.* (*Pf.* вдеть 32.) to thread (a needle).
вде́вятеро *ad.* nine times, ninefold.
вде́лыва-ть II. *va.* (*Pf.* вде́ла-ть II.) to fit in, to set in.
вдёргива-ть II. *va.* (*Pf.* вдёрга-ть II., *mom.* вдёрн-уть I.) to pull in, to draw in, to thread (a needle).
вде́сятеро *ad.* ten times, tenfold.
вдеть *cf.* **вдева́ть.**
вдира́-ться II. *vn.* (*Pf.* водра́ться 8. [a 3.]) to force one's way in.
вдов/а́ *s.* widow ‖ **-е́ц** *s.* [a] (*gsg.* -вца́) widower ‖ **´ий** (-ья, -ье) *a.* widow's ‖ **´оль** *ad.* sufficiently, in abundance ‖ **-ство́** *s.* widowhood ‖ **´ство+вать** II. *vn.* to be widowed, to be a widower; **´ствующая короле́ва** the dowager queen ‖ **´ый** *a.* widowed; in the state of a widower.

вдолби́ть *cf.* **вда́лбливать.**
вдоль *ad.* (*G. or* по + *D.*) along, alongside; ~ **и поперёк** zig-zag, in all directions.
вдомёк *ad.*, **не** ~ **мне бы́ло** it did not enter my head.
вдо́сталь *ad.* wholly, completely.
вдохно/ве́ние *s.* inspiration || **–ве́нный** *a.* inspired || **–вля́-ть** II. *va.* (*Pf.* -ви́ть II. 7. [a]) to inspire.
вдохну́ть *cf.* **вдыха́ть.**
вдруг *ad.* suddenly, of a sudden, all at once, abruptly.
вдува́-ть II. *va.* (*Pf.* вду-ть II., *mom.* вду́н-уть I.) to blow in, to inflate; to breathe in.
вду́мчивость *s. f.* power of concentrating one's mind on something.
вду́мыва-ться II. *vr.* (*Pf.* вду́ма-ться II.) to be absorbed in, to reflect deeply on.
вду́(ну)ть *cf.* **вдува́ть.**
вдыха́ние *s.* inhaling, inhalation.
вдыха́-ть II. *va.* (*Pf.* вдохн-у́ть I. [a]) to inhale, to breathe.
вегетариа́н/ец *s.* (*gsg.* -нца), **–ка** *s.* (*gpl.* -нок) vegetarian.
ве́да-ть II. *va.* to know; to supervise, to superintend || **~ся** *vr.* (с + *G.*) to have to deal with.
ве́дение *s.* knowledge, cognizance; report; jurisdiction.
веде́ние *s.* leading, conducting, managing; ~ **книг** book-keeping.
ведёр(оч)ко *s.* (*gpl.* -рок, -рочек) *dim.* small pail.
ведёшь *cf.* **вести́.**
ве́дом/о *s.*, **без –а** without my (your, etc.) knowing it; **с –а** with my (your, etc.) knowledge || **–ость** *s. f.* report; list; (*in pl.*) newspaper || **–ство** *s.* department, jurisdiction || **–ый** *a.* known; subordinate.
ведро́ *s.* [d] pail, bucket.
вёдро *s.* fine weather.
веду́ *cf.* **вести́.**
в'е́ду *cf.* **в'езжа́ть.**
вед/ь *c.* but; indeed, of course || **–́ьма** *s.* sorceress, witch; (*fam.*) old hag.
ве́ер *s.* fan.
ве́жливый *a.* polite, civil, well-mannered.
везде́/ *ad.* everywhere || **–су́щий** *a.* omnipresent || **–су́щность** *s. f.* omnipresence.
везти́ & везть 25. *va.* (*Pf.* по-, с-) to convey, to carry; to drive (in a car) || ~ *v.imp.* (*fig.*) **ему́ везёт** he's a lucky fellow.
ве́йка *s.* (*gpl.* -ёек) (Finnish) cabdriver, coachman.
ве́й(те) *Imp. of* вить.
век/ *s.* [b ♀] eternity; century; time, period; life, generation || **–́о** *s.* eyelid || **–ове́чный** *a.* eternal || **–ово́й** *a.* long-lasting, eternal; life-long; rare, unusual.
ве́ксел/ь *s. m.* [b] bill of exchange || **–еда́тель** *s. m.*, **–ница** *s.* drawer (of a bill) || **–едержа́тель** *s. m.*, **–ница** *s.* holder (of a bill).
ве́кша *s.* squirrel.
веле/ле́пие *s.* magnificence, splendour || **–му́дрие** *s.* great wisdom.
веле́невый *a.*, **–ая бума́га** vellum (paper).
веле́ние *s.* command, order.
велеречи́вый *a.* eloquent, loquacious.
вел=е́ть II. [a] *va.* (*Pf.* ~ & по-) to order, to command; to recommend.
велика́н/ *s.* giant, monster || **–ша** *s.* giantess.
вели́кий *a.* (*pdc.* бо́льше, *comp.* бо́льший, *sup.* велича́йший; *pd.* вели́к, -ка́, -ко́, -ки́) great; grand(-duke, etc.).
велико/ду́шный *a.* magnanimous, generous || **–кня́жеский** *a.* grand-ducal || **–ле́пие** *s.* magnificence, splendour || **–ле́пный** *a.* magnificent, splendid || **–мо́чный** *a.* all-powerful || **–по́стный** *a.* lenten || **–ро́слый** *a.* tall, of great stature || **–све́тский** *a.* distinguished, genteel, refined.
велич/а́вый *a.* majestic; proud, haughty || **–а́йший** (*sup. of* вели́кий) greatest.
велича́-ть II. *va.* to exalt, to praise; to call a person by his patronymic.
вели́ч/ественный *a.* majestic, stately || **–ество** *s.* majesty, stateliness, grandeur || **–ина́** *s.* greatness; (*math.*) quantity || **–ие** *s.* greatness, grandeur, majesty.
вело/дро́м *s.* cycle-(racing) track; cycling-school || **–сипе́д** *s.* (bi)cycle; (*fam.*) bike || **–сипеди́ст** *s.*, **–ка** *s.* (*gpl.* -ток) cyclist || **–сипе́дный** *a.* cycle-.
вель/бо́т *s.* whale-boat; life-boat || **–мо́жа** *s.* lord, noble, magnate.
ве́на *s.* vein.
венери́ческий *a.* venereal.
вен/е́ц *s.* [a] (*gsg.* -нца́) crown; garland; halo; top, summit; **вести́ неве́сту под** ~ to lead the bride to the altar || **–е́чный** *a.* crown-; wedding; nuptial.
ве́нзель *s. m.* [b] monogram, initials.
ве́ник *s.* (birch-)broom; switch (in Russian baths).
вено́к *s.* [a] (*gsg.* -нка́) garland, wreath.
вентиля́тор *s.* ventilator.
венце/но́сец *s.*, **–носица** *s.* crowned head; a saint || **–но́сный** *a.* crowned.
венч/а́льный *a.* nuptial, wedding- || **–а́ние** *s.* nuptials, wedding; coronation.

венча́-ть II. *va.* (*Pf.* у-) to wreathe, to crown; (*Pf.* об-, по-) to marry.
вепрь *s. m.* wild boar.
ве́ра *s.* faith, belief, religion; confidence, credence.
ве́рба *s.* palm-branch; sallow-branch; (*in pl.*) market of palm branches.
верблю́д/ *s.* camel || **-ик** *s. dim.* young camel || **-ица** *s.* female camel.
верблю́жий *a.* (-ья, -ье) camel's.
вербо+ва́ть II. [b] *va.* (*Pf.* на-) to recruit, to enlist.
вербо́в/ка *s.* recruiting || **-ник** *s.* (*bot.*) salicaria || **-щи́к** *s.* [a] recruiter, recruiting sergeant.
верёв/ка *s.* (*gpl.* -вок) rope, cord || **-очка** *s.* (*gpl.* -чек) twine, string.
ве́ред/ *s.* [b*] abscess, sore || **-ли́вый** *a.* covered with sores; irritable.
верез/га́ *s.* (of children) bawler, cry-baby || **-жа́ние** *s.* crying, whimpering, blubbering.
верени́ца *s.* long row, series; flock, flight.
ве́реск *s.* (*bot.*) heather, heath.
веретено́ *s.* [d] spindle; pivot; axle; shank (of anchor).
верещя́га *s.* chatterbox, gossip; rowdy.
верещ=а́ть I. [a] *vn.* to chirrup, to chirp, to twitter.
верея́ *s.* (door-)post.
верзи́ла *s.* a tall stout man.
вери́га *s.* (*us. in pl.*) chain, fetter, bond.
вери́тель/ *s. m.*, **-ница** *s.* mandator, constituent || **-ный** *a.* mandatory, constituent.
ве́р=ить II. *vn.* (*Pf.* по-) (*D. or* в + *A.*) to believe, to have faith in; to trust, to have confidence in || **~ся** *v.imp.* (+*D.*) **мне не ве́рится** I cannot believe it.
ве́рки *s. mpl.* (fortification) works.
вермише́ль *s. f. coll.* vermicelli.
вернёхонек *a.* quite right.
верноподда́н/нический *a.* loyal, faithful || **-ный** *a.* loyal, owing true allegiance to || **-ство** *s.* loyalty, true allegiance.
ве́рность *s. f.* fidelity, loyalty; exactness; precision.
верн-у́ть I. [a] *va. Pf.* to bring back, to call back, to recall || **~ся** *vr.* to come back, to return.
ве́рн/ый *a.* faithful, true; exact, precise; just, right || **-о** *ad.* certainly, assuredly; truly; exactly.
ве́ро+вать II. *vn.* (*Pf.* у-) (в + *A.*) to believe in.
веро/исповеда́ние *s.* confession of faith, creed || **-ло́мец** *s.* (*gsg.* -мца), **-ло́мка** *s.* (*gpl.* -мок) false, disloyal person || **-ло́мный** *a.* false, disloyal; perfidious || **-ло́мство** *s.* perfidy; disloyalty || **-отсту́пник** *s.*, **-отсту́пница** *s.* apostate || **-отсту́пный** *a.* apostate || **-терпи́мость** *s. f.* religious toleration || **-терпи́мый** *a.* tolerant || **-я́тие** *s.* probability, plausibility; **по всему́ -я́тию** in all probability || **-я́тность** *s. f.* probability || **-я́тный** *a.* probable, likely.
версифика́ция *s.* versification.
верст/а́ *s.* [e & f] verst (= 3500 ft.) || **-а́к** *s.* [a] work-bench, joiner's bench || **-а́ние** *s.* laying out equal; ranging; (*typ.*) imposing || **-а́тка** *s.* (*gpl.* -ток) & **-а́ть** *s. f.* (*typ.*) composing-staff.
верста́-ть II. *va.* (*Pf.* по-, с-) to equalize, to level; (*typ.*) to make up into pages, to impose.
ве́ртел *s.* [b] (roasting-)spit.
верте́п *s.* cavern, cave, den (of robbers); (Christmas-)crib.
верт=е́ть I. 2. [a] *va.* (*Pf.* по-, *mom.* верн-у́ть I. [a]) to turn (round), to twist || **~ся** *vr.* to turn round, to twist, to rotate.
вертика́льный *a.* vertical.
вёрткий *a.* turning easily.
верт/ло́ *s.* borer, auger || **-ля́вый** *a.* unsteady, restless; mobile || **-огра́д** *s.* (*sl.*) garden, vineyard || **-опра́х** *s.* giddy, light-headed person || **-опра́шный** *a.* giddy, frivolous, thoughtless || **-у́н** *s.* [a] tumbler-pigeon; top; empty-headed fellow || **-у́шка** *s.* (*gpl.* -шек) ventilator; giddy man or woman.
ве́рую *cf.* **ве́ровать.**
верфь *s. f.* wharf, dockyard.
верх/ *s.* top, upper part, summit; crown (of head); uppers (in boots); upper storey, garret || **´-ний** *a.* upper, on the surface, superficial || **-о́вный** *a.* highest, supreme || **-ово́й** *a.* riding, mounted || **-о́вье** *s.* the source, upper course (of a river) || **-огля́д** *s.*, **-ка** *s.* gaper, starer; superficial person || **´-ом** *ad.* heaped; upstairs, above || **-о́м** *ad.* mounted, on horseback, astride || **-у́шка** *s.* (*gpl.* -шек) summit, peak, top.
верче́ние *s.* twisting, boring; turning (on a lathe).
ве́рченый *a.* roasted (on a spit); (*fig.*) giddy, mad.
ве́рш/а *s.* weir-basket; (*fig.*) **попа́сть в -у** to come to grief || **-е́ние** *s.* completion, conclusion || **-и́на** *s.* top, summit; source (of a river) || **-и́тель** *s. m.*, **-ница** *s.* completer, accomplisher.
верш=и́ть I. [a] *va.* (*Pf.* за-, по-) to complete, to conclude; to decide some one's fate; to execute.

верш/ко́вый *a.* one vershock long || **-ни́к** *s.* rider; outrider || **-о́к** *s.* [a] (*gsg.* -шка́) a vershock = 1·7 inches; **-ки́ хвата́ть** to have a superficial knowledge of something.
ве́рющий (-ая, -ее) *a.* empowering, accrediting.
вес *s.* weight, gravity, importance; **на́ ~ зо́лота** exceedingly dear; **челове́к с ве́сом** a man of importance; **уде́льный ~** specific gravity.
веселёхонек (-нька, -нько) *a.* very cheerful, merry.
весел=и́ть II. [a] *va.* (*Pf.* раз-) to cheer up, to make merry, to rejoice || **~ся** *vr.* to rejoice, to make *or* to be merry.
весёл/ка *s.* (*gpl.* -лок) spatula, stirrer, rake || **-ость** *s. f.* gaiety, cheerfulness.
весел/у́ха & -у́шка *s.* (*gpl.* -шек) frog; a cheerful fellow.
весёлый *a.* (*pd.* ве́сел, -ла́, -ло, -лы; *pdc.* веселе́е) cheerful, merry; amusing, funny; (slightly) tipsy; **у нас ве́село** we are making merry; **мне ве́село** I am in a cheerful mood.
весе́лье *s.* joy, pleasure; merriment, diversion, amusement.
весе́ль/ник *s.* oarsman, rower, sculler || **-ный** *a.* oar-, rowing-; **-ная ло́пасть** oarblade || **-ча́к** *s.* [a] a merry fellow.
веселя́щий *a.*, **~ газ** laughing gas.
весе́нний *a.* spring-, vernal.
ве́с=ить I. 3. *va.* (*Pf.* с-) to weigh; (*fig.*) to consider || **~** *vn.* to weigh (so much).
ве́ск/ий *a.* weighty; (*fig.*) important || **-ость** *s. f.* weight, weightiness; (*fig.*) importance.
весло́ *s.* [d] oar, scull; brewer's rake; **итти́ на вёслах** to row.
весна́ *s.* [d] spring; **весно́ю** in (the) spring.
весн/ова́тый *a.* full of freckles || **-у́ха & -у́шка** *s.* (*gpl.* -шек) freckle; **у него́ всё лицо́ в весну́шках** his face is full of freckles.
весо/во́й *a.* weighing, of scales, of a balance; **-ва́я стре́лка** the index *or* needle of a balance; **-вы́е де́ньги** weighing-charges; postage (on letters) || **-вщи́к** *s.* [a] weigh-master, public weigher.
ве́сом *ad.* by weight.
весо́мый *a.* sold by weight.
вест *s.* west; west-wind.
вести́ & весть 22. *va.* (*Pf.* по-) to lead, to conduct; to keep, to rear (animals); to keep up (friendship); to maintain; **~ себя́** to behave; **~ счёт** to keep accounts; **~ дом** to housekeep; to keep house; **~ торг** to carry on business.
вести́сь *v.pass.* to be led || **~** *v.imp.* to use to be; **у нас так ведётся** that is customary with us.
вестибю́ль *s. m.* vestibule.
вест/и́мый *a.* known || **-и́мо** *ad.* certainly, of course.
ве́ст/ник *s.* **-ница** *s.* messenger || **-ово́й** *a.* signalling, alarm-; (*as s. mil.*) orderly || **-овщи́к** *s.* [a], **-овщи́ца** *s.* newsmonger, tale-bearer; (*pol.*) twaddler || **-очка** *s.* (*gpl.* -чек) *dim.* good *or* pleasant piece of news.
весть *s. f.* [c] news, message, tidings, rumour; **он без ве́сти пропа́л** he has disappeared without leaving a trace; **быть на вестя́х** to be on orderly duty; **Бог ~** (*sl.*) God knows.
весь/ *a.*, *prn.&ad.* (вся, всё, *pl.* все) whole; **хлеб у нас ~** our bread has run out; **при всём том** in spite of all that; **всё равно́** it's all one to me; **со всех ног** with all one's might || **-ма́** *ad.* very, exceedingly.
весы́ *s. mpl.* [a] balance, (pair of) scales.
ветви́стый *a.* branchy, with thick foliage.
ветвь *s. f.* [c] branch, twig, bough; (*rail.*) branch-line.
ве́тер *s.* (*gsg.* -тра) wind, breeze; (*in pl.*) wind, flatulence; **сквозно́й ~** a draught; **как на́ ~** in vain, uselessly.
ветера́н *s.* veteran.
ветерина́р/ *s.* veterinary surgeon; (*fam.*) vet. || **-ия** *s.* veterinary science || **-ный** *a.* veterinary.
ветер/о́к *s.* [a] (*gsg.* -рка́) & **-о́чек** (*gsg.* -чка) *s. dim.* breeze, puff of wind.
ве́т/ка *s.* (*gpl.* -ток) & **-очка** *s.* (*gpl.* -чек) small branch.
ветла́ *s.* [d] (*gpl.* -тел) the common willow.
вето́/шка *s.* (*gpl.* -шек) old, worn-out clothing; a rag || **-шник** *s.* rag-man, rag-merchant || **-шница** *s.* rag-woman || **-шнича-ть** II. *vn.* to deal in rags and old clothes || **-шный** *a.* rag-; **~ ряд** rag-fair.
вето́шь *s. f.* worn-out clothes, old rags; lumber.
ве́трен/ик *s.* flighty *or* giddy person; drying-ground (for corn) || **-ица** *s.* flighty, light-headed woman; (*bot.*) anemone; wind-mill || **-ича-ть** II. *vn.* to be flighty, to act thoughtlessly || **-ость** *s. f.* giddiness, light-headedness, thoughtlessness || **-ый** *a.* windy; wind-; thoughtless.
ветро/го́н *s.* flighty, giddy person || **-ме́р** *s.* anemometer.
ве́тх/ий *a.* old, worn-out; decrepit, ancient; **В- Заве́т** the Old Testament ||

-озакóние *s.* the Law of Moses, Leviticus and Deuteronomy || **-ость** *s. f.*
ветчинá *s.* ham. [age, decrepitude.
ветшá-ть II. *vn.* (*Pf.* из-, об-) to grow old, to decay.
вéха *s.* way-mark; beacon; buoy. [sia).
вéче *s.* common council (formerly in Rus-
вéчер/ *s.* [b*] evening, evening-time; evening-party || **-é-ть** II. *v.imp.* (*Pf.* об-) to decline (of the day); to come on (of the evening) || **-úна** *s.* small evening-party, dance-circle || **-кóм** *ad.* in the evening || **´-ний** *a.* evening-, of evening; ~ **кóлокол** the vesper bell || **´-ня** *s.* vespers, evening-service || **-ом** *ad.* in the evening || **-я** *s.* (*sl.*) supper; **тáйная** ~ the Lord's Supper.
вéч/но *ad.* eternally, ever, always || **-ность** *s. f.* eternity || **-ный** *a.* eternal, lasting for ever, perpetual; life-long; lasting, durable.
вéш/алка *s.* (*gpl.* -лок) clothes-hanger; coat-hanger, clothes-loop; (*typ.*) pile || **-ание** *s.* hanging, suspension || **-а-ть** II. *va.* (*Pf.* повéс=ить I. 3.) to hang (up), to suspend; ~ **гóлову** to be downcast || **~ся** *vr.* to hang o.s.; to be suspended; ~ (комý) **на шéю** to fall on a person's neck; to embrace.
вéшний *a.* spring-, vernal.
вещ/á-ть II. *vn.* (*sl.*) to speak, to tell, to say; to preach, to teach || **-бá** *s.* prophecy || **´-ий** *a.* prophetic; eloquent || **-ýн** *s.* prophet, soothsayer || **-ýнья** *s.* prophetess.
вещевóй *a.* of material things.
вещéст/венность *s. f.* materiality, substantiality, reality || **-венный** *a.* material, real, substantial || **-вó** *s.* material, matter, substance.
вещ/úца *s.*, *dim.* **-úчка** *s.* (*gpl.* -чек) trivial thing, a trifle, a bagatelle.
вещь *s. f.* [c] thing, object, article; (*theat.*) piece.
вéя/лка (*gpl.* -лок) & **-льница** *s.* winnowing-machine || **-льный** *a.* winnowing, fanning; **-льная машúна** = **вéялка** || **-ние** *s.* blowing (of wind); winnowing; (*fig.*) tendency, current (of opinion).
вé-ять II. *vn.* (*Pf.* по-) to blow (of the wind) || ~ *va.* (*Pf.* вы́-) to fan; to winnow (corn). [time of.
вжúве *ad.* alive, living; during the life-
вжимá-ть II. *va.* (*Pf.* вжать 33. [a], *Fut.* вожмý, -мёшь) to squeeze in, to force in, to press in || **~ся** *vr.* to force one's way in.

вз- inseparable prefix = up, upwards. For verbs compounded with this prefix and not contained in the following *cf.* the simple verb.
взад/ *ad.* back, backwards; **ходúть ~ и вперёд** to go backwards and forwards, to walk up and down || **-ú** *ad.* behind, back, in the back(ground).
взаём/ & **-но** *ad.* on loan, on credit; (*fam.*) on tick; **дать ~** to lend; **взять ~** to borrow.
взаúмность *s. f.* mutuality, reciprocity.
взáймы *ad.* = **взаём.**
взалкáть *cf.* **алкáть.**
вза/мéн *ad.* instead of, to replace, in exchange for || **-пертú** *ad.* locked in, under lock and key || **-прáвду** *ad.* really, truly, actually, indeed. [for a wager.
взáпуски *ad.* uninterruptedly; (to race)
взачёт *ad.* on account.
взáш/ей & **-еи** *ad.* from behind; in the nape of the neck, by the scruff of the neck.
взбаламýтить *cf.* **баламýтить.**
взбáлмошный *a.* silly, senseless, thoughtless.
взбáлтыва-ть II. *va.* (*Pf.* взболтá-ть II.) to shake; to stir about.
взбарáхта-ться II. *vn.* to climb up (with difficulty), to clamber up. [to run up.
взбегá-ть II. *vn.* (*Pf.* взбежáть 46. [a])
взбесúть *cf.* **бесúть.** [ated.
взбешённый *a.* raging, furious, infuri-
взбивá-ть II. *va.* (*Pf.* взбить 27., *Fut.* взобью, -бьёшь) to stir up, to beat up; to churn (butter); to whip (cream); ~ **постéль** to make the bed.
взбирá-ться II. *vn.* (*Pf.* взобрáться 8. [a 3.]) to climb up, to ascend, to clam-
взболтáть *cf.* **взбáлтывать.** [ber up.
взбороздúть *cf.* **бороздúть.**
взборонúть *cf.* **боронúть.**
взбрáсыва-ть II. *va.* (*Pf.* взбросá-ть II. & взбрóс=ить I. 3.) to throw up(-wards), to fling up || **~ся** *vr.* to spring up; to throw o.s. upon; to fall upon.
взбрестú & **взбресть** 22. [a] *vn. Pf.* to clamber up; ~ **в гóлову** to come into one's head; **мне взбрелó на ум** it occurred to me.
взбудорáжить *cf.* **будорáжить.**
взбунтовáть *cf.* **бунтовáть.**
взвáлива-ть II. *va.* (*Pf.* взвал=úть II. [a & c]) to load, to burden; ~ **винý** (на когó) to accuse a person of a fault.
взвар *s.* decoction, extract.
взве/дёшь, -дý, -стú *cf.* **взводúть.**

взвéшива-ть II. *va.* (*Pf.* взвéс=ить I. 3.) to weigh; to ponder, to consider; ~ **словá** to weigh one's words.

взвивá-ть II. *va.* (*Pf.* взвить 27., *Fut.* взовью, -вьёшь) to bring up, to wind up || **~ся** *vr.&n.* to swing o.s. up; to ascend (of smoke, etc.).

взвод *s.* (*mil.*) platoon; (guns) sear, sere; **на пéрвом взвóде** (of guns) at half cock; (of men) slightly tipsy; **на вторóм взвóде** (of guns) at full cock; (of men) drunk; (*fam.*) boozed.

взвод=и́ть I. 1. [c] *va.* (*Pf.* взвести́ & взвесть 22. [a]) to lead, to bring up; to build, to erect; to cock (a gun); (что на когó) (*fig.*) to impute . . . to.

взвоз=и́ть I. 1. [c] *va.* (*Pf.* взвезти́ 25. [a]) to carry, to convey up; to drive up.

взволнóвыва-ть II. *va.* (*Pf.* взволно+вáть II. [b]) to arouse, to excite, to stir up || **~ся** *vr.&n.* to become agitated; to be roused, to be moved, to roll, to heave up (of the sea). [howling.

взвывá-ть II. *vn.* (*Pf.* взвыть 28.) to start

взгляд/ *s.* look, glance, view; appearance; opinion; **на ~** by appearance; **с пéрвого ́~а** at first sight || **́~ный** *a.* good-looking || **́~ыва-ть** II. *vn.* (*Pf.* взглян-ýть I. [c]) (на что) to look at, to consider.

взгромáзжива-ть II. *va.* (*Pf.* взгромозд=и́ть I. 1. [a]) to pile, to heap up; to raise up || **~ся** *vr.* to climb up, to raise o.s. up.

взгрусти́ть *cf.* **грусти́ть.**

вздёргива-ть II. *va.* (*Pf.* вздёрн-уть I.) to draw up, to pull up; to string (on a thread); **~ нос** (*fig.*) to turn up one's nose.

вздор *s.* dispute; nonsense, rot, bosh; **какóй ~!** what rot! what rubbish! **нести́** (*or* **молóть**) **~** to talk nonsense.

вздóр=ить II. *vn.* (*Pf.* по-) (с кем) to quarrel with. [quarrelsome.

вздóрный *a.* nonsensical, absurd, silly;

вздор ожáние *s.* rise in price || **-ожá-ть** II. *vn. Pf.* to become dearer, to rise (of price) || **-ож=и́ть** I. [a] *va. Pf.* to raise the price of, to value highly.

вздох/ *s.* sigh, gasp || **-нýть** *cf.* **вздыхáть.**

вздрáг/ивание *s.* shivering, shuddering, starting || **-ива-ть** II. *vn.* (*Pf.* вздрóгн-уть I. [a & b]) to shudder, to shiver; to start (in one's sleep).

вздремн-ýть I. [a] *vn. Pf.* to take a nap; to take a snooze.

вздy/вáние *s.* inflation, swelling, distension || **-вá-ть** II. *va.* (*Pf.* взду-ть II.) to blow on, to fan (fire); to punish, to give s. o. a licking || **~** *v.imp.* to swell up || **~ся** to swell up, to distend.

вздýма-ть II. *va. Pf.* to think of, to imagine; to find out, to discover; to intend || **~ся** *v.imp.* to enter a person's head, to occur (to one); **мне вздýмалось** it occurred to me.

вздыхáтель/ *s. m.*, **-ница** *s.* beloved one, sweetheart.

вздыхá-ть II. *vn.* (*Pf.* вздохн-ýть I. [a]) to breathe, to take in a breath; to sigh.

взимá-ть II. *va.* (*Pf.* взять 37. [a]) to gather, to collect (taxes, fares, etc.)

взирá-ть II. *vn.* (*Pf.* воззр=éть I. [a 1.]) (на что) to look at; to consider, to take into account; **не ~** not to consider; **не взирáя на опáсность** in spite of the danger.

взлáмыва-ть II. *va.* (*Pf.* взлом=и́ть II. 7. [c]) to break open, to tear open.

взлезá-ть II. *vn.* (*Pf.* взлезть 25.) (на + *A*) to climb up on, to ascend.

взлёт *s.* flight upwards, flying up.

взлетá-ть II. *vn.* (*Pf.* взлет=éть I. 2. [a]) to fly up, to ascend; **~ на вóздух** to be blown up.

взлом/ *s.* breaking up *or* open; burglary; **воровствó со ́~ом** burglary || **-áть** *cf.* **взлáмывать.**

взмах *s.* stroke, beat, flapping.

взмáхив-ать II. *va.* (*Pf.* взмах-áть I. 3. [c], *mom.* взмахн-ýть I. [a]) to beat (the wings), to flap, to swing.

взмáщива-ть II. *va.* (*Pf.* взмост=и́ть I. 4. [a]) to erect; to heap *or* pile up || **~ся** *vr.* (на что) to climb up, to scale.

взмол=и́ться II. [c] *vn. Pf.* to beseech, to implore.

взмóрье *s.* strand, beach.

взмущá-ться II. *vr.* (*Pf.* взмут=и́ться I. 2. [a & c]) to become sad, to become melancholy; to be excited.

взмы́лива-ть II. *va.* (*Pf.* взмы́л=ить II.) to soap (thoroughly); (of horses) to cause to sweat.

взнос *s.* bringing up; payment, contribution, amount, deposit (in a bank).

взнос=и́ть I. 3. [c] *va.* (*Pf.* взнести́ & взнесть 26. [a]) to bring up, to carry up; to pay in, to contribute.

взнýздыва-ть II. *va.* (*Pf.* взнуздá-ть II.) to bridle (a horse).

взойти́ *cf.* **восходи́ть.**

взопрéлый *a.* covered with sweat.

взор/ *s.* look, glance || **-вáть** *cf.* **взрывáть.**

взрáчный *a.* beautiful, handsome, stately.

взре́зыва-ть II. *va.* (*Pf.* взре́з-ать II.) to cut up, to slit open; to dissect.
взро́слый *a.* grown-up, adult.
взрыв/ *s.* explosion, detonation, blowing up || **-а́-ть** II. *va.* (*Pf.* взорв-а́ть I. [a]) to blow up, to explode; (*Pf.* взрыть 28. [b]) to tear up, to dig up, to plough up || **-но́й** & **´очный** *a.* explosive; **~ звук** an explosive, a stop || **´чатый** & **´чивый** *a.* exploding, explosive.
взрыть *cf.* **взрыва́ть.**
взрыхля́-ть II. *va.* (*Pf.* взры́хл=ить II.) to loosen, to break up (earth).
вз'еда́-ться II. *vn.* (*Pf.* вз'е́сться 42.) (на кого́-либо) (*vulg.*) to fall upon, to assail; to rail at.
вз'езд *s.* ascent, driving up.
вз'езжа́-ть II. *vn.* (*Pf.* вз'е́хать 45.) to ride up, to drive up.
вз'еро́шива-ть II. *va.* (*Pf.* вз'еро́ш=ить I.) to dishevel (hair) || **~ся** *vr.* to bristle up, to stand on end (of the hair).
взыва́-ть II. *va.* (*Pf.* воззва́ть 10. [a 3.]) (к кому́) to implore, to call upon.
взы́грыва-ть II. *vn.* (*Pf.* взыгра́-ть II.) to rejoice, to leap for joy.
взыск/а́ние *s.* recovery, collection (of debts); exaction, punishment || **-а́тельный** *a.* exacting, severe; presumptuous.
взы́скива-ть II. *va.* (*Pf.* взыск-а́ть I. 4. [c]) (с + *G.*) to collect, to recover (debts); to exact, to demand; to load (with favours); (с кого́ за что) to call to account for.
взя́т/ие *s.* capture, taking || **-ка** *s.* (*gpl.* -ток) trick (at cards); (*us. in pl.*) a bribe; **брать -ки** to be open to bribes; **дава́ть -ки** to bribe || **-очник** *s.* bribe-taker, corrupt official || **-очничество** *s.* corruptibility, venality.
взять 37. [a] *va. Pf.* (*Fut.* возьму́, -мёшь etc., *Prt.* взял, -ла́, ´ло, ´ли) to take, to capture, to conquer; **~ ме́ры** to take measures; **~ на себя́** to take upon o.s., to undertake; **~ верх** (над кем) to get the upperhand of (*cf.* брать) || **~ся** *vr. Pf.* (за + *A.*) to take upon o.s., to undertake; **~ за рабо́ту** to start work; **~ за ору́жие** to take up arms; **~ за ум** to come to one's senses, to become reasonable; **отку́да он взя́лся?** where does he come from?
вибр/а́ция *s.* vibration || **-и́ро+вать** II. *vn.* to vibrate.
вива́т! *int.* long live! hurrah!
вивисе́кция *s.* vivisection.
вид *s.* [g°] appearance (of a person, etc.); view, landscape; sight, form; intention, purpose; species, kind; (*gramm.*) aspect; document, passport; **с ´у** in appearance; **в -у́** in sight; **пропа́сть из виду** to become lost to sight; **э́то ´ом не ´ано** never seen before; **в ´е** (+ *G.*) in the form of; **э́то хорошо́ на ~** that looks fine; **~ на жи́тельство** permit to reside; **ка́рточка с ´ом** picture-post-card.
вид/а́лый *a.* experienced || **-а́льщина** *s.* a well-known matter || **´анный** *a.* trite, hackneyed.
вида́-ть II. *va.* (*Pf.* у-) to see (now and then), to spy, to perceive || **~ся** *vr.* to see one another often.
виде́ние *s.* vision, apparition.
ви́д=еть I. 1. *va.* (*Pf.* у-) to see, to perceive; **~ во сне** to dream of || **~ся** *vrc.* to see one another, to meet.
ви́дим/ый *a.* visible; clear, plain; handsome, stately || **-о** *ad.* evidently; **не -о** an immense amount; **по -ому** apparently || **-ость** *s. f.* visibility.
видне́-ться II. *v.imp.* to become visible, to appear.
ви́д/ный *a.* visible, evident; plain, conspicuous, clear || **-но** *ad.* apparently, evidently; **его нигде́ не -но** he is nowhere to be seen.
видо/во́й *a.* of species || **-измене́ние** *s.* modification, variety, degenerate species || **-изменя́-ть** II. *va.* (*Pf.* -измен=и́ть II. [a]) to vary, to modify || **~ся** *vr.* to degenerate, to become modified.
ви́допись *s. f.* landscape (as painting).
ви́дывать *iter. of* вида́ть *q. v.*
ви́з/а *s. n. indecl.* visum || **-ави́** *s. m. indecl.* vis-à-vis, person opposite.
визг/ *s.* squeaking; whining; screeching || **-ли́вый** *a.* whining, squealing || **´нуть** *cf.* **визжа́ть** || **-у́н** *s.*, **-у́нья** *s.* whiner, squealer.
визж=а́ть I. [a] *vn.* (*Pf.* за-, *mom.* ви́згн-уть I.) to whine, to squeal, to screech.
визи́р/ *s.* aim, sight (on a gun); target; (*phot.*) view-finder || **-о+вать** II. *va.* to visé (a passport).
визи́рь *s. m.* [a] vizier.
визи́т/ *s.* visit, call; **сде́лать** (кому́) **~** to pay a visit to || **-ёр** *s.*, **-ёрша** *s.* visitor, caller || **-ка** *s.* (*gpl.* -ток) morning-dress || **-ный** *a.*, **-ная ка́рточка** visiting-card.
вика́рий *s.* vicar.
вико́нт/ *s.* viscount || **-е́сса** *s.* viscountess.
виксати́новый *a.* waterproof (of coat).
ви́л/ка *s.* (*gpl.* -лок) fork || **-ообра́зный** *a.* forked, fork-shaped.

ви́лла *s.* villa, country-house.
ви́лочка *s.* (*gpl.* -чек) *dim.* small fork.
ви́лы *s. fpl.* hay-fork, pitch-fork.
виля́ние *s.* wagging (the tail); shuffling, wriggling.
виля́-ть II. *vn.* (*Pf.* за-, *mom.* вильн-у́ть I. [a]) to wag (the tail); to prevaricate, to shuffle; to use artifices; to turn here and there.
вин/а́ *s.* guilt, fault, blame; cause, motive; **он был -о́ю** he was guilty || **-егре́т** *s.* salmagundi, hotchpotch || **-и́тельный** *a.*, ~ **паде́ж** (*gramm.*) accusative (case).
вин=и́ть II. [a] *va.* (*Pf.* об-) (кого́ в чём) to accuse (of), to blame (for) || **~ся** *vr.* (в чём) to plead guilty (of).
ви́нный *a.* of wine, vinous; ~ **ка́мень** tartar; ~ **спирт** alcohol; **-ная кислота́** tartaric acid; **-ная я́года** (dried) fig.
вино́ *s.* [d] wine; spirits.
винов/а́тый *a.* culpable, guilty, faulty || **-а́т!** *int.* I beg your pardon! excuse me! || **´-ник** *s.*, **´-ница** *s.* author(ess), originator || **´-ность** *s.f.* guilt, culpability || **´-ный** *a.* guilty, culpable || **´-ый** *a.* of spades (at cards); ~ **туз** the ace of spades.
виногра́д/ *s.* vine; *coll.* grapes || **-арь** *s.m.* vine-dresser, vintager || **-ина** *s.* grape || **-ник** *s.* vineyard || **-ный** *a.* of grapes; **-ная ло́за** grape-vine.
вино/де́лие *s.* wine-making; vine-growing || **-ку́р** *s.* distiller (of spirits) || **-куре́ние** *s.* distillation; distillery || **-ку́рня** *s.* (*gpl.* -рен) (spirits) distillery || **-ме́р** *s.* wine-gauge, alcoholometer, vinometer || **-прода́вец** *s.* (*gsg.* -вца) wine-merchant, vintner || **-сло́вность** *s.f.* cause; (*phil.*) causality || **-сло́вный** *a.* causal || **-торго́вец** *s.* (*gsg.* -вца) wine-merchant, vintner || **-торго́вля** *s.* wine-trade; wine-merchant's warehouse, vintnery || **-че́рпий** *s.* cupbearer.
винт/ *s.* [a] screw; vint (a card-game based on whist and preference); **гребно́й** ~ (ship's) screw, propeller || **´-ик** *s.* small screw. [to play "vint".
винт=и́ть I. 2. [a] *va.* (*Pf.* по-) to screw;
винт/о+ва́ть II. [b] *va.* to screw on; to rifle (a gun) || **-о́вка** *s.* (*gpl.* -вок) rifle, carbine, gun with rifled barrel || **-ово́й** *a.* spiral, screw- || **-oобра́зный** *a.* spiral, screw-shaped, helical.
винцо́ *s. dim. of* вино́.
винчу́ *cf.* **винти́ть.**
виртуо́з/ *s.*, **-ка** *s.* (*gpl.* -зок) virtuoso.
ви́рша *s.* doggerel.
ви́сел/ица *s.* gallows, gibbet, scaffold || **-ьник** *s.*, **-ьница** *s.* gallows-bird; hanged person.
вис=е́ть I. 3. [a] *vn.* (*Pf.* пови́сн-уть I.) to hang, to be suspended; **дождь виси́т** rain is threatening.
вислоу́хий *a.* flap-eared, with hanging ears; (*as s. fam.*) sleepy-head.
ви́слый *a.* hanging down, pendent.
ви́смут *s.* bismuth.
ви́снуть *cf.* **висе́ть.**
висо́к *s.* [a] (*gsg.* -ска́) temple (of the head); the hair over the temples.
високо́с/ *s.* & **-ный год** leap-year.
висо́чный *a.* temporal (of the head).
вист *s.* whist; **игра́ть в** ~ to play whist.
вися́чий *a.* hanging, pendent; ~ **замо́к** padlock; ~ **мост** suspension bridge.
вита́-ть II. *vn.* (*sl.*) to dwell, to reside; to put up; to hover (in the air).
вит/ева́тый *a.* eloquent; oratorical, rhetorical || **-и́йство** *s.* rhetoric; eloquence **-и́я** *s.* orator, declaimer (*esp.* one using florid language). [spiral staircase.
вито́й *a.* winding, spiral; **-а́я ле́стница**
вит/о́к *s.* [a] (*gsg.* -тка́) helix (of the ear); a roll || **-у́шка** *s.* (*gpl.* -шек) a roll; a kind of round cracknel.
витри́на *s.* glass-case; show-window.
вить 27. *va.* (*Pf.* с-, *Fut.* совью́, -вьёшь) to twist, to wind, to roll (up); to plait; ~ **гнёзда** to build nests; ~ (на кого́) **верёвки** to twist s. o. about one's (little) finger || **~ся** *vr.* to twist, to twine, to meander; to curl (one's hair); to circle, to soar (of birds of prey).
ви́тязь *s.m.* hero, knight.
вихо́р *s.* [a] (*gsg.* -хра́) forelock; parting (of the hair).
ви́х/орь *s.m.* (*gsg.* -хря) whirlwind || **-рем** *ad.* suddenly, impetuously.
ви́хр=иться *vn.* II. (*Pf.* за-) to whirl.
вихрь *s.m.* whirlwind.
виц(е)-/ *in cpds.* = vice- || **-мунди́р** *s.* undress (uniform).
ви́ш/енка *s.* (*gpl.* -нок) small cherry-tree; small cherry || **-енник** *s.* cherry-orchard || **-енный** *a.* of cherries, cherry- || **-енье** *s. coll.* cherry-trees; cherries || **-нёвка** *s.* (*gpl.* -вок) cherry-brandy || **-нёвый** *a.* cherry-; cherry-coloured || **-ня** *s.* (*gpl.* -шен) cherry; cherry-tree.
вишу́ *cf.* **висе́ть.**
вишь! *int.* there! see there!
вка́мкива-ть II. *va.* (*Pf.* вкомка́-ть II.) to press in, to squeeze in.

вка́пыва-ть II. *va.* (*Pf.* вкопа́-ть II.) to dig in, to bury in.
вка́тыва-ть II. *va.* (*Pf.* вкат=и́ть I. 2. [a & c], *mom.* вкатн-у́ть I. [a]) to roll in, to trundle in || **~ся** *vr.* to roll in, to be rolled in.
вка́чива-ть II. *va.* (*Pf.* вкат=и́ть I. 2. [a & c]) to pump in.
вки́дыва-ть II. *va.* (*Pf.* вкида́-ть II. [b], *mom.* вки́н-уть I.) to throw, to hurl in.
вклад/ *s.* contribution; donation; deposit (in a bank) || **-но́й** *a.* that may be inserted; **~ я́щик** drawer || **-́(оч)ный** *a.* deposited, donated || **-́чик** *s.*, **-́чица** *s.* depositor; donor, contributor || **-́ыва-ть** II. *va.* (*Pf.* вкласть 22. [a] & влож=и́ть I. [c]) to insert, to put in; to inlay; to invest, to deposit (money in a bank).
вкле́ива-ть II. *va.* (*Pf.* вкле=и́ть II. [a & b]) to stick in, to paste in.
вкле́йка *s.* (*gpl.* -е́ек) pasting in; what is pasted in.
включа́-ть II. *va.* (*Pf.* включ=и́ть I. [a]) to include; to contain; **~ в усло́вие** to include in the bargain; **включа́я** including, inclusive of.
включ/е́ние *s.* inclusion; **со -е́нием** (+ *G.*) including, inclusive of || **-и́тельно** *ad.* inclusively.
вкола́чива-ть II. *va.* (*Pf.* вколот=и́ть I. 2. [c]) to drive in, to hammer in, to ram in, to beat in.
вконе́ц *ad.* completely, thoroughly; entirely, wholly.
вко́панный *a.* buried; **как ~** as if fastened to the ground, like a statue.
вкопа́ть *cf.* **вка́пывать.**
вкореня́-ть II. *va.* (*Pf.* вкорен=и́ть II. [a]) to impress, to inculcate || **~ся** *vr.* to take root; (*fig.*) to become impressed (on the memory).
вкоротке́ *ad.* soon, shortly; evanescently, passing quickly.
вкось *ad.* obliquely, diagonally, awry; **гляде́ть ~** to look askance.
вкра́дчив/ость *s. f.* insinuating character, wheedling, insinuation || **-ый** *a.* insinuating, wheedling, ingratiating.
вкра́дыва-ться II. *vc.* (*Pf.* вкра́сться 22. [a]) to insinuate o.s.; to ingratiate o.s., to creep into favour; to creep in, to steal in.
вкрасне́ *ad.* at best, (seen) from the best side.
вкра́тце *ad.* succinctly, briefly, in short.
вкрепля́-ть II. *va.* (*Pf.* вкреп=и́ть II. 7. [a]) to make firm, to fasten.
вкривь *ad.* obliquely, slanting, awry; **всё пошло́ ~ и вкось** everything is topsy-turvy, nothing succeeds.
вкруг *ad.* around, round about.
вкру/ту́ю & **-́те** *ad.* quickly, hastily; hard-boiled (of eggs).
вкуп/ *s.* purchase-money || **-но́й** *a.* bought, purchased; **-но́е ме́сто** bought position.
вкус/ *s.* taste; style, manner; **у вся́кого свой ~** tastes differ || **-́ный** *a.* tasty, savoury; nice; **-́но ли вам ко́фе?** do you like the coffee?
вкуша́-ть II. *va.* (*Pf.* вкус=и́ть I. 3. [c]) to taste, to relish; to enjoy; **~ дары́ святы́е** to receive the Holy Communion.
вкуше́ние *s.* tasting; enjoyment.
вла́г/а *s.* moisture, wetness; liquid; (*med.*) humour || **-а́лище** *s.* case, sheath; pouch; (*an.*) vagina || **-а́-ть** II. *va.* (*Pf.* влож=и́ть I. [c]) to put in; to sheathe (a sword); to suggest (an idea) || **-оме́р** *s.* hydrometer.
владе́/лец *s.* (*gsg.* -льца), **-лица** *s.* owner, possessor (of real property), proprietor, holder (of a cheque, etc.) || **-льческий** *a.* pertaining to the owner of an estate || **-ние** *s.* possession, proprietorship; dominion, rule; territory, estate, domain || **-тель** *s. m.*, **-тельница** *s.* ruler, governor; possessor, owner, proprietor; lord (of a manor).
владе́-ть II. *vn.* (*Pf.* за-, о-) (чем) to possess, to occupy, to hold; to make good use of, to master; to rule over, to govern; **~ языко́м** to have a thorough mastery of a language; **~ ки́стью** to be an adept at painting.
влады́/ка *s. m.* (*V.* -ко) (*sl.*) Lord, ruler; archbishop || **-чество** *s.* lordship, sovereignty, dominion || **-чество+вать** II. *vn.* to rule (over), to dominate || **-чица** *s.* sovereign (lady); Our Lady, the Mother of God.
вла́жива-ть II. *va.* (*Pf.* вла́д=ить I. 1.) to fit in, to insert.
вла́ж/ность *s. f.* moisture, humidity || **-ный** *a.* moist, humid, damp.
вла́мыва-ться II. *vr.* (*Pf.* влом=и́ться II. 7. [c]) to force one's way in violently, to storm in.
вла́ст/во+вать II. *vn.* to rule, to govern || **-ели́н** *s.*, **-ели́нка** & **-ели́нша** *s.* ruler, sovereign || **-и́тель** *s. m.*, **-и́тельница** *s.* ruler, governor, regent || **-и́тельный** *a.* powerful, mighty || **-и́тельский** *a.* imperious, domineering; of a ruler || **-ный** *a.* having power to, competent, empowered; **-ною руко́ю** with one's own hand, autographic || **-олю́бец** *s.* (*gsg.* -бца), **-олю́бица** *s.* an ambitious

person || **-олюби́вый** *a.* ambitious, greedy of power || **-олю́бие** *s.* greed, lust of power, ambition.

власть *s. f.* [c] power, authority; (*in pl.*) the authorities *pl.*, those in power; **быть во ́-и** to be at the mercy of.

власяни́ца *s.* (*sl.*) hair-shirt, penitent's shirt.

влач=и́ть I. [a] *va.* (*Pf.* про-) to drag, to draw; ~ **жизнь** to lead a wretched life || **~ся** *vr.* to drag o.s. along.

вле́в/е *ad.* on the left || **-о** *ad.* to, towards the left.

влеза́-ть II. *vn.* (*Pf.* влезть 25. [b 1.]) to climb in, to creep in.

вле́плива-ть II. & **влепля́-ть** II. *va.* (*Pf.* влеп=и́ть II. 7. [c]) to paste in, to glue in; ~ (кому́) **пощёчину** to give s. o. a box on the ear.

влета́-ть II. *vn.* (*Pf.* влет=е́ть I. 2. [a]) to fly in.

влече́ние *s.* dragging, drawing, trailing; inclination, propensity; impulse.

влечь 18. [a 2.] *va.* (*Pf.* по-, у-) to draw, to drag, to trail; (к + *D. fig.*) to induce; to cause; (за собо́ю) to drag behind o.s., to have as consequence, to bring on.

влива́-ть II. *va.* (*Pf.* влить 27. [a 1.], *Fut.* волью́ -ьёшь) to pour in || **~ся** to flow in, to discharge o.s. (of a river).

влипа́-ть II. *vn.* (*Pf.* вли́пнуть 52.) to remain stuck fast in.

влия́/ние *s.* mouth (of a river); influence || **-тельный** *a.* influential.

влия́-ть II. *va.* (*Pf.* по-) (на кого́) to influence.

вложе́ние *s.* putting in, insertion; enclosure; **со -нием пяти́ рубле́й** 5 roubles enclosed.

вложи́ть *cf.* **вкла́дывать.**

вломи́ть *cf.* **вла́мывать.**

влюблённый *a.* in love, enamoured; (*as s.*) lover.

влюбля́-ть II. *va.* (*Pf.* влюб-и́ть II. 7. [c]) (в + *A*) to enamour (of) || **~ся** *vr.* to fall in love with.

влю́бчивый *a.* in love; amorous.

вля́па-ть II. *va. Pf.* to knock in, to strike in || **~ся** *vn.* to rush into (*e. g.* danger).

вма́зыва-ть II. *va.* (*Pf.* вма́з-ать I. 1.) to cement in; ~ **стекло́** to fasten in glass with putty.

вма́нива-ть II. *va.* (*Pf.* вман=и́ть II. [c]) to entice in.

вма́тыва-ть II. *va.* (*Pf.* вмота́-ть II.) to roll up in.

вмен/е́ние *s.* imputation || **-я́емость** *s. f.* accountability, responsibility.

вменя́-ть II. *va.* (*Pf.* вмен=и́ть II. [a & c]) to impute; to consider as; ~ **себе́ в обя́занность** to regard as one's duty.

вмести́лище *s.* receptacle; reservoir.

вме́сте *ad.* together, along with, in common; ~ **с тем** at the same time, simultaneously.

вмест/и́мость *s. f.* volume, capacity; (*mar.*) tonnage; capaciousness || **-и́тельность** *s. f.* capaciousness, roominess || **-и́тельный** *a.* roomy, capacious; ~ **знак** bracket.

вме́сто *ad.* (+ *G.*) instead of, in the place of, in lieu of; for.

вмеша́тельство *s.* interference; ~ **в де́ло** intervention.

вме́шива-ть II. *va.* (*Pf.* вмеша́-ть II.), (в + *A.*) to mix up in, to implicate, to involve || **~ся** *vr.* to meddle with, to interfere, to become involved in; ~ **в де́ло** to intervene; ~ **в чужо́й разгово́р** to break in on others' conversation.

вмеща́-ть II. *va.* (*Pf.* вмест=и́ть I. 4. [a]); ~ **в себе́** to contain, to hold, to comprise || **~ся** *vr.* to fit in, to have room.

вмиг *ad.* all at once, in a trice.

внаём, внаймы́ *ad.* to let, for hire; **взять** ~ to hire, to rent; **отда́ть** ~ to let, to hire out.

внача́ле *ad.* in the beginning, at first.

вна́шивать *cf.* **вноси́ть.**

вне *ad&prp.* (+ *G.*) outside, out of; ~ **себя́** beside o.s., mad.

внедря́-ть II. *va.* (*Pf.* вне́др=ить II. [a]) to inculcate, to instil || **~ся** *vr.* to take root.

внеза́п/ность *s. f.* suddenness, unexpectedness || **-но** *ad.* suddenly, unawares || **-ный** *a.* sudden, unexpected.

вне́млю *cf.* **внима́ть.**

внесе́ние *s.* entering (in a book), entry; payment, deposit (of money, taxes, etc.).

внести́, внесу́ *cf.* **вноси́ть.**

вне́ш/ний *a.* external, exterior; foreign; outer || **-ность** *s. f.* exterior; outside; appearance.

Внешто́рг = **Комиссариа́т Вне́шней Торго́вли** Commissariat for Foreign Trade.

вниз *ad.* down(-wards); ~ **по реке́** downstream.

внизу́ *ad.* below, down below, underneath.

вника́-ть II. *vn.* (*Pf.* вни́кн-уть I.) to enter into, to penetrate; to investigate, to make o.s. familiar with.

внима́ние *s.* attention, consideration; **обраща́ть** ~ (на + *A.*) to consider, to take into account, to direct one's atten-

tion to; **принимáть во ~** to consider, to take into account; **принимáя во ~** considering, with regard to.
внимáтель/ность *s. f.* attention || **-ный** *a.* attentive, heedful.
внимá-ть II. *va.* (*Pf.* внять 37.) (+ *D.*) to pay heed to, to heed; (of God) to hear.
внóве *ad.* recently, a short time ago.
вновь *ad.* anew, over again.
внóгу *ad.* in step.
внос *s.* entry (in a book); payment.
внос=и́ть I. 3. [c] *va.* (*Pf.* внести́ & внесть 26. [a 2.]) to carry in, to bring in; to enter (in a book), to register; to pay (in), to contribute.
внóска *s.* (*gpl.* -сок) = **внос.**
Внудéл = **Комиссариáт Внýтренних** Дел Commissariat for Foreign Affairs.
внук/ *s.* grandson || **ʹа** *s.* grand-daughter.
внýтр/енний *a.* internal, interior, inner; inland, home-; **министр -них дел** minister for the interior; (in England) the Home-Secretary || **-енность** *s. f.* the interior, inside; entrails, viscera || **-и́** *ad.* inside || ~ *prp.* (+ *G.*) inside || **-ь** *ad.* inwards.
внучáт/а *s. m&fpl.* grand-children || **-ный** *a.* of the third degree; ~ **брат, -ная сестрá** second cousin.
внýч/ек *s.* (*gsg.* -чка) *dim.* grandson || **-ка** *s.* (*gpl.*-чек) *dim.* granddaughter.
внуш/á-ть II. *va.* (*Pf.* внуш=и́ть I. [a]) to suggest, to inspire || **-éние** *s.* suggestion, inspiration, admonition, exhortation || **-и́тель** *s. m.*, **-и́тельница** *s.* inspirer, one who suggests || **-и́тельный** *a.* inspiring, suggestive, stimulating.
внятный *a.* plain, audible, distinct.
внять *cf.* **внимáть.**
во *cf.* **в.**
вóбла *s.* roach.
вобрáть *cf.* **вбирáть.**
вобью́ *cf.* **вбивáть.**
вовéк/ & **-и** *ad.* for ever, eternally; **-и векóв** for all eternity, for ever and ever.
вовлекá-ть II. *va.* (*Pf.* вовлéчь 18. [a 2.]) to draw in; to drag in; to involve; to mislead; to confuse || **~ся** *vr.* to be led astray.
вовремени́ *ad.* happily; at the right time.
вóвремя *ad.* in time, opportunely.
вóвсе *ad.* completely, out and out; ~ **не** not at all, by no means.
во-вторы́х *ad.* in the second place, secondly.
вогнáть *cf.* **вгонять.**
вóгнутый *a.* concave; bent inwards; **двоя́ко-** concavo-concave.
вогнýть *cf.* **вгибáть.**
вод *s.* leading, guiding; breeding (of poultry and domestic animals).
водá *s.* [f] water; (*in pl.*) (mineral) waters; **-ою** by water, by sea; **толóчь ʹу** (*fig.*) to beat the air, to pour water into a sieve; **на -áх** at the waters; **выводи́ть на чи́стую ʹу** to bring to light, to expose; (*fig.*) **он вы́шел сух из -ы́** he came through unscathed.
водво/рéние *s.* settlement, colony, establishment; installation (as owner) || **-ря́-ть** II. *va.* (*Pf.* -р=и́ть II. [a]) to install; to settle, to establish || **~ся** *vr.* to settle down.
водеви́ль *s. m.* vaudeville.
води́л/о *s.* halter-rope, leash, lead || **-ьный** *a.*, **-ьная верёвка** leash.
вод=и́ть I. 1. [c] *va.* (*conc. form* вести́ *q. v.*), (*Pf.* по-) to lead, to guide, to conduct; to manage (affairs); to carry on, to run (a business); to keep (books, house, etc.); to rear, to breed (animals); ~ **знакóмство** (с кем) to keep company with || ~ *v.imp.* to thaw; **в лесý вóдит** the wood is haunted || **~ся** *vn.* to be led, etc.; (с кем) to keep company with; to thrive; to live, to inhabit (of animals); **у негó всегдá вóдятся дéнежки** he is always in funds; (*fam.*) he is always flush || ~ *v.imp.*, **так вóдится** such is the custom.
вод/и́ца *s. dim.* a little water; slight flood || **-и́чка** *s. dim. of prec.* || **ʹка** *s.* (*gpl.* -док), (rye)brandy, vodka; **дать на ʹку** to tip, to give a tip; **дéньги на ʹку** a tip || **ʹный** *a.* water-, hydro-, watery.
водо/боя́знь *s.f.* hydrophobia || **-вмести́лище** *s.* reservoir, cistern || **-вóз** *s.* water-carrier || **-ворóт** *s.* whirlpool, eddy || **-дéйствующий** *a.* hydraulic || **-ём** *s.* cistern, tank, reservoir || **-измещéние** *s.* (*mar.*) displacement, draught (of water) || **-качáлка** *s.* (*gpl.* -лок) water-pump || **-кáчка** *s.* (*gpl.* -чек) pumping-station || **-кроплéние** *s.* sprinkling with holy water || **-лáз** *s.* diver; Newfoundland (dog) || **-лáзный** *a.* diving-; ~ **кóлокол** diving-bell || **-лéй** *s.* (*astr.*) Aquarius || **-лечéбница** *s.* hydropathic (establishment) || **-лечéбный** *a.* hydropathic || **-лечéние** *s.* hydropathy; hydropathic treatment || **-мéр** *s.* hydrometer || **-мéрный** *a.*

serving to measure the amount of water; ~ **прибóр** water-gauge || **-мёт** *s.* fountain. || **-нóс** *s.* water-carrier; pail, bucket; water-carrier's yoke || **-нóсец** *s.* (*gsg.* -сца) & **-нóска** *s.* (*gpl.* -сок) water-carrier || **-отвóдный** *a.* leading off water; **-отвóдная трубá** waste water-pipe || **-пáд** *s.* waterfall, rapids, cataract || **-подъём** *s.* water-works || **-подъёмный** *a.* for raising water || **-пóй** *s.* (water) trough; horse-pond || **-пóйка** *s.* (*gpl.* -пóек) water-basin (on birds' cages) || **-провóд** *s.* aqueduct; water-supply || **-провóдный** *a.* for conducting water || **-раздéл** *s.* watershed || **-рóд** *s.* hydrogen || **-рóдный** *a.* of hydrogen, hydrogen-.

вóдо/росль *s. f.* seaweed; (*in pl.*) alga || **-свя́тие** & **-священие** *s.* consecration of the waters || **-скáт** *s.* waterfall || **-сли́в** *s.* sluice in a dyke || **-снабжéние** *s.* water-supply || **-спýск** *s.* sluice || **-стóк** *s.* drain || **-стóчный** *a.* drainage- || **-храни́лище** *s.* cistern, reservoir || **-черпáтельный** *a.* for drawing water || **-чисти́тельный** *a.* for purifying *or* filtering water.

вóдоч/ка *s.* (*gpl.* -чек) *dim.* a little brandy || **-ный** *a.* of brandy; ~ **завóд** distillery; **-ная пéчень** cirrhosis.

водружá-ть II. *va.* (*Pf.* водруз=и́ть I. 1. [a]) to erect, to plant, to set up.

водян/и́к *s.* [a] water-spirit, nix, nixie || **-и́стый** *a.* watery, pale || **-́ка** *s.* dropsy || **-óй** *a.* water-, of water; (*as s.*) water-elf, nix; **-áя** (as *s.*) dropsy.

вое+вáть II. [b] *vn.* to wage war, to be at war, to war.

вое/вóда *s. m.* (formerly) commander of the army || **-ди́но** *ad.* together, united || **-начáлие** *s.* supreme command (of an army) || **-начáльник** *s.* commander-in-chief, general. [commissary.

военкóм = **воéнный комиссáр** military

военно/плéнник *s.* prisoner of war || **-слýжащий** *s.* soldier || **-судéбный** & **-сýдный** *a.* of a court-martial || **-учéбный** *a.*, **-учéбное заведéние** military academy.

воéн/ный *a.* military, martial; (*as s.*) soldier || **-щина** *s.* military, soldiery; military service.

вож/áк *s.* [a] & **-áтай** *s.* leader, conductor; driver || **-делéние** *s.* desire, longing (for); **плóтское** ~ lust, concupiscence || **-делéнный** *a.* desirous, desired || **-дéние** *s.* leading, guidance.

вождь *s. m.* [a] general; leader, commander. [lead.

вожжá *s.* [e & f] (*us. in pl.*) reins *pl*;

вожмý *cf.* **вжимáть.**

вожý *cf.* **води́ть & вози́ть.**

воз- *in cpds* = up, upwards. [load.

воз *s.* [b] waggon, cart, wain; waggon-

возблагодар=и́ть II. [a] *va.* (*Pf.* за-) to thank, to give thanks (for).

воз/брани́-ть II. *va.* (*Pf.* -бран=и́ть II. [a]) to interdict, to forbid, to prohibit; to prevent || **-буди́тель** *s. m.*, **-буди́тельница** *s.* instigator; provoker; exciter || **-буди́тельный** *a.* exciting, stimulating, provoking || **-буждá-ть** II. *va.* (*Pf.* -буд=и́ть I. 1. [c]) to excite, to provoke, to stimulate; to awaken; to cause (laughter) || **-буждéние** *s.* incitement, provocation; stimulation; instigation; awakening.

возведéние *s.* elevation; advancement (in rank, etc.).

возведý *cf.* **возводи́ть.**

воз/вели́чива-ть II. *va.* (*Pf.* -вели́ч=ить I.) to raise (to honours), to promote; to elevate, to exalt; to praise, to extol || **-веселя́-ть** II. *va.* (*Pf.* -весел=и́ть II.) to delight, to charm || **-води́ть** I. 1. [c]) *va.* (*Pf.* -вести́ & -вéсть 22.) to elevate, to raise, to lift up; to erect (a building); to promote, to advance.

воз/вести́тель *s. m.*, **-ница** *s.* messenger, proclaimer || **-вести́тельный** *a.* announcing, proclaiming || **-вещá-ть** II. *va.* (*Pf.* -вест=и́ть I. 4. [a]) to announce, to proclaim, to make known, to inform || **-вещéние** *s.* announcement, proclamation.

возврáт/ *s.* return; restitution; ~ **сóлнца** solstice || **-и́мый** *a.* retrievable, revocable; returnable || **-и́ть** *cf.* **возвращáть** || **-но** *ad.* back || **-ный** *a.* returning, return-; (*gramm.*) reflexive; recurrent (fever).

воз/вращá-ть II. *va.* (*Pf.* -врат=и́ть I. 6. [a]) to bring *or* to give back, to restore, to make restitution; to get back, to recover || ~**ся** *vn.* to come back, to return || **-вращéние** *s.* restoration, restitution; recovery; return.

воз/вышá-ть II. *va.* (*Pf.* -вы́с=ить I. 3.) to heighten, to raise, to elevate; to increase (price, etc.); to advance (in rank) || ~**ся** *vr.* to raise o.s., to ascend; to rise (of prices) || **-вышéние** *s.* elevation, raising; rise (in price, of water); hill, rising ground || **-вы́шенность** *s. f.*

dignity, nobility (of character); eminence, height || **-вы́шенный** *a.* high, elevated, raised; lofty; noble, dignified (of character).

во́з/глас *s.* exclamation; end of prayer spoken aloud by priest || **-глаша́-ть** II. *va.* (*Pf.* -глас=и́ть I. 3. [a]) to exclaim; to proclaim (with a loud voice).

воз/го́н *s.* sublimation, sublimate || **-го́нка** *s.* sublimation || **-гоня́-ть** II. *va.* (*Pf.* взогн=а́ть II. [c], *Fut.* взгоню́, взго́нишь) to sublimate.

воз/гора́емый *a.* inflammable || **-гора́-ть** II. *vn.* (*Pf.* -гор=е́ть II. [a]) & **~ся** to commence to burn, to flare up, to become inflamed; to break out (of fire, war, etc.).

воз/дава́ть 39. *va.* (*Pf.* -да́ть 38.) to give back, to restore; to requite, to reward; to show (honour, etc.) || **-дая́ние** *s.* requital, reward.

воз/двига́-ть II. *va.* (*Pf.* -дви́гнуть 52.) to erect, to build; to restore || **-движе́ние** *s.* erection, raising, erecting; **Воздви́же́ние Че́стного Креста́** the Exaltation of the Cross (14th Sept.).

возде́йствие *s.* reaction, resistance; influence.

возде́л/ка & **-ывание** *s.* cultivation, tilling || **-ыва-ть** II. *va.* (*Pf.* -а-ть II.) to cultivate, to till.

воз/держа́ние *s.* moderation, temperance, abstinence || **-де́ржива-ть** II. *va.* (*Pf.* -держ=а́ть I. [c]) (от + *G.*) to restrain (from) || **~ся** *vr.* to abstain (from) || **-де́ржность** *s. f.* temperance, moderation || **-де́ржный** *a.* temperate, abstinent, moderate.

во́здух/ *s.* air, atmosphere; **на во́льном (откры́том) -е** in the open air; **пари́ть по -у** to build castles in the air || **-оме́р** *s.* aerometer || **-оочисти́тельный** *a.* air-purifying || **-опла́вание** *s.* aeronautics || **-опла́ватель** *s. m.*, **-опла́вательница** *s.* aeronaut || **-опла́вательный** *a.* aeronautic(al).

возду́шный *a.* aerial, air-, pneumatic; **~ шар** air-balloon; **-ные за́мки** castles in the air; **~ пиро́г** puff (piece of light pastry).

воздыма́-ть II. *va.* to lift, to raise up || **~ся** *vr.* to rise, to ascend.

воздых- *cf.* **вздых-**.

возжела́-ть II. *va. Pf.* to desire, to wish for.

возжига́-ть II. *va.* (*Pf.* возже́чь 16.) to light, to kindle; to excite || **~ся** *vr.* to be kindled.

воззва́ние *s.* appeal, proclamation.

воззва́ть, воззову́, etc. *cf.* **воззыва́ть.**

воз/зре́ние *s.* consideration, examination; opinion, judgment, view || **-зре́ть** *cf.* **взира́ть.**

воззыв-а́ть II. *va.* (*Pf.* воззва́ть 10. [a 3.]) to call out aloud; to appeal to.

воз=и́ть I. 1. [c 1.] *va.* (*Pf.* по-) *abstr. form of* везти́ *q. v.* || **~ся** *vn.* (of children) to play pranks, to be unruly; to kick up a row; to exert o.s.

воз/и́ще *s.* large waggon-load || **´ка** *s.* transport, carriage.

воз/лага́-ть II. *va.* (*Pf.* -лож=и́ть I. [c]) to lay upon; to confer (office); to entrust, to commission.

во́зле *prp.* (+ *G.*) beside, near.

воз/лега́-ть II. *vn.* (*Pf.* -ле́чь 43.) to lie (on), to rest (on) || **-леж=а́ть** I. [a]) = **-лега́ть.**

воз/лива́-ть II. *va.* (*Pf.* -ли́ть 27. [a 3.], *Fut.* -олью́, -ольёшь) to pour out (on), to make a libation; **оби́льно ~ Ва́кху** to sacrifice to Bacchus, to drink heavily || **-лия́ние** *s.* libation, potation; (*in pl. fam.*) booze.

возложе́ние *s.* imposition; charging.

воз/лю́бленный *a.* beloved, dear; (*as s. m&f.*) sweetheart || **-любля́-ть** II. *va.* (*Pf.* -люб=и́ть II. 7. [c]) to come to love, to love.

возля́гу *cf.* **возлега́ть.**

воз/ме́здие *s.* reward, requital; retaliation || **-мечта́-ть** II. *vn. Pf.* to have a high opinion of o.s.; to be conceited.

воз/меря́-ть II. *va.* (*Pf.* -ме́р=ить II.) to requite, to repay, to reward; to compensate.

воз/меща́-ть II. *va.* (*Pf.* -мест=и́ть I. 4. [a]) to compensate, to repay, to indemnify || **-меще́ние** *s.* compensation, reparation, indemnification.

возмо́ж/но *ad.* it is possible, it can be done; **~-ли?** is it possible? **как ~ скоре́е** as quick(ly) as possible || **-ность** *s. f.* possibility, feasibility; **по -ности** as much as possible || **-ный** *a.* possible, feasible, practicable.

возмуж/а́лый *a.* adult, grown-up, marriageable || **-а́ть** *cf.* **мужа́ть.**

возмути́тель/ *s. m.*, **-ница** *s.* agitator, seditious person || **-ный** *a.* seditious, rebellious; (*fig.*) revolting, shocking.

воз/мyща́-ть II. *va.* (*Pf.* -мут=и́ть I. 6. [a]) to stir up, to agitate, to disturb; to cause to revolt || **~ся** *vr.* to be disturbed; to revolt || **-муще́ние** *s.* sedition, revolt, mutiny.

возна/гражда́-ть II. *va.* (*Pf.* -град⸗и́ть I. 1. [a]) (за + *A*) to recompense, to reward (for); to compensate, to indemnify || **-гражде́ние** *s.* recompense, reward; compensation, indemnity.

возна/ме́рива-ться II. *vn.* (*Pf.* -ме́р⸗иться II.) to decide (to), to intend (to).

вознегодова́ть *cf.* **негодова́ть.**

возненави́деть *cf.* **ненави́деть.**

Вознесе́ние *s.*, ~ **Госпо́дне** (the Feast of the) Ascension (of Christ).

вознести́ *cf.* **возноси́ть.**

возни/ка́-ть II. *va.* (*Pf.* ́-кнуть 52.) to appear, to arise (of doubt, questions, etc.), to break out (of hate) || **-ка́ние** & **-кнове́ние** *s.* breaking out, outbreak; arising; appearing || ́**-клый** *a.* arisen, broken out, sprung (from).

возни́/к *s.* [a] draught-horse, cart-horse || **-ца** & **-чий** *s.* coachman, driver; (*astr.*) the Charioteer.

воз/нос⸗и́ть I. 3. [c] *va.* (*Pf.* -нести́ & -не́сть 26.) to raise up, to lift up; to praise, to laud, to extol; ~ **глас** to raise one's voice; ~ **моли́тву** to offer up a prayer || ~**ся** *vn.* to arise, to ascend; to extol o.s., to give o.s. airs.

возноше́ние *s.* raising up, elevation, exaltation; pride; praise.

возня́ *s.* noise, bustle; trouble, annoyance; drudgery.

возобно/вле́ние *s.* renewal, restoration; renovation; resumption || **-вля́-ть** II. *va.* (*Pf.* -в⸗и́ть II. 7. [a]) to renew, to restore, to renovate; to resume, to start anew.

возо/ви́к *s.* [a] draught-horse, cart-horse || **-во́й** *a.* draught-, cart-; **-ва́я ло́шадь** cart-horse.

возо́к *s.* [a] (*gsg.* -зка́) sledge-coach, coach on runners.

возра́до+ваться II. *vn.* *Pf.* to rejoice, to exult.

воз/ража́-ть II. *va.* (*Pf.* -раз⸗и́ть I. 1. [a]) to contradict, to refute, to oppose; to answer, to object.

возражда́ть = **возрожда́ть.**

возраже́ние *s.* reply; objection, contradiction, refutation.

во́зраст/ *s.* growth; size, development; age; division (in a school-form); **войти́ в по́лный** ~ to become of age || **-а́ние** *s.* growth, increase; progression.

воз/раста́-ть II. *vn.* (*Pf.* -расти́ I. 35. [a]) to grow, to grow up; to increase.

воз/раща́-ть II. *va.* (*Pf.* -раст⸗и́ть I. 4. [a]) to bring up (children); to rear, to breed (animals); to rear (plants).

возревнова́ть *cf.* **ревнова́ть.**

воз/рожда́-ть II. *va.* (*Pf.* -род⸗и́ть I. 1. [a]) to renew, to revive; to regenerate || ~**ся** *v.pass.* to be reborn, to be regenerated; to be revived || **-рожде́ние** *s.* regeneration, rebirth, reproduction; revival (of art, etc.); the Renaissance.

возропта́ть *cf.* **ропта́ть.**

возрости́ = **возрасти́** *cf.* **возраста́ть.**

возрости́ть *cf.* **возраща́ть.**

во́зчик *s.* driver, carrier, waggoner.

возыме́ть *cf.* **име́ть.**

возьму́ *cf.* **брать.**

во́ин/ *s.* warrior, soldier || **-ский** *a.* martial, military.

вои́нственный *a.* warlike, brave, valiant.

во́инство *s.* army.

вои́стину *ad.* indeed, verily, of a truth.

вои́тель/ *s. m.*, **-ница** *s.* warrior.

вой *s.* crying, whining (of children); howl, howling (of dogs).

войду́ *cf.* **входи́ть.**

во́йлок/ *s.* felt; **-ом** matted (of the hair).

во́йлочный *a.* felt; **-ная шля́па** a felt hat.

война́ *s.* [d] war; **итти́ -о́ю** (**на кого́**) to make war on, to go to war against.

во́йско/ *s.* [b] army, troops, military; the territory of the Cossacks || **-во́й** *a.* of the Cossacks; ~ **атама́н** the Hetman of the Cossacks.

войт/ *s.* (formerly in West Russia) chief of a village community || **-и́** *cf.* **входи́ть.**

вока́була *s.* vocable, word, term.

вока́л/ *s.* vowel || **-иза́ция** *s.* vocalisation || **-и́зм** *s.* vowel-system (of a language); vocalism || **-ьный** *a.* vocal.

вокза́л *s.* (important) railway-station, terminus.

вокру́г *ad.* round, round about || ~ *prp.* (+ *G.*) around, about.

вол *s.* [a] ox, bull.

вола́н *s.* shuttlecock; flounce, furbelow.

волды́рь *s. m.* [a] boil, blister, lump.

волк/ *s.* [c] wolf || **-ода́в** *s.* wolf-hound.

волна́ *s.* [e] wave, billow.

во́лна *s.* shoren fleece.

волн/е́ние *s.* agitation; tumult, emotion; fermentation; ~ **моря** heavy sea || **-и́стый** *a.* wavy, wave-shaped; watered, moiré (of silk, etc.); corrugated (of iron) || **-о+ва́ть** II. [b] *va.* (*Pf.* вз-) to agitate, to trouble; to excite || ~**ся** *vn.* to be agitated; to be rough (of the sea) || **-оло́м** *s.* breakwater || **-ообра́зный** *a.* wave-shaped, wavelike.

воло́вий *a.* ox-.

волоки́т/а *s.* delay, dilatoriness; (*s. m.*) gallant, dangler after women || **-ство** *s.* gallantry, amorousness, dangling after women.
волок/ни́стый *a.* fibrous, filamentous || **-но́** *s.* [h] (*gpl.* -о́кон) fibre; filament.
волоку́, etc. *cf.* **воло́чь.**
волонтёр *s.* volunteer.
во́лос/ *s.* [b & c] (*pl.* -á & -ы) hair; **~ в ~** as like as two peas; **на́ ~** within a hair's-breadth || **-а́тик** *s.* hair-worm || **-а́тый** *a.* hairy, hirsute || **-и́стый** *a.* covered with hair, hairy || **-о́к** *s.* [a] (*gsg.* -ска́) small hair; hair-spring (of a watch); filament (in a lamp).
волостно́й *a.* district-.
во́лость *s. f.* [c] district, jurisdiction.
волосяно́й *a.* hair-, of hair.
волоч=и́ть I. [c] *va.* (*Pf.* по-) to drag, to draw || **~ся** *vr.* to drag o.s., to crawl along; (за кем) to run after (a girl).
волочми́ *ad.* dragging, drawing.
воло́чь = **волочи́ть.**
волхв *s.* [a] prophet; magician.
волч/ёнок *s.* (*pl.* -а́та & -еня́та) young wolf, wolf-cub || **-и́ха** *s.* she-wolf || **´-ий** *a.* wolfish, wolf's || **-о́к** *s.* [a] (*gsg.* -чка́) humming-top.
волше́б/ник *s.* magician || **-ница** *s.* witch || **-ный** *a.* magic(al), fairy || **-ство́** *s.* magic.
волы́нка *s.* (*gpl.* -нок) bagpipe.
вольго́тный *a.* free.
во́льница *s. coll.* body of volunteers; workmen *pl.*, labourers *pl.*
вольно/ду́мец *s.* (*gsg.* -мца), **-ду́мка** *s.* (*gpl.* -мок) freethinker || **-ду́мный** *a.* freethinking || **-ду́мство** *s.* freethinking || **-наёмный** *a.* serving voluntarily || **-определя́ющийся** *s.* volunteer || **-отпу́щенный** *a.* allowed to go free, set at liberty || **-приходя́щий** *s.* extern student, day-boy || **-слу́шатель** *s. m.*, **-слу́шательница** *s.* non-student allowed to attend lectures.
во́льн/ость *s. f.* freedom || **-ый** *a.* free, easy, unconstrained || **-ая** (*as s.*) charter, license.
вольтижёр/ *s.*, **-ка** *s.* (*gpl.* -рок) equestrian performer. [pile.
вольт/ *s.* volt || **´-ов** *a.*, **~ столб** Voltaic
волью́ *cf.* **влива́ть.**
во́люшка *s. dim.* freedom.
во́ля *s.* will, freedom; во́лею willingly, freely; во́лею Бо́жиею with God's will; **~ ва́ша** as you wish.
вон *ad.* out || **~!** see there! be off!
во́на *int.* see yonder!
вонза́-ть II. *va.* (*Pf.* вонз=и́ть I. 1. [a]) to drive in, to stick in (a dagger) || **~ся** *vr.* to pierce. [чий *a.* stinking.
вонь/ *s. f.* stink, stench || **´-кий** & **воню́-**
вон/ю́чка *s. m&f.* (*gpl.* -чек) stinking person; skunk || **-я́-ть** II. *vn.* to stink, to exhale a disagreeable odour || **~** *vn.* (*Pf.* на-) to pry about; to wrangle.
вообража́-ть II. *va.* (*Pf.* вообраз=и́ть I. 1. [a]) to imagine, to think || **~ся** *vn.* to
вообража́емый *a.* seeming. [seem.
воображе́ние *s.* imagination, fancy.
вообрази́мый *a.* imaginable, thinkable.
вообще́ *ad.* generally, in general; without exception.
воодуш/евле́ние *s.* enthusiasm || **-евля́-ть** II. *va.* (*Pf.* -ев=и́ть II. 7. [a]) to inspire with enthusiasm; to animate || **~ся** *vr.* to become enthusiastic; (*fam.*) to enthuse.
вооружа́-ть II. *va.* (*Pf.* вооруж=и́ть I. [a]) to arm, to equip, to fit out; (*fig.*) to excite, to arouse || **~ся** *vr.* to arm o.s., to take up arms; to rise up (against), to revolt.
вооруже́ние *s.* arming, equipment.
воо́чию *ad.* seemingly.
во-пе́рвых *ad.* in the first place, firstly.
воп=и́ть II. 7. [a] *vn.* (*Pf.* вз-) to lament, to mourn, to howl; to groan, to weep.
вопию́щий *a.* crying (to Heaven); **-ая несправедли́вость** most atrocious injustice.
вопия́-ть II. (*Pf.* возопия́ть) = **вопи́ть.**
вопл/оща́-ть II. *va.* (*Pf.* -от=и́ть I. 6. [a]) to embody || **~ся** *vr.* to become man, to become incarnate || **-още́ние** *s.* incarnation || **-ощённый** *a.* incarnate; (*fig.*) personified. [grief.
вопль *s. m.* lament, mourning; cry of
воплю́ *cf.* **вопи́ть.**
вопреки́ *ad.* (+ *D.*) contrary (to), against; **~ тому́** nothwithstanding the fact.
вопро́с *s.* question; interrogation; **э́то ещё ~** that is still doubtful.
вопроси́тель/ *s. m.*, **-ница** *s.* questioner, interrogator || **-ный** *a.* interrogative; **~ знак** note of interrogation; **-ное местоиме́ние** interrogative pronoun.
вопро́сный *a.* questionable, in question.
вопру́ *cf.* **впира́ть.**
вопью́ *cf.* **впива́ть.**
вор *s.* [c] thief, robber.
во́рв/анный *a.* of *or* for train-oil || **-ань** *s. f.* train-oil, blubber; **печёночная ~** cod-liver oil.

вори́шка *s.* (*gpl.* -шек) *dim. of* вор.
ворк/ли́вый *a.* grumbling, cooing ‖ **–о+ва́ть** II. [b] *vn.* (*Pf.* за-) to coo (of doves); to speak tenderly ‖ **–от-а́ть** I. 2. [c] *vn.* to grumble; (*fam.*) to grouse ‖ **–отня́** *s.* grumbling, cooing ‖ **–оту́н** *s.* [a], **–оту́нья** *s.* grumbler; (*fam.*) grouser.
вороб/е́й *s.* (*gsg.* -ья́) sparrow ‖ **∠ка** *s.* (*gpl.* -бок) hen-sparrow ‖ **∠ушек** *s.* (*gsg.* -шка) & **∠ышек** *s.* (*gsg.* -шка) *dim.* young sparrow ‖ **–ьёвый** & **–ьи́ный** *a.* sparrow's.
воро+ва́ть II. [b] *va.* (*Pf.* с-) to steal.
вор/о́вка *s.* (*gpl.* -вок) (female) thief; a cunning woman ‖ **–овско́й** *a.* thievish; thief's; secret; stolen ‖ **–овство́** *s.* robbery, theft.
ворож/ба́ *s.* divination, fortune-telling ‖ **–ея́** *s. m&f.* fortune-teller.
ворож=и́ть I. [a] *va.* (*Pf.* по-) to tell fortunes, to divine.
во́рон *s.* raven.
воро́н/а *s.* crow; (*fig.*) a gaper, a silly person ‖ **–ёнок** *s.* (*pl.* -ня́та) *dim.* young crow ‖ **–ий** *a.* crow's.
воро́н/ка *s.* (*gpl.* -нок) funnel ‖ **–кообра́зный** *a.* funnel-shaped.
воро/но́й *a.* raven-black, jet-black ‖ **–на́я** (*as s.*) a black horse.
во́рот *s.* [°] windlass, winch; collar.
воро́та *s. npl.* gate, gateway.
вороти́ла *s. m.* boss, manager, head.
вороти́ло *s.* handle (of a windmill).
ворот=и́ть I. 2. [c] *va.* (*Pf.* по-, с-) to roll (away), to twist, to turn round; to rule, to direct (*also Pf. of* воро́чать *q. v.*).
ворот/ни́к *s.* [a] collar ‖ **–ничо́к** *s.* [a] (*gsg.* -чка́) *dim.* small collar ‖ **∠ный** *a.* of a gate.
во́рох *s.* [& b] (*pl.* -и & -а́) heap.
воро́ча-ть II. *va.* (*Pf.* ворот=и́ть I. 2. [c] & верн-у́ть I. [a]) to turn round, to twist round, to give back, to restore ‖ ~ *vn.* to turn aside; ~ **с доро́ги** to get out of the way ‖ **~ся** *vr.* to roll around, to turn round ‖ ~ *vn.* to return.
ворош=и́ть I. [a] *va.* (*Pf.* по- & ворохн-у́ть) to stir about, to turn, to disturb, to make uneasy.
ворс/ & **∠а** *s.* the nap (on cloth) ‖ **–и́льна** *s.* (*gpl.* -лен) carding-comb ‖ **–и́стый** *a.* rough, hairy, woolly.
во́рс=ить I. 3. *va.* (*Pf.* на-) to nap (cloth), to raise the nap on.
ворча́ние *s.* grumbling, muttering, rumbling.
ворч=а́ть I. [a] *vn.* (*Pf.* за-, по-) to grumble, to growl; to rumble.
ворч/ли́вый *a.* querulous, grumbling ‖ **–у́н** *s.*, **–у́нья** *s.* grumbler; (*fam.*) grouser.
восем/на́дцатый *num.* eighteenth ‖ **–на́дцать** *num.* eighteen.
во́семь/ *num.* eight ‖ **–десят** *num.* eighty ‖ **–со́т** *num.* eight hundred ‖ **–ю** *ad.* eight times.
воск *s.* wax.
восклиц/а́ние *s.* exclamation ‖ **–а́тельный** *a.* exclamatory; ~ **знак** note of exclamation (!).
восклица́-ть II. *vn.* (*Pf.* воскли́кн-уть I.) to exclaim, to shout aloud.
воск/обо́й *s.* wax-refiner ‖ **–обо́йня** *s.* (*gpl.* -бо́ен) wax-refinery ‖ **–ово́й** *a.* of wax, waxen, wax-.
воскре́с, Христо́с ~ Christ is arisen (an Easter-greeting).
воскреса́-ть II. *vn.* (*Pf.* воскре́снуть 52.) to arise from the dead.
воскрес/е́ние *s.* resurrection, rising from the dead; **ве́рбное** ~ Palm-Sunday; **Све́тлое** ~ Easter Sunday ‖ **–е́нье** *s.* Sunday ‖ **∠ный** *a.* Sunday-; ~ **день** Sunday.
воскреша́-ть II. *va.* (*Pf.* воскрес-и́ть I. 3. [a]) to revive, to raise from the dead; to animate, to inspire.
воскреше́ние *s.* resuscitation, raising from the dead.
воскри́кнуть *cf.* **вскри́кнуть.**
воскуря́-ть II. *va.* (*Pf.* воскур=и́ть II. [a & c]) to burn (incense), to fumigate ‖ **~ся** *vn.* to steam up.
воспал/е́ние *s.* inflammation; ~ **лёгких** pneumonia ‖ **–и́тельный** *a.* inflammatory.
воспаля́-ть II. *va.* (*Pf.* воспал=и́ть II. [a]) to inflame; to kindle ‖ **~ся** *vn.* to become inflamed.
воспаря́-ть II. *vn.* (*Pf.* воспар=и́ть II. [a]) to soar up, to fly up.
воспева́-ть II. *va.* (*Pf.* воспе́ть) 29. [a]) to praise, to sing praises to, to eulogize.
восп/ита́ние *s.* education, bringing-up ‖ **–и́танник** *s.*, **–и́танница** *s.* pupil, scholar ‖ **–ита́тель** *s. m.*, **–ита́тельница** *s.* teacher, tutor; governess ‖ **–ита́тельный** *a.* educational, pedagogical; ~ **дом** foundling-hospital.
воспи́тыва-ть II. *va.* (*Pf.* воспита́-ть II.) to bring up, to educate; to form, to complete.
воспламен/е́ние *s.* inflammation, bursting into flame ‖ **–я́емый** *a.* inflammable.
восплам/еня́-ть II. *va.* (*Pf.* -ен=и́ть II. [a]) to inflame, to kindle; to excite, to stir up ‖ **~ся** *vr.* to burst into flame, to take fire.

восполня́-ть II. *va.* (*Pf.* восполн=ить II.) to complete.
воспо́льзоваться *cf.* **по́льзоваться.**
воспомина́ние *s.* remembrance, recollection.
воспомина́ть *cf.* **вспомина́ть.**
воспосле́до+вать II. *vn. Pf.* to result, to follow, to ensue.
воспою́ *cf.* **воспева́ть.**
воспрепя́тствовать *cf.* **препя́тствовать.**
воспрети́тельный *a.* forbidding, prohibitive.
воспреща́-ть II. *va.* (*Pf.* воспрет=и́ть I. 6. [a]) to forbid, to prohibit.
воспреще́ние *s.* interdiction, prohibition.
вос/принима́-ть II. *va.* (*Pf.* -приня́ть 37. & -прия́ть 37.) to take, to receive, to assume; ~ **свято́е креще́ние** to be christened; ~ **от купе́ли** to hold a child at the baptismal font, to stand godfather *or* godmother.
восприе́м/ник *s.* godfather, sponsor ‖ **–ница** *s.* godmother ‖ **–ный** *a.* baptismal; ~ **сын** godson.
восприи́мчивый *a.* receptive, impressible, susceptible.
восприя́тие *s.* receiving, reception; assumption; taking (of an infection).
воспроиз/веде́ние *s.* reproduction ‖ **–води́тельный** *a.* reproductive ‖ **–вод=и́ть** I. 1. [c] *va.* (*Pf.* -вести́ 22. [a 1.]) to reproduce.
воспро/тивля́-ться II. *vc.* (*Pf.* -ти́в=иться II. 7.) to resist, to oppose; not to allow.
воспря́н-уть I. *vn. Pf.* to jump up, to spring up; ~ **от сна** to start out of one's sleep.
воспыла́ть *cf.* **пыла́ть.**
восседа́-ть II. *vn.* to sit, to be enthroned (on); (*Pf.* воссе́сть 44.) (на + *A.*) to set o.s. on; ~ **на престо́л** to mount, to ascend the throne.
воссия́-ть II. *vn. Pf.* to begin to shine, to shine forth (of the sun).
восскорбе́ть *cf.* **скорбе́ть.**
воссоед/ине́ние *s.* reunion ‖ **–иня́-ть** II. *va.* (*Pf.* -ин=и́ть II. [a]) to rejoin, to reunite.
восстава́ть 39. *vn.* (*Pf.* восста́ть 32.) to rise, to rise up; to revolt; to start (of rumours).
восставля́-ть = **восстана́вливать.**
восстана́влива-ть II. & **восстановля́-ть** II. *va.* (*Pf.* восстанов=и́ть II. 7. [c]) to restore, to re-establish; to set against; to reduce (metallic ores).
восста́ние *s.* revolt, rebellion, insurrection.
восстановле́ние *s.* restoration, rehabilitation.
восста́/ну, –ть *cf.* **восстава́ть.**
восто́к *s.* east; orient.
восто́р/г *s.* delight, rapture, ecstasy; **приводи́ть в** ~ to enrapture; **быть в –е** (от чего́) to be delighted at ‖ **–женность** *s. f.* delight, rapture, exaltation ‖ **–женный** *a.* delighted, enraptured.
восто́чный *a.* eastern, oriental.
востре́бование *s.* demand, request, requiring; **до –ия** poste restante, until called for.
востри́ть, во́стрый *cf.* **остр–.**
востру́ха *s.* a lively active woman.
восхвале́ние *s.* praise, praising.
восхваля́-ть II. *va.* (*Pf.* восхвал=и́ть II. [c]) to praise, to commend, to extol.
восхити́тельный *a.* charming, captivating, ravishing.
восхища́-ть II. *va.* (*Pf.* восхит=и́ть I. 6. [a & b]) to delight, to charm, to captivate ‖ **~ся** *vn.* to admire, to be in rapture, to be charmed (with).
восхище́ние *s.* rapture, ecstasy, delight.
восхо́д *s.* ascent, going up; shooting up (of plants); ~ **со́лнца** sunrise.
восход=и́ть I. 1. [c] *vn.* (*Pf.* взойти́ 48. [a]) to ascend, to rise, to go up, to come up, to shoot up (of plants).
восхоте́ть *cf.* **хоте́ть.**
восчу́вствовать *cf.* **чу́вствовать.**
восше́ствие *s.* ascent, mounting; ~ **на престо́л** accession to the throne.
восьмери́к *s.* [a] anything made up of eight similar parts, *e. g.* a thing weighing eight pounds, candles weighing eight to the pound; a team of eight horses; **е́хать –о́м** to drive an eight-in-hand.
восьмери́чный *a.* eightfold, octuple.
восьмёрка *s.* (*gpl.* -рок) the eight (at cards); eight-in-hand; a team of eight horses; an eight-oared boat.
восьмерно́й *a.* eightfold, eight times.
во́сьмеро *num.* eight persons (together); **нас бы́ло** ~ there were eight of us.
восьми/- *in cpds.* = eight-, octo- ‖ **–деся́тый** *num.* eightieth.
восьмо́й *num.* eighth; **–а́я** (часть) an eighth (part); **–о́е** the eighth (of the month); ~ **час** it is after seven o'clock; **в –о́м часу́** between seven and eight (o'clock); **че́тверть –о́го** a quarter past seven.
вот *ad.* there, here, see there; ~ **там** see there; ~ **ещё!** ~ **ещё что!** and that too! that's the limit! ~ **кака́я беда́!** that's

a real misfortune; ~ **тебѣ́ раз!** that's where the mischief lies! ~ **и всё тут!** that's all! [give one's vote (for).
вотиро+ва́ть II. [b] *vn.* to vote (for), to
вотка́ть 20. *va. Pf.* to weave, to work
воткну́ть *cf.* **втыка́ть.** [into.
вотру́ *cf.* **втира́ть.** [with curds.
вотру́шка *s.* (*gpl.* -шек) a pancake made
во́тч/им *s.* step-father || **-ина** *s.* ancestral estate, patrimony || **-инник** *s.*, **-инница** *s.* owner of an ancestral estate.
вотще́ *ad.* in vain, to no purpose.
во́хра *cf.* **о́хра.**
воцаре́ние *s.* accession to the throne.
воцаря́-ть II. *va.* (*Pf.* воцар=и́ть II. [a]) to set on the throne, to crown || **~ся** *vr.&n.* to ascend the throne.
вошёл *cf.* **входи́ть.**
вочело/ве́чива-ться II. *vn.* (*Pf.*-ве́ч=ить-ся I.) to become incarnate.
во́шка *s.* (*gpl.* -шек) small louse.
вошь *s. f.* (*gsg.* вши) louse.
вошью́ *cf.* **вшива́ть.**
вощ́ан/ка *s.* (*gpl.* -нок) waxed cloth || **-о́й** *a.* waxen, wax-.
во́ю *cf.* **выть.**
вою́ю *cf.* **воева́ть.**
вою́ющий *Ppr.* warring. [traveller.
вояж/ *s.* journey || **-ёр** *s.* commercial
впада́-ть II. *vn.* (*Pf.* впасть 22. [a]) to fall in; to discharge itself into (of a river); to get, to come into; ~ **в грех** to commit sin; ~ **в боле́знь** to fall ill; ~ **в кра́йности** to exaggerate everything.
впаде́ние *s.* falling in; mouth (of a river).
впа́д/ина *s.* hollow, cavity; dimple; **глазна́я** ~ orbit, eye-pit || **-истый** *a.* hollowed, full of hollows. [solder in.
впа́ива-ть II. *va.* (*Pf.* впая́-ть II.) to
впа́йка *s.* (*gpl.* -а́ек) soldering in; piece soldered in.
впа́лзыва-ть II. *vn.* to creep in, to crawl in (*iter. of* вползать).
впа́л/ость *s. f.* hollowness; being sunken (of the eyes) || **-ый** *a.* hollow, sunken,
впасть *cf.* **впада́ть.** [fallen in.
впая́ть *cf.* **впа́ивать.**
впер/вы́е *ad.* firstly, for the first time || **-ёд** *ad.* forward; onwards; in future; in advance || **-еди́** *ad.* before, in front; **ва́ши часы́** ~ your watch is fast; **ва́ше сло́во** ~ excuse my interrupting, you may continue after; **э́то ещё** ~ that is yet to come; **продолже́ние** ~ to be continued || **-́едки** *ad.* in future.
впере́ть *cf.* **впира́ть.**

впер́я-ть II. *va.* (*Pf.* впер=и́ть II. [a]) to direct, to turn; to impress (something on a person); ~ **в кого́ взор** to stare at a person.
впечат/лева́-ть II. *va.* (*Pf.* впечатле́-ть II.) to impress, to make an impression; to inculcate || **-ле́ние** *s.* impression; inculcation. [ceptive.
впечатли́тельный *a.* susceptible, re-
впива́-ть II. *va.* (*Pf.* впить 27., *Fut.* вопью́, -ьёшь) to suck in, to imbibe || **~ся** *vr.* to cling to, to drive one's teeth *or* claws into; to accustom **o.s.** to drink; ~ **взо́ром** to devour (with the eyes), to stare fixedly at.
впира́-ть II. *va.* (*Pf.* впере́ть 14., *Fut.* вопру́, -рёшь) to force in, to shove in || **~ся** *vr.* to force one's way in. [fee.
вписно́й *a.*, **-ы́е де́ньги** registration-
впи́сыва-ть II. *va.* (*Pf.* впис=а́ть I. 3. [c]) to inscribe, to enter (in a book), to register || **~ся** *vr.* to have **o.s.** inscribed.
впить *cf.* **впива́ть.**
впи́хива-ть II. *va.* (*Pf.* впиха́-ть II. & впихн-у́ть I. [a]) to push in, to force in.
впишу́ *Fut. of* вписа́ть *cf.* впи́сывать.
вплавь *ad.* swimming, by swimming.
вплёскива-ть II. *va.* (*Pf.* вплесн-у́ть I. [a]) to splash into.
вплета́-ть II. *va.* (*Pf.* вплесть & вплести́ 23. [a]) to plait in; (*fig.*) to involve, to implicate || **~ся** *vr.* to interfere in (others' affairs).
вплo/тну́ю *ad.* firmly; **вбить гвоздь** ~ to drive a nail home || **-ть** *ad.* close to, almost to the end; (до + *G.*) up to, close to.
вплыва́-ть II. *vn.* (*Pf.* вплыть 31. [a]) to swim in, to sail in (of ships).
вплы́тие *s.* entry (of a ship into harbour).
вполго́лоса *ad.* in a low voice, in a whisper. [creep in.
вполза́-ть II. *vn.* (*Pf.* вползти́ 25.) to
вполне́ *ad.* fully, entirely, completely, in
вполови́ну *ad.* half, half-way. [full.
впо́лпьяна *ad.* half-drunk, tipsy.
впопа́д *ad.* opportunely, in good time; **не** ~ inopportunely.
впопыха́х *ad.* in a hurry, in haste.
впо́ру *ad.* right, fitting; seasonable, at the proper time; **сапоги́** ~ the shoes fit.
впосле́дствии *ad.* later on, afterwards.
впотьма́х *ad.* in the dark. [earnest.
впра́вду *ad.* really, indeed; seriously, in
впра́ве *ad.* on the right.
вправля́-ть II. *va.* (*Pf.* впра́в=ить II. 7.) to set (a dislocated joint).

впра́во *ad.* to(-wards) the right.
впрах *ad.* completely, wholly.
впредь *ad.* henceforth, in future.
впречь *cf.* **впряга́ть.**
вприпры́жку *ad.* hopping, skipping.
впро́голодь *ad.* half satisfied, not fully satiated.
впрок *ad.* as stock, in store; profitable, advantageous; **не ~** vainly, in vain.
впроса́к *ad.* in a dilemma; (*fam.*) in a scrape, in a hole.
впросо́н/ках & -ьи *ad.* half asleep, dozing.
впро́чем *ad.* besides, otherwise.
впры́гива-ть II. *vn.* (*Pf.* впры́гн-уть I. [a & b]) to spring in, to jump in.
впры́с/кивание *s.* injection || **-кива-ть** II. *va.* (*Pf.* -к-ать II., *mom.* -н-уть I.) to squirt in, to inject, to syringe.
впрыть *ad.* hastily, in all haste.
впряга́-ть II. *va.* (*Pf.* впрячь 15. [a]) to harness (in).
впрям/ь, -́о, -у́ю *ad.* straightly; in reality, indeed.
впуск/ *s.* admittance || **-но́й** *a.* that may be let in; admission-.
впуска́-ть II. *va.* (*Pf.* впуст=и́ть I. 4. [c]) to let in, to admit.
впу́тыва-ть II. *va.* (*Pf.* впу́та-ть II.) to entangle, to embroil, to implicate || **~ся** *vr.* to meddle, to interfere.
впух *ad.* entirely, completely.
впущу́ *cf.* **впуска́ть.**
впя́лива-ть II. *va.* (*Pf.* впя́л=ить II.) to stretch in a frame.
впя́тер/о *ad.* fivefold, five times || **-о́м** *ad.* five together.
враг *s.* [a] enemy, foe.
вражд/а́ *s.* enmity, animosity || **-е́бность** *s. f.* animosity, hostility || **-е́бный** *a.* hostile.
враждо+ва́ть II. [b] *vn.* (с + *I.* or про́тив + *G.*) to be at enmity (with); to show enmity (towards).
вра́ж/еский *a.* hostile, enemy- || **-ий** *a.* hostile, inimical; **-ья си́ла** Satan, the Devil.
враз/ *ad.* suddenly, all at once || **-бро́д** *ad.* scattered, separated || **-бро́с** *ad.* scattered; one by one || **-дро́бь** *ad.* piecewise, by the piece || **-ма́х** *ad.* drawing back one's hand (for a blow).
вразуми́тельный *a.* intelligible.
враз/умля́-ть II. *va.* (*Pf.* -ум=и́ть II. 7. [a]) to teach, to explain.
вра́ка *s.* (*us. in pl.*) idle talk, twaddle.
врал/ь *s. m.* [a], **-ья & -и́ха** *s.* babbler, humbug.
враньё *s.* foolish talk, twaddle.
враспло́х *ad.* unawares, unexpectedly.
враста́-ть II. *vn.* (*Pf.* врасти́ 35. [a 2.]) to grow in.
врастя́жку *ad.* at full length, prone.
врата́ *s. npl.* (*sl.*) gate(s).
вр-ать I. [a] *va.* (*Pf.* со-, на-) to lie, to tell lies.
врач/ *s.* [a] doctor, physician, medical man || **-е́бный** *a.* medical || **-ева́ние** *s.* curing, (medical) treatment.
враче+ва́ть II. [b] *va.* (*Pf.* у-) to treat; to cure.
враща́тельный *a.* rotating; gyratory.
враща́-ть II. *va.* to turn round || **~ся** *vr.* to turn.
враще́ние *s.* turning (round), rotation.
вред *s.* [a] harm, damage, detriment, injury; **во ~** (+ *D.*) to the detriment (of).
вред=и́ть I. 1. [a] *vn.* (*Pf.* по-) to injure, to harm; to be detrimental, prejudicial.
вре́д/ность *s. f.* harmfulness, perniciousness || **-ный** *a.* pernicious, harmful || **-оно́сный** *a.* injurious, harmful.
врежу́ *cf.* **вреди́ть.**
вре́зка *s.* (*gpl.* -зок) cutting in.
вре́зыва-ть II. **& вреза́-ть** II. *va.* (*Pf.* вре́з-ать I. 1.) to cut in || **~ся** *vr.* to cut one's way in; to be impressed on; to fall deeply in love with.
вре́м/енно *ad.* provisionally, for the time being || **-енно́й & -енный** *a.* temporary, provisional || **-енщи́к** *s.* [a] favourite || **-ечко** *s.* a short while.
вре́мя *s. n.* [b] (*G.* -ени, *I.* -енем; *pl.* -ена́, -ён, -ена́ми) time; while; **во ~** while, during; **в настоя́щее ~** at present; **в ско́ром -ени** shortly, soon; **в то ~** at that time; **в то же ~** at the same time; **в то ~ как** as, at the moment when; **на ~** for a while, provisionally; **на бу́дущее ~** in future; **-ена́ми** now and then, at times; **со -ени** since; **со -енем** gradually, in time; **тем -енем** in the meanwhile; **~ го́да** season (of the year); **не́сколько -ени тому́ наза́д** some time ago; **до поры́ до -ени** till a certain time.
врем/я(пре)провожде́ние *s.* pastime || **-ясчисле́ние** *s.* chronology.
ври́н-уться I. *vr. Pf.* to cast o.s. in.
вро́вень *ad.* (с + *I.*) even with, on a level with.
врожда́-ться II. *vn.* to be innate, to be inborn.
врождённый *a.* innate, inborn.
вро́зницу *ad.* separately, by retail.
вроз(н)ь *ad.* asunder, separately.
вроста́ть = враста́ть.

врубá-ть II. *va.* (*Pf.* вруб=и́ть II. 7. [c]) to chop, to hew, to cut in || **~ся** *vr.* to break through, to cut one's way in.
врун/ *s.* [a], **-́ья** *s.* liar.
вручá-ть II. *va.* (*Pf.* вруч=и́ть I. [a]) to hand in, to deliver.
вруч/éние *s.* handing in, delivery || **-и́тель** *s.m.*, **-и́тельница** *s.* deliverer, bearer (of a letter).
врывá-ть II. *va.* (*Pf.* врыть 28.) to dig in, to bury in || **~ся** *vn.* (*Pf.* ворв-áться *vc.* I. [a]) to break (in, through), to force a way into.
вряд/ & **~-ли** *ad.* (*vulg.*) hardly, scarcely, unlikely.
всади́ть *cf.* **вcáживать.**
всáд/ник *s.*, **-ница** *s.* rider; horseman, horsewoman || **-нический** *a.* rider's.
всáжива-ть II. *va.* (*Pf.* всад=и́ть I. 1. [c]) to plant in, to plunge in; to seat (a person in a carriage); **~ пу́лю в лоб** to blow one's brains out.
всáсыва-ть II. *va.* (*Pf.* всос-áть I. [a]) to suck in, to absorb, to imbibe || **~ся** *vr.* to be sucked in, etc.; (of a child) to take to the breast.
всáчив-ать II. *va.* (*Pf.* всоч=и́ть I. [a]) to absorb.
всё *prn.* (*n. of* весь) & *ad.* all, everything; **~ ещё** always, still, ever; **мне ~ равно́** that's all the same to me; **при всём том** with all that, notwithstanding; **всего́** of all; **лу́чше всего́** best of all; **всего́ нá ~** everything considered.
все- *in cpds. us.* = all-, omni-.
все/августéйший *a.* most august || **-благóй** *a.* most gracious.
всевá-ть II. & **всéива-ть** II. *va.* (*Pf.* всé-ять II.) (в + *A.*) to inspire, to instil.
все/вéдущий *a.* omniscient || **-ви́дящий** *a.* all-seeing || **-влáстный** *a.* all-powerful || **-возмóжный** *a.* all possible; **сдé-лать -возмóжное** to do everything possible || **-вы́шний** *a.* supreme, all-highest || **-гдá** *ad.* always, ever; **раз на ~** once for all || **-гдáшний** *a.* perpetual, constant; usual || **-держи́-тель** *s.m.* the Almighty || **-днéвный** *a.* everyday, daily || **-знáйка** *s. m&f.* (*gpl.* -áек) a person who knows everything || **-éдный** *a.* omnivorous || **-извéстный** *a.* well-known || **-конéч-ный** *a.* complete, total || **-лéнная** *s.* universe, world || **-лéнский** *a.* universal; (*eccl.*) œcumenical.
вселя́-ть II. *va.* (*Pf.* всел=и́ть II. [a]) to settle; to inspire, to suggest || **~ся** *vr.* to settle.
всé/меро *ad.* seven times || **-мéстный** *a.* general, universal || **-ми́лостивейший** *a.* most gracious || **-мирноизвéстный** *a.* generally known || **-ми́рный** *a.* universal || **-могу́щий** *a.* almighty, omnipotent || **-му́дрый** *a.* all-wise.
все/нарóдный *a.* public, general || **-ни-жáйший** (-ая, -ее) *a.* most humble.
всéнощная *s.* evening-service, midnight-mass.
все/нощнóй *a.* lasting the whole night || **-óбщий** *a.* common, general, universal || **-óбщность** *s. f.* generality || **-об'éм-лющий** *a.* all-comprehensive || **-пóд-даннейший** *a.* most devoted || **-покóр-ный** *a.* most humble || **-прощéние** *s.* amnesty, general pardon.
всердцáх *ad.* in a fit of anger.
все/росси́йский *a.* of all the Russians || **-свéтный** *a.* universal || **-си́льный** *a.* all-powerful || **-слáвный** *a.* most glorious || **-сокрушáющий** *a.* all-destroying.
всё-таки *a.* nevertheless, all the same.
все/цéлый *a.* whole, entire, complete || **-цéло** *ad.* wholly, entirely || **-чáсный** *a.* hourly || **-я́дный** *a.* omnivorous.
вскáкива-ть II. *vn.* (*Pf.* вскоч=и́ть I. [c]. *mom.* вскокн-у́ть I. [a]) to leap, to jump (in); to jump, to spring up (suddenly).
вскáпыва-ть II. *va.* (*Pf.* вскопá-ть II.) to dig up, to delve.
вскарáбкива-ться II. *vn.* (*Pf.* вскарáб-ка-ться II.) to clamber up on.
вскáрмлива-ть II. *va.* (*Pf.* вскорм=и́ть II. 7. [c]) to nourish, to feed, to bring up.
вскачь *ad.* at a gallop, galloping.
вски́дыва-ть II. *va.* (*Pf.* вскидá-ть II., *mom.* вскин-уть I.) to throw up || **~ся** *vr.* to be thrown up; to cast o.s. on, to fall on.
вскипá-ть II. *vn.* (*Pf.* вскип=éть II. 7. [a]) to commence to boil; to boil over (with rage).
вскипяти́ть *cf.* **кипяти́ть.**
вsклёпыва-ть II. *va.* (*Pf.* вsклеп-áть II. 7. [c]) to impute falsely.
вскло́чива-ть II. *va.* (*Pf.* вскло́ч=ить I.) to entangle, to tangle, to tousle (the hair).
вскок *ad.* at a gallop.
вскокну́ть *cf.* **вскáкивать.**
всколебáть *cf.* **колебáть.**
всколыхáть *cf.* **колыхáть.**
вскользь *ad.* slightly, superficially.
вскопáть *cf.* **вскáпывать.**
вскóре *ad.* soon, shortly, immediately.
вскорми́ть *cf.* **вскáрмливать.**
вскормлéние *s.* nurture, bringing-up.

вскóрмлен/ник *s.* foster-son || **–ница** *s.* foster-daughter.
вскорóбить *cf.* **корóбить.**
вскочи́ть *cf.* **вскáкивать.**
вскри́кива-ть II. *vn.* (*Pf.* вскрич=áть I. [a], *mom.* вскри́кн-уть I.) to cry out, to shriek, to scream.
вскрóю *cf.* **вскрывáть.**
вскруж=и́ть I. [a & c] *va. Pf.*, ~ (комý) гóлову to turn a person's head (with vain hopes) || **~ся** *vn.*, **у меня́ головá вскружи́лась** I felt giddy, my head swam.
вскрывá-ть II. *va.* (*Pf.* вскрыть 28. [b]) to uncover, to open; to turn up (a card); to dissect (a corpse) || **~ся** *vn.* to be opened, to open; to be turned up; to be dissected; to break up (of ice).
вскры́тие *s.* uncovering, opening; turning-up (of a card); break-up (of ice); postmortem examination (of a body).
всласть *ad.* tasty; enough, to one's heart's content.
вслед/ *ad.* immediately behind; (за + *I.*) immediately after || **´ствие** *ad.* (+ *G.*) in consequence of, as a result of.
вслух *ad.* aloud, audibly.
вслýшива-ться II. *vn.* (*Pf.* вслýша-ться II.) (в + *A.*) to listen to, to pay attention to, to pay heed to, to heed.
всмáтрива-ться II. *vn.* (*Pf.* всмотр=éться II. [c]) (в + *A.*) to examine carefully, to look at attentively; to accustom one's eyes to.
всмя́тку *ad.* soft-boiled (of eggs).
всóвыва-ть II. *va.* (*Pf.* всо+вáть II. [a] & всýн-уть I.) to put in, to thrust in || **~ся** *vr.* to be pushed in; to push o.s. in.
всосáть *cf.* **всáсывать.**
всочи́ть *cf.* **всáчивать.**
вспадá-ть II. *vn.* (*Pf.* вспасть 22. [a]), ~ **на ум** *or* **на мысль** to occur to, to enter one's head.
вспáива-ть II. *va.* (*Pf.* вспо=и́ть II. [a]) to feed on milk, to rear.
вспáлзыва-ть *iter.* *of* вспользáть.
вспáрхива-ть II. *vn.* (*Pf.* вспорхн-ýть I. [a]) to fly up, to flutter up; to take wing.
вспáрыва-ть II. *va.* (*Pf.* вспор-óть II. [c]) to tear up, to rip up; ~ **живóт** to disembowel.
вспасть *cf.* **вспадáть.**
вспáхива-ть II. *va.* (вспах-áть I. 3. [c]) to plough up, to till.
вспáшка *s.* (*gpl.* -шек) ploughing up, tilling.
вспла́стыва-ть II. *va.* (*Pf.* вспластá-ть II.) to split in two (lengthwise), to slit open.
всплеск *s.* splash; (hand-)clapping, applause.
всплёскива-ть II. *va.* (*Pf.* всплесн-ýть I. [a]) to splash up, to dash up; ~ **рукáми** to clap (the hands), to applaud.
вспло/шнýю & **–шь** *ad.* close together; without interruption; **вплошь да ря́дом** always and everywhere.
всплывá-ть II. *vn.* (*Pf.* всплыть 31. [a]) to swim up (to the surface).
всплы́тие *s.* coming up (to the surface of the water).
вспои́ть *cf.* **вспáивать.**
вспол́аскива-ть II. *va.* (*Pf.* всполоск-áть I. 4. [c], *mom.* всполосн-ýть I. [a]) to rinse, to wash (out).
всполáшива-ть II. *va.* (*Pf.* всполош=и́ть I. [c], *mom.* всполохн-ýть I. [a]) to alarm, to startle || **~ся** *vn.* to become alarmed, to take fright.
всползá-ть II. *vn.* (*Pf.* всползти́ 25. [a 1.]) to climb up.
вспóлье *s.* ridge (between two fields).
вспоминáние *s.* remembrance, recollection.
вспоминá-ть II. *va.* (*Pf.* вспóмн=ить II., *mom.* вспомян-ýть I. [c]) (*A.* *or* о + *Pr.*) to remember, to recollect, to call to mind.
вспомо/гáтельный *a.* auxiliary, subsidiary; ~ **глагóл** auxiliary verb || **–жéние** & **–ществовáние** *s.* help, assistance, succour.
вспорóть *cf.* **вспáрывать.**
вспорхнýть *cf.* **вспáрхивать.**
вспотéлый *a.* sweating, in a sweat, perspiring.
вспотéть *cf.* **потéть.**
вспои́ть *cf.* **вспáивать.**
вспры́гива-ть II. *vn.* (*Pf.* вспры́гн-ýть I. [a & b]) to spring up, to jump up; to skip.
вспры́скива-ть II. *va.* (*Pf.* вспры́сн-уть I.) to sprinkle; (*fig.*) to drink a person's health, to toast; ~ **обнóвку** to handsel, to celebrate (*e. g.* the occasion of wearing something new).
вспýгива-ть II. *va.* (*Pf.* вспугá-ть II., *mom.* вспугн-ýть I. [a]) to frighten, to startle.
вспухá-ть II. *va.* (*Pf.* вспýхн-уть I.) to swell up.
вспýчить *cf.* **пýчить.**
вспуши́ть *cf.* **пуши́ть.**
вспыл=и́ть II. [a] *vn. Pf.* to fly into a passion, to boil over (with rage); (на когó) to get into a rage with.
вспы́льчив/ость *s. f.* passion, irritability, irascibility || **–ый** *a.* irascible, passionate.

вспы́хива-ть II. *vn.* (*Pf.* вспы́хн-уть I.) to flash, to burst out; to burst into flame; ~ **гне́вом** to boil over with rage.
вспы́шка *s.* (*gpl.* -шек) blazing up; a fit of anger.
вспять *ad.* back(-wards).
встава́ть 39. *vn.* (*Pf.* встать 32.) to get up, to rise; to stand up; to recover (from an illness).
вста́вка *s.* (*gpl.* -вок) insertion.
вставля́-ть II. *va.* (*Pf.* вста́в=ить II. 7.) to set in, to put in; to insert.
встав/но́й *a.* for insertion; (of teeth) false ‖ **–́очный** *a.* put in, inserted.
вста́ну *cf.* **встава́ть.**
встар/ину́ & **–ь** *ad.* in olden times, in bygone days.
вта́скива-ть II. *va.* (*Pf.* вставщ=и́ть I. [c]) to drag up, to draw up.
встать *cf.* **встава́ть.**
встормоши́ть *cf.* **тормоши́ть.**
встрево́жить *cf.* **трево́жить.**
встрепа́ть *cf.* **встрёпывать.**
встрепен-у́ться I. [a] *vr. Pf.* to start, to give a start; (of birds) to shake the wings.
встрёпка *s.* (*gpl.* -пок) pulling by the hair; **зада́ть (кому́) –у** to rate a person soundly.
встрёпыва-ть II. *va.* (*Pf.* встреп-а́ть II. 7. [c]) to put in disorder, to tousle.
встре́ча *s.* meeting; welcome, reception; **итти́ на –у** to go to meet.
встреча́-ть II. *va.* (*Pf.* встре́т=ить I. 2.) to meet; to receive, to welcome; ~ **аплоди́сме́нтами** to greet with applause ‖ **~ся** *vn.* to meet together; to happen, to occur.
встре́чный *a.* meeting; (of wind) contrary; (*as s.*) **пе́рвый** ~ *or* ~ **и попере́чный** the first comer.
встря́ска *s.* (*gpl.* -сок) shaking up.
встря́хива-ть II. *va.* (*Pf.* встряхн-у́ть I. [a]) to shake up.
вступа́-ть II. *vn.* (*Pf.* вступ=и́ть II. 7. [c]) to enter; ~ **во владе́ние име́нием** to take possession of; ~ **в брак** to get married; ~ **на престо́л** to ascend the throne ‖ **~ся** *vn.* (за + *A.*) to defend.
вступи́тельный *a.* introductory; **–ая речь** inaugural address.
вступле́ние *s.* entrance, entry; introduction; ~ **на престо́л** accession to the throne.
всу́е *ad.* in vain.
всу́нуть, всу́ю *cf.* **всо́вывать.**
всуча́-ть II. & **всу́чива-ть** II. *va.* (*Pf.* всуч=и́ть I. [c]) to intertwist.
всха́жива-ть *iter. of* всходи́ть.

всхлип/ & **–́ывание** *s.* sob(bing) ‖ **–́ыва-ть** II. *vn.* (*Pf.* –́н-уть I.) to sob.
всход *s.* ascent; rising, rise; sprout.
всход=и́ть I. 1. [c] *vn.* (*Pf.* взойти́ 48.) to ascend, to mount; to rise; to sprout; ~ **на престо́л** to ascend the throne.
всхожде́ние = **всход.**
всхра́/пыва-ть II. *vn.* (*Pf.* -пн-у́ть I. [a] & -п=е́ть II. 7. [a]) to snore; to take a nap.
В/сч *abbr. of* **Ваш счёт** = your account.
всыпа́-ть II. *va.* (*Pf.* вс́ып-ать II. 7.) to strew in; to give a drubbing to.
вс́ыпка *s.* (*gpl.* -пок) strewing in; what is strewn in.
всю́ду *ad.* everywhere.
вся *cf.* **весь.**
всяк/ *prn.* everybody, everyone ‖ **–́ий** *prn.* every, each; everybody, everyone.
вся́ч/еский *a.* of all kinds ‖ **–ески** *ad* in every way ‖ **–ина** *s.*, **вся́кая** ~ hotch potch, mish-mash, medley.
вта́йне *ad.* in secret, secretly, under the rose.
вта́лкива-ть II. *va.* (*Pf.* втолка́-ть II., *mom.* втолкн-у́ть I. [a]) to push in, to shove in.
вта́птыва-ть II. *va.* (*Pf.* втопт-а́ть I. 2. [c]) to trample, to tread (in); ~ **в грязь** to drag in the mire.
вта́скива-ть II. *va.* (*Pf.* втаска́-ть II. & втащ=и́ть I. [c]) to drag, to draw, to pull (in).
втека́-ть II. *vn.* (*Pf.* втечь 18. [a]) to flow into, to fall into (of a river).
втере́ть *cf.* **втира́ть.**
втерпёж *ad.*, (*us.*) **не–** unbearable.
втесня́-ть II. *va.* (*Pf.* втесн=и́ть II. [a]) to squeeze in, to drive in.
втечь *cf.* **втека́ть.**
втира́ние *s.* friction, rubbing in.
втира́-ть II. *va.* (*Pf.* втере́ть 14., *Fut.* вотру́, -трёшь) to rub in; ~ (кому́) **очки́** to blacken a person's eyes ‖ **~ся** *vr.* to be rubbed in; to intrude o.s.
вти́скива-ть II. *va.* (*Pf.* вти́ска-ть II., *mom.* вти́сн-уть I.) to press in, to squeeze in.
втихомо́лку *ad.* on the sly, stealthily.
втолк/а́ть, –ну́ть *cf.* **вта́лкивать.**
втолко́выва-ть II. *va.* (*Pf.* втолко+ва́ть II. [b]) to explain, to expound.
втоп/та́ть, –чу́ *cf.* **вта́птывать.**
вто́ра *s.* (*mus.*) second fiddle, second voice, seconds.
втор/га́-ться II. *vn.* (*Pf.* вто́ргн-уться I.) to invade, to burst in on ‖ **–же́ние** *s.* irruption, invasion.

втóр=ить II. *va.* to repeat; (комý) to chime in with.

втори́ч/ный *a.* second, repeated || **–но** *ad.* for the second time, a second time.

втóрник *s.* Tuesday; **по –ам** on Tuesdays.

второ/брáчный *a.* married a second time; of the second marriage || **–закóние** *s.* Deuteronomy.

вторóй *num.* second.

второ/клáссный *a.* second-class || **–пя́х** *ad.* in haste, in a hurry || **–степéнный** *a.* secondary, second-rate.

втр/и́дорога *ad.* three times dearer, extremely dear || **–óе** & **–ойнé** *ad.* trebly, three times as much || **–оём** *ad.* by threes, three together.

втýлка *s.* (*gpl.* -лок) bung, stopper; (screw-)nut.

втýне *ad.* in vain, to no purpose.

втыкá-ть II. *va.* (*Pf.* воткн-ýть I. [a]) to stick in, to drive in; to thrust.

втю́рива-ть II. *va.* (*Pf.* втюр=ить II.) (*vulg.*) to squeeze in, to press in || **~ся** *vr.* (в + *A.*) (*vulg.*) to press in; to fall madly in love (with).

втя́гива-ть II. *va.* (*Pf.* втян-ýть I. [c]) to pull in, to draw in; (*fig.*) to implicate, to involve.

вуáль *s. f.* veil.

вулкáн/ *s.* volcano || **–изóванный** *a.* vulcanized || **–и́ческий** *a.* volcanic.

вульгáрный *a.* vulgar.

вход *s.* entrance, entry; access, admission; **плáта за ~** entrance-fee.

вход=и́ть I. 1. [c] *vn.* (*Pf.* войти́ 48.) to enter (in, into), to go, to come, to walk (in); to get into.

вход/нóй & **–ный** *a.* entrance-.

вхóж/ий *a.* having admittance || **–ý** *cf.* **входи́ть.**

вцепля́-ться II. *vr.* (*Pf.* вцеп=и́ться II. 7. [c]) (в + *A.*) to seize, to cling (to), to clutch.

вчер/á *ad.* yesterday || **–áшний** *a.* yesterday-, yesterday's || **–нé** *ad.* in the rough.

вчéтвер/о *ad.* four times more, four times as much || **–óм** *ad.* by fours.

вчи́тыва-ться II. *vn.* (*Pf.* вчитá-ться II.) to take in the meaning (of something written).

вчýже *ad.* not being a friend *or* relative, as a stranger.

вши́вый *a.* lousy.

в'едá-ться II. *vr.* (*Pf.* в'éсться 42.) to eat into, to corrode.

в'éдчивый *a.* corrosive.

в'езд *s.* entry; entrance, avenue, approach, drive.

в'езжá-ть II. *vn.* (*Pf.* в'éхать 45.) to drive in, to ride in; to come in (by rail).

вы *prn. pl.* you, ye.

вы- *in cpds.* = out-.

выбаллоти́ровать *cf.* **баллоти́ровать.**

вы/бáлтыва-ть II. *va.* (*Pf.* **–**болта-ть II., *mom.* **–**болтн-уть I.) to pour out; (*fig.*) to blab, to divulge (a secret) || **–бегá-ть** II. *vn.* (*Pf.* **–**бежать 46.) to run out; to shoot up rapidly (of plants) || **–бéгива-ть** II. *va.* (*Pf.* **–**бега-ть II.) to run through (a place); to gain, to win by running || **–бéлива-ть** II. *va.* (*Pf.* **–**бел=ить II.) to bleach, to whiten, to whitewash || **–беру** *cf.* **–бирáть** || **–бивá-ть** II. *va.* (*Pf.* **–**бить 27.) to beat out, to strike out; to smash in (a window); to force in (a door); to coin, to strike (a medal); to work, to hammer (metals); to stamp, to print (cotton); to cast ashore (of the waves); **~ седокá из седлá** to unhorse a rider; **~ что из головы́** to give up thinking about something || **~ся** *vr.* to get out of, to get away from; **~ из сил** to exhaust o.s., to tire o.s. || **–бирáние** *s.* choosing; selection || **–бирá-ть** II. *va.* (*Pf.* **–**брать 8.) to sort, to select; to elect; to collect, to cull || **~ся** *vr.* to get out (of a difficulty); to remove (from lodgings); **~ на дáчу** to move into summer quarters || **–блядок** *s.* (*gsg.* -дка) & **–блядыш** *s.* bastard, illegitimate child || **–боина** *s.* hollow, groove, rut || **–болтать** *cf.* **–бáлтывать** || **–бор** *s.* choice, selection, election; option || **–борка** *s.* (*gpl.* -рок) choice, selection || **–борный** *a.* chosen, elected; (*as s.*) deputy || **–бран=ить** II. *va. Pf.* to reprimand severely; to give a good scolding to || **–брáсыва-ть** II. *va.* (*Pf.* **–**броса-ть II. & **–**брос=ить I. 3.) to throw out, to cast out; to cross out, to strike out, to erase, to leave out (a word, etc.) || **~ся** *vr.* to rush out, to spring out; **~ нá берег** to run aground (with a ship) || **–брать** *cf.* **–бирáть** || **–бресть** 22. [a 2.] *vn. Pf.* to take a stroll (after an illness); to walk out || **–брить** *cf.* **брить** || **–бросок** *s.* (*gsg.* -ска) offal, refuse, trash || **–бутить** *cf.* **бути́ть** || **–бучить** *cf.* **бýчить** || **–бывá-ть** II. *vn.* (*Pf.* **–**быть 49.) to retire, to leave (service, etc.), to withdraw (from); **~ из стрóя** to become disabled || **–бью** *cf.* **–бивáть.**

вы/вáлива-ть II. *va.* (*Pf.* **–**вал=ить II.) to throw out, to cast out || **~ся** *vr.* to fall out; to be thrown out || **–валя-ть** II. *va. Pf.* to full, to mill (cloth); to roll around (and soil) || **\~ся** *vr.* to wallow in (and become soiled) || **–ва́рива-ть** II. *va.* (*Pf.* **_**вар=ить II.) to boil out, to decoct, to extract (by boiling) || **_варка** *s.* (*gpl.* -рок) extraction (by boiling); decoction; (*in pl.*) sediment || **_ведчик** *s.* spy, investigator || **_веду** *cf.* **–води́ть** || **–ве́дыва-ть** II. *va.* (*Pf.* **_**веда-ть II.) to pry out, to explore, to investigate; to pump (a person for information) || **_везти, _везу** *cf.* **–вози́ть** || **–вёртыва-ть** II. *va.* (*Pf.* **_**верн-уть I.) to turn out; to twist out; **\~ на изна́нку** to turn inside out || **\~ся** *vn.* to appear suddenly; to slip out, to extricate o.s. || **–веря́-ть** II. *va.* (*Pf.* **_**вер=ить II.) to adjust, to regulate || **_весить** *cf.* **–ве́шивать** || **_веска** *s.* (*gpl.* -сок) hanging out (clothes, etc.); sign-board, sign; net weight, deduction of tare; (*vulg.*) dandy, fop || **_вести, _весу** *cf.* **–води́ть** || **–ве́трива-ть** II. *va.* (*Pf.* **_**ветр=ить II.) to air, to expose to the air, to ventilate || **\~ся** *vn.* to become weather-beaten; (*chem.*) to effloresce || **ве́шива-ть** II. *va.* (*Pf.* **_**вес=ить I. 3.) to hang out; to weigh; to balance, to make even, to plane || **_веять** *cf.* **ве́ять** || **–ви́нчива-ть** II. *va.* (*Pf.* **_**винт=ить I. 2.) to screw out, to unscrew || **_вих** *s.* dislocation, sprain || **–вихá-ть** II. *va.* (*Pf.* **_**вихн-уть I.) to dislocate, to sprain, to put out of joint || **_вод** *s.* migration, transposition; result, consequence, deduction; visit to church (of a newly-married couple) || **–вод=и́ть** I. 1. [c] *va.* (*Pf.* **_**вести & **_**весть 22.) to lead out, to bring out; to transplant, to transpose; to take out, to remove (stains, etc.); to extirpate (vermin, etc.), to exterminate; to abolish; to hatch out; to build, to construct (wall, etc.); **\~ в люди** to advance a person's career; **\~ заключе́ние** to draw a conclusion || **\~ся** *vn.* to decrease (in numbers); to disappear, to become obsolete || **_водок** *s.* (*gsg.* -дка) brood || **_воз** *s.* export(ation) || **–воз=и́ть** I. 1. [c] *va.* (*Pf.* **_**везти & **_**везть 25.) to carry out, to cart out; to export; to drive out; to introduce (young ladies into society) || **–возно́й & _возный** *a.* exported; export-; **–ны́е по́шлины** export duties || **–вора́чива-ть** II. *va.* (*Pf.* **_**ворот=ить I. 2.) to twist out; to twist, to distort (words, etc.); to turn (inside out) || **_ворот** *s.* turning (inside out); the left side, reverse; **всё на \~** everything upside down, in disorder, topsy-turvy; **чита́ть на \~** to read backwards || **–вя́зыва-ть** II. *va.* (*Pf.* **_**вяз-ать I.) to untie; to take something out of a bundle; to knit; to earn by knitting || **_вялить** *cf.* **вя́лить.**

вы/га́дыва-ть II. *va.* (*Pf.* **_**гада-ть II.) to think out, to invent; to profit by, to take advantage of; to spare, to economize || **–га́жива-ть** II. *va.* (*Pf.* **_**гад=ить I. 1.) to soil, to make dirty || **_гиб** *s.* bend(ing); curve || **–гибá-ть** II. *va.* (*Pf.* **_**гн-уть I.) to bend out, to curve, to arch || **\~ся** *vr.* to be bent, to be curved *or* arched || **–гла́жива-ть** II. *va.* (*Pf.* **_**глад=ить I. 1.) to iron; to plane, to smooth, to polish || **–гля́дыва-ть** II. *vn.* (*Pf.* **_**глян-уть I.) to look out || **\~** *va.* (*Pf.* **_**гляд=еть I. 1.) to spy on, to observe; to tire one's eyes (by long looking); (+ *I.*) to look (as if) || **_гнать** *cf.* **–гоня́ть** || **_гнуть** *cf.* **–гиба́ть** || **–гова́рива-ть** II. *va.* (*Pf.* **_**говор=ить II.) to speak out, to pronounce; to reserve (by agreement); (кому́) to reproach, to reprimand || **_говор** *s.* pronunciation; reprimand, rebuke || **_года** *s.* advantage, profit || **_годный** *a.* profitable, advantageous || **_гон** *s.* driving-out (cattle); pasturage; distillation || **_гонный** *a.* pasture- || **_гонщик** *s.* beater (in hunting) || **–гоня́-ть** II. *va.* (*Pf.* **_гнать** 11.) to drive out, to drive away, to expel; to start (game); to exterminate, to extirpate; to distil || **–гора́жива-ть** II. *va.* (*Pf.* **_**город=ить I. 1.) to fence out; (*fig.*) to try to excuse || **–горá-ть** II. *vn.* (*Pf.* **_**гор=еть II.) to burn out, to be reduced to ashes; to fade (of colours) || **_горелый** *a.* burnt out, burnt to the ground (of houses, etc.); faded (of colours) || **_гравировать** *cf.* **гравирова́ть** || **_гранить** *cf.* **грани́ть** || **–гребá-ть** II. *va.* (*Pf.* **_**грести & **_**гресть 21.) to rake out, to scrape out || **\~** *vn.* to row out || **–гребно́й** *a.*, **–на́я я́ма** cess-pool || **–груж-а́ть** II. *va.* (*Pf.* **_**груз=ить I. 1.) to unload, to discharge, to unlade || **_грузка** *s.* (*gpl.* -зок) unloading, discharging || **_грязнить** *cf.* **грязни́ть.**

вы/дава́ть 39. [a] *va.* (*Pf.* **_**дать 38) to deliver, to give out; to publish (a book); to spend, to pay out; to draw up, to make out, to issue (a passport); to betray; **\~ (дочь) за́муж** to marry, to give in marriage; **\~ себя́** (за + *A.*) to give o.s. out to be || **–да́влива-ть** II. *va.* (*Pf.* -́дав=ить II. 7.) to crush out, to squeeze out || **–да́лблива-ть** II. *va.* (*Pf.* -́долб=ить II. 7.) to hollow out, to excavate; to chisel out; (*fig.*) to learn mechanically, to cram || **-́дать** *cf.* **–дава́ть** || **-́дача** *s.* handing out, delivery; drawing up, issuing; payment; extradition (of a criminal) || **–двига́-ть** II. *va.* (*Pf.* -́двин-уть I.) to draw out, to pull out, to move out; to push forward (troops) || **~ся** *vr.* to be pulled out, to be drawn out; to yield, to give way || **–движно́й** *a.* that can be drawn out, telescope-; **~ я́щик** drawer; **~ стол** telescope-table || **-́делка** *s.* (*gpl.* -лок) preparing, preparation; finishing; dressing, tanning (hides); product, production, manufacture || **–де́лыва-ть** II. *va.* (*Pf.* -́дела-ть II.) to prepare, to finish, to produce; to dress, to tan (hides) || **–деля́-ть** II. *va.* (*Pf.* -́дел=ить II.) to apportion, to allot, to give each person his proper share; (*phys.*) to secrete || **~ся** *v.pass.* to fall to someone's share; to be allotted; to be secreted || **~** *vr.* to stand out, to be distinguished || **–дёргива-ть** II. *va.* (*Pf.* -́дерга-ть II. & -́дерн-уть I.) to pull out, to drag out, to draw (a nail) || **–де́ржива-ть** II. *va.* (*Pf.* -́держ=ать I.) to hold (out), to keep (up); to bear, to suffer; to pass (an examination); to train (a dog, etc.); to use up; to support (a part) || **-́держка** *s.* (*gpl.* -жек) excerpt, extract; training; supporting, bearing, keeping up || **-́дернуть** *cf.* **–дёргивать** || **–дёшь** *cf.* **–ходи́ть** || **–дира́-ть** II. *va.* (*Pf.* -́драть 8. [a 3.]) to tear out, to drag out; **~** (кому́) **у́ши** to pull a person's ears || **~ся** *vr.* to extricate o.s. || **-́долбить** *cf.* **–да́лбливать** || **-́дохлый** *a.* flat, vapid, insipid (of liquids) || **-́дохнуть-ся** *cf.* **–дыха́ться.**

вы́дра *s.* otter.

вы́/драть *cf.* **–дира́ть** || **-́дти** = **-́йти** || **-́дубить** *cf.* **дуби́ть** || **–дува́льщик** *s.* glass-blower || **–дува́-ть** II. *va.* (*Pf.* -́ду-ть II.) to blow out; to blow (glass); to blow away; to drain, to drink to the last drop || **-́думка** *s.* (*gpl.* -мок) invention; fib, fiction, fabrication || **-́думщик** *s.*, **-́думщица** *s.* inventor; boaster, fibber || **–ду́мыва-ть** II. *va.* (*Pf.* -́дума-ть II.) to invent, to devise; to lie, to fib || **-́дуть** *cf.* **–дува́ть** || **–дыха́ние** *s.* exhalation, evaporation, becoming flat (of beer, etc.) || **–дыха́-ть** II. *va.* (*Pf.* -́дохн-уть I.) to exhale, to breathe out; to give forth (a smell), to evaporate || **~ся** *vn.* to evaporate; to become vapid *or* insipid; to become flat (of beer).

вы/еда́-ть II. *va.* (*Pf.* -́есть 42.) to eat up, to consume; to eat into, to corrode || **-́езд** *s.* driving out, drive; departure (by car *or* on horseback); **~ верхо́м** riding out, ride || **–ездно́й** *a.* of (for) riding *or* driving out || **-́ездить** *cf.* **–е́зживать** || **-́ездка** *s.* (*gpl.* -док) breaking in, training (horses) || **-́ездчик** *s.* horse-breaker, trainer || **–езжа́-ть** II. *vn.* (*Pf.* -́ехать 45.) to ride out, to drive out; to depart (by car *or* on horseback); **~ верхо́м** to ride out; **~ из кварти́ры** to move (from a house); **~ в дере́вню** to go into the country || **–е́зжива-ть** II. & **–езжа́-ть** II. *va.* (*Pf.* -́езд=ить I. 1.) to train, to break in (a horse) (-е́зживать *also fr. of* -́езжать) || **-́ем** & **-́емка** *s.* (*gpl.* -мок) digging out, taking out; arrest, confiscation; groove, fluting (on pillars); incision; cutting || **-́емчатый** *a.* hollowed out, grooved, fluted || **-́есть** *cf.* **–еда́ть** || **-́жать** *cf.* **–жима́ть** & **–жина́ть** || **-́ждать** *cf.* **–жида́ть** || **-́жечь** *cf.* **–жига́ть** || **–жива́ние** *s.* driving away, eviction, supplanting || **–жива́-ть** II. *va.* (*Pf.* -́жить 31.) to stay, to remain (a certain time, in service, etc.); to turn out, to evict (a lodger); to get rid of; to bear || **~** *vn.*, **~ из лет** to grow infirm with age; **~ из ума́** to become childish || **-́жига** *s.* smelted gold *or* silver (from old galloons); (*fam.*) an out-and-out rascal, an archrogue, sly old fox || **–жига́-ть** II. *va.* (*Pf.* -́жечь [√жг] 16.) to burn out, to burn down; to cauterize; to refine, to smelt || **–жида́тельный** *a.* expectant || **–жида́-ть** II. *va.* (*Pf.* -́жд-ать I.) to watch for, to wait for (an opportunity, etc.), to be on the look-out for || **–жима́ние** *s.* pressing out, squeezing out || **–жима́-ть** II. *va.* (*Pf.* -́жать 33.) to squeeze out, to press out; to wring (clothes); **~** (из кого́) **сок** to extort as much as possible from a person, to sweat a person || **-́жимки** *s. fpl.* (*G.* -мок) residue (after squeezing); husks (of grapes after pressing) || **–жина́-ть** II. *va.* (*Pf.* -́жать 34.) to reap, to mow || **–жира́-ть** II. *va.* (*Pf.* -́жр-ать I.) to eat up, to devour || **-́жить** *cf.* **–жи-ва́ть** || **-́жму** *cf.* **–жима́ть.**

вы́/звать *cf.* **–зыва́ть** || **–здора́влива-ние** & **–здоровле́ние** *s.* convalescence; recovery (from illness) || **–здора́влива-ть** II. *vn.* (*Pf.* ⁻здорове-ть II.) to recover (from an illness); to become convalescent || **–знава́-ть** II. *va.* (*Pf.* ⁻зна-ть II.) to investigate, (to try) to find out || **⁻зов** *s.* calling out; challenge; summons, citation || **–зола́чива-ть** II. *va.* (*Pf.* ⁻золот꞊ить I. 2.) to gild || **–зрева́-ть** II. *vn.* (*Pf.* ⁻зре-ть II.) to ripen, to become ripe || **–зу́брива-ть** II. *va.* (*Pf.* ⁻зубр꞊ить II. [a]) to learn by heart, to cram; to dent, to indent || **–зыва́-ть** II. *va.* (*Pf.* ⁻звать 10.) to call out, to call for (an actor to appear on the stage); to cause; to challenge; to summon (before a court); to draw (a nail); to invite (a professor to accept a chair) || **~ся** *vr.* to be called; to offer o.s., to volunteer.

вы/и́грыва-ть II. *va.* (*Pf.* ⁻игра-ть II.) to win, to gain; to profit (by) || **⁻игрышный** *a.* gained, won; **~ биле́т** the winning number (in a lottery) || **⁻игрыш** *s.* gain, winnings *pl.*, profit; **пе́рвый ~** first prize (in a lottery) || **–и́скива-ть** II. *va.* (*Pf.* ⁻иск-ать I. 4.) to seek, to search for; to track, to trace (criminals, etc.) || **~ся** *vr.* to offer o.s., to be found || **⁻йти** *cf.* **–ходи́ть** || **⁻ищу** *cf.* **–и́скивать.**

вы/ка́зыва-ть II. *va.* (*Pf.* ⁻каз-ать I. 1.) to show, to exhibit, to display || **~ся** *vr.* to show o.s.; to put o.s. forward || **–ка́лыва-ть** II. *va.* (*Pf.* ⁻кол-оть II.) to put out (the eyes); to prick out (a pattern); to cut out (ice with an axe) || **–каню́чива-ть** II. *va.* (*Pf.* ⁻канюч꞊ить I.) to obtain by begging, to wheedle, to extort || **–ка́пыва-ть** II. *va.* (*Pf.* ⁻копа-ть II.) to dig up; to disinter, to exhume; **~ но́вость** to pick up a piece of news || **–кара́бкива-ться** II. *vc.* (*Pf.* ⁻карабка-ться II.) to extricate o.s. (with difficulty from); to climb out, to scramble out || **–ка́рмлива-ть** II. *va.* (*Pf.* ⁻ корм꞊ить II. 7.) to feed, to fatten; to rear, to bring up || **⁻кат** *s.*, **у него́ глаза́ на ⁻кат(е)** he has goggle-eyes || **⁻ка-ть** II. *vn.* to address a person with "**вы**" || **–ка́тыва-ть** II. *va.* (*Pf.* ⁻ката-ть II.) to roll, to mangle (linen), to mill (iron); (*Pf.* ⁻кат꞊ить I. 2.) to roll out, to trundle out || **~ся** *vr.* to come rolling out, to roll out || **–ка́чива-ть** II. *va.* (*Pf.* ⁻кача-ть II.) to pump out; to earn by pumping || **–ка́шива-ть** II. *va.* (*Pf.* ⁻кос꞊ить I. 3.) to mow, to reap; to earn by mowing || **–ква́шива-ть** II. *va.* (*Pf.* ⁻квас꞊ить I. 3) to leaven thoroughly || **–ки́дыва-ть** II. *va.* (*Pf.* ⁻кида-ть II., *mom.* ⁻кин-уть I.) to throw out, to throw away; to reject; to exclude, to leave out; to hoist (a flag); to miscarry, to abort || **⁻кидыш** *s.* miscarriage, abortion, premature birth || **–кипа́-ть** II. *vn.* (*Pf.* ⁻кип꞊еть II. 7.) to boil away; to boil over || **–киса́ть** II. *vn.* (*Pf.* ⁻кисн-уть I.) to become acid; to grow sour, to become leavened || **⁻кладка** *s.* (*gpl.* -док) exhibition, exposal for sale, display; facing, trimming; calculation; castration, gelding || **–кла́дыва-ть** II. *va.* (*Pf.* ⁻класть [√клад] 22. & ⁻лож꞊ить I.) to display, to expose (for sale); to garnish, to cover; (*Pf.* ⁻лож꞊ить I.) to trim (a dress); to reckon, to calculate; to castrate, to geld || **–клёвыва-ть** II. *va.* (*Pf.* ⁻кле+вать II.) to peck out (with the beak); to peck up || **~ся** *vr.* to creep out (of the eggshell) || **–кле́ива-ть** II. *va.* (*Pf.* ⁻кле꞊ить II) to paste over, to paste paper on, to paper || **–клёпыва-ть** II. *va.* (*Pf.* ⁻клепа-ть II.) to beat out, to hammer out || **–кли́кива-ть** & **–клика́-ть** II. *va.* (*Pf.* ⁻клика-ть II., *mom.* ⁻кликн-уть I.) to call (by name) || **–ключа́-ть** II. *va.* (*Pf.* ⁻ключ꞊ить I.) to exclude, to expel, to leave out; to deduct; to switch off (current) || **–ключа́тель** *s. m.* (electric) switch || **–кля́нчива-ть** II. *va.* (*Pf.* ⁻клянч꞊ить I.) to obtain by begging || **⁻ковка** *s.* forging; forged iron-work || **–ко́выва-ть** II. *va.* (*Pf.* ⁻ко+вать II.) to forge, to hammer out || **–ковы́рива-ть** II. *va.* (*Pf.* ⁻ковыря-ть II. & ⁻ковырн-уть I.) to pick out || **–козы́рива-ть** II. *va.* (*Pf.* ⁻козыря-ть II.) to play trump after trump and so out-trump the others; to out-trump || **–кола́чива-ть** II. *va.* (*Pf.* ⁻колот꞊ить I. 2.) to beat out; to clean by beating; to give a good beating to || **⁻колоть** *cf.* **–ка́лывать** || **–колу́пыва-ть** *va.* (*Pf.* ⁻колупа-ть II., *mom.* ⁻колупн-уть I.) to pick out, to scrape out || **⁻копать** *cf.* **–ка́пывать** || **⁻косить** *cf.* **–ка́шивать** || **–кра́дыва-ть** II. *va.* (*Pf.* ⁻красть [√крад] 22.) to steal out; to copy, to plagiarize (a book) || **~ся** *vr.* to steal out || **–кра́ива-ть** II. *va.* (*Pf.* ⁻кро꞊ить II.) to cut out (a dress), to cut to a pattern || **–крахма́лива-ть** II. *va.* (*Pf.* ⁻крахмал꞊ить II.) to stiffen, to starch (linen, etc.) || **-кра́шива-ть** II. *va.* (*Pf.* ∠крас=ить I. 3.) to paint, to colour, to dye || **∠красть** *cf.* **-кра́дывать** || **∠крест** *s.*, **∠крестка** *s.* (*gpl.* -ток) a convert (to Christianity) || **∠крест=ить** I. 4. *va. Pf.* to convert (to Christianity), to baptize || **-кри́кива-ть** II. *vn.* (*Pf.* ∠крикн-уть I.) to cry out, to exclaim || **∠кройка** *s.* (*gpl.* -оек) cutting out; cut (of a dress); pattern || **∠кроить** *cf.* **-кра́ивать** || **∠кройщик** *s.*, **∠кройщица** *s.* cutter-out || **-кру́глива-ть** II. & **-кругля́-ть** II. *va.* (*Pf.* ∠кругл=ить II.) to round off || **-крута́сы** *s. mpl.* variegated pattern; (*fig.*) evasions, subterfuges; grimaces, buffoonery || **-кру́чива-ть** II. *va.* (*Pf.* ∠крут=ить I. 2.) to twist, to wring; to extricate, to exculpate || **~ся** *vr.* to extricate o.s., to exculpate o.s. || **∠куп** *s.* redemption, ransoming; ransom || **-купа́-ть** II. *va.* (*Pf.* ∠куп=ить II. 7.) to redeem; to ransom; to buy up || **~ся** *vr.* to ransom o.s., to redeem o.s. || **∠купа-ть** II. *va. Pf.* to bathe, to wash thoroughly || **~ся** *vr.* to bathe || **-ку́рива-ть** II. *va.* (*Pf.* ∠кур=ить II.) to smoke, to smoke out; to distil (spirits) || **-ку́сыва-ть** II. *va.* (*Pf.* ∠кус=ить I. 3.) to bite out || **∠куша-ть** II. *va. Pf.* to drink out || **∠кую** *cf.* **-ко́вывать.**

вы/ла́влива-ть II. *va.* (*Pf.* ∠лов=ить II. 7.) to catch; to fish out || **∠лаз** *s.* sally-port, side-gate, postern || **∠лазка** *s.* (*gpl.* -зок) (*mil.*) sally, sortie || **∠лакировать** *cf.* **лаки́рова́ть** || **-ла́мыва-ть** II. *va.* (*Pf.* ∠лома-ть II. & ∠лом=ить II. 7.) to break out (a tooth); to break in, to force (a door) || **-ла́щива-ть** II. *va.* (*Pf.* ∠лощ=ить I.) to give a smooth surface to, to polish, to gloss; to hot-press (cloth) || **∠легчить** *cf.* **легчи́ть** || **∠лежалый** *a.* spoiled by lying (of goods); seasoned, matured (of cigars) || **-леза́-ть** II. *vn.* (*Pf.* ∠лезть 25.) to crawl out, to creep out, to fall out (of the hair, of feathers) || **∠лепка** *s.* (*gpl.* -пок) modelling || **-ле́плива-ть** II. & **-лепля́-ть** II. *va.* (*Pf.* ∠леп=ить II. 7.) to model, to mould; to emboss (in wax) || **∠лепок** *s.* (*gsg.* -пка) impression (in wax) || **∠лет** *s.* flying out, flight; first flight (of young birds); **на ∠лет** right through; **на ∠лете** fledged, able to fly || **-лета́-ть** II. *vn.* (*Pf.* ∠лет=еть I. 2.) to fly out || **-ле́чива-ть** II. *va.* (*Pf.* ∠леч=ить I.) to cure completely, to heal thoroughly || **~ся** *vr.* to be completely cured, to recover completely || **-лива́-ть** II. *va.* (*Pf.* ∠лить 27.) to pour out; to cast (bells, cannons, etc.); to mould || **-ли́зыва-ть** II. *va.* (*Pf.* ∠лиз-ать I. 1.) to lick up || **-ли́нивать** *cf.* **линивать** || **∠литый** *a.* poured out; cast; (*fig.*) **он ~ оте́ц** he is the dead image of his father || **∠лить** *cf.* **-лива́ть** || **∠ловить** *cf.* **-ла́вливать** || **∠ложить** *cf.* **-кла́дывать** || **∠лока-ть** II. *va. Pf.* to lick up; to lap up (*cf.* лока́ть) || **∠ломать, ∠ломить** *cf.* **ла́мывать** || **∠ломка** *s.* (*gpl.* -мок) breaking out (of teeth); breaking in, forcing (a door) || **∠лощить** *cf.* **-ла́щивать** || **-лу́жива-ть** II. *va.* (*Pf.* ∠луд=ить I. 1.) to tin || **-лупа́-ть** II., **-лу́плива-ть** II. & **-лупля́-ть** II. *va.* (*Pf.* ∠луп=ить II. 7.) to shell, to husk; to open (the eyes) wide || **~ся** *vr.* to crawl out (of the egg) || **-луща́-ть** II. & **-лу́щивать** II. *va.* (*Pf.* ∠лущ=ить I.) to husk, to shell (nuts, etc.).

вы/ма́зыва-ть II. *va.* (*Pf.* ∠маз-ать I. 1.) to grease, to oil, to smear || **-ма́лива-ть** II. *va.* (*Pf.* ∠мол=ить II.) to obtain by entreaties, by begging || **-ма́лыва-ть** II. *va.* (*Pf.* ∠молоть II., *Fut.* ∠мелю, ∠мелешь, etc.) to grind out (a certain quantity of corn); to earn by grinding || **-ма́нива-ть** II. *va.* (*Pf.* ∠ман=ить II.) to entice out; to swindle one out of a thing || **-ма́рива-ть** II. *va.* (*Pf.* ∠мор=ить II.) to exterminate, to destroy, to allow to perish; **~ го́лодом** to starve out (a besieged town); to famish || **-ма́рыва-ть** II. *va.* (*Pf.* ∠мара-ть II.) to soil, to besmirch; to cross out, to blot out, to cancel || **-ма́слива-ть** II. *va.* (*Pf.* ∠масл=ить II.) to smear (with butter, oil), to grease, to oil; to wheedle something from a person || **-ма́тыва-ть** II. *va.* (*Pf.* ∠мота-ть II.) to wind up; to unwind; to entice out; to spoil; to dissipate || **-ма́чива-ть** II. *va.* (*Pf.* ∠моч=ить I.) to wet through; to soak, to steep; to macerate || **-ма́щива-ть** II. *va.* (*Pf.* ∠мост=ить I. 4.) to pave, to floor || **∠мен** *s.* exchange, barter || **-ме́нива-ть** II. *va.* (*Pf.* ∠мен=ить II.) (на + *A.*) to exchange (for), to barter, to swap || **∠мереть** *cf.* **-мира́ть** || **-мерза́-ть** II. *vn.* (*Pf.* ∠мерзн-уть I.) to freeze, to congeal; to perish by frost || **∠мерзлый** *a.* frozen, congealed || **-ме́рива-ть** II. & **-меря́-ть** II. *va.* (*Pf.* ∠мер=ить II.) to measure out || **∠мерший** *a.* extinct || **∠мес=ить** I. 3.

va. Pf. to knead thoroughly (dough); to work thoroughly (clay, etc.) || **⁻мести́ть** *cf.* **–меща́ть** || **–мета́-ть** II. *va.* (*Pf.* ⁻мести 23.) to sweep out || **–меща́-ть** II. *va.* (*Pf.* ⁻мест=ить I. 4.) (что на ком) to avenge (something), to be avenged (on a person for something); **~ свой гнев** (на ком) to vent one's rage (on) || **–мина́-ть** II. *va.* (*Pf.* ⁻мять [√мн] 33.) to tread, to knead, to work (clay, etc.); to trample down (grass); to crush, to brake (flax, hemp) || **–мира́-ть** II. *vn.* (*Pf.* ⁻мереть 14.) to die out; to become extinct (of families) || **–мога́тельство** *s.* extortion, exaction || **–мога́-ть** II. *va.* (*Pf.* ⁻мочь 15.) to extort, to exact || **–мока́-ть** II. *vn.* (*Pf.* ⁻мокн-уть I.) to get wet (through *or* to the skin), to be soaked; to be ruined by rain (of corn) || **–мола́чива-ть** II. *va.* (*Pf.* ⁻молот=ить I. 2.) to thresh out; to earn by threshing || **⁻молв=ить** II. 7. *va. Pf.* to speak out, to say, to utter || **⁻молить** *cf.* **–ма́ливать** || **⁻молотка** *s.* (*gpl.* -ток) threshing out (corn) || **⁻молоть** *cf.* **–ма́лывать** || **–мора́жива-ть** II. *va.* (*Pf.* ⁻мороз=ить I. 1.) to allow to freeze; to freeze out; to kill, to exterminate (by freezing out) || **⁻морить** *cf.* **–ма́ривать** || **⁻морозки** *s. mpl.* strong spirits of wine (produced by freezing out the water) || **⁻морочный** *a.* extinct; (of property) escheatable; **⁻морочное име́ние** escheat, derelict property || **⁻мостить** *cf.* **–ма́щивать** || **⁻мотать** *cf.* **–ма́тывать** || **⁻мочить** *cf.* **–ма́чивать** || **⁻мочь** *cf.* **–мога́ть.**

вы́мпел *s.* [b] pennant, pennon, streamer.

вы/му́чива-ть II. *va.* (*Pf.* ⁻муч=ить I.) to extort; to obtain by worrying, to worry one out of || **⁻муштро+вать** *cf.* **муштрова́ть** || **–мыва́-ть** II. *va.* (*Pf.* ⁻мыть 28.) to wash out; to excavate, to scoop out (of rain) || **~ся** *vr.* to wash o.s. || **⁻мысел** *s.* (*gsg.* -сла) figment, fiction; invention; fib, lie || **–мышля́-ть** II. *va.* (*Pf.* ⁻мыслить 41.) to invent, to imagine, to devise; to feign.

вы́мя *s. n.* (*gsg.* ⁻мени, *pl.* –мена́, –мён, –мена́м) udder.

вы/на́шива-ть II. *va.* (*Pf.* ⁻нос=ить I. 3.) to wear out (clothes); to rear, to bring up || **–не́жива-ть** II. *va.* (*Pf.* ⁻неж=ить I.) to pet, to spoil, to pamper || **⁻нести** *cf.* **–носи́ть** || **–нима́-ть** II. *va.* (*Pf.* ⁻н-уть I.) to take out; to cut out; to draw (lots); to turn off || **⁻нос** *s.* carrying out; funeral; leaders (of a team of horses); **на ~** (sale of spirits) off the premises || **–нос=и́ть** I. 3. [c] *va.* (*Pf.* ⁻нести & ⁻несть 26.) to carry out, to bring out; to bear, to support, to undergo; to bring back (memories); to blab, to divulge, to let out (secrets); **~ сор из избы́** (*fig.*) to tell tales (out of school) || **⁻носка** *s.* (*gpl.* -сок) carrying out; note, gloss, marginal note || **–но́сливый** *a.* tenacious, enduring, persevering, firm || **–носно́й** *a.*, **–носны́е ло́шади** leaders (in a team of four horses) || **–нужда́-ть** II. *va.* (*Pf.* ⁻нуд=ить I. 1.) to force, to constrain, to compel; (у кого́ что) to extort; **я ⁻нужден** I feel constrained to, I feel obliged to || **⁻нуть** *cf.* **–нима́ть** || **–ны́рива-ть** II. & **–ныря́-ть** II. *vn.* (*Pf.* ⁻нырн-уть I.) to swim up (to the surface); to emerge || **–ню́хива-ть** II. *va.* (*Pf.* ⁻нюха-ть II.) to snuff (tobacco), to snuff up; (*fig.*) to ferret out, to spy out || **–ня́нчива-ть** II. *va.* (*Pf.* ⁻нянч=ить I.) to nurse, to rear (a child).

вы́/пад *s.* pass, lunge (in fencing) || **–пада́-ть** II. & **–па́дыва-ть** II. *vn.* (*Pf.* ⁻пасть [√пад] 22.) to fall out, to drop out; to perish (of cattle) || **–паде́ние** *s.* falling out (of hair, teeth, etc.); **~ ма́тки** (*med.*) prolapse || **–па́лзыва-ть** II. & **–полза́-ть** II. *vn.* (*Pf.* ⁻ползти 25.) to crawl out, to creep out; to fall out unnoticed (of the hair) || **–па́лива-ть** II. *va.* (*Pf.* ⁻пал=ить II.) to burn off, to singe off; to fire off; to discharge (a gun); (*fam.*) to blurt out, to blab || **–па́лыва-ть** II. *va.* (*Pf.* ⁻пол-оть II.) to weed out (a flower-bed); to remove (weeds) || **–па́рива-ть** II. *va.* (*Pf.* ⁻пар=ить II.) to steam, to foment, to stupe; (*chem.*) to evaporate || **~ся** *vn.* to evaporate || **~** *vr.* to beat o.s. with birch rods (in order to induce profuse perspiration) || **–па́рхива-ть** II. *va.* (*Pf.* ⁻порхн-уть I.) to fly out, to flutter out || **–па́рыва-ть** II. *va.* (*Pf.* ⁻пор-оть II.) to rip up; to eviscerate; to flog, to thrash || **⁻пасть** *cf.* **–пада́ть** || **–па́хива-ть** II. *va.* (*Pf.* ⁻пах-ать I. 8.) to plough up, to till; to earn by ploughing; to exhaust (land by ploughing); to plough out (of the ground) || **⁻пачка-ть** II. *va. Pf.* to besmear, to soil, to dirty || **–пека́-ть** II. *va.* (*Pf.* ⁻печь [√пек] 18.) to bake thoroughly; to finish baking (a certain quantity) || **∠переть** *cf.* **-пирать** || **-пива-ть** II. *va.* (*Pf.* ∠пить 27.) to drink out; to drain, to empty (a glass) || ~ *vn.* to be addicted to drink || **∠пивка** *s.* (*gpl.* -вок) spree, drinking-bout; alcoholic drink || **-пилива-ть** II. *va.* (*Pf.* ∠пил=ить II.) to saw out, to file out || **-писыва-ть** II. *va.* (*Pf.* ∠пис-ать I. 3.) to copy (out of a book), to excerpt; to strike out, to cancel; to order (goods); to write out in full || **~ся** *vr.* to be struck off a list, to have one's name struck off || **∠пись** *s. f.* extract, excerpt || **∠пить** *cf.* **пивать** || **-пихива-ть** II. *va.* (*Pf.* ∠пиха-ть II. & ∠пихн-уть I.) to shove out, to throw out || **-плавлива-ть** II. & **-плавля-ть** II. *va.* (*Pf.* ∠плав=ить II. 7.) to smelt, to refine (metals) || **-плавной** *a.* got by smelting, smelted || **-плакива-ть** II. *va.* (*Pf.* ∠плак-ать I. 2.) to get by weeping; ~ **глаза** to cry one's eyes out || **∠плата** *s.* paying out, payment || **-плачива-ть** II. *va.* (*Pf.* ∠плат=ить I. 2.) to pay out (a sum); to settle (debts) || **-плёвыва-ть** II. *va.* (*Pf.* ∠пле+вать II., *mom.* ∠плюн-уть I.) to spit out, to expectorate || **-плёскива-ть** II. *va.* (*Pf.* ∠плеск-ать I. 4., *mom.* ∠плесн-уть I.) to pour out, to spill (liquids) || **-плета-ть** II. *va.* (*Pf.* ∠плесть & ∠плести [√плет] 23.) to unplait; to earn by plaiting || **~ся** *vr.* (*fig.*) to extricate o.s., to free o.s. || **-плыва-ть** II. *vn.* (*Pf.* ∠плыть 31.) to swim out; to emerge, to come to the surface || **∠плюнуть** *cf.* **-плёвывать** || **-плясыва-ть** II. *va.* (*Pf.* ∠пляс-ать I. 3.) to dance out (a dance); to earn by dancing || **-поласкива-ть** II. *va.* (*Pf.* ∠полоск-ать I. 4.) to rinse out || **-ползать** & **∠ползти** *cf.* **-палзывать** || **-полнение** *s.* fulfilment, execution, carrying-out || **-полня-ть** II. *va.* (*Pf.* ∠полн=ить II.) to fulfil, to carry out, to execute, to perform || **∠полоскать** *cf.* **-поласкивать** || **∠полоть** *cf.* **-палывать** || **-поражнива-ть** II. *va.* (*Pf.* ∠порожн=ить II. & ∠порозн=ить II.) to empty out || **∠пороть** *cf.* **-парывать** || **∠порхнуть** *cf.* **-пархивать** || **∠правка** *s.* (*gpl.* -вок) correction, regulating; (*mil.*) deportment || **-правля-ть** II. *va.* (*Pf.* ∠прав=ить II. 7.) to set aright, to put in order, to correct; to straighten; to drill (soldiers); to obtain, to get || **∠правочный** *a.*, ~ **лист** proof-sheet || **-прашива-ть** II. *va.* (*Pf.* ∠прос=ить I. 3.) to obtain, to get by begging || **~ся** *vr.* to gain one's freedom by entreaties || **-провáжива-ть** II. *va.* (*Pf.* ∠провод=ить I. 1.) to lead out, to conduct out; to send away || **∠просить** *cf.* **-прашивать** || **-прыгива-ть** II. *vn.* (*Pf.* ∠прыгн-уть I.) to jump out, to spring out || **-прыскива-ть** II. *va.* (*Pf.* ∠прысн-уть I.) to besprinkle; to spurt out || **-пряга-ть** II. *va.* (*Pf.* ∠прячь [√пряг] 15.) to unharness, to unyoke || **-прядыва-ть** II. & **-пряда-ть** II. *va.* (*Pf.* ∠прясть [√пряд] 22.) to spin (a certain amount); to earn by spinning || ~ *vn.* (*Pf.* ∠прян-уть I.) to spring out; to rush out || **-прямля-ть** II. *va.* (*Pf.* ∠прям=ить II. 7.) to straighten || **~ся** *vr.* to stand erect || **∠прясть** *cf.* **-прядывать** || **∠прячь** *cf.* **-прягать** || **-пугива-ть** II. *va.* (*Pf.* ∠пугн-уть I.) to start, to rouse (game); to scare away || **∠пуклина** *s.* protuberance, prominence; hump, bump || **-пукловогнутый** *a.* convexo-concave || **∠пуклость** *s. f.* convexity; protuberance || **∠пуклый** *a.* convex; standing out, in relief; prominent; **двояко-** convexo-convex || **∠пуск** *s.* letting out, letting off (steam); omission (of a word, a sentence); setting at liberty; letting out (pupil on completion of studies); emission, issue (of bank-notes, etc.); part, number, instalment; edging (on dresses); projection (in architecture) || **-пуска-ть** II. *va.* (*Pf.* ∠пуст=ить I. 4.) to let go, to let off; to publish; to spread (a rumour); to emit, to issue (paper-money, etc.); to omit; to set at liberty, to emancipate || **-пускной** *a.* for letting out; ~ **экзамен** leaving examination || **-путыва-ться** II. *vr.* (*Pf.* ∠пута-ться II.) to extricate o.s. (from a difficult situation); to clear o.s. (of debts) || **-пучива-ть** II. *va.* (*Pf.* ∠пуч=ить I.) to open wide (the eyes) || ~ *vn.* to bulge, to warp || **-пытыва-ть** II. *va.* (*Pf.* ∠пыта-ть II.) to sound (a person for information), to inquire; to force, to extort (a confession).

выпь *s. f.* bittern.

вы/пялива-ть II. *va.* (*Pf.* ∠пял=ить II.) to unframe; ~ **глаза** to open the eyes wide || **-пячива-ть** II. *va.* (*Pf.* ∠пят=ить I. 2.) to stick out, to project, to protrude.

вы/рабатыва-ть II. *va.* (*Pf.* ∠работа-ть II.) to work out, to finish, to perfect; to earn by working || **∠работка** *s.* (*gpl.*

-ток) working out, finishing; elaboration; gains *pl.*, earnings *pl.* || **-ра́внива-ть** II. *va.* (*Pf.* **∸**ровня-ть II.) to level, to plane; to make even || **~ся** *vn.* to become even; (*mil.*) to draw up in line, to line up || **-ража́-ть** II. *va.* (*Pf.* ∸раз-ить I. 1.) to express, to give voice to; to represent || **-ражда́ться** *cf.* **-рожда́ться** || **-раже́ние** *s.* expression, declaration; representation || **-рази́тельный** *a.* expressive, energetic || **-ра́нива-ть** II. *va.* (*Pf.* ∸рон=ить II.) to drop, to let fall; to lose || **-раста́ть, ∸расти, ∸расть** *cf.* **-роста́ть** || **-раща́-ть** II. *va.* (*Pf.* ∸рост=ить I. 4.) to rear, to breed, to bring up; to raise (plants) || **∸рвать** *cf.* **-рыва́ть** || **-реза́-ть** II. & **-ре́зыва-ть** II. *va.* (*Pf.* ∸рез-ать I. 1.) to cut out, to extract (a corn); to massacre, to slay (all); to engrave, to carve; to separate (a measured piece of land) || **∸резка** *s.* (*gpl.* -зок) cut, pattern; engraving; round of beef; incision || **-резно́й** *a.* cut out || **∸ровнять** *cf.* **-ра́внивать** || **∸родиться** *cf.* **-рожда́ться** || **∸родок** *s.* (*gsg.* -дка) degenerate species or animal; abortion || **-рожда́-ться** II. *vn.* (*Pf.* ∸род=иться I. 1.) to degenerate, to deteriorate || **-рожде́ние** *s.* degeneration, deterioration || **∸ронить** *cf.* **-ра́нивать** || **∸рослый** *a.* grown up || **-роста́-ть** II. *vn.* (*Pf.* ∸рости [√раст] 35.) to grow up || **∸ростить** *cf.* **-раща́ть** || **∸росток** *s.* (*gsg.* -тка) a year-old calf; calfskin || **-руба́-ть** II. *va.* (*Pf.* ∸руб=ить II. 7.) to hew out, to clear (a wood); to cut down, to fell; to strike (fire) || **∸рубка** *s.* (*gpl.* -бок) clearing (of a wood), felling; felled timber; notch || **∸ругать** *cf.* **руга́ть** || **-руча́-ть** II. *va.* (*Pf.* ∸руч=ить I.) to ransom, to liberate, to free; to rescue, to help s.o. out of; to gain, to profit || **∸ручка** *s.* (*gpl.* -чек) liberation, release; gains *pl.*, proceeds *pl.* (of a sale); counter, till (in a shop) || **-рыва́-ть** II. *va.* (*Pf.* ∸рв-ать I.) to drag out, to pull out, to draw (teeth) || **~** *v.imp.* to vomit; **больно́го ∸рвало** the patient has vomited (*cf.* рвать) || **~ся** *vr.* to free o.s., to escape || **~** *vn.* to stream out; to slip out (of a word) || **-рыва́-ть** II. *va.* (*Pf.* ∸рыть 28.) to dig out; to disinter, to exhume; to excavate (a channel, etc.) || **∸рытие** *s.* digging out; disinterment, exhumation; excavation || **-ряжа́-ть** II. & **-ря́жива-ть** II. *va.* (*Pf.* ∸ряд=ить I. 1.) to dress out, to fit out || **~ся** *vr.* to dress o.s. up.

вы́/садка *s.* (*gpl.* -док) transplanting (plants); landing, disembarkment (of troops) || **∸садок** *s.* (*gsg.* -дка) cutting, slip; young transplanted plant || **-са́жива-ть** II. *va.* (*Pf.* ∸сад=ить I. 3.) to transplant; to land, to disembark (troops); to drop a person (from a carriage); to force, to break in (a door) || **~ся** *vn.* to get out (of a car); (*mil.*) to land || **-са́сыва-ть** II. *va.* (*Pf.* ∸сос-ать I.) to suck out; (*fig.*) to extort; to sponge on a person || **-сва́тыва-ть** II. *va.* (*Pf.* ∸свата-ть II.) to become engaged to; to demand in marriage; **~** (кому́) **неве́сту** to ask in marriage for a person || **-све́рлива-ть** II. *va.* (*Pf.* ∸сверл=ить II.) to bore out, to drill || **-сви́стыва-ть** II. *va.* (*Pf.* ∸свист-ать I. 4.) to whistle (a tune) || **-свобожда́-ть** II. *va.* (*Pf.* ∸свобод=ить I. 1.) to liberate, to set at liberty, to set free || **-сева́-ть** II. *va.* (*Pf.* ∸се-ять II.) to sow out; to sift out || **∸севки** *s.fpl.* (*G.* -вок) siftings, chaff || **-сека́-ть** II. *va.* (*Pf.* ∸сечь [√сек] 18.) to fell (trees in a wood); to carve (stone); to strike (fire); to flog || **-селе́ние** *s.* emigration, removal (to another district); eviction || **∸селок** *s.* (*gsg.* -лка) settlement || **-селя́-ть** II. *va.* (*Pf.* ∸сел=ить II.) to transplant (peasants), to remove to another district; to evict || **~ся** *vn.* to settle down in another district; to emigrate || **∸серебрить** *cf.* **серебри́ть** || **-си́жива-ть** II. *va.* (*Pf.* ∸сид=еть I. 1.) to sit out (a certain time); to distil (spirits); to hatch out || **-ска́блива-ть** II. *va.* (*Pf.* ∸скобл=ить II.) to erase, to scratch out; to scrape out || **-ска́зыва-ть** II. *va.* (*Pf.* ∸сказ-ать I. 1.) to say, to express; to report; to speak plainly; to give (praise) || **~ся** *vr.* to declare o.s. (for); to express one's opinion || **-ска́кива-ть** II. *vn.* (*Pf.* ∸скоч=ить I., *mom.* ∸скакн-уть I.) to spring out; to fall out || **-ска́кива-ть** II. *va.* (*Pf.* ∸скака-ть II.) to overtake, to take the lead (in a race) || **-ска́льзыва-ть** II. *vn.* (*Pf.* ∸скользн-уть I.) to slip (out of one's hand) || **∸скоблить** *cf.* **-ска́бливать** || **∸скочить** *cf.* **-ска́кивать** || **∸скочка** *s. m&f.* (*gpl.* -чек) wiseacre, forward person; upstart, parvenu || **-скреба́-ть** II. *va.* (*Pf.* ∸скресть [√скреб] 21.) to scratch out || **∠слать** *cf.* **–сыла́ть** || **–сле́жива-ть** II. *va.* (*Pf.* ∠след=ить I. 1.) to track, to trace || **∠слуга** *s.* service, period of service || **–слу́жива-ть** II. *va.* (*Pf.* ∠служ=ить I.) to serve (a certain period); to earn, to obtain by serving || **~ся** *vn.* to advance, to rise in the service; to rise by fawning and flattery || **–слу́шива-ть** II. *va.* (*Pf.* ∠слуша-ть II.) to listen to, to hear out (some one's defence); to hear (a pupil's lesson); to auscultate; **~ курс нау́к** to finish one's studies, to complete a course || **–сма́лива-ть** II. *va.* (*Pf.* ∠смол=ить II.) to pitch, to tar || **–сма́ркива-ть** II. *va.* (*Pf.* ∠сморка-ть II., *mom.* ∠сморкн-уть I.) (нос) to blow one's nose || **~ся** *vn.* to blow one's nose || **–сма́трива-ть** II. *va.* (*Pf.* ∠смотр=еть II.) to spy on, to watch secretly; to injure by too much use (the eyes); to look like || **–со́выва-ть** II. *va.* (*Pf.* ∠сун-уть I.) to push out, to stretch out, to shove out || **~ся** *vr.* to lean out; **~ в окно́** to lean out of the window.

высо́кий *a.* (*pdc.* вы́ше, *comp.* вы́сший, *sup.* высоча́йший) high, tall; dignified, eminent; superior, first-class.

высоко/благоро́дие *s.*, **Ва́ше ~** your Honour (used in addressing lieutenant-colonels and colonels), your Worship || **–ва́тый** *a.* rather high || **–держа́вный** *a.* allpowerful || **–ме́рие** *s.* pride, haughtiness || **–ме́рный** *a.* proud, haughty || **–па́рный** *a.* high-flown (of language), bombastic, grandiloquent || **–почте́ние** *s.* respect, veneration || **–превосходи́тельство** *s.*, **Ва́ше ~** your Excellency (used in addressing generals and certain high government officials) || **–почте́нный** *a.* (highly) respected || **–преосвяще́нный** *a.* most eminent || **–преосвяще́нство** *s.* eminence; **Ва́ше ~** your Eminence || **–преподо́бие** *s.* Reverence (used in addressing archimandrites, abbots, etc.) || **–ро́дие** *s.* Right Honourable || **–ро́дный** *a.* right honourable || **–ро́слый** *a.* tall (of growth) || **–ство́льный** *a.* tall, lofty, high-grown (of trees).

высо́ко/сть *s.f.* height; dignity || **–торже́ственный** *a.* (most) solemn || **–уважа́емый** *a.* honoured (Sir) (used in letters) || **–у́мный** *a.* proud, haughty, highminded.

вы́сосать *cf.* **выса́сывать.**

высота́ *s.* [a & h] height, altitude; latitude; elevation, eminence.

вы́/сохлый *a.* dried up, withered || **∠сохнуть** *cf.* **–сыха́ть** || **–соча́йший** *cf.* **–со́кий** || **–со́чество** *s.* Highness (as title) || **∠спаться** *cf.* **–сыпа́ться** || **–спра́шива-ть** II. *va.* (*Pf.* ∠спрос=ить I. 3.) to question, to interrogate; to inquire || **∠спренний** *a.* lofty, sublime || **∠ставка** *s.* (*gpl.* -вок) exhibition, show; lead (at billiards); **всеми́рная ~** international exhibition || **–ставля́-ть** II. *va.* (*Pf.* ∠став=ить II. 7.) to exhibit, to display (for sale); to deliver; to state (the date); **~ зна́мя** to plant the flag; **~ шар** to lead (in billiards) || **~ся** *vr.* to put o.s. forward; to pass o.s. off as, to pretend to be || **–ставно́й** *a.* removable, which can be taken out (windows, etc.); exposed for sale (of goods) || **∠ставщик** *s.* exhibitor, purveyor, furnisher || **–ста́ива-ть** II. *va.* (*Pf.* ∠сто=ять II.) to stand out (a certain length of time); to hold out || **~ся** *vn.* to become flat, insipid (of drink); to fade (of colours); to dry, to become dry (of newly built houses) || **–стёгива-ть** II. *va.* (*Pf.* ∠стега-ть II.) to quilt; to knock out a person's eye (with a whip) || **–стига́-ть** II. *va.* (*Pf.* ∠стичь [√стиг] 52.) to overtake, to get in front of || **–стила́-ть** II. *va.* (*Pf.* ∠стлать 9.) to cover, to garnish; to floor, to pave || **∠стилка** *s.* (*gpl.* -лок) paving, flooring || **∠стоять** *cf.* **–ста́ивать** || **–стра́гива-ть** II. *va.* (*Pf.* ∠строга-ть II.) to plane (out) || **–стра́ива-ть** II. *va.* (*Pf.* ∠стро=ить II.) to build out; to erect; to draw up, to arrange; to tune (a piano) || **∠стрел** *s.* shooting, discharge; shot; gunshot (distance) || **–стре́лива-ть** II. *vn.* (*Pf.* ∠стрел=ить II.) to fire, to shoot, to discharge; **~ из ружья́** to fire a gun; (в + *A.*) to shoot at || **–стреля́-ть** II. *va.* to use up in shooting || **∠стричь** *cf.* **стричь** || **∠строгать** *cf.* **–стра́гивать** || **∠строить** *cf.* **–стра́ивать** || **∠строчить** *cf.* **строчи́ть** || **∠ступ** *s.* projection || **–ступа́-ть** II. *vn.* (*Pf.* ∠ступ=ить II. 7.) to step out, to come forward; to project, to jut out || **∠ступка** *s.* (*gpl.* -пок) step, walk, gait || **–ступле́ние** *s.* stepping out; departure || **∠сунуть** *cf.* **–со́вывать** || **–су́шива-ть** II. *va.* (*Pf.* ∠суш=ить I.) to dry, to drain (land).

вы́сший *cf.* **высо́кий.**

вы/сыла́-ть II. *va.* (*Pf.* ∠слать 40.) to send (off, away, out); to exile, to banish || **∠сылка** *s.* (*gpl.* -лок) sending (away, off, out); banishment, exile || **–сыпá-ть** II. *va.* (*Pf.* **᾿**сып-ать II. 7.) to strew out; to scatter out || ~ *vn.* to break out (of diseases); **нарóд ᾿сыпал на ýлицу** the people poured into the street || ~ *v.imp.*, **у негó ᾿сыпало на лицé** the eruption broke out on his face || **~ся** *vn.* (*Pf.* **᾿**сп=аться II. 7.) to sleep enough, to sleep one's fill || **–сыхá-ть** II. *vn.* (*Pf.* **᾿**сохнуть 52.) to dry (up), to parch.

высь *s. f.* height, summit, top.

вы/тáлкива-ть II. *va.* (*Pf.* **᾿**толка-ть II., *mom.* **᾿**толкн-уть I.) to push out, to jostle out || **–тáплива-ть** II. *va.* (*Pf.* **᾿**топ=ить II. 7.) to heat, to warm (a stove, a room); to melt (out, down) || **–тáптыва-ть** II. *va.* (*Pf.* **᾿**топт-ать I. 2.) to trample on, to tread out; to soil, to dirty (with the feet) || **–тарáщива-ть** II. *va.* (*Pf.* **᾿**таращ=ить I.), **~ глазá** to open wide the eyes; (на + *A.*) to stare fixedly at || **–тáскива-ть** II. *va.* (*Pf.* **᾿**таска-ть II. & **᾿**тащ=ить I.) to drag, to pull, to draw (out) || **–тáчива-ть** II. *va.* (*Pf.* **᾿**точ=ить I.) to turn (on a lathe); to grind, to sharpen || **᾿тачка** *s.* (*gpl.* -чек) lapel (of a coat) || **᾿тащить** *cf.* **–тáскивать** || **–твéржива-ть** II. *va.* (*Pf.* **᾿**тверд=ить I. 1.) to learn by heart || **–текá-ть** II. *vn.* (*Pf.* **᾿**течь [√тек] 18.) to flow out, to run out; to rise (of rivers) || **–терéблива-ть** II. *va.* (*Pf.* **᾿**тереб=ить II. 7.) to tear out, to pluck out, to pull out || **᾿тереть** *cf.* **–тирáть** || **–тéрплива-ть** II. *va.* (*Pf.* **᾿**терп=еть II. 7.) to endure, to put up with, to bear.

вы/теснá-ть II. *va.* (*Pf.* **᾿**тесн=ить II.) to squeeze out; to dislodge; to supplant || **–тёсыва-ть** II. *va.* (*Pf.* **᾿**тес-ать I. 3.) to hew, to cut (out); to shape, to form || **᾿течка** *s.* (*gpl.* -чек) leak, leakage || **᾿течь** *cf.* **–текáть** || **–тирá-ть** II. *va.* (*Pf.* **᾿**тереть 14.) to wipe, to rub (out); to wear out by use; (*fig.*) to drive out || **~ся** *vr.* to be worn out (by rubbing) || **–тúскива-ть** II. *va.* (*Pf.* **᾿**тиска-ть II.) to press out, to squeeze out || **–тиснá-ть** II. *va.* (*Pf.* **᾿**тисн=ить II. & **᾿**тисн-уть I.) to imprint, to impress; to print off || **᾿ткать** *cf.* **–тыкáть & ткать** || **᾿толк . . .** *cf.* **–тáлкивать** || **᾿топить** *cf.* **–тáпливать** || **᾿топтать** *cf.* **–тáптывать** || **–торгóвыва-ть** II. *va.* (*Pf.* **᾿**торго+вать II.) to gain (by trade, by bargaining) || **᾿точить** *cf.* **–тáчивать** || **–трáвлива-ть** II. & **–травлá-ть** II. *va.* (*Pf.* **᾿**трав=ить II. 7.) to graze cattle; to eat out, to corrode || **᾿требовать** *cf.* **трéбовать** || **–трезвлá-ть** II. *va.* (*Pf.* **᾿**трезв=ить II. 7.) to make sober || **~ся** *vr.&n.* to get sober again || **᾿тру** *cf.* **–тирáть** || **–трясá-ть** II. *va.* (*Pf.* **᾿**трясти 26.) to shake, to jolt (out) || **–трахá-ть** II. & **–тря́хива-ть** II. *va.* (*Pf.* **᾿**трях-н-уть I.) to shake down, to cause to fall by shaking || **–туплá-ть** II. *va.* (*Pf.* **᾿**туп=ить II.) to blunt, to dull || **–тýрива-ть** II. *va.* (*Pf.* **᾿**тур=ить II., *mom.* **᾿**турн-уть I.) to drive, to turn, to cast (out) || **–тушёвыва-ть** II. *va.* (*Pf.* **᾿**туше+вать II.) to shade in (with Indian ink).

выть 28. *vn.* (*Pf.* вз-) to roar, to howl, to cry.

вы/тьё *s.* howl, howling, cry || **–тя́гива-ть** II. *va.* (*Pf.* **᾿**тян-уть [√тяг] I.) to draw out; to stretch out; **~ фронт** (*mil.*) to draw up in a line, to dress up || **~ся** *vr.* to stretch, to be stretched out || **᾿тяжка** *s.* (*gpl.* -жек) drawing out, stretching out; (*mil.*) carriage, bearing.

вы/ýжива-ть II. *va.* (*Pf.* **᾿**уд=ить I. 1.) to fish out || **–утю́жива-ть** II. *va.* (*Pf.* **᾿**утюж=ить I.) to iron out || **–ýчива-ть** II. *va.* (*Pf.* **᾿**уч=ить I.) (что) to learn; (когó чемý) to teach || **~ся** *vr.* (чемý) to learn.

вы/хáжива-ть II. *vn. iter. of* –ходúть *q. v.* || ~ *va.* (*Pf.* **᾿**ход=ить I. 1.) to bring up, to rear up; to walk a certain time *or* distance; to earn by walking || **–хвалá-ть** II. *va.* (*Pf.* **᾿**хвал=ить II.) to load with praises, to laud || **–хвáтыва-ть** II. *va.* (*Pf.* **᾿**хвата-ть II. & **᾿**хват=ить I. 2.) to tear *or* snatch away, to snatch out || **–хлёбыва-ть** II. *va.* (*Pf.* **᾿**хлеба-ть II. & **᾿**хлебн-уть I.) (*fam.*) to eat up, to drink up || **–хлёстыва-ть** II. *va.* (*Pf.* **᾿**хлест-ать I. 6. & **᾿**хлес(т)н-уть I.) to pour out, to spill; to thrash, to whip || **᾿ход** *s.* outlet, way out; going out, coming out, departure; appearance; **~ зáмуж** marriage (of a woman); **~ в отстáвку** retirement || **᾿ходец** *s.* (*gsg.* -дца) emigrant || **–ход=úть** I. 1. *vn.* (*Pf.* **᾿**йти 48., *Fut.* **᾿**йду, **᾿**йдешь) to go, to come, to walk (out); to appear (of a book, a newspaper); to happen, to turn out, to result; to emigrate; to be up (of a time-limit); **~ в отстáвку** to retire; **~ зáмуж** (за + *A.*) to marry, to get married to (of a woman); **~ в лю́ди** to get on in the world; **~ из терпéния** to lose patience || **᾿ходить** *cf.* **–хáживать** || **᾿ходка** *s.* (*gpl.*

-док) sally, prank || **–ходной** *a.* for going out; ~ **лист** title-page; ~ **паспорт** emigration passport || **´хожу** *cf.* **–хаживать** & **–ходить** || **–холаживать** II. *va.* (*Pf.* ´холод=ить I. 1.) to cool (a room) || **–холащива-ть** II. *va.* (*Pf.* ´холост=ить I. 4.) to castrate, to geld || **–холива-ть** II. *va.* (*Pf.* ´хол=ить, II.) to spoil, to pet, to pamper.

выхухоль *s. f.* musk-rat.

вы/царапыва-ть II. *va.* (*Pf.* ´царапа-ть II.) to scratch out (*e. g.* the eyes); to scratch || **´цвелый** *a.* in full bloom; faded, discoloured || **–цвета-ть** II. *vn.* (*Pf.* ´цвесть [√цвет] 23.) to blossom, to bloom; to be in full bloom; to wither, to fade || **–цежива-ть** II. *va.* (*Pf.* ´цед=ить I. 1.) to tap (wine, beer), to decant.

вы/чеканива-ть II. *va.* (*Pf.* ´чекан=ить II.) to coin; to chase || **–чёркива-ть** II. *va.* (*Pf.* ´черкн-уть I.) to cross out, to strike out (what has been written) || **–чернива-ть** II. *va.* (*Pf.* ´черн=ить II.) to blacken; to soil, to dirty, to stain || **–черпыва-ть** II. *va.* (*Pf.* ´черпа-ть II., *mom.* ´черпн-уть I.) to bale out || **´чески** *s. fpl.* (*gpl.* -сок) combings *pl.* || **´честь** *cf.* **–читать** || **–чёсыва-ть** II. *va.* (*Pf.* ´чес-ать I. 3.) to comb out; to card, to hackle; to curry || **´чет** *s.* discount, deduction; calculation; **за ´четом** deducting . . . || **–числение** *s.* calculation, reckoning || **–числя-ть** II. *va.* (*Pf.* ´числ=ить II.) to calculate, to count, to reckon || **´чистить** *cf.* **–чищать** & **чистить** || **–читание** *s.* deduction, discounting; (*math.*) subtraction || **–чита-ть** II. *va.* (*Pf.* ´честь 24.) to deduct, to discount; (*math.*) to subtract || **–читыва-ть** II. *va.* (*Pf.* ´чита-ть II.) to read to the end, to find out, to learn (by reading) || **–чища-ть** II. *va.* (*Pf.* ´чист=ить I. 4.) to clean, to cleanse; || **´чура** *s. m&f.* fop, affected person || **´чуры** *s. fpl.* whims, freaks; scrolls || **´чурный** *a.* affected, pretentious, with studied elegance.

выше/ (*pdc. of* высокий) above; ~ **всего** above all; **как ~ сказано** as mentioned above || **–именованный** *a.*, **–означенный** *a.*, **–упомянутый** *a.* above-mentioned, above-named.

вы/шёл *cf.* **–ходить** || **–шиб** *s.* knocking out, breaking out || **–шиба-ть** II. *va.* (*Pf.* ´шибить 51.) to break in, to beat in; to force (a door), to smash in (a window) || **–шивальщик** *s.* embroiderer || **–шивальщица** *s.* embroidress || **–шивание** *s.* embroidering, embroidery || **–шива-ть** II. *va.* (*Pf.* ´шить 27.) to embroider || **´шивка** *s.* (*gpl.* -вок) embroidery || **–шивной** *a.* embroidered.

вышина *s.* height, elevation.

вышить *cf.* **вышивать.**

вышка *s.* (*gpl.* -шек) garret, loft; **сторожевая ~** watchtower.

выш/ла, –ло, –ли *cf.* **выходить.**

вышний *a.* high, superior; supreme; (*as s.*) the Supreme Being.

вы/штукатурива-ть II. *va.* (*Pf.* ´штукатур=ить II.) to plaster, to rough-cast || **´шью** *cf.* **–шивать.**

вы/щелачива-ть II. *va.* (*Pf.* ´щелоч=ить I.) to steep, to soak || **–щипыва-ть** II. *va.* (*Pf.* ´щип-ать II. 7. & ´щипн-уть I.) to pluck out; to pluck, to pick (a bird) || **–щупыва-ть** II. *va.* (*Pf.* ´щупа-ть II.) to feel, to touch, to sound, to probe.

вы/я *s.* (*sl.*) neck || **–явля-ть** II. *va.* (*Pf.* ´яв=ить II. 7.) to manifest, to show; to proclaim || **–ясня-ть** II. *va.* (*Pf.* ´ясн=ить II.) to clear up, to explain.

вью *cf.* **вить.**

вьюга *s.* snowstorm.

вьюк *s.* pack, bale; burden.

вьюн *s.* groundling.

вьюч=ить I. *va.* (*Pf.* на-) to burden, to load; to pack.

вьючный *a.* of burden, pack-.

вьюшка *s.* (*gpl.* -шек) damper, flue-plate.

вьющийся (-аяся, -ееся) *Ppr.* (*of* виться) creeping, climbing; **–иеся растени**: creepers.

вяжущий *a.* astringent, bitter.

вяз/ *s.* elm || **–альный** *a.* for knitting || **–альщик** *s.*, **–альщица** *s.* knitter || **–анка** *s.* (*gpl.* -нок) truss, bundle || **´аный** *a.* knitted || **–анье** *s.* knitting, knitted things.

вяз-ать I. 1. [c] *va.* (*Pf.* с-) to tie, to bind; to knit || **~ся** *vr.* to be tied; to meddle with; to succeed.

вяз/ель *s. m.* (*bot.*) hatched-vetch || **–ига** = **визига** || **–ка** *s.* (*gpl.* -зок) binding; bundle || **–кий** *a.* viscid, sticky; slimy, swampy || **–кость** *s. f.* viscidity, viscosity; swampiness || **–ник** *s.* [a] elm-grove, grove of elms.

вязнуть 52. *vn.* (*Pf.* у-, за-) to sink in, to stick in; (*fig.*) to become implicated in.

вяз/овый *a.* elm- || **–ок** *s.* [a] (*gsg.* -зка) small elm || **–ыва-ть** II. (*iter. of* вязать).

вязь *s. f.* binding, tie; marsh, swamp.

вя́леный *a.* dried in the open air, air-dried. [the air, in the sun.
вя́л=ить II. *va.* (*Pf.* за-, вы-) to dry in
вя́лый *a.* faded, withered; (*fig.*) drowsy, slow, languid, indolent.
вя́н-уть I. *vn.* (*Pf.* за-, у-) to fade, to wither; to droop; **врёт так, что у́ши вя́нут** he talks enough to tire one's ears.
вя́щ(ш)ий *a.* (*sl.*) greater, superior.

Г

гава́нна *s.* Havana cigar. [duck.
га́в/ань *s. f.* harbour, port || **-ка** *s.* eider-
га́вка-ть II. *vn.* (*Pf.* га́вкн-уть I.) to yelp, to bark.
га́г/а *s.* eiderduck || **-а́ра** *s.* diver (bird) || **-а́ч** *s.* eider-drake || **-а́чий** (-чья, -чье) *a.* eider's; ~ **пух** eiderdown || **-ка** = **га́вка** || **-ку́н** *s.* [a] = **-а́ч.**
гад *s.* reptile; amphibian.
гад/а́льщик *s.*, **-а́льщица** *s.* fortune-teller, necromancer || **-а́ние** *s.* fortune-telling, divination; ~ **на ка́ртах** fortune-telling by cards || **-а́тельный** *a.* divinatory; conjectural.
гада́-ть II. *vn.* (*Pf.* по-, у-) to divine, to tell fortunes; to guess, to conjecture, to surmise.
га́дина *s.* reptile, vermin; (*fig.*) mean fellow, cad; rabble, riff-raff.
га́д=ить I. 1. *va.* (*Pf.* на-) to dirty, to besmirch, to soil; (*Pf.* из-) to spoil, to botch, to make a bad job of || ~ *v.imp.*, **меня́ га́дит** it sickens me.
га́д/кий *a.* (*pdc.* га́же) nasty; dirty, foul; bad; hateful, odious || **-ли́вый** *a.* squeamish; fastidious || **-ость** *s. f.* nastiness; foulness; odiousness || **-ю́ка** *s.* viper, adder.
га́ек *cf.* **га́йка.**
га́ер/ *s.*, **-ка** *s.* (*gpl.* -рок) buffoon, mountebank || **-ство** *s.* buffoonery || **-ство+вать** II. *vn.* to play the buffoon.
га́же *pdc. of* га́дкий.
га́жу *cf.* **га́дить.**
газ *s.* gauze; (*chem.*) gas.
газе́ль *s. f.* gazelle.
газе́т/а *s.* newspaper, paper, journal || **-ная** (*as s.*) (newspaper) reading-room || **-ный** *a.* newspaper- || **-чик** *s.* newsboy, newsvendor.
га́зо/вый *a.* of gauze, gauze-; (*chem.*) of gas, gas- || **-ме́р** & **-ме́тр** *s.* gas-meter || **-обра́зный** *a.* gasiform, gaseous || **освеще́ние** *s.* gas-lighting, gas-illumination || **-прово́д** *s.* gas-supply.
гай/дама́к *s.* robber, highwayman || **-ду́к** *s.* [a] servant (in Hungarian dress).
га́йка *s.* (*gpl.* га́ек) nut (of a screw).
галан/тере́йный *a.*, **-тере́йные ве́щи** haberdashery || **-тере́я** *s.* haberdasher's, haberdashery store *or* shop || **-ти́н** & **-ти́р** *s.* galantine.
галд=еть I. 1. [a] *vn.* (*Pf.* за-) to be noisy, to kick up a row; to make a racket.
гале́ра *s.* galley; barge (on the Dniestr).
галиматья́ *s.* nonsense, humbug; (*fam.*) rot.
га́лка *s.* (*gpl.* -лок) jackdaw.
галлере́я *s.* gallery. [to gallop.
гало́п/ *s.* gallop || **-иро+ва́ть** II. [b] *vn.*
гал/о́ша *s.* galosh, golosh, over-shoe || **´стук** *s.* cravat, neck-tie, tie || **´стучек** *s.* (*gsg.* -чка) *dim. of prec.* || **-у́н** *s.* [a] galloon; braid || **-у́шка** *s.* (*gpl.* -шек) small dumpling (Ukrainian dish).
гальван/изи́ро+вать II. *va.* to galvanize || **-и́зм** *s.* galvanism || **-и́ческий** *a.* galvanic.
гам/ *s.* noise, hubbub, outcry, row || **-а́к** *s.* hammock || **-а́ши** *s. fpl.* gaiters || **-за́** *s.* [d] leather purse; pocket-book; (*fig.*) money || **´к-ать** II. *vn.* (*Pf.* **´**кн-уть I.) to bark || **´ма** *s.* (*mus.*) gamut, scale.
гангре́на *s.* gangrene, mortification.
гандика́п *s.* handicap.
гара́ж *s.* garage.
гарант/и́ро+ва́ть II. [b] *va.* to guarantee, to warrant || **´ия** *s.* (в + *Pr.*) guarantee (for).
гарде/мари́н *s.* (*mar.*) midshipman, middy || **-ро́б** *s.* wardrobe || **-ро́бная** *s.* cloakroom || **-ро́бщик** *s.*, **-ро́бщица** *s.* cloakroom attendant.
гарди́на *s.* curtain.
гаре́м *s.* harem.
га́рка-ть II. *vn.* (*Pf.* га́ркн-уть I.) to scream, to cry.
гармо́н/ика *s.* harmonica || **-и́ро+вать** II. *vn.* to harmonize || **-и́ческий** *a.* harmonic || **-ия** *s.* harmony.
га́рн/ец *s.* (*gsg.* -нца) measure for corn (about 3 quarts) || **-изо́н** *s.* garrison || **-и́ро+ва́ть** II. [b] *va.* to garnish || **-иро́вка** *s.* garnishing || **-иту́р(а)** *s.* set (of ornaments, etc.); trimming.
гарпу́н *s.* [a] harpoon.
га́рус *s.* worsted.
гарь *s. f.* smell of burning.
гас/ *s.* gold *or* silver border, braid || **-и́льник** *s.* extinguisher || **-и́льщик** *s.*, **-и́льщица** *s.* one who extinguishes.

гас=и́ть I. 3. [c] *va.* (*Pf.* по-, за-) to extinguish, to quench.
га́снуть 52. *vn.* (*Pf.* по-, у-) to go out, to become extinguished, to be quenched.
гастр/и́ческий *a.* gastric || **-оли́ро+вать** II. *vn.* (*Pf.* про-) to star (of actors, etc.) || **-о́ль** *s. f.* (*theat.*) starring, star part || **-оно́м** *s.*, **-оно́мка** *s.* gourmand, connoisseur (of eating) || **-ономи́ческий** *a.* gastronomic.
га́убица *s.* howitzer.
гауптва́хта *s.* main guard (in a garrison).
гаше́ние *s.* (act of) extinguishing, quenching.
гвалт *s.* violence; noise, row, disturbance; (*as int.*) help!
гвард/е́ец *s.* (*gsg.* -де́йца) guardsman || **-е́йский** *a.* of the guards, guards- || **-́ия** *s.* (*mil.*) the guards.
гвозд/а́рь *s. m.* [a] nailer, nailmaker || **-́ик** *s.* small nail, task || **-и́ка** *s.* (*bot.*) pink, carnation || **-и́льный** *a.* nail- || **-и́льня** *s.* (*gpl.* -лен) nailer's anvil || **-и́чный** *a.* carnation-.
гвоздь *s. m.* [e] nail.
гвоздяно́й *a.* nail-.
гг. *abbr. of* господа́ = Sirs, Gentlemen, Messrs.
где *ad.* where || **~-либо, ~-нибу́дь, ~-то** somewhere, anywhere.
гее́нна *s.* Gehenna, hell.
гей! *int.* hollo! ho there!
гекза́метр *s.* hexameter.
гекто- *in cpds.* = hecto-.
гелиотро́п *s.* heliotrope.
гемисфе́ра *s.* hemisphere.
гемор(р)о́й *s.* hemorrhoids, piles *pl.*
генва́рь *cf.* **янва́рь.**
генеало́г/ *s.* genealogist || **-и́ческий** *a.* genealogical || **-ия** *s.* genealogy.
генера́л/ *s.* general || **-ьный** *a.* general || **-ьша** *s.* general's wife.
генера́ция *s.* generation.
ген/иа́льность *s. f.* genius; talents *pl.* || **-иа́льный** *a.* (highly) gifted, gifted with genius; ingenious || **-́ий** *s.* genius.
гео́гра́ф/ *s.* geographer || **-́ия** *s.* geography || **-и́ческий** *a.* geographical.
геоде́зия *s.* geodesy.
гео́ло́г/ *s.* geologist || **-и́ческий** *a.* geological || **-́ия** *s.* geology.
геоме́тр/ *s.* geometrician || **-а́льный** & **-и́ческий** *a.* geometrical || **-ия** *s.* geometry, Euclid.
георги́на *s.* (*bot.*) dahlia.
гера́льд/ика *s.* heraldry, heraldic art || **-и́ческий** *a.* heraldic, armorial.
гера́н/ий *s.* & **-ь** *s. f.* (*bot.*) geranium.
герб/ *s.* [a] arms, coat of arms; stamp || **-а́рий** *s.* herbarium || **-о́вник** *s.* book of heraldry || **-́о́вый** *a.* armorial; stamp-, stamped; **-́о́вая по́шлина** stamp-duty.
гермафроди́т *s.* hermaphrodite.
гермети́ческий *a.* hermetical, airtight.
геро/и́зм *s.* heroism || **-и́ня** *s.* heroine || **-и́ческий** *a.* heroic.
геро́й/ *s.* hero || **-ский** *a.* heroic || **-ство** *s.* heroism.
геро́льд/ *s.* herald || **-ия** *s.* herald's office.
ге́рцог/ *s.* duke || **-и́ня** *s.* duchess || **-ский** *a.* ducal || **-ство** *s.* duchy, dukedom.
ге́тман/ *s.* hetman || **-ство** *s.* hetmanship.
геше́фт *s.* business; profit, gain.
гиаци́нт *s.* (*min.*) jacinth; (*bot.*) hyacinth.
ги́бель/ *s. f.* ruin, perdition; loss; wreck (of a ship); immense number, great crowd || **-ный** *a.* ruinous; fatal.
ги́б/кий *a.* (*comp.* ги́бче) pliant, flexible, supple || **-кость** *s. f.* pliability, flexibility, suppleness.
ги́бнуть 52. *vn.* (*Pf.* по-) to perish, to be ruined, to be lost.
гига́нт/ *s.* giant || **-ский** *a.* gigantic.
гигие́н/а *s.* hygiene || **-и́ческий** *a.* hygienic.
гигро/ме́тр *s.* hygrometer || **-метри́ческий** *a.* hygrometrical || **-ско́п** *s.* hygroscope || **-скопи́ческий** *a.* hygroscopic.
ги́др/а *s.* hydra || **-а́влика** *s.* hydraulics || **-авли́ческий** *a.* hydraulic; **~ пресс** hydraulic press || **-огра́фия** *s.* hydrography || **-ографи́ческий** *a.* hydrographical || **-одина́мика** *s.* hydrodynamics || **-оме́тр** *s.* hydrometer || **-опа́тия** *s.* hydropathy || **-оста́тика** *s.* hydrostatics || **-офо́бия** *s.* hydrophobia.
гие́на *s.* hyena.
гиерогли́ф *cf.* **иерогли́ф.**
гик *s.* shout, cry, whoop; (*mar.*) mainboom.
ги́ка-ть II. *vn.* (*Pf.* ги́кн-уть I.) to shout, to whoop.
гиль *s. f.* (*vulg.*) nonsense, rubbish, drivel.
ги́льдия *s.* guild, company.
ги́льза *s.* case (of cartridges, etc.).
гильоти́н/а *s.* guillotine || **-и́ро+вать** II. *va.* to guillotine.
гимн/ *s.* hymn, song of praise; **наро́дный ~** the National Anthem || **-ази́ст** *s.*, **-ази́стка** *s.* (*gpl.* -ток) pupil of a gymnasium *or* grammar-school || **-а́зия** *s.* gymnasium, grammar-school || **-а́ст** *s.* gymnast || **-а́стика** *s.* gymnastics || **-асти́ческий** *a.* gymnastic.

гине́я *s.* guinea.
ги́нуть = **ги́бнуть.**
гипе́рбол/а *s.* hyperbole; (*math.*) hyperbola || **-и́ческий** *a.* hyperbolic(al).
гипно́/з *s.* hypnotic state *or* condition || **-тизи́ро+вать** II. *va.* (*Pf.* за-) to hypnotize || **-ти́зм** *s.* hypnotism.
гипо́те/за *s.* hypothesis || **-ну́за** *s.* (*math.*) hypotenuse.
гипотети́ч/еский & **-ный** *a.* hypothetical.
гипохо́ндрия, etc. *cf.* **ипохо́ндрия.**
гиппо/дро́м *s.* hippodrome, racecourse || **-пота́м** *s.* hippopotamus.
гипс/ *s.* gypsum, plaster of Paris || **-́овый** *a.* of gypsum, plaster-; **~ сле́пок** plaster-cast.
гира́ф *s.* giraffe.
ги́рло *s.* straits; mouth, estuary (of a river).
гирля́нда *s.* garland, wreath.
ги́рька *s. dim. of foll.*
ги́ря *s.* weight (of balance *or* clock).
гита́р/а *s.* guitar || **-и́ст** *s.* guitar-player.
ги́чка *s.* (*gpl.* -чек) (rowing-)gig; outrigger.
глав/а́ *s.* head; cupola (of a building); chapter (of a book); (*fig.*) chief, leader; (*comp.*) principal || **-а́рь** *s. m.* [a] leader, chief.
главно/кома́ндующий *s.* commander-in-chief; the supreme command || **-управля́ющий** *s.* director-in-chief.
гла́вный *a.* principal, chief; main (line, street, etc.); in chief, supreme; **-ное** above all; **-ным о́бразом** principally, chiefly || **~** *s.* principal, foreman.
глаго́л/ *s.* (*gramm.*) verb; (*obs.*) word || **-ь** *s. m.* gallows, gibbet; the sl. letter Г || **-ьный** *a.* verbal.
гла́д/енький *a.* nice and smooth || **-и́льный** *a.* (for) smoothing, polishing || **-и́льщик** *s.*, **-и́льщица** *s.* polisher, smoother, ironer.
гладиа́тор *s.* gladiator.
гла́д=ить I. 1. *va.* (*Pf.* с-) to smooth, to polish; (*Pf.* вы́-) to iron; (*Pf.* по-) to stroke, to fondle (a dog); **~** (когó) **по голо́вке** to coddle one, to pamper.
гла́д/кий *a.* (*pdc.* гла́же) smooth, even, plain; polished; fluent, flowing (of style); well-fed || **-кость** *s. f.* smoothness, evenness; fluency.
гладь *s. f.* smooth place.
гла́ж/е *pdc. of* гла́дкий || **-ение** *s.* polishing; ironing.
глаз/ *s.* [b♀] (*pl.* -а́, глаз, etc.) eye; vision, sight; **в -а́** to the face; **-а́ на вы́кате** goggle-eyes; **де́лать -́ки** to make sheep's eyes at; **за -а́(ми)** behind one's back; **купи́ть за -а́** to buy a pig in a poke; **с -́у на́ ~** tête-à-tête || **-а́стый** *a.* large-eyed, open-eyed; bright, smart, sharp; striking || **-е́т** *s.* glacé.
глазе́-ть II. *vn.* (*Pf.* по-) to gape, to stare (around); (на + *A.*) to gape at, to stare at.
глаз/но́й *a.* eye-, ocular; **~ врач** oculist || **-о́к** *s.* [a] *dim. of* глаз; bud (on trees); (*bot.*) eye || **-оме́р** *s.* measuring with the eye || **-оме́рный** *a.* by sight; judged by the eye || **-у́н** *s.* [a], **-у́нья** *s.* jackanapes, nincompoop, gaper; (яи́чница) **-у́нья** poached *or* fried eggs || **-у́рь** *s. f.* varnish, glazing; enamel (of teeth).
глас = **го́лос.**
гла́сис *s.* glacis.
глас=и́ть I. 1. [a] *va.* (*Pf.* воз-) to declare, to announce, to proclaim.
гла́сный *a.* public, (well-)known; **-́ная бу́ква** (*gramm.*) vowel || **~** (*as s.*) town-councillor.
гла́уберова соль *s. f.* (*med.*) Glauber's salt.
глаш/а́тай *s.* public crier, town-crier || **-у́** *cf.* **гласи́ть.**
гле́(т)чер *s.* glacier.
гли́н/а *s.* clay || **-истый** *a.* clayey, clayish, clay- || **-озём** *s.* alumina.
глинтве́йн *s.* punch, mulled wine, negus.
гли́няный *a.* of clay; earthen.
глист/ *s.* [a] & **-а́** *s.* tape-worm.
глицери́н *s.* glycerine.
гло́бус *s.* globe.
глод-а́ть I. 1. [c] *va.* (*Pf.* об-) to gnaw (at), to nibble.
глот/ *s.* oppressor; drunkard || **-а́ние** *s.* swallowing, gulping.
глота́-ть II. *va.* (*Pf.* проглот=и́ть I. 2. [c], *mom.* глотн-у́ть I. [a]) to swallow, to gulp, to devour.
гло́т/ка *s.* (*gpl.* -ток) throat, gullet, œsophagus; **во всю -ку** at the top of one's voice || **-о́к** *s.* [a] (*gsg.* -тка́) mouthful, gulp, draught || **-о́чек** *s.* (*gsg.* -чка) *dim. of prec.*
гло́хнуть 52. *vn.* (*Pf.* о-) to become *or* grow deaf; (*Pf.* за-) to fade, to wither (of plants); to grow wild (of a garden); to die (of a rumour).
глу́б/же *pdc. of* глубо́кий || **-ина́** *s.* depth, profundity || **-о́кий** *a.* (*pdc.* глу́бже; *pd.* -бок, -ка́, -ко́, -ки́) deep, profound; **-о́кая ста́рость** extreme old age; **-о́кое почте́ние** profound respect; **-о́кая таре́лка** soup-plate || **-окомы́сленный** *a.* deep thinking, profound || **-ь** *s. f.* [g] depth.
глум/ *s.* joking, joke, jest || **-и́тельный** *a.* scoffing, jeering, derisive.

глум=иться II. 7. [a] *vr.* (*Pf.* по-) (над кем) to mock at, to scoff at, to deride.
глумлéние *s.* (над + *I.*) derision, scoffing (at), jeering (at).
глупé-ть II. *vn.* (*Pf.* по-) to grow *or* become stupid.
глуп/éц *s.* [a] (*gsg.* -пцá) simpleton, fool, blockhead || **-овáтый** *a.* (somewhat) silly || **´-ость** *s. f.* stupidity, foolishness || **´-ый** *a.* stupid, foolish, silly.
глухáрь *s. m.* [a] capercailzie.
глух/овáтый *a.* hard of hearing, deafish || **-óй** *a.* (*pdc.* глýше) deaf; dull, heavy (sound); blind (window, etc.); empty, deserted (street); dark (night); ~ **переýлок** blind alley, cul-de-sac || **-онемóй** *a.* deaf-mute, deaf and dumb || **-отá** *s.* deafness; dulness.
глýше *pdc. of* глухóй.
глуш=ить I. [a] *va.* (*Pf.* о-) to deafen; (*Pf.* за-) to allow to run wild; to deaden (a sound).
глушь *s. f.* [g] thicket; deserted lonely place.
глы́ба *s.* lump; (земли́) clod; (льду) block.
глядéние *s.* looking.
гляд=éть I. 1. [a] *vn.* (*Pf.* по-, глян=уть I. [b & c] & взглян-ýть I. [c]) to look; (на + *A.*) to look at; (за + *I.*) to look after, to superintend || **~ся** *vr.* to look at o.s. (in a mirror).
гляди́, тогó и ~ in the twinkling of an eye.
глядь *int.* (*vulg.*) see! look!
глян/ец *s.* (*gsg.* -нца) gloss, polish, lustre; water (of silk, etc.) || **-цови́тый** *a.* glossy, polished; watered.
гнать 11. [c] *va.* (*Pf.* по-) to chase, to drive, to hunt, to pursue; (wood) to float; (brandy) to distil || **~ся** *vr.* (за + *I.*) to chase, to hunt; to seek, to run after.
гнев *s.* anger, wrath.
гнéва-ться II. *vr.* (*Pf.* про-) (на + *A.*) to be angry with, to be enraged at.
гнев=и́ть II. 7. [a] *va.* (*Pf.* про-) to enrage, to anger, to irritate.
гнев/ли́вый *a.* irascible || **´-ный** *a.* angered, angry, enraged.
гнед/кó *s.* (*vulg.*) bay horse || **-óй** *a.* bay (of a horse).
гнезд=и́ться I. 1. [a] *vr.* to nest, to build a nest; (*Pf.* в-, у-) to nestle.
гнездó *s.* [d] (*pl.* гнёзда, гнёзд, etc.) nest, eyrie; haunt, den; (*mech.*) bung-hole.
гнёздышко *s. dim. of prec.*
гнейс *s.* (*min.*) gneiss.
гнести́ & гнесть (√гнет) 23. [a 2.] *va.* (*Pf.* на-) to squeeze, to press; (*fig.*) to oppress, to harass.
гнёт *s.* weight (in a press); pressure; (*fig.*) oppression.
гнетéние *s.* pressing, pressure; (*fig.*) oppression.
гни́да *s.* nit.
гни/éние *s.* rotting, putrefaction, decay || **-лóй** *a.* rotten, putrid, decayed || **´-лость** *s. f.* rottenness, putrefaction || **´-лостный** *a.* rotten, putrid || **-ль** *s. f.* corruption; rotten *or* putrid thing.
гни-ть II. [a] *vn.* (*Pf.* с-) to rot, to putrefy, to decay.
гнию́чий *a.* putrefactive.
гно/éние *s.* suppuration, festering || **-етечéние** *s.* purulent discharge || **-еточи́вый** *a.* purulent; blear-eyed.
гно=и́ть II. [a] *va.* (*Pf.* за-, с-) to cause to suppurate; to manure (a field) || **~ся** *vn.* to suppurate, to discharge matter; **у негó глазá гнóятся** he is blear-eyed.
гной/ *s.* matter, pus || **-ли́вый** *a.* purulent || **´-ный** *a.* purulent; blear (of eyes).
гном *s.* gnome.
гну *s. n. indecl.* gnu.
гнус=и́ть I. 3. [a] *vn.* to snuffle; to speak through the nose.
гнус/ли́вый *a.* snuffling; speaking through the nose *or* with a nasal twang || **´-ный** *a.* hideous, abominable.
гн-уть (√гб) I. *va.* (*Pf.* за-, со-) to bend, to bow, to crook; ~ **горб** to toil, to work hard || **~ся** *vr.* to bow down; to cringe.
гнушá-ться II. *vn.* (*Pf.* по-) (+ *I.*) to loathe, to detest.
гоб/óист *s.* oboe-player || **-óй** *s.* oboe, hautboy.
гов/ённый *a.* filthy, dirty || **-нó** *s.* filth, dirt, muck.
говé/льщик *s.*, **-льщица** *s.* one who prepares to receive the Sacrament by fasting, etc. || **-ние** *s.* preparation for receiving the Sacrament.
говé-ть II. *vn.* (*Pf.* от-) to prepare for the reception of the Sacrament by fasting, etc.; (*Pf.* про-) to fast.
говня́-ть II. *va.* (*Pf.* на-) to bungle, to botch.
гóвор *s.* murmur (of distant voices); rumour; dialect, jargon.
говор=и́ть II. [a] *va.* (*Pf.* сказ-áть I. 1. [c]) to speak, to say; to tell; ~ **речь** to make a speech; **говоря́т** it is said, it is rumoured; **откровéнно говоря́** to tell the truth; **так сказáть** so to say; ~ **по-рýсски** to speak Russian.
говор/ли́вый *a.* talkative, loquacious, eloquent || **-ýн** *s.*, **-ýнья** *s.* talkative person, chatterbox.
говя́/дина *s.* beef || **-жий** *a.* beef-, of beef; ox-.

го́голь *s. m.* (*orn.*) golden-eye (duck); **ходи́ть го́голем** to strut about; to swagger. [to gabble.
гогот-а́ть I. 2. [c] *vn.* (*Pf.* за-) to cackle,
гогот/у́н *s.*, **-у́нья** *s.* cackler.
год/ *s.* [c & b♀] year; **чёрный ~** unfortunate year; **кру́глый ~** the whole year; **с ´-а в ~** *or* **с ´-а на́ ~** year in, year out; **~ о́т -у** from year to year ‖ **´-ик** *s. dim. of* ~ ‖ **-и́на** *s.* time; (*sl.*) hour; (*in pl.*) day of the year.
год=и́ть I. 1. [a] *vn.* to wait ‖ **~ся** I. 1. [a] *vn.* (*Pf.* при-) to be of use, to do, to answer, to serve ‖ **~** *v.imp.*, **годи́тся** it will do.
год/и́чный *a.* yearly, annual ‖ **´-ность** *s. f.* usefulness, serviceableness, fitness ‖ **´-ный** *a.* (к + *D.*, для + *G.*, на + *A.*) suitable, fit, serviceable (for) ‖ **-ова́лый** *a.* one year old ‖ **-ови́к** *s.* yearling ‖ **-ово́й** *a.* yearly, annual, anniversary ‖ **-овщи́на** *s.* anniversary.
го́жий *a.* useful, fit, suitable.
гой! *int.* ho! heigho! [(*orn.*) waders.
голена́стый *a.* long-legged; **-ые пти́цы**
голени́ще *s.* boot-leg.
го́лень *s. f.* shin(-bone).
голи́к *s.* [a] broom, besom.
голобрю́хий *a.* bare-bellied.
голов/а́ *s.* [f] head, top; **как снег на́ -у** like a bolt from the blue; **~ са́хару** sugar-loaf; **потеря́ть го́лову** to lose one's head ‖ **~** *s.m.* chief, head; **городско́й ~** mayor ‖ **-а́стик** *s.* tadpole ‖ **-а́стый** *a.* big-headed ‖ **-е́шка** *s.* (*gpl.* -шек) firebrand, conflagration ‖ **-и́ща** *s.* large head ‖ **´-ка** *s.* (*gpl.* -вок) *dim. of* -а́; head of a pin; knob; (*in pl.*) vamps (of shoe) ‖ **-но́й** *a.* head-, cephalic ‖ **-ня́** *s.* fire-brand, conflagration; blight (on corn, etc.) ‖ **-окруже́ние** *s.* giddiness, migraine ‖ **-оло́мка** *s.* brain-racking work ‖ **-оло́мный** *a.* brain-racking ‖ **-омо́йка** *s.* (*gpl.* -мо́ек) sound rating, good scolding ‖ **-оре́з** *s.* villian, cut-throat.
голо́вушка *s. dim. of* голова́; dear little head; **удала́я ~** foolhardy person.
го́лод *s.* hunger; famine.
голода́-ть II. *vn.* (*Pf.* о-, про-) to hunger; to starve.
голо́д/ный *a.* (*pd.* го́лоден, -на́, -но, -ны́; *pdc.* -не́е) hungry, starving; **умере́ть -ною сме́ртью** to die of hunger; **~ год** year of famine ‖ **-о́вка** *s.* (*gpl.* -вок) famine, hunger; hunger-strike ‖ **-у́ха** *s.* hunger; **с -у́хи** pressed by hunger.
гололе́дица *s.* slippery ice, glazed frost.
голоно́гий *a.* barelegged.
го́лос/ *s.* [b*] voice; vote; **пода́ть ~** to cast one's vote; **большинство́ -о́в** majority; **име́ть ~** to be entitled to vote ‖ **-и́стый** *a.* loudvoiced, vociferous.
голос=и́ть I. 3. [a] *vn.* to sing loudly; to lament.
голос/и́шко *s.* miserable weak voice ‖ **-и́ще** *s.* loud voice ‖ **-ло́вный** *a.* without reason; not proven, unfounded ‖ **-ова́ние** *s.* vote, voting; division, show of hands; **подве́ргнуть -ова́нию** to put to the vote. [put to the vote.
голосо+ва́ть II. [b] *va.* to vote (on); to
голос/ово́й *a.* vocal, voiced ‖ **-о́чек** *s.* (*gsg.* -чка) small voice.
голошта́нный *a.* in rags, tattered and torn. [sky-blue.
голубе́-ть II. *vn.* (*Pf.* по-) to become
голуб/е́ц *s.* [a] (*gsg.* -бца́) ultramarine; (*in pl.*) minced meat wrapped in cabbage leaves ‖ **-и́ный** *a.* dove-, dove-like.
голу́б=ить II. 7. *va.* (*Pf.* при-) to caress, to fondle.
голуб/и́ца *s.* hen-pigeon ‖ **´-ка** *s.* (*gpl.* -бок) hen-pigeon; (*fig.*) little dove; my dear, darling ‖ **-ова́тый** *a.* bluish ‖ **-огла́зый** *a.* blue-eyed ‖ **-о́й** *a.* sky-blue, azure ‖ **-о́чек** *s.* (*gsg.* -чка) little dove ‖ **´-чик** *s.* little dove; deary, darling, ducky.
го́лубь *s. m.* [c] dove, pigeon.
голуб/я́тина *s.* pigeon flesh ‖ **-я́тник** *s.* dove *or* pigeon-fancier; dovecote ‖ **-я́тница** *s.* pigeon fancier ‖ **-я́тня** *s.* dovecote.
го́л/ый *a.* naked, bare; empty (of words); unadulterated, neat (brandy, etc.) ‖ **-ы́ш** *s.* [a] pebble; addled egg; poor fellow; (*fam.*) poor devil ‖ **-ь** *s. f.* nakedness, bareness; poverty; *coll.* the extreme poor ‖ **-ьём** *ad.* unadulterated, neat (of brandy, etc.) ‖ **-я́к** *s.* [a] (*fam.*) poor devil ‖ **-я́шка** *s.* (*gpl.* -шек) shin(-bone).
гомеопа́т/ *s.*, **-ка** *s.* (*gpl.* -ток) homeopathist ‖ **-и́ческий** *a.* homeopathic ‖ **-ия** *s.* homeopathy. [bustle.
гом/ *s.* barking; cry; noise ‖ **´-он** *s.* noise,
гонг *s.* gong.
го́ндо́л/а *s.* gondola ‖ **-ье́р** *s.* gondolier.
гон/е́ние *s.* pursuit, persecution, (*fig.*) oppression ‖ **-е́ц** *s.* [a] (*gsg.* -нца́) express messenger, courier ‖ **-и́тель** *s.m.*, **-и́тельница** *s.* oppressor, persecutor ‖ **´-ка** *s.* (*gpl.* -нок) hunt(ing), chase,

pursuit; floating (rafts); distillation; (между судами) regatta; sharp rebuke, reprimand.

гонора́р *s.* fee, honorarium.

гоноре́я *s.* gonorrhea, (*vulg.*) clap.

гонт/ *s. coll.* shingles (for roofing) || **–и́на** *s.* shingle (for roofing) || **–овщи́к** *s.* [a] shingle-maker.

гонча́р/ *s.* [a] potter || **–ный** *a.* potter's || **–ня** *s.* potter's workshop, pottery.

го́нчий *a.* for hunting; **го́нчая соба́ка** hound, harrier.

гоньба́ *s.* hunting, beating (with dogs); galloping, driving quickly.

гоня́-ть II. *va.* (*Pf.* по-) to drive; (кого́ за что) (*fig.*) to scold (*cf.* гнать).

гоп *s.* (little) jump, hop || **~!** *int.* hop!

гора́ *s.* [f] mountain, hill; (*fig.*) enormous quantity; **на́ гору** uphill; **по́д гору** downhill; **не за гора́ми** not far off, close at hand; **ледяна́я ~** iceberg.

гора́зд/ *a.* expert, experienced, clever; sufficient || **–о** *ad.* by far, much; **~ лу́чше** far *or* much better.

горб/ *s.* [a°] hump, humpback, hunchback, (*fam.*) back || **–а́тый** *a.* hunchbacked, humpbacked || **–а́ч** *s.* [a] (person with a) hunchback || **–и́к & –и́на** *s.* small hump; knob.

го́рб=ить II. 7. *va.* (*Pf.* с-) to bend || **~ся** *vr.* to stoop, to bend.

горб/оно́сый *a.* hook-nosed || **–у́н** *s.* [a] (person with a) hunchback || **–у́нья** *s.* (female) hunchback || **–у́шка** *s.* (*gpl.* -шек) crust (of bread) || **–ы́ль** *s. m.* [a] outer plank.

горд/ели́вость *s. f.* arrogance, haughtiness, pride || **–ели́вый** *a.* arrogant, haughty, proud || **–е́ц** *s.* [a] proud person.

горд=и́ться I. 1. [a] *vn.* (*Pf.* воз-) to be haughty, etc.; (+ *I.*) to be proud of, to brag about.

го́рд/ость *s. f.* pride, arrogance || **–ый** *a.* haughty, proud || **–ы́ня** *s.* (*sl.*) pride || **–я́чка** *s.* (*gpl.* -чек) proud, haughty woman.

го́ре *s.* grief, affliction; misfortune || **~!** *int.* woe! **~ вам!** woe to you!

горе+ва́ть II. [b] *vn.* (*Pf.* по-) to mourn, to grieve; to be anxious about.

горе́л/ка *s.* (*gpl.* -лок) (gas-)burner; (*fam.*) cornbrandy, spirits; (*in pl.*) a game of catch || **–ый** *a.* burnt, burnt out.

горелье́ф *s.* high relief, alto-relievo.

горе/мы́ка *s. m&f.* poor devil, wretch || **–мы́чный** *a.* wretched, miserable.

го́ренка *s.* (*gpl.* -нок) small room.

го́рест/ный *a.* sorrowful, sad || **–ь** *s. f.* misery, affliction, woe.

гор=е́ть II. [a] *vn.* (*Pf.* с-) to burn; (*Pf.* по-) to burn down, to burn away; to glow, to be inflamed.

го́рец *s.* (*gsg.* -рца) mountaineer, highlander.

го́речь *s. f.* acidity, bitterness, pungency, (*fig.*) poignancy; misfortune.

горизо́нт/ *s.* horizon || **–а́льный** *a.* horizontal.

гор/и́стый *a.* mountainous, hilly; mountain- || **–и́ща** *s.* large mountain || **–̗ка** *s.* (*gpl.* -рок) small mountain.

горла́н *s.* bawler, noisy person.

горла́н=ить II. *vn.* (*Pf.* за-) to yell, to bawl, to squall.

горла́стый *a.* loud-voiced, squalling (of children).

го́рло/ *s.* throat, gullet; neck; **нае́сться по ~** to stuff o.s.; **драть ~** to shout o.s. hoarse; **во всё ~** at the top of one's voice || **–ви́на** *s.* mouth || **–во́й** *a.* throat- || **–дёр** *s.* (*fam.*) squaller.

го́рлышко *s.* throat; neck (of a vessel).

горля́нка *s.* (*gpl.* -нок) (*chem.*) retort; calabash.

горн/ *s.* furnace, forge, hearth; (*mus.*) horn || **–̗ий** *a.* (*sl.*) high, heavenly, exalted || **–и́ло** *s.* (*sl.*) furnace, forge.

горни́ст *s.* bugler.

го́рн/ица *s.* room, apartment || **–ичная** *s.* housemaid, maidservant.

горно/заво́дский *a.* mining- || **–ста́евый** *a.* ermine || **–ста́й** *s.* ermine.

го́рный *a.* mountainous; mountain-; mining-; **~ лён** asbestos; **го́рное ма́сло** naphtha; **го́рная смола́** bitumen.

го́род *s.* [b*] town, city; **гла́вный ~** capital; **за́ –ом** in the suburbs.

город=и́ть I. 1. [c] *va.* (*Pf.* за-) to hedge in, to fence; (*Pf.* на- & с-) (*fig.*) **~ чушь, вздор, дичь** to talk nonsense; (*fam.*) to talk through one's hat.

город/и́шко *s.* (miserable) small town || **–и́ще** *s.* large town, city; ruins, site of a former city || **–ни́чий** *s.* (formerly) district police-inspector; city-provost || **–ово́й** *a.* urban; (*as s.*) policeman, constable; (*fam.*) bobby, peeler || **–о́к** *s.* [a] (*gsg.* -дка) small town || **–ско́й** *a.* townish, urban, town-, city-; **~ голова́** mayor; **–ска́я ду́ма** corporation.

горожа́н/ин *s.* (*pl.* -е) townsman, citizen || **–ка** *s.* (*gpl.* -нок) (female) citizen.

гороско́п *s.* horoscope, nativity.

горо́х/ *s.* peas *pl.* || **–овый** *a.* pea-; **~ суп** pea-soup.

горо́ш/ек *s. coll.* (*gsg.* -шка) small peas; green peas || **-ина** *s.* pea || **-инка** *s.* (*gpl.* -нок) small pea.
го́рст/очка *s.* (*gpl.* -чек) small handful; small quantity, small number || **-ь** *s. f.* handful; the hollow of the hand.
горта́н/ь *s. f.* throat; gullet; larynx; windpipe || **-ный** *a.* guttural, throat-; **-ная бу́ква** (*gramm.*) a guttural.
горча́йший *sup. of* го́рький.
горча́-ть II. *vn.* to become sour *or* bitter.
горч=и́ть I. [a] *va.* (*Pf.* на-) to make sour.
горч/и́ца *s.* mustard || **-и́чник** *s.* mustard-plaster || **-и́чница** *s.* mustard-pot || **-и́чный** *a.* mustard-.
го́рше *ad.* (*sl.*) worse.
горше́ч/ник *s.* potter || **-ный** *a.* pot-.
горш/о́к *s.* [a] (*gsg.* -шка́) pot || **-о́чек** *s.* small pot.
го́рьк/ий *a.* (*comp.* го́рче & горче́е, *sup.* горча́йший) bitter; ~ **пья́ница** confirmed drunkard || **-лый** *a.* sour, rancid || **-ова́тый** *a.* somewhat sour, sourish || **-ость** *s. f.* sourness, bitterness.
горю́/честь *s. f.* inflammability || **-чий** (-ая, -ее) *a.* combustible, inflammable.
горя́ч/ечный *a.* feverish; **-ечная руба́шка** strait-jacket || **-ий** *a.* fiery, hot, heated; violent; impetuous.
горяч=и́ться I. [a] *vr.* to become heated || ~ *vn.* to become angry *or* violent.
горя́ч/ка *s.* (*gpl.* -чек) burning fever; (*fam.*) violence; **бе́лая** ~ delirium tremens || **-ность** *s. f.* violence; heat || **-о́** *ad.* hot(ly).
го́спита́ль/ *s. m.* (*pl.* -а́ & -и) hospital || **-ный** *a.* hospital.
господ́/ень *a.* of the Lord; **моли́тва Госпо́дня** the Lord's Prayer || **-и́н** *s.* [b] (*pl.* господа́) sir, gentleman || **-ский** *a.* lord's || **-ство** *s.* rule || **-ство+вать** II. *vn.* to rule; to lord it; to obtain, to be in use, to predominate.
Госпо́дь *s. m.* (*V.* Го́споди) God, the Lord.
госпожа́ *s.* lady; mistress; miss.
гост/еприи́мный *a.* hospitable || **-еприи́мство** *s.* hospitality || **-и́ная** *s.* parlour, drawing-room; coffee-room (in inn) || **-и́нец** *s.* (*gsg.* -нца) present, gift; (*in pl.*) sweets, candy || **-и́ница** *s.* inn, hotel || **-и́ный** *a.*, ~ **двор** bazaar.
гост=и́ть I. 4. [a] *vn.* (*Pf.* про-) to be a guest, to be on a visit.
гость/ *s. m.* [c] guest, visitor; **быть в гостя́х** to be invited || **-́я** *s.* (woman) guest.
госуда́р/ственный *a.* of *or* belonging to the state, state-, public; imperial || **-ство** *s.* state; empire || **-ыня** *s.* empress, queen; **Ми́лостивая Г-** Dear Madam (in letter) || **-ь** *s. m.* ruler; **Г- Импера́тор** His Imperial Majesty; **Ми́лостивый Г-** Dear Sir (in letter).
готи́ческий *a.* Gothic; ~ **шрифт** black-letter.
готова́ль/ник & **-ня** *s.* (*gpl.* -лен) case of mathematical instruments.
гото́в=ить II. 7. *va.* (*Pf.* за-, при-) to procure a supply of || ~ *vn.* (*Pf.* при-, с-) to prepare, to cook || **~ся** *vr.* (*Pf.* при-) to get ready.
гото́в/ность *s. f.* readiness, willingness, inclination || **-ый** *a.* ready, prepared; willing, inclined; finished.
граб/ёж *s.* [a] plundering, marauding, robbery; extortion || **-и́тель** *s. m.*, **-и́тельница** *s.* robber, plunderer, extortioner || **-и́тельский** *a.* rapacious.
гра́б=ить II. 7. *va.* (*Pf.* о-) to rake; to rob, to plunder; to extort.
гра́бли *s. fpl.* rake.
гравёр *s.* engraver.
гра́вий *s.* gravel.
гравир/ова́льный *a.* of engraving || **-о+ва́ть** II. [b] *va.* to engrave, to grave.
гравита́ция *s.* gravitation.
гравю́ра *s.* engraving.
град/ *s.* hail; (*sl.*) town, city; ~ **идёт** it hails || **-а́ция** *s.* gradation || **-́ина** *s.* hailstone || **-оби́тие** *s.* damage caused by a hailstorm || **-онача́льник** *s.* city-governor; || **-онача́льство** *s.* office of prec.; district under him || **-́ус** *s.* degree || **-́усник** *s.* thermometer.
гражд/ани́н *s.* (*pl.* -́ане) citizen, burgess || **-а́нка** *s.* (*gpl.* -нок) (woman) citizen || **-а́нский** *a.* civil, civilian; ~ **брак** civil marriage || **-а́нство** *s.* citizenship.
грамм/ *s.* gram(me) || **-а́тика** *s.* grammar || **-ати́ческий** *a.* grammatical || **-офо́н** *s.* gramophone, phonograph.
гра́мот/а *s.* reading and writing; document, deed || **-е́й** *s.*, **-е́йка** *s.* (*gpl.* -е́ек) one who can write, literate || **-ный** *a.* literate, who can read and write.
гран *s.* grain (apothecary's measure).
грана́т/ *s.* garnet; pomegranate || **-а** *s.* grenade, shell; **ручна́я** ~ hand-grenade.
грандио́зный *a.* grand.
гран/ёный *a.* facetted || **-и́льный** *a.* polishing || **-и́льня** *s.* (*gpl.* -лен) whetstone || **-и́льщик** *s.* lapidary || **-и́т** *s.* granite || **-и́тный** *a.* (of) granite.
гран=и́ть II. [a] *va.* (*Pf.* о-, вы́-) to cut into facets.
грани́ца *s.* boundary, frontier; **за -ею**

abroad, in foreign parts; **за -у** abroad, to foreign parts; **из-за -ы** from abroad.
грани́ч=ить I. *vn.* (с + *I.*) to border (on).
гра́нка *s.* (*gpl.* -нок) (*in pl.*) column (of print).
гранови́тый *a.* facetted.
грань *s. f.* boundary; boundary stone; face of a stone, facet; chapter (in devotional books).
граф/ *s.* count, earl ‖ **-а́** *s.* column ‖ **‿ика** *s.* graphic representation ‖ **-и́н** *s.* carafe, water-bottle, decanter ‖ **-и́нчик** *s.* small decanter ‖ **-и́ня** *s.* countess ‖ **-и́т** *s.* graphite.
граф=и́ть II. 7. [a] *va.* (*Pf.* на-, раз-) to rule, to draw lines on; to divide into squares.
граф/и́ческий *a.* graphic(al) ‖ **‿ский** *a.* of a count, of an earl.
грац/ио́зный *a.* graceful ‖ **-ио́нный** *a.*, **-ио́нные дни** days of grace ‖ **‿ия** *s.* grace, gracefulness.
грач *s.* [a] rook.
греб/ёнка *s.* (*gpl.* -нок) comb ‖ **-ёночка** *s.* (*gpl.* -чек) small comb ‖ **-ёнчатый** *a.* comb-shaped ‖ **-енщи́к** *s.* [a] combmaker; combseller.
гре́б/ень *s. m.* (*gsg.* -бня) comb (also of birds); ridge (of a mountain); crest of a wave ‖ **-е́ц** *s.* [a] (*gsg.* -бца́) oarsman, rower ‖ **-ешо́к** *s.* [a] (*gsg.* -шка́) small comb ‖ **-ло́** *s.* [d] oar; match ‖ **-ля** *s.* rowing; **итти́ на -ле** to go rowing ‖ **-но́й** *a.* rowing; oar-; **~ винт** propeller.
грёза *s.* (*us. in pl.*) dreaming, fancy; reverie; nonsense.
гре́з=ить I. 1. *vn.* (*Pf.* с-) to talk in one's sleep; (*fig.*) to talk nonsense ‖ **~ся** *v.imp.* (*Pf.* по-) to dream; **мне гре́зилось** I dreamt.
гре́лка *s.* (*gpl.* -лок) hot-waterbottle; bedwarmer; footwarmer.
грем=е́ть II. 7. [a] *vn.* (*Pf.* за-, про-) to thunder; to roar; to rattle, to jingle.
грему́/чий *a.* thundering, fulminating; rattling; **~ газ** mixture of oxygen and hydrogen; **-чая змея́** rattlesnake ‖ **-шка** *s.* (*gpl.* -шек) (child's) rattle.
гренаде́р *s.* grenadier.
грено́к *s.* [a] (*us. in pl.*) (slice of) toast; rusks.
грести́ & **гресть** 21. *va.* (*Pf.* по-, *mom.* гребну́ть) to row; to rake.
гре-ть II. *va.* (*Pf.* со-, на-) to warm, to heat ‖ **~ся** *vr.* to warm o.s.; (о́коло чего́ *или* кого́) (*fig.*) to draw water to one's mill.
грех/ *s.* [a] sin, wrong, guilt, misfortune ‖ **-о́вность** *s. f.* sinfulness ‖ **-ово́дный** *a.* sinful ‖ **-ово́дник** *s.*, **-ово́дница** *s.* sinner, seducer ‖ **-ово́днича-ть** II. *vn.* to lead a sinful life, to seduce ‖ **-опаде́ние** *s.* sinning, (*bib.*) the Fall.
гре́цкий *a.*, **~ оре́х** walnut.
гре́ч/а & **-и́ха** *s.* buckwheat ‖ **-невый** *a.* (of) buckwheat.
греш=и́ть I. [a] *vn.* (*Pf.* со-) to sin, to commit sin.
гре́ш/ник *s.*, **-ница** *s.* sinner, sinful person ‖ **-но́** *ad.* it's a shame, it's a sin ‖ **-ный** *a.* sinful, guilty ‖ **-о́к** *s.* [a] (*gsg.* -шка́) peccadillo, petty sin. venial sin.
гриб/ *s.* [a] mushroom ‖ **-но́й** *a.* mushroom- ‖ **-о́к** *s.* [a] (*gsg.* -бка́) small mushroom.
гри́в/а *s.* mane ‖ **-енник** & **-енка** *s.* ten copecks (coin).
грима́с/а *s.* grimace ‖ **-нича-ть** II. *vn.* to grimace, to make (wry) faces.
гримир/о+ва́ть II. [b] *va.* to paint, to rouge ‖ **-о́вка** *s.* (*gpl.* -вок) painting.
грип *s.* influenza.
гриф/ *s.* griffin; lammergeyer, vulture ‖ **‿ель** *s. m.* (*pl.* -и & -я́) slate, slate-pencil.
гроб/ *s.* [b°] (*pl.* -ы́ & -а́) tomb, grave; coffin ‖ **-ни́ца** *s.* tomb, sepulchre ‖ **-ово́й** & **-но́й** *a.* of coffin, of tomb, tomb- ‖ **-овщи́к** *s.* [a] coffin-maker.
грог *s.* grog.
гроза́ *s.* [d] (*A.* -у́ & гро́зу) (thunder-)storm; terror.
грозд/ *s.* & **-ь** *s. m.* (*pl.* ‿ья, ‿ьев, etc.) bunch of grapes; cluster.
гроз=и́ть & **~ся** I. 1. [a] *vn.* (*Pf.* по-, при-) to threaten, to menace.
гро́зный *a.* stern, rigorous; threatening; terrible, formidable.
гром *s.* [c] thunder; noise, rattle, din.
грома́д/а *s.*, (*vulg.*) **-ина** *s.* heap, pile, mass ‖ **-ный** *a.* massive, huge, enormous, prodigious.
гром=и́ть II. 7. [a] *va.* (*Pf.* по-, раз-) to batter, to ruin, to destroy.
гро́мкий *a.* (*pdc.* гро́мче & громче́е) loud, noisy, bombastic; (*fig.*) renowned, famous.
громо/ве́ржец *s.* (*gsg.* -жца) thunderer ‖ **-во́й** *a.* thunder-; **~ отво́д** lightning conductor; **~ уда́р** thunder-clap ‖ **-гла́сный** *a.* loud, thundering.
громозд=и́ть I. 1. [a] *va.* (*Pf.* на-, вз-) to heap up, to pile up ‖ **~ся** *vr.* (*Pf.* вз-) to scale, to climb up.
громо́здкий *a.* bulky, cumbersome.
громоотво́д *s.* lightning conductor.
гро́мче *cf.* **гро́мкий.**
грот *s.* grotto; (*mar.*) mainsail.

гро́хн-уть I. *va. Pf.* to hurl away || **~ся** *vr.* to fall heavily.
гро́хот *s.* noise, rumble, roar; burst of laughter; (*us. in pl.*) sieve.
грохот-а́ть I. 2. [c] *vn.* (*Pf.* за-, про-) to rumble, to roar; to laugh loudly, to burst out laughing.
грош *s.* [a] two copecks.
грубе́-ть II. *vn.* (*Pf.* за-, по-, о-) to grow rude, to grow rough.
груб=и́ть II. 7. [a] *vn.* (*Pf.* на-, со-, с-) to offend, to be rude to.
грубия́н *s.* a rude, vulgar person.
гру́бый *a.* rough, rude; coarse, churlish.
гру́д/а *s.* heap, pile || **-и́на** *s., dim.* **-и́нка** *s.* (*gpl.* -нок) breast, brisket || **-но́й** *a.* breast-, pectoral; half-length (of portraits); **~ ребёнок** suckling || **-обрю́шная прегра́да** *s.* (*an.*) diaphragm || **-очка** *s.* (*gpl.* -чек) small heap || **-ь** *s. f.* [c & g] breast, chest; bosom.
груз/ *s.* burden, load; cargo, freight || **-дь** *s. m.* [c] (a kind of) brown mushroom || **-и́ло** *s.* plummet, plumb-line, lead.
груз=и́ть I. 1. [a & c] *va.* (*Pf.* по-) to sink; (*Pf.* на-) to load, to lade, to freight.
гру́з/ный *a.* heavily laden, heavy || **-ово́й** *a.* of freight, cargo || **-овщи́к** *s.* freighter; shipper.
грум *s.* groom.
грунт/ *s.* [°] ground, soil, land; estate || **-о+ва́ть** II. [b] *va.* (*Pf.* за-, на-) to ground, to prepare the ground (of a picture.)
гру́пп/а *s.* group || **-и́ро+ва́ть** II. & II. [b] *va.* to group.
груст=и́ть I. 4. [a] *vn.* (*Pf.* вз-) (о, по ком, чём) to grieve, to mourn.
гру́ст/ный *a.* sad, mournful, melancholy || **-ь** *s. f.* grief, sadness, mournfulness.
гру́ш/а *s.* pear; pear-tree || **-евый** *a.* pear-.
гры́жа *s.* (*med.*) rupture, hernia.
грызе́ние *s.* gnawing, nibbling.
грызть 25. [a 1.] *va.* (*Pf.* раз-, за-, *mom.* грызн-у́ть I.) to gnaw, to nibble, to bite; to worry, to torment || **~ся** *vrc.* to quarrel.
грызу́н *s.* [a] (*zool.*) rodent; (*fig.*) quarrelsome person.
гряда́ *s.* layer, stratum; row, bed (of vegetables).
гря́д/ка *s.* (*gpl.* -док) small bed || **-у́щий** *a.* future, coming.
гряз/не́ть II. *vn.* (*Pf.* за-, по-) to grow dirty || **-н=и́ть** II. [a] *va.* (*Pf.* за-, вы́-) to dirty, to soil, to sully || **-нота́** *s.* dirtiness, filthiness || **´-н-уть** I. *vn.* (*Pf.* по-) to sink in the mire || **´-ный** *a.* miry, muddy; dirty, filthy; foul || **-ь** *s. f.* [c & g] mire, mud, dirt, filth; (*in pl.*) mud-bath.
гря́нуть *cf.* **греме́ть.**
гуа́но *s. indecl.* guano.
губа́ *s.* [f] gulf, bay.
гу́ба́ *s.* [c] lip.
губа́стый *a.* thick-lipped.
губерна́тор *s.* governor.
губе́рн/ия *s.* government (district) || **-ский** *a.* government-.
губи́тельный *a.* hurtful, pernicious.
губ=и́ть II. 7. [a & c] *va.* (*Pf.* по-, с-) to ruin, to destroy, to lay waste; to waste (one's time).
гу́б/ка *s.* (*gpl.* -бок) small lip; sponge || **-но́й** *a.* lip-, labial || **-чатый** *a.* spongy.
гуверн/а́нтка *s.* (*gpl.* -ток) governess || **-ёр** *s.* tutor.
гугено́т *s.* Huguenot.
гугу́ *int.*, **ни ~!** not a word! hush!
гуд=е́ть I. 1. [a] *vn.* (*Pf.* за-) to hum, to drone.
гудо́к *s.* [a] (*gsg.* -дка́) rebeck; hooter.
гуж *s.* [a] rope; collar-strap.
гул/ *s.* rumble, rumbling; echo || **´-кий** *a.* resounding.
гулли́вый *a.* idle; pleasure-seeking.
гул/ьба́ *s.* strolling, sauntering || **-я́ка** *s. m&f.* idler, stroller, saunterer || **-я́ние** *s.* walking, sauntering, strolling; promenade || **-я́нка** *s.* (*gpl.*-нок) leisure || **-я́-ть** II. *vn.* (*Pf.* по-, от-) to walk, to take a walk; to stroll || **-я́щий** *a.* idle, unoccupied.
гума́нный *a.* humane.
гуммила́стик *s.* elastic, India-rubber.
гумно́ *s.* [d] threshing-floor.
гурт/ *s.* [a] herd, drove || **-ово́й** *a.* wholesale || **-овщи́к** *s.* [a] wholesale merchant || **-о́м** *ad.* wholesale, in the lump.
гурьба́ *s.* (*vulg.*) crowd.
гуса́к *s.* [a] gander.
гуса́р *s.* hussar.
гусёк *s.* [a] (*gsg.* -ська́) gosling; **гусько́м** in Indian file.
гу́сеница *s.* caterpillar.
гус/ёнок *s.* (*pl.* -я́та) gosling || **-и́ный** *a.* goose-.
гу́сли *s. fpl.* dulcimer.
гусля́р *s.* [a] dulcimer player.
густ/е́-ть II. *vn.* (*Pf.* за-, о-) to grow thick, to thicken, to condense || **-о́й** *a.* (*pdc.* гу́ще) thick, dense || **-ота́** *s.* thickness, density.
гусы́ня *s.* (female) goose.
гус/ь *s. m.* [c] goose || **-я́тина** *s.* gooseflesh || **-я́тня** *s.* (*gpl.* -тен) goose-pen.
гуто́р=ить II. *vn.* to chatter, to talk nonsense.

гут(т)апе́рча *s.* gutta-percha.
гу́щ/а *s.* residue; sediment, lees, dregs || **–е** *cf.* **густо́й.**

Д

да/ *ad.* yes; but; and; **~ здра́вствует ...!** long live...! || **´бы** *c.* in order that, so that.
дава́й/, –те (*Imp. of* дава́ть) let us; **~ игра́ть** come, let us play.
дава́лец *s.* (*gsg.* -льца) customer, business friend.
дава́ть 39. *va.* (*Pf.* дать 38.) to give; to bestow; to allow, to permit; **~ знать** to let one know; **~ прися́гу** to swear an oath || **~ся** *vr.* to allow, to suffer, to permit o.s. || **~** *vn.* to succeed.
дав=и́ть II. 7. [c] *va.* (*Pf.* за-, раз-, по-) to press, to squeeze; (удуши́ть) to strangle, to choke.
да́вича *ad.* (*fam.*) this minute, a short time ago, just now.
да́вишний *a.* former, late.
да́вка *s.* (*gpl.* -вок) press, crowd, throng.
давле́ние *s.* pressure.
давлю́ *cf.* **дави́ть.**
давне́нько *ad.* a good while past, pretty long ago.
да́вний *a.* old, of old, long ago.
давни́шний *a.* of old, old, long past, ancient.
давно́ *ad.* already, long ago; **мне ~ пора́ бы́ло э́то сде́лать** I should have done that long ago.
да́вность *s.f.* antiquity; (*leg.*) superannuation, prescription.
давны́м-давно́ *ad.* long ago.
дад/и́м, –у́т *cf.* **дава́ть.**
да́же *ad.* even.
да́ка-ть II. *vn.* to say yes, to answer in the affirmative.
далёкий *a.* (*pd.* -лёк, -ка́, -ко́, -ки́; *pdc.* да́льше) distant, far; remote; **далеко́ не** not in the least, not at all.
дале́че *ad.* far.
даль *s.f.* distance, remoteness.
дальне́йший *a. sup.* farther, further; farthest, furthest.
да́льний *a.* far, distant; **~ ро́дственник** a distant relation.
дально/бо́йный *a.* long-range (of guns) || **–ви́дный** *a.* farseeing, farsighted || **–зо́ркий** *a.* farsighted || **–зо́ркость** *s. f.* farsightedness, presbyopia || **–ме́р** *s.* telemeter.
да́льше *comp.* further, farther.
да́ма *s.* lady; (at draughts) king; (at cards) queen.
дама́сский *a.* (сталь) Damascene; (ро́за) damask.
да́мба *s.* dam, embankment.
да́мка *s.* (*gpl.* -мок) *dim.* king (at draughts).
да́мский *a.* lady's.
да́нник *s.* tributary, vassal.
да́нны/й *a.* given (*cf.* дава́ть) || **–е** *s. npl.* (*leg.*) data, facts of the case.
данти́ст/ *s.* dentist || **–ка** *s.* (*gpl.* -ток) (lady-)dentist.
дань *s.f.* tribute, tax.
дар/ *s.* [b] gift, present; **~ сло́ва** the gift of speaking; (*fam.*) the gift of the gab; **святы́е дары́** the holy Sacraments || **–и́тель** *s. m.*, **–и́тельница** *s.* giver, donor.
дар=и́ть II. [a] *va.* (кому́-либо что *or* кого́-либо чем) to give, to bestow, to present, to grant.
дармое́д/ & –ка *s.* (*gpl.* -док) drone; parasite, sponge.
дарова́ние *s.* talent, gift.
даро+ва́ть II. [b] *va.* (*Ipf. & Pf.*) to bestow.
дарови́т/ость *s.f.* gift, talent || **–ый** *a.* talented, gifted.
даров/о́й *a.* gratis, gratuitous, free; **–о́му коню́ в зу́бы не смо́трят** don't look a gift horse in the mouth.
даровщи́нка *s.* (*gpl.* -нок) present, gift; **на –у** at the expense of other's.
да́ром *ad.* gratis; vainly, in vain, to no purpose; **~ что** although.
дарохо́сица *s.* ciborium.
да́рственный *a.* of gift, donative; **–ая за́пись** deed of gift.
даст *cf.* **дава́ть.**
да́тельный *a.*, **~ паде́ж** (*gramm.*) dative (case).
дать *cf.* **дава́ть.**
да́ч/а *s.* villa, country-house; summer resort, summer residence; **на –е** in the country || **–ник** *s.*, **–ница** *s.* owner of a villa; visitor at a summer resort || **–ный** *a.* country, of a summer resort; **~ по́езд** train to a summer resort.
дашь, даю́ *cf.* **дава́ть.**
два *num. m&n.* two.
двадцати/ле́тие *s.* a period of 20 years; a score of years, two decades || **–ле́тний** *a.* 20 years old || **–пятирублёвка** *s.* 25 rouble note.
двадца́тый *num.* twentieth.
два́дцать *num.* twenty; a score.
два́ждый *ad.* (*sl.*) twice.
две *num. f.* two.
двенадцатигра́нник *s.* (*geom.*) dodecahedron.
двена́дцат/ый *num.* twelfth || **–ь** *num.* twelve.

двéрца *s.* (*gpl.* -рец) (*us. in pl.*) door (of a carriage, oven, etc).
дверь *s. f.* [c & g] door; doorway; **запаснáя ~** emergency exit.
двéсти *num.* two hundred.
двúгатель *s. m.* mover; motor.
двúга-ть II. *va.* (*Pf.* двúн-уть [√двиг] I.) to move, to stir; to set in motion || **~ся** *vr.* to move.
движéние *s.* movement, motion; locomotion; stir, traffic; circulation (of the blood).
движúм/ость *s. f.* movables, movable property || **-ый** *a.* movable; (*fig.*) moved.
двúнуть *cf.* **двúгать.**
двóе/ *s.* two, a pair; **нас бы́ло ~** there were two of us || **-брáчие** *s.* bigamy || **-ду́шие** *s.* falsehood, duplicity || **-ду́шный** *a.* false, deceitful || **-жéнец** *s.* bigamist || **-жéнство** *s.* bigamy || **-тóчие** *s.* colon.
дво=úть II. [a] *va.* (*Pf.* раз-, с-) to divide; to double || **~ся** *vr.* to be doubled; to appear doubled.
[deuce (at cards).
двóйка *s.* (*gpl.* -бек) a pair (of horses);
двóйни *s. mpl.&fpl.* twins *pl.*
двой/ни́к *s.* [a] a double || **-нóй** *a.* double.
двóйственность *s. f.* duality.
двор/ *s.* [a] court, courtyard, yard; **на -е** outside || **-éц** *s.* [a] castle, palace || **-éцкий** (*as s.*) major-domo || **ˊ-ник** *s.* house-porter || **ˊ-ницкая** (*as s.*) house-porter's lodge || **ˊ-ня** *s.* menials, domestics, servants *pl.* || **-ня́жка** *s.* (*gpl.* -жек) mongrel, yard-dog || **-óвый** *a.* yard-; belonging to the house || **-цóвый** *a.* of the palace || **-цы́** *cf.* **дворéц** || **-янúн** *s.* (*pl.* -я́не) nobleman || **-я́нка** *s.* (*gpl.* -нок) lady || **-я́нский** *a.* noble || **-я́нство** *s.* nobility.
двою́родный *a.*, **~ брат** first cousin; **-ная сестрá** first cousin.
двоя́кий *a.* double, twofold.
дву/бóртный *a.* double-breasted || **-весéльный** *a.* two-oared || **-глáвый** *a.* double-headed || **-глáсный** *a.*, **~ звук** diphthong || **-гóрбый** *a.* with *or* having two humps || **-грáнный** *a.* two-edged || **-грúвенный** *a.* costing 20 kopecks || **-колёсный** *a.* two-wheeled || **-кóлка** *s.* two-wheeled carriage || **-кóнный** *a.* two-horsed, drawn by two horses || **-копы́тный** *a.* cloven-footed, cloven-hoofed || **-крáтный** *a.* repeated, reiterated, done twice || **-лéтний** *a.* two years old || **-ли́чие** *s.* & **-ли́чность** *s.f.* duplicity, falsehood, hypocrisy || **-ли́чный** *a.* false, hypocritical, double-faced || **-мачтóвый** *a.* two-masted || **-мéстный** *a.* with two seats; two-seater || **-нóгий** *a.* two-legged; biped || **-пóлый** *a.* hermaphroditic || **-смы́сленность** *s.f.* ambiguity || **-смы́сленный** *a.* ambiguous, double-meaning, equivocal || **-спáльный** *a.* double (of beds) || **-ствóльный** *a.* double-barrelled || **-ствóрчатый** *a.* two-leaved; **-ствóрчатая дверь** a folding door || **-сти́шие** *s.* distich || **-сторóнний** *a.* two-sided.
двух/копéечный *a.* worth two kopecks, two kopecks' worth || **-мéстный** *a.* two-seater || **-мéсячный** *a.* bimonthly || **-недéльный** *a.* biweekly || **-сóтый** *num.* two-hundredth || **-этáжный** *a.* two-storeyed || **-члéнный** *a.* biarticulate.
[platform.
дебаркадéр *s.* landing-stage; (*rail.*)
дебéл/ость *s. f.* corpulence, stoutness, embonpoint || **-ый** *a.* stout, corpulent.
дéбет *s.* debit.
дебето+вáть II. [b] *va.* to debit.
дебитóр *s.* debtor.
дебóш *s.* debauch.
[glen.
дебрь *s. f.* thickly wooded vale; ravine,
дебю́т/ *s.* (*theat.*) début, first appearance in public || **-áнт** *s.* débutant || **-áнтка** *s.* (*gpl.* -ток) débutante || **-úро+вать** II. *vn.* (*Pf.* про-) to make one's début; to make one's first public appearance.
дéва *s.* virgin, maid; (*astr.*) Virgo, the Virgin.
девá-ть II. *va.* (*Pf.* деть 32., *Fut.* дéну, дéнешь) to put, to place, to leave || **~ся** *vn.* to betake o.s., to take refuge; to become of; **кудá девáлись все егó дéньги** what has become of all his money.
дéверь *s. m.* brother-in-law; the husband's brother.
девиáция *s.* deviation.
деви́з *s.* device, motto.
деви́ца *s.* young girl.
деви́ческий *a.* maidenly, girlish.
дéвичий (-ья, -ье) *a.* virginal, maidenly; **~ монасты́рь** nunnery, convent.
деви́чник *s.* nuptial-eve.
дéвичья (*as s.*) servant-girl's room.
дéв/ка *s.* (*gpl.* -вок) servant-girl, maid || **-очка** *s.* (*gpl.* -чек) young girl || **-ственник** *s.* innocent young man || **-ственница** *s.* virgin || **-ственность** *s. f.* virginity, innocence || **-ственный** *a.* modest, innocent; virginal || **-ушка** *s.* (*gpl.* -шек) grown-up girl

|| **–чи́на** *s.* hussy, wench; whore || **–чо́нка** *s.* (*gpl.* -нок) wench, hussy.
девяно́/сто *num.* ninety || **–стый** *num.* ninetieth; **–стая** (часть) one ninetieth, 1/90.
девятисо́тый *num.* nine-hundredth.
девя́т/ка *s.* (*gpl.* -ток) nine (at cards) || **–на́дцатый** *num.* nineteenth || **–на́дцать** *num.* nineteen || **–ый** *num.* ninth || **–ая** (часть) one ninth, 1/9.
де́вять/ *num.* nine || **–со́т** *num.* nine hundred || **–ю** *ad.* nine times.
дёготь *s. m.* tar (from birchwood).
дегтя́рный *a.* tar, of tar.
дед/ *s.* grandfather || **´овский** *a.* grandfather's, grandfatherly || **´ушка** *s. m.* (*gpl.* -шек) grandpa, grandda.
дееприча́стие *s.* (*gramm.*) gerund.
дееспосо́бный *a.* (*leg.*) competent.
дежу́р=ить II. *vn.* to be on duty.
дежу́рный *a.* on duty.
дезерти́р *s.* deserter.
дезерти́ро+вать II. *vn.* to desert.
дезин/фекцио́нный *a.* disinfectant, disinfecting || **–фе́кция** *s.* disinfection || **–фици́ро+вать** II. *va.* (*Pf.* про-) to disinfect.
деи́зм *s.* deism.
де́йствие *s.* action, deed; (*theat.*) act; **привести́ в ~** to set in motion, to start.
действи́тель/ность *s. f.* effectiveness, efficacy; reality || **–но** *ad.* really, actually, as a matter of fact || **–ный** *a.* efficacious, effective; real, actual; (*gramm.*) transitive.
де́йство+вать II. *vn.* (*Pf.* по-) to act; to work; to be effective; to function.
дека́бр/ь *s. m.* [a] December || **–ский** *a.* December, of *or* in December.
дека́н *s.* dean.
деклам/а́тор *s.* reciter || **–а́торский** *a.* declamatory || **–а́ция** *s.* declamation || **–и́ро+вать** II. *va.* (*Pf.* про-) to declaim, to recite.
деклара́ция *s.* declaration.
деко́кт *s.* decoction.
декольте́ *s. indecl.* décolleté, low-necked dress.
декор/ати́вный *a.* decorative || **–а́тор** *s.* decorator || **–ацио́нный** *a.* decorative.
декре́т *s.* decree.
де́ла-ть II. *va.* (*Pf.* с-) to do; to make || **~ся** *vn.* to become; to happen, to take place; **что с ним сде́лалось** what has become of him? || **~** *v.pass.* to be made.
делег/а́т *s.* delegate || **–а́ция** *s.* delegation.
делёж *s.* [a] division, distribution.
деле́ние *s.* division; dividing.
делик/ате́с *s.* tit-bit, dainty morsel || **–а́тность** *s. f.* delicacy || **–а́тный** *a.* delicate, nice, dainty.
дели́/мость *s. f.* divisibility || **–мый** *a.* divisible || **–мое** (*as s.*) (*math.*) dividend || **–тель** *s. m.* (*math.*) divisor.
дел=и́ть II. [a & c] *va.* (*Pf.* раз-) to divide, to distribute, to share || **~ся** *vn.* to divide.
дели́шко *s.* (*gpl.* -шек) (an unimportant) piece of business.
де́ло *s.* thing; affair, matter; business; work, deed; process; (*mil.*) fight, battle, action; **име́ть ~** (**с** + *I.*) to have to do with; **в чём ~?** what's the matter? **что вам за ~?** what concern is it of yours? **в са́мом де́ле** in fact, as a matter of fact.
делопроиз/води́тель *s. m.* manager || **–во́дство** *s.* management (of a business).
де́льн/ость *s. f.* aptness, capacity, capability || **–ый** *a.* capable, apt, shrewd, sensible.
де́льта *s.* delta.
дельфи́н *s.* dolphin.
демаго́г *s.* demagogue.
демаркацио́нный *a.* of demarcation, boundary.
демобилиза́ция *s.* demobilization.
демокра́т/ *s.* democrat || **–и́ческий** *a.* democratic || **–ия** *s.* democracy.
де́мон/ *s.* demon || **–ский** & **–и́ческий** *a.* demoniacal.
демонстра́ция *s.* demonstration.
де́нди *s. m. indecl.* dandy, fop.
де́неж/ка *s.* (*gpl.* -жек) small copper coin || **–ки** *s. fpl.* money; (*fam.*) cash || **–ный** *a.* of money, money; (*fam.*) moneyed, well-to-do.
денё(че)к *s.* [a] (*gsg.* -нька́, -нёчка) *dim.* of день.
денни́ца *s.* dawn, daybreak; daystar, morning-star.
де́нно *ad.* by day.
денно́й *a.* day's, daylight-.
денщи́к *s.* [a] batman (officer's servant).
день *s. m.* (*gsg.* дня) day; **~ деньско́й** the livelong day; **и́зо дня в ~** day in, day out.
де́ньги *s. fpl.* (*G.* -нег) money.
деньжо́нки *s. fpl.* (*G.* -нок) money.
департа́мент *s.* department.
депе́ша *s.* despatch; telegram.
депо́ *s. indecl.* depot.
депози́т *s.* deposit.
депута́/т *s.* deputy || **–ция** *s.* deputation.
дёрга-ть II. *va.* (*Pf.* дёрн-уть I.) to pull out, to tug, to drag.
дерга́ч *s.* [a] (*zool.*) landrail, corncrake.
деревéн/ский *a.* country, rural, rustic, village || **–щина** *s. m.* boor, clod-hopper,

country bumpkin || **-ька** *s.* (*gpl.* -нек) small village.
дерéвня *s.* (*gpl.* -вéнь) village (without a church); estate in the country; country; **в дерéвне** in the country.
дéрево *s.* (*pl.* деревá, -рéв & дерéвья, -рéвьев) tree; wood, timber.
деревýшка *s.* (*gpl.* -шек) miserable small village.
деревцó *s.* [a] (*gpl.* -вéц) small tree.
деревя́жка *s.* (*gpl.* -жек) wooden leg; piece, block of wood.
деревянé-ть II. *vn.* (*Pf.* о-) to grow stiff, to become torpid.
деревя́нный *a.* wooden, timber.
держáв/а *s.* state, empire, dominion, power || **-ный** *a.* ruling; sovereign; mighty, potent.
дéржан(н)ый *a.* second-hand, used.
держ=áть I. [c] *va.* (*Pf.* по-) to hold; **~ парú** to bet, to stake; **~ вправо** to keep to the right || **~ся** *vn.* to keep to, to stick to, to adhere to.
дерзá-ть II. *vn.* (*Pf.* дерзн-ýть I. [a]) to dare, to venture; to make bold, to take the liberty of.
дéрзкий *a.* bold, daring, venturesome; audacious, impudent, impertinent.
дерзновéн/ие *s.* daring, venturesomeness || **-ный** *a.* daring, venturesome.
дерзнýть *cf.* **дерзáть.**
дéрзость *s. f.* audacity, impertinence, impudence, insolence; (*fam.*) cheek.
дермó *s.* excrement, refuse, trash.
дёрн *s.* turf, sod, sward.
дёрнуть *cf.* **дёргать.**
дерю́га *s.* canvas, rough cloth.
десáнт *s.* descent, landing; landing party.
десéрт *s.* dessert.
дéскать *ad.* so to say; that is to say.
деснá *s.* [d] gum.
десни́ца *s.* right hand, right.
дéспот/ *s.* despot || **-и́зм** *s.* despotism || **-и́ческий** *a.* despotic.
десть *s. f.* [c] quire of paper.
десятери́к *s.* anything consisting of ten units, *e. g.* a ten pound weight, ten candles to the pound.
дéсятеро *num.* ten (persons), a party of ten.
десяти/днéвный *a.* of ten days || **-лéтие** *s.* decade, ten years.
десяти́на *s.* a measure of area (about 2 3/4 acres).
десятирублёвка *s.* ten rouble note (= a pound-note).
десяти́чный *a.* decimal.
деся́т/ка *s.* ten (at cards) || **-ник** *s.* overseer, foreman || **-ок** *s.* ten (pieces) || **-ский** *s.* bailiff's assistant || **-ый** *num.* tenth; **-ая** (часть) a tenth, one tenth.
дéсять/ *num.* ten || **-ю́** *ad.* ten times.
детáль/ *s. f.* detail, particulars || **-ный** *a.* detailed.
дет/ворá *s.* [a] (crowd of) children || **-ёныш** *s.* young (of animals), cub, whelp, etc.
дéти *s. npl.* children (*cf.* дитя́).
дет/и́на *s. m.* strong sturdy young fellow || **-и́шки** *s. m&fpl.* children.
дéт/ище *s.* child || **-ки** *s. m&fpl.* children.
дето/рóдный *a.* genital || **-уби́йство** *s.* infanticide || **-уби́йца** *s. m&f.* infanticide.
дéт/очки & -ушки = дéтки || **-ский** *a.* child's, children's || **-ская** (*as s.*) nursery || **-ство** *s.* childhood, infancy.
деть, дéться *cf.* **девáть.**
дефéкт/ *s.* defect, deficiency || **-и́вный** & **-ный** *a.* defective.
дефилéя *s.* defile.
дефили́ро+вать II. *vn.* (*Pf.* про-) to defile.
дéфици́т *s.* deficit.
деци/грáмм *s.* decigram(me) || **-мéтр** *s.* decimetre.
дешевé-ть II. *vn.* (*Pf.* по-) to become cheaper, to fall in price.
дешеви́зна *s.* cheapness; lowness in price.
дешев=и́ть II. 7. [a] *va.* (*Pf.* про-) to lower the price; to underestimate, to undervalue.
дешёвый *a.* (*pd.* дёшев, -вá, -во, -вы; *pdc.* дешéвле) cheap; low-priced.
дешифри́ро+вать II. *va.* to decipher; to decode.
деяние *s.* action, act, deed.
дéятель/ность *s. f.* activity || **-ный** *a.* active, busy; practical.
джигитóвка *s.* trick riding (of the Cossacks).
джóнка *s.* junk.
диáгнóз *s.* diagnosis.
диагонáльный *a.* diagonal.
диагрáмма *s.* diagram.
диадéма *s.* diadem.
диáкон *s.* deacon.
диалéкт *s.* dialect.
диамáнт *s.* diamond.
диáметр *s.* diameter.
диапазóн *s.* diapason.
диафрáгма *s.* (*med.*) diaphragm, midriff.
ди́ва *s.* opera-singer, "diva".
ди́вáн *s.* sofa, divan.
дивéрсия *s.* (*mil.*) diversion.
дивертисмéнт *s.* (*theat.*) divertisement, mixed performance after an opera.
дивидéнд *s.* dividend.
диви́зия *s.* (*mil. & mar.*) division.

див=ить II. 7. [a] *va.* (*Pf.* у-) to astonish, to surprise, to amaze, to astound || **~ся** *vn.* (*Pf.* на-) (чему́) to be astonished, to be surprised, etc.; to wonder, to marvel (at).

ди́вный *a.* wonderful, marvellous, astonishing.
ди́во *s.* wonder, marvel.
дидакти́ческий *a.* didactic.
дие́з *s.* (*mus.*) diesis, sharp.
дика́рка *s.* (*gpl.* -рок) savage.
дика́рь *s. m.* [a] savage.
ди́кий *a.* wild, savage; untamed; (*fig.*) unsociable.
дикобра́з *s.* porcupine.
дико́вин/а *s.* rarity, wonder, marvel || **-ный** *a.* rare, wonderful, marvellous.
ди́кость *s. f.* wildness, savageness.
дикта́нт *s.* dictation.
дикта́тор/ *s.* dictator || **-ский** *a.* dictatorial.
диктату́ра *s.* dictatorship.
дикто+ва́ть II. [b] *va.* (*Pf.* про-) to dictate.
дикто́вка *s.* (*gpl.* -вок) dictation.
ди́кция *s.* diction.
диле́мма *s.* dilemma.
дилета́нт/ *s.*, **-ка** *s.* (*gpl.* -ток) dilettante, amateur, dabbler.
дилижа́нс *s.* diligence, stage-coach.
дина́м/ика *s.* dynamics || **-и́т** *s.* dynamite || **-и́ческий** *a.* dynamic || **-о** *s.* dynamo.
дина́ст/ия *s.* dynasty || **-и́ческий** *a.* dynastic.
дипло́м *s.* diploma.
диплома́т/ *s.* diplomat, diplomatist || **-и́ческий** *s.* diplomatic || **-ия** *s.* diplomacy.
дире́к/тор *s.* director || **-три́са** *s.* directress || **-ция** *s.* direction, management.
дирижёр *s.* conductor (of an orchestra), bandmaster.
дирижи́ро+вать II. *va.* to conduct.
дисгармо́ния *s.* disharmony.
дисенте́рия *s.* dysentery.
диск *s.* disk, discus.
диска́нт *s.* (*mus.*) soprano.
диско́нт *s.* discount.
дисконти́ро+вать II. *va.* to discount.
дислока́ция *s.* dislocation.
ди́спут *s.* disputation, learned argument.
диссерта́ция *s.* dissertation, thesis.
диссиде́нт *s.* dissenter.
диссона́нс *s.* dissonance.
дистилли́ро+вать II. *va.* to distil.
дистилля́ция *s.* distillation.
дисципли́на *s.* discipline.
дитя́ *s.* (*G.*, *D.* + *Pr.* дитя́ти, *I.* дитя́тею, *pl.* де́ти, -е́й) child.
ди́тятко *s.* (*vulg.*) child, infant, baby.
дифама́ция *s.* defamation.
диференциа́льный *a.* differential.
дифира́мб *s.* dithyramb.
дифтери́т *s.* diphtheria.
дича́-ть II. *vn.* to grow wild; to run wild; to become shy, unsociable.
дич=и́ться I. [a] *vn.* to be shy; (чего́) to fear; to avoid.
дичо́к *s.* [a] wild tree.
дичь *s. f.* uninhabited region, wilderness; (кра́сный зверь) game; (вздор) nonsense, rot, fudge.
дие́т/а *s.* diet || **-ети́ческий** *a.* dietary, dietetic.
длань *s. f.* the palm of the hand.
длина́ *s.* [a] length.
дли́нн/ый *a.* long || **-ова́тый** *a.* longish, rather long.
дли́тельный *a.* lingering, lasting.
дл=ить II. *va.* (*Pf.* про-) (что *or* чем) to lengthen, to prolong, to protract || **~ся** *vn.* to be protracted, prolonged; to last.
для *prp.* (+ *G.*) for; **~ того́** therefore; **~ того́, что́бы** in order that; **~ чего́?** why? for what reason?
днева́льный *s.* soldier on duty.
дне+ва́ть II. [b] *vn.* (*Pf.* про-) to pass, to spend the day.
днёвка *s.* (*mil.*) day of rest.
днев/ни́к *s.* [a] journal, diary || **-но́й** *a.* of day; **~ свет** daylight.
днесь *ad.* (*sl.*) to-day.
дни́ще *s.* bottom (of a cask).
дно *s.* (*pl.* до́нья) bottom; **итти́ ко дну** to go to the bottom, to sink.
до *prp.* (+ *G.*) to, as far as, till; **что ~ меня́ (каса́ется)** as for me; **мне не ~ шу́ток** I am in no joking mood.
доба́в/ка & -ле́ние *s.* addition, supplement.
добавля́-ть II. *va.* (*Pf.* доба́в=ить II. 7.) to add to, to make up.
доба́в/ок *s.* (*gsg.* -вка) supplement, addition || **-очный** *a.* supplementary, additional.
до́бела́ *ad.* till white-hot.
добива́-ть II. *va.* (*Pf.* доби́ть 27.) to kill; to drive home (a nail) || **~ся** *vn.* (чего́) to endeavour; to seek; to attain.
добира́-ть II. *va.* (*Pf.* добра́ть 8. [a]) to glean || **~ся** *vn.* (до + *G.*) to attain (with difficulty); to get at, to reach.
доби́ть *cf.* **добива́ть.**
до́блест/ь *s. f.* valour, heroism || **-ный** *a.* valiant, heroic, brave.
добра́ть *cf.* **добира́ть.**
добре́-ть II. *vn.* (*Pf.* по-) to increase in weight, to become stout; to get better.
добро́/ *s.* [a] good; goods, chattels, property || **~** *ad.* opportunely; **~ пожа́ловать!** welcome! || **~!** *int.* fine! good!

alright! || **-вóлец** *s.* (*gsg.* -льца) volunteer || **-вóльный** *a.* voluntary || **-дéтель** *s. f.* virtue || **-дéтельный** *a.* virtuous || **-дýшие** *s.* good nature || **-дýшный** *a.* good-natured || **-желáтель** *s.m.* patron, well-wisher; **-ница** *s.* patroness || **-желáтельный** *a.* well-wishing, kind || **-кáчественный** *a.* of good quality || **-нрáвный** *a.* good, well-conducted || **-сердéчный** *a.* kind-hearted || **-сóвестный** *a.* conscientious, scrupulous.

добротá *s.* [a] kindness, goodness.

добрóт/а *s.* good quality || **-ный** *a.* of good quality; lasting, solid.

дóбрый *a.* good, kind; **в ~ час!** good luck!

добря́к *s.* [a] kind, kind-hearted person.

добуд=и́ться I. 1. [c] *vn.* (когó) to wake s. b. with difficulty.

добывá-ть II. *va.* (*Pf.* добы́ть 49.) to earn, to gain; to get, to acquire, to procure.

добы́ча *s.* booty, prey; gains *pl.*; spoil.

довéренн/ость *s.f.* full authority; proxy, procuration; power of attorney || **-ый** (*as s.*) mandatory; proxy, procurator; authorized (to act for one); provided with power of attorney.

довéрие *s.* confidence, trust.

довери́тель/ *s.m.* authorizer, mandator, constituent || **-ный** *a.* authorizing; mandatory.

довéрить *cf.* **доверя́ть.**

дóвéрху *ad.* to the top.

довéрчивый *a.* trusting, confiding.

довершá-ть II. *va.* (*Pf.* доверш=и́ть I. [a]) to finish, to complete, to bring to a conclusion.

довершéние *s.* completion, conclusion.

доверя́-ть II. *va.* (*Pf.* довéр=ить II.) (+ *D.*) to trust, to confide, to place confidence in; **не ~** to mistrust || **~ся** *vr.* to depend on, to rely on.

довести́ *cf.* **доводи́ть.**

дóвод *s.* proof, argument, reason, evidence.

довод=и́ть I. 1. [c] *va.* (*Pf.* довести́ 22. [a 2.]) to carry, to bring, to drive (to a place); **~** (когó) **до свéдения** to bring to one's knowledge || **~ся** *vr.* to fall to one's share.

довоз=и́ть I. 1. [c] *va.* (*Pf.* довезти́ 25.) to drive to, to carry to, to bring to.

довóль/ный *a.* satisfied, contented || **-но** *ad.* enough, sufficient || **-ствие** *s.* sufficiency; (вóйска) provision, supply || **-ство** *s.* satisfaction, contentedness; (достáток) sufficiency || **-ство+вать** II. *va.* (*Pf.* у-) to satisfy; (о вóйске) to provide, to supply || **~ся** *vr.* to content o.s., to be satisfied (with).

догáд/ка *s.* (*gpl.* -док) guess, surmise, conjecture || **-ливый** *a.* sagacious, clear-sighted, perspicacious.

догáдыва-ться II. *vn.* (*Pf.* догадá-ться II.) (о чём) to guess, to surmise, to conjecture.

догляд=éть I. 1. [a] *va.* *Pf.* to observe, to watch; **не ~** to overlook.

дóгмат *s.* dogma.

догнáть *cf.* **догоня́ть.**

договáрива-ть II. *va.* (*Pf.* договор=и́ть II. [a]) to finish speaking || **~ся** *vn.* (о чём) to agree, to come to an agreement.

договóр *s.* contract, treaty, agreement.

дóголá *ad.* stark naked.

догóнка *s.* overtaking.

догоня́-ть II. *va.* (*Pf.* догнáть 11. [c]) to overtake, to catch up with.

догорá-ть II. *vn.* (*Pf.* догор=éть II. [a]) to burn out.

додавáть 39. [a 1.] *va.* (*Pf.* додáть 38. [a 4.]) to supplement, to give in addition; to make a supplementary payment.

додáча *s.* supplement, additional payment.

доезжá-ть II. *vn.* (*Pf.* доéхать 45.) (до чегó) to ride *or* to drive up to || **~** *va.* to track, to pursue.

доéние *s.* milking.

дож *s.* doge.

дожáрива-ть II. *va.* (*Pf.* дожáр=ить II.) to roast thoroughly.

дождевóй *a.* rain-, of rain.

дóжд/ик *s.* [a] *dim.* rain || **-ли́вый** *a.* rainy || **-ь** *s. m.* [a] rain; **~ идёт** it is raining, it rains.

доживá-ть II. *va.* (*Pf.* дожи́ть 31. [a 4.]) to live to *or* till; to attain (a certain age).

дожидá-ть & ~ся II. *vn.* (*Pf.* дожд-áться I. [a]) (когó, чегó) to wait for, to expect.

дозвáться *cf.* **дозывáться.**

дозволéние *s.* permission; consent, concession.

дозволи́тельный *a.* permissible, allowable; **~ вид** license; (*comm.*) permit.

дозволя́-ть II. *va.* (*Pf.* дозвóл=ить II.) to permit, to allow, to concede.

дознавáть 39. *va.* (*Pf.* дознá-ть II.) to find out, to ascertain.

дознáние *s.* inquiry, investigation; finding out.

дозóр/ *s.* patrol, round; **ходи́ть -ом** to patrol, to go the rounds || **-ный** *s.* soldier on patrol.

дозывá-ться II. *vn.* (*Pf.* дозвáться 10. [a 3.]) to call.

дои́скива-ться II. *vn.* (*Pf.* доиск-áться I. 4. [c 1.]) (чегó) to try, to find out, to ascertain.

до=и́ть II. [a] *va.* (*Pf.* по-) to milk.
до́йный *a.* milch; **–ая коро́ва** milch-cow.
док *s.* (*mar.*) dock. [(*fam.*) dab.
до́ка *s.* (*vulg.*) connoisseur; smart fellow;
доказа́тель/ный *a.* demonstrative, conclusive || **–ство** *s.* proof, evidence.
дока́зыва-ть II. *va.* (*Pf.* доказ-а́ть I. 1. [c 1.]) to demonstrate, to prove; to argue, to evince.
дока́нчива-ть II. *va.* (*Pf.* доко́нч=ить I.) to bring to an end, to finish, to conclude.
докла́д/ *s.* report; announcement || **–но́й** *a.* of report || **–чик** *s.* reporter, secretary.
докла́дыва-ть II. *va.* (*Pf.* долож=и́ть I. [c]) to report; to announce; **веле́ть доложи́ть о себе́** to send in one's name, to have o.s. announced.
доко́ль *ad.* as long as, till; **how long?** until when?
докона́ть *cf.* **кона́ть.**
доко́нчить *cf.* **дока́нчивать.**
до́красна *ad.* till red.
докрич=а́ться I. *vn.* (кого́-либо) to call, to shout to; to keep on shouting to until heard. [lady-doctor.
до́ктор/ *s.* doctor || **–ша** *s.* doctor's wife;
доктри́на *s.* doctrine.
доку́да *ad.* how far? how long? till when?
доку́ка *s.* importunity.
докуме́нт/ *s.* dokument; deed || **–ный** & **–а́льный** *a.* documentary.
докуча́-ть II. *vn.* (*Pf.* доку́ч=ить I.) (+ *D.*) to importune.
доку́чливый *a.* importunate, obtrusive.
дол *s.* [c] valley, dale, vale.
долбёжка *s.* (*gpl.* -жек) mortise; (*fig.*) cramming.
долб=и́ть II. 7. [a & c] *va.* (*Pf.* вы́-) to mortise, to hollow out, to chisel out; (*fam.*) to cram.
долбня́ *s.* (*fam.*) cramming.
долг *s.* [b°] (обя́занность) duty; (де́нежный) debt; **в ~** on credit; **в долга́х** in debt. [lengthy, tiresome.
до́лгий *a.* (*pdc.* до́лее & до́льше) long;
до́лго *ad.* a long time, for long.
долго/ве́чный *a.* long-lived; indestructible || **–во́й** *a.* of debts; debtor's || **–вя́зый** *a.* tall, lanky || **–вре́менный** *a.* permanent; lengthy, tiresome || **–де́нствие** *s.* long life; the longest days (in the year) || **–ле́тие** *s.* long life || **–ле́тний** *a.* long-lived || **–но́гий** *a.* long-legged || **–ру́кий** *a.* long-armed, long-handed || **–сро́чный** *a.* long term; (*comm.*) drawn at long sight.
долгота́ *s.* [e] length; (*geog.*) longitude.
долго/терпели́вый *a.* patient, forbearing, long-suffering || **–терпе́ние** *s.* patience, forbearance.
долета́-ть II. *vn.* (*Pf.* долет-е́ть I. 2. [a]) (до + *G.*) to fly to, to fly as far as.
должа́-ть(-ся) II. *vn.* (*Pf.* за-) to run into debt, to get into debt, to incur debts.
до́лжен *cf.* **до́лжный.**
долженство+ва́ть II. [b] *vn.* to be obliged to, to have to.
долж/ни́к *s.* [a], **–ни́ца** *s.* debtor || **–но́** *ad.* one must; **вам ~** you must; **~ быть** it must be so, it is very likely, it is highly probable || **–постно́й** *a.* official || **´–ность** *s. f.* [c] duty; office; business, function || **´–ный** *a.* owing, due, requisite; **он мне до́лжен пять рубле́й** he owes me five roubles; **он до́лжен э́то сде́лать** he must do this || **–о́к** *s.* [a] petty debt.
долива́-ть II. *va.* (*Pf.* доли́ть 27.) to fill up; to pour on, to add.
доли́на *s.* plain; valley.
доложи́ть *cf.* **докла́дывать.**
доло́й *int.* off with! down with! **ша́пки ~!** hats off! **~ с доро́ги!** out of the
долото́ *s.* [d] chisel. [way!
до́лька *s.* (*gpl.* -лек) small part, share.
до́льше *cf.* **до́лгий.** [hard fate.
до́люшка *s.* (*gpl.* -шек) small portion;
до́ля *s.* part, share; (судьба́) lot, fate, destiny; the 96th part of a zolotnik.
дом/ *s.* [b♀] house, home; dwelling; family || **´–а** *ad.* at home; **его́ нет ~** he is not at home, he is out || **–а́шний** *a.* house, home-; home-made; domestic || **–а́шние** *s. mpl.* the household.
домёк *s.*, **не в ~ мне э́то** it didn't occur to me, I did not dream of it.
до́м/енный *a.*, **–енная печь** blast-furnace, smelting furnace || **–ик** *s.* small house, cottage.
домино́ *s.* domino. [house.
доми́шко *s.* (*gpl.* -шек) miserable small
до́мна *s.* blast-furnace.
домо/ве́дение *s.* housekeeping || **–ви́тый** *a.* homely; economical || **–владе́лец** *s.* (*gsg.* -льца), **–владе́лица** *s.* householder; landlord || **–во́й** *s.* hobgoblin, brownie.
домо́вый *a.* house; household.
домога́тельство *s.* striving (for something); solicitation, application.
домога́-ться II. *vn.* (чего́) to strive (for), to endeavour after, to aspire to; to seek.
домо́й *ad.* home, homewards.

домо/рóщенный *a.* bred at home; (*fig.*) insignificant, unimportant || **–стро-ительство** *s.* good housekeeping || **–хозяин** *s.*, **–хозяйка** *s.* (*gpl.* -áек) landlord, landlady || **–чáдец** *s.* (*gsg.* -дца) member of the household.
домособняк *s.* villa, detached house.
дóнéльзя *ad.* to the utmost.
донесéние *s.* report.
донести *cf.* **доносить.**
донимá-ть II. *va.* (*Pf.* донять 37. [а 3.]) to collect (debts); to plague, to torment.
донóс *s.* denunciation; information.
донос=ить I. 3. [c] *va.* (*Pf.* донести 26. [а 2.]) (на когó) to denounce, to inform against, to bring a charge against; (о + *Pr.*) to report on.
донóс/чик *s.*, **–чица** *s.* informer, telltale.
доныне *ad.* up till now, till now; hitherto.
дóнышко *s.* (*gpl.* -шек) *dim.* small bottom (of a cask, etc.).
донять *cf.* **донимáть.**
допекá-ть II. *va.* (*Pf.* допéчь [√пек] 18. [а 2.]) to bake thoroughly; (*fig.*) to vex, to scold.
допивá-ть II. *va.* (*Pf.* допить 27. [а 3.]) to drink up *or* out || **~ся** *vn.* to drink until; to drink o.s. to; **~ до бéлой горячки** to drink o.s. into delirium tremens.
доплáта *s.* supplementary payment, extra fee.
доплáчив-ать II. *va.* (*Pf.* доплат=ить I. [c]) to pay a supplement, an extra fee; to pay the remainder.
доплывá-ть II. *vn.* (*Pf.* доплыть 31. [а 3.]) to swim to; to sail to *or* as far as.
допóдлинный *a.* genuine, authentic; real, true.
дополн/éние *s.* complement, supplement || **–итель** *s. m.* (*gramm.*) object || **–ительный** *a.* complementary, supplementary.
дополня-ть II. *va.* (*Pf.* допóлн=ить II. to complete, to make up, to supplement.
дополýденный *a.* of *or* in the forenoon; morning.
дополусмéрти *ad.* half-dead.
допотóпный *a.* antediluvian.
допрáшива-ть II. *va.* (*Pf.* допрос=ить I. 3. [c]) (*leg.*) to interrogate, to question, to examine, to cross-examine.
допрóс *s.* (*leg.*) interrogation, examination, cross-examination.
допускá-ть II. *va.* (*Pf.* допуст=ить I. 4. [c]) to admit, to allow, to permit; (дать дóступ) to let in, to allow in.
допущéние *s.* admittance, admission; allowing.
допытыва-ть II. *va.* (*Pf.* допытá-ть II.) to extort (information) || **~ся** *vn.* to inquire, to try to find out.
дóпьяна *ad.* until drunk *or* intoxicated; **напиться ~** to drink till one becomes intoxicated.
дорóга *s.* road, way; journey; **желéзная ~** railway; **на –е** on the way, travelling.
дорого/вáтый *a.* somewhat dear, rather dear || **–визна** *s.* (*obs.*) dearness, costliness, high price.
дорогóй *a.* (*pd.* дóрог, -гá, -го, -ги; *pdc.* дорóже, *sup.* дражáйший) dear, costly, expensive.
дорóд/ность *s. f.* corpulence, embonpoint || **–ный** *a.* corpulent, stout || **–ство** *s.* corpulence.
дорожá-ть II. *vn.* (*Pf.* по-) to become dearer, to rise in price.
дорóже *cf.* **дорогóй.**
дорож=ить I. [a] *va.* (чем) to value, to prize, to esteem || **~ся** *vn.* (чем) to demand too much for; to value highly.
дорóж/ка *s.* path, footpath; groove; strip; carpet (on stairs) || **–ник** *s.* (книга) guide-book; (дневник) itinerary; (род стругá) grooving-plane || **–ный** *a.* travelling; for *or* of travelling.
дортуáр *s.* dormitory.
досáд/а *s.* vexation, annoyance, spite, chagrin || **–ить** *cf.* **досаждáть** || **–но** *ad.* vexatiously; it's most annoying; **мне ~** I am vexed *or* put out || **–ный** *a.* vexatious, annoying, provoking || **–о+вать** II. *vn.* (на + *A.*) to be vexed at, to be put out, to be annoyed.
досаждá-ть II. *vn.* (*Pf.* досад=ить) I. 1. [a]) (+ *D.*) to vex, to annoy, to provoke.
досéле *ad.* hitherto, till now, up to the present.
доскá *s.* [e] board; plate; slate.
доскáзыва-ть II. *va.* (*Pf.* досказ-áть I. 1. [c]) to finish telling, to tell to the end.
доскональный *a.* exact; punctual; genuine.
дослóвный *a.* word for word, literal.
дослýжива-ть II. *va.* (*Pf.* дослуж=ить I. [c]) to complete (one's time of service) || **~ся** *vn.* (до чегó) to gain, to attain by service (*e. g.* a certain rank).
досмáтрива-ть II. *va.* (*Pf.* досмотр=éть II. [c]) (за чем) to see to the end; to observe, to examine; to inspect.
досмóтр/ *s.* inspection, examination || **–щик** *s.* inspector.

доспе́хи *s. mpl.* accoutrements *pl.*
досро́чный *a.* not yet due.
достава́ть 39. *va.* (*Pf.* доста́ть 32.) to get, to procure, to obtain || ~ *vn.* to reach to *or* as far as; (of guns) to carry || ~ *v.imp.* to be sufficient || **~ся** *vn.* to fall to one's share || ~ *v.imp.*, **ему́ ча́сто доста́ётся** he often gets rebuked, reprimanded; he often gets a sound rating.
доста́в/ка & -ле́ние *s.* furnishing; delivery.
доставля́-ть II. *va.* (*Pf.* доста́в=ить II. 7.) to furnish, to deliver; to provide, to supply; to cause (joy, etc.).
доста́т/ок *s.* (*gsg.* -тка) wealth, fortune; (изоби́лие) abundance; **с -ком** well-to-do, well-off || **-очный** *a.* sufficient, in plenty, in abundance, abundant; well-to-do, well-off.
доста́ть *cf.* **достава́ть.**
достига́-ть II. *va.* (*Pf.* дости́гнуть 52. & дости́чь [√стиг] 15. [a 1.]) (+ *G.*) to attain, to reach; to get.
достиже́ние *s.* reaching, attaining.
дости́чь *cf.* **достига́ть.**
досто/ве́рный *a.* credible; authentic, veritable || **-до́лжный** *a.* due, requisite, meet.
досто́инство *s.* worth, merit; dignity.
досто́йный *a.* worthy, deserving, meritorious.
досто/па́мятный *a.* memorable || **-почте́нный** *a.* venerable; worthy of respect || **-примеча́тельность** *s. f.* object of interest; (*in pl.*) sights *pl.* || **-примеча́тельный** *a.* remarkable, interesting || **-сла́вный** *a.* famous, glorious.
достоя́ние *s.* property, possessions *pl.*; inheritance.
до́ступ *s.* access; admittance.
досту́пный *a.* accessible.
досу́г *s.* leisure; **на -е** at leisure.
досу́ж/ий *a.* idle, at leisure, leisured; lively, active, nimble || **-ный** *a.* at leisure; **-ная пора́** leisure time.
до́суха *ad.* till quite dry.
досчи́тыва-ть II. *va.* (*Pf.* досчита́-ть II.) to count up to; **не ~** to miss, to overlook.
до́сыта *ad.* till satiated; **нае́сться ~** to eat one's fill.
досю́да *ad.* hitherto, till now; so far.
досяга́емость *s. f.* attainability.
досяга́-ть II. *vn.* (*Pf.* досягн-у́ть I. [a]) (до + *G.*) to reach, to attain.
дото́ле *ad.* till then, so long.
дотро́гива-ться II. *vn.* (*Pf.* дотро́н-уться I.) (до чего́) to touch, to feel.
доту́да *ad.* till there, so far.
доупа́ду *ad.* till exhausted.
до́хлый *a.* dead; rotten (of eggs).
дохля́тина *s.* carrion.
до́хнуть 52. *vn.* (*Pf.* из-, по-) to die, to perish (of animals).
дохну́ть *cf.* **дыха́ть.**
дохо́д *s.* income; revenue; profit.
доход=и́ть I. 1. [c] *vn.* (*Pf.* дойти́ 48. [a 2.]) (до + *G.*) to reach, to come *or* go as far as; to arrive at; to be reduced to.
дохо́дный *a.* profitable, lucrative.
доче́рний *a.* daughter's.
доче́сть *cf.* **дочи́тывать.**
до́чист *ad.* till clean; completely.
дочи́тыва-ть II. *va.* (*Pf.* дочита́-ть II. & доче́сть [√чт] 24. [a 2.]) to finish reading; to read through; (до + *G.*) to read up to (a certain place).
до́чка *s.* (*gpl.* -чек) daughter.
дочь *s. f.* [c] (*gsg.* до́чери; *pl.* до́чери, -е́й) daughter.
доща́тый *a.* of boards, of planks; plank.
доще́чка *s.* (*gpl.* -чек) small plate *or* board; name-plate.
драгома́н *s.* dragoman, interpreter.
драгоце́нный *a.* costly, precious.
драгу́н *s.* dragoon.
дража́йший *a. sup.* best, dearest (*cf.* дорого́й).
дразн=и́ть II. [c] *va.* (*Pf.* раз-, по-) to tease, to provoke.
дра́ка *s.* fight, fighting, scuffle.
драко́н *s.* dragon.
дра́ла *s. npl.*, **дать ~** to take to one's heels, to decamp.
дра́ма/ *s.* drama || **-ти́ческий** *a.* dramatic || **-ту́рг** *s.* dramatist.
дра́нка & дрань *s. f.* shingle, lath.
драп/ *s.* thick cloth || **-и́ро+ва́ть** II. [b] *va.* (*Pf.* за-) to drape || **-иро́вка** *s.* (*gpl.* -вок) drapery, draping.
дра́тва *s.* cobbler's thread, waxed end.
драть 8. [a 3.] *va.* (*Pf.* разо-) to tear; **~ го́рло** to bawl at the top of one's voice; (*Pf.* со-) (кого́ за что) to pull (s.o. by); to flay, to skin; (*fig.*) to cheat, to extort || **~ся** *vr.* (*Pf.* по-) to fight, to scuffle.
дра́хма *s.* drachm.
драчли́вый *a.* pugnacious, quarrelsome.
драчу́н *s.* [a] a pugnacious person, bully.
дребеде́нь *s. f.* nonsense, trash, fudge.
дре́безги *s. mpl.*, **разби́ть в ~** to make smithereens of.
дребезж=а́ть I. [a] *vn.* (*Pf.* за-) to rattle, to clatter.
древес/и́на *s.* lignine || **-и́нка** *s.* (*gpl.* -нок) splinter.

древе́сный *a.* of tree; of wood; wood; ~ **спирт** wood alcohol, methyl alcohol.
дре́в/ний *a.* old, ancient, antique || **-ность** *s. f.* ancient times, antiquity.
дрейф *s.* (*mar.*) drift.
дрек *s.* (*mar.*) grapnel, drag.
дрем-а́ть II. 7. [c] *vn.* (*Pf.* вз-, за-) to slumber, to sleep, to doze; to be drowsy, to drowse.
дрем/ли́вый *a.* somnolent, sleepy, drowsy || **-о́та** *s.* drowsiness, sleepiness || **-у́чий** (-ая, -ее) *a.* thick, dense (of forests); ~ **лес** virgin forest.
drена́ж *s.* drainage.
дресир/о+ва́ть II. [b] *va.* to train, to break in || **-о́вка** *s.* training || **-о́вщик** *s.* trainer.
дроб=и́ть II. 7. [a] *va.* (*Pf.* раз-) to break into pieces; to granulate. [ulation.
дробле́ние *s.* breaking into pieces, gran-
дро́бный *a.* fractional.
дробь *s. f.* [c] fraction; small shot; **бараба́нная** ~ the roll of drums.
дрова́ *s. npl.* firewood. [sledge.
дро́вни *s. fpl.* peasant's sled, sleigh *or*
дров/осе́к *s.* woodcutter; (*Am.*) lumberman || **-яни́к** *s.* timber merchant || **-яно́й** *a.* for wood, timber.
дро́ги *s. fpl.* hearse; dray, cart.
дроги́ст *s.* druggist. [shudder.
дро́гн-уть I. *vn.* to tremble, to shiver, to
дрож=а́ть I. [a] *vn.* (*Pf.* за-) to tremble; to shiver, to shake.
дро́жди *s. fpl.* [c] barm, yeast.
дро́жки *s. fpl.* (*G.* -жек) droshky; cab.
дрожь *s. f.* trembling, shivering; shiver.
дрозд *s.* [a] thrush.
дромаде́р *s.* dromedary.
дро́тик *s.* javelin, dart, lance.
друг/ *s.* (*pl.* друзья́, -е́й) friend; ~ **дру́га** one another; ~ **за дру́гом** one after the other; ~ **с дру́гом** with one another || **-о́й** *a.* another; second; **на** ~ **день** the day after, on the following day.
дру́ж/ба *s.* friendship || **-елю́бие** *s.* friendliness || **-елю́бный** *a.* friendly, amicable || **´-еский** & **´-ественный** *a.* friendly || **-и́на** *s.* (formerly) bodyguard.
друж=и́ть I. [a] *va.* (с + I.) to reconcile with, to make friendly with || ~ *vn.* (*Pf.* у-) to do s.o. a favour, a kindness.
дружи́ще *s.* bosom friend.
дру́ж/ка *s.* (*gpl.* -жек) best man (at a wedding) || **-ный** *a.* amicable, friendly || **-о́к** *s.* [a] (*gsg.* -жка́) *dim.* friend, best friend.
друзья́ *cf.* **друг.**

дры́га-ть II. *vn.* (*Pf.* дры́гн-уть I.) to jerk (the legs).
дры́хн-уть I. *vn.* (*vulg.*) to sleep soundly, to be fast asleep.
дря́б/лость *s. f.* withered condition || **-лый** *a.* withered, shrivelled.
дряга́-ть II. *vn.* (*Pf.* дрягн-у́ть I. [a]) to jerk (the legs or hands).
дря́гиль *s. m.* [b & c] porter.
дря́зги *s. fpl.* quarrelling, squabble, wrangling.
дрянно́й *a.* bad, miserable, wretched.
дрянь *s. f.* dirt, sweepings, refuse; trash; ~ **челове́к** a good-for-nothing.
дряхле́-ть II. *vn.* & **дря́хн-уть** I. *vn.* (*Pf.* о-) to grow, to become decrepit.
дря́хлый *a.* decrepit, frail.
дуб *s.* [b] oak.
дуба́с=ить I. 3. *va.* (*Pf.* от-) (*vulg.*) to cudgel, to give a sound thrashing to, to
дуби́льня *s.* (*gpl.* -лен) tannery. [drub.
дуби́на *s.* cudgel; (*fig.*) fool, blockhead.
дуб=и́ть II. 7. *va.* (*Pf.* про-, вы́-) to tan.
дубле́ние *s.* tanning. [copy.
дубл/е́т *s.* doublet || **-ика́т** *s.* duplicate;
дуб/ни́к & **-ня́к** *s.* [a] oak forest, oak wood, oak grove || **-ова́тый** *a.* rough; rude || **-о́вый** *a.* (of) oak || **-о́к** *s.* [a] (*gsg.* -бка́) small oak || **-ра́ва** *s.* oak grove; dense shady wood *or* forest || **-ьё** *s. coll.* sticks *pl.*; cudgels *pl.*
дуг/а́ *s.* [e] (*geom.*) arc; (*arch.*) arch || **-ообра́зный** *a.* arc-shaped, arched.
ду́д/ка *s.* (*gpl.* -док) pipe, reed-pipe || **-ки!** *int.* fiddlesticks! fudge! || **-очка** *s.* little pipe || **-очник** *s.* piper.
ду́жка *s.* (*gpl.* -жек) small bow; (**руко́ятка у посу́дины**) handle (of basket, etc.); (**у шпа́ги**) guard (on sword-hilt).
ду́ло *s.* muzzle (of a gun).
ду́ма *s.* thought; (**сове́т-собра́ние**) council; (**Госуда́рственная**) **Д**– the Duma; Parliament; **городска́я** ~ (town) corporation, town-council, urban council.
ду́ма-ть II. *va.* (*Pf.* по-) (мы́слить) to think; (размышля́ть) to consider, to ponder on; (полага́ть) to think, to be of the opinion (that) || **~ся** *v.imp.*, **ему́ так ду́мается** it seems to him.
ду́м/ец *s.* (*gsg.* -мца) member of the Duma; town-councillor, urban councillor || **-ский** *a.* of or pertaining to the Duma, to the council.
дунове́ние *s.* breath, puff; blowing, breathing.
ду́нуть *cf.* **дуть.**
дуплика́т *cf.* **дублика́т.**

дупл/и́стый *a.* hollow (of trees) || **–о́** *s.* [d] (*gpl.* ду́пел) hollow (in a tree-trunk).
ду́р/а *s.* foolish, silly woman, fool || **–а́к** *s.* [a] & **–але́й** *s.* fool, idiot, simpleton; **он –а́к –ако́м** he's an arrant fool || **–а́цкий** *a.* foolish, idiotic || **–а́чество** *s.* folly, foolishness, idiocy || **–ачи́на** *s. m.* idiot, simpleton, arrant fool.
дура́ч=ить I. *va.* (*Pf.* о-) (кого́) to make a fool of, to fool || **~ся** *vr.* to play the fool, to play pranks. [simpleton.
дурачо́к *s.* [a] (*gsg.* -чка́) *dim.* fool,
ду́рень *s. m.* (*gsg.* -рня) simpleton.
дуре́-ть II. *vn.* (*Pf.* о-) to become silly, to become crazy.
дур=и́ть II. [a] *vn.* (*Pf.* по-) to play pranks, to play the fool, to be silly.
дурма́н *s.* thorn-apple; **~ со́нный** belladonna.
дурма́н=ить II. *va.* (*Pf.* о-) to drug, to make insensible, to narcotize.
дурне́-ть II. *vn.* (*Pf.* по-) to grow *or* become ugly.
дурн/о́й *a.* ugly; bad || **´о** *ad.*, **мне ´о** I am feeling bad.
ду́рочка *s.* (*gpl.* -чек) foolish, silly woman. [obstinacy.
дурь *s. f.* foolishness, folly, stupidity;
ду-ть II. *vn.* (*Pf.* по-, *mom.* ду́н-уть I.) to blow (of wind); to breathe; **здесь ду́ет** there is a draught here, it is draughty || **~** *va.* to blow (glass); (*Pf.* вз-) (*fam.*) to thrash, to cudgel, to tan || **~ся** *vr.* (*Pf.* на-) to swell up; (*fig.*) to sulk.
дух/ *s.* spirit; (дыха́ние) breath; (за́пах) smell, scent; (жар) heat, warmth (of an oven); (привиде́ние) ghost, apparition; courage; rumour; **свято́й ~** the Holy Ghost; **быть в ´е** to be in good humour; **´ом** in the twinkling of an eye, in a trice, in no time || **–и́** *s. mpl.* [b] perfume, scent || **–обо́рец** *s.* (*gsg.* -рца) member of a sect denying the Holy Ghost || **´овдень** *s. m.* Whitmonday || **–ове́нство** *s.* clergy; **бе́лое ~** secular clergy; **чёрное ~** the regular clergy || **–ови́дец** *s.* (*gsg.* -дца) ghost-seer || **–овни́к** *s.* [a] confessor, father-confessor || **–о́вный** *a.* spiritual; ecclesiastical, clerical; **~ оте́ц** spiritual father, father-confessor || **–о́вная** (*as s.*) will, testament || **–ово́й** *a.* wind- || **–ота́** *s.* stifling heat, closeness.
душ *s.* douche; shower-bath.
душ/а́ *s.* [d] soul; **~ моя́** my dear || **–е́вный** *a.* sincere; cordial || **–егре́йка** *s.* (*gpl.* -е́ек) a short warm jacket, woollen comforter.
душегу́б/ец *s.* (*gsg.* -бца) homicide, murderer || **–ица & –ка** *s.* murderess; canoe, dug-out.
ду́шенька *s.* (*gpl.* -нек) darling, dear.
душе/поле́зный *a.* edifying || **–прика́зчик** *s.* executor || **–спаси́тельный** *a.* salutary.
души́стый *a.* fragrant, odoriferous.
душ=и́ть I. [c] *va.* (*Pf.* за-, у-) to suffocate, to strangle; to oppress.
ду́ш/ка *s. dim.* darling, dear || **–ный** *a.* close (of weather), stifling, oppressive; stuffy (of room) || **–о́к** *s.* [a] (*gsg.* -шка́) bad smell. [*s.* duellist.
дуэ́л/ь *s. f.* duel, single combat || **–и́ст**
дуэ́т *s.* duet.
ды́ба *s.* gibbet, strappado.
дыб=и́ться II. 7. [a] *vr.* (*Pf.* вз-) (of animals) to rear; (of hair) to stand on end.
ды́бом *ad.* rearing (of horses); on end (of hair).
ды́лда *s.* (*fam.*) lanky person, long Meg.
дым *s.* smoke.
дым=и́ть II. 7. [a] *va.* (*Pf.* за-) to smoke; to smoke out || **~ся** *vn.* to smoke, to steam.
ды́м/ный *a.* smoky || **–ово́й** *a.* for or of smoke; **–ова́я труба́** chimney flue || **–о́к** *s.* [a] (*gsg.* -мка́) small smoke || **–чатый** *a.* smoke-coloured; smoked
ды́ня *s.* melon. [(glasses).
дыра́ *s.* [a & d] (*pl.* ды́рья, -ьев) hole.
дыр=и́ть II. [a] *va.* (*Pf.* про-) to hole, to pierce, to perforate.
ды́р/очка *s.* (*gpl.* -чек) small hole || **–я́вый** *a.* full of holes, perforated.
ды́х/ало *s.* blow-hole (of a whale) || **–а́ние** *s.* breathing, gasp, respiration; breath; creature; **после́днее ~** the last gasp || **–а́тельный** *a.* respiratory; **–ое го́рло** windpipe.
дыха́-ть II. & **дых-а́ть** I. 3. [c] *vn.* (*Pf.* дыхн-у́ть I.) to breathe.
дыш=а́ть I. [c] *vn.* to breathe; to gasp.
ды́шло *s.* pole, shaft, thill.
дья́вол/ *s.* devil; Satan || **–ьский** *a.* devilish, diabolical || **–ьщина** *s.* devilry, [devilment.
дья́кон *cf.* **диа́кон.**
дьячо́к *s.* [a] (*gsg.* -чка́) sacristan, sexton.
дю́жий (-ая, -ее) *a.* stout, strong, robust, sturdy, strapping.
дю́жин/а *s.* dozen || **–ный** *a.* by the dozen; **~ челове́к** commonplace, ordinary person.
дюйм *s.* inch.

дя́д/енька *s.* (*gpl.* -нек) uncle || **-ька** *s. m.* (*gpl.* -дек) tutor, instructor; drill-master || **-юшка** *s.* (*gpl.* -шек) uncle || **-я** *s. m.* uncle.
дя́тел *s.* (*gsg.* -тла) woodpecker.

Е

ева́нгел/ие *s.* Gospel || **-и́ст** *s.* evangelist || **-и́ческий** *a.* evangelic.
е́вну́х *s.* eunuch.
евре́й/ *s.* Jew, Hebrew || **-ка** *s.* (*gpl.* -е́ек) Jewess || **-ский** *a.* Jewish, Hebrew.
евхари́стия *s.* Eucharist, the Lord's Supper.
е́герь *s. m.* hunter; (*mil.*) chasseur.
его́ *prn.* him; it; of him, of it; his; its.
егоза́ *s. m&f.* unruly child, romp, tomboy; fidget, restless person.
егоз=и́ть I. 1. [a] *vn.* to be restless, fidgety, unruly; to fidget.
еда́ *s.* food, eatables *pl.*; eating.
едва́ *ad.* hardly, scarcely; **~-ли не** almost, nearly.
еде́м *s.* Eden, paradise.
един/е́ние *s.* union || **-и́ца** *s.* unit || **-и́чный** *a.* one, single; isolated.
едино/бо́жие *s.* monotheism || **-бо́рство** *s.* single combat, duel || **-бра́чие** *s.* monogamy || **-ве́рец** *s.* (*gsg.* -рца) co-religionist; dissenter || **-ве́рие** *s.* conformity of religious belief; a dissenting sect || **-вла́стие** *s.* supreme rule *or* dominion, absolute monarchy || **-гла́сный** *a.* unanimous || **-держа́вие** *s.* supreme rule, autocracy || **-ду́шный** *a.* unanimous, in agreement || **-же́нство** *s.* monogyny; monogamy || **-кро́вный** *a.* consanguineous || **-мы́слие** *s.* unanimity; being of the same mind || **-племе́нник** *s.* of the same race, tribe *or* clan || **-ро́г** *s.* unicorn || **-ро́дный** *a.* sole, only, only-begotten || **-утро́бный** *a.* of the same mother, uterine.
еди́н/ственный *a.* sole, only; **-ое число́** (*gramm.*) singular || **-ство** *s.* unity, accord || **-ый** *a.* sole, only.
е́дк/ий *a.* biting, acid, corrosive, caustic; (*fig.*) biting, sarcastic || **-ость** *s. f.* acidity, corrosiveness, causticity.
едо́к *s.* [a] (great) eater.
её *prn.* (*G.* & *A.* *of* она́) her.
ёж *s.* hedgehog.
ежеви́ка *s.* blackberry.
ежего́д/ник *s.* year-book, yearly (journal) || **-ный** *a.* yearly, annual.
ежедне́вный *a.* daily.
е́жели *c.* if, as soon as, in case.
ежеме́сяч/ник *s.* monthly (journal) || **-ный** *a.* monthly.
еженеде́ль/ник *s.* weekly (journal) || **-ный** *a.* weekly.
ежеча́сный *a.* hourly.
ёжик *s.* (*dim. of* ёж) hedgehog.
ёж=иться I. *vn.* to shrivel, to shrink.
езда́ *s.* journey; ride; drive; travelling; **верхова́я ~** riding, a ride.
е́зд=ить I. 1. *vn.* (*Pf.* с-) to drive; to journey, to travel; **~ верхо́м** to ride.
ездо́к *s.* [a] rider; person driving; passenger.
ей *prn.* to her; by her || **~** *ad.* verily, indeed; **~ Бо́гу!** as true as I'm alive!
ёка-ть II. *vn.* (*Pf.* ёкн-уть I.) to beat, to throb, to pulsate.
е́ле-е́ле *ad.* narrowly, by a hairbreadth.
еле́й *s.* olive-oil.
ели́ко *ad.* (*sl.*) as much as.
ёлка *s.* (*gpl.* -лок) *dim.* fir, fir-tree; Christmas-tree.
ело́вый *a.* fir-, of fir.
е́ль/ *s. f.* fir, fir-tree || **-ник** *s.* fir-grove; fir branches *or* twigs.
ёмк/ий *a.* capacious, roomy || **-ость** *s. f.* capacity, capaciousness.
ему́ *prn.* him, to him; it, to it.
ено́т *s.* raccoon.
епанча́ *s.* mantle, cloak.
епа́рхия *s.* arch-diocese.
епи́скоп/ *s.* bishop || **-ский** *a.* episcopal || **-ство** *s.* episcopate.
епитимия́ *s.* penance.
ерала́ш *s.* (*vulg.*) nonsense, humbug; confusion, hotchpotch; a kind of whist.
е́ресь *s. f.* heresy.
ерет/и́к & -и́чка *s.* (*gpl.* -чек) heretic || **-и́ческий** *a.* heretical.
ёрза-ть II. *vn.* to fidget, to be restive.
ермо́лка *s.* (*gpl.* -лок) skull-cap.
ерофе́ич *s.* herbal infusion; alcohol distilled from herbs.
еро́ш=ить I. *va.* (*Pf.* вз'-) to dishevel, to ruffle (the hair) || **~ся** *vn.* to stand, to bristle up.
ерунда́ *s.* nonsense, humbug.
ерш=и́ться I. [a] *vn.* (*vulg.*) to struggle, to resist.
еры́ *s. indecl.* the letter ы.
ерь *s. indecl.* the letter ь.
есау́л *s.* captain (among the Cossacks).
е́сли *c.* if, in case, supposing.
есте́ств/енник *s.* naturalist || **-енность** *s. f.* naturalness || **-енный** *a.* natural || **-о́** *s.* nature, substance, innate character || **-ове́дение & -озна́ние** *s.*

natural science || **-оиспыта́тель** *s. m.* naturalist. [(*cf.* быть).
есть there is, there are; **у меня** ~ I have
есть (√ед) 42. *va.* to eat.
эфе́с *s.* hilt.
ефре́йтор *s.* (*mil.*) corporal.
е́хать 45. *vn.* to travel, to journey; ~ **верхо́м** to ride.
ехи́д/на *s.* viper || **-ннча-ть** II. *vn.* to be spiteful, to be malicious || **-ный** *a.* (*fig.*) spiteful, malicious || **-ство** *s.* (*fig.*) spitefulness, malice, spite.
ещё *ad.* more, again; still; yet; ~ **бы!** what next! ~ **и** ~ **раз** over and over again.
е́ю *prn.* by her, with her.

Ж

ж. *abbr. of* **же́нский.**
жа́б/а *s.* toad; (*med.*) angina, quinsy || **-ий** *a.* toad's.
жабо́ *s. indecl.* jabot, frill.
жа́бры *s. fpl.* gills.
жа́воронок *s.* (*gsg.* -нка) lark.
жа́днича-ть II. *vn.* to be greedy, avid, covetous.
жа́дн/ость *s.f.* greediness, avarice, cupidity, covetousness || **-ый** *a.* greedy, avid, covetous, avaricious.
жа́жда *s.* thirst; avidity, intense desire.
жа́жд-ать I. *vn.* to thirst (for); (чего́) (*fig.*) to desire intensely, to pant for.
жаке́т/ *s.* coat || **-ка** *s.* (*gpl.* -ток) jacket.
жале́-ть II. *vn.* (*Pf.* по-) (о ком, о чём) to regret, to lament, to pity, to deplore || ~ *va.* to spare.
жа́л=ить & ~ся II. *vn.* (*Pf.* у-) to sting (of bees, nettles, etc.); (*fig.*) to taunt, to jeer, to jibe.
жа́лкий *a.* (*pdc.* жа́лче & жалче́е, *sup.* жалча́йший) pitiful, piteous, pitiable, deplorable; miserable, wretched; **жа́лко** it's a great pity, it's most regrettable.
жа́ло *s.* sting.
жа́лоб/а *s.* complaint || **-ный** *a.* plaintive || **-щи́к** *s.* complainant, plaintiff.
жа́лованье *s.* salary, wages *pl.*; stipend.
жа́ло+вать II. *va.* (кого́ чем, кому́ что) to grant, to bestow, to confer; (кого́) to like, to have a liking for, to favour; (к + *D.*) to visit, to call on || **~ся** *vn.* (на кого́, на что) to complain (of); to sue.
жа́лост/ь *s. f.* compassion, pity, fellow-feeling || **-ливый** *a.* compassionate, pitiful || **-ный** *a.* lamentable, pitiable.
жаль *s. f.*, ~! it's a pity, what a pity; ~ **мне его́** I'm very sorry for him.
жалюзи́ *s. indecl.* Venetian blinds *pl.*
жанда́рм *s.* gendarm.
жанр/ *s.* genre || **-и́ст** *s.* painter of genre.
жар/ *s.* [b°] heat, glow; fire; fever; (*fig.*) (рве́ние) ardour; **~-пти́ца** phoenix (in Russian fairy-tales) || **-а́** *s.* heat (in summer).
жарго́н *s.* jargon, dialect, slang.
жа́реный *a.* fried, roasted.
жа́р=ить II. *va.* (*Pf.* из-, с-) to fry; to roast; to toast; to burn, to broil (of sun).
жа́р/кий *a.* (*pdc.* жа́рче, *sup.* жарча́йший) hot; burning; violent; ~ **по́яс** the torrid zone || **-кое** (*as s.*) roast, roast meat.
жаро́вня *s.* (*gpl.* -вен) brazier; chafing-dish.
жарча́йший, жа́рче *cf.* **жа́ркий.**
жасми́н *s.* jasmin.
жа́тв/а *s.* harvest, crop || **-енный** *a.* harvest, harvesting; **-енное вре́мя** harvest-time.
жать (√жн) 34. *va.* (*Pf.* с-, по-) to mow, to cut, to reap, to harvest.
жать (√жм) 33. *va.* (*Pf.* с-, по-) to press, to squeeze; to pinch (of shoes); (*fig.*) to oppress; to press, to force back || **~ся** *vr.* to press, to crowd; (от хо́лоду) to shiver, to writhe.
жбан *s.* wooden jug or can.
жва́ч/ка *s.* chewing the cud; rumination; cud || **-ный** *a.* ruminating; for chewing; **-ное живо́тное** ruminant.
жг/ла, -ло, -ли, -у, -ут *cf.* **жечь.**
жгут *s.* [a] knotted handkerchief; (фа́кель) torch. [rosive
жгу́чий *a.* burning, hot; caustic, corrosive
ж. д. *abbr. of* **желе́зная доро́га.**
жд-ать I. [a] *va.* (*Pf.* подо-, про-) (кого́, чего́) to wait for; to expect.
же *c.* but, however; then, now; **он** ~ the very same; **ну** ~! come now!
же+ва́ть II. [a] *va.* (*Pf.* с-) to chew, to munch, to masticate.
жег *cf.* **жечь.**
жезл *s.* [a] club, mace; staff; sceptre.
жела́н/ие *s.* wish, desire || **-ный** *a.* desired, wished for.
жела́тельный *a.* desired, desirable, to be desired; **мне весьма́ -но** I should very much like.
желати́н *s.* gelatine.
жела́-ть II. *va.* (*Pf.* по-) to wish; to desire; to long for.
желва́к *s.* [a] swelling, bump, tumour.
желе́ *s. indecl.* jelly.

железá *s.* [f] (*gpl.* желёз) gland.
железúстый *a.* glandular.
желéз/ко *s.* (*gpl.* -зок) plane-iron || **–нодорóжник** *s.* railwayman || **–нодорóжный** *a.* railway; **~ путь** railway-line || **–ный** *a.* iron; **–ная дорóга** railway || **–нńк** *s.* [a] iron ore; (кирпúч) brick || **–о** *s.* iron; (*in pl.*) irons, chains, bonds.
жёлоб *s.* [b*] spout; trough; gutter, water-pipe.
желобóк *s.* (*gpl.* -бкá) *dim. of prec.*
жёлтенький *a.* yellowish, somewhat yellow.
желтé-ть II. *vn.* (*Pf.* по-) to grow, to become yellow.
желтизнá *s.* yellowness, yellow.
желт=úть I. 2. [a] *va.* (*Pf.* вы́-) to colour yellow, to dye yellow.
желто/вáтый *a.* yellowish, yellowy || **–глáзый** *a.* with yellow eyes; envious.
желт/óк *s.* [a] (*gsg.* -ткá) the yolk (of an egg) || **–ýха** *s.* jaundice || **–ýшный** *a.* jaundiced.
жёлтый *a.* yellow.
желýд/ок *s.* (*gsg.* -дка) stomach || **–очный** *a.* stomach, stomachic.
жёлудь *s. m.* acorn.
жёлчн/ость *s. f.* gall, bile; (*fig.*) bitterness, rancour || **–ый** *a.* bilious; choleric.
жёлчь *s. f.* gall, bile; choler.
жемáн=иться II. *vn.* to be affected, to behave affectedly.
жемáн/ный *a.* affected, mincing || **–ство** *s.* affectation.
жéмчуг *s. coll.* pearls *pl.*
жемчýж/ина *s.* pearl || **–ный** *a.* pearl-.
женá/ *s.* [d] wife, spouse || **–тый** *a.* married (of a man).
жен=úть II. [a & c] *va. Ipf. & Pf.* to marry (a man to a woman) || **~ся** *vr.* to get married, to marry (of a man).
женúтьба *s.* marriage; wedding.
женúх *s.* [a] bridegroom; suitor; marriageable young man.
жёнка *s.* (*gpl.* -нок) *dim. of* женá.
женоненавúстник *s.* misogynist.
жéнский *a.* woman's, lady's; female; (*gramm.*) feminine.
жéнственный *a.* womanish.
жéнщина *s.* woman, female.
жердь *s. f.* [c] pole, rod.
жéребей = жрéбий.
жеребёнок *s.* (*pl.* -бя́та, -бя́т) foal, colt, filly.
жеребéц *s.* [a] (*gsg.* -бцá) stallion.
жереб=úться II. 7. [a] *vn.* (*Pf.* о-) to foal.
жерéбчик *s.* young stallion.
жеребя́чий *a.* foal's, colt's.
жерлó *s.* [d] mouth; crater; muzzle (of a gun).
жёрнов *s.* [b] millstone.

жéртв/а *s.* sacrifice; victim || **–енник** *s.* altar || **–енный** *a.* sacrificial || **–ование** *s.* sacrificing, sacrifice.
жéртво+вать II. *va.* to sacrifice, to offer.
жертвоприношéние *s.* offering, sacrifice.
жест/ *s.* gesture, sign, motion || **–икулúро+вать** II. *vn.* to gesticulate, to motion, to make signs || **–икуля́ция** *s.* gesticulation.
жёстк/ость *s. f.* hardness, roughness, harshness || **–ий** *a.* (*pdc.* жёстче) hard; rough, harsh; tough.
жестóк/ий *a.* (*pdc.* жестóче, *sup.* жесточáйший) cruel, hard; merciless; severe || **–осéрдый** *a.* hardhearted || **–ость** *s. f.* cruelty, hardness, severity.
жесточáйший, жестóче *cf.* **жестóкий.**
жёстче *cf.* **жёсткий.**
жест/ь *s. f.* tin; tinplate || **–янúк** *s.* [a] tinman, tinsmith || **–я́нка** *s.* tin, can || **–янóй** *a.* tin, of tin.
жечь (√жг) 16. *va.* (*Pf.* с-) to burn, to consume by fire; to scorch; to sting (of nettle), to bite (of pepper) || **~ся** *vn.* to burn, to sting.
жжéние *s.* burning, smarting.
жжёнка *s.* punch (made from rum, wine and fruits).
живéй *cf.* **живóй.**
живúтельный *a.* vivifying, reviving.
жúвность *s. f.* poultry.
жúво *ad.* lively, quickly, promptly.
живодёр *s.* knacker, slaughterer.
живóй *a.* living, alive, live; (провóрный) lively, quick.
живопúс/ец *s.* (*gsg.* -сца) painter, artist || **–ность** *s. f.* picturesqueness || **–ный** *a.* picturesque; painted; **–ная картúна** painting.
жúвопись *s. f.* painting.
жúвость *s. f.* liveliness, animation, vivacity.
жив/óт *s.* [a] belly, abdomen || **–отвóрный** *a.* vivifying, life-giving || **–óтик** *s.* *dim. of* живóт || **–óтное** (*as s.*) animal, beast || **–óтный** *a.* animal || **–отрепéщущий** *a.* alive, full of life; (*fig.*) burning, vital (question).
живýчий *a.* longlived, tenacious of life.
жúвчик *s.* blink, wink; lively person.
живьём *ad.* alive, living; in a twinkling.
жид/ *s.* (*vulg.*) Jew || **–ёнок** *s.* young Jew.
жúд/енький *a.* rather liquid, thin || **–кий** *a.* (*pdc.* жúже) liquid, fluid; thin, sparse || **–кость** *s. f.* liquid, fluid.
жидóв/ка *s.* (*vulg.*) Jewess || **–ский** *a.* Jewish.
жидомóр/ *s.*, **–ка** *s.* miser, skinflint, niggardly person.

жи́жа *s.* juice, broth, gravy.
жи́же *cf.* **жи́дкий.**
жи́зн/енность *s. f.* vitality || **-енный** *a.* vital || **-еописа́ние** *s.* biography, life.
жизнь *s. f.* life; lifetime.
жи́ла *s.* vein, artery; nerve, sinew.
жиле́т/ *s., dim.* **-ка** *s.* (*gpl.* -ток) vest, waistcoat.
жиле́ц *s.* lodger.
жи́листый *a.* sinewy, muscular; fibrous.
жили́ца *s.* lodger.
жили́ще *s.* dwelling, habitation, domicile, abode.
жи́лка *dim. of* жи́ла.
жило́й *a.* habitable; inhabited; dwelling-.
жильё *s.* dwelling, abode, lodging.
жи́льный *a.* veinous.
жи́молость *s. f.* honeysuckle.
жир *s.* [b] fat, grease; **ры́бий ~** cod-liver-oil.
жира́ф *s.* giraffe.
жире́-ть II. *vn.* (*Pf.* за-) to grow, to become fat.
жи́рный *a.* fat; adipose; corpulent; (*fig.*) rich, productive.
жирово́й *a.* fat, fatty; adipose.
жите́йский *a.* worldly, earthly.
жи́тель/ *s. m.*, **-ница** *s.* inhabitant || **-ство** *s.* habitation, domicile, dwelling, abode.
житие́ *s.* life; career.
жи́т/ница *s.* granary || **-ный** *a.* corn, of corn, of grain || **-о** *s.* corn, grain.
жить 31. [a 3.] *vn.* (*Pf.* по-) to live; (пребыва́ть) to dwell; **здесь хорошо́ живётся** living is nice here.
житьё *s.* life, existence; goods *pl.*, wealth; **~-бытьё** mode of living.
жмёшь, жму *cf.* **жать.**
жму́р=ить II. *va.* to screw up, to contract (one's eyes); to blink || **~ся** *vn.* to blink.
жму́рки *s. fpl.* blind-man's-buff.
жне́йка *s.* reaping-machine.
жнец *s.* [a], **жни́ца** *s.* mower, reaper, harvester.
жоке́й *s.* jockey.
жо́па *s.* (*vulg.*) arse, buttocks.
жох *s.* cheat, rascal, rogue.
жраньё *s.* guzzling, gobbling.
жр-ать I. *va.* (*Pf.* со-) to eat greedily, to devour, to guzzle, to gobble.
жре́бий *s.* lot; (судьба́) fate, destiny; **мета́ть ~** to cast lots.
жрец *s.* [a] priest.
жре́ческий *a.* priestly, sacerdotal.
жри́ца *s.* priestess.
жу́желица *s.* gold-beetle.
жужжа́ние *s.* hum, buzz; humming, buzzing.
жужж=а́ть I. [a] *vn.* (*Pf.* за-, про-) to hum, to buzz.
жук *s.* [a] beetle.
жу́лик *s.* cheat, swindler, rogue.
жупа́н *s.* (short) warm overcoat.
журавлёнок *s. dim. of* жура́вль.
жура́вль *s. m.* [a] crane.
жур=и́ть II. [a] *va.* (*Pf.* по-) to chide, to blame, to reprove, to reprimand.
журна́л/ *s.* journal; magazine, review; day-book || **-и́ст** *s.* journalist || **-ьный** *a.* journalistic.
журфи́кс *s.* at-home.
журч=а́ть I. [a] *vn.* (*Pf.* за-) to murmur, to ripple, to purl.
жу́ткий *a.* (*pdc.* жу́тче) hard to bear, painful; **мне жу́тко** I am terrified.
жучо́к *s.* [a] (*gsg.* -чка́) *dim. of* жук.
жую́ *cf.* **жева́ть.**

З

за *prp.* for; after, behind, beyond, on the other side of; by, at; to; on account of, owing to; **о́ко ~ о́ко** an eye for an eye; **день ~' день** day after day; **~ мо́рем** beyond the sea; **е́хать ~ грани́цу** to go abroad; **шаг ~ ша́гом** step by step; **~ исключе́нием** except, with the exception of; **~ год** a year ago; **ходи́ть ~ больны́м** to tend *или* nurse a patient; **~ и про́тив** the pros and cons; **~ что?** why? **~ здоро́вье!** good health! good luck! **~ ва́ми ход** your turn now.
за- *as prefix* often used to form the Perfective Aspect or to denote the commencement of an action. For verbs compounded with за- not given here, see the simple verbs.
заба́ва *s.* amusement, diversion, pastime, fun; **в -у** *or* **для -ы** to pass the time.
забавля́-ть II. *va.* (*Pf.* [по]заба́в=ить II. 7.) (кого́ чем) to amuse, to divert, to entertain || **~ся** *vr.* to divert one's self.
заба́в/ник *s.*, **-ница** *s.* diverting *или* entertaining person || **-ный** *a.* entertaining, diverting, amusing; humorous.
забаллоти́ро+ва́ть II. [b] *va.* to blackball; not to elect (by votes).
забасто́вка *s.* (*gpl.* -вок) strike (of workmen).
забасто́выва-ть II. *va.* to strike.
забве́ние *s.* forgetfulness, oblivion.
забе́га-ть II. *vn. Pf.* to commence to run.
забега́-ть II. *vn.* (*Pf.* забежа́ть 46. [a 1.]) (к + *D.*) to drop in (for a moment), to call on; to get before, to forestall; to outrun.
забе́лива-ть II. *va.* (*Pf.* забе=ли́ть II. [a & c]) to whiten; to whitewash.

забеспоко́-иться II. *vr.* to begin to be uneasy.
забива́-ть II. *va.* (*Pf.* заби́ть 27. [a 1.]) to beat in, to drive in, to hammer in; to stuff || **~ся** *vr.* to hide.
заби́вка *s.* ramming in; plug, tow.
забира́-ть II. *va.* (*Pf.* забра́ть 8. [a 3.]) to take up, to take all; to take in advance || ~ *vn.* to catch, to bite || **~ся** *vr.* to hide away, to steal away.
заби́ть *cf.* **забива́ть.**
забия́ка *s.m.&f.* squabbler, bully, squash-buckler.
заблаго/вре́менный *a.* in good time, opportune || **–рассу́д=ить** I. 1. *va.* to think fit.
заблесте́ть *cf.* **блесте́ть.**
заблиста́ть *cf.* **блиста́ть.**
заблу́дший(-ся) *a.* lost, stray, astray.
заблужда́-ться II. *vn.* (*Pf.* заблуд=и́ться I. 1. [a & c]) to lose one's way, to go astray; to err; **вы жесто́ко заблужда́етесь** you are making a huge mistake.
заблужде́ние *s.* error, mistake, delusion.
забо́йка *s.* (*gpl.* -бо́ек) (fish-)weir.
заболева́-ть II. *vn.* (*Pf.* заболе́-ть II.) to fall ill.
забо́р/ *s.* fence, enclosure; borrowing, taking on credit || **–истый** *a.* tenacious; cavilling, quibbling; strong (of tobacco, drink); interesting || **–ный** *a.*, **–ная кни́га** account-book, passbook.
забо́та *s.* care, anxiety, trouble, solicitude.
забо́т=иться I. 2. *vr.* to care, to be solicitous, to be troubled about.
забо́тливый *a.* solicitous, careful, anxious.
забрако́вывать *cf.* **бракова́ть.**
забра́ло *s.* (*sl.*) visor (of helmet).
забра́сыва-ть II. *va.* (*Pf.* забро́с=ить I. 3.) to throw out (сеть, я́корь); to reject; to neglect; (*Pf.* заброса́-ть II.) to throw at; to load, to heap, to overwhelm (with).
забра́ть *cf.* **забира́ть.**
забреда́-ть II. *vn.* (*Pf.* забрести́ & забре́сть 22. [a 2.]) to lose, to miss one's way, to go astray.
забрива́-ть II. *va.* (*Pf.* забри́ть 30. [b]) to earn by shaving; ~ (кого́), ~ (кому́) лоб to recruit, to enlist as a recruit.
заброса́ть, забро́сить *cf.* **забра́сывать.**
забры́згивать *cf.* **бры́згать.**
забубённый *a.* dissolute.
забулды́/га *s. m.&f.* (*vulg.*) dissolute person || **–жный** *a.* dissolute.
забыва́-ть II. *va.* (*Pf.* забы́ть 49.) to forget || **~ся** *vr.* to forget o.s.; to be forgetful; to drop off to sleep, to fall asleep.
забы́вчивый *a.* forgetful.
за/бытьё *s.* & **´быть** *s. f.* slumber; faint, swoon; **в –ьи́** unconscious, in a swoon.
за/бы́ть(-ся) *cf.* **–бывáть.**
зава́л *s.* stoppage; obstruction.
за́валь *s. f. coll.* old goods *pl.*
зава́лива-ть II. *va.* (*Pf.* завал=и́ть II. [a & c]) to fill up, to choke up; (кого́ чем) to overload || **~ся** *vr.* to lie down; *vn.* to get lost, to be lost; to slope, to dip.
заваля́-ть II. *va.* to soil by tossing about || **~ся** *vn.* to get dirtied (of clothes); to be long in stock, to get spoiled by lying (of goods).
зава́рива-ть II. *va.* (*Pf.* завар=и́ть II. [a & c]) to boil; to brew (tea); ~ **ка́шу** (*fig.*) to make a mess of a thing.
заведе́ние *s.* institution; office, shop; custom, usage.
заведу́ *cf.* **заводи́ть.**
заве́довать *cf.* **заве́дывать.**
заве́д/омо *ad.* consciously, knowingly || **–ующий** *s.* manager || **–ывание** *s.* administration, management || **–ыва-ть** II. *vn.* (+ *I.*) to manage.
завезти́, завезу́ *cf.* **завози́ть.**
завербова́ть *cf.* **вербова́ть.**
завере́ние *s.* assurance.
заве́рить *cf.* **заверя́ть.**
завёртка *s.* (*gpl.* -ток) packing up, package; screwdriver; (window-)fastener.
завёртыва-ть II. *va.* (*Pf.* заверн-у́ть I. [a]) to wrap up, to pack; to screw, to fasten (with a screw) || ~ *vn.* (к + *D.*) to put up (at), to visit.
заверша́-ть II. *va.* (*Pf.* заверш=и́ть I. [a]) to end, to finish, to complete.
заверше́ние *s.* completion, (act of) finishing.
заверя́-ть II. *va.* (*Pf.* заве́р=ить II.) (кого́ в чём) to assure, to ensure.
заве́са *s.* curtain; (*fig.*) veil, cloak (pretence).
заве́сить *cf.* **заве́шивать.**
завести́ *cf.* **заводи́ть.**
заве́т/ *s.* will, testament; (*bib.*) covenant; **ве́тхий, но́вый ~** the Old, New Testament || **–ный** *a.* testamentary; sacred, solemn; inviolable.
заве́шива-ть II. *va.* (*Pf.* заве́с=ить I. 3.) to hang a curtain before, to screen (with a curtain).
завещ/а́ние *s.* (last) will, testament || **–а́тель** *s. m.* testator || **–а́тельница** *s.* testatrix || **–а́тельный** *a.* testamentary.
завеща́-ть II. *va. Ipf.* & *Pf.* to will, to bequeath.
завзя́тый *a.* obstinate; outspoken; fanatical.

завива́-ть II. *va.* (*Pf.* зави́ть 27. [a 3.]) to wind up; to curl (the hair), to wave.
зави́вка *s.* (*gpl.* -вок) curling, waving, hair-dressing.
зави́дный *a.* enviable.
зави́до+вать II. *vn.* (*Pf.* по-) (кому́ в чём) to envy, to be envious of, to be jealous of.
завиду́щий *a.* jealous, envious.
завизжа́ть *cf.* **визжа́ть.**
зави́нчива-ть II. *va.* (*Pf.* завинт=и́ть I. 2. [a]) to screw fast.
завира́льный *a.* absurd, foolish; nonsensical.
завира́-ться II. *vn.* (*Pf.* завр-а́ться I.) to talk nonsense.
зави́с=еть I. 3. *vn.* (от кого́, чего́) to depend on, to be dependent on.
зави́с/имость *s. f.* dependence || **–имый** *a.* dependent.
зави́ст/ливый *a.* envious, jealous || **–ник** *s.*, **–ница** *s.* envious, jealous person.
за́висть *s. f.* envy, jealousy, grudging.
зави́т/ый & **–то́й** *a.* curly, crisp, frizzled || **–о́к** *s.* [a] (*gsg.* -тка́) & **–у́шка** *s.* (*gpl.* -шек) curl-paper; spiral, scroll, volute.
зави́ть *cf.* **завива́ть.**
завладева́-ть II. *vn.* (*Pf.* завладе́-ть II.) (+ *I.*) to seize, to take possession of.
завлека́тельный *a.* alluring, enticing.
завлека́-ть II. *va.* (*Pf.* завле́чь 18. [a 2.]) to allure, to entice.
заво́д *s.* factory, mill; works *pl.*; **ко́нский** ~ stud; **кирпи́чный** ~ brick-yard.
завод=и́ть I. 1. [c 1.] *va.* (*Pf.* завести́ & заве́сть 22. [a 2.]) to lead, to bring in; to introduce (a custom); to establish, to found; to set up, to start (a conversation); to wind up (a watch) || **~ся** *vr.* (чем) to provide o.s. (with); to take up one's quarters, to settle in.
заво́д/ский *a.* factory- || **–чик** *s.*, **–чица** *s.* manufacturer, mill-owner.
завоев/а́ние *s.* conquest || **–а́тель** *s. m.* conqueror.
завоёвыва-ть II. *va.* (*Pf.* завое+ва́ть II. [b]) to conquer.
завоз=и́ть I. 1. [c 1.] *va.* (*Pf.* завезти́ 25. [a 2.]) to convey, to drive to || **~ся** *vn.* (*only in Ipf.*) to bustle about, to be restless.
завола́кива-ть II. *va.* (*Pf.* заволо́чь 18.) to carry away || ~ *v.imp.* (+ *A.*) to heal up (of a wound); to become overcast (of the sky).
завора́чива-ть II. *va.* (*Pf.* заворот=и́ть I. 2. [c 1.]) to turn up, to tuck up; (к кому́-либо) to call on (a person); to put up at (an inn).
заворо́т *s.* turning round, turn; cuff.
завра́ться *cf.* **завира́ться.**
завсегда́/ *ad.* always, ever || **–тай** *s.* constant frequenter, habitué.
за́втра/ *ad.* to-morrow || **–к** *s.* breakfast, lunch(eon); (*in pl. fig.*) empty promises || **–ка-ть** II. *vn.* (*Pf.* по-) to breakfast, to lunch || **–шний** *a.* to-morrow's.
завыва́-ть II. *vn.* (*Pf.* завы́ть 28.) (to commence) to howl, to moan.
завяда́-ть II. *vn.* (*Pf.* завя́н-уть I.) to fade, to wither.
завяза́-ть II. *vn.* (*Pf.* завя́знуть 52.) to stick fast in; to sink in; to stay a long time; (*fig.*) to drudge away (in an obscure position).
завя́зка *s.* (*gpl.* -зок) tie, band, string; plot (of a drama).
завя́зыва-ть II. *va.* (*Pf.* завяз-а́ть I. 1. [c 1.]) to tie, to bind, to knot; to enter upon, to start, to begin (a conversation, etc.) || **~ся** *vn.* to arise.
завя́лый *a.* faded, withered.
завя́нуть *cf.* **завяда́ть.**
загада́ть *cf.* **зага́дывать.**
зага́дить *cf.* **зага́живать.**
зага́дка *s.* (*gpl.* -док) riddle, enigma.
зага́дочный *a.* enigmatic.
зага́дыва-ть II. *va.* (*Pf.* загада́-ть II.) to propose a riddle; (о чём) to conjecture; to imagine, to guess; to tell fortunes.
зага́жива-ть II. *va.* (*Pf.* зага́д=ить I. 1.) to soil, to dirty.
зага́р *s.* sunburn, tanning (of the skin).
загаса́-ть II. *vn.* (*Pf.* зага́снуть 52.) to go out, to be quenched; (*fig.*) to disappear; to die away.
загаша́-ть II. *va.* (*Pf.* загас=и́ть I. 3. [c 1.]) to put out, to quench, to extinguish (fire); to slake (lime).
загво́здка *s.* (*gpl.* -док) nail (for spiking); (*fig.*) a strong blow; embarrassment, difficulty.
заги́б *s.* bend, fold; dog's-ear (in a book).
загиба́-ть II. *va.* (*Pf.* загн-у́ть [γгб] I.) to bend, to fold (down, back).
загла́в/ие *s.* title (of a book) || **–ный** *a.* title-, initial.
загла́жива-ть II. *va.* (*Pf.* загла́д=ить I. 1.) to make smooth, even; (*fig.*) to make good, to expiate.
заглаза́ *ad.* in abundance; more than enough; behind one's back.
загла́зный *a.* behind one's back.
загло́хлый *a.* choked up, run wild.
заглуша́ть *cf.* **глуши́ть.**
загляде́нье *s.* a feast for the eyes.

загля́дыва-ть II. *vn.* (*Pf.* заглян-у́ть I. [c 1.]) to look in; to steal a glance at; (к кому́) to call on (for a moment) || **~ся** *vn.* (*Pf.* загляд=е́ться I. 1. [a 1.]) (на кого́, на что) to feast one's eyes on, to stare at.
загна́ть *cf.* **загоня́ть.**
загну́ть *cf.* **загиба́ть & гнуть.**
загова́рива-ть II. *vn.* (*Pf.* заговор=и́ть II. [a]) to begin a conversation with || **~** *va.* to charm away; to tire a person by one's talk || **~ся** *vn.* to talk away, to talk idly.
заговля́-ться II. *vn.* (*Pf.* загове́-ться II.) to eat meat for the last time before the fast.
за́гово́р/ *s.* plot, conspiracy; charm, conjuration || **-и́ть** *cf.* **загова́ривать** || **-щик** *s.*, **-щица** *s.* conspirator; charmer.
загове́ться *cf.* **заговля́ться.**
заголо́вок *s.* (*gsg.* -вка) title, heading, superscription.
заго́н/ *s.* driving in (of cattle); enclosure (for cattle); pen; (*fig.*) persecution, oppression || **-щик** *s.* cattle-driver; forerunner; beater.
загоня́-ть II. *va.* (*Pf.* загнать 11. [c 3.]) to drive in (cattle), to beat (game).
загора́жива-ть II. *va.* (*Pf.* загород=и́ть I. 1. [a & c 1.]) to enclose, to fence in; to stop up, to block up; to obstruct, to hinder.
загора́-ть II. *vn.* (*Pf.* загор=е́ть II. [a 1.]) to be sunburnt, to be tanned (by the sun) || **~ся** *vn.* to catch fire; (*fig.*) to kindle, to break out.
загоре́лый *a.* sunburnt, tanned.
загороди́ть *cf.* **загора́живать.**
загоро́дка *s.* (*gpl.* -док) fence, partition.
за́городный *a.* outside the town, in the suburbs, suburban.
загота́влива-ть II. & **заготовля́-ть** II. *va.* (*Pf.* загото́в=ить II. 7.) to provide, to supply; to store, to stock.
загото́в/ка *s.* (*gpl.* -вок) & **-ле́ние** *s.* storing, stocking, providing.
загражда́-ть II. *va.* (*Pf.* заград=и́ть I. 1. & 5. [a 1.]) to obstruct, to block, to stop up.
загражде́ние *s.* obstructing; blocking.
загранйчный *a.* beyond the frontier; foreign; abroad.
загреба́-ть II. *va.* (*Pf.* загрести́ & загре́сть 21. [a 2.]) to rake, to scrape together; **~ жар** (*fig.*) to appropriate, to take possession of || **~** *vn.* to commence to row.
загри́вок *s.* (*gsg.* -вка) withers *pl.* (of a horse); nape of the neck.
загро́бный *a.* beyond the grave.
загроможда́-ть II. *va.* (*Pf.* загромозд=и́ть I. 1. [a]) to obstruct, to encumber, to barricade.
загроможде́ние *s.* obstruction.
загрубе́лый *a.* hardened; inveterate.
загрыза́-ть II. *va.* (*Pf.* загры́з-ть I. [a]) to bite, to worry (to death).
загрязня́-ть II. *va.* (*Pf.* загрязн=и́ть II. [a 1.]) to dirty, to soil, to besmirch.
загубля́-ть II. *va.* (*Pf.* загуб=и́ть II. 7. [c 1.]) to kill, to destroy.
зад/ *s.* [b] back part, hind part; hind quarters (of an animal); (*in pl.*) the past; **~ дере́вни** backyard (in villages) || **´-ом** *ad.* backwards, backward.
зада́брива-ть II., **задо́брива-ть** II. & **задобря́-ть** II. *va.* (*Pf.* задо́бр=ить II.) to try to gain over, to seek to win a person's favour.
задава́ть 39. *va.* (*Pf.* зада́ть 38. [a 3.]) to give; (вопро́с) to set, to propose; to state; to advance, to pay on account.
зада́влива-ть II. *va.* (*Pf.* задав=и́ть II. 7. [c]) to crush (to death); to choke, to throttle.
зада́ром *ad.* dirt-cheap; in vain.
зада́т/ок *s.* (*gsg.* -тка) earnest-money || **-очный** *a.* of earnest-money.
зада́ть *cf.* **задава́ть.**
зада́ч/а *s.*, *dim.* **-ка** *s.* (*gpl.* -чек) task, exercise; problem; (*fam.*) good luck.
задви́ж/ка *s.* (*gpl.* -жек), *dim.* **-ечка** *s.* (*gpl.* -чек) bolt, bar || **-но́й** *a.* that can be drawn out and shut.
задво́р/ный *a.* in *or* of the backyard, backyard- || **-ок** *s.* (*gsg.* -рка) & **-ье** *s.* backyard.
задева́-ть II. *va.* (*Pf.* заде́ть 32.) (за что) to catch hold of, to hook; to graze; (кого́) to vex, to provoke.
заде́льный *a.* piece-.
задёргива-ть II. *va.* (*Pf.* задёрн-уть [√дерг] I.) to draw a curtain over; to pull the reins (of a horse) || **~** *v.imp.* to be overcast.
задержа́ние *s.* detention; confinement; (*mus.*) suspension.
заде́ржива-ть II. *va.* (*Pf.* задерж=а́ть I. [c 1.]) to detain, to stop, to arrest; to lay an embargo on; to sequestrate.
заде́ржка *s.* (*gpl.* -жек) detention, stoppage; check, delay; **без -и** immediately.
задёрнуть *cf.* **задёргивать.**
заде́ть *cf.* **задева́ть.**

за́/дешево & **-дёшево** *ad.* very cheaply.
зади́нка *s.* (*gpl.* -нок) hind-quarters (of an animal).
задир/а & **-а́ла** *s. m&f.* quarrelsome person.
задира́-ть II. *va.* (*Pf.* задра́ть 8. [a 3.]) to begin to tear, to scratch; (*fig.*) to provoke, to tease, to pick a quarrel with; ~ **нос** to give o.s. airs.
задир/ный & **-чивый** *a.* quarrelsome, aggressive.
за́дн/ий *a.* hind-, hinder, back, posterior, rear || **-ик** *s.* dickey (of a carriage); quarter (of a shoe) || **-ица** *s.* posteriors, backside.
задо́бри(ва)ть *cf.* **зада́бривать.**
задо́к *s.* [a] (*gsg.* -дка́) back (of seats).
за́до́лго *ad.* long before.
задолжа́лый *a.* in debt, indebted.
за́дом *ad.* behind; backwards.
задо́р/ *s.* passion, heat; strife; rivalry || **-ина** *s.* scratch; crack, flaw || **-ливый** & **-ный** *a.* irritable, passionate.
за́дор/ого *ad.* very dear (of price) || **-о́жный** *a.* over the way, on the other side of the road.
задохну́ться *cf.* **задыха́ться.**
задра́ть *cf.* **задира́ть.**
задува́-ть II. *vn.* (*Pf.* заду́-ть II.) to begin to blow || ~ *va.* to blow out (a light).
заду́м/ать *cf.* **заду́мывать** || **-чивый** *a.* pensive, thoughtful; melancholy || **-ыва-ть** II. *va.* (*Pf.* заду́ма-ть II.) to propose, to intend; to plan; to think of, to imagine || ~**ся** *vn.* to be thoughtful, to muse.
заду́ть *cf.* **задува́ть.**
задуш/е́вный *a.* cordial, hearty; intimate || **-е́ние** *s.* suffocation, choking, strangling || **-и́ть** *cf.* **души́ть.**
за́дхлый *a.* musty, fusty, close.
задыха́-ться II. *vn.* (*Pf.* задохну́ться 52. [a 1.]) to be out of breath; to choke, to smother, to suffocate.
заеда́-ть II. *va.* (*Pf.* зае́сть 42.) to worry, to devour; to eat after drinking; to appropriate.
зае́зд *s.* riding *or* driving up.
заезжа́-ть II. *vn.* (*Pf.* зае́хать 45.) to go beyond; to go astray; to call in driving past.
зае́зжива-ть II. *va.* (*Pf.* зае́зд=ить I. 1.) to tire out (a horse).
зае́зжий *a.* foreign || ~ (*as s.*) stranger, new-comer.
за́ек *cf.* **за́йка.**
заём/ *s.* [& a] (*gsg.* займа́ & заёма, *pl.* займы́ & за́ймы) loan; **взять, брать в** ~ to borrow; **дава́ть, дать в** ~ to lend || **-ный** *a.* loan-, borrowed || **-щик** *s.* borrower.

зае́сть *cf.* **заеда́ть.**
зае́хать *cf.* **заезжа́ть.**
зажа́рива-ть II. *va.* (*Pf.* зажа́р=ить II.) to broil, to roast, to fry.
зажа́ть *cf.* **зажима́ть.**
зажгу́, зажёчь *cf.* **зажига́ть.**
зажива́-ть II. *vn.* (*Pf.* зажи́ть 31. [a 4.]) to heal up, to close (of a wound) || ~ *va.* to work off (a debt) || ~**ся** *vn.* to remain a long time.
заживле́ние *s.* healing (of a wound).
за́живо *a.* during one's life, while alive.
зажиг/а́лка *s.* (*gpl.* -лок) lighter || **-а́тель** *s.m.* incendiary || **-а́тельный** *a.* burning-, catching fire || **-а́-ть** II. *va.* (*Pf.* зажёчь 16.) to light, to set on fire, to set fire to; (*fig.*) to kindle || ~**ся** *vn.* to catch fire, to kindle.
зажи́лива-ть II. *va.* to swindle.
зажима́-ть II. *va.* (*Pf.* зажа́ть 33.) to press, to squeeze; ~ (кому́) **рот** (*fig.*) to stop a person's mouth.
зажи́т/ок *s.* (*gsg.* -тка) wages *pl.*, earnings *pl.* || **-очный** *a.* wealthy, well-to-do, well-off || **-ь** *cf.* **зажива́ть.**
зажму́ривать *cf.* **жму́рить.**
зазва́ть *cf.* **зазыва́ть.**
заздра́вный *a.* toast-, to the health of (toast, prayer, etc.).
зазёвыва-ться II. *vr.* (*Pf.* зазева́-ться II.) to stare, to gape, to keep gaping at.
зазнава́ться 39. [a] *vn.* (*Pf.* зазна́-ться II.) to be self-conceited; to carry one's head (too) high.
зазно́б/ & **-а** *s.* chilblain; (*fig.*) passion, (*vulg.*) object of passion || **-ушка** *s.* (*gpl.* -шек) = **зазно́б.**
зазову́ *cf.* **зазыва́ть.**
зазо́р/ *s.* shame, disgrace; chink, space || **-ный** *a.* shameful, disgraceful.
зазре́ние *s.* blame, reproach.
зазу́брива-ть II. *va.* (*Pf.* зазу́бр=ить II. [a & b]) to notch, to serrate; to cram (learning).
зазу́брина *s.* notch, indentation.
зазыва́-ть II. *va.* (*Pf.* зазва́ть 10. [a 3.]) to call in; to invite.
зазя́блый *a.* damaged by frost.
заи́грыва-ть II. *va.* (*Pf.* заигра́-ть II.) (to begin) to play; to beat (at play) || ~ *vn.* to begin to joke with.
заи́к/а *s. m&f.* stammerer, stutterer || **-а́ние** *s.* stammering, stuttering || **-а́-ться** II. *vn.* (*Pf.* -н-у́ться I. [a]) to stammer, to stutter; **не** ~ not to utter a word.
за́имка *s.* (*gpl.* -мок) taking possession; parcel of land.

заимо/да́вец *s.* (*gsg.* -вца), **–да́вица** *s.* creditor || **–обра́зный** *a.* on loan, on credit.

займство+вать II. *va.* (*Pf.* по-) to borrow.

за́инька *s.* (*gpl.* -нек) little hare.

заи́скива-ть II. *vn.* (*Pf.* заиск-а́ть I. 4. [c]) (у кого́) to curry favour with.

за́йка *s.* (*gpl.* за́ек) small hare.

зайти́ *cf.* **заходи́ть.**

займа́ *cf.* **заём.**

за́йца *cf.* **за́яц.**

зайчёнок *s.* (*pl.* -ча́та) young hare, leveret.

за́йч/ик *s.* small hare || **–и́ха** *s.* (female) hare.

закабаля́-ть II. *va.* (*Pf.* закабал=и́ть II. [a]) to enslave.

закады́чный *a.* bosom-, intimate.

зака́з/ *s.* prohibition; order, command || **–но́й** *a.* ordered, bespoken; **–но́е (письмо́)** registered letter || **–чик** *s*, **–чица** *s.* one who orders || **–ыва-ть** II. *va.* (*Pf.* заказ-а́ть I. 1. [c]) to forbid; to prohibit; to order, to bespeak.

зака́нива-ться II. *vc.* (*Pf.* зака́-яться II.) to forswear, to renounce; to vow not to.

зака́л *s.* temper; tempering, hardening; (*fig.*) kind, stamp.

зака́лива-ть II. *va.* & **закаля́-ть** II. *va.* (*Pf.* закал=и́ть II. [a]) to temper (steel).

зака́лыва-ть II. *va.* (*Pf.* закол-о́ть II. [c]) to stab; to slay, to slaughter.

закамене́лый *a.* petrified, hardened; (*fig.*) stubborn, obstinate.

зака́нчива-ть II. *va.* (*Pf.* зако́нч=ить I.) to finish, to complete.

зака́пыва-ть II. *va.* (*Pf.* закопа́-ть II.) to bury, to inter; to fill up (with earth).

зака́т *s.* setting (of stars).

зака́тыва-ть II. *va.* (*Pf.* закат=и́ть I. 2. [a & c], *mom.* закатн-у́ть I. [a]) to roll (a cask); to roll (the eyes); to strike up, to commence (a song) || **~ся** *vr.* to set (of the sun); to disappear; **~ от сме́ха** to burst one's sides with laughing; (*Pf.* заката́-ть II.) to roll smooth, to mangle; to give a sound thrashing to.

зака́яться *cf.* **зака́иваться.**

закв/а́ска *s.* (*gpl.* -сок) ferment, leaven, yeast; (*fig.*) kind, sort || **–а́шива-ть** II. *va.* (*Pf.* -а́с=ить I. 3.) to leaven.

заки́дыва-ть II. *va.* (*Pf.* закида́-ть II.) **~ вопро́сами** to overwhelm; to fill up; (*Pf.* заки́н-уть I.) to throw behind; to throw, to cast (a net); to drop (a remark); to neglect.

закипа́ть *cf.* **кипе́ть.**

закиса́-ть II. *vn.* (*Pf.* заки́снуть 52.) (to begin) to turn sour.

за́кись *s.f.* acid, acidity.

закла́д/ *s.* pledge, pawn, mortgage; bet, stake, wager; **би́ться об ~** to wager, to bet || **–ка** *s.* (*gpl.* -док) laying of foundation-stone; walling up, walled-up place; pledging; putting horses to; book-mark || **–но́й** *a.* pledged, pawned || **–на́я** (*as s.*) mortgage || **–чик** *s.* pawner; mortgager || **–ыва-ть** II. *va.* (*Pf.* залож=и́ть I. [c]) to lay the foundation-stone; to pledge, to pawn; to mortgage; to wall up; to mislay; to put (horses) to || **~** *v.imp.* to be stopped up; **нос заложи́ло** my nose is stopped up; **у меня́ у́ши заложи́ло** my ears are stopped up.

закле́ива-ть II. *va.* (*Pf.* закле=и́ть II.) to paste up.

закле́йка *s.* (*gpl.* -е́ек) pasting up; place glued up.

заклёп/ & **–а** *s.* rivet || **–ка** *s.* (*gpl.* -пок) rivet; riveting || **–ывать** *cf.* **клепа́ть.**

заклин/а́ние *s.* conjuration; exorcism || **–а́тель** *s. m.*, **–а́тельница** *s.* conjurer, exorcist || **–а́тельный** conjuring, exorcising || **–а́-ть** II. *va.* (*Pf.* закля́сть 36.) to conjure, to exorcise.

заключ/а́-ть II. *va.* (*Pf.* заключ=и́ть I. [a]) to inclose, to shut in; to conclude; to deduce, to infer; **~ в себе́** to contain, to comprise || **~ся** *vn.* (в+*Pr.*) to consist (of) || **–е́ние** *s.* confinement, seclusion; conclusion; inference, deduction; **в ~** finally, in conclusion, after all, on the whole || **–и́тельный** *a.* conclusive.

закля́/сть *cf.* **заклина́ть** || **–тие** *s.* swearing; exorcism || **–тый** *a.* sworn.

зако́выва-ть II. *va.* (*Pf.* зако+ва́ть II. [a]) to put in irons; to rivet.

закову́чка *s.* (*gpl.* -чек) (*fig.*) hindrance; (*in pl.*) inverted commas.

заколдо́выва-ть II. *va.* (*Pf.* заколдо+ва́ть II. [b]) to bewitch, to enchant.

заколо́ть *cf.* **зака́лывать.**

зако́н/ *s.* law; **~ Бо́жий** the law of God; religious instruction || **–ник** *s.* lawyer, one versed in law || **–норождённый** *a.* legitimate (of children) || **–ность** *s. f.* legality, lawfulness || **–ный** *a.* legal, lawful, legitimate.

законо/ве́д *s.* jurist || **–ве́дение** *s.* jurisprudence || **–да́тель** *s. m.* legislator, law-giver || **–да́тельный** *a.* legislative || **–ме́рный** *a.* legal, legitimate || **–прое́кт** *s.* draft (of a law) || **–учи́тель** *s. m.* religious instructor.

законтракт/о́выва-ть II. *va.* (*Pf.* -о+ва́ть II. [b]) to contract.

за/ко́нчить *cf.* **-ка́нчивать** || **-копа́ть** *cf.* **-ка́пывать** || **-копти́ть** *cf.* **копти́ть** || **-копте́лый** *a.* blackened with smoke || **-корене́лый** *a.* inveterate || **-корене́-ть** II. *vn. Pf.* to take root.
закор/ю́ка *s.* & **-ю́чка** *s.* (*gpl.* -чек) crook, hook; (*fig.*) hitch, difficulty.
закосн/е́лый *a.* hardened, obdurate; (*fig.*) deepseated || **-е́ть** *cf.* **косне́ть.**
закостене́лый *a.* hardened, ossified; stiff.
закоу́лок *s.* (*gsg.* -лка) crooked lane; blind alley; (*in pl.*) roundabout ways, subterfuges.
закочене́лый *a.* stiff, benumbed, numb, frozen, chilled.
закра́дыва-ться II. *vr.* (*Pf.* закра́сться 22. [a 1.]) to slink in, to sneak in.
закра́/й & **-ина** *s.* border, edge, margin.
закра́шива-ть II. *va.* (*Pf.* закра́с=ить I. 3.) to paint; (*fig.*) to gloss over, to disguise the faults of.
закрепля́-ть II. *va.* (*Pf.* закреп=и́ть II. 7. [a]) to fasten, to strengthen; to ratify, to consolidate.
закро́й/ *s.* cut || **-щик** *s.*, **-щица** *s.* cutter. [oat-chest.
за́кром *s.* [& b] (*pl.* -ы & -а́) corn-bin,
закругля́-ть II. *va.* (*Pf.* закругл=и́ть II. [a]) to round off.
закружи́ть *cf.* **кружи́ть.**
закрыва́-ть II. *va.* (*Pf.* закры́ть 28.) to cover, to shut, to close; to conceal, to hide. [covering up.
закры́/в & **-тие** *s.* closing, shutting,
закупа́-ть II. *va.* (*Pf.* закуп=и́ть II. 7. [c]) to buy up, to purchase; (*fig.*) to bribe.
заку́п/ & **-ка** *s.* (*gpl.* -пок) purchase || **-но́й** *a.* bought, purchased.
заку́порива-ть II. *va.* (*Pf.* заку́пор=ить II.) to cork, to stopper (up). [chaser.
заку́п/щи́к *s.*, **-щи́ца** *s.* buyer, pur-
заку́рива-ть II. *va.* (*Pf.* закур=и́ть II. [a & c]) to begin to smoke; to light (a pipe, a cigar); to fill with smoke.
заку́ска *s.* (*gpl.* -сок) bit, snack; side-dish, relish; dessert; lunch(eon).
заку́сыва-ть II. *va.* (*Pf.* закус=и́ть I. 3. [c]) to take a bit, a snack; (чем) to eat something after; to bite at.
зал/ & **-́а** *s.* hall. [chest, trunk.
зала́вок *s.* (*gsg.* -вка) locker; counter;
за/ла́жива-ть II. *va.* (*Pf.* -ла́д=ить I. 1.) to stop, to block (up); to keep on repeating.
зала́мыва-ть II. *va.* (*Pf.* залом=и́ть II. 7. [c] & залома́-ть II.) to begin to break; to overcharge.

залега́-ть II. *vn.* (*Pf.* зале́чь 43.) to lie down behind; to hide o.s.; to be stopped up. [time.
залежа́лый *a.* spoiled by lying a long
залёжива-ться II. *vn.* (*Pf.* залеж=а́ться I. [a]) to lie a long time; to be spoiled by lying a long time.
за́лежь *s. f.* goods which have been lying a long time; (*min.*) bed, seam.
залеза́-ть II. *vn.* (*Pf.* зале́зть 25.) to climb in, up; to steal in.
зале́плива-ть II. & **залепля́-ть** II. *va.* (*Pf.* залеп=и́ть II. 7. [c]) to paste up.
залётный *a.*, **-ная пти́ца** bird of passage.
зале́чива-ть II. *va.* (*Pf.* залеч=и́ть I. [c]) to heal up; to kill a patient by unskilful treatment.
зале́чь *cf.* **залега́ть.**
за/ли́в *s.* gulf, bay || **-лива́-ть** II. *va.* (*Pf.* -ли́ть 27.) to pour over; to wet; to to pour upon, to overflow; to fill up (with tin); to flood, to inundate; to extinguish, to quench (a fire-brand) || **~ся** *vr.* to wet o.s.; **~ слеза́ми, сме́хом** to burst out into || **-ливно́й** *a.* overflown, inundated; for extinguishing || **-лихва́тский** *a.* bold and daring.
за́ло *cf.* **зал.**
зало́г/ *s.* pledge, pawn, mortgage; security; (*gramm.*) voice (of verbs) || **-ода́тель** *s. m.* pledger, mortgager || **-ово́й** & **-овый** *a.* pledge-, mortgage-.
заложи́ть *cf.* **закла́дывать.**
за/ло́жник *s.* hostage || **-ломи́ть** *cf.* **-ла́мывать.**
залп *s.* discharge, volley; salvo; **вы́пить -́ом** to drink off (at one draught).
за/луча́-ть II. *va.* (*Pf.* -луч=и́ть I. [c]) to entice, to decoy.
за́льный *a.* hall-.
зама́з/ка *s.* (*gpl.* -зок) cement; putty || **-ыва-ть** II. *va.* (*Pf.* зама́з-ать I. 1.) to cement; to smear; to bedaub.
зама́лчива-ть II. *vn.* (*Pf.* замолч=а́ть I. [a]) to cease (with singing, brawling, etc.); to grow dumb.
зама́н/ива-ть II. *va.* (*Pf.* заман=и́ть II. [c]) to allure, to entice; to inveigle || **-ка** *s.* (*gpl.* -нок) lure; enticement, decoy; bait || **-чивый** *a.* alluring, enticing; tempting.
замара́/ха *s.*, *dim.* **-шка** *s. m&f.* (*gpl.* -шек) sloven, slut, slovenly person.
зама́рыва-ть II. *va.* (*Pf.* замара́-ть II.) to dirty, to soil, to besmear; to besmirch; (*fig.*) to calumniate.

замасливa-ть II. *va.* (*Pf.* замасл=ить II.) to dirty with oil or butter; (*fig.*) to bribe.
заматыва-ть II. *va.* (*Pf.* замота-ть II.) to wind up; to spool || **~** *vn.* to get lavish.
замахать *cf.* **махать.**
замаш/истый *a.* going far back (in one's narration); (*fig.*) enterprising, high-sounding || **–ка** *s.* (*gpl.* -шек) habit, way, manner; trick.
замащива-ть II. *va.* (*Pf.* замост=ить I. 4. [a]) to pave.
замедление *s.* delay, tarrying.
замедля-ть II. *vn.* (*Pf.* замедл=ить II.) to delay, to linger, to tarry || **~** *va.* to delay, to prolong; to moderate (one's pace).
замелька-ть II. *vn.* to begin to twinkle.
замен/ & **–а** *s.* compensation, equivalent, substitute || **–имый** *a.* reparable, retrievable || **–я-ть** II. *va.* (*Pf.* замен=ить II. [a & c]) (что чем) to substitute, to replace; to compensate.
замереть *cf.* **замирать.**
замерз/ание *s.* freezing, congelation; **точка –ания** freezing-point || **–а-ть** II. *vn.* (*Pf.* замёрзнуть 52.) to congeal, to freeze.
замёрзлый *a.* congealed, frozen.
замерт/во *ad.* senseless; as dead, for dead || **–велый** *a.* benumbed, numb.
заме/сти, –сть *cf.* **–тать** || **–ститель** *s. m.* substitute || **–стить** *cf.* **–щать.**
заместо *ad.* (+ *G.*) instead of.
замёт *s.* casting; snow-drift; bolt (on doors).
замета-ть II. *va.* (*Pf.* замести & заместь 23.) to sweep up; to drift, to blow up.
замет/ать, –нуть *cf.* **замётывать.**
замётыва-ть II. *va.* (*Pf.* замета-ть II. & замет=ать I. 2. [c]) to cover, to fill up (a ditch); (*Pf.* заметн-уть I.) to cast (a net); to tack up.
заметить *cf.* **замечать.**
замет/, *dim.* **–ка** *s.* (*gpl.* -ток) mark, token, sign; note || **–ливый** *a.* attentive || **–ный** *a.* visible; perceptible.
замеч/ание *s.* remark, notice; reprimand || **–ательный** *a.* remarkable; noticeable; signal, striking || **–а-ть** II. *va.* (*Pf.* замет=ить I. 2.) to mark, to note down; to notice, to observe; to perceive || **–та-ться** II. *vn. Pf.* to begin to fancy; to be lost in thought.
замешательство *s.* confusion; perplexity.
замешива-ть II. *va.* (*Pf.* замеша-ть II.) to confound; to perplex, to confuse.
замеш/кива-ть II. *vn.* (*Pf.* -ка-ть II.) (чем) to delay, to tarry, to linger.
замеща-ть II. *va.* (*Pf.* замест=ить I. 4. [a]) to replace, to substitute, to supersede.
замина-ть II. *va.* (*Pf.* замять 34.) to begin to knead; to tread under foot; to hush up (an affair) || **~ся** *vn.* to stop short (in speaking); to begin to stutter, to stammer.
заминка *s.* (*gpl.* -нок) stoppage; **в –е** not in demand (of goods).
замира-ть II. *vn.* (*Pf.* замереть 14. [a 4.]) to get numbed, to mortify (of limbs); to swoon, to faint; (*fig.*) to sink.
замирение *s.* pacification; treaty of peace.
замиря-ть II. *va.* (*Pf.* замир=ить II. [a]) to make peace, to pacify.
замки *cf.* **замок & замок.**
замкнутый *a.* shut off, secluded; retired, solitary.
замкнуть(-ся) *cf.* **замыкать(-ся).**
замковый *a.* castle-.
замковый *a.* lock-.
замогильный *a.* beyond the grave.
замок *s.* (*gsg.* -мка) castle.
замок *s.* [a] (*gsg.* -мка) lock; **под замком** under lock and key.
замока-ть II. *vn.* (*Pf.* замокнуть 52.) to get wet.
замолв=ить II. 7. *va. Pf.*, **~ словечко** (за кого) to put in a good word for a person.
замолить *cf.* **замаливать.**
замолка-ть II. *vn.* (*Pf.* замолкнуть 52.) to cease speaking; to become silent.
замолчать *cf.* **молчать.**
замораживa-ть II. *va.* (*Pf.* замороз=ить I. 1.) to congeal; to freeze.
заморить *cf.* **замаривать.**
замороз/ки & **–ы** *s. mpl.* first frosts in autumn.
заморский *a.* transmarine, foreign.
за/мостить *cf.* **–мащивать** || **–мотать** *cf.* **–матывать** || **–мочек** *s.* (*gsg.* -чка) small lock || **–мочный** *a.* lock- || **–мру** *cf.* **–мирать.**
замуж/ *ad.*, **выходить** *or* **итти** (за кого) **~** to marry, to get married (of a woman) || **–ем** *ad.* married.
замуж/(е)ство *s.* marriage (of a woman) || **–ний** *a.* married (of a woman) || **–няя** (*as s.*) a married woman.
замуслива-ть II. *va.* (*Pf.* замусл=ить II.) to beslabber.
замучива-ть II. *va.* (*Pf.* замуч=ить I.) to torment to death; to fatigue, to exhaust.
замш/а *s.* shammy, chamois-leather || **–евый** *a.* shammy-.
замыка-ть II. *va.* (*Pf.* замкн-уть I. [a]) to lock (up); to close up (the ranks).

за́мы/с(е)л *s.* (*gsg.* -сла) design, intention, purpose || **⁓слить** *cf.* **замышля́ть.**
замыслова́тый *a.* ingenious.
замышля́-ть II. *va.* (*Pf.* замы́слить 41.) to devise; to design, to purpose.
замя́ть *cf.* **замина́ть.**
за́навес/ *s.* & **–ь** *s. f.* curtain || **⁓ка** *s.* (*gpl.* -сок) (window-) curtain || **–ный** & **⁓очный** *a.* curtain-.
зана/ве́шива-ть II. *va.* (*Pf.* -ве́с=ить I. 3.) to curtain, to cover with curtains.
зана́шива-ть II. *va.* (*Pf.* занос=и́ть I. 3. [c]) to wear out.
занемога́-ть II. *vn.* (*Pf.* занемо́чь 15. [c 2.]) to fall ill, to be taken ill.
занести́ *cf.* **заноси́ть.**
занима́тельный *a.* interesting, attractive.
занима́-ть II. *va.* (*Pf.* **заня́ть** 37. [a], *Fut.* займу́, -ёшь) to take possession of; to occupy, to employ, to busy; to engage; to entertain; to interest; (у кого́ что) to borrow || **⁓ся** *vn.* (чем) to occupy o.s. with, to be engaged in || ⁓ *v.imp.* to kindle, to catch fire, (заря́) to begin to appear.
за́ново *ad.* anew, as new; **отде́лать** ⁓ to renovate.
зано́з/а *s.* splinter; (*as. m&f.*) *coll.* quarrelsome person || **–истый** *a.* splintery; quarrelsome.
зано́с *s.* (snow-)drift.
занос=и́ть I. 3. [c] *va.* (*Pf.* занести́ & занёсть 26. [a 2.]) to carry away; to write down, to enter; to drift, to fill up (*cf.* зана́шивать) || **⁓ся** *vr.* to give o.s. airs.
зано́с/ный *a.* brought from another place, imported || **–чивый** *a.* proud, haughty, supercilious.
за́ночь *ad.* overnight; the whole night.
занумер/о́выва-ть II. *va.* (*Pf.* -о+ва́ть II. [b]) to number.
заня́т/ие *s.* occupation, employment || **–ный** *a.* interesting, attractive || **–ь(-ся)** *cf.* **занима́ть(-ся).**
зао́блачный *a.* beyond the clouds; (*fig.*) high-flown, abstruse.
заодно́ *ad.* as one, unanimously, together.
заостря́-ть II. *va.* (*Pf.* заостр=и́ть II. [a]) to point, to sharpen.
зао́чный *a.* absent; behind one's back.
за́пад/ *s.* west, occident || **–а́-ть** II. *vn.* (*Pf.* запа́сть 22.) to fall (behind); to set (of heavenly bodies); to be blocked up; to occur to || **–ник** *s.*, **–ница** *s.* supporter of western ideas || **–ный** *a.* west(ern) || **–ня́** *s.* trap, snare, gin.
запа́здыва-ть II. *vn.* (*Pf.* запозда́-ть II.) to come too late, to retard; to stay away too long.
запа́ива-ть II. *va.* (*Pf.* запая́-ть II.) to solder, to weld; (*Pf.* запо=и́ть II. [a]) to make one drink to excess, to make s.o. drunk.
запа́й/ & **–ка** *s.* (*gpl.* -а́ек) soldering, welding.
запак/о́выва-ть II. *va.* (*Pf.* -о+ва́ть II. [b]) to pack (up).
запа́/л *s.* touch-hole; **с –ом** broken-winded (of a horse) || **–лива-ть** II. *vn.* (*Pf.* -л=и́ть II. [a & c]) to kindle, to set fire to; to make a horse broken-winded || **–льчивый** *a.* passionate, vehement.
запанибра́тство *s.* familiarity.
запа́/с *s.* stock, store, supply || **–са́-ть** II. *va.* (*Pf.* -сти́ 26. [a]) to provide, to stock, to store; to lay in a stock of || **–сливый** *a.* providing, provisionary || **–сно́й** & **–сный** *a.* in store; reserve || **–сть** *cf.* **–да́ть.**
за́пах *s.* smell, odour, scent.
запа́/хива-ть II. *va.* (*Pf.* -х-а́ть I. 3. [c]) to begin to plough; to cover in ploughing; (*Pf.* -хн-у́ть) to cross over, to lap over || **–хнуть** *cf.* **па́хнуть.**
запа́шка *s.* (*gpl.* -шек) tilth, tillage; beginning to plough.
запая́ть *cf.* **запа́ивать.**
запе́в/ *s.* striking up a tune; (*eccl.*) short hymn of praise || **–а́ла** s. *m.* leader of a choir || **–а́-ть** II. *va.* (*Pf.* запе́ть 29.) to strike up (a tune); to set the tune.
за/пека́-ть II. *va.* (*Pf.* -пе́чь 18.) to bake (in a paste) || **⁓ся** *vr.* to clot (of blood).
за/пере́ть *cf.* **–пира́ть** || **–пе́ть** *cf.* **–пева́ть.**
запечат/лева́-ть II. *va.* (*Pf.* -ле́-ть II.) to seal (up); (*fig.*) to impress, to inculcate.
запеч/а́тыва-ть II. *va.* (*Pf.* -а́та-ть II.) to seal (up); to imprint upon.
запе́/чный *a.* behind the stove || **–чь** *cf.* **–ка́ть.**
запива́-ть II. *va.* (*Pf.* запи́ть 27.) to drink much, to drink continuously, to get a drunkard; to wet (a bargain); (+ *I.*) to drink after; ⁓ **лека́рство водо́ю** to take water after medicine.
запина́-ться II. *vr.* (*Pf.* запн-у́ться I. [a]) to hesitate, to falter, to stammer, to hum and haw; to stumble.
запи́н/ & **–ка** *s.* (*gpl.* -нок) hesitation (in speech); stammer.
запира́тельство *s.* denial, disavowal.

запира́-ть II. *va.* (*Pf.* запере́ть 14. [a 4.]) to close, to shut, to fasten; to lock; to confine, to barricade || **~ся** *vr.* to shut o.s. up; (в чём) to deny, to disavow.
запи́/ска *s.* (*gpl.* -сок) writing in, inscribing; note, billet, card; (short) letter; (*in pl.*) memoirs || **-сно́й** *a.* for writing in; memorandum-, note-; (*fig.*) arrant, downright || **-сочка** *s.* (*gpl.* -чек) *dim.* small letter, note, card || **-сыва-ть** II. *va.* (*Pf.* -с-а́ть I. 3. [c]) to write (in, down), to inscribe; to take a note of; to enrol; **~ в креди́т** to credit with; **~ в де́бет** to debit with || **~ся** *vr.* to register o.s.; **~ на места́** to book places.
за́пись *s. f.* writing, document, deed; memorandum.
запи́ть *cf.* **запива́ть.**
запи́хива-ть II. *va.* (*Pf.* запиха́-ть II. & запихн-у́ть I. [a]) to push in, to thrust.
запла́канный *a.* red with weeping.
запла́т/а & **-ка** *s.* (*gpl.* -ток) payment, requital; patch || **-ник** *s.*, **-ница** *s.* ragamuffin || **-очка** *s.* (*gpl.* -чек) small patch || **-очный** *a.* patch-.
заплёвыва-ть II. *va.* (*Pf.* запле+ва́ть II. [b & a]) to spit all over, to bespit.
заплета́-ть II. *va.* (*Pf.* заплести́ & запле́сть 23.) to begin to plait; to plait, to interlace.
запле́чный *a.* behind the shoulders; **~ ма́стер** (formerly) executioner.
заплыва́-ть II. *vn.* (*Pf.* заплы́ть 31.) to swim in, to float in; to be filled, loaded with (fat, etc.).
запну́ться *cf.* **запина́ться.**
запо/ведно́й *a.* forbidden, prohibited || **-ве́дыва-ть** II. *va.* (*Pf.* -ве́да-ть II.) to forbid, to prohibit, to interdict; to command, to order.
за́поведь *s. f.* commandment, precept; [order.
заподо/зрева́-ть II. *va.* (*Pf.* -́зр=ить II. & -́зр=еть II.) (кого́ в чём) to suspect (a person of something).
запозд/а́лый *a.* belated; behindhand, overdue || **-а́ть** *cf.* **запа́здывать.**
запои́ть *cf.* **запа́ивать.**
запо́й *s.* hard drinking, tippling, carous-[ing.
заполня́-ть II. *va.* (*Pf.* запо́лн=ить II.) to fill up.
запомина́-ть II. *va.* (*Pf.* запо́мн=ить II.) to remember, to recollect.
за́понка *s.* (*gpl.* -нок) stud, shirt-button.
запо́р/ *s.* bolt, bar; (*med.*) constipation || **-о́жец** *s.* (*gsg.* -жца) (formerly) Cossack inhabiting the country beyond the Dnieper rapids.
запра/ви́ла *s. m.* & **-ви́тель** *s. m.* manager || **-вля́-ть** II. *va.* (*Pf.* -́в=ить II. 7.) to set aright; to dress, to prepare; (чем) to manage, to direct.
запра́вский *a.* genuine, real.
запра́шива-ть II. *va.* (*Pf.* запрос=и́ть I. 3. [c]) to inquire of a person; to overcharge; (к себе́) to invite.
запредпосле́дний *a.* last but two.
запресто́льный *a.* behind the altar.
запре́т/ & **-а** *s.* prohibition || **-и́тельный** *a.* prohibitory || **-и́ть** *cf.* **запреща́ть** || **-ный** *a.* prohibited, forbidden.
запре́чь = **запря́чь.**
запрещ/а́-ть II. *va.* (*Pf.* запрет=и́ть I. 6. [a]) to forbid, to prohibit || **-е́ние** *s.* prohibition; (*leg.*) distraining, attachment (of property).
запри/меча́-ть II. *va.* (*Pf.* -ме́т=ить I. 2.) to notice, to observe.
запро/дава́ть 39. *va.* (*Pf.* -да́ть 38.) to sell off; to come to terms over a sale || **-да́жа** *s.* conclusion of a sale; sale || **-паст=и́ть** I. 4. [a] *va. Pf.* to remove; to mislay, to misplace; to lose; to spoil, to disqualify || **~ся** *vr.* to get lost, to disappear; to fall (into, upon).
запро́с/ *s.* inquiry, question, demand; offer; **цена́ без -а** fixed price || **-и́ть** *cf.* **запра́шивать** || **-ный** *a.* inquiry-.
за́просто *ad.* plainly, without ceremony.
запру́ *cf.* **запира́ть.**
запру́/д & **-да** *s.* dam, embankment, weir || **-жа́-ть** II. & **-жива-ть** II. *va.* (*Pf.* -д=и́ть I. 1. [a & c]) to dam (in, up), to embank.
запряга́-ть II. *va.* (*Pf.* запря́чь 15. [*prn.* -пре́чь]) to put to, to yoke, to harness.
запря́жка *s.* (*gpl.* -жек) putting to, harnessing.
запря́тыва-ть II. *va.* (*Pf.* запря́т-ать I. 2.) to hide, to secrete.
запу́г/ива-ть II. *va.* (*Pf.* -а́-ть II.) to frighten, to scare.
за́пус/к *s.* driving, knocking in; neglect || **-ка́-ть** II. *va.* (*Pf.* -т=и́ть I. 4. [c]) to let run wild (a garden); to let go, to let run; to drive in; to neglect.
запу/стева́-ть II. *vn.* (*Pf.* -те́-ть II.) to become desolate || **-сте́лый** *a.* waste, desolate || **-сте́ние** *s.* desolation, devastation.
запу́т/ыва-ть II. *va.* (*Pf.* -а-ть II.) to entangle; to confuse, to perplex; (кого́ во что) to involve (in).
запуще́ние *s.* neglect(ing) (of a garden, a building).

запы́х/ива-ться II. *vn.* (*Pf.* -а́-ться II.) to get out of breath.

запя́/стье *s.* bracelet; wristband; (*an.*) wrist || **-та́я** *s.* comma; **то́чка с -то́ю** semicolon || **-тки** *s. fpl.* (*G.* -ток) footboard (behind a carriage).

зараб/а́тыва-ть II. *va.* (*Pf.* -ота-ть II.) to earn.

за/рабо́тный *a.*, **-ая пла́та** wages *pl.*, hire || **⁄рабо́ток** *s.* (*gsg.* -тка) (*us. in pl.*) earnings *pl.*

зара/жа́-ть II. *va.* (*Pf.* -з=и́ть I. 1. [a]) to infect, to taint || **-же́ние** *s.* infection.

зара́з/ *ad.* (all) at once || **-а** *s.* contagion; plague; **чу́мная ~** pest || **-и́тельный** *a.* contagious, infectious, pestilential || **-и́ть** *cf.* **заража́ть** || **-ный** *a.* contagious, infectious.

зара́н/ее *ad.* beforehand; betimes, early || **-ива-ть** II. *va.* (*Pf.* зарон=и́ть II. [c]) to drop, to let fall (behind).

зараста́-ть II. *vn.* (*Pf.* зарасти́ 35.) to be overgrown; to close (of wounds).

за́рево *s.* redness in the sky.

заре́з/ *s.* scrag, crag, neck (of beef, etc.); **до -у** to the last extremity || **-ыва-ть** II. *va.* (*Pf.* заре́з-ать I. 1.) to slaughter, to butcher; to cut the throat.

зарека́-ться II. *vr.* (*Pf.* заре́чься 18.) to renounce doing, to forswear.

заре́чье *s.* land on the other side of a river.

заржа́ве́лый *a.* rusted, rusty.

за́р=иться II. *vn.* (на что) to long (for), to lust (after), to be keen (on).

зарни́ца *s.* sheet-lightning.

заро́дыш *s.* germ; foetus.

зарожда́-ть II. *va.* (*Pf.* зарод=и́ть I. 1. [a]) to beget, to engender, to produce.

зарожде́ние *s.* origin; begetting; conception.

заро́к *s.* vowing not to do something.

зарони́ть *cf.* **зара́нивать.**

за́росль *s. f.* overgrowth, weeds *pl.*

зар/уба́-ть II. *va.* (*Pf.* -уб=и́ть II. 7. [c]) to notch; to cut a mark in; **~ себе́ на носу́** to make a note of something || **-у́бка** *s.* (*gpl.* -бок) notch || **-уча́-ться** II. *vr.* (*Pf.* -уч=и́ться I. [a & c]) (чем) to make sure of.

зарыва́-ть II. *va.* (*Pf.* зары́ть 28.) to bury, to inter.

заря́ *s.* redness in sky; **у́тренняя ~** dawn; (*mil.*) reveille; **вече́рняя ~** evening twilight; (*mil.*) tattoo.

заря́/д *s.* charge (of a gun) || **-дный** *a.* powder-, ammunition- || **-жа́-ть** II. *va.* to load, to charge (a gun).

заса́/да *s.* ambush, ambuscade || **-дка** *s.* (*gpl.* -док) planting || **-жива-ть** II. *va.* (*Pf.* -д=и́ть I. 1. [a & c]) to plant, to set; to drive in; **~ в тюрьму́** to clap into prison.

заса́лива-ть II. *va.* (*Pf.* заса́л=ить II.) to grease, to make greasy; (*Pf.* засол=и́ть II. [a]) to salt.

заса́рива-ть II. *va.* (*Pf.* засор=и́ть II. [a & c]) to block up, to choke up.

за́св/етло *ad.* by daylight || **-е́чива-ть** II. *va.* (*Pf.* -ет=и́ть I. 2. [a & c]) to light, to kindle || **-иде́тельствование** *s.* witnessing, testifying.

засе́в *s.* sowing; **вре́мя -а** seed-time.

засева́-ть II. *va.* (*Pf.* засе́-ять II.) (to begin) to sow.

засед/а́ние *s.* sitting, session || **-а́тель** *s. m.* assessor || **-а́-ть** II. *vn.* to have a seat; to sit, to take one's seat; (*Pf.* засе́сть 44.) to lie in ambush; to stick fast; to remain.

за́сек/а *s.* abattis || **-а́-ть** II. *va.* (*Pf.* засе́чь [√сек] 18.) to make a cut in; to whip to death.

за/селе́ние *s.* peopling || **-селя́-ть** II. *va.* (*Pf.* -сел=и́ть II. [a & c]) to people, to populate.

за/се́сть *cf.* **-седа́ть** || **-се́чь** *cf.* **-сека́ть** || **-се́ять** *cf.* **-сева́ть.**

заскору́злый *a.* shrivelled, shrunken.

засла́ть *cf.* **засыла́ть.**

засл/о́нка *s.* (*gpl.* -нок) oven-door; fire-door || **-оня́-ть** II. *va.* (*Pf.* -он=и́ть II. [a & c]) to screen, to prevent seeing; to cover.

заслу́/га *s.* merit, deserts *pl.* || **-жённый** *a.* very worthy, deserving || **-жива-ть** II. *va.* (*Pf.* -ж=и́ть I. [c]) to merit, to deserve; to earn || **-шива-ть** II. *va.* (*Pf.* -ша-ть II.) to hear || **~ся** *vr.* (чего́) never to be weary of listening to, to listen with delight to.

засм/а́трива-ть II. *va.* (*Pf.* -отр=е́ть II. [c]) to look in(to) || **~ся** *vn.* (на что) to look with delight at.

засну́ть *cf.* **засыпа́ть.**

засо́в/ & **-а** *s.* bolt, bar || **-ыва-ть** II. *va.* (*Pf.* засу́н-уть I.) to shove in, to thrust in.

засоли́ть *cf.* **заса́ливать.**

засори́ть *cf.* **заса́ривать.**

засо́с *s.* quagmire; **целова́ться в ~** to kiss rapturously.

засо́хнуть *cf.* **засыха́ть.**

засп=а́ть II. 7. [a] *va.* to smother while asleep.

засро́чный *a.* beyond the term.

заста́ва *s.* barrier, gate, turnpike.

заставá-ть 39. *va.* (*Pf.* застáть 32.) to find, to meet with.
застáвка *s.* (*gpl.* -вок) screen, shelter.
заставля́-ть II. *va.* (*Pf.* застáв=ить II. 7.) to force, to compel; to oblige, to cause, to make.
застáива-ть II. *va.* (*Pf.* засто=я́ть II. [a]) to assist, to defend || **~ся** *vn.* to stand too long; to grow stagnant.
застарéлый *a.* inveterate.
застáть *cf.* **заставáть.**
застёгива-ть II. *va.* (*Pf.* застегн-ýть I.) to button, to buckle, to clasp.
застёжка *s.* (*gpl.* -жек) clasp, hasp, hook.
застéн/ок *s.* (*gsg.* -нка) back room; (formerly) torture-chamber || **-чивый** *a.* timid, bashful, shy.
застигá-ть II. *va.* (*Pf.* засти́гнуть 52. & засти́чь 15.) to overtake, to surprise; to come upon.
застилá-ть II. *va.* (*Pf.* застлáть 9.) to cover, to sheathe, to lay.
застóй *s.* stagnation, stagnancy.
застóль/ный *a.* table-, meal- || **-ное** (*as s.*) (daily) allowance (for board).
застоя́ть *cf.* **застáивать.**
застрáивать = **застрóивать.**
застрах/овáние *s.* insurance || **-óвыва-ть** II. *va.* (*Pf.* -о+вáть II. [b]) to insure.
застрáщ/ива-ть II. *va.* (*Pf.* -á-ть II.) to intimidate.
застревáть = **застрявáть.**
застрéл/ива-ть II. *va.* (*Pf.* застрел=и́ть II. [c]) to shoot (dead) || **-ьщик** *s.* (*mil.*) rifleman, skirmisher.
застревá-ть II. *vn.* (*Pf.* застря́нуть 52. to stick fast.
застрóива-ть II. *va.* (*Pf.* застрó=ить II.) to build up; to block up a view by building.
застрóйка *s.* (*gpl.* -óек) building up; buildings *pl.*
застý/да *s.* catching cold; cooling down || **-жива-ть** II. *va.* (*Pf.* -д=и́ть I. 1. [c]) to catch (a) cold; to chill, to allow to cool.
зáступ *s.* spade.
за/ступá-ть II. *va.* (*Pf.* -ступ=и́ть II. 7. [c]) to replace one; to stand instead of || **~ся** *vn.* (за + *A.*) to take one's part.
застýпник *s.* interceder; defender.
застывá-ть II. *vn.* (*Pf.* засты́н-уть I.) to freeze, to congeal; to get cold; to coagulate.
засýнуть *cf.* **засóвывать.**
зáсýха *s.* drought, dryness.
засýшива-ть II. *va.* (*Pf.* засуш=и́ть I. [a & c]) to dry (up).
засылá-ть II. *va.* (*Pf.* заслáть 40.) to send off, to banish.
засыпá-ть II. *va.* (*Pf.* засы́п-ать II. 7.) to strew; to cover up, to fill up; **~ вопрóсами** to overwhelm with questions || **~** *vn.* (*Pf.* засн-ýть I. [a]) to fall asleep.
засыхá-ть II. *vn.* (*Pf.* засóхнуть 52.) to dry up; to wither.
затáпливать = **затопля́ть.**
затáптыва-ть II. *va.* (*Pf.* затопт=áть I. 2. [c]) to tread down, to trample on; to dirty by treading on.
затáскива-ть II. *va.* (*Pf.* затаскá-ть II.) to wear out; (*Pf.* затащ=и́ть I. [c]) to drag away; (когó к себé) to draw in.
затвердéлый *a.* hardened.
затвéржива-ть II. *va.* (*Pf.* затверд=и́ть I. 1. [a]) to learn by heart.
затвóр *s.* bolt, bar.
затвóрник *s.* hermit, recluse.
затворя́-ть II. *va.* (*Pf.* затвор=и́ть II. [c]) to shut, to close.
затевá-ть II. *va.* (*Pf.* затé-ять II.) to devise, to contrive; to plot, to project.
затéй/ливый *a.* ingenious, inventive; fanciful, fantastic || **-ник** *s.* inventor, cunning fellow; wag.
затекá-ть II. *vn.* (*Pf.* затéчь 18.) to fill, to swell; to flow in; to penetrate.
затéм *ad.* thereupon, whereupon; subsequently; **~ что** because, whereas, since; **~ чтóбы** in order to, to.
затем/нéние *s.* obscuration || **-ня́-ть** II. *va.* (*Pf.* -н=и́ть II. [a]) to darken, to obscure.
затеня́-ть II. *va.* (*Pf.* затен=и́ть II.) to overshadow, to shade.
затéп/лива-ть II. *va.* (*Pf.* -л=ить II.) to light.
затерéть *cf.* **затирáть.**
затéрива-ть II. *va.* (*Pf.* затеря́-ть II.) to lose, to mislay || **~ся** *vn.* to get lost, to be mislaid.
затéчь *cf.* **затекáть.**
затé/я *s.* (*us. in pl.*) contrivance, plot; fancy, caprice || **-ять** *cf.* **затевáть.**
затирá-ть II. *va.* (*Pf.* затерéть 14.) to rub over; to squeeze in.
зати́скива-ть II. *va.* (*Pf.* зати́ска-ть II. & зати́сн-уть I.) to squeeze in; to press in.
затихá-ть II. *vn.* (*Pf.* зати́хн-уть I.) to grow calm, to abate, to grow still, to cease.
зати́шь/ *s. f.* & **-е** *s.* calmness, quiet, stillness.
заткнýть *cf.* **затыкáть.**
затмевá-ть II. *va.* (*Pf.* затм=и́ть II. 7. [a]) to eclipse, to obscure.
затмéние *s.* eclipse.
затó *ad.* for; on the other hand.
затон-ýть I. [c] *vn. Pf.* to be submerged.

затопля́-ть II. *va.* (*Pf.* затоп=и́ть II. 7. [c]) to heat (a stove); to drown, to sink; to submerge, to overflow.
затопта́ть *cf.* **зата́птывать.**
зато́р *s.* mash (in brewing); throng.
заточа́-ть II. *va.* (*Pf.* заточ=и́ть I. [a]) to confine, to incarcerate; to exile, to banish.
заточе́ние *s.* confinement, incarceration; banishment.
затра́влива-ть II. *va.* (*Pf.* затрав=и́ть II. 7. [a & c]) to bait, to hunt down; to fire off (a cannon).
затрапе́зный *a.* of ticking; table-.
затра́та *s.* expense, outlay; use (of capital).
затра́чива-ть II. *va.* (*Pf.* затра́т=ить I. 2.) to expend, to disburse, to lay out (a sum).
затре́щина *s.* a severe blow, a box on the ear.
затро́гива-ть II *va.* (*Pf.* затро́га-ть II. & затро́н-уть) to touch, to touch on; to provoke.
затру́ *cf.* **затира́ть.**
затруд/не́ние *s.* embarrassment, perplexity; hindrance || **–ни́тельный** *a.* difficult, troublesome; embarrassing, perplexing || **–ня́-ть** II. *va.* (*Pf.* -н=и́ть II. [a]) to embarrass, to perplex; to impede, to hinder || **~ся** *vr.* to be embarrassed, perplexed; to meet with obstacles.
затупля́-ть II. *va.* (*Pf.* затуп=и́ть II. 7. [a & c]) to blunt, to dull.
затуха́-ть II. *vn.* (*Pf.* зату́хнуть 52.) to go out, to be extinguished.
затуша́-ть II. *va.* (*Pf.* затуш=и́ть I. [a & c]) to extinguish, to put out.
затушёвыва-ть II. *va.* (*Pf.* затуше+ва́ть II. [b]) to ink over || **~ся** *vr.* to disappear.
за́тхлый *cf.* **за́дхлый.**
затыка́-ть II. *va.* (*Pf.* заткн-у́ть I. [a]) to stop (up), to choke up; to obstruct; **~ про́бкою** to cork.
заты́л/ок *s.* (*gsg.* -лка) nape (of the neck), scruff || **–очный** *a.* of the nape (of the neck).
заты́чка *s.* (*gpl.* -чек) stopper, bung, cork, plug.
затя́гива-ть II. *va.* (*Pf.* затян-у́ть I. [c]) to tighten, to straiten, to draw close; to implicate, to involve; to protract, to delay; to strike up (a tune) || **~** *v.imp.* to heal over (of a wound).
затя́жка *s.* (*gpl.* -жек) tightening, drawing, bracing; protraction, delay; string (for pulling); whiff (of a pipe); healing up (of a wound).
зау́лок *s.* (*gsg.* -лка) side-street, blind-alley.
зауны́вный *a.* doleful, mournful.
заря́дный *a.* ordinary, temporary; substitute.
заусе́ница *s.* agnail.
зау́тр/а *ad.* (*vulg.*) to-morrow morning, next morning || **–еня** *s.* matins *pl.*
заучи́-ть II. *va.* (*Pf.* зауч=и́ть I. [c]) to learn by heart.
зау́ш/ина *s.* a box on the ear || **–ник** *s.* sidepiece of spectacles || **–ный** *a.* behind the ear.
зафрахто́выва-ть II. *va.* (*Pf.* зафрахто+ва́ть II. [b]) to charter (a vessel).
заха́жива-ть II. *vn.* (*Pf.* заход=и́ть I. 1. [c]) to walk up and down.
захв/а́т *s.* hold, grasp; seizure, usurpation; booty || **–а́тыва-ть** II. *va.* (*Pf.* -ат=и́ть I. 1. [c]) to catch; to seize, to grasp; to surprise, to take unawares; to usurp, to take by force || **–ора́-ть** II. *vn.* *Pf.* to fall ill.
захл/ёбыва-ть II. *va.* (*Pf.* -ёбн-у́ть I. [a]) (чем) to drink after || **~ся** *vn.* to choke o.s. (with) || **–ёстыва-ть** II. *va.* (*Pf.* -ес-н-у́ть I. [a]) to whip; to besprinkle || **–о́пыва-ть** II. *va.* (*Pf.* -о́пн-уть I.) to shut with a bang.
захо́д *s.* setting; **~ со́лнца** sunset.
заход=и́ть I. 1. [c] *vn.* (*Pf.* зайти́ 48. [a 2.]) to go in, to come in; to approach; to call on, to give a call; (за что) to go behind, to hide; to set (of stars); to advance, to go far; **речь зашла́** (о + *Pr.*) the conversation turned on (*cf.* заха́живать).
захо́жий *a.* visiting || **~** (*as s.*) caller.
захолу́стье *s.* lonely place.
заце́пка *s.* (*gpl.* -пок) hooking, grappling; small hook; (*fig.*) cavilling.
зацепля́-ть II. *va.* (*Pf.* зацеп=и́ть II. 7. [c]) (за что) to hook, to grapple; to provoke; (кого́) to pick a quarrel with.
зачаст/и́ть *cf.* **зачаща́ть** || **–у́ю** *ad.* often, frequently.
зача́т/ие *s.* beginning; conception || **–ок** *s.* (*gsg.* -тка) beginning; germ; rudiment || **–ь** *cf.* **зачина́ть.**
зачаща́-ть II. *vn.* (*Pf.* зачаст=и́ть I. 4. [a]) (to begin) to frequent, to visit often.
заче́м *ad.* why, wherefore, for what reason.
зачёркива-ть II. *va.* (*Pf.* зачеркн-у́ть I. [a]) to cross out, to strike out, to cancel.
заче́рнива-ть II. *va.* (*Pf.* зачерн=и́ть II. [a]) to blacken, to dirty.
заче́рпыва-ть II. *va.* (*Pf.* зачерпн-у́ть I. [a]) to scoop, to ladle.
зачерстве́лый *a.* coarse (of manners); stale, hard (of bread).

зачéсть *cf.* **зачитáть.**
зачёсыва-ть II. *va.* (*Pf.* зачес-áть I. 3. [c]) to comb back; **~ гóлову** to be nonplussed.
зачёт/ *s.* instalment; compensation, set-off || **-ный** *a.* of instalment; on account.
зачинá-ть II. *va.* (*Pf.* зачáть [y/чн] 34.) to begin, to commence; to conceive (of a woman), to become pregnant.
зачи́н/ива-ть II. & **зачиня́-ть** II. *va.* (*Pf.* зачин=и́ть II. [c]) to mend, to repair, to patch || **-щик** *s.* author, ringleader, instigator.
зачисл/éние *s.* reckoning in; enrolling || **-я́-ть** II. *va.* (*Pf.* зачи́сл=ить II.) to reckon in; to count out (to), to balance; (*mil.*) to enlist, to enrol.
зáчисто *ad.* (*vulg.*) for ready cash; net.
зачитá-ть II. *va.* (*Pf.* зачéсть [y/чт] 24.) to put on account, to reckon in; to set off.
зачи́тыва-ть II. *va.* (*Pf.* зачитá-ть II.) to begin to read (a book); to soil by reading; to keep a book lent one || **~ся** *vr.* to read a thing up; to be absorbed (in).
зачну́ *cf.* **зачинáть.**
зачумля́-ть II. *va.* (*Pf.* зачум=и́ть II. 7. [a]) to taint, to infect (with plague).
заш/éек *s.* (*gsg.* -éйка) the nape (of the neck) || **-éина** *s.* a blow from behind.
зашёл, зашлá *cf.* **заходи́ть.**
зашибá-ть II. *va.* (*Pf.* зашиби́ть 51. [a 1.]) to hurt, to wound || **~ vn.** to be addicted to drink.
зашивá-ть II. *va.* (*Pf.* заши́ть 27.) to sew up.
зашнурóвыва-ть II. *va.* (*Pf* зашнуро+вáть II. [b]) to lace up.
зашпи́ливать *cf.* **шпи́лить.**
зашти́тный *a.* supernumerary.
заштóпывать *cf.* **штóпать.**
заштук/атýрива-ть II. *va.* (*Pf.* -атýр=ить II.) to plaster up.
зашью́ *cf.* **зашивáть.**
защёлк/а *s.* (*gpl.* -лок) latch || **-ива-ть** II. *va.* (*Pf.* -н-уть I.) to latch.
защéмлива-ть II. & **защемля́-ть** II. *va.* (*Pf.* защем=и́ть II. 7. [a]) to pinch, to nip.
защи́т/а *s.* defence, protection, guard || **-и́тельный** *a.* defensive, protective || **-ник** *s.* defender, protector.
защи/щá-ть II. *va.* (*Pf.* -т=и́ть I. 6. [a]) to protect; to defend.
заяви́тель *s. m.* deponent, declarer.
зая́в/ка *s.* (*gpl.* -вок) & **-лéние** *s.* deposition, testimony || **-ля́-ть** II. *va.* (*Pf.* заяв=и́ть II. 7. [c]) to depose, to state, to testify; to announce, to declare; to manifest, to exhibit.
зáя/ц *s.* (*gsg.* зáйца) hare; stowaway || **-чий** (-ья, -ье) *a.* hare's, hare-.
звá/ние *s.* calling, summons *pl.*; vocation; state || **-тельный** *a.*, **~ падéж** (*gramm.*) vocative (case) || **-ть** 10. *va.* (*Pf.* по-) (к + *D.* or на + *A.*) to call, to invite, to bid, to summon (to); (*Pf.* на-) (+ *I.*) to call, to name; **меня́ зовýт Петрóм** I am called Peter, my name is Peter.
звездá *s.* [d] (*pl.* звёзды, *etc.*) star.
звёздный *a.* star-, starry, stellar.
звездо/обрáзный *a.* star-shaped, starlike || **-чёт** *s.* astrologer.
звёздочка *s.* (*gpl.* -чек) small star.
звен=éть II. [a] *vn.* (*Pf.* за-, про-) to sound, to ring, to tinkle. [(chain).
звенó *s.* [d] (*pl.* звéнья, -ьев) link (of a
звер/ёк *s.* [a] (*gsg.* -рькá) *dim. of* зверь || **-и́нец** *s.* (*gsg.* -нца) menagerie || **-и́ный** *a.* of wild beasts || **-олóв** *s.* hunter || **-олóвство** *s.* hunting, chase || **-оподóбный** *a.* like an animal, beastly, cruel.
звéр/ский *a.* brutal || **-ство** *s.* (*fig.*) brutality, ferocity || **-ь** *s. m.* wild beast, animal || **-ьё** *s. coll.* wild beasts *pl.*
звон/ *s.* ringing, ringing of bells; tinkling || **-áрь** *s. m.* [a] bell-ringer. [toll.
звон=и́ть II. [a] *va.* (*Pf.* по-) to ring, to
звóн/кий *a.* (*pdc.* звóнче) sounding, sonorous || **-кость** *s. f.* sonority || **-óк** *s.* [a] (*gsg.* -нкá), *dim.* **-óчек** *s.* (*gsg.* -чка) bell, hand-bell, little bell.
звук/ *s.* sound; clang, clashing; noise || **-овóй** *a.* sound-, phonetic || **-оподражáтельный** *a.* onomatopoetic.
звуч=áть I. [a] *vn.* (*Pf.* про-) to sound, to resound.
звýчный *a.* sonorous, sounding.
звя́ка-ть II. *vn.* (*Pf.* звя́кн-уть I.) to tinkle, to jingle.
зга *s.* (*obs.*), **ни зги не ви́дно** it's pitch-dark; **он зги не ви́дит** he is as blind as a bat.
здáние *s.* building, edifice.
зде/сь *ad.* here || **-́шний** *a.* of, from here, of this place; native.
здорó/ва-ться II. *vrc.* (*Pf.* по-) (с кем) to greet, to wish good morning (good day) to || **-вéнный** *a.* robust, hardy || **-вé-ть** II. *vn.* (*Pf.* по-) to recover one's health || **-виться** *v.imp.*, **мне не -вится** I don't feel well || **-вый** *a.* healthy; wholesome, sound; salubrious || **-во** *ad.*, **~!** good morning! **бýдьте -вы** bye-bye || **-вье** *s.* health; **на ~!** good luck! good health! || **-вя́к** *s.* [a] a robust healthy man.

здра́в/ие = **здоро́вье** || **-омы́слящий** *a.* sane, sagacious || **-ство+вать** II. *vn.* to be in good health; **-ствуй(те)!** good morning! || **-ый** *a.* sound, sane; judicious, prudent.
зе́бра *s.* zebra.
зев *s.* mouth, jaws *pl.*; throat, gullet.
зева́ка *s. m&f.* yawner, gaper, starer.
зева́-ть II. *vn.* (*Pf.* зевн-у́ть I. [a]) to yawn, to gape.
зев/о́к *s.* [a] (*gsg.* -вка́) gape, yawn; mistake, slip || **-о́та** *s.* fit of yawning || **-у́н** *s.* [a], **-у́нья** *s.* yawner.
зелен/е́-ть II. *vn.* (*Pf.* за-, по-) to grow, to turn green || **-но́й** *a.* of greens, of vegetables; **-на́я (ла́вка)** greengrocery || **-ова́тый** *a.* greenish || **-щи́к** *s.*, **-щи́ца** *s.* greengrocer.
зелёный *a.* green, verdant.
зе́лень *s. f.* verdure, green (colour); vegetables *pl.*; greens *pl.* (*also fig.*) weeds *pl.*
зе́л/ие & **-ье** *s.* herbs, simples *pl.*;
земе́ль/ка *s.* (*gpl.* -лек) piece of land || **-ный** *a.* land-, of land.
зе́мец *s.* (*gsg.* -мца) peasant, tenant; member of the Zemstvo.
земле/владе́лец *s.* (*gsg.* -льца) & **-владе́тель** *s. m.* land-owner || **-де́лец** *s.* (*gsg.* -льца) agriculturist, husbandman, farmer || **-де́лие** *s.* agriculture, husbandry, farming || **-ко́п** *s.* digger, excavator; navvy || **-ме́р** *s.* land-surveyor || **-ме́рие** *s.* land-surveying || **-описа́ние** *s.* geography || **-па́шец** *s.* (*gsg.* -шца) agriculturist, husbandman || **-трясе́ние** *s.* earthquake || **-черпа́(те)льный** *a.* dredging-; **-ная маши́на** dredger.
земл/и́стый *a.* earthy, consisting of earth || **-я́** *s.* [f] earth; ground, land, soil; country || **-я́к** *s.* [a] (fellow-) countryman || **-яни́ка** *s.* strawberry || **-яни́чный** *a.* strawberry- || **-я́нка** *s.* (*gpl.* -нок) mud-hut || **-яно́й** *a.* earth, earthen, earthy || **-я́чка** *s.* (*gpl.* -чек) (fellow-) countrywoman.
земн/ово́дный *a.* amphibious || **-о́й** *a.* earth-, terrestrial, earthly.
зе́м/ский *a.* territorial; provincial || **-ство** *s.* district assembly; *coll.* the members of the district assembly.
зени́т *s.* zenith.
зе́ркал/о *s.* mirror, looking-glass || **-ьце** *s.* hand-mirror.
зе́рка́льный *a.* reflecting; mirror-.
зерн/и́стый *a.* grainy, granular, granulated || **-о́** *s.* [d] (*pl.* зёрна) grain, corn; kernel, pip || **-ово́й** *a.* corny, corn-, grain-.
зёрнышко *s.* (*gpl.* -шек) *dim.* granule, small grain; pip.
зерца́ло *s.* (*sl.*) the mirror of justice.
зефи́р *s.* zephyr; Berlin wool.
зигза́г *s.* zigzag.
зижди́тельный *a.* creative.
зим/а́ *s.* [f] winter; **-о́ю** in winter.
зи́м/ний *a.* winter, wintry || **-о+ва́ть** II. [b] *vn.* (*Pf.* за-, про-) to winter, to pass, to spend the winter || **-о́вка** *s.* (*gpl.* -вок) wintering, hibernation || **-о́вье** & **-овьё** *s.* winter-place, winter-quarters *pl.*
зипу́н/ *s.* [a] & **-и́шка** *s.* (*gpl.* -шек) peasant's smock.
зия́-ть II. *vn.* to gape, to yawn, to open (up).
злак *s.* plant; (*in pl.*) grass; **хле́бные** **-́и** cereals *pl.*
злато/ку́дрый *a.* with golden curls || **-у́стый** *a.* (very) eloquent || **-цве́т** *s.* chrysanthemum, marigold.
зла́чный *a.* grassy, fertile (of a meadow).
зл=ить II. *va.* (*Pf.* обо-, разо-) to irritate, to anger, to provoke || **~ся** *vn.* to grow furious, angry.
зло/ *s.* (*gpl.* зол) evil, harm, mischief, wrong || **~** *ad.* wickedly, spitefully, maliciously || **-́ба** *s.* wickedness, spite, malice, evil; **~ дня** the crying evil of the day || **-́бный** *a.* malicious, wicked; evil-minded || **-ве́щий** *a.* ominous, ill-omened, inauspicious || **-во́ние** *s.* stench, stink || **-во́нный** *a.* stinking || **-вре́дный** *a.* hurtful, noxious, pernicious || **-де́й** *s.*, **-де́йка** *s.* (*gpl.* -е́ек) rascal, wretch, villain || **-де́йство** *s.* villainy, crime || **-дея́ние** *s.* misdeed, crime.
злой *a.* (*pd.* зол, зла, зло, злы; *comp.* зле́е) ill, bad, malignant, wicked; angry.
зло/ка́чественный *a.* (*med.*) malignant || **-ключе́ние** *s.* mishap || **-ко́зненный** *a.* insidious, wily || **-наме́ренный** *a.* ill-meaning, ill-intentioned || **-нра́вие** *s.* ill-temper || **-нра́вный** *a.* ill-tempered || **-па́мятливый** & **-па́мятный** *a.* revengeful, spiteful || **-полу́чие** *s.* misfortune, ill-luck, disaster || **-полу́чный** *a.* unfortunate, disastrous; ill-starred || **-ра́дный** *a.* malevolent, rejoicing at another's misfortune || **-сло́вие** *s.* calumny || **-сло́в=ить** II. 7. *va.* to calumniate, to slander || **-сло́вный** *a.* calumnious, slanderous.
зло́ст/ный *a.* ill-minded; fraudulent (of a bankrupt) || **-ь** *s. f.* malice, maliciousness; wickedness
зло/сча́стье *s.* misfortune, ill-luck || **-сча́стный** *a.* unfortunate, unlucky

|| **–творный** *a.* harmful, pernicious || **–умышление** *s.* evil intention, malevolence || **–умышленный** *a.* ill-willed, malevolent || **–умышля́-ть** II. *vn.* (*Pf.* -умыслить 41.) to plot evil, to think evil || **–употребля́-ть** II. *va.* (*Pf.* -употреб=ить II. 7. [a]) (что чем) to abuse, to misuse; to misapply.

злю/ка *s.* & **–чка** *s. m&f.* (*gpl.* -чек) malicious person || **–щий** (-ая, -ее) *a.* wrathful; angry.

зме/еви́дный *a.* snake-like || **–ёк** *s.* (*gsg.* змейка́) small dragon; kite || **–ёнок** *s.* (*pl.* -ята) young snake || **–иный** *a.* snake's, serpent's.

змей/ *s.* dragon; **бумажный ~** kite || **´–ка** *s.* (*gpl.* -еек) small snake.

змея́ *s.* [e] serpent, snake.

знава́ть *iter. of* знать.

знай *ad.* without more ado; **то и ~** continually.

знак/ *s.* sign, token, indication || **–о́мец** *s.* (*gsg.* -мца), **–о́мка** *s.* (*gpl.* -мок) an acquaintance || **–ом=ить** II. 7. *va.* (*Pf.* по-) to make acquainted, to introduce to || **~ся** *vr.* (с+*I.*) to make the acquaintance (of), to become acquainted (with) || **–о́мство** *s.* acquaintance || **–о́мый** *a.* acquainted; known, familiar || **~** (*as s.*) an acquaintance.

знамена́тель/ *s.m.* (*math.*) denominator **–ный** *a.* denominative; significant.

зна́мен/ие *s.* sign, token; apparition || **–и́тый** *a.* celebrated, famous, renowned || **–о+ва́ть** II. (b) *va.* to signify, to indicate || **–оно́сец** *s.* (*gsg.* -сца) & **´–щик** *s.* standard-bearer, ensign.

зна́/мо *ad.* as is well-known || **–мый** *a.* known, well-known; **–мое де́ло** that's well-known.

зна́мя *s. n.* [b] (*G., D., Pr.* зна́м=ени, *I.* -енем; *pl.* знамёна, -ён, etc.) standard, banner.

зна́ние *s.* knowledge, learning.

зна́т/ный *a.* eminent, illustrious || **–о́к** *s.* [a] (в+*Pr.*) connoisseur, judge, expert (of). ;~ *ad.* apparently, it seems.

знать *s.f. coll.* people of quality, high life ||

зна-ть II. *va.* (*Pf.* у-) to know, to understand, to be aware of; to find out; **дать ~** to let know || **~ся** *vrc.* to be acqainted (with,) to consort (with).

знаха́рка *s.* (*gpl.* -рок) sorceress, witch.

зна́харь *s. m.* [& a] sorcerer, conjurer.

знач/е́ние *s.* signification, meaning; importance, consequence || **–и́тельный** *a.* of importance, important, of note.

зна́ч=ить I. *va.* to signify, to mean; **э́то ничего́ не зна́чит** it's of no importance.

значо́к *s.* [a] (*gsg.* -чка́) small sign; pennon.

зна́ющий (-ая, -ее) *a.* knowing, expert, skilful; learned, versed.

зноб *s.* & **–ь** *s. f.* shivering, chilliness.

зноб=и́ть II. 7. [a] *va.* (*Pf.* за-) to chill, to freeze || **~** *v.imp.* to freeze, to be cold.

зно́бкий *a.* chilly.

зной/ *s.* sultriness, heat || **´–ный** *a.* sultry, hot.

зоб *s.* crop, craw (of birds).

зов *s.* call, invitation.

зову́ *cf.* **звать.**

зодиа́к *s.* (*astr.*) zodiac.

зо́дч/еский *a.* architectural || **–ество** *s.* architecture || **–ий** (*as s.*) architect.

зол *cf.* **злой.**

зола́ *s.* [e] ash(es), embers *pl.*

золо́вка *s.* (*gpl.* -вок) sister-in-law (husband's sister).

золот/а́рь *s.m.* gilder (of wood); (*fam.*) scavenger || **–и́льщик** *s.* gilder || **–и́стый** *a.* of a golden colour, like gold || **–ни́к** *s.* zolotnik (96th part of a Russian pound).

золот=и́ть I. 2. [a & c] *va.* (*Pf.* по-, вы́-) to gild.

зо́лот/о *s.* gold; **рубль –ом** a gold rouble || **–о́й** *a.* golden, of gold, gold || **~** (*as s.*) gold piece || **–оно́сный** *a.* gold-bearing, auriferous || **–ошве́йный** *a.* embroidered in gold || **–у́ха** *s.* scrofula, king's evil || **–у́шный** *a.* scrofulous.

золоч/е́ние *s.* gilding || **–ёный** *a.* gilt.

зо́льный *a.* ash-.

зо́на *s.* zone.

зонд *s.* (*med.*) probe.

зо́нтик *s.* umbrella, parasol.

зоо́л/о́г *s.* zoologist || **–оги́ческий** *a.* zoological; **~ сад** zoological garden, the Zoo || **–о́гия** *s.* zoology.

зо́р/ька *s.* (*gpl.* -рек), **–енька** *s.* (*gpl.* -нек), **–юшка** *s.* (*gpl.* -шек) *dim. of* заря́ || **–кий** *a.* (*comp.* зо́рче) sharp-sighted, keen of sight || **–я́ = заря́.**

зрачо́к *s.* [a] (*gsg.* -чка́) pupil (of the eye).

зре́л/ище *s.* spectacle, show, scene || **–ость** *s.f.* ripeness, maturity || **–ый** *a.* ripe, mature.

зре́ние *s.* (eye-)sight; ripening, maturing.

зр=еть II. *va.* (*Pf.* у-) to see, to look at.

зре-ть II. *vn.* (*Pf.* со-) to ripen, to mature.

зри́тель/ *s.m.*, **–ница** *s.* spectator, onlooker, looker-on || **–ный** *a.* of sight, visual; **–ная труба́** telescope.

зря/ *ad.* (*vulg.*) at random, carelessly || **´–чий** (-ая, -ее) *a.* seeing.

зуб/ *s.* [c] tooth || **~** *s.* (*pl.* зу́бья, -ьев) tooth, cog (of wheels, etc.) || **–а́стый** *a.*

with large sharp teeth; (*fig.*) quarrelsome || **-éц** *s.* [a] (*gsg.* -бцá) tooth, cog; battlement || **-и́ло** *s.* calking-iron, chisel || **-но́й** *a.* tooth-, dental || **-о́к** *s.* [a] (*gsg.* -бкá) & **-о́чек** *s.* (*gsg.* -чка) *dim. of* зуб || **-оскáл** *s.*, **-оскáлка** *s.* (*gpl.* -лок) scoffer, jeerer || **-оскáл=ить** II. *vn.* to sneer, to scoff || **-оты́чина** *s.* cuff, punch in the jaw || **-очи́стка** *s.* (*gpl.* -ток) tooth-pick; tooth-brush || **-очи́стный** *a.* for cleaning the teeth.

зубр *s.* aurochs.

зубр=и́ть II. [a & c] *va.* (*Pf.* вы́-) to tooth, to indent; (*fig.*) to cram, to learn mechanically. [cog-.

зубчáтый *a.* toothed; cogged, indented;

зуд *s.* itch(ing).

зуд=éть II. [a] *vn.* to itch.

зыб-áть I. 1. 7. [b] *va.* to swing, to rock.

зы́б/кий *a.* (*comp.* зы́бче) shaky; boggy, marshy || **-ь** *s.f.* swell, surge; undulating movement; swell (of sea).

зык *s.* cry; noise.

зы́чный *a.* sonorous.

зюзю́ка-ть II. *vn.* (*Pf.* за-) to lisp.

зю́зя *s.m.&f.* (*vulg.*) tippler, toper; whimperer.

зя́б/кий *a.* chilly || **-лый** *a.* frost-bitten **-нуть** 52. *vn.* (*Pf.* про-, о-) to feel cold; (*Pf.* за-, по-) to freeze (to death).

зятёк *s.* [a] (*gsg.* -тькá) *dim. of* зять.

зя́т/нин *a.* of the son-in-law || **-ь** *s. m.* [b] (*pl.* зят(ев)ья́, -ёй, etc.) son-in-law; brother-in-law (sister's husband) || **-юшка** *s.m.* (*gpl.* -шек) dear son- *or* brother-in-law.

И

и *c.* and, also; (хотя́) although; (дáже) even; therefore, in consequence; **и . . . и** [both . . . and.

и́бис *s.* ibis.

и́бо *c.* (*obs.*) for, because.

и́в/а *s.* willow; **плаку́чая ~** weeping-willow || **-овый** *a.* willow.

и́волга *s.* oriole.

игл/á *s.* [e] needle; thorn; quill, prickle **-и́стый** *a.* prickly, thorny.

и́го *s.* yoke; (*fig.*) oppression, servitude.

игóл(оч)к/а *s. dim.* needle; **(тóлько-что) с игóлочки** brand-new.

игóлочный *a.* needle.

игóль/ник *s.* needle-case || **-чатый** *a.* needle-shaped; needle-; **-чатое ружьё** needle-gun || **-щик** *s.* needle-maker.

игóрный *a.* playing, gambling; **~ дом** gambling-house, gambling-den.

игрá/ *s.* [d] playing, play, game; **~ в кáрты** card-playing; **~ в шáшки** draughts; **~ в шáхматы** chess; **~ на билья́рде** *или* **в билья́рд** billiards *pl.*; **~ не стóит свеч** the game isn't worth the candle || **-льный** *a.* playing, for playing.

игрá-ть II. *vn.* (*Pf.* про-, сыгрáть) to play; **~ в кáрты** to play cards; **~ на скри́пке** to play the violin; (*fig.*) to sparkle, to foam; **винó игрáет** the wine is sparkling || **~** *va.* to play, to act (a part); to sing (a song).

игри́в/ость *s. f.* sportiveness, playfulness; liveliness || **-ый** *a.* frolicsome, sportive, playful, jocose; lively.

игри́стый *a.* sparkling, foaming (of drinks).

игрóк *s.* [a] player; gambler. [person.

игру́н/ *s.* [a], **-ья** *s.* playful, frolicsome

игру́ш/ечка *s.* small toy, plaything || **-ка** *s.* toy, plaything.

игу́мен/ *s.* abbot || **-ья** *s.* abbess; mother superior || **-ство** *s.* abbotship.

идеáл/ *s.* ideal || **-изи́ро+вать** *va.* II. to idealize || **-и́зм** *s.* idealism || **-и́ст** *s.*, **-и́стка** *s.* idealist || **-ьный** *a.* ideal.

идéя *s.* idea.

идилли́ческий *a.* idyllic.

иди́ллия *s.* idyll.

идиосинкрáзия *s.* idiosyncrasy.

идиóт/ *s.*, **-ка** *s.* idiot || **-и́зм** *s.* idiom, idiomatic expression.

и́дол/ *s.* idol, false god || **-опоклóнник** *s.* idolater || **-опоклóнница** *s.* idolatress || **-опоклóннический** *a.* idolatrous || **-опоклóн(ниче)ство** *s.* idolatry.

и́дольский *a.* of an idol, idol's.

иду́, etc. *cf.* **итти́.**

иезуи́т/ *s.* jesuit || **-ский** *a.* jesuitical.

иерáрх/ *s.* hierarch || **-и́ческий** *a.* hierarchical || **-ия** *s.* hierarchy.

иерéй/ *s.* priest || **-ский** *a.* priestly, sacerdotal. [hieroglyphic.

иерогли́ф/ *s.* hieroglyph || **-и́ческий** *a.*

иеромонáх *s.* monk-priest.

иждиве́ние *s.* costs *pl.*; expenses *pl.*; **свои́м иждиве́нием** at my own expense.

из *prp.* (+ *G.*) out of, from.

избá *s.* (peasant's) house, hut.

избави́тель/ *s.m.*, **-ница** *s.* liberator, deliverer || **-ный** *a.* delivering, saving.

избавлéние *s.* delivery; rescue; liberation.

избавля́-ть II. *va.* (*Pf.* избáв=ить II. 7.) to free, to deliver, to save; to rescue; to spare; **избáви Бог!** God forbid! Heaven forefend! || **~ся** *vr.* (от кого́, чего́) to escape.

избало́выва-ть II. *va.* (*Pf.* избало+ва́ть II. [b]) to pamper, to indulge, to spoil.

избега́-ть II. *vn.* (*Pf.* избежа́ть 46.) (чего́, кого́) to avoid, to shun; to elude; to escape.

избе́га-ть II. *va. Pf.* to run through, to run all over (*e.g.* the town).

избежа́ние *s.* avoidance, shunning.

избёнка *s.* (*dim. of* изба́) miserable, wretched peasant's hut.

изберу́ *cf.* **избира́ть.**

избива́ние *s.* slaughter.

избива́-ть II. *va.* (*Pf.* изби́ть 27.) to smash, to beat to pieces; to kill; to destroy; to wear out.

избие́ние *s.* slaughter; massacre.

избира́тель *s.m.*, **-ница** *s.* elector || **-ный** *a.* electoral; **~ го́лос** vote; **-ная ва́за** ballot-box; **-ное пра́во** suffrage, right to vote.

избира́-ть II. *va.* (*Pf.* избра́ть 8.) to elect, to choose; to adopt (a career). [place.

изби́тый *a.* (*fig.*) hackneyed, common-

изби́ть *cf.* **избива́ть.**

избра́н/ие *s.* election; choice || **-ник** *s.*, **-ница** *s.* (the) elect; chosen one.

избра́ть *cf.* **избира́ть.**

избу́шка *s. dim. of* изба́.

избы́т/ок *s.* abundance, plenty, plentifulness || **-очно** *ad.* in abundance, in plenty.

изваа́ние *s.* sculpture.

изваа́ть *cf.* **вая́ть.**

изве́данный *a.* proven, tested.

изведе́ние *s.* extermination.

изведу́ *cf.* **изводи́ть.**

изве́дыва-ть II. *va.* (*Pf.* изве́да-ть II.) (иссле́довать) to investigate; (испыта́ть) to test; (узна́ть) to experience.

и́зверг *s.* monster; outcast.

изверга́-ть II. *va.* (*Pf.* изве́ргн-уть I.) to throw, to cast out; (о вулка́не) to erupt, to vomit.

изверже́ние *s.* casting out; **~ вулка́на** eruption of a volcano.

изверну́ться *cf.* **изворáчиваться.**

изве́стие *s.* information, news.

извести́ *cf.* **изводи́ть.**

извести́ть *cf.* **извеща́ть.**

изве́ст/но *ad.* as is well-known, naturally || **-ный** *a.* well-known, notorious; famous, renowned; certain || **-ность** *s.f.* fame, renown, notoriety.

известня́к *s.* limestone.

и́звесть *s.f.* lime; **гашёная ~** slaked lime; slack-lime; **жива́я ~** quicklime.

изве́т *s.* denunciation; calumny.

изветша́-ть II. *vn.* to grow old; to decay.

извеща́-ть II. *va.* (*Pf.* извест=и́ть I. 4. [a]) to inform; to advise; to communicate.

извеще́ние *s.* information; advice; news *pl.*; communication; **~ о получе́нии** confirmation of receipt.

изви́в *s.* bend; coil.

извива́-ться II. *vr.* (*Pf.* изви́ться 27.) to twist about; to coil; to wind, to meander; (пе́ред кем *fig.*) to crawl.

изви́л/ина *s.* bend, curve; winding; **-инами** winding, meandering || **-истый** *a.* curved, sinuous, winding.

извин/е́ние *s.* excuse, pardon; apology || **-и́тельный** *a.* pardonable, excusable; apologetic.

извиня́-ть II. *va.* (*Pf.* извин=и́ть II. [a]) (кого́ в чём) to pardon, to excuse, to exonerate; **извини́те!** I beg your pardon! excuse me! || **~ся** *vr.* to apologize, to excuse o.s.

изви́ть *cf.* **извива́ть.**

извлека́-ть II. *va.* (*Pf.* извле́чь [γ/влек] 18.) (*chem.*) to extract; to derive; (освободи́ть) to extricate, to rescue; (из книг) to make an extract from; **~ по́льзу** to derive advantage.

извлече́ние *s.* extract; abstract.

извне́ *ad.* from without, from outside.

изнутри́ *ad.* from within, from inside.

извод=и́ть I. 1. [c] *va.* (*Pf.* извести́ 22.) (истреби́ть) to destroy, to exterminate; (издержа́ть) to use up, to consume.

изво́з/ *s.* carrier's trade *or* business; (де́йствие) carriage, transport || **-ннча-ть** I. *vn.* to carry on a carrier's business; to act as carrier || **-чик** *s.* driver, carrier; cabman, cabby; **е́хать на -чике** to take a cab, to go by cab, to cab || **-чичий** *a.* cabman's; hackney; **-чичья пролётка** hackney-cab.

изволе́ние *s.* pleasure, will, wish.

изво́л=ить II. *va. Pf.* to be pleased, to deign; **изво́льте!** if you please!

извора́чива-ться II. *vr.* (*Pf.* изворот=и́ться) I. 2. [c]) to extricate o.s.

изворо́т/ *s.* turning (inside out); (*fig.*) shift, resource; **на ~** inside out || **-ливый** *a.* clever, resourceful.

извраща́-ть II. *va.* (*Pf.* изврат=и́ть I. 6. [a]) to pervert, to distort, to put a false construction on (a word).

извраще́ние *s.* perversion, distortion.

изга́жива-ть II. *va.* (*Pf.* изга́д=ить I. 1.) to soil, to dirty; to spoil, to muddle.

изги́б *s.* bend, winding, curve; fold.

изгиба́-ть II. *va.* (*Pf.* изогн-у́ть I. [a]) to bend.
изги́бина *s.* bend, curve.
изги́бистый *a.* winding, curved, sinuous.
изгла́жива-ть II. *va.* (*Pf.* изгла́д=ить I. 1.) to smooth; to efface, to erase, to blot out.
изгна́н/ие *s.* expulsion; banishment, exile || **–ник** *s.*, **–ница** *s.* exile.
изголо́в/ок & **–ье** *s.* pillow, bolster.
изгоня́-ть II. *va.* (*Pf.* изгна́ть 11.) to drive out, away; to expel, to banish, to exile.
и́згор/ода & **–одь** *s. f.* hedge; **жива́я ~** quickset hedge.
изго/та́влива-ть II. & **–товля́-ть** II. *va.* (*Pf.* -то́в=ить II. 7.) to prepare, to get ready || **~ся** *vr.* to prepare, to get (o.s.) ready.
изгото́в/ка & **–ле́ние** *s.* preparation; getting ready; readiness; **с ружьём на –ку** ready to fire.
издава́ть 39. *va.* (*Pf.* изда́ть 38.) to emit; to exhale; (зако́н) to promulgate; (кни́гу) to publish; (звук) to produce, to give forth.
и́здавна *ad.* since long ago, a long time since.
издал/ёка & **–ека́** *ad.* from afar, from a distance.
и́здали *ad.* from afar, from a distance.
изда́/ние *s.* edition; publication || **–тель** *s. m.* publisher; editor || **–тельский** *a.* publishing; editorial.
изда́ть *cf.* **издава́ть.**
издева́тельство *s.* mockery, jeering, derision.
издева́-ться II. *vc.* (над кем) to mock (at), to jeer (at), to deride; to make fun (of), to ridicule.
изде́вка *s.* mockery, jeering, derision.
изде́лие *s.* production, manufacture.
изде́ржива-ть II. *va.* (*Pf.* издерж=а́ть I. [c]) to spend, to expend; to use up || **~ся** *vr.* to spend all one's money.
изде́ржки *s. fpl.* expenses, costs *pl.*
изде́тства *ad.* from infancy *or* childhood.
издре́вле *ad.* of old, of yore; from time immemorial.
издыха́ние *s.*, **после́днее ~** the last gasp.
издыха́-ть II. *vn.* (*Pf.* издо́хнуть 52.) to die, to expire; to breathe one's last, to give up the ghost.
изжа́рить *cf.* **жа́рить.**
изжо́га *s.* heartburn.
из-за *prp.* from behind; on account of; **~ вас** on your account; **~ чего́?** why? **~ ничего́** without any reason.
изла́влива-ть II. *va.* (*Pf.* излов=и́ть II. 7. [c]) to seize, to snatch away, to catch up; (*fam.*) to nab.
излага́-ть II. *va.* (*Pf.* излож=и́ть I. [c]) to explain; to elucidate; to expound; to demonstrate.
изла́мыва-ть II. *va.* (*Pf.* излом=и́ть II. 7. [c]) to break into bits, to smash, to break up.
излен=и́ться II. [c] *vn. Pf.* to become, to grow lazy.
излёт *s.* the end of a flight; **пу́ля на –е** spent bullet.
излече́ние *s.* healing, cure; recovery, recuperation.
изле́чива-ть II. *va.* (*Pf.* излеч=и́ть I. [c]) to heal, to cure; to restore to health || **~ся** *vn.* to be cured, to recover, to be restored to health.
излечи́м/ость *s. f.* curability || **–ый** *a.* curable, healable.
излива́-ть II. *va.* (*Pf.* изли́ть 27., *Fut.* изолью́,-льёшь)(что из чего́) to pour out; (во *or* на что) to discharge, to empty; (на кого́ *fig.*) (гнев) to vent || **~ся** *vr.* (в + *A.*) (о реке́) to discharge (into), to flow, to fall (into), to empty.
изли́ш/ек *s.* superfluity, surplus || **–ество** *s.* excess || **–ний** *a.* excess; superfluous; useless.
излия́ние *s.* effusion; (*med.*) secretion.
изли́ять = излива́ть.
излови́ть *cf.* **изла́вливать.**
изловч=и́ться I. [a] *vr. Pf.* to manage, to contrive cleverly.
изложе́ние *s.* explanation; interpretation.
изложи́ть *cf.* **излага́ть.**
изло́м/ *s.* (*min.*) fracture || **–анный** *a.* fractured, broken.
изнома́ть *cf.* **изла́мывать.**
излу́ч/ина *s.* bend, curve, turn || **–истый** *a.* curved; sinuous, winding, meandering.
излю́бленный *a.* favourite, beloved, chosen.
измара́-ть II. *va. Pf.* to dirty, to soil, to besmirch.
измая́ть *cf.* **ма́ять.**
измельча́-ть II. *va.* (*Pf.* измельч=и́ть I. [a]) to crumble, to crumb; to cut up, to mince; to fritter.
изме́на *s.* treason, treachery; **госуда́рственная ~** high treason.
измене́ние *s.* change, modification; variation.
измени́ть *cf.* **изменя́ть.**
изме́нн/ик *s.* traitor || **–ический** *a.* treacherous; treasonable || **–ичество** *s.* treachery, treason.
изме́нчивый *a.* changeable, variable; (*fig.*) fickle.
изменя́емый *a.* that can be varied, changed; (*math.*) variable.

изменя́-ть II. *va.* (*Pf.* измен=и́ть II. [c]) to change, to alter; to modify; (*gramm.*) to inflect, to decline, to conjugate || ~ *vn.* (кому́) to betray; (of memory) to prove false, to fail || **~ся** *vr.&n.* to change, to vary.

изме́р/ & **-е́ние** *s.* measuring; surveying; ~ **земли́** survey.

изме́рива-ть II. & **измеря́-ть** II. *va.* (*Pf.* изме́р=ить II.) to measure, to survey; ~ **глубину́** to sound, to fathom.

измери́мый *a.* measurable; fathomable.

изможда́-ть II. *va.* (*Pf.* изможд=и́ть I. [a]) to weaken, to exhaust, to enfeeble, to enervate.

измозж=и́ть I. [a] *va. Pf.* to crush, to grind.

измока́-ть I. *vn.* (измо́кнуть 52.) to get wet, to be soaked through.

измоло́т *s.* yield at threshing.

измолот=и́ть I. 2. [c] *va. Pf.* to thresh out.

измоло́ть *cf.* **моло́ть.**

и́зморозь *s. f.* hoarfrost.

измоча́лить *cf.* **моча́лить.**

изму́чива-ть II. *va.* (*Pf.* изму́ч=ить I.) to tire out, to jade, to weary || **~ся** *vr.* to toil, to work o.s. to death; to distress o.s.; to fatigue, to worry o.s.

измыва́-ться II. *vn.* (над кем) to ridicule, to jeer at.

измышле́ние *s.* fiction; invention.

измышля́-ть II. *va.* (*Pf.* измы́слить 41.) to invent; to contrive, to devise.

измя́ть *cf.* **мять.**

изна́нка *s.* the wrong side; the reverse; **на изна́нку** *ad.* reversed; wrong side out, inside out; **наде́ть** ~ to put on inside out.

изна/си́лива-ть II. *va.* (*Pf.* -си́л=ить II.) to force; (обесче́стить же́нщину) to ravish, to rape, to violate.

изна́шива-ть II. *va.* (*Pf.* износ=и́ть I. 3. [c]) to wear out, to use || **~ся** *vr.* to be spent; to be worn out; to become old.

изне́женность *s. f.* effeminacy.

изне́жива-ть II. *va.* (*Pf.* изне́ж=ить I.) to spoil, to pamper; to make effeminate; to enervate; to molley-coddle.

изнемога́-ть II. *vn.* (*Pf.* изнемо́чь 15. [c 2.]) to succumb, to become enfeebled, to weaken.

изно́с *s.* wearing out; carrying away.

износи́ть *cf.* **изна́шивать.**

изнур/е́ние *s.* weakening; debility; exhaustion || **-и́тельный** *a.* exhausting, exhaustive; debilitating.

изнуря́-ть II. *va.* (*Pf.* изнур=и́ть II. [a]) to weaken, to exhaust, to waste || **~ся** *vr.* to become exhausted.

изнутри́ *ad.* from within, from inside.

изныва́-ть II. *vn.* (*Pf.* изны́ть 28.) to pine (with grief); to languish.

и́зо = **из.**

изоби́л/ие *s.* (super-)abundance; plenty; superfluity || **-ьный** *a.* (super-)abundant; plenteous; superfluous.

изоблича́-ть II. *va.* (*Pf.* изоблич=и́ть I. [a]) (кого́ в чём) to expose; to convict.

изобличи́тель *s. m.* exposer.

изобража́-ть II. *va.* (*Pf.* изобраз=и́ть I. 1. [a]) to describe, to depict; to portray; to represent.

изображе́ние *s.* representation; description, portrayal; picture.

изобрета́тель/ *s. m.* inventor; discoverer || **-ный** *a.* inventive; ingenious.

изобрета́-ть II. *va.* (*Pf.* изобрести́ 23.) to invent; to discover.

изобрете́ние *s.* invention, contrivance.

изобью́ *cf.* **избива́ть.**

изогну́ть *cf.* **изгиба́ть.**

изой/ду́, -ти́ *cf.* **исходи́ть.**

изоли́ро+вать II. *va.* to isolate; to insulate.

изол/я́тор *s.* insulator || **-я́ция** *s.* isolation; insulation.

изопью́ *cf.* **испива́ть.**

изорва́-ть I. [a] *va. Pf.* to tear, to rend || **~ся** *vn.* to break, to burst asunder.

изоте́рма *s.* isotherm.

изощрённый *a.* sharpened; (*fig.*) refined.

изощря́-ть II. *va.* (*Pf.* изощр=и́ть II. [a]) (*fig.*) to sharpen, to refine; to quicken.

из-под *prp.* (+ *G.*) from under; ~ **но́са** from under his very nose.

изразе́ц *s.* (*gsg.* -зца) Dutch tile, tile for stoves.

израс/хо́дыва-ть II. *va.* (*Pf.* -хо́до+вать II.) to spend, to expend, to lay out.

и́зредка *ad.* sometimes, between times, now and then, seldom.

изре́зыва-ть II. *va.* (*Pf.* изре́з-ать I. 1.) to cut up.

изрека́-ть II. *va.* (*Pf.* изре́чь 18.) to speak, to pronounce.

изрече́ние *s.* sentence, saying, dictum.

изреше́т=ить I. 2. *va. Pf.* to pierce, to hole; to riddle (with bullets).

изрыга́-ть II. *va.* (*Pf.* изрыгн-у́ть II.) to spit out, to vomit; (*fig.*) (гнев) to pour forth, to vent (one's anger).

изры́хлить *cf.* **ры́хлить.**

изря́д/но *ad.* passably, tolerably || **-ный** *a.* pretty good; tolerable; (посре́дственный) middling.

изувéр/ *s.*, **–ка** *s.* fanatic || **–ный** *a.* fanatic(al).
изувéчение *s.* mutilation, maiming.
изувéчива-ть II. *va.* (*Pf.* изувéч=ить I.) to maim, to mutilate.
изукрáшива-ть II. *va.* (*Pf.* изукрáс=ить I. 3.) to adorn, to embellish, to decorate.
изумúтельный *a.* astonishing, astounding, surprising, amazing.
изумлéние *s.* astonishment, amazement, surprise.
изумля́-ть II. *va.* (*Pf.* изум=úть II. 7. [a]) to astonish, to astound, to surprise, to amaze || **∼ся** *vr.* (чемý) to be astonished, surprised, amazed (at); to be perplexed, disturbed.
изумрýд/ *s.* emerald || **–ный** *a.* emerald.
изурóдо+вать II. *va.* to deform; to mangle, to mutilate.
изýстный *a.* verbal, oral; by word of mouth.
изучá-ть II. *va.* (*Pf.* изуч=úть I. [c]) to learn, to study (thoroughly).
изучéние *s.* study, learning.
из'едá-ть II. *va.* (*Pf.* из'éсть 42.) to corrode, to eat into; (когó *fig.*) to insult; to mortify, to grieve.
из'éзд=ить I. 1. *va. Pf.* to travel through *or* over; to traverse; to break *or* cut up a road.
из'явúтельный *a.* indicative; **–ное наклонéние** indicative (mood).
из'явлéние *s.* manifestation, expression, declaration.
из'явля́-ть II. *va.* (*Pf.* из'яв=úть II. 7. [a]) to manifest; to show; to express, to declare.
из'я́н/ *s.*, *dim.* **–ец** *s.* (*gsg.* -нца) harm, damage; loss; mistake.
из'яснéние *s.* explanation, elucidation; demonstration.
из'яснúтельный *a.* explicatory, explanatory, demonstrative.
из'ясня́-ть II. *va.* (*Pf.* из'ясн=úть II. [a]) to explain, to expound, to elucidate; to demonstrate.
из'я́тие *s.* exception; exclusion.
из'я́ть 37. *va. Pf.* (*sl.*) to except, to exclude.
изы́сканный *a.* chosen, select, selected; affected, far-fetched.
изы́скива-ть II. *va.* (*Pf.* изыск-áть I. 4. [c]) to find out; to investigate; to search for; to select, to choose (one's words).
изю́м/ *s. coll.* raisins *pl.* || **–инка** *s.* small raisin.
изя́щный *a.* elegant, tasty, fine.
икá-ть II. *vn.* (*Pf.* икн-ýть I. [a]) to hiccup || **∼ся** *v.imp.*, **мне икáется** I have hiccups.

икóна *s.* icon, sacred picture, painting.
иконо/бóрец *s.* iconoclast || **–пúсец** *s.* painter of holy pictures || **–стáс** *s.* altar-screen; the wall in front of the altar decorated with icons.
икóта *s.* hiccup.
икр/á *s.* calf (of the leg); (ры́бьи яи́чки) roe, spawn; (солёные, идýщие на продáжу) caviar(e); **пáюсная ∼** pressed caviar; **зернúстая (свéжая) ∼** granular caviar || **–úстый** *a.* with well-developed calves; rich in roe.
ил *s.* mud, slime.
и́л/ем & –ьма *s.* elm.
и́ли *c.* or; **∼ . . . ∼** either . . . or.
и́листый *a.* muddy, slimy.
иллю́зия *s.* illusion.
иллюминáция *s.* illumination.
иллюст/рáция *s.* illustration || **–рúро+вать** II. *va.* to illustrate.
иловáтый *a.* (a little) muddy, slimy.
иль = и́ли.
им *cf.* **он.**
имéние *s.* property, holding, estate.
имен/úны *s. fpl.* name-day; one's Saint's day || **–úтельный** *a.*, **∼ падéж** nominative (case) || **–úтый** *a.* respected, well-known, famous.
и́менно namely; viz.; especially, particularly.
именá, *etc. cf.* **и́мя.**
именовáние *s.* denomination, name.
имено+вáть II. [b] *va.* (*Pf.* на-) to name, to call || **∼ся** *vr.* to be called, to be named.
имéньице *s.* small property, holding.
имé-ть II. *va.* (*Pf.* воз-) to have, to possess, to own; (*in Pf.*) to get, to obtain || **∼ся** *v.imp.*, **имéется** there is, there are.
и́ми *cf.* **он.**
импер/áтор *s.* emperor || **–атрúца** *s.* empress || **–áторский** *a.* imperial || **–иáл** *s.* outside, top (of a bus, etc.); an imperial (formerly a gold coin = 15 roubles = 33 shillings).
импéр/ия *s.* empire, dominion || **–ский** *a.* of the empire, imperial.
импровиз/áтор *s.* impromptu poet, improvisator(e) || **–áция** *s.* improvisation, extempore composition, impromptu || **–úро+вать** II. *va.* to improvise; to compose extempore.
имýщ/ество *s.* property, possessions *pl.*; goods *pl.*; **вы́морочное ∼** escheat, escheated property || **–ий** (-ая, -ее) *a.* possessing, well-to-do || **∼** (*as s.*) possessor, well-to-do person.

и́мя *s. n.* [b] (*G., D. & Pr.* и́мени; *pl.* им-ена́, -ён, -ена́м, *etc.*) name; christian name; **до́брое, худо́е ~** good, bad name or reputation; **~ прилага́тельное** adjective; **~ существи́тельное** noun; **~ числи́тельное** numeral.
и́наче *ad.* otherwise, else.
инби́рь *s. m.* [a] ginger.
инвали́д *s.* invalid; pensioner, pensioned off soldier.
инвента́рь *s. m.* [a] inventory.
инде́й/ка *s.* turkey(-hen) || **-ски́й** *a.*, **~ петух** turkey(-cock).
индив/идуа́льный *a.* individual, personal || **-и́дуум** *s.* individual, person.
и́ндиго *s. indecl.* indigo.
индифере́нтный *a.* indifferent.
индогерма́нский *a.* Indo-European, Aryan.
индос(с)/аме́нт *s.* endorsement || **-и́ро+вать** II. *va.* to endorse.
инду́кция *s.* induction.
инду́с *s.* Hindoo.
индю́/к *s.* [a] turkey(-cock) || **-шка** *s.* turkey(-hen).
и́ней *s.* hoarfrost, rime.
ине́р/тный *a.* inert || **-ция** *s.* inertia.
инжене́р *s.* engineer.
инжи́р *s. coll.* (dried) figs *pl.*
инициати́ва *s.* initiative.
инквизи́ция *s.* inquisition.
инове́р/ец *s.* (*gsg.* -рца) dissenter || **-ка** *s.* dissenter || **-ие** *s.* dissent || **-ный** *a.* dissenting.
ино/гда́ *ad.* now and then, at times, off and on || **-горо́дный** *a.* from, of another town || **-зе́мец** *s.*, **-зе́мка** *s.* foreigner, alien || **-зе́мный** *a.* foreign, alien.
ино́й *a.* other, different; many a, some; **не кто ~, как** no other than; **не что ино́е, как** nothing else than.
и́нок/ *s.* monk || **-иня** *s.* nun.
иноплеме́нный *a.* of a different race.
иноро́д/ец *s.* (*gsg.* -дца), **-ка** *s.* alien, stranger, person of a different race, a native || **-ный** *a.* alien, strange; of a different race, tribe.
иносказ/а́ние *s.* allegory; figurative, metaphorical expression || **-а́тельный** *a.* allegoric(al); figurative, metaphoric(al).
иностра́н/ец *s.* (*gsg.* -нца), **-ка** *s.* foreigner, alien || **-ный** *a.* foreign, alien.
инохо́дец *s.* ambler.
и́ноходь *s. f.* amble.
и́ноче/ский *a.* monkish, monk's, monastic || **-ство** *s.* monasticism.
иноязы́чный *a.* speaking a foreign language.

инспе́к/тор *s.* [b*] inspector || **-ция** *s.* inspection.
инста́нция *s.* instance, court of judicature; **вы́сшая ~** superior court.
инсти́нкт/ *s.* instinct || **-и́вный** *a.* instinctive.
институ́т *s.* institute.
инстру́кция *s.* instruction.
инструме́нт/ *s.* instrument, tool, implement, utensil || **-а́льный** *a.* instrumental.
инсурге́нт *s.* insurgent, rebel.
инсурре́кция *s.* insurrection, rebellion, rising.
интегр/а́льный *a.* integral || **-и́ро+вать** II. *vn.* to integrate.
интелле́кт/ *s.* intellect || **-уа́льный** *a.* intellectual.
интеллиге́нт/ *s.*, **-ка,** *s.* intellectual person || **-ный** *a.* accomplished; intellectual.
интеллиге́нция *s. coll.* the intellectual (middle) class.
интенда́нт/ *s.* commissariat-officer || **-ство** *s.* commissariat.
интенси́вный *a.* intensive.
интерва́л *s.* interval, pause, interruption.
интервью́ *s.* interview.
интере́сный *a.* interesting; **в -ом положе́нии** in the family way, pregnant.
интересо+ва́ть II. [b] *va.* (*Pf.* за-) to interest.
инти́мный *a.* intimate.
интона́ция *s.* intonation.
интри́г/а *s.* intrigue; secret love affair || **-а́нт** *s.*, **-а́нтка** *s.* intriguer || **-о+ва́ть** II. [b] *vn.* to intrigue, to plot and scheme.
интроду́кция *s.* introduction.
инфанте́рия *s.* infantry; foot(-soldiers).
инфекцио́нный *a.* infectious, catching, contagious.
инфе́кция *s.* infection, contagion.
инфлюэ́нца *s.* influenza; (*fam.*) the flu.
инфля́ция *s.* inflation.
ио́д/ *s.* iodine || **-истый** *a.* iodized, containing iodine || **-ный** *a.* iodic.
иорда́нь *s. f.* scene of the consecration of the waters on the 6th January.
ио́та *s.* iota.
ипоте́ка *s.* mortgage.
ипохо́ндр/ик *s.* hypochondriac || **-ия** *s.* hypochondria.
ирони́ческий *a.* ironic(al).
иро́ния *s.* irony.
иррациона́льный *a.* irrational.
иррегуля́рный *a.* irregular.
ирига́ция *s.* irrigation.
иск *s.* suit, proceedings *pl.* (at law); claim, action, prosecution.

искажá-ть II. *va.* (*Pf.* исказ=ить I. 1. [a]) to deform, to deface, to disfigure; to distort (a meaning).
искажéние *s.* mutilation; distortion.
искалéчива-ть II. *va.* (*Pf.* искалéч=ить I.) to cripple, to maim.
искáтель/ *s. m.*, **-ница** *s.* seeker, searcher; ~ **мéста** aspirant; ~ **престóла** claimant, pretender; ~ **приключéний** adventurer || **-ный** *a.* servile, cringing.
иск-áть I. 4. [c] *va.* (*Pf.* по-) to seek, to look for; to strive after, to aspire to; (что на ком) to sue, to prosecute, to take legal proceedings against, to proceed against, to bring an action against.
исключá-ть II. *va.* (*Pf.* исключ=ить I. [a]) to except, to exclude || **~ся** *vr.* to be excepted.
исключáя *ad.* (+ *G. or A.*) except(ing), with the exception of.
исключ/éние *s.* exception, exclusion; expulsion; **за -éнием** (+ *G.*) with the exception of, except(ing) || **-и́тельно** *ad.* exclusively; exceptionally || **-и́тельный** *a.* exclusive; exceptional.
исковéркать *cf.* **ковéркать.**
исковóй *a.* of *or* concerning legal proceedings, a suit, an action; litigious.
исколеси́ть *cf.* **колеси́ть.**
исколот=и́ть I. 2. [c] *va. Pf.* to break up, to smash (into pieces).
исколóть *cf.* **искáлывать.**
искóмый *a.* sought (after); looked for.
и́сконн *ad.* of yore, from time immemorial.
ископáемый *a.* unearthed, dug out; **-ая слонóвая кость** fossil ivory; **-ое ýголь** pit-coal || **-ое** (*as s.*) fossil; mineral.
искоренéние *s.* extermination, eradication, rooting out, destruction.
искореня́-ть II. *va.* (*Pf.* искорен=и́ть II. [a]) to root out, to eradicate, to exterminate, to extirpate, to destroy.
и́скорка *s.* small spark, sparklet.
и́скоса *ad.* askance; (somewhat) aslant, askew.
и́скра *s.* spark, sparkle.
и́скренн/ий *a.* upright, honest, straightforward, sincere || **-ость** *s. f.* honesty, sincerity, uprightness, straightforwardness.
искрест=и́ть I. 4. [a&c] *va. Pf.* to traverse, to travel through.
искривлéние *s.* bending, twisting; curvature.
искривля́-ть II. *va.* (*Pf.* искрив=и́ть II. 7. [a]) to bend, to twist; to distort || **~ся** *vr.* to bend, to twist.
искри́стый *a.* giving off sparks, sparkling.
и́скр=иться II. [b&c] *vn.* to spark, to give off sparks; to sparkle.
искромётный *a.* giving off sparks.
искромсáть *cf.* **кромсáть.**
искроши́ть *cf.* **кроши́ть.**
искупá-ть II. *va.* (*Pf.* искуп=и́ть II. 7. [c]) to redeem, to release; to purchase; to atone for (a sin); ~ **грехи́ покая́нием** to do penance for one's sins.
искупи́тель *s. m.* redeemer.
искуплéние *s.* redemption.
искýс *s.* experience; temptation; test, probation.
искусá-ть II. *va. Pf.* to bite (all over).
искуси́тель/ *s. m.* tempter, seducer || **-ница** *s.* temptress.
искуси́ть *cf.* **искушáть.**
искýс/ник *s.*, **-ница** *s.* skilled, expert person || **-ность** *s. f.* skill, dexterity || **-ный** *a.* skilled, able, dexterous || **-ственность** *s. f.* artificiality || **-ственный** *a.* artificial || **-ство** *s.* art; skill; dexterity; **изя́щные -ства** the fine arts.
искушá-ть II. *va.* (*Pf.* искус=и́ть I. 3. [a]) to test; to tempt.
искушéние *s.* temptation; probation.
испáкостить *cf.* **пáкостить.**
испарéние *s.* exhalation, evaporation, vaporization.
испáрина *s.* slight sweat, perspiration.
испаря́-ть II. *va.* (*Pf.* испар=и́ть II. [a]) to evaporate, to vaporize || **~ся** *vn.* to evaporate.
испáчкивать *cf.* **пáчкать.**
испéй(те) *cf.* **испивáть.**
испекá-ть II. *va.* (*Pf.* испéчь 18.) to bake sufficiently.
испепели́ть *cf.* **пепели́ть.**
испещря́-ть II. *va.* (*Pf.* испестр=и́ть II. [a]) to variegate, to speckle.
испивá-ть II. *va.* (*Pf.* испи́ть 27.) to drink up *or* out.
испи́сыва-ть II. *va.* (*Pf.* испис-áть I. 3. [c]) to fill with writing; to use up in writing.
исповéд/ание *s.* confession; ~ **вéры** confession of faith || **-ник** *s.*, **-ница** *s.* penitent, person confessing; (*eccl.*) confessor.
исповéдыва-ть II. *va.* (*Pf.* исповéда-ть II.) to profess (a religion); (о священнике) to confess, to hear confession of || **~ся** *vr.* to confess, to go to confession.
и́споведь *s. f.* confession.
и́сподволь *ad.* gradually, little by little.
исподлóбья *ad.* frowningly, with a frown, askance.
испóдний *a.* lower, under; **-ее плáтье** undergarment.

исподти́/ха & -шка́ *ad.* secretly, stealthily, furtively.
испоко́н *ad.* from time immemorial; **~ ве́ка** from the beginning of the world.
испола́ть *int.*, **~ тебе́!** hail!
исполи́н/ *s.* giant || **-ка** *s.* giantess || **-ский** *a.* gigantic, giant.
исполне́ние *s.* fulfilment, completion, execution; performance; **приводи́ть в ~** to carry out, to fulfil
исполни́тель/ *s.*, **-ница** *s.* executor; fulfiller; (*theat.*) performer || **-ный** *a.* executive; expeditious.
исполня́-ть II. *va.* (*Pf.* испо́лн=ить II.) to fulfil, to carry out, to accomplish; to perform || **~ся** *vn.* to be fulfilled, to be carried out *or* completed.
исполосова́ть *cf.* **полосова́ть.**
испо́ртить *cf.* **по́ртить.**
испо́рченный *a.* spoiled, bad; (*fig.*) corrupt, depraved.
исправи́тельный *a.* corrective; **~ дом** penitentiary, reformatory.
исправле́ние *s.* correction, amendment; execution.
исправля́-ть II. *va.* (*Pf.* испра́в=ить II. 7.) to correct, to improve, to amend; (до́лжность) to fill, to hold, to discharge the duties of; to execute, to do.
испра́вник *s.* (*formerly*) police district-inspector. [tual.
испра́вный *a.* correct, exact, right, punc-
испражне́ние *s.* stool, action of the bowels; excrement, faeces *pl.*
испражня́-ть II. *va.* (*Pf.* испражн=и́ть II. [a]) to empty, to evacuate || **~ся** *vn.* to relieve nature, to evacuate the bowels.
испра́шива-ть II. *va.* (*Pf.* испрос=и́ть I. 3. [c]) to request, to solicit, to beg; to present a petition.
испро́бовать *cf.* **про́бовать.**
испу́г *s.* terror, fright, alarm.
испуга́ть *cf.* **пуга́ть.**
испуска́-ть II. *va.* (*Pf.* испуст=и́ть I. 4. [c]) to let out, to emit; to exhale; **~ вздо́хи** to heave sighs; **~ дух** to expire, to give up the ghost.
испыт/а́ние *s.* investigation; test; examination || **-а́тель** *s. m.* investigator; examiner.
испы́тыва-ть II. *va.* (*Pf.* испыта́-ть II.) (иссле́довать) to investigate, to inquire into; (изве́дать на де́ле) to experience, to meet (with); to undergo; (экзаменова́ть) to examine; (про́бовать) to test.
иссле́д/ование *s.* investigation, inquiry || **-ователь** *s. m.* investigator.
иссле́дыва-ть II. *va.* (*Pf.* исследо+вать II.) to investigate.
иссо́хнуть *cf.* **иссыха́ть.**
и́сстари *ad.* from of old, of yore; from time immemorial.
исступ/ле́ние *s.* ecstasy, rapture || **-лённый** *a.* ecstatic(al), enraptured, in raptures. [to dry up.
иссуша́-ть II. *va.* (*Pf.* иссуш=и́ть I. [a & c])
иссыха́-ть II. *vn.* (*Pf.* иссо́хнуть 52.) to dry up; (*fig.*) to pine away.
иссяка́-ть II. *vn.* (*Pf.* исся́кн-уть I.) to dry up (of wells).
istáптыва-ть II. *va.* (*Pf.* истопт-а́ть I. 2. [c]) to tread on, to trample on; to wear out (a shoe).
иста́скива-ть II. *va.* (*Pf.* истаска́-ть II.) to wear out (shoes, boots).
иста́я-ть II. *vn. Pf.* to melt, to dissolve.
истека́-ть II. *vn.* (*Pf.* исте́чь [√тек] 18. [a 2.]) to flow out; to rise.
истере́ть *cf.* **истира́ть.**
истерза́ть *cf.* **терза́ть.**
исте́рика *s.* hysterics *pl.*, hysterical fit.
истери́ческий *a.* hysteric(al).
исте́ц *s.* plaintiff; supplicant.
истече́ние *s.* outflow, efflux; emanation, lapse, expiration.
исте́чь *cf.* **истека́ть.**
и́стин/а *s.* truth || **-ный** *a.* true, veritable; honest, straightforward, upright; trustworthy.
истира́-ть II. *va.* (*Pf.* истере́ть 14., *Fut.* изотру́, -трёшь, etc.) to rub away; to pulverize; to use up in rubbing.
исти́ца *s.* (female) plaintiff; supplicant.
истлева́ть *cf.* **тлеть.**
исто́к *s.* source, efflux.
истолков/а́ние *s.* expounding, explanation, interpretation || **-а́тель** *s. m.* expounder, interpreter, commentator.
истолко́выва-ть II. *va.* (*Pf.* истолко+ва́ть II.) to explain, to expound, to interpret.
истоло́чь *cf.* **толо́чь.** [weariness.
исто́м/а & -ле́ние *s.* fatigue, exhaustion,
истомля́-ть II. *va.* (*Pf.* истом=и́ть II. 7. [a]) to fatigue, to weary, to jade.
истопи́ть *cf.* **топи́ть.**
истопни́к *s.* stoker, heater; man whose duty is to see to the heating of the carriages of a train.
истопта́ть, истопчу́ *cf.* **иста́птывать.**
исторга́-ть II. *va.* (*Pf.* исто́ргн-уть I.) to snatch, to wrest; (*fig.*) to free, to deliver, to rescue || **~ся** *vr.* to free o.s., to liberate o.s.
исторже́ние *s.* wresting, snatching.

истóр/ик *s.* historian || **-и́ческий** *a.* historical || **-ия** *s.* history.
источá-ть II. *va.* (*Pf.* источ=и́ть I. [a]) to pour out, to pour away; to dissipate.
истóчник *s.* fountain, well, spring; source, origin.
истощá-ть II. *va.* (*Pf.* истощ=и́ть I. [a]) (изнурáть) to exhaust, to waste; (расточи́ть) to use up, to dissipate || **~ся** *vr.* to be exhausted, to be wasted.
истощ/éние *s.* exhaustion, wasting || **-ённый** *a.* exhausted, wasted, enfeebled.
истрáтить *cf* **трáтить.**
истреби́тель/ *s.m.*, **-ница** *s.* destroyer, exterminator || **-ный** *a.* exterminating, destroying, destructive.
истреблéние *s.* extermination, extirpation, eradication, destruction.
истребля́-ть II. *va.* (*Pf.* истреб=и́ть II. 7. [a]) to extirpate, to eradicate, to exterminate; to destroy, to do away (with); to redress (wrongs) || **~ся** *vn.* to be exterminated; to perish, to die out.
истрéбов ание *s.* demand, requisition || **-ать** *cf.* **трéбовать.**
истрепáть *cf.* **трепáть.**
иструхлéть *cf.* **трухлéть.**
истукáн *s.* idol, false god.
и́стцы, etc. *cf.* **истéц.**
и́стый *a.* true, genuine, real.
исты́кать *cf.* **ты́кать.**
истязáние *s.* interrogation; torture, rack.
истязá-ть II. *va.* (что у *or* от когó) to extort, to force; (когó) to torture, to rack, to torment.
исхáжива-ть II. *va.* (*Pf.* исход=и́ть I. 1. [c]) to wander through, to traverse (*e.g.* the whole city).
исхлопот-áть I. 2. [c] *va.* = **исходáтайствовать.**
исхóд *s.* issue; end, termination; **кни́га Исхóда** Exodus.
исходáтайство+вать II. *va. Pf.* to procure, to obtain (by soliciting).
исход=и́ть I. 1. [c] *vn.* (*Pf.* изойти́ [г/нд] 48.) to be spent, to be used up; **~ слезáми** to burst into tears.
исходи́ть *cf.* **исхáживать.**
исхóдный *a.* of departure, of setting out; starting-.
исхудá(é)лый *a.* emaciated, thin.
исхудá-ть II. & **исхудé-ть** II. *vn. Pf.* to grow *or* become thin.
исцелéние *s.* healing, cure.
исцеля́-ть II. *va.* (*Pf.* исцел=и́ть II. [a]) to heal, to cure, to restore (the health) || **~ся** *vn.* to recover, to be cured.
исчáдие *s.* child; brood; **~ áда** hellish crew.
исчезá-ть II. *vn.* (*Pf.* исчéзнуть 52.) to disappear, to be lost to view.
исчезновéние *s.* disappearance.
исчéрпыва-ть II. *va.* (*Pf.* исчéрпа-ть II.) to scoop, to ladle, to empty; (*fig.*) to exhaust.
исчислéние *s.* calculation.
исчисля́-ть II. *va.* (*Pf.* исчи́сл=ить II.) to calculate; to count (up).
итáк *c.* therefore, in consequence, consequently, as a result.
итóг *s.* amount; sum (total).
итогó *ad.* altogether.
итти́ 48. *vn.* (*Pf.* пойти́ 48.) to go; **э́то к вам идёт** that suits you; **идёт!** all right, very well; **пошёл!** be off! away with you! **дождь идёт** it is raining; **~ зáмуж** (за + *I.*) to get married (to), to marry (of women).
их of them; them; their (*cf.* он).
ихтиолóгия *s.* ichthyology.
ишáк *s.* [a] mule.
ишь, ишь-ты *int.* there you are! I told you so!
ищéйка *s.* bloodhound.
ищу́ *cf.* **искáть.**
ию́ль/ *s.m.* July || **-ский** *a.* of July, July.
ию́нь/ *s.m.* June || **-ский** *a.* of June, June.

К

-ка *particle placed after imperative* = pray, please; **скажи́те-ка мне** pray tell me; **поди́-ка сюдá** please come here.
кабáк *s.* [a] public-house, pothouse, tavern.
кабали́стика *s.* cabala.
кабáн/ *s.* [a] wild boar; block (of ice, granite) || **-ий** *a.* wild boar's.
кабаргá *s.* [a] musk, musk-deer.
кабá/тчик & -чник *s.* publican, tavernkeeper.
кабачóк s. [a] (*gsg.* -чкá) *dim. of* кабáк.
кáбель *s.m.* cable, rope.
кабестáн *s.* (*mar.*) capstan.
кабинéт *s.* private room *or* office; study; closet.
каблу́/к *s.* [a] heel (of a boot) || **-чóк** *s.* [a] (*gsg.* -чкá) *dim. of prec.*
каботáж/ *s.* coasting-trade, coastwise traffic *or* trade || **-ный** *a.* of coastwise trade; **-ное су́дно** coaster.
кабриолéт *s.* cab, cabriolet.
кáбы *c.* (*vulg.*) if, in case (that).
кавалéр/ *s.* knight (of an order); partner (at dances) || **-гáрд** *s.* horseguards-man || **-и́ст** *s.* cavalry-man, horse-soldier, trooper || **-ия** *s.* cavalry, horse, horse-soldiers || **-ство** *s.* knighthood.
кавалькáда *s.* cavalcade.

кавардáк *s.* mash, mess, mish-mash.
кáверз/ы *s. fpl.* chicanery, intrigues *pl.* || **-ничa-ть** II. *vn.* to intrigue, to cavil || **-ник** *s.*, **-ница** *s.* intriguer || **-ный** *a.* cavilling, intriguing.
кавы́чки *s. fpl.* (*G.* -чек) inverted commas.
кадáстр *s.* cadastral survey.
кадéт *s.* cadet.
кади́ло *s.* censer, thurible.
кад=и́ть I. 5. [a] *va.* (*Pres. also* кáжду́) (*Pf.* по-) to incense; (кому́ *fig.*) to flatter.
кáдка *s.* (*gpl.* -док) tub, vat.
кáдмий *s.* cadmium.
кáдочка *s.* (*gpl.* -чек) *dim. of* кáдка.
кадри́ль *s. f.* quadrille.
кáдры *s. mpl.* list of officers of a regiment.
каду́шка *s.* (*gpl.* -шек) *dim. of* кáдка.
кады́к *s.* [a] Adam's apple.
каёмка *s.* (*gpl.* -мок) *dim. of* каймá.
каждéние *s.* incensing.
каждоднéвный *a.* daily, diurnal.
кажду́ *cf.* **кади́ть.**
кáждый *prn.* every(one), each (one); ~ **день** every day; **-ые два часá** every other hour; ~ **из нас** each of us.
казáк/ *s.* [a] Cossack || **-и́н** *s.* dress of the Cossacks.
казáрм/а *s.* barracks *pl.* || **-енный** *a.* barrack-.
каз-áться I. 1. [c] *vr.&n.* (*Pf.* по-) to seem, to appear || ~ *v.imp.*, **кáжется** it seems; **мне кáжется** it seems to me, I think; **мне казáлось** it seemed to me; I thought.
казáцкий *a.* Cossack's, Cossack.
казáч/ество *s.* the Cossacks, a Cossack army || **-ка** *s.* (*gpl.* -чек) Cossack's wife, Cossack woman, Cossack girl || **-óк** *s.* [a] (*gsg.* -чкá) *dim.* Cossack; servant (in Cossack dress); (пля́ска) Cossack dance.
каземáт *s.* casemate.
казён/ка *s.* (*gpl.* -нок) lumber-room; little chamber; cabin; partition; store-room || **-нокóштный** *a.* (educated) at the State's expense, at the expense of the Crown || **-ный** *a.* of the Crown, crown-; **-ная земля́** crown-lands; **-ная вóдка** brandy the sale of which is held as a monopoly of the State.
кази́стый *a.* showy, pretty, good-looking.
казнá *s.* the Treasury; Exchequer; (нали́чные дéньги) cash; (в пу́шке) breech.
казначéй/ *s.* treasurer, paymaster || **-ство** *s.* the Treasury, exchequer; revenue-office.
казн=и́ть II. [a] *va. Pf. & Ipf.* to execute, to put to death.
казнокрáдство *s.* embezzlement (of public funds).
казнь *s.f.* execution; **смéртная** ~ capital punishment.
казуáр *s.* cassowary.
кáзус *s.* (*leg.*) extraordinary, exceptional case.
каймá *s.* [a & e] (*pl.* кóймы, коём, каймáм, кóймы, etc.) border, edge, edging.
каймáк *s.* thick cream.
кайм=и́ть II. [a] *va.* (*Pf.* о-) to border, to edge; to hem.
как *ad.* how; as, like; when; ~ **бу́дто** as if; **так** ~ whereas, since; ~ **быть** what is to be done?; ~ **тóлько** as soon as; **в то сáмое врéмя** ~ just as; **кое-**~' carelessly, anyhow; ~**'-то** the other day; seemingly; ~ **же** certainly, to be sure.
какаду́ *s. m. indecl.* cockatoo.
какáо *s. m. indecl.* cocoa.
как-нибу́дь *ad.* somehow, anyhow.
какóв *prn. interr. & corr.*, ~ **отéц, такóв и сын** like father like son.
каковó *ad.* how.
каковóй *prn. rel.* who, which.
какóй *prn. interr. & rel.* what kind of a? what sort of a? what a? || ~**-нибу́дь** any you like, any whatsoever || ~**-то** a certain, somebody.
какофóния *s.* cacophony.
какт/ & **-ус** *s.* cactus.
кал *s.* excrements *pl.*, dirt.
калам/бу́р *s.* pun || **-бу́р=ить** II. *vn.* to pun.
каланчá *s.* watch-tower.
калáч *s.* [a] a kind of cracknel; **тёртый** ~ (*fig.*) a cunning rogue, a sly fellow.
калéка *s. m&f. coll.* cripple.
календáрь *s. m.* [a] calender, almanac.
каленкóр *s.* calico.
калёный *a.* red-hot; tempered.
калéч=ить I. *va.* (*Pf.* ис-) to cripple, to maim.
кáли *s. n. indecl.* kali, potash.
кали́бр *s.* calibre.
кáлий *s.* potassium.
кали́льный *a.* incandescent.
кали́тка *s.* (*gpl.* -ток) wicket, side-gate.
кал=и́ть II. [a] *va.* (*Pf.* рас-) to make redhot; (*Pf.* за-) to harden, to temper.
кали́ф *s.* caliph.
каллигрáф/ *s.* calligraphist || **-ия** *s.* calligraphy.
кáломéль *s. f.* calomel.
кал/ориметр *s.* calorimeter || **-орифéр** *s.* hot-air heater || **-óрия** *s.* calorie.
калóша *s.* galosh, golosh.
кальсóны *s. mpl.* drawers *pl.*
кáльций *s.* calcium.
калья́н *s.* hookah, narghile.

каля́ка-ть II. *vn.* (*Pf.* по-) to prate, to prattle, to chatter.
кама́ринская *s.* Russian national dance.
ка́мбала *s.* flounder, fluke, flat-fish; **морска́я ~** turbot.
каме́дь *s.f.* gum, resin.
камелёк *s.* [a] (*gsg.* -лька́) fireplace.
каме́лия *s.* camellia.
камене́-ть II. *vn.* (*Pf.* о-) to become petrified, to be turned into stone.
камени́стый *a.* stony.
каменоуго́льный *a.* coal-; **-ая копь** coalmine; **~ слой** coal-bed.
ка́менный *a.* stone, of stone; **-ая рабо́та** masonry; **-ая посу́да** stone-ware; **-ая боле́знь** gravel, stone.
камено/ло́мня *s.* quarry || **-тёс** *s.* stone-cutter.
ка́менщик *s.* mason, bricklayer; stone-cutter.
ка́мень *s. m.* (*pl.* -мни) stone; (*pl.* ка-ме́нья, -ьев) *coll.* stones, rock; **пробный ~** touchstone; **надгро́бный ~** tomb-stone; **~ преткнове́ния** stumbling block.
ка́мера *s.* chamber; camera.
камер/ге́р *s.* chamberlain || **-фре́йлина** *s.* maid of honour, lady in waiting, lady of the bedchamber || **-ю́нкер** *s.* gentle-man of the bedchamber.
ка́мешек *s.* (*gsg.* -шка) *dim. of* ка́мень.
камзо́л *s.* camisole.
камила́вка *s.* biretta, cap (of a priest).
ками́н *s.* chimney, fireplace; **доска́ над -ом** mantelpiece.
камк/а́ *s.* damask || **-о́вый** *a.* damask.
ка́мни, etc. *cf.* **ка́мень.**
камо́рка *s.* (*gpl.* -рок) small room; store-room.
кампа́ния *s.* campaign, voyage, cruise.
камфора́ *s.* camphor.
камфо́рка *s.* spirit-lamp; small stand in samovar on which teapot is warmed.
камы́ш *s.* [a] reed, rush.
кана́в/а *s.*, *dim.* **-ка** *s.* (*gpl.* -вок) ditch, trench; gutter.
кана́л/ *s.* canal || **-иза́ция** *s.* canalization || **-изи́ро+вать** II. *va.* to canalize.
кана́ль/ский *a.* rascally || **-ство** *s.* ras-cality, knavery || **-я** *s.m.&f.* canaille; rogue; rascal.
канар/е́йка *s.* (*gpl.* -е́ек), *dim.* **-е́ечка** *s.* (*gpl.* -е́ечек) canary.
кана́т/ *s.* rope, cable || **-ный** *a.* rope-; **~ плясу́н** rope-walker || **-чик** *s.* rope-maker.
кана́шка *s.* pretty young thing (of a girl), little rascal.
канва́ *s.* canvas.
кандалы́ *s. fpl.* [a] fetters, bonds, shackles *pl.*; handcuffs *pl.*
канделя́бр *s.* candelabrum, candlestick, sconce.
кандида́т/ *s.* candidate; applicant || **-ство** *s.* candidature.
кани́кул/ы *s. fpl.* holidays *pl.*, summer-vacation || **-я́рный** *a.* holiday-.
каните́ль *s.f.* gold *or* silver thread; **тя-ну́ть ~** (*fig.*) to shilly-shally; to delay.
канифа́с *s.* sailcloth.
канифо́л=ить II. *va.* (*Pf.* на-) to rosin.
канифо́ль *s.f.* rosin (for violin-bow).
канниба́л/ *s.* cannibal || **-и́зм** *s.* canni-balism.
кано́н *s.* canon.
канон/а́да *s.* cannonade || **-е́рка** *s.* gun-boat.
канонизи́ро+вать II. *va.* to canonize.
канони́р *s.* gunner.
канони́ческий *a.* canonic(al).
кант *s.* edge, edging.
канта́та *s.* cantata.
канто́н *s.* canton.
ка́нтор *s.* choir-singer, cantor.
кану́н *s.* the eve, the vigil; the evening before.
ка́н-уть I. *vn. Pf.* to disappear; to sink; **как в во́ду ка́нул** as if the ground had swallowed him.
канц/еля́рия *s.* chancery || **-́лер** *s.* chancellor.
каню́ч=ить I. *vn.* to beg, to ask alms; to whimper, to wail.
ка́п-ать II. 7. & **ка́па-ть** II. *vn.* (*Pf.* за-, по-, *mom.* ка́пн-уть I.) to trickle, to drop, to drip.
капела́н *s.* chaplain.
капе́лла *s.* chapel.
капельди́нер *s.* servant in a theatre.
ка́пелька *s.* (*gpl.* -лек) little drop.
капельме́йстер *s.* bandmaster, con-ductor.
ка́пельный *a.* very small; liquid.
ка́пер/ *s.* (*pl.* -ы & -а́) privateer; corsair || **-ство** *s.* privateering.
ка́персы *s. mpl.* capers *pl.*
капилля́рный *a.* capillary.
капита́л/ *s.* capital, fund || **-ец** *s.* (*gsg.* -льца) *dim. of prec.* || **-и́ст** *s.* capitalist || **-ьный** *a.* capital, main, principal.
капита́н *s.* captain.
капите́ль *s. f.* (*arch.*) capital.
капи́тул *s.* chapter (of an order).
капитули́ро+вать II. *vn.* to capitulate, to surrender.
капитуля́ция *s.* capitulation.
ка́пище *s.* pagan temple.
капка́н *s.* trap, wolf-trap.
каплу́н *s.* capon.
ка́плю *cf.* **ка́пать.**
ка́пля *s.* drop; **как две -и воды́** as like as two peas.
ка́пнуть *cf.* **ка́пать.**

ка́пор *s.* hood, cape.
капо́т *s.* (lady's) dressing-gown.
капра́л *s.* corporal.
капри́з/ *s.* caprice, whim || **-ник** *s.*, **-ница** *s.* capricious person || **-ничa-ть** II. *vn.* (*Pf.* за-) to be capricious, to have whims || **-ный** *a.* capricious, freakish; whimsical. [cap.
ка́псу(ю́)ля *s.* capsule; (*mil.*) percussion-
капу́ст/а *s.* cabbage; **цветна́я ~** cauliflower; **брю́ссельская ~** Brussels sprouts || **-ник** *s.* cabbage-garden || **-ный** *a.* cabbage-. [death.
капу́т *s. indecl.* ruin, destruction; decay,
капуци́н *s.* Capuchin (friar).
капюшо́н *s.* hood, cowl. [ment.
ка́ра *s.* penalty, punishment, chastise-
караби́н/ *s.* carbine, rifle || **-е́р** *s.* rifleman. [to clamber.
кара́бка-ться II. *vc.* (*Pf.* вс-) to climb,
карава́н *s.* caravan.
карака́тица *s.* scuttle-fish. [horses).
кара́ковый *a.* brown, dark-bay (of
кара́кули *s.fpl.* scrawl.
карамбо́ль *s. m.* cannon (at billiards); **сде́лать ~** to cannon, to make a cannon.
караме́ль *s. f.* caramel.
каранда́ш *s.* [a] pencil.
каранти́н *s.* quarantine. [person.
карапу́з/ & **-ик** *s.* dwarf, undersized
кара́сь *s. m.* [a] (*ich.*) crucian, crucian
кара́т *s.* carat. [carp.
кара́тель/ *s. m.*, **-ница** *s.* chastiser || **-ный** *a.* penal, punitive. [chastise.
кара́-ть II. *va.* (*Pf.* по-) to punish, to
карау́л *s.* guard, sentry, watch; **стоя́ть на -е** to be on guard, to stand sentry; **де́лать на ~** to present arms || **~** *int.* help! guard! [guard; to look after.
карау́л=ить II. *va.* (*Pf.* по-) to watch, to
карау́л/ка *s.* (*gpl.* -лок) sentry-box || **-ьный** *a.* on guard || **~** (*as s.*) sentry, sentinel || **-ьня** *s.* guard-room || **-ьщик** *s.* watcher; sentinel, sentry.
ка́рбас *s.* rowing-boat (4—10 oars).
карбова́нец *s.* (*gsg.* -нца) (*vulg.*) silver rouble. [carbolic.
карбо́л/ка *s.* carbolic acid || **-овый** *a.*
карбу́нкул *s.* carbuncle.
карга́ *s.* crow; (*abus.*) old woman.
кардамо́/м & **-н** *s.* cardamom.
кардина́л/ *s.* cardinal || **-ьный** *a.* cardinal || **-ьский** *a.* cardinal's.
каре́т/а *s.* carriage, coach; **наёмная ~** hackney-coach || **-ник** *s.* coach-builder || **-ный** *a.* carriage-, coach-.
ка́рий *a.* brown, hazel.

карикату́р/а *s.* caricature, cartoon || **-и́ст** *s.* caricaturist || **-ный** *a.* caricatured.
ка́р/ка-ть II. *vn.* (*Pf.* за-, *mom.* -кн-уть I.) to croak, to caw.
ка́рл/ик *s.*, **-ица** *s.* dwarf.
карма́н/ *s.* pocket; pouch; **часово́й ~** fob; **положи́ть в ~** to pocket; **э́то мне не по -у** I cannot afford that || **-ник** *s.* pickpocket || **-ный** *a.* pocket-; **-ные часы́** watch; **-ная кни́жка** pocket-book, note-book || **-щик** *s.* pickpocket.
карма́шек *s.* (*gsg.* -шка) *dim. of* карма́н.
карми́н/ *s.* carmine || **-ный** *a.* carmine.
карнава́л *s.* carnival.
карни́з *s.* cornice.
карп *s.* carp.
ка́рта *s.* (игра́льная) card; (географи́ческая) map; (морска́я) chart; **игра́ть в -ы** to play cards; **коло́да карт** a pack of cards.
карта́в=ить II. 7. *vn.* to pronounce indistinctly, to lisp, to whir(r).
карта́вый *a.* whirring.
картёж/ *s.* [a] (passionate) card-playing || **-ник** *s.* gambler, card-player || **-ничa-ть** II. *vn.* to be addicted to gambling || **-ный** *a.* of cards, card-.
карте́ль *s. f.* cartel.
карте́ч/ь *s. f.* & **-а** *s.* (*mil.*) grape-shot.
карти́н/а *s.* picture, painting, illustration || **-ка** *s.* (*gpl.* -нок) small picture; **кни́га с -ками** picture-book || **-очка** *s.* (*gpl.* -чек) *dim. of prec.* || **-ый** *a.* of pictures, picture-; picturesque.
карто́н/ *s.* pasteboard, cardboard || **-ка** *s.* (*gpl.* -нок) cardboard-box || **-ный** *a.* pasteboard-, cardboard-.
карто́фел/ина *s.* potato || **-ь** *s. m.* potato (as plant); *coll.* potatoes *pl.* || **-ьный** *a.* potato-.
ка́рточ/ка *s.* (*gpl.* -чек) small card; (визи́тная) **~** visiting-card; **фотографи́ческая ~** photograph, photo || **-ный** *a.* card-.
карто́шка *s.* (*gpl.* -шек) (*fam.*) potato.
карту́з *s.* [a] cap (with peak); cartridge-
карусе́ль *s. f.* merry-go-round. [bag.
ка́рцер *s.* prison; detention-room (in
карье́ра *s.* career. [schools).
каса́тель/но *ad.* (+ *G.*) concerning, touching, in relation to || **-ный** *a.* concerning, touching; **-ная (ли́ния)** (*geom.*) tangent.
каса́тик *s.* my dear, darling.
каса́-ться II. *vn.* (*Pf.* косн-у́ться I.) (*G. or* до + *G.*) to touch, to touch on

or upon; to concern, to relate to; **что касается до меня** as for me, as far as I am concerned.
ка́ска *s.* (*gpl.* -сок) helmet.
каска́д *s.* cascade, waterfall.
ка́сса *s.* cash, cash-office; safe; (*typ.*) case, letter-case; (*rail.*) booking-office.
кас(с)/ацио́нный *a.*, ~ **суд** court of appeal || **-а́ция** *s.* cassation, appeal.
касси́ро+ва́ть II. [b] *va.* to reverse (a decision).
касси́р/ *s.*, **-ша** *s.* cashier.
ка́ста *s.* caste.
кастеля́н *s.* castellan.
касто́р/ка *s.* castor-oil || **-овый** *a.* castor-, beaver-; **-овое ма́сло** castor-oil.
кастрю́ля *s.* saucepan, casserole.
катава́сия *s.* canticle sung by two choirs; confusion, jumble.
катако́мбы *s. fpl.* catacombs *pl.*
катале́псия *s.* (*med.*) catalepsy, trance.
ката́ло́г *s.* catalogue.
ката́ль/щик *s.* roller, calenderer; ~ **на конька́х** skater || **-ный** *a.* for mangling, for rolling.
ката́ние *s.* rolling, calendering; mangling; drive; ~ **на конька́х** skating; ~ **с гор** tobogganing; ~ **на ло́дке** boating.
ката́р *s.* catarrh.
катара́кт/ *s.* waterfall, cataract || **-а** *s.* (*med.*) cataract.
катастро́фа *s.* catastrophe.
ката́-ть II. *va.* (*Pf.* по-, *mom.* катн-у́ть I.) to roll, to bowl; to calender; to drive, to take for a drive; (пилю́ли) to roll; to mangle || **~ся** *vr.* to roll; to take a drive; (верхо́м) to take a ride; (на ло́дке) to go boating; (с гор) to toboggan; (на конька́х) to skate; ~ **со́ смеху** to split one's sides with laughter.
катафа́лк *s.* catafalque.
категори́ческий *a.* categoric(al).
катего́рия *s.* category.
ка́тер *s.* (*mar.*) cutter.
кат=и́ть I. 2. [c & a] *vn.* (*Pf.* по-) to roll, to bowl; to come, to arrive in haste || **~ся** *vn.* to roll; to flow.
катихи́зис *s.* catechism.
като́к *s.* [a] (*gsg.* -тка́) roller, rolling-pin; cylinder; mangle; skating-place, rink.
като́л/ик *s.* catholic || **-и́ческий** *a.* catholic || **-и́чка** *s.* (*gpl.* -чек) catholic.
ка́торга *s.* hard labour; penal servitude; (*fig.*) drudgery; *formerly* the galleys.
ка́торжи/ик *s.* convict; galley-slave || **-ый** *a.* compulsory, hard || ~ (*as s.*) convict.
кату́ш/ка *s.* (*gpl.* -шек) reel, spool, bobbin || **-ечка** *s.* (*gpl.* -чек) *dim. of prec.*
каучу́к/ *s.* India-rubber, caoutchouc || **-овый** *a.* caoutchouc-, rubber-.
ка́федр/а *s.* pulpit, chair || **-а́льный** *a.* cathedral; ~ **собо́р** cathedral.
кафешанта́н *s.* cabaret, music-hall.
ка́фля *s.* Dutch tile.
кафр *s.* Kaffir.
кафта́н *s.* caftan, long coat (worn by Russian peasants).
кача́лка *s.* (*gpl.* -лок) cradle; litter; rocking-chair.
кача́ние *s.* rocking; swinging; pumping; ~ **ма́ятника** oscillation.
кача́-ть II. *va.* (*Pf.* по-, *mom.* качн-у́ть I.) to swing, to rock; to shake; ~ **голово́ю** to shake one's head; (*Pf.* по-) to pump || **~ся** *vr&n.* to rock, to toss, to stagger, to swing; to sway.
ка́чек *cf.* **ка́чка.**
каче́ль *s. f.* swing, see-saw.
ка́честв/енный *a.* qualificative || **-о** *s.* quality, property, nature.
ка́чка *s.* (*gpl.* -чек) swinging, rocking; vacillation; (*mar.*) roll, rolling.
качну́ть(-ся) *cf.* **кача́ть.**
ка́ша *s.* gruel; (*fig.*) hodge-podge.
кашало́т *s.* (*zool.*) cachalot, sperm-whale.
кашева́р *s.* (regimental) cook; (workmen's) cook.
ка́шель *s. m.* cough.
кашеми́р *s.* cashmere.
ка́шица *s.* thin gruel.
ка́шка *s.* (*gpl.* -шек) gruel; (*bot.*) clover, trefoil.
ка́ш/ля-ть II. *vn.* (*Pf.* за-, *mom.* -лян-уть I.) to cough.
кашта́н/ *s.* chestnut, chestnut-tree || **-овый** *a.* chestnut.
каю́та *s.* cabin.
ка́-яться II. *vn.* (*Pf.* по-) (в + *Pr.*) to confess; (в чём, за что) to repent (of), to regret.
квадр/а́нт *s.* (*astr.*) quadrant || **-а́т** *s.* (*math.*) square || **-а́тный** *a.* square; ~ **ко́рень** square root || **-ату́ра** *s.* (*math.*) quadrature, squaring.
ква́ка-ть II. *vn.* (*Pf.* за-, *mom.* ква́кн-уть I.) to croak (of frogs); to quack (of ducks).
ква́кер *s.* Quaker.
ква́рт/а *s.* quart (also measure) || **-а́л** *s.* quarter, ward (of a town) || **-а́льный** *a.* of a town-quarter, ward- || **-е́т** *s.* quartet || **-и́ра** *s.* lodgings, apartments *pl.*; quarters *pl.* || **-ира́нт** *s.*, **-ира́нтка** *s.* lodger || **-и́рка** *s.* (*gpl.* -рок) *dim. of* кварти́ра || **-ирме́йстер** *s.* quartermaster || **-и́рный** *a.* of lodgings, of quarters || **-иро+ва́ть** II. [b] *vn.* to lodge, to dwell; to be quartered.

кварц/ *s.* quartz || **‿евый** *a.* quartz, of quartz.
квас *s.* kvass (sourish drink made from black bread and malt).
квáс=ить I. [b] 3. *va.* (*Pf.* за-) to ferment, to make sour.
квас/нóй *a.* of kvass || **–ни́к** *s.* [a] kvass-brewer; kvass-seller || **–цóвый** *a.* alum-, of alum, aluminous || **–цы́** *s. mpl.* [a] alum.
квáша *s.* leaven, leavened dough.
квашня́ *s.* kneading-trough.
квéрху *ad.* in the air, up in the air.
кви́нт/а *s.* (*mus.*) fifth, quint || **–éт** *s.* quintet.
квит/ *a. indecl.* (*pl.* ‿ы) quit, quits; **мы с тобóю ‿ы** we are quits || **–áнция** *s.* receipt.
квитá-ться II. *vrc.* (*Pf.* с-, по-, рас-) (с кем) to pay off, to be quits.
кéгля *s.* skittle, ninepin, skittle-pin; **игрáть в –и** to play at ninepins.
кедр/ *s.* cedar || **–óвый** *a.* cedar.
келáрь *s. m.* (father) cellarer.
кéл/ейка *s.* (*gpl.* -еек) cellule (in monasteries) || **–ейник** *s.* lay-brother || **–éйница** *s.* lay-sister || **–éйный** *a.* cell-; secret, private || **–ья** *s.* cell.
кенгуру́ *s. n. indecl.* kangaroo.
кентáвр *s.* centaur.
кéпи *s. n. indecl.* képi; military cap.
кероси́н/ *s.* petroleum, paraffin (oil) || **–ный** & **–овый** *a.* petroleum-, paraffin-.
кéсарь *s. m.* Caesar, (Roman) Emperor.
кессóн *s.* coffer-dam.
киби́тка *s.* (*gpl.* -ток) kibitka (a covered-in car); nomad's tent.
кивáние *s.* nodding; beckoning; nod (of the head).
кивá-ть II. *vn.* (*Pf.* кивн-ýть I.) (рукóю) to beckon; (головóю) to nod.
ки́вер *s.* [b] (*pl.* -á) shako.
кивóк *s.* [a] (*gsg.* -вкá) nod.
кивóт *s.* (*eccl.*) the Ark; image-case.
кидá-ть II. *va.* (*Pf.* ки́н-уть I.) to throw, to cast, to fling, to hurl; (остáвить) to give up, to abandon; **~ жрéбий** to cast lots || **~ся** *vr.* to cast o.s., to spring, to leap (on); (на + *A.*) to fall upon; **кровь кидáется в гóлову** the blood goes to his head; **э́то кидáется в глазá** that is quite obvious.
ки́дкий *a.* easy to throw; agile, nimble; (на что) greedy, eager (for).
кизи́л *s.* box-thorn, evergreen thorn.
кий *s.* (billiard-)cue.
кики́мора *s.* phantom, ghost.
кикс *s.* miss (at billiards).
килá *s.* [e] (*med.*) hernia, rupture.
киле+вáть II. [b] *va.* (*Pf.* за-) to careen, to keel (a ship).
килевóй *a.* (*mar.*) keel-; **–áя кáчка** pitching, rolling (of ship).
кило/грáм(м) *s.* kilogram(me) || **–мéтр** *s.* kilometre.
киль/ *s. m.* [a] keel, bottom || **‿ка** *s.* (*gpl.* -лек) (*ich.*) northern pilchard.
кинжáл/ *s.* dagger || **–ец** *s.* (*gsg.* -льца) & **–ик** *s.* small dagger || **–ьный** *a.* dagger-.
ки́новарь *s. f.* cinnabar, vermilion.
ки́нуть *cf.* **кидáть.**
киóск *s.* kiosk.
киóт *s.* image-case.
ки́па *s.* bale, package; bundle.
кипари́с *s.* cypress.
кипéние *s.* boiling, ebullition; **тóчка –ия** boiling-point.
кип=éть II. 7. [a] *vn.* (*Pf.* за-, с-) to boil, to bubble, to effervesce; to foam; to froth; (*fig.*) to swarm, to teem (with); **он кипи́т гнéвом** he is foaming with rage; **рабóта у негó кипи́т под рукáми** he is working as hard as he can.
ки́пка *s.* (*gpl.* -пок) = **кипéние.**
кипу́чий (-ая, -ее) *a.* boiling, foaming; exuberant, impeduous.
кипяти́ль/ник *s.* boiler || **–ный** *a.* for boiling.
кипят=и́ть I. 2. [a] *va.* (*Pf.* вс-) to boil, to bring to a boil.
кипятóк *s.* [a] (*gsg.* -ткá) boiling water.
кирáс/ & **–а** *s.* cuirass, breast-plate || **–и́р** *s.* cuirassier.
ки́рка *s.* (*gpl.* -рок) Lutheran church.
киркá *s.* [e] spade, hoe, mattock.
кирпи́ч/ *s.* [a] brick || **–ьё** *s. coll.* bricks *pl.* || **–ник** *s.* brick-maker || **–ный** *a.* brick-, of brick; **~ завóд** brick-kiln; **~ чай** brick tea.
кис-кис *int.* puss-puss (for calling cats).
ки́са *s.* cat, pussy.
кисá *s.* [e] purse, money-bag.
кисéйный *a.* muslin-.
кисéль *s. m.* [a] a kind of sourish jelly.
кисéт *s.* tobacco-pouch.
кисея́ *s.* muslin.
ки́ска *s.* (*gpl.* -сок) *dim.* puss, pussy.
ки́сленький *a.* sourish, tart.
кислé-ть II. *vn.* (*Pf.* по-, о-, за-) to turn sour, to sour.
ки́сл=ить II. *va.* to make sour, to sour.
кисло/вáтый *a.* sourish, acidulous, tart || **–рóд** *s.* oxygen || **–слáдкий** *a.* sweet and sour || **–тá** *s.* (*pl.* кислóты) acidity sourness; (*chem.*) acid.

ки́сл/ый *a.* sour, acid || **-я́тина** *s. coll.* sour drinks; sour fruits; sour taste.
ки́снуть 52. *vn.* (*Pf.* про-, с-, за-) to sour, to turn sour.
кисте́нь *s. m.* [a] an ancient Russian weapon (an iron ball fastened to a strap).
ки́сточка *s.* (*gpl.* -чек) *dim.* pencil; brush.
кисть *s. f.* [c] tuft, tassel; bunch (of grapes); (paint-)brush; hand (without the fingers).
кит *s.* [a] whale.
ки́тель *s. m.* (working-)blouse, linen coat.
кит/о́вый *a.* cetaceous, whale-; ~ **ус** whalebone || **-оло́в** *s.* whale-fisher || **-оло́вный** *a.* whaling- || **-оло́вство** *s.* whale-fishery.
кич=и́ться I. [a] *vn.* (чем) to pride o.s. (on); to be puffed up (about).
кичли́вый *a.* haughty, proud, conceited.
киш=е́ть I. [a] *vn.* (*Pf.* за-) to swarm, to be thronged (with).
киш/е́чный *a.* intestinal || **-ка́** *s.* (*gpl.* -ше́к) gut, intestine, entrails *pl.*; (fire-engine) hose.
кишми́ш *s.* [a] *coll.* currants *pl.*
кишмя́ *ad.*, ~ **киши́т** it is swarming [(with).
клави/ату́ра *s.* keyboard, keys (of a piano) || **-ко́рды** *s. fpl.* harpsichord.
кла́виш(а) *s.* key (of a piano, etc.).
клад/ *s.* treasure || **´бище** *s.* cemetery, graveyard, churchyard || **-ене́ц** *s.* [a] (*gsg.* -енца́) **меч** ~ steel sword || **´ка** *s.* (*gpl.* -док) laying; building || **-ова́я** *s.* storehouse, storeroom || **´чик** *s.* setter, piler; (brick-)layer.
кладь *s. f.* cargo, freight.
кла́ня-ться II. *vc.* (*Pf.* поклон=и́ться II. [c]) (+ *D.*) to bow (to), to greet, to salute; (кому́ чем) to present (with).
кла́пан *s.* valve; **предохрани́тельный** ~ safety-valve.
кларне́т *s.* clarinet.
класс/ *s.* class || **´ик** *s.* classic || **-ифика́ция** *s.* classification || **-ифици́ро+вать** II. *va.* to classify || **-и́ческий** *a.* classic, classical; standard || **´ный** *a.* of class, class-.
класть (√клад) 22. *va.* (*Pf.* полож=и́ть I. [c]) to put, to set, to lay, to place; (*Pf.* слож=и́ть I. [c]) to build (a wall); (холости́ть) to geld, to castrate; (оцени́ть) to value, to appraise.
кле+ва́ть II. [a] *va.* (*Pf.* клю́н-уть I.) to bite, to nibble (of a fish); to peck, to pick.
кле́вер *s.* clover, trefoil, lucern.
клевета́ *s.* calumny, slander, detraction.
клевет-а́ть I. 6. [c] (*Pf.* о-, на-) (на кого́) to slander, to calumniate.
клевет/ни́к *s.*, **-ни́ца** *s.* calumniator, slanderer.
клевре́т *s.* accomplice.
клеево́й *a.* of glue, of paste.
клеён/ка *s.* (*gpl.* -нок) oilcloth || **-очный** *a.* oilcloth-.
кле́=ить II. [a & c] *va.* (*Pf.* с-) to glue, to paste, to stick || **~ся** *vn.* to stick, to be sticky; (*fig.*) to go on well; **разгово́р не кле́ился** the conversation flagged.
клей/ *s.* [°] glue, paste, size; **пти́чий** ~ birdline; **ры́бий** ~ fish-glue, isinglass || **´ка** *s.* gluing, pasting || **´кий** *a.* sticky, viscous, gluey || **´кость** *s. f.* stickiness, viscosity.
клейм=и́ть II. [a] *va.* (*Pf.* за-) to stamp; to mark; to brand.
клеймо́ *s.* [e] stamp, mark; brand, stigma; **фабри́чное** ~ trade-mark.
кле́йстер *s.* paste.
клён/ *s.* maple || (е)**-о́вый** *a.* maple.
клеп-а́ть II. 7. [c] *va.* (*Pf.* за-) to rivet, to clinch || ~ *vn.* (*Pf.* на-) (на кого́) to slander, to calumniate.
клёпка *s.* (*gpl.* -пок) riveting; stave.
кле́т/ка *s.* (*gpl.* -ток) cage; (квадра́тик на тка́ни) check, square || **-очный** *a.* cage-; cellular; latticed || **-чатый** *a.* checked, chequered.
клеть *s. f.* [c] granary.
клёцка *s.* (*gpl.* -цек) dumpling.
клешня́ *s.* claw (of crabs, etc.).
клещ/ *s.* [a] (*zool.*) tick, mite || **-и́** *s. mpl.* [a] pincers, nippers *pl.*
кли́вер *s.* [b] (*mar.*) jib.
клие́нт/ *s.* client, customer || **-у́ра** *s.* clientele.
клик *s.* call, shout.
кли́к-ать I. 2. *va.* to cry out, to exclaim; to proclaim, to publish || ~ *vn.* (*Pf.* кли́кн-уть I.) to call, to cry, to shriek.
клику́/н *s.*, **-нья** & **-ша** *s.* epileptic.
кли́мат/ *s.* climate || **-и́ческий** *a.* climatic.
клин/ *s.* wedge || **´ика** *s.* clinic || **-и́ческий** *a.* clinical || **-о́к** *s.* [a] (*gsg.* -нка́) blade (of a sword, etc.) || **-ообра́зный** *a.* wedge-shaped, cuneiform.
кли́пер *s.* [b] (*mar.*) clipper.
клир/ *s.* clergy || **´ик** *s.* cleric, clergyman || **´ос** *s.* choir.
клисти́р *s.* clyster.
клич/ *s.* shout, call; proclamation || **´ка** *s.* (*gpl.* -чек) call (to a dog, etc.).
клише́ *s. indecl.* cliché.
клобу́к *s.* [a] cowl, hood.
клозе́т *s.* closet.
клок *s.* (*pl.* кло́чья, -ьев & клоки́ [a]) tuft, lock; small piece, scrap.
кло́кот/ & **-а́ние** *s.* bubbling, boiling up.

клон=ить II. [c] *va.* (*Pf.* на-, с-) to incline, to bow, to bend || **~ся** *vr.* to incline; to lean, to tend towards.
клоп *s.* [a] bug.
клóун *s.* clown.
клохт-áть I. 2. [c] *va.* to cluck (of hens).
клохтýнья *s.* a clucking hen.
клоч/óк *s.* [a] (*gsg.* -чкá) *dim. of* клок || **´ья** *cf.* **клок.**
клуб *s.* club || **~** *s.* [c] ball (of thread); **~ ды́ма** cloud of smoke.
клуб=и́ть II. 7. [a] *va.* (*Pf.* за-) to whirl up; to form into a ball.
клубни́ка *s.* (garden) strawberry.
клýбный *a.* club-; ball-.
клуб/óк *s.* [a] (*gsg.* -бкá) & **-óчек** *s.* (*gsg.* -чка) *dim. of* клуб *s.* [c].
клýмба *s.* flower-bed.
клык *s.* [a] tusk; fang.
клюв *s.* beak, bill.
клюкá *s.* [d] crutch.
клю́ква *s.* cranberry, whortleberry.
клю́нуть *cf.* **клевáть.**
ключ/ *s.* [a] key; spring, fountain; **зá-пертый нá ~** locked || **-евóй** *a.* key-; spring- || **´ик** *s.* small key || **-и́ца** *s.* clavicle, collar-bone || **´ник** *s.*, **´ница** *s.* housekeeper.
клюю *cf.* **клевáть.**
кля́нч=ить I. *va.* to importune, to dun.
кляп *s.* [a] gag.
клясть 36. [a 2.] *va.* (*Pf.* про-) to curse || **~ся** *vr.* (чем) to swear, to take an oath.
кля́т/ва *s.* oath, vow; malediction, curse; **давáть -ву** to take an oath || **-венный** *a.* sworn, on oath || **-вонарушéние** & **-вопреступлéние** *s.* perjury || **-во-престýпник** *s.*, **-вопрестýпница** *s.* perjurer || **-вопрестýпный** *a.* perjured, forsworn.
кля́уза *s.* intrigues *pl.*, cavil.
кля́у/з=ить I. 1. & **-знича-ть** II. *vn.* (*Pf.* на-) to cavil, to scheme, to intrigue.
кля́уз/ник *s.*, **-ница** *s.* schemer, intriguer.
кля́ч/а *s.*, *dim.* **-óнка** *s.* (*gpl.* -нок) jade, sorry nag.
кни́га *s.* book.
книго/издáтельство *s.* publisher's, publishing-house || **-нóша** *s.* book-hawker || **-печáтание** *s.* printing || **-печáтня** *s.* printing-house || **-продá-вец** *s.* (*gsg.* -вца) bookseller || **-тор-гóвля** *s.* book-trade || **-храни́лище** *s.* library.
кни́ж/ка *s.* (*gpl.* -жек) & **-ечка** *s.* (*gpl.* -чек) little book; pocket-book; third stomach (of ruminants) || **-ник** *s.* book-learned man; book-dealer, second-hand bookseller || **-ный** *a.* book- || **-óнка** *s.* (*gpl.* -нок) (*abus.*) worthless book.
кни́зу *ad.* downward(s).
кнóпка *s.* (*gpl.* -пок) button (of bell).
кнут/ *s.* [a], *dim.* **´ик** knout, whip || **-ови́ще** & **-овьё** *s.* whip-handle, stock (of a whip).
княги́ня *s.* (married) princess; **вели́кая ~** Grand Duchess (of Russia).
княжéние *s.* reign (of a prince).
кня́ж/еский *a.* prince's, princely || **-ество** *s.* principality, princedom || **-ий** (-ья, -ье) *a.* prince's, princely || **-нá** *s.* (unmarried) princess.
князь *s. m.* [b] (*pl.* князья́, -зéй, -зья́м, etc.) prince; **вели́кий ~** Grand Duke (of Russia).
коали́ция *s.* coalition.
кóбáльт/ *s.* cobalt || **-овый** *a.* cobalt.
коб/елёк *s.* [a] (*gsg.* -лькá) *dim. of foll.* || **-éль** *s. m.* [a] (*pl.* -еля́ & -ели́) he-dog.
кобéн=иться II. *vr.* (*Pf.* за-) to behave affectedly; to make wry faces; to be stubborn.
кóбз/а *s.* a kind of guitar with eight strings || **-áрь** *s. m.* [a] "kobza" player.
коблýк *cf.* **каблýк.**
кобýра *s.* holster (for a pistol).
кобы́л/а & **-и́ца** *s.* mare || **-ий** (-ья, -ье) *a.* mare's || **-ка** *s.* (*gpl.* -лок) young mare; (*mus.*) bridge; support; boot-jack; (*zool.*) grasshopper.
ковáл/о *s.* smith's hammer, sledge-hammer || **-ь** *s. m.* [a] smith || **-ьня** *s.* forge smithy.
ковáр/ность *s. f.* & **-ство** *s.* cunning, trickery, craftiness, slyness || **-ный** *a.* sly, crafty, wily, cunning.
ко+вáть II. [a] *va.* (*Pf.* с-) to forge, to hammer; (*Pf.* под-) to shoe (a horse).
ковёр *s.* [a] (*gsg.* -врá) carpet; rug.
ковéрка-ть II. *va.* (*Pf.* ис-) to contort, to distort; to murder (a language) || **~ся** *vr.* to make wry faces; to cringe.
кóв/ка *s.* (*gpl.* -вок) forging, hammering; shoeing (a horse) || **-кий** *a.* malleable.
коври́/га *s.* round loaf || **-жка** *s.* (*gpl.* -жек) ginger-bread.
кóвр/ик *s.* small carpet, rug, mat || **-óвый** *a.* carpet-.
ковчéг *s.* chest, shrine; **Нóев ~** Noah's ark.
ковш/ *s.* [a], *dim.* **´ик** *s.* scoop, (soup-) ladle.
ковы́л/ & **-ь** *s. m.* [a] feather-grass.
ковыля́-ть II. *vn.* (*Pf.* ковыльн-ýть I.) to hobble, to limp, to halt.
ковыря́-ть II. *va.* (*Pf.* по-) to pick (one's teeth), to clean out.

когда́ *ad.* when; **~-нибу́дь** one time or another; **~-то** once; formerly.
кого́ *G.* & *A.* *of* кто.
ко́готь *s. m.* [c] (*gsg.* -гтя) claw, talon; (*fig.*) clutch, grasp.
ко́дак *s.* kodak.
ко́декс *s.* codex.
кодифика́ция *s.* codification.
ко́е/-где *ad.* somewhere || **~-ка́к** *ad.* somehow; carelessly, indifferently; with difficulty || **~-кто** *prn.* someone, somebody; anyone || **~-что** *prn.* something, anything.
ко́ж/а *s.* skin, hide, leather || **-аный** *a.* leather, of leather || **-е́венный** *a.* tan-, tanner's; **~ заво́д** tan-yard || **-е́вник** *s.* tanner || **-е́вня** *s.* tannery, tan-yard || **-ица** *s.* epidermis, cuticle, film || **-ный** *a.* of skin, cutaneous || **-ура́** *s.* skin, peel, rind || **-у́х** *s.* [a] peasant's fur-coat.
коз/а́ *s.* [e] goat || **-ёл** *s.* [a] (*gsg.* -зла́) (he-)goat, puck-goat; **~ отпуще́ния** scapegoat || **-еро́г** *s.* (*astr.*) Capricorn.
ко́з/ий (-ья, -ье) *a.* goat's || **-лёнок** *s.* (*pl.* -ля́та) kid, young puck-goat || **-лик** *s.* (he-)kid || **-ло́вый** *a.* of the skin of a he-goat || **-лы** *s. mpl.* (*G.* -зел) (coach-)box || **-лы́** *s. mpl.* [a] trestle; (sawyer's) jack; pile (of arms) || **-ля́тина** *s.* the flesh of a goat or kid.
ко́зни *s. fpl.* snares, traps, wiles, tricks *pl.*; underhand dealing.
ко́з/очка *s.* (*gpl.* -чек) kid || **-у́ля** *s.* roe, roebuck.
козырёк *s.* [a] (*gsg.* -рька́) peak of a cap.
козы́рный *a.* trump, of trumps; **~ туз** the ace of trumps.
ко́зыр/ь *s. m.* [c] trump; **начина́ть игру́ -ем** to lead (with) trumps; **ходи́ть с -я** to play a trump; **ходи́ть -ем** (*fig.*) to swagger; to strut along.
козыря́-ть II. *vn.* (*Pf.* козырн-у́ть I.) to play trumps, to trump || **~** *va.* (*fig.*) to scold.
козя́в/а *s.* & **-ка** *s.* (*gpl.* -вок) beetle.
кой *prn.* (ка́я, ко́е, *pl.* ко́и) who, which, that (*obs.* except in certain stereotyped phrases); **кой чорт!** why the deuce!
ко́йка *s.* (*gpl.* -оек) hammock; bunk, berth; wheelbarrow.
кокаи́н *s.* cocaine.
коке́т/ка *s.* (*gpl.* -ток) coquette, flirt || **-ливый** *a.* coquettish, flirtatious || **-нича-ть** II. *vn.* (*Pf.* по-) to flirt || **-ство** *s.* coquetry, flirtation.
коклю́ш *s.* hooping-cough.
коко́н *s.* cocoon.
коко́с *s.* coco-nut, cokernut; coco, coco-nut tree.
коко́тка *s.* (*gpl.* -ток) a loose woman.
коко́шник *s.* head-dress worn by Russian women.
кокс *s.* coke.
кол *s.* [d] (*pl.* ко́лья, -ьев) stake, post.
ко́лба *s.* (*chem.*) retort, matrass.
колбаса́ *s.* [h] sausage.
колдо+ва́ть II. [b] *vn.* (*Pf.* по-) to practise sorcery, magic.
колд/овство́ *s.* sorcery, spell, magic || **-у́н** *s.* [a] sorcerer, wizard; (*in pl.*) kind of small pie || **-у́нья** *s.* witch, enchantress.
колеба́/ние *s.* shaking; agitation; hesitation || **-тельный** *a.* shaking, hesitating.
колеб-а́ть II. 7. [b] *va.* (*Pf.* вс-, за-, по-, *mom.* колебн-у́ть I. [a]) to shake, to agitate; to cause to waver || **~ся** *vr&n.* to be agitated; to waver; (*fig.*) to hesitate, to shilly-shally.
коленко́р/ *s.* calico || **-овый** *a.* calico.
коле́н/ный *a.* of the knee, knee- || **-о** *s.* (*pl.* -и, -ей) knee; **стать на -и** to kneel down; (*pl.* -а, коле́н) race, line, branch, generation; turn, bend (of a road); (*mus.*) movement; (*pl.* -ья, -ьев) link (of a chain); knot (in wood) || **-опреклоне́ние** *s.* genuflexion || **-це** *s.* knee-joint || **-чатый** *a.* knee-jointed; knotty.
ко́лер *s.* (*pl.* -ы & а́) shading, colouring (art); staggers *pl.* (of horses).
колес=и́ть I. 3. *vn.* to take a roundabout way; (*Pf.* ис-) to travel over.
колёсник *s.* cart-wright, wheelwright.
колесни́ца *s.* car, chariot; *esp.* state-coach.
колёсный *a.* wheeled.
колесо́ *s.* [h] (*pl.* колёса) wheel.
колесо+ва́ть II. [b] *va.* to break on the wheel.
колесцо́ *s.* [h] *dim. of* колесо́.
коле́ц *cf.* **кольцо́.**
коле́чко *s.* (*gpl.* -чек) *dim. of* кольцо́.
колея́ *s.* rut, wheel-track.
коли́ *c.* (*vulg.*) if.
коли́бри *s. f. indecl.* humming-bird.
ко́лика *s.* colic.
коли́ч/ественный *a.* quantitative; **-ественное числи́тельное** cardinal number || **-ество** *s.* quantity.
ко́лк/ий *a.* sharp, caustic, biting || **-ость** *s. f.* sharpness, bite, sting; taunt, gibe (jibe); **говори́ть -ости** to taunt, to gibe (jibe).
колле́г/а *s. m&f.* colleague || **-иа́льный** *a.* collegial || **-ия** *s.* college; board.

колле́жский *a.* college-.
коллекти́вный *a.* collective.
колле́кция *s.* collection.
колло́дий *s.* collodium.
коло/бро́д=ить I. 1. *vn.* to wander, to lounge about; to ramble, to rove; to rave, to talk nonsense || **-воро́т** *s.* eddy; (*tech.*) centre-bit, drill || **-вра́тный** *a.* rotatory; (*fig.*) inconstant, fickle || **-враще́ние** *s.* circular motion, rotation.
коло́д/а *s.* trunk, (chopping-)block, log; stocks *pl.* (for criminals); tray, trough; pack (of cards) || **-езный** *a.* of well, well- || **-езь** *s. m.* & **-ец** *s.* (*gsg.* -дца) well || **-ка** *s.* (*gpl.* -док) boot-tree, (shoemaker's) last || **-ник** *s.* convict, prisoner.
ко́локол *s.*, *dim.* **-о́лец** *s.* (*gsg.* -льца) bell || **-о́льный** *a.* bell- || **-о́льня** *s.* bell-tower || **-о́льчик** *s.* little bell; (*in pl. bot.*) blue-bell || **-о́льщик** *s.* bell-founder.
колон/иа́льный *a.* colonial || **-иза́ция** *s.* colonization || **-и́ст** *s.*, **-и́стка** *s.* (*gpl.* -ток) colonist.
коло́ния *s.* colony.
коло́нн/а *s.* column || **-а́да** *s.* colonnade.
колор/и́ст *s.* colorist || **-и́т** *s.* colouring; coloration.
ко́лос *s.* (*pl.* коло́сья) ear (of corn).
колоси́стый *a.* full of ears (of corn).
колос=и́ться I. 3. [c] *vn.* (*Pf.* вы́-) to shoot into ears, to ear (of corn).
коло́с(с)/ *s.* colossus || **-а́льный** *a.* colossal.
колот=и́ть I. 2. [c] *va.* (*Pf.* по-, при-) to beat, to thrash; to give a good drubbing.
колоту́шка *s.* (*gpl.* -шек) beetle, mallet; rammer; (*fam.*) blow on the head.
кол-о́ть II. [c] *va.* (*Pf.* на-, рас-) to split, to cleave; (*Pf.* кольн-у́ть I. [a]) to prick; to slaughter (animals); (*fig.*) to reproach; **э́то ему́ глаза́ ко́лет** that's a thorn in his side.
колочу́ *cf.* **колоти́ть.**
колп/а́к *s.* [a] night-cap; globe (of a lamp); glass bell, glass cover (of a watch); (*fig.*) sleepy fellow || **-ачо́к** *s.* [a] (*gsg.* -чка́) *dim. of prec.*
колту́н *s.* [a] a hair-disease.
колча́н *s.* quiver.
колчеда́н *s.* pyrites.
колыбе́ль/ *s. f.*, *dim.* **-ка** *s.* (*gpl.* -лек) cradle || **-ный** *a.* cradle-.
колыха́-ть II. *va.* (*Pf.* вс-, *mom.* колыхн-у́ть I. [a]) to shake, to rock, to swing.
коль *c.* when, if; ~ **ско́ро** as soon as.
колье́ *s. indecl.* necklace.
кольну́ть *cf.* **коло́ть.**
кольц/еобра́зный *a.* annular, ring-shaped || **-о́** *s.* [d] (*gpl.* коле́ц) ring.
ко́льч/атый *a.* made of rings, ringed || **-у́га** *s.* (chain-)mail, coat of mail.
колю́ч/ий *a.* prickly, thorny, barbed, **-ая про́волока** barbed wire || **-ка** *s.* (*gpl.* -чек) prickle; spine, thorn.
коляд/а́ *s.* Christmas-time; Christmas carols (sung from house to house) || **-о+ва́ть** II. [b] *vn.* to go from house to house singing Christmas carols.
коля́ска *s.* (*gpl.* -сок) calash, open carriage; chaise (half-covered).
ком *s.* (*pl.* ко́мья) lump, ball.
ком *prn. cf.* **кто.**
кома́нд/а *s.* command; **пожа́рная ~** fire-brigade || **-и́р** *s.* commander(-in-chief) || **-и́рша** *s.* wife of commander (-in-chief) || **-и́ро+ва́ть** II. [b] *va.* (*Pf.* от-) to despatch || **-иро́вка** *s.* (*gpl.* -вок) despatching || **-о+вать** II. *vn.* (+ *I.*) to command, to be in command of; (*Pf.* с-) (+ *D.*) to order, to command || **-о́р** *s.* commander (of an order) || **-ующий** *a.* commanding || ~ (*as s.*) commander.
кома́р/ *s.* [a] gnat; (*tech.*) punch || **-ик** *s.* [*dim. of prec.*
комбина́ция *s.* combination.
комед/иа́нт *s.* comedian, actor || **-иа́нтка** *s.* (*gpl.* -ток) actress, comedian.
коме́дия *s.* comedy.
коменда́нт *s.* commander (of a town, a fortress).
коме́та *s.* comet.
коми́зм *a.* humour, comicalness.
ко́мик *s.* comic author, comic actor.
комис(с)/а́р *s.* commissary || **-а́рша** *s.* wife of commissary || **-ариа́т** *s.* commissariat || **-ионе́р** *s.* commissioner || **-ио́нный** *a.* commission-.
коми́с(с)ия *s.* commission; committee.
комите́т *s.* committee.
коми́ческий *a.* comic(al).
ко́мка-ть II. *va.* (*Pf.* с-) to rumple, to crumple; (of snow) to form into a ball.
коммента́рий *s.* commentary.
коммерса́нт *s.* (wholesale) merchant.
комме́р/ция *s.* commerce; dealings *pl.*, traffic || **-ческий** *a.* commercial, mercantile.
комми́/ *s. m. indecl.* clerk || **-вояжёр** *s.* commercial traveller.
комму́н/а *s.* commune || **-а́льный** *a.* communal || **-и́зм** *s.* communism || **-ика́ция** *s.* communication || **-и́ст** *s.*, **-и́стка** *s.* communist || **-исти́ческий** *a.* communistic.

ко́мнат/а *s.*, *dim.* **–ка** *s.* (*gpl.* -ток) room, apartment || **–ный** *a.* room-.
комо́д/ *s.* chest of drawers || **–ец** *s.* (*gsg.* -дца) & **–ик** *s. dim. of prec.*
ком/о́к *s.* [a] (*gsg.* -мка́) & **–о́чек** *s.* (*gsg.* -чка) *dim. of* ком.
компа́ктный *a.* compact.
компа́н/ия *s.* company, partnership || **–ьо́н** *s.* companion, partner, associate.
компатрио́т *s.* compatriot, fellow-countryman.
ко́мпа́с *s.* compass.
компенс/а́ция *s.* compensation || **–и́ро+вать** II. *va.* to compensate.
компете́нтный *a.* competent.
компил/я́тор *s.* compilator || **–я́ция** *s.* compilation.
компле́кт/ *s.* complement, set; **боево́й ~** war-equipment; army on a war-footing; **~ инструме́нтов** set of instruments || **–ный** *a.* complete || **–о+ва́ть** II. [b] *va.* (*Pf.* с-, у-) to complete, to fill up.
компле́кция *s.* constitution; state of [health.
комплиме́нт *s.* compliment.
композ/и́тор *s.* (*mus.*) composer || **–и́ция** *s.* (*mus.*) composition.
компони́ро+вать II. *va.* (*Pf.* с-) to com[pose.
компо́т *s.* stewed fruit.
компре́сс *s.* (*med.*) compress.
компрометиро+вать II. *va.* (*Pf.* с-) to compromise.
комфорта́бельный *a.* comfortable.
кон *s.* beginning; stake (at play); turn, time.
кона́-ть II. *va.* (*Pf.* до-) to drive to extremes; to annihilate.
конве́н/т *s.* convention || **–ция** *s.* convention, covenant.
конве́рт *s.* envelope (of a letter).
конвои́ро+вать II. *va.* to convoy, to escort.
конво́й/ *s.* convoy, escort || **–ный** *a.* convoy-, escort-.
конвуль/си́вный *a.* convulsive || **˘сия** *s.* [convulsion.
конгрега́ция *s.* congregation.
конгре́сс *s.* congress.
конди́тер/ *s.* confectioner, pastry-cook || **–ская** *s.* confectioner's (shop).
конди́ция *s.* condition.
ко́ндор *s.* condor.
конду́ктор *s.* (*pl.* -ы & -а́) conductor; [(*rail.*) guard.
конёк *s.* [a] (*gsg.* -нька́) little horse; hobby(-horse); skate; (*zool.*) cricket; **ката́ться на конька́х** to skate.
коне́ц *s.* [a] (*gsg.* -нца́) end, conclusion, termination; point, tip; **в конце́ концо́в** after all, in the long run; **в о́ба конца́** there and back; **тре́тий с конца́** last but two; **своди́ть концы́ с конца́ми** to make ends meet.
коне́ч/но *ad.* to be sure, indeed, certainly, of course || **–ность** *s. f.* end, limit, bound; tip, extremity; (*in pl.*) extremities *pl.* || **–ный** *a.* final, latter; entire, complete, total; (*math.*) commensurable.
кони́на *s.* horse-flesh.
кони́ческий *a.* conic(al).
ко́нка *s.* (*gpl.* -нок) horse-car, tram-car.
конкла́в *s.* conclave.
конкре́тный *a.* concrete.
конкур/е́нт *s.* competitor, rival || **–е́нция** *s.* competition || **–и́ро+вать** II. *vn.* to compete.
ко́нкурс *s.* competition; (*comm.*) meeting [of creditors.
ко́нн/ица *s.* cavalry; horse || **–огварде́ец** *s.* (*gsg.* -де́йца) horse-guard || **–оза-во́дство** *s.* horse-breeding || **–озаво́дский** *a.* stud-, of the stud || **–ый** *a.* horse, equestrian; **~ заво́д** stud; **–ая артилле́рия** horse-artillery.
коно/ва́л *s.* veterinary surgeon; horse-doctor, farrier || **–во́д** *s.* breeder of horses; ring-leader || **–во́дство** *s.* business of a breeder of horses || **–кра́д** *s.* [horse-thief.
ко́нок *cf.* **ко́нка.**
конопа́т=нть I. 2. *va.* (*Pf.* за-) (*mar.*) to caulk.
конопа́тка *s.* (*gpl.* -ток) caulking; caulk[ing iron.
конопля́/ *s.* hemp || **–нка** *s.* (*gpl.* -нок) linnet || **–ный** *a.* of hemp, hempen.
коносаме́нт *s.* (*comm.*) bill of lading.
консервати́вный *a.* conservative.
консе́рвы *s. mpl.* preserves *pl.*
конси́стория *s.* consistory.
ко́нский *a.* horse-; **~ заво́д** stud.
конституц/ио́нный *a.* constitutional || **˘ия** *s.* constitution.
констру́кция *s.* construction.
ко́нсул/ *s.* consul || **–ьство** *s.* consulate || **–ьта́нт** *s.* consulting physician || **–ьта́ция** *s.* consultation.
контине́нт/ *s.* continent || **–а́льный** *a.* continental.
конто́р/а *s.* counting-office, -house; **почто́вая ~** post-office || **–ка** *s.* (*gpl.* -рок) bureau, writing-desk || **–ский** *a.* office- || **–щик** *s.* office-clerk || **–щица** *s.* clerk in an office.
контраба́нд/а *s.* contraband; smuggling || **–и́ст** *s.* smuggler || **–ный** *a.* contraband; smuggling.
контраба́с *s.* counter-bass.
контрадмира́л *s.* rear-admiral.

контраге́нт *s.* contractor.
контра́кт/ *s.* contract || **–о+ва́ть** II. [b] *va.* (*Pf.* за-) to contract.
контра́льт *s.* contralto.
контрасигниро+вать II. *va.* to countersign.
контра́ст *s.* contrast.
контрибу́ция *s.* contribution.
контрол/ёр *s* controller || **–и́ро+вать** II. *va.* (*Pf.* про-) to control, to check.
контро́ль/ *s. m.* control, supervision || **–ный** of control.
контр/-предложе́ние *s.* counter-proposal || **~-прика́з** *s.* counter-order || **–революционе́р** *s.* counter-revolutionary || **–революцио́нный** *a.* counter-revolutionary || **–револю́ция** *s.* counter-revolution.
конту́зия *s.* contusion, bruise.
конту́р *s.* contour, outline.
кон/у́ра́ *s., dim.* **–у́рка** *s.* (*gpl.* -рок) kennel; hovel, hut.
ко́нус/ *s.* cone || **–ообра́зный** & **–ова́тый** *a.* conic(al).
конфедера́ция *s.* confederation.
конфе́кты *s. mpl.* sweetmeats *pl.*; sweets *pl.*
конфере́нция *s.* conference.
конфе́т/а *s.* (*us. in pl.*) sweetmeats *pl.*; sweets *pl.* || **–ка** *s.* (*gpl.* -ток) sweet || **–ти** *s. n. indecl.* confetti || **–чик** *s.* confectioner.
конфиденциа́льный *a.* confidential.
конфирм/а́ция *s.* confirmation || **–о+ва́ть** II. [b] *va.* to confirm.
конфиск/а́ция *s.* confiscation || **–о+ва́ть** II. [b] *va.* to confiscate.
конфу́з=ить I. 1. *va.* (*Pf.* с-) to confuse, to perplex, to nonplus || **~ся** *vn.* to be confused.
конца́ *cf.* **коне́ц.**
концентр/и́ро+вать II. *va.* to concentrate || **–и́ческий** *a.* concentric(al).
конце́рт *s.* concert.
конча́-ть II. *va.* (*Pf.* ко́нч=ить I.) to finish, to end, to terminate; **ко́нчено!** done! that's settled! || **~ся** *vn.* to end, to come to an end; to die.
ко́нч/ик *s.* small end, tip || **–и́на** *s.* end; decease, death, demise.
конь/ *s. m.* [e] horse; steed; knight (at chess) || **–ка́** *cf.* **конёк** || **–кобе́жец** *s.* (*gsg.* -жца), **–кобе́жица** *s.* skater.
конья́к *s.* cognac, brandy.
ко́нюх *s.* (*pl.* -и & -á) stable-boy, ostler, groom.
коню́шня *s.* stable.
копа́ *s.* heap; three score (60 sheaves, eggs, etc.).
копа́-ть II. *va.* (*Pf.* вы́-, *mom.* копн-у́ть I.) to dig || **~ся** *vn.* to ransack, to rummage; to loiter, to dawdle.

копе́ек *cf.* **копе́йка.**
копе́еч/ка *s.* (*gpl.* -чек) *dim. of* копе́йка || **–ник** *s.* miser, skinflint || **–ный** *a.* worth a copeck, for a copeck.
копе́йка *s.* (*gpl.* -е́ек) copeck (roughly = 1 farthing).
копёр *s.* [a] (*gsg.* -пра́) pile-driver.
копи́лка *s.* (*gpl.* -лок) money-box.
копи́р/ный & **–ова́льный** *a.* copying; **–ная бума́га** transfer-paper, carbon-paper || **–о+ва́ть** II. [b] *va.* (*Pf.* с-) to copy || **–о́вщик** *s.* copyist.
коп=и́ть II. 7. [c] *va.* (*Pf.* на-, с-) to amass, to hoard, to accumulate; to heap up, to scrape together (money).
ко́пия *s.* copy.
копна́ *s.* [e] (*gpl.* ко́пен) heap; rick (of corn).
копну́ть *cf.* **копа́ть.**
ко́поть *s. f.* lampblack.
копош=и́ться I. *vr.* (*Pf.* за-) to swarm; to crawl (of worms *or* insects).
копте́-ть II. *vn.* (*Pf.* за-) to get black with smoke; (над чем) to work assiduously (at).
копти́ль/ный *a.* smoking-, for smoke-drying || **–ня** *s.* smoke-drying shed *or* room || **–щик** *s.* smoke-dryer.
копт=и́ть I. 2. [a] *va.* (*Pf.* за-) to blacken with smoke; (*Pf.* вы́-) to smoke, to smoke-dry.
копче́ние *s.* smoking, smoke-drying.
копы́т/о *s.* hoof || **–ный** *a.* hoofed, ungulate.
копь *s. f.* (*esp. in pl.*) mine, pit.
копьё *s.* [d] (*gpl.* ко́пий) lance, pike, spear.
копьено́сец *s.* (*gsg.* -сца) lancer, spearman.
кора́ *s.* bark, rind; crust.
корабе́ль/ный *a.* ship's, naval || **–щик** *s.* ship-owner; skipper.
кораблe/круше́ние *s.* shipwreck || **–строе́ние** *s.* shipbuilding || **–строи́тель** *s. m.* shipbuilder.
кора́блик *s.* small ship; (*zool.*) nautilus.
кора́бль *s. m.* [a] ship, vessel.
кора́лл/ *s.* coral || **–овый** *a.* coral, of coral.
кора́н *s.* the Koran.
корве́т *s.* (*mar.*) corvette, sloop of war.
корга́ = карга́.
кордо́н *s.* cordon.
корен/а́стый *a.* thick-set, squat, square-built || **–ни́к** *s.* [a] thill-horse, shaft-horse || **–но́й** *a.* root-, original, fundamental, radical.
ко́р/ень *s. m.* [c] (*pl.* ко́рни, -е́й) root (of plants, hair, teeth); (*pl.* коре́нья, -ьев, etc.) *coll.* roots *pl.*; spices *pl.*

корешо́к *s.* [a] (*gsg.* -шка́) small root; back (of a book).

корзи́н/а *s.*, *dim.* **–очка** *s.* (*gpl.* -чек) basket || **–щик** *s.* basket-maker.

коридо́р/ *s.* corridor || **–ный** *a.* corridor- || ~ (*as s.*) boots (at an hotel).

кори́нка *s.* (*gpl.* -нок) *coll.* currants.

кор=и́ть II. *va.* (*Pf.* у-) (кого́ в чём, чем, за что) to reproach (one with a thing), to blame, to upbraid (with).

корифе́й *s.* leader of chorus; chief person.

кори́ца *s.* cinnamon.

кори́чневый *a.* tawny, brown.

ко́рка *s.* (*gpl.* -рок) rind; crust (of bread); peel (of lemon, etc.).

корм/ *s.* food; fodder || **–а́** *s.* [d] stern (of a ship), poop || **–ёж** *s.* & **–ёжка** *s.* (*gpl.* -жек) feeding || **–и́лец** *s.* (*gsg.* -льца) foster-father; (*vulg.*) benefactor || **–и́лица** *s.* foster-mother; wet-nurse; (*vulg.*) benefactress || **–и́ло** *s.* helm, rudder.

корм=и́ть II. 7. [c] *va.* (*Pf.* на-) to feed, to nourish || **~ся** *vr.* to live by.

корм/ле́ние *s.* feeding || **–ово́й** *a.* feeding-, food-.

ко́рм/чий (*as s.*) & **–щик** *s.* helmsman, the man at the helm.

корна́-ть II. *va.* (*Pf.* о-) to cut short, to crop (ears), to dock (horses), to prune, to lop (trees).

корне́т *s.* cornet.

ко́роб *s.* (*pl.* -ы & -а́) box; basket, hamper.

коро́б=ить II. 7. *va.* (*Pf.* с-, по-, вс-) to bend, to warp || **~ся** *vr.* to bend; to warp.

коро́б/ка *s.* (*gpl.* -бок) box; bandbox; case (of watch); frame (of window, door) || **–о́к** *s.* [a] (*gsg.* -бка́) & **–очка** *s.* (*gpl.* -чек) *dim. of* ко́роб || **–очник** *s.* box-maker; basketmaker.

коро́в/а *s.* cow || **–а́й** *s.* loaf || **–ий** (-ья, -ье) *a.* cow's || **–ка** *s.* (*gpl.* -вок) small cow || **–ник** *s.* cow-shed; (*bot.*) angelica || **–ница** *s.* milkmaid, dairymaid || **–ушка** *s.* (*gpl.* -шек) dear little cow.

корол/е́ва *s.* queen || **–е́вич** *s.* king's son, prince || **–е́вна** *s.* (*gpl.* -вен) king's daughter, princess || **–е́вский** *a.* royal, kingly || **–е́вство** *s.* kingdom || **–е́вство+вать** II. *vn.* to reign || **–ёк** *s.* [a] (*gsg.* -лька́) wren; blood-orange.

коро́ль *s. m.* [a] king.

коромы́/сел *s.* & **–сло** *s.* (*gpl.* -сел) beam (of scales); yoke (for carrying pails); dragon-fly.

коро́н/а *s.* crown || **–а́ция** *s.* coronation || **–ка** *s.* (*gpl.* -нок) *dim. of* коро́на || **–ный** *a.* of crown, crown- || **–ова́ние** *s.* crowning || **–о+ва́ть** II. [b] *va.* to crown.

коросте́ль *s. m.* corn-crake, land-rail.

корота́-ть II. *va.* (*Pf.* с-) to shorten, to pass away the time.

коро́тенький *a.* shortish.

корот=и́ть I. 2. [a & c] *va.* (*Pf.* у-) to shorten, to abridge.

коро́ткий *a.* (*pd.* коро́ток, -тка́, -тко́, -тки́; *comp.* коро́че, *sup.* кратча́йший) short, brief; intimate, familiar.

коротко́ *ad.* (*comp.* коро́че) shortly, briefly; intimately; ~ **знать** (кого́) to know very well.

коротко/воло́сый *a.* short-haired || **–но́гий** *a.* short-legged || **–хво́стый** *a.* short-tailed.

коро́ткость *s. f.* shortness; intimacy.

коро́че *cf.* **коро́ткий** & **коротко́**.

ко́рочка *s.* (*gpl.* -чек) *dim. of* ко́рка.

корочу́н *s.* [a] death; "coup de grâce".

корп=е́ть II. 7. [a] *vn.* (*Pf.* про-) (над + *I.*) to labour diligently at; to pore over (books).

ко́рпия *s.* (*med.*) lint.

корпора́ция *s.* corporation.

ко́рпус/ *s.* [b] (*pl.* -а́) body, corporation; corps; large detached building; watch-case; (*typ.*) long primer; hull (of a ship).

корре́кт/ор *s.* (*pl.* -ы & -а́) proof-reader || **–у́ра** *s.* proof-sheet; correction of proofs.

корреспонд/е́нт *s.*, **–е́нтка** *s.* correspondent || **–е́нция** *s.* correspondence || **–и́ро+вать** II. *vn.* to correspond.

корса́р *s.* corsair, pirate.

корсе́т *s.* corset.

корте́ж *s.* cortège, procession, retinue, suite.

ко́ртик *s.* cutlass.

ко́рточки *s. fpl.* (*G.* -чек), **сиде́ть на –ах** to squat.

ко́рча *s.* cramp, spasm.

корче+ва́ть II. [b] *va.* (*Pf.* вы́-) to root out.

ко́рч=ить I. *va.* (*Pf.* с-) to shrivel, to shrink; to contract; ~ **лицо́** to make wry faces; ~ **из себя́ зна́тного** to try to play the gentleman, to give o.s. airs || **~ся** *vr.* to contract, to shrivel, to shrink up.

корч/ма́ *s.* [e] inn, tavern || **–ма́рь** *s. m.* [a] innkeeper.

ко́ршун *s.* kite; vulture.

коры́ст/ный & **–олюби́вый** *a.* greedy, covetous || **–олю́бие** *s.* greed, covetousness || **–ь** *s. f.* greed of gain; gain, profit.

коры́то *s.* trough.

корь *s. f.* measles *pl.*; **она́ в кори́** she has got measles.

кóрю/ха *s.*, *dim.* **–шка** (*gpl.* -шек) (*ich.*) smelt.
корявый *a.* growing crookedly (of trees); pock-marked; hard, wrinkled (of leather).
кос/á *s.* [f] tress, braid, plait (of hair); scythe; sandbank, neck of land || **–áрь** *s. m.* [a] mower, reaper; chopper, bill || **–áтик** *s.* calamus; yellow water-lily; (my) dearest, (my) darling || **–áтка** *s.* (*gpl.* -ток) swift, black martin; dearest.
кóс/венный *a.* oblique, indirect; slanting || **–éц** *s.* [a] (*gsg.* -сцá) mower, reaper.
кос=ить I. 3. [a & c] *va.* (*Pf.* c-) to mow; to slant; ~ глазá to squint || **~ся** *vn.* to slope, to incline; to squint; (на когó) to look askance (at).
косичка *s.* (*gpl.* -чек) *dim. of* косá.
космá *s.* tuft (of hair).
космáт=ить II. 2. *va.* to tousle, to dishevil (the hair). [cosmetic.
космéт/ика *s.* cosmetic || **–ический** *a.*
космический *a.* cosmic(al).
космополит/ *s.* cosmopolitan, a citizen of the world || **–ический** *a.* cosmopolitan.
коснé-ть II. *vn.* (в чём) to persist in, to remain.
кóсн/ость *s. f.* inertia; stagnation || **–оязычный** *a.* stuttering, stammering || **–уться** *cf.* **касáться** || **–ый** *a.* persisting, insisting; (*phys.*) inert.
косо/глáзый *a.* squint-eyed || **–гóр** *s.* slope, declivity.
косóй *a.* (*ad.* кóсо) oblique, slanting, sloping; squint-eyed.
косонóгий *a.* bandy-legged.
костёл *s.* (Roman-Catholic) church.
костенé-ть II. *vn.* (*Pf.* о-) to become ossified, to grow numb, to stiffen.
кост/ёр *s.* [a] (*gsg.* -трá) pile, wood-pile; stake || **–истый** *a.* osseous, bony || **–лявый** *a.* bony, lean.
кост/нóй *a.* bone- || **–oéд** & **–оéда** *s.* (*med.*) caries || **–опрáв** *s.* bone-setter || **´–очка** *s.* (*gpl.* -чек) small bone; stone, kernel (of fruit).
костыль *s. m.* [a] crutch; tenter-hook.
кость *s. f.* [c] bone; (*in pl.*) dice.
костюм/ *s.* costume; fancy-dress || **–ёр** *s.* (*theat.*) costumier || **–иро+вáть** II. [b] *va.* to dress up, to dress o.s. in costume || **–ирóванный** *a.*, ~ бал masked ball, fancy-dress ball.
кост/яшка *s.* (*gpl.* -шек) button-mould || **–як** *s.* [a] skeleton || **–янóй** *a.* bone-, of bone.

кос/ýха *s.* & **–ýшка** *s.* (*gpl.* -шек) corner-bracket; a measure of capacity (= ½ pint).
косынка *s.* (*gpl.* -нок) three-cornered neckerchief.
косьбá *s.* mowing, reaping.
косяк *s.* [a] doorpost, jamb (of a door, a window); felloe (of a wheel).
кот *s.* [a] (tom-)cat; (*in pl.*) peasant's shoes; **морскóй ~** sea-bear.
котёл *s.* [a] (*gsg.* -тлá) kettle, boiler, pot; caldron.
котелóк *s.* [a] (*gsg.* -лкá) *dim. of prec.*
котéльник *s.* boiler-maker, brazier.
котёнок *s.* (*pl.* -тята) young cat, kitten.
кóтик *s.* small tom-cat; sea-bear; fur of sea-bear.
котильóн *s.* cotillon (a dance).
котирóвка *s.* (*gpl.* -вок) quotation (of prices).
котлéта *s.* cutlet, chop.
котловина *s.* deep valley, ravine; crater (of a volcano).
котом/á *s.*, *dim.* **´–ка** *s.* (*gpl.* -мок) wallet, portmanteau; knapsack.
котóрый *prn. rel. & interr.* who, which; which? what? ~ **час?** what o'clock is it?
кóф/е *s. m. indecl.* & **–ей** *s.* coffee || **–еин** *s.* coffeine || **–éйник** *s.* coffee-pot; man fond of coffee || **–éйница** *s.* coffee-canister; woman fond of coffee || **–éйня** *s.* (*gpl.* -éен) coffee-house, café.
кóфт/а *s.*, *dim.* **–очка** *s.* (*gpl.* -чек) woman's jacket.
кочáн *s.* head (of cabbage, lettuce, etc.).
коче+вáть II. [b] *vn.* to wander round, to lead a nomadic life.
коч/евáние & **–ёвка** *s.* (*gpl.* -вок) nomadic life || **–евóй** *a.* nomad(ic) || **–евище** *s.* nomad camp || **–егáр** *s.* stoker.
коченé-ть II. *vn.* (*Pf.* о-) to grow numb, to be benumbed; to get chilled.
кочергá *s.* poker, fire-iron.
кóчк/а *s.* (*gpl* -чек) hillock || **–овáтый** *a.* full of hillocks.
кош/áчий (-ья, -ье) *a.* cat's, feline || **–елёк** *s.* [a] (*gsg.* -лькá) purse, bag || **–éль** *s. m.* [a] pannier, wallet, purse || **–ениль** *s. f.* cochineal.
кóш/ерный *a.* kosher (of food, fulfilling the requirements of the Jewish law) || **–ечка** *s.* (*gpl.* -чек) little (she-)cat || **–ка** *s.* (*gpl.* -шек) (she-)cat; (*in pl.*) cat-o'-nine-tails || **–мáр** *s.* nightmare.
кошт *s.* cost, outlay, expense; maintenance, sustenance.

кощ/е́й *s.* skinny person; walking skeleton; regular skinflint || **–у́нство** *s.* scoffing at sacred things || **–у́нство+вать** II. *vn.* to scoff at sacred things, at religion.

коэфицие́нт *s.* coefficient.

краб *s.* crab.

краду́ *cf.* **красть.**

крае/во́й *a.* corner-, edge-, marginal || **–уго́льный** *a.* angular, corner-; ~ **ка́мень** corner-stone.

кра́ешек *s.* (*gsg.* -шка) *dim. of* край.

кра́жа *s.* theft, robbery, larceny.

край/ *s.* [b] edge, border, brink, verge; brim; end; country, land; **че́рез** ~ over the brim || **´не** *ad.* extremely, to the utmost, urgently; ~ **ну́жное де́ло** an affair of the greatest importance || **´ний** *a.* last; extreme, utmost, urgent; **в ´нем слу́чае** in case of necessity; **по ´ней ме́ре** at least || **´ность** *s. f.* extremity, extreme excess; exigence; **до ´ности** to excess.

краковя́к *s.* a Polish dance.

кра́л/ечка *s.* (*gpl.* -чек) my prettiest, my love || **–я** *s.* queen (at cards); (*fam.*) a beauty.

крамо́л/а *s.* sedition, revolt, mutiny || **–ьник** *s.* rebel, mutineer, seditious person || **–ьный** *a.* seditious, mutinous || **–ьнича-ть** II. *vn.* to revolt, to mutiny.

кран *s.* cock; tap; crane.

крап *s.* marking (on binding of books).

крапи́ва *s.* nettle.

кра́п/ина *s.*, *dim.* **–инка** *s.* (*gpl.* -нок) dot, speckle || **–леный** *a.* marked, speckled.

крас/а́ *s.* ornament, embellishment || **–а́вец** *s.* (*gsg.* -вца) handsome man || **–а́вица** *s.* handsome woman, belle, beauty || **–и́венький** *a.* neat, nice, pretty || **–и́вый** *a.* beautiful, pretty, handsome || **–и́льный** *a.* dyeing-, for dyeing, painting-; **–и́льная ле́нта** ribbon (of a typewriter) || **–и́льщик** *s.* dyer; (house-)painter.

кра́с=ить I. 3. *va.* (*Pf.* на-, о-, вы́-) to paint, to colour; to dye; to adorn, to embellish.

кра́с/ка *s.* (*gpl.* -сок) colour; hue; dye; redness, blush || **–ненький** *a.* nice and red || **–не́-ть** II. *vn.* (*Pf.* по-) to grow red, glowing; (*fig.*) to blush || **~ся** *vn.* to grow red (in the distance) || **–ни́ть** *va.* to colour red.

красно/арме́ец *s.* (*gsg.* -ме́йца) a soldier of the Red Army || **–ба́й** *s.* a fine talker, an eloquent man || **–бу́рый** *a.* reddish brown, ruddy || **–ва́тый** *a.* reddish || **–гварде́ец** *s.* (*gsg.* -де́йца) soldier of the Red Guard || **–кали́льный** *a.* red-hot || **–ко́жий** *s.* redskin, Red Indian || **–речи́вый** *a.* eloquent, voluble || **–ре́чие** *s.* eloquence, volubility || **–та́** *s.* [h] red, redness || **–щёкий** *a.* rosy-cheeked, with red cheeks.

красну́/ха *s.* & **–шка** *s.* (*gpl.* -шек) scarlet-fever.

кра́сный *a.* (*comp.* кра́ше) red; beautiful, pretty; **–ое де́рево** mahogany; **–ая строка́** fresh paragraph.

красот/а́ *s.* [h] beauty, handsomeness || **´ка** *s.* (*gpl.* -ток) a beauty, a handsome woman.

красть 22. [a 1.] *va.* (*Pf.* у-, по-) (у + *G.*) to steal, to pilfer (from) || **~ся** *vn.* to steal along; to slink.

кра́тер *s.* crater (of a volcano).

кра́тк/ий *a.* (*comp.* кра́тче, *sup.* кратча́йший) short, brief, concise || **–ая** (*as s.*) the sign ˘ over a vowel to indicate shortness; "**и**" **с –ой** the Russian letter "**й**" || **–овре́менный** *a.* transient, transitory, ephemeral || **–осро́чный** *a.* for a short time; (*comm.*) short-dated || **–ость** *s. f.* shortness.

крах/ма́л *s.* starch || **–ма́л=ить** II. *va.* (*Pf.* на-) to starch (linen) || **–ма́льный** *a.* starched, starch-.

кра́ше *cf.* **кра́сный.**

кра́шение *s.* dyeing.

краю́/ха *s.*, *dim.* **–шка** *s.* (*gpl.* -шек) end crust of a loaf (of bread).

креве́т *s.* shrimp.

креди́т/ *s.* credit || **–и́в** *s.* letter of credit; credentials *pl.* || **–ка** *s.* (*gpl.* -ток) (*vulg.*) bank-note || **–ный** *a.* credit-; ~ **биле́т** bank-note, currency-note, treasury-note || **–о+ва́ть** II. [b] *va.* to credit || **–о́р** *s.* (*pl.* -ы & -а́) creditor || **–оспосо́бность** *s. f.* (*comm.*) solvency.

кре́йсер/ *s.* [& b] (*pl.* -ы & -а́) cruiser || **–о+ва́ть** II. [b] *vn.* to cruise.

крема́ция *s.* cremation.

креме́нь *s. m.* [a] (*gsg.* -мня́) flint; (*fig.*) a merciless man.

кремль *s. m.* [a] citadel; **К–** the Kremlin (in Moscow).

кре́нде/ль *s. m.* [& a] (*pl.* -и & -я́), *dim.* **–лёк** *s.* [a] (*gsg.* -лька́) cracknel.

крен=и́ть II. [a] *va.* (*Pf.* на-) (*mar.*) to careen || **~ся** *vr.* (*mar.*) to heel (over).

креозо́т *s.* creosote.

креп *s.* crape.

креп⸗и́ть II. 7. [a] *va.* to strengthen, to fortify; to make fast; to hoist (sails); (*leg.*) to attest.

кре́пк/ий *a.* (*comp.* кре́пче) robust, sturdy, firm; (ко́фе) strong; (сон) sound; (моро́з) violent; **он челове́к** ~ he is niggardly; **-ие напи́тки** *mpl.* spirituous liquors; **-ая вода́** aqua fortis || **-ова́тый** *a.* rather strong.

кре́пи-уть I. *vn.* (*Pf.* о-) to harden, to stiffen, to grow hard; to acquire strength.

крепост/ни́к *s.* [a] adherent of the party in favour of keeping serfdom || **-но́й** *a.* of fortress; bond- || ~ (*as s.*) serf || **-ца́** *s.* (*gpl.* -тец) little fort.

кре́пость *s. f.* [c] fortress, fort, stronghold; strength, solidity.

кре́пче *cf.* **кре́пкий.**

крепы́ш *s.* [a] sturdy man; miser.

кре́сло *s.* (*gpl.* -сел) (*pl. also used as sg.*) armchair, easy-chair; (*theat.*) (seat in the) stalls *pl.*

кресс *s.* (water-)cress.

крест/ *s.* [a] cross; (*fig.*) calamity; (at cards) club(s) || **-е́ц** *s.* [a] (*gsg.* -тца́) (*an.*) croup, crupper || **-́ик** *s.* small cross || **-и́льный** *a.* baptismal || **-и́ны** *s. fpl.* baptism || **-и́тель** *s. m.* baptizer; **Иоа́нн** ~ John the Baptist.

крест⸗и́ть I. 4. [a & c] *va.* (*Pf.* о-) to baptize; to christen; to stand godfather or godmother to; (*Pf.* пере-) to mark with a cross; (*Pf.* за-, ис-) to cross out || **~ся** *vr.* to cross o.s.

кре́ст/ник *s.* godson || **-ница** *s.* goddaughter || (**ё**)**-ный** *a.* of the cross; of baptism; ~ **оте́ц** godfather, sponsor; **-ная мать** godmother; **-ное и́мя** christian name || **-о́вый** *a.* of the cross; **-о́вые похо́ды** *mpl.* the Crusades || **-оно́сец** *s.* (*gsg.* -сца) crusader || **-ообра́зный** *a.* cross-shaped || **-ья́нин** *s.* (*pl.* -ья́не) peasant || **-ья́нка** *s.* (*gpl.* -нок) peasant(-woman) || **-ья́нский** *a.* peasant, peasant's, rustic || **-ья́нство** *s.* peasantry.

кре́чет *s.* gerfalcon.

креще́н/ие *s.* baptism; **К–** (feast of the) Epiphany || **-ский** *a.* of the Epiphany.

кри́вда *s.* falsehood, trickery; lies and frauds.

криви/зна́ & -на́ *s.* crookedness; curve.

крив⸗и́ть II. 7. [a] *va.* (*Pf.* с-, по-) to bend, to crook; to twist, to distort (the face); ~ **душо́ю** to play the hypocrite.

кривля́-ться II. *vn.* to make grimaces, to make wry faces.

криво/гла́зый *a.* squint-eyed || **-ду́шный** *a.* unscrupulous; hypocritic(al).

кри/во́й *a.* crooked, curved; wry; one-eyed; (*fig.*) false || **-ва́я** (*as s.*) curve.

криво/лине́йный *a.* curvilinear || **-но́гий** *a.* bandy-legged || **-су́дие** *s.* unjust judgment.

кри́зис *s.* crisis.

крик/ *s.* cry, shriek, scream, roar || **-ли́вый** *a.* clamorous, noisy.

кри́к/нуть *cf.* **крича́ть** || **-у́н** *s.* [a], **-у́нья** *s.* bawler, squaller, noisy person.

криминал/и́ст *s.* criminalist || **-́ьный** *a.* criminal.

кри́нка *s.* (*gpl.* -нок) earthen pot.

криста́лл/ *s.* crystal || **-иза́ция** *s.* crystallization || **-изи́ро+ва́ть** II. [b] *va&n.* to crystallize || **-и́ческий** *a.* cristalline.

криста́льный *a.* crystal, of crystal.

кри́тик/ *s.* critic || **-а** *s.* criticism || **-о+ва́ть** II. [b] *va.* (*Pf.* о-) to criticize; to censure.

крити́ческий *a.* critical.

крич⸗а́ть I. [a] *vn.* (*Pf.* за-, *mom.* кри́кн-уть I.) to cry out, to exclaim; to scream; (на кого́) to rail (at) || ~ *va.* to call; **кричи́ его́** call him; ~ **карау́л** to cry for help.

кров *s.* roof, shelter, house, abode; (*fig.*) protection.

крова́вый *a.* bloody.

крова́ть *s. f.* bed(-stead).

кро́в/ельный *a.* roof- || **-ельщик** *s.* slater, thatcher || **-и́нка** *s.* (*gpl.* -нок) drop of blood || **-ля** *s.* (*gpl.* -вель) roof || **-ный** *a.* consanguineous; genuine; thoroughbred.

крово/жа́дный *a.* bloodthirsty || **-излия́ние** *s.* extravasation || **-обраще́ние** *s.* the circulation of the blood || **-очисти́тельный** *a.* depuratory || **-пи́йца** *s. m&f.* blood-sucker || **-проли́тие** *s.* bloodshed, carnage || **-пуска́ние** *s.* bleeding, phlebotomy || **-смеси́тельный** *a.* incestuous || **-смеше́ние** *s.* incest || **-тече́ние** *s.* hemorrhage || **-ха́рканье** *s.* blood-spitting.

кровь *s. f.* [g] blood.

кровян/и́стый *a.* containing blood || **-о́й** *a.* blood-; consisting of blood.

кро́йка *s.* (*gpl.* кро́ек) cutting-out (of clothes).

кроке́т *s.* croquet.

крокоди́л *s.* crocodile.

кро́лик *s.* rabbit.

кро́ме *prp.* (+ *G.*) except, besides; ~ **того́** moreover; ~ **того́, что . . .** let alone, that . . .

кроме́шный *a.* last, extreme.

кро́мка s. (*gpl.* -мок) edge; selvage (of cloth).
кромса́-ть II. *vn.* (*Pf.* нс-, рас-) to cut into small pieces.
кропа́тель s. *m.* bungler.
кропа́-ть II. *va.* (*Pf.* с-) to bungle, to botch; to scribble.
кропи́ва = **крапи́ва.**
кропи́ло s. holy-water sprinkler.
кроп=и́ть II. 7. [a] *va.* (*Pf.* о-) to besprinkle.
кропотли́вый *a.* busy, careful, bustling, painstaking; peevish.
крот s. [a] mole.
кро́т/кий *a.* (*comp.* кро́тче) kind, mild, gentle, meek || **–ость** s. *f.* kindness, gentleness, meekness.
крох/а́ s. [e] small piece, bit, crumb || **–обо́р** s., **–обо́рка** s. ragman, ragwoman; miser, skinflint, curmudgeon || **´–отный** *a.* very small, tiny.
кро́ш/ево s. minced cabbage || **–ечка** s. (*gpl.* -чек) *dim. of* кро́шка || **–ечку** *ad.* somewhat, a little bit || **–ечный** *a.* very small, tiny || **–ка** s. *dim.* crumb, little bit.
крош=и́ть I. [a & c] *va.* (*Pf.* на-, по-, ис-) to crumb, to mince || **~ся** *vn.* to crumble (off).
круг/ s. [b] circle, ring || **´–ленький** *a.* nice and round || **–лова́тый** *a.* roundish || **´–лость** s. *f.* & **–лота́** s. roundness, rotundity || **´–лый** *a.* round; **~ год** the whole year round; **~ дура́к** an arrant fool || **–ово́й** *a.* circular, round || **–оборо́т** s. circular movement || **–озо́р** s. horizon || **–о́м** *ad.* (all) around, round about; entirely, wholly || **´–ом** *ad.* around, in a ring || **–ообра́зный** *a.* circular || **–ообраще́ние** s. rotation, circular motion || **–осве́тный** *a.*, **–осве́тное пла́вание** circumnavigation of the globe.
круж/а́ло s. centre (of an arch) || **–евни́к** s., **–евни́ца** s. lace-maker, -merchant || **–евно́й** *a.* lace-.
кру́ж/ево s. [b] (*gpl.* -жев), *dim.* **–евцо́** lace || **–е́ние** s. wheeling; rotation; **~ головы́** giddiness || **–ечка** s. (*gpl.* -чек) *dim.* canakin, small mug || **–ечный** *a.* can-; **~ сбор** collection (in church).
круж=и́ть I. [a & c] *va.* (*Pf.* за-, вс-) to turn, to move round, to wheel, to twirl || **~ся** *vr&n.* to turn, to turn round; to revolve, to rotate; **у него́ голова́ кру́жится** he is feeling giddy.
кру́ж/ка s. (*gpl.* -жек) jug, cup; tankard; money-box; poor-box, collection-box || **–о́к** s. [a] (*gsg.* -жка́) small circle; circle (small assembly).
круп/ s. croup, quinsy || **–а́** s. *coll.* groats *pl.* || **´–и́на** s., *dim.* **´–и́нка** s. (*gpl.* -нок) a single grain of groats || **´–ка** s. (*gpl.* -пок) fine groats || **´–ный** *a.* coarse, large, coarse-grained; big, strong; (*med.*) croup- || **–ча́тка** s. (*gpl.* -ток) finest flour; mill for grinding meal.
кру́тень s. *m.* (*gsg.* -тня) whirlpool; whirlwind.
крут/изна́ s. [h] steepness; steep place; precipice || **–и́ло** s. ropemaker's wheel; harpoon || **–и́льня** s. rope-walk.
крут=и́ть I. 2. [c] *va.* (*Pf.* за-, с-) to twist, to twirl, to wring; to cord; to whirl || **~ся** *vr.* to twist together (of thread); to turn to and fro; to wind (of a river).
кру/то́й *a.* (*comp.* кру́че) tight; steep, thick (of gruel, etc.); hard-boiled (of eggs); sharp (of turn); harsh, severe (of weather) || **´–тость** s. *f.* steepness; harshness.
кру́ч/е *comp. of* круто́й || **–ёный** *a.* twisted || **–и́на** s. grief, affliction, sorrow.
круше́ние s. shattering, breaking up; **~ по́езда** accident on a railway; **~ корабля́** shipwreck.
крыжо́в/ина s. a gooseberry || **–ник** s. gooseberry bush; *coll.* gooseberries.
крыла́тый *a.* winged.
кры/ле́чко s. (*gpl.* -чек) *dim. of* крыльцо́ || **–ло́** s. [d] (*pl.* кры́лья, -ьев, etc.) wing || **–льцо́** s. flight of steps, perron.
кры́с/а s. rat || **–ёнок** s. (*pl.* -я́та) young rat || **–оло́в** s. rat-catcher.
крыть 28. *va.* (*Pf.* по-) to cover; to thatch, to roof; to take (one card with another); to conceal, to hide || **~ся** *vr.* (от чего́) to conceal, to hide o.s.; **тут что-то кро́ется** there's something in the wind.
кры́ш/а s. roof || **–ечка** s. (*gpl.* -чек) *dim. of foll.* || **–ка** s. (*gpl.* -шек) small roof; cover, lid.
крюк s. (*pl.* крю́чья, -ьев) hook; hinge (of door); [a] (*pl.* -ки́) roundabout way.
крю́ч=ить I. *va.* (*Pf.* с-) to bend into a hook.
крючко/ва́тый *a.* hooked; (*fig.*) sly, cunning || **–тво́рство** s. chicanery, pettifogging; quibbling.
крю́ч/ник s. porter, carrier || **–о́к** s. [a] (*gsg.* -чка́) small hook; barb; (*fig.*) dodge, trick.

кряж/ *s.* [a] chain of mountains; layer || **-истый** *a.* thickset.
кряка-ть II. *vn.* (*Pf.* за-, *mom.* крякн-уть I.) to crash (of ice); to quack (of ducks); to croak (of a raven).
кряхт=е́ть I. 2. [a] *vn.* (*Pf.* за-) to groan.
ксёндз *s.* [b] Roman Catholic priest.
кста́ти *ad.* at the proper time, opportunely; by the by, by the way.
кти́тор *s.* (*eccl.*) churchwarden.
кто *prn. interr.* who? which? || ~ *prn. rel.* who, which, that || ~ *prn. ind.*, ~ . . . ~ the one . . . the other; **~-то** somebody.
кто́/-либо, ~-нибудь *prn.* anybody, anyone; somebody.
куафёр *s.* hairdresser.
куб/ *s.* (*geom.*) cube; (*chem.*) retort, alembic, still || **-арём** *ad.* head over heels; topsy-turvy || **-а́рь** *s. m.* [a] top, pegtop || **´-ик** *s. dim. of* куб || **-и́ческий** *a.* cubic-; ~ **ко́рень** (*math.*) cube-root || **´-ок** *s.* (*gsg.* -бка) goblet, (large) cup || **-ы́шка** *s.* (*gpl.* -шек) bellied vessel; (*bot.*) bottle-gourd.
куве́рт *s.* envelope (of letter); place (laid at table).
кувши́н *s.* pitcher, jug.
кувы́р/ка-ть II. *va.* (*Pf.* -н-у́ть I.) to turn over, to upset; to roll || **~ся** *vr.* to fall head over heels, to turn a somersault.
куда́ *ad.* where, whither; (*in cpds.*) by far; ~ **ни шло** let that pass.
куда́хта-ть II. *vn.* (*Pf.* за-) to cackle (of hens).
куде́ль *s. f.* flax *or* hemp (ready for spinning).
куде́сник *s.* sorcerer, necromancer.
кудрева́тый *a.* curly, frizzly (of hair); florid, affected (of style).
ку́др/и *s. fpl.* [c] (*G.* -ей & -е́й) curls *pl.*; curly hair || **-я́вый** *a.* curly, curled, frizzled; florid (of style).
куз/е́н *s.* cousin (male) || **-и́на** *s.* cousin (female) || **-не́ц** *s.* [a] smith, blacksmith || **-не́чество** *s.* blacksmith's trade || **-не́чик** *s.* grasshopper.
ку́з/ница *s.* smithy, forge || **-ов** *s.* [b] (*pl.* -á) pannier, basket; body, frame (of a coach) || **-о́вка** *s.* & **-ово́к** *s.* [a] (*gsg.* -вка́) *dim.* basket, hand-basket.
кукаре́ку *s.&int.* crowing (of cock); cock-a-doodle-doo!
ку́к/иш *s.* an insulting gesture || **-ла** *s.* (*gpl.* -кол) doll || **-олка** *s.* (*gpl.* -лок) small doll; chrysalis, pupa (of insects) || **-уру́за** *s.* maize, Indian corn || **-у́шка** *s.* (*gpl.* -шек) cuckoo.
кул/а́к *s.* [a] fist; (*fig.*) one who buys up goods, retailer; well-to-do peasant || **-а́чный** *a.* fist-; ~ **бое́ц** prize-fighter, boxer; ~ **бой** fisticuffs *pl.*; boxing-match || **-ачо́к** *s.* [a] *dim.* fist; **би́ться на кула́чках** to box.
кулебя́ка *s.* fish-pie.
кулёк *s.* [a] (*gsg.* -лька́) mat-bag.
кули́к *s.* [a] woodcock, snipe.
кулина́рный *a.* culinary.
кули́са *s.* (*theat.*) side-scene, wings *pl.*
кули́ч *s.* [a] Easter-loaf.
куль/ *s. f.* [a] mat-sack; sack (a measure for meal roughly 4 cwt.) || **-мина́ция** *s.* culmination.
культ/ *s.* cult || **-ива́тор** *s.* cultivator || **-иви́ро+вать** II. *va.* to cultivate || **-у́ра** *s.* culture || **-у́рный** *a.* cultural || **-я́** *s.* hand without the fingers; foot without toes; stump.
кум/ *s.* [b] (*pl.* -овья́) godfather || **-а́** *s.* godmother || **-анёк** *s.* [a] (*gsg.* -анька́) dear godfather || **-а́ч** *s.* [a] red fustian stuff || **-и́р** *s.* idol (*also fig.*) || **-и́рня** *s.* idol temple.
кум=и́ться II. 7. [a] *vrc.* (*Pf.* по-) to become related by compaternity.
кумовство́ *s.* compaternity.
ку́мушка *s.* (*gpl.* -шек) dear godmother.
кумы́с *s.* koumiss (fermented mare's milk).
куни́ца *s.* marten.
ку́па *s.* heap, pile.
купа́ль/ный *a.* bathing- || **-ня** *s.* bath, bathing-place, baths *pl.* || **-щик** *s.* attendant at baths.
купа́-ть II. *va.* (*Pf.* вы́-) to bathe || **~ся** *vr.* to bathe, to go for a bathe.
купе́ = купэ́.
купе́ль *s. m.* baptismal font.
куп/е́ц *s.* [a] (*gsg.* -пца́) merchant || **-е́ческий** *a.* merchant-, mercantile, commercial || **-е́чество** *s.* corporation of merchants || **-идо́н** *s.* Cupid || **-и́ть** *cf.* **покупа́ть** || **-ле́т** *s.* couplet.
ку́п/ля *s.* purchase, trade || **-но** *ad.* (*sl.*) conjointly, together || **-ол** *s.* [& b] (*pl.* -ы & -á) cupola || **-ольный** *a.* of cupola || **-о́н** *s.* coupon || **-оро́с** *s.* vitriol || **-чий** *a.* purchase-, by purchase || **-чая** (*as. s.*) & ~ **кре́пость** bill of sale; purchase-deed || **-чик** *s.* (young) merchant || **-чи́на** *s.* dealer, shopkeeper, retailer, tradesman; purchaser || **-чи́ха** *s.* tradeswoman; merchant's wife.
купэ́ *s. indecl.* (*rail.*) compartment.
кура́/ж *s.* [a] courage || **-ж=иться** I. *vn.* to swagger; to bluster.
кура́нты *s. mpl.* chime (of bells).

кура́тор *s.* trustee, curator.
курга́н *s.* (burial) tumulus; barrow.
кургу́зый *a.* dock-tailed, bobtailed.
курдю́к *s.* [a] fat tail (of sheep).
ку́р/ево *s.* fumigating powder; smoke || **–е́ние** *s.* perfuming; smoking; fumigation || **–е́нь** *s. m.* [a] (miserable) hovel; Cossack village || **–и́ный** *a.* hen's || **–и́льщик** & **–и́тель** *s. m.* smoker || **–и́тельный** *a.* (for) smoking; (for) fumigating || **–и́тельная** (*as s.*) smoke-room.
кур=и́ть II. [a & c] *va.* (*Pf.* по-) to smoke; (*Pf.* на-) (чем) to fumigate; to distil || ~ *v.imp.* to drift (of snow) || **~ся** *vn.* to fume, to steam.
ку́р/ица *s.* (*pl. us.* ку́ры *q. v.*) hen; (*fig.*) milksop || **–но́й** *a.* smoky || **–но́сый** *a.* snub-nosed || **–ово́дство** *s.* poultry-keeping, poultry-rearing || **–о́к** *s.* [a] (*gsg.* -рка́) cock (of a gun) || **–оле́сник** *s.*, **–оле́сница** *s.* wag, waggish person, practical joker || **–опа́тка** *s.* (*gpl.* -ток) partridge || **–́очка** *s.* (*gpl.* -чек) pullet.
курс/ *s.* course || **–и́в** *s.* (*typ.*) italics *pl.* || **–и́вный** *a.* in italics, italic || **–ово́й** *a.* of course; **–ова́я запи́ска** (*comm.*) quotation-list.
курта́ж *s.* [a] brokerage.
куртиза́нка *s.* (*gpl.* -нок) courtesan, mistress.
ку́рт/ка *s.* (*gpl.* -ток), *dim.* **–очка** *s.* (*gpl.* -чек) jacket.
ку́рфир/ст *s.* elector || **–́шество** *s.* electorate.
курч/а́вый *a.* crisp, curly || **–ёнок** *s.* (*pl.* -а́та) chick(en).
ку́ры *s. fpl.*, ~ **стро́ить** to court (a woman), to make love to (*cf.* ку́рица).
курьёзный *a.* curious, funny, strange.
курье́р/ *s.* courier, (express) messenger || **–ский** *a.* express; ~ по́езд express (train).
куря́т/ина *s.* poultry (flesh) || **–ник** *s.* poultry-house; hen-house; poulterer || **–ница** *s.* poultry-stealer (fox, dog); hen-stealing fox || **–ня** *s.* (*gpl.* -тен) hen-house, hen-coop.
кус/ *s.* [a] morsel, bit, piece || **–а́ка** *s.* animal that bites.
куса́-ть II. *va.* (*Pf.* укус=и́ть I. 3. [c], *mom.* кусн-у́ть I.) to bite; to sting || ~ *vn.* to burn (of pepper, mustard, etc.) || **~ся** *vrc.* to bite; (*fam.*) to wrangle || ~ *vn.* to be snappish; (of goods) to be too dear.
кус/и́ще *s. m.* big piece, large morsel || **–о́к** *s.* [a] (*gsg.* -ска́) piece, morsel, bit || **–о́чек** *s.* (*gsg.* -чка) *dim. of prec.*
куст/ *s.* [a] bush, shrub || **–а́рник** brush (-wood), shrubbery, coppice || **–а́рный** *a.* shrub-; home-made || **–а́рь** *s. m.* [a] a person carrying on a small manufacturing business at home || **–а́рнича-ть** II. *vn.* to carry on a small manufacturing business at home || **–́ик** & **–о́чек** *s.* (*gsg.* -чка) *dim. of* куст || **–ово́й** *a.* shrub-, growing in bushes.
ку́та-ть II. *va.* (*Pf.* за-) to wrap up; to muffle up; to cover over.
кут/ёж *s.* [a] spree, merry-making, drinking-bout, jamboree || **–ерьма́** *s.* bad weather, snow-storm; (*fig.*) disorder, confusion, mess || **–и́ла** *s. m&f.* reveller, rake.
кут=и́ть I. 2. [a & c] *vn.* (*Pf.* за-) to roar, to rage (of wind); to revel, to carouse, to go on the spree.
кутья́ *s.* (*gpl.* -те́й) a dish composed of barley *or* rice boiled with raisins.
кух/а́рка *s.* (*gpl.* -рок) cook || **–ми́стер** *s.* [& b] (*pl.* -ы & -а́) keeper of an eating-house || **–ми́стерство** *s.* eating-house.
ку́х/ня *s.* (*gpl.* -хонь) kitchen || **–онка** *s.* (*gpl.* -нок) *dim. of prec.* || **–онный** *a.* kitchen-.
ку́цый *a.* bobtailed, dock-tailed.
ку́ч/а *s.* heap, pile, lot; crowd, throng || **–ер** *s.* [b] (*pl.* -а́) coachman, driver || **–ерско́й** *a.* coachman's || **–ечка** *s.* (*gpl.* -чек) *dim. of* ку́ча || **–ки** *s. fpl.* Jewish feast of Tabernacles.
куш/ *s.* stake (at play); sum (of money) || ~ *int.* lie down! || **–а́к** *s.* [a] girdle, belt || **–́ание** *s.* eating || **–́анье** *s.* food, eatables *pl.*; dish.
ку́ша-ть II. *va.* (*Pf.* по-) to eat, to drink, to take.
куше́тка *s.* (*gpl.* -ток) couch.
ку́ща *s.* (*sl.*) tent; **пра́здник –ей** (Jewish) Feast of Tabernacles.
кюве́та *s.* (*phot.*) a small basin, bowl.

Л

лаба́з/ *s.* granary, corn-loft; flour-shop, meal-store || **–ник** *s.* corn-chandler; flour *or* corn merchant.
лабири́нт/ *s.* labyrinth, maze || **–овый** *a.* labyrinthine.
лабор/а́нт *s.* laboratory assistant || **–ато́рия** *s.* laboratory; (*fam.*) lab.
ла́ва *s.* lava.
ла/ва́нда & **–ве́нда** *s.* lavender.
лави́на *s.* avalanche.
лавиро+ва́ть II. [b] *vn.* to tack, to veer.

ла́в/ка *s.*, *dim.* **–очка** *s.* shop; (скамья́) bench || **–очник** *s.*, **–очница** *s.* shopkeeper, retailer; huckster.
лав/р *s.* laurel || **´–ра** *s.* (an important) monastery ||**–ро́вый** *a.* laurel.
лавчо́нка *s.* (*abus.*) miserable stall.
лаг/ *s.* (*mar.*) log; broadside || **´–ерный** *a.* camp-, camping || **´–ерь** *s.m.* camp, encampment.
лагу́на *s.* lagoon.
лад *s.* [b°] harmony, accord, concord; agreement, good terms; **в –у́** in harmony; **итти́ на ~** to progress well.
ла́дан *s.* incense.
ла́д=ить I. 1. *va.* to prepare; to repair; (*mus.*) to tune (a violin, etc.) || *vn.* (*Pf.* по-) (с + *I.*) to agree, to harmonize; to be in agreement, to be on good terms with || **~ся** *vn.* to get on well, to progress favourably.
ла́д/но *ad.* right, all right; (to live) in agreement, in accord, in harmony || **–ный** *a.* good, suitable, useful; in accord, in agreement, on good terms; (*mus.*) in tune.
ладо́нь *s.f.* palm (of hand); **как на –и** quite clearly, distinctly.
ладо́ши *s.fpl.* hands; **бить в ~** to clap hands.
ладья́ *s.* [a] (large) boat; rook (in chess).
лаж *s.* agio.
ла́жу *cf.* **ла́дить.**
лаз/ *s.* loophole || **–аре́т** *s.* lazaret(to), hospital || **–е́йка** *s.* (*gpl.* -е́ек) *dim.* loophole.
ла́з=ить I. 1. *vn.* (*Pf.* с-) to climb.
ла/зо́ревый & **–зу́ревый** *a.* azure, sky-blue.
лазу́рик *s.* lapis-lazuli.
лазу́рь *s.f.* azure; ultramarine.
лазу́тчик *s.* spy, scout.
лай *s.* barking.
ла́йба *s.* large boat (with mast and deck).
ла́йка *s.* fine leather, doe-skin.
лак/ *s.* lacquer, varnish || **–е́й** *s.* footman, lackey || **–иро+ва́ть** II. [b] *va.* to lacquer, to varnish.
ла́кмус *s.* (*chem.*) litmus.
ла́ковый *a.* varnished, lacquered.
ла́ком=ить II. 7. *va.* (*Pf.* на-, по-) to provide with dainties || **~ся** *vr.* to nibble, to eat dainties.
ла́ком/ка *s.m&f.* dainty, sweet-toothed person || **–ство** *s.* dainty, tit-bit || **–ый** *a.* tasty; dainty, nice; sweet-toothed.
лакони́ческий *a.* laconic(al).
лакри́ца *s.* liquorice.
ла́мп/а *s.* lamp || **–а́да** *s.* lamp (burning before the picture of a saint) || **–а́сы** *s.mpl.* stripes (on trousers) || **´–овщик** *s.* lamp-lighter; lamp-maker || **–овый** *a.* lamp- || **´–очка** *s.* small lamp.
ла́ндвер *s.* landwehr, (reserve) militia.
ла́ндграф *s.* landgrave.
ландка́рта *s.* map.
ландо́ *s. indecl.* landau.
ландша́фт/ *s.* landscape || **–ный** *a.* landscape-.
ла́ндыш/ & **–ка** *s.* lily of the valley.
лани́та *s.* cheek.
ланце́т *s.* (*med.*) lancet.
лань *s.f.* hind, doe; deer.
ла́п/а *s.*, *dim.* **–ка** *s.* (*gpl.* -пок) paw; **я́корная ~** fluke.
ла́пот/ник *s.*, **–ница** *s.* person wearing bast shoes.
ла́поть *s.m.* (*gsg.* -птя) bast shoe.
ла́почка *s.* (*gpl.* -чек) *dim.* *of* ла́па.
лапта́ *s.* a ball-game; (па́лка) bat.
ла́пчатый *a.* (*zool.*) web-footed; (*bot.*) palmated, digitate; **гусь ~** (*fig.*) a sly dog.
лапша́ *s.* vermicelli.
лар/е́ц *s.* [a] (*gsg.* -рца́), *dim.* **´–чик** *s.* chest, casket, box.
ларь *s.m.* [a] chest, bin, trunk; meal-box.
ла́ска *s.* (*gpl.* -сок) caress, endearment; weasel.
ласка́тель/ *s.m.* flatterer, sycophant || **–ный** *a.* caressing, flattering, endearing || **–ство** *s.* flattery, adulation
ласка́-ть II. *va.* (*Pf.* по-, при-) to caress; to fondle; **~ себя́ наде́ждою** to flatter o.s. with hope || **~ся** *vn.* (о́коло + *G.*, к + *D.*) to fawn (on); to cajole, to wheedle || **~** *vr.* (чем) to flatter o.s.
ла́сков/ость *s.f.* kindness, friendliness, affability || **–ый** *a.* kind, friendly, affable; affectionate.
ла́сочка *s.* (*gpl.* -чек) *dim.* weasel.
ласт *s.* (*mar.*) a measure of weight (= 2 ton).
ла́ст=иться I. 4. = **ласка́ться.**
ла́сточка *s.* (*gpl.* -чек) swallow.
ла́т/ник *s.* a man in armour, mail-clad warrior || **–ный** *a.* armoured; **–ная рукави́ца** gauntlet.
лату́нный *a.* made of brass, brass.
лату́нь *s.f.* brass.
ла́ты *s.fpl.* armour; mail.
лафа́ *s.* (*fam.*) success; luck, good fortune; advantage, gain.
лафе́т *s.* gun-carriage.
лаха́ночка *s.* (*gpl.* -чек) *dim.* *of foll.*
лаха́нь *s.f.* tub; basin (of wood).
ла́цкан *s.* cuff, facing (on coat).

лачýга *s.* miserable hut.
лáщусь *cf.* **лáститься.**
лá-ять II. *vn.* (*Pf.* за-) to bark || **~** *va.* to rail at, to call names, to scold || **~ся** *vrc.* to wrangle, to quarrel.
лбы *cf.* **лоб.** [*pl.*
лганьё *s.* lying, prevarication; lies, fibs
лгать 17. *vn.* (*Pf.* со-) to lie, to prevaricate.
лгун/ *s.* [a], *dim.* **-ишка** *s.m.* liar, fibber || **-ья** *s.* liar.
лебедá *s.* (*bot.*) orach, pig-weed.
лебёдка *s.* (*gpl.* -док) swan (female); (*fig.*) darling; (блок) capstan.
лéбед/ь *s.m.* [c] swan; **молодóй ~** cygnet **-иный** *a.* swan's.
лебез=ить I. 1. [a] *vn.* (*Pf.* за-) to be eager to serve, to dance attendance on.
лебяжий (-ая, -ее) *a.* swan's.
лев *s.* (*gsg.* льва) lion.
левкóй *s.* stock, gilly-flower.
леврéтка *s.* (*gpl.* -ток) greyhound.
левшá *s. m&f.* left-handed person.
лéвый *a.* left. [legal.
легáль/ность *s.f.* legality || **-ный** *a.*
легáт *s.* (papal) legate.
легéнд/а *s.* legend, legendary tale, saga || **-áрный** *a.* legendary. [of Honour.
легиóн *s.* legion; **почётный ~** the Legion
легиро+вáть II. [b] *va.* to alloy.
лёгкий *a.* (*pd.* лёгок, легкá, -кó, *pl.* -ки́; *comp.* лéгче, *sup.* легчáйший) light (of food); easy (of a stroke, a hurt); gentle, mild (of wine, cigars); **имéть ~ сон** to be a light sleeper.
легкó/ *ad.* (*comp.* лéгче) lightly, slightly; easily; gently; **~ одéтый** thinly clad || **-вáтый** *a.* rather light *or* easy || **-вéрие** *s.* & **-вéрность** *s.f.* credulity || **-вéрный** *a.* credulous || **-вéсный** *a.* light (in weight) || **-вóй** (*as s.*) & **~ извозчик** cabby, cabman. [monia.
лёгкое *s.* lung; **воспалéние -их** pneu-
легкомы́сл/енность *s.f.* thoughtlessness, giddiness, flightiness, levity || **-енный** *a.* giddy, careless, flighty, thoughtless || **-ие** *s.* giddiness, flightiness.
легконóгий *a.* nimble; light-footed.
лёгкость *s.f.* lightness; easiness, ease; quickness, agility.
леглá *cf.* **ложи́ться.**
лёгок *cf.* **лёгкий.** [rather easy.
лёгонький *a.* (*pd.* легóнек) rather light;
лёгочный *a.* pulmonary; of the lungs
легчáйший (-ая, -ее) *sup.* lightest (*cf* лёгкий).
легчá-ть II. *vn.* (*Pf.* по-) to grow light; to become lighter (of weight); to relent, to mitigate.
лéгче *cf.* **лёгкий & легкó.** [geld.
легч=и́ть I. *va.* (*Pf.* вы́-) to castrate, to
лёд *s.* [°] (*gsg.* льда) ice; **плавýчий ~** ice-floe; **сплошнóй ~** ice-field.
леденé-ть II. *vn.* (*Pf.* о-, об-) to freeze, to congeal.
леденéц *s.* [a] (*gsg.* -нцá) sugar-candy.
леден=и́ть II. *va.* (*Pf.* о-, об-) to freeze, to congeal.
лéдни́к *s.* [a] ice-cellar; (глéтшер) glacier.
ледо/ви́тый *a.* ice-, icy || **-кóл & -рéз** *s.* ice-breaker || **-хóд** *s.* ice-drift.
ледя/нóй & -ный *a.* icy, frozen; of ice; **-áя горá** iceberg.
лéек *cf.* **лéйка.**
лéеч/ка *s.* (*gpl.* -чек) *dim. of* лéйка.
леж/áлый *a.* matured (of wines); seasoned (of cigars); settled (of beer); spoiled by lying (of goods) || **-áнка** *s.* (*gpl.* -нок) a low stove for lying on.
леж=áть I. [a] *vn.* (*Pf.* по-) to lie, to be laid up; (на ком) to be incumbent (upon one).
лежáчий (-ая, -ее) *a.* lying on the ground; lying down; prostrate; flat.
лежебóк *s.* sluggard, lazy-bones.
лежý *cf.* **лежáть.**
лезв/её & -ие *s.* edge.
лезть 25. *vn.* (*Pf.* по-) to climb, to ascend, to clamber.
лей, лéйте *cf.* **лить.**
лейбгвáрдия *s.* bodyguard.
лéйка *s.* (*gpl.* лéек) watering-can.
лейтенáнт *s.* lieutenant.
лекáло *s.* model, mould, form.
лекáрка *s.* (*gpl.* -рок) a lady-doctor.
лéкарский *a.* physician's, surgeon's.
лекáрств/енный *a.* medicinal || **-о** *s.* medicine, physic; (+ от) remedy (for).
лéкарь *s. m.* [b*] doctor, physician, medical man.
лексик/огрáфия *s.* lexicography || **-óн** *s.* lexicon, dictionary.
лéк/тор *s.* lecturer || **-ция** *s.* lecture.
лелé-ять II. *va.* (*Pf.* вз-, воз-) to fondle, to pet, to pamper, to spoil.
лéмех(ш) *s.* ploughshare.
лен/ & -а *s.* fief, fee.
лён *s.* (*gsg.* льна) flax.
лени́в/ец *s.* (*gsg.* -вца), **-ица** *s.* idler, lazy person; (*zool.*) sloth || **-ый** *a.* idle, lazy; dull.
лен=и́ться II. [a] *vn.* (*Pf.* из-, об-, по-) to idle, to be lazy.

ле́нн/ик *s.* feudatory || **–ый** *a.* feudal.
ле́ность *s. f.* idleness, laziness.
ле́нт/а *s.*, *dim.* **–очка** *s.* ribbon; hair-lace. [idler.
лентя́й/ *s.*, **–ка** *s.* (*gpl.* -тя́ек) lazy-bones,
лень *s. f.* idleness, laziness.
леопа́рд *s.* leopard.
ле́пест/ *s.*, *dim.* **–о́к** *s.* [a] (*gsg.* -тка́) petal.
ле́пет/ & **–а́ние** *s.* chatter; stammer.
лепет=а́ть I. 2. [c] *va.* (*Pf.* за-, про-) to chatter; to stammer. [cake.
лепё/ха *s.*, *dim.* **–шка** *s.* (*gpl.* -шек) pan-
леп=и́ть II. 7. [c] *va.* (*Pf.* с-) to paste, to stick together; (*Pf.* вы́-) to model, to form.
ле́п/ка *s.* (*gpl.* -пок) & **–ле́ние** *s.* pasting; modelling.
ле́пта *s.* mite.
лес/ *s.* [b°] wood, forest; **(как материа́л)** timber, wood; (*in pl.*) woodland || **–́енка** *s.* (*gpl.* -нок) small ladder *or* stairs *pl.* || **–и́стый** *a.* wood-, forest-; wooded; woody || **–ни́к** *s.* [a] forester || **–ни́чество** *s.* forestry || **–ни́чий** (-ая, -ее) *s.* forester || **–но́й** *a.* wood-, forest- || **–ово́дство** *s.* arboriculture, forestry || **–овщи́к** *s.* [a] forester || **–о́к** *s.* [a] (*gsg.* -ска́) small wood || **–опи́льня** *s.* (*gpl.*-лен) sawmill || **–опромы́шленник** *s.* timber-merchant || **–о́чек** *s.* (*gsg.* -чка) small wood.
ле́стница *s.* ladder; staircase, stairs *pl.*, flight of stairs.
ле́стный *a.* flattering, cajoling; seductive.
лесть *s. f.* flattery, adulation, cajolery.
лёт *s.* [°] flight; **на лету́** in flight.
лета́ргия *s.* lethargy. [ing-machine.
лета́тельный *a.* flying-; **~ аппара́т** fly-
лета́-ть II. *vn.* (*Pf.* по-) to fly, to fly about.
лет=е́ть I. 2. [a] *vn.* (*Pf.* по-) to fly (in a certain direction); to take to flight; (о вре́мени) to pass very quickly, to fly.
ле́тний *a.* summer-
ле́то/ *s.* [b] summer; (год) year; **–м** in summer; **ско́лько Вам лет?** how old are you? **в цве́те лет** in the prime of life; **в лета́х** advanced in years || **–пи́сец** *s.* (*gsg.* -сца) annalist, chronicler || **–пись** *s. f.* chronicle, annals *pl.* || **–счисле́ние** *s.* chronology.
лету́чий (-ая, -ее) *a.* flying; (*chem.*) volatile; **–ая мышь** bat.
лётчик *s.* aviator.
леч/е́бник *s.* book of remedies || **–е́бница** *s.* hospital || **–е́бный** *s.* medical, healing, remedial || **–е́ние** *s.* cure, treatment. [cure.
леч=и́ть I. [c] *va.* (*Pf.* по-) to treat; to
лечь *cf.* **ложи́ться.**
ле́ший *s.* wood-goblin, forest-spirit, satyr.
лещ *s.* bream.
лже/проро́к *s.* pseudo-prophet || **–свиде́тель** *s.m.*, **–свиде́тельница** *s.* false witness || **–свиде́тельство** *s.* false evidence.
лжец *s.* [a] liar; **сде́лать** (кого́) **–о́м** to give the lie to s.o.
лжи *cf.* **ложь.**
лжи́в ость *s. f.* mendacity; disposition for lying || **–ый** *a.* lying, deceitful, false.
ли *interr. particle* if, whether || **~ с.** if, whether; **ли . . . ли** either . . . or, whether . . . or.
либера́л/ *s.* liberal || **–ьный** *a.* liberal, broadminded.
ли́бо *ad.* or; **~ . . . ~** either . . . or.
либре́тто *s. indecl.* libretto.
ли́вень *s. m.* (*gsg.* -вня) heavy shower, downpour, torrent of rain.
ли́вер *s.* pluck.
ли́вмя́ *ad.*, (дождь) **~ льёт** it's pouring, it's raining cats and dogs.
ли́га *s.* league; (*mus.*) ligature, tie.
лигату́ра *s* (*chem.*) alloy; (*med..*) liga-
лигни́т *s.* lignite. [ture.
ли́дер/ *s.* (*pl.* -ы & -а́) leader.
лиз-а́ть I. 1. [c] *va.* (*Pf.* по-, с-, *mom.* лизн-у́ть I. [a]) to lick.
лик *s.* face, countenance; image, choir.
ликвида́ция *s.* liquidation, winding up.
ликвиди́ро+вать II. *va.* to liquidate, to settle, to wind up.
ликёр *s.* liqueur.
ликова́ние *s.* acclamation; rejoicing, exultation.
лико+ва́ть II. [b] *vn.* (*Pf.* воз-) to shout, to rejoice, to exult.
лил/е́йный *a.* lily-; lilywhite || **–́ия** *s.* lily || **–о́вый** *a.* lilac(-coloured).
лима́н *s.* bay, gulf; estuary, firth, frith.
лимо́н/ *s.* lemon; lime-fruit || **–а́д** *s.* lemonade. [atic.
ли́мфа/ *s.* lymph || **–ти́ческий** *a.* lymph-
лингви́ст/ *s.* linguist || **–ика** *s.* linguistics *pl.*, philology. [to line.
лине+ва́ть II. [b] *va.* (*Pf.* на-) to rule,
лин/е́ечка *s.* (*gpl.* -е́ечек) small rule, ruler || **–е́йка** *s.* (*gpl.* -е́ек) rule, ruler || **–е́йный** *a.* of the line. [curve.
ли́ния *s.* line; **крива́я ~** curved line,
линь *s. m.* [a] (*ich.*) tench.
линю́чий (-ая, -ее) *a.* apt to fade.

линя́лый *a.* faded, discoloured; **-ая пти́ца** bird which has moulted.
линя́-ть II. *vn.* (*Pf.* по-, с-) (о цвета́х) to fade, to lose colour; (*Pf.* вы́-) to cast hair, to lose, to shed one's hair; (о пти́цах) to moult.
ли́п/а *s.* lime-tree, lime, linden || **-кий** *a.* sticky, viscous; adhesive || **-кость** *s. f.* stickiness, viscosity.
ли́пнуть 52. *vn.* (*Pf.* при-) (к + *D.*) to stick (to), to adhere (to).
липня́к *s.* [a] grove of lime-trees.
ли́р/а *s.* lyre || **-ик** *s.* lyric poet || **-ика** *s.* lyric poetry, lyrics *pl.* || **-и́ческий** *a.* lyric, lyrical.
лис/а́ *s.*, *dim.* **-а́нька** *s.* fox || **-ёнок** *s.* (*gsg.* -ёнка, *pl.* -я́та) young fox, fox cub.
ли́сий (-ья, -ье) *a.* fox-, fox's; **~ хвост** foxtail, brush.
лиси́ца *s.* fox; vixen.
лист/ *s.* [a] sheet (of paper); plate (of metal); pane (of glass); [d] (*pl.* **´**-ья, **´**-ьев) leaf (of a tree) || **-ва́** *s.* foliage, leaves *pl.* || **´-вень** *s. f.* & **´-венница** *s.* larch, larch-tree || **´-венный** *a.* leafy, with leaves || **´-ик** *s.* a small leaf || **-ово́й** *a.* in leaves; in sheets; **-ово́е желе́зо** sheet-iron || **-опа́д** & **-опаде́ние** *s.* fall of the leaves.
лита́вра *s.* kettledrum.
лите́й/ная & **-ня** *s.* foundry || **-щик** *s.* founder, smelter.
ли́тер/а *s.* letter; (*typ.*) character, type || **-а́тор** *s.* literary man, man of letters || **-ату́ра** *s.* literature || **-ату́рный** literary; **-ату́рное воровство́** (literary) piracy, plagiarism.
ли́тий *s.* (*chem.*) lithium.
лития́ *s.* litany.
лито́/гра́ф *s.* lithographer || **-гра́фия** *s.* lithography; lithograph.
лито́й *a.* cast; casting-; **-а́я сталь** cast steel.
литр *s.* litre.
литурги́я *s.* liturgy.
лить 27. (*Pf.* по-) *va.* to pour, to shed; to found, to cast; **~ слёзы** to shed tears; **~ кровь** to shed blood; **с него́ льёт пот** he is streaming with perspiration; **дождь льёт** *or* **льёт как из ведра́** it is pouring, it is raining cats and dogs || **~ся** *vn.* to flow, to stream, to fall (into).
литьё *s.* pouring, shedding; founding, casting; fount.
лиф *s.* waist (of a coat).
лифт *s.* lift; (*Am.*) elevator.
лиха́ч *s.* [a] a skilful *or* handy man; (изво́зчик) coachman (well dressed and with a fine turn-out).
лихва́ *s.* usury, usurious interest; profit.
ли́хо/ *s.* evil, malice || **-де́й** *s.* evil-minded, malicious person || **-и́мец** *s.* (*gsg.* -и́мца) usurer; corruptible person || **-и́мство** *s.* usury; corruptibility, venality.
лихо́й *a.* evil, wicked, malicious; (прово́рный) clever, skilful; **~ ездо́к** expert horseman; **~ конь** spirited horse.
лихора́д/ка *s.* (*gpl.* -док) fever; ague || **-очный** *a.* feverish, febrile.
ли́хо/сть *s. f.* & **-та́** *s.* evilness, wickedness; cleverness.
ли́хтер *s.* (*pl.* -ы & -а́) (*mar.*) lighter.
лице/во́й *a.* front-, face-; right (side) || **-зре́ние** *s.* view, aspect; perception.
лице́й *s.* lyceum; college.
лицеме́р/ *s.*, **-ка** *s.* (*gpl.* -рок) hypocrite, dissembler || **-ие** *s.* & **-ность** *s. f.* hypocrisy, dissembling || **-ный** *a.* hypocritical.
лице́нзия *s.* licence.
лицеприя́т/ие *s.* partiality, favour || **-ный** *a.* partial.
лицо́/ *s.* [d] face, countenance; person, character; front, face (of a building); right side (of a coin, of stuff, leather); **стать -м** (к + *D.*) to face; **броса́ть в ~** to cast in one's teeth; **стоя́ть -м** (к + *D.*) to face; **~ ка́рты** the underside of a card; **поста́вить -м к лицу́** to confront; **э́то вам к лицу́** that suits you well.
личи́н/а *s.* mask; **сорва́ть** (с кого́) **-у** to unmask || **-ка** *s.* (*gpl.* -нок) larva, pupa (of an insect); lock-plate; **часова́я ~** dial-plate, face (of a clock).
лично́й *a.* facial, of the face, face.
ли́чн/ость *s. f.* personality; individual, person, character || **-ый** *a.* personal, individual; **~ соста́в** personnel, staff.
лиша́й *s.* [a] (*med.*) tetter.
лиша́-ть II. *va.* (*Pf.* лиш=и́ть I. [a]) (кого́, чего́) to deprive of, to take away from; to divest of || **~ся** *vn.* (чего́) to lose, to be deprived of, to be stripped of; to forfeit.
ли́шек *s.* (*gsg.* -шка) surplus, excess.
лише́ние *s.* deprivation, privation; forfeiture, loss.
ли́шний *a.* superfluous, surplus, excess.
лишь *ad.* only; but; just.
лоб *s.* (*gsg.* лба) forehead; brow.
лобза́-ть II. (*Pf.* об-) *va.* to kiss || **~ся** *vrc.* to embrace.
ло́бик *s. dim. of* лоб.
ло́бн/ый *a.* of the forehead; **-ое ме́сто** *formerly* place of execution; place

where the Czar's decrees were formerly promulgated (in Moscow); (*bib.*) Calvary.
лов/ *s.* catch; capture || **-éц** *s.* [a] (*gsg.* -вцá) hunter, fowler, fisherman.
лов=и́ть II. 7. [c] *va.* (*Pf.* поймá-ть II.) (когó в чём) to catch, to seize, to capture; **~ рыбу** to fish; **~ птиц** to fowl; **~ слу́чай** to seize the opportunity.
ловкáч *s.* [a] clever, cute person.
лóвк/ий *a.* (*comp.* лóвче, ловчée) expert, skilful; clever, alert, cute || **-ость** *s. f.* cleverness; expertness; skill; dexterity.
ловлю́ *cf.* **лови́ть.**
лóв/ля *s.* catching, seizing; capture; **~ птиц** fowling || **-у́шка** *s.* (*gpl.* -шек) trap, gin, snare || **-цá, -цы** *cf.* **ловéц** || **-че, -чée** *cf.* **лóвкий** || **-чий** *s.* hunter, huntsman.
логари́фм/ *s.* logarithm || **-и́ческий** *a.* logarithmic.
лóгик/ *s.* logician || **-а** *s.* logic.
логи́ческий *a.* logical.
лóгов/ище & -о *s.* lair, den, covert.
лóд/ка *s.* (*gpl.* -док) boat; **спаси́тельная ~** life-boat; **подвóдная ~** submarine || **-очка** *s.* (*gpl.* -чек) *dim. of* лóдка || **-очник** *s.* boatman; ferryman || **-очный** *a.* boat's.
лоды́жка *s.* (*gpl.* -жек) ankle-bone, ankle.
лóдырь *s. m.* good-for-nothing.
лóжа *s.* (*theat.*) box; **масóнская ~** (masonic) lodge.
ложби́на *s.* hollow, hollow way, sunken road.
лóже *s.* couch, bed; channel, bed (of river); **брáчное ~** nuptial-bed.
лóжечка *s.* (*gpl.* -чек) small spoon; **чáйная ~** tea-spoon; (я́мочка под грудно́ю кóстью) pit of the stomach.
лож=и́ться I. [a] *vc.* (*Pf.* лечь 43.) to lie down, to lay o.s. down; **~ спать** to go to bed.
лóжка *s.* (*gpl.* -жек) spoon; (*an.*) pit of stomach.
лóж/но *ad.* falsely, erroneously || **-ность** *s. f.* untruth, falsity, falseness || **-ный** *a.* untrue, false, erroneous.
ложь *s. f.* (*G., D.* лжи, *I.* лóжью) lie, falsehood; **неви́нная ~** a white lie.
лозá *s.* [d] switch, twig, rod.
лóзунг *s.* (*mil.*) pass-word, watch-word.
локá-ть II. *vn.* (*Pf.* вы́-) to lick, to lap (up), to drink (of dogs).
локáут *s.* lock-out.
локомо/би́ль *s. m.* locomobile || **-ти́в** *s.* locomotive || **-ти́вный** *a.* locomotive.
лóкон *s.* lock (of hair).
локотóк *s.* [a] (*gsg.* -ткá) *dim. of foll.*
лóк/оть *s. m.* [c] (*gsg.* -ктя) elbow, forearm; (мéра длины́) ell, cubit || **-отнóй & -тевóй** *a.* elbow-.
лом *s. coll.* scrap, fragments *pl.*, remains *pl.*; debris; [b] (*tech.*) crow-bar.
ломá-ть II. *va.* (*Pf.* с-) to break (bread, ice, hamp); to demolish, to pull down (a house); **~** (над чем) **гóлову** to puzzle one's brains over something || **~ся** *vn.* to break, to be broken; (*fig.*) to grimace, to make wry faces.
ломбáрд/ *s.* pawnbroker's shop; **отдáть в ~** to pawn; (*fam.*) to pop || **-ный** *a.* pawnbroker's, loan-.
лóмбер/ *s.* ombre || **-ный** *a.*, **~ стол** card-table.
лом=и́ть II. 7. [c] = **ломáть.**
лóм/ка *s.* (*gpl.* -мок) breaking, breakage || **-кий** *a.* brittle, fragile || **-кость** *s. f.* brittleness, fragility.
ломов/и́к *s.* [a] dray-horse, cart-horse; drayman, carman; porter || **-óй** *a.*, **~ извóзчик** carman, carter; **-áя лóшадь** dray-horse.
ломóта *s.* rheumatism, rheumatic pain; gout.
ломóть *s. m.* [a] (*gsg.* -мтя́) slice (of bread).
лом/óтóк & -́тик *s.* small slice, piece.
лóно *s.* lap, bosom.
лóп/асть *s. f.* [c] paddle (of an oar); lobe (of the lungs); sole (of the foot) || **-áта** *s.* shovel, scoop || **-áтка** *s.* (*gpl.* -ток) small shovel, scoop; trowel; (*an.*) shoulder-blade.
лóпа-ть II. *vn.* (*Pf.* лóпн-уть I.) to burst, to explode (of a bomb-shell); to break || **~** *va.* (*Pf.* с-) to eat up || **~ся** *vn.* to crack, to burst, to break; to be burst, broken.
лопу́х *s.* [a] (*bot.*) bur.
лорнéт *s.* lorgnette.
лóсий (-ья, -ье) *a.* elk's, elk-.
лоси́ны *s. fpl.* trousers *pl.* (made of elk-skin).
лоск/ *s.* gloss, polish || **-́ут** *s.* piece (of paper, stuff); shred, scrap, rag || **-у́тный** *a.* rag- || **-утóк** *s.* [a] (*gsg.* -ткá) & **-утóчек** *s.* (*gsg.* -чка) *dim. of* лóскут.
лосн=и́ться II. [a] *vn.* (*Pf.* за-) to be glossy, polished; to have a gloss.
лососи́на *s.* the flesh of salmon.
лóсось *s. m.* [c] salmon.
лось *s. m.* [b] elk.
лот/ *s.* half an ounce; (*mar.*) lead, sounding-lead; **бросáть ~** to heave the lead || **-ерéя** *s.* lottery || **-óк** *s.* [a] (*gsg.* -ткá) trough, hawker's tray; (жёлоб) gutter || **-óчек** *s.* (*gsg.* -чка) *dim. of prec.*
лох/мáтый *a.* shaggy || **-мóтье** *s. coll.* rags, tatters *pl.*

ло́цман *s.* [b*] pilot.
лошад/ёнка *s.* (*gpl.* -нок) jade, screw || **-и́ный** *a.* horse-; **-и́ная си́ла** horse-power, H.P.
лоша́дка *s.* (*gpl.* -док) *dim. of foll.*
ло́шадь *s. f.* [c] horse; **ломова́я ~** dray-horse; **на ло́шади** on horseback.
лоша́к *s.* [a] mule.
лощи́на *s.* hollow; hollow way.
лощ=и́ть I. [a] *va.* (*Pf.* на-, вы́-) to polish, to smooth, to gloss.
луб/ *s.* bast || **-о́к** *s.* [a] (*gsg.* -бка́) (*med.*) splint || **-о́чный** *a.* of bast; **-о́чные карти́нки** mean wood-engravings.
луг/ *s.* [b♀] meadow || **-ово́дство** *s.* cultivation of meadows || **-ово́й** *a.* meadow-.
луди́ль/ный *a.* for tinning || **-щик** *s.* tinsmith.
луд=и́ть I. 1. [a] *va.* (*Pf.* вы́-) to tin.
лу́ж/а *s.* pool, puddle || **-а́йка** *s.* (*gpl.* -а́ек) small meadow; grass-plot, forest-glade || **-е́ние** *s.* tinning.
лу́ж/ица *s.* small pool, puddle || **-о́к** *s.* [a] (*gsg.* -жка́) small meadow.
лу́за *s.* pocket (at billiards).
лук/ *s.* onion; [a] bow (for shooting) || **-а́** *s.* [d] bend; winding, turn, sinuosity; (седла́) saddle-bow || **-а́вец** *s.* (*gsg.* -вца), **-а́вица** *s.* sly person.
лука́в=ить II. 7. *vn.* (*Pf.* с-) to be sly, cute; to act cunningly.
лука́в/ство *s.* cunning, cuteness, sly-ness, wile, double-dealing || **-ый** *a.* cute, cunning, sly, wily || **~** (*as s.*) the Evil one, the devil, Old Nick.
лу́ко/вица *s.* onion (as root) || **-мо́рье** *s.* inlet of the sea.
луко́шко *s.* (*gpl.* -шек) basket made of bark.
луна́/ *s.* [d] moon || **-тик** *s.* lunatic || **-ти́ческий** *a.* lunatic, moonstruck.
лу́нный *a.* moon-, of the moon, lunar; **-ое затме́ние** lunar eclipse, eclipse of the moon; **-ая но́чь** moonlit night.
лунь *s. m.* (*orn.*) kestrel, mouse-hawk; **он бел как ~** he is as grey as a badger.
лу́па *s.* magnifying glass.
луп=и́ть II. 7. [c] *va.* (*Pf.* об-) to peel, to pare; (кого́) to thrash s.o., to give s.o. a good hiding; **~** (с кого́) **де́ньги** (*Pf.* с-) to extort money (from) || **~ся** *vn.* to peel off, to come off, to scale off; (о цыпля́тах) to creep forth (from the egg).
луч/ *s.* [a] beam, ray || **- еви́дный** *a.* beam-shaped, radial || **-ево́й** *a.* of beam, of ray || **-еза́рный** *a.* radiant; resplendent || **-епреломле́ние** *s.* refraction (of rays) || **-и́на** *s.* (pine-)splinter; shaving || **-и́нка** (*gpl.* -нок) & **-и́ночка** *s.* (*gpl.* -чек) *dim. of prec.* || **-и́стый** *a.* radiant, beaming; (*bot.*) radiate || **-о́к** *s.* [a] (*gpl.* -чка́) small bow; violin-bow.
лу́чше *comp.* better; **э́то мне нра́вится ~** I prefer that; **~ всего́** best of all; **всё ~ и ~** better and better; **тем ~** so much the better (*cf.* хоро́ший).
лу́чш/ий *sup.* best; **са́мый ~** the best; **к -ему** for the best (*cf.* хоро́ший).
луще́ние *s.* shelling, husking.
лущ=и́ть I. [c & a] *va.* (*Pf.* вы́-) to shell (peas); to husk (nuts, etc.).
лы́жа *s.* (*us. in pl.*) snow-shoe; ski.
лы́ко *s.* bast (of limes and willows); **не вся́кое ~ в строку́** all that is said must not be taken literally.
лысе́-ть II. *vn.* (*Pf.* об-) to grow, to become bald.
лы́с/ина *s.*, *dim.* **-и́нка** *s.* bald patch; baldness; (у ло́шади) star || **-ый** *a.* bald.
ль = ли.
льва *cf.* **лев.**
льв/ёнок *s.* (*gsg.* -ёнка, *pl.* -ёнки & -я́та) young lion, lion's whelp *or* cub || **-и́ный** *a.* lion's, leonine; **-и́ная до́ля** the lion's share || **-и́ца** *s.* lioness.
льго́т/а *s.* (от + *G.*) exemption (from), privilege; immunity; free will || **-ный** *a.* exempted, privileged.
льд/и́на *s.* piece of ice, flake of ice || **-и́стый** *a.* icy, full of ice.
льно/во́дство *s.* cultivation of flax || **-пряди́льня** *s.* flax- *or* spinning-mill.
льн-уть I. [a] *vn.* (*Pf.* при-) (к + *D.*) to adhere to; (*fig.*) to pay court to.
льняно́й *a.* of flax, flaxen; **-о́е се́мя** linseed; **-о́е ма́сло** linseed oil.
льст/ец *s.* [a] & **-и́вец** *s.* (*gsg.* -вца) flatterer || **-и́вость** *s. f.* flattery, adulation || **-и́вый** *a.* flattering, adulating; **-и́вые слова́** flattering words.
льст=ить I. 4. *vn.* (*Pf.* по-) (кому́ чем) to flatter || **~ся** *vr.* to flatter o.s.
любе́знича-ть II. *vn.* (с кем) to court, to be all attention to.
люб/е́зный *a.* dear, amiable, kind; **~ друг** dearest friend; **~ чита́тель** gentle reader || **-и́мец** *s.* (*gsg.* -мца), **-и́мица** *s.* favourite, darling || **-и́мый** *a.* favourite; beloved || **-и́тель** *s. m.*, **-и́тельница** *s.* lover, amateur; **актёры -и́тели** amateur actors; **он стра́стный ~ му́зыки** he is passionately fond of music || **-и́тельский** *a.* amateur, amateurish.

люб=и́ть II. 7. [c] *va.* (*Pf.* по-) to love, to be fond of, to like.
лю́бо *ad.* pleasingly, agreeably; **~ не́ ~** willy-nilly, by fair means or foul.
любо+ва́ться II. [b] *vn.* (*Pf.* по-) (*I. or* на + *A.*) to admire, to delight in, to gaze with pleasure on.
любо́в/ник *s.*, **-ница** *s.* lover, sweetheart || **-ный** *a.* of love, amorous; **-ная связь** love-affair, amour || **-ь** *s. f.* [a] (*gsg.* -бви́) love; affection.
любозна́тельный *a.* fond of knowledge, eager for knowledge.
любо́й *a.* any you like, whichever you like.
любопы́т/ный *a.* curious || **-ство** *s.* curiosity.
любостра́ст/ие *s.* lasciviousness, voluptuousness || **-ный** *a.* libidinous, voluptuous, lascivious.
любостяж/а́ние *s.* cupidity, love of gain, covetousness, greediness; selfishness || **-а́тельный** *a.* fond of gain, covetous, greedy.
лю́гер *s.* (*mar.*) lugger.
лю́д/и *s. mpl.* (*pl. for* челове́к) men, people, folk; (прислу́га) servants *pl.* || **-ный** *a.* populous, peopled || **-oе́д** *s.*, **-oе́дка** *s.* (*gpl.* -док) cannibal, maneater || **-oе́дство** *s.* cannibalism, anthropophagy || **-ско́й** *a.* human, people's; servants' || **-ска́я** (*as s.*) servants' room.
люк *s.* (*mar.*) hatch; hatchway.
лю́л/ька *s.* (*gpl.* -лек), *dim.* **-ечка** *s.* (*gpl.* -чек) cradle.
люлю́ка-ть II. *vn.* (*Pf.* у-) to lull to sleep.
лю́стра *s.* lustre, chandelier.
лютера́нский *a.* Lutheran.
лю́тня *s.* lute.
лю́т/ость *s. f.* ferocity, cruelty || **-ый** *a.* ferocious, cruel, savage; terrible.
ляга́вый *a.*, **-ая соба́ка** setter.
ляга́-ть II. *vn.* (*Pf.* лягн-у́ть I. [a]) & **~ся** to kick (out behind).
ляг/, ́-те, ́-у *cf.* **ложи́ться.**
лягу́шка *s.* (*gpl.* -шек) frog.
ляду́нка *s.* (*gpl.* -нок) cartridge-box.
лязг *s.* sound, rattle, noise.
ля́м/ка *s.* (*gpl.* -мок) strap; (breast-) collar (of a tow-rope) || **-очник** *s.* strapcutter, saddler; tow-man.
ля́па-ть II. *va.* (*Pf.* ля́пн-уть I.) to slap, to smack (with the hand); to blurt out, to let fall (a word); (*Pf.* с-) to botch, to bungle (of work).
ля́сы *s. fpl.* jokes *pl.*, chatter; **точи́ть ~** to chatter, to prattle, to joke.

М

мавзоле́й *s.* mausoleum.
маг *s.* magian; (*in pl.* ́-и) the Magi, the wise men from the East.
мага́зин *s.* warehouse, shop; magazine.
магары́ч *s.* [a] good-will; tip; drink on conclusion of a bargain; (*fam.*) wetting a bargain.
ма́гик *s.* magician, necromancer.
маги́стер/ский *a.* master's || **-ство** *s.* degree of master (of arts); office of master of a religious order.
маги́стр/ *s.* master (degree, and head of a religious order) || **-а́т** *s.* magistracy, city-court.
маги́ческий *a.* magic(al).
ма́гия *s.* magic.
магн/е́зия *s.* magnesia || **-етизёр** *s.* mesmerizer, mesmerist || **-етизи́ро+вать** II. *va.* (*Pf.* за-, на-) to magnetize; to mesmerize || **-ети́зм** *s.* magnetism || **-ети́ческий** *a.* magnetic.
ма́гн/ий *s.* magnesium || **-и́т** *s.* magnet.
магни́т=ить I. 2. *va.* (*Pf.* на-) to magnetize.
магни́тный *a.* magnetic; **-ая стре́лка** the magnetic needle.
магомета́н/ин *s.* (*pl.* -а́не, -а́н, etc.), **-ка** *s.* (*gpl.*-нок) Mahometan, Mohammedan || **-ский** *a.* Mahometan, Mohammedan.
мадрига́л *s.* madrigal.
мажо́р *s.* (*mus.*) major key.
ма́занка *s.* (*gpl.* -нок) plastered hut; mud-wall.
ма́з-ать I. 1. *va.* (*Pf.* на-, по-, *mom.* мазн-у́ть I. [a 1.]) to daub, to smear; to anoint; (колёса) to grease; (*fig.*) to bribe.
мази́л/ка *s.* (*gpl.* -лок) brush || **~** *s. m&f.* bad painter, dauber || **-ьщик** *s.* painter (*e.g.* of roofs).
мазну́ть *cf.* **ма́зать.**
мазо́к *s.* stroke of a brush; brush.
мазу́н/ *s.* [a], **-ья** *s.* dauber.
мазу́р/ик *s.* pickpocket, swindler, sharper || **-ка** *s.* (*gpl.* -рок) mazurka.
мазь *s. f.* [c] ointment; salve; (для колёс) car-grease.
ма́ис *s.* maize; (*Am.*) corn, Indian corn.
май *s.* May.
майо́р/ *s.* major || **-а́т** *s.* estate in tail; the right to inherit such an estate || **-ский** *a.* major's, of major || **-ство** *s.* rank of major || **-ша** *s.* major's wife.
ма́йский *a.* May, of May.
мак *s.* poppy.
макаро́ны *s. fpl.* macaroni.
мака́-ть II. *va.* (*Pf.* макн-у́ть I. [a 1.]) to dip in.

макла́к *s.* [a] go-between, middleman; (плут) rogue.
ма́клер/ *s.* (*pl.* -ы & -á) broker || **-ство** *s.* brokerage, business of broker.
макну́ть *cf.* **мака́ть.**
ма́ковка *s.* (*gpl.* -вок) crown (of head); head, top, summit.
макре́ль *s. f.* mackerel.
максима́льный *a.* maximal, maximum.
макси́мка *s.* (*gpl.* -мок) (*fam.*) goods-train.
ма́ксимум *s.* maximum.
макулату́ра *s.* waste paper; brown-paper.
маку́ш/а *s.*, *dim.* **-ка** *s.* (*gpl.* -шек) crown of head.
малаха́й *s.* fur-cap; night-cap.
малахи́т *s.* malachite.
мале+ва́ть II. [b] *va.* (*Pf.* на-) to paint, to whitewash.
малёвка *s.* (*gpl.* -вок) painting.
ма́ленький *a.* little, small.
мали́н/а *s. coll.* raspberries; (куста́рник) raspberry-bush || **-ина** & **-инка** *s.* (*gpl.* -нок) raspberry || **-овка** *s.* (*gpl.* -вок) raspberry-wine *or* -liqueur.
ма́ло/ *ad.* (*cf.* ма́лый) little, few; **~-пома́лу** little by little, by degrees || **-ва́жный** *a.* unimportant, insignificant || **-ве́сный** *a.* light, of insufficient weight || **-во́дный** *a.* having little water || **-гра́мотный** *a.* with little schooling || **-ду́шный** *a.* faint-hearted, cowardly || **-зна́чащий** & **-значи́тельный** *a.* unimportant, insignificant || **-кро́вие** *s.* anæmia || **-кро́вный** *a.* anæmic || **-ле́тний** *a.* under age, not of age, minor || **-лю́дный** *a.* thinly populated || **~-ма́льски** *ad.* somewhat, rather, a little || **-ро́слый** *a.* dwarfish, stunted || **-све́дущий** *a.* badly instructed || **-со́льный** *a.* only slightly salted.
ма́лость *s. f.* littleness, smallness; (*fig.*) trifle.
мало/це́нный *a.* of little value; cheap || **-чи́сленный** *a.* not numerous, few in number.
ма́лый *a.* (*comp.* ме́нее, ме́ньше, *sup.* ме́ньший) little, small; slender, scant, short; **без ма́лого** almost; **без ма́лого сто** just less than 100 || **~** (*as s.*) lad, boy, fellow.
ма́льч/ик *s.* lad, boy; apprentice; (слуга́) servant, servant-boy; **~-с-па́льчик** *s.* hop o' my thumb, Tom Thumb || **-и́шка** *s. m.* (*abus.*) urchin, brat, lad, fellow || **-и́шник** *s.* feast celebrated by bride-groom and friends on the eve of the wedding || **-уга́н** = **ма́льчик.**
малю́/сенький *a.* exceedingly small, tiny || **-тка** *s. m.&f.* (*gpl.* -ток) *coll.* little child.
маля́р *s.* [a] (house-)painter, paper-hanger.
ма́ма *s.* mamma, ma.
мам/а́ша & **´-енька** *s.* (*gpl.* -нек) (dear) mamma, mother || **´-ка** *s.* (*gpl.* -мок) nurse, wet-nurse.
мамо́н *s.* mammon; belly, stomach.
ма́монт *s.* mammoth.
ма́мушка *s.* (*gpl.* -шек) = **ма́мка.**
мана́тки *s. fpl.* (*G.* -ток) (*fam.*) **goods** and chattels.
манда́т *s.* mandate.
мандоли́на *s.* mandoline.
манёвр *s.* manœuvre, exercise.
маневри́ро+вать II. *vn.* to manœuvre; (*rail.*) to shunt.
мане́ж *s.* riding-school, race-course.
манеке́(и́)н/ *s.* lay-figure || **-ша** *s.* mannequin.
мане́р/ & **-а** *s.* manner, way, form, fashion || **-ка** *s.* (*gpl.* -рок) (*mil.*) can, billy-can, water-bottle || **-ничание** *s.* affectation, being affected *or* pretentious || **-ный** *a.* affected.
манже́т(к)а *s.* (*us. in pl.*) cuff; frill, ruffle.
маникю́р *s.* manicure.
манипуля́ция *s.* manipulation.
ман=и́ть II. [a & c] *va.* (*Pf.* при-) to beckon; (завле́чь) to lure, to entice, to decoy.
манифе́ст/ *s.* manifesto || **-а́ция** *s.* manifestation.
мани́шка *s.* (*gpl.* -шек) **shirt-front.**
ма́ния *s.* mania.
ма́нна *s.* manna.
манове́ние *s.* beck, nod, sign.
мано́ме́тр *s.* manometer.
манса́рд/ & **-а** *s.* garret, attic.
манти́лья *s.* mantilla.
ма́нтия *s.* mantle, cloak (*esp.* monk's).
манто́ *s. indecl.* (lady's) mantle.
манускри́пт *s.* manuscript.
мануфакту́р/а *s.* manufacture || **-ный** *a.* manufactured.
мара́тель *s. m.* dauber, daub; bungler.
мара́-ть II. *va.* (*Pf.* за-) to daub, to besmear, to soil, to dirty; (*fig.*) to slander, to calumniate; (*Pf.* на-) to soil, to spoil.
ма́рганец *s.* (*gsg.* -нца) (*chem.*) manganese.
маргари́н *s.* margarine.
маргари́тка *s.* (*gpl.* -ток) daisy.
ма́рево *s.* mirage.
марино+ва́ть II. [b] *va.* (*Pf.* за-) to pickle.

марионе́тка *s.* (*gpl.* -ток) marionette, puppet.
ма́рка *s.* (*gpl.* -рок) counter (at games); mark, ticket; (coin) mark; **почто́вая ~** (postage)stamp.
маркгра́ф/ *s.* margrave || **–и́ня** *s.* margravine || **–ство** *s.* margraviate.
маркёр *s.* (billiard-)marker.
марки́з/ *s.* marquis || **–а** *s.* marchioness; (*in pl.*) awning.
ма́ркий *a.* apt to soil, apt to get dirty.
маркита́нт/ *s.*, **–ка** *s.* (*gpl.* -ток) sutler.
мармела́д *s.* marmalade, jam.
мародёр/ *s.* marauder, freebooter; camp-follower, straggler || **–ство** *s.* marauding, freebooting. [Mars.
марс *s.* (*mar.*) top, masthead; (*astr.*)
ма́рсель *s. m.* top-sail.
март/ *s.* March || **́–овский** *a.* March, of March || **–ы́шка** *s.* (*gpl.* -шек) (long-tailed) monkey; (*orn.*) seagull.
марципа́н *s.* marchpane, marzipan.
марш/ *s.* march || **́–ал** *s.* marshal || **–ево́й** *a.* marching || **–иро+ва́ть** II. [b] *vn.* to march || **–иро́вка** *s.* (*gpl.* -вок) march, marching (up) || **–ру́т** *s.* (*mil.*) route, line of march.
ма́ск/а *s.* (*gpl.* -сок) mask; **сорва́ть –у** to unmask; **~ про́тив га́зов** gas-mask || **–ара́д** *s.* masquerade; masked-ball, fancy-dress ball || **–ара́дный** *a.*, **~ костю́м** fancy-dress || **–иро+ва́ть** II. [b] *va.* (*Pf.* за-) to mask, to disguise || **~ся** *vr.* to mask o.s., to disguise o.s.
ма́сленая *a.*, **~ (неде́ля)** Shrovetide, carnival.
маслени́стый *a.* oily, oleaginous, buttery.
ма́сл/еница *s.* Shrovetide, carnival || **–еный** *a.* buttered; of butter, of oil; oil-; oily; greasy || **–ёнка** *s.* oil-cup, oil-box || **–ина** *s.* olive-tree || **–и́на** *s.* olive (fruit) || **–и́нный** & **–и́новый** *a.* olive-.
ма́сл=ить II. *va.* (*Pf.* за-, на-, по-) to oil; to spread (with butter), to smear, to butter; to dress.
ма́сло/ *s.* [b] (*gpl.* -сел) oil; butter; **~ для воло́с** hair-oil; **как по ма́слу** swimmingly, like clockwork || **–бо́йка** *s.* churn || **–бо́йня** *s.* oil-mill.
ма́сляный *a.* dressed with butter or oil.
ма́сок *cf.* **ма́ска.**
масо́н/ *s.* freemason || **–ский** *a.* masonic, freemason's || **–ство** *s.* freemasonry.
ма́сса *s.* mass, heap.
масса́ж/ *s.* massage || **–и́ст** *s.* masseur || **–и́стка** *s.* (*gpl.* -ток) masseuse.
масси́вный *a.* massive, solid. [sage.
массиро+ва́ть II. *va.* (*Pf.* по-) to mas-
маста́к *s.* [a] a dab (at something), clever fellow. [skilled workman.
ма́стер *s.* [b*] (*pl.* -а́) master; foreman;
мастер=и́ть II. [a] *va.* (*Pf.* с-) to do in a skilful manner; to master.
мастер/ово́й *s.* artisan, mechanic, workman || **–ска́я** *s.* workshop, workroom || **–ство́** *s.* business, trade, profession.
масти́ка *s.* mastic; (сма́зка) putty.
масти́тый *a.* venerable.
масть *s. f.* [c] suit, colour (at cards); colour of hair (of animals).
масшта́б *s.* scale.
мат *s.* mate (at chess); dullness; mat; **шах и ~** checkmate.
матема́т/ик *s.* mathematician || **–ика** *s.* mathematics *pl.* || **–и́ческий** *a.* mathematical.
матереуби́й/ство *s.* matricide (act) || **–ца** *s. m.&f.* matricide (person).
материа́л/ *s.* material || **–и́зм** *s.* materialism || **–и́ст** *s.* materialist || **–ьный** *a.* material.
матери́к *s.* [a] mainland, continent.
матери́нский *a.* maternal, motherly.
мате́рия *s.* matter, substance; stuff, material; (*med.*) pus, matter.
ма́терный *a.* improper, abusive.
матеро́й *a.* firm; large, big, stout, strong; (*fam.*) experienced.
матинэ́ *s. indecl.* morning-gown (lady's).
ма́тка *s.* (*gpl.* -ток) (*vulg.*) mother, wife; (of animals) female; **пчели́ная ~** queen-bee; (*an.*) uterus, womb.
ма́товый *a.* lustreless; (*fig.*) dull.
ма́точник *s.* queen-bee's cell; (*bot.*)
матра́ц *s.* mattress. [ovary.
матри́кул/ *s.* matriculation || **–а** *s.* register, roll (of nobility).
матримониа́льный *a.* matrimonial.
матри́ца *s.* (*typ.*) matrix. [Tar.
матро́с *s.* sailor, seaman; (*fam.*) Jack
ма́тушка *s.* (*gpl.* -шек) little mother, dear mother, mamma.
матч *s.* match.
мать *s. f.* [c] (*gsg.* ма́тери) mother; **крёстная ~** godmother.
мах/ *s.* swing, swinging movement; sail (of a windmill) || **–а́ло** *s.* fan || **–а́(те)льный** *s.* for swinging, swing-; signalling.
маха́-ть II. & **мах-а́ть** I. 3. [c] *va.* (*Pf.* махн-у́ть I. [a 1.]) (кры́льями) to swing; to flap; (хвосто́м) to wag; (опаха́лом) to fan; (руко́ю) to make a sign, to give a signal, to sign.

мах/и́на *s.* anything big or heavy; machine || **-ови́к** *s.* [a] flywheel || **-ово́й** *a.* swinging, swing-; **-ово́е колесо́** flywheel || **´-ом** *ad.* in a moment; **дать ´-ому** to commit a blunder, to make a mistake || **´-онький** *a.* (*fam.*) tiny, very small || **-о́рка** *s.* (*gpl.* -рок) inferior kind of tobacco; plug, shag.

ма́чиха *s.* stepmother.

ма́чт/а *s.* mast || **-о́вый** & **-ово́й** *a.* masted.

маши́н/а *s.* machine, engine; (*fam.*) railway || **-а́льный** *a.* mechanical || **-и́ст** *s.* machinist; **паровозный ~** engine-driver || **-и́стка** *s.* (*gpl.* -ток) typist || **-ка** *s.* (*gpl.* -нок) small machine; **пи́шущая ~** typewriter || **-ный** *a.* machine- || **-острое́ние** *s.* machine-construction.

машу́ *cf.* **маха́ть.**

мая́к *s.* [a] lighthouse; **плаву́чий ~** lightship.

ма́ятник *s.* pendulum.

ма́-ять II. *va.* (*Pf.* за-, из-, с-) to weary, to torment.

мая́ч=ить I. *vn.* (*Pf.* про-) to live from hand to mouth.

м. б. *abbr. of* **мо́жет быть** = perhaps.

мгл/а *s.* mist, fog, darkness || **-и́стый** *a.* misty, foggy, dark.

мгнове́н/ие *s.* moment, instant || **-ный** *a.* momentary, instantaneous.

ме́бель/ *s. f.* piece of furniture; *coll.* furniture || **-щик** *s.* cabinet-maker; dealer in furniture.

меблира́шки *s. fpl.* (*gpl.* -шек) furnished rooms or apartments *pl.*

меблиро+ва́ть II. [b] *va.* (*Pf.* об-) to furnish.

меблиро́вка *s.* (*gpl.* -вок) furnishing.

мёд *s.* honey; mead.

меда́ль/ *s. f.* medal || **-о́н** *s.* medallion.

медве́д/ица *s.* she-bear; (*astr.*) **Больша́я ~** the Great Bear || **(ё)-ка** *s.* (*gpl.* -док) large plane; truck || **-ь** *s. m.* bear.

медвеж/а́тина *s.* bear's flesh || **-а́тник** *s.* bear-leader *or* -hunter || **-ёнок** *s.* (*pl.* -ата) young bear.

медве́жий (-ья, -ье) *a.* bear's, of a bear.

ме́дик/ *s.* physician || **-аме́нт** *s.* medicine, physic.

ме́диум *s.* medium.

медици́н/а *s.* (science of) medicine || **-ский** *a.* medical.

ме́дл/енный & **-и́тельный** *a.* slow, dilatory, lingering.

ме́дл=ить II. *vn.* (*Pf.* по-, про-) to linger, to delay.

ме́дн/ик *s.* coppersmith || **-олите́йная** *s.* copper-smelting works || **-оплави́льный** *a.* for smelting copper || **-оцве́тный** *a.* copper-coloured || **-ый** *a.* of copper, copper; brazen; **~ лоб** (*fig.*) brazen face.

медова́р/ *s.* mead-brewer || **-ня** *s.* mead-brewery.

медо́вый *a.* honey-; sweet as honey; **~ ме́сяц** honeymoon.

медь *s. f.* copper; **жёлтая ~** brass.

медяни́ца *s.* blind-worm.

медя́нка *s.* (*gpl.* -нок) verdigris.

меж/ = **ме́жду** || **-а́** *s.* boundary; strip of land between two fields.

междо/ме́тие *s.* (*gramm.*) interjection || **-усо́бие** *s.* civil war.

ме́жду/ *prp.* (+ *I.*) between; among; **~ про́чим** among other things; **~ тем** in the meantime, meanwhile || **-наро́дный** *a.* international || **-ца́рствие** *s.* interregnum.

межева́ние *s.* measuring; (of land) surveying.

меже+ва́ть II. [b] *va.* (*Pf.* на-, от-) to survey.

межево́й *a.* boundary-; measuring.

мезани́н *s.* (*arch.*) entresol, mezzanine.

мёл *cf.* **мести́.**

мел *s.* chalk.

меланхо́л/ия *s.* melancholy || **-и́ческий** *a.* melancholic.

меле́-ть II. *vn.* (*Pf.* об-, по-) to become shallow.

ме́лешь *cf.* **моло́ть.**

мели́-ть II. [a] *va.* (*Pf.* на-) to chalk, to chalk up; to pulverize, to pound; to dismember.

ме́лкий *a.* (*comp.* ме́льче, *sup.* мельча́йший) fine, small (of sugar, rain, printed type, etc.); shallow; flat (of a plate).

мелко/во́дный *a.* shallow || **-во́дие** & **-во́дица** *s.* shallows *pl.*, low water.

ме́лко/сть *s. f.* & **-та́** *s.* fineness, littleness, shallowness.

мелово́й *a.* chalk, of chalk.

мело́д/ия *s.* melody || **-и́ческий** *a.* melodious.

мелодра́ма/ *s.* melodrama || **-ти́ческий** *a.* melodramatic.

мело́к *s.* [a] (*gsg.* -лка́) piece of chalk; **брать на ~** to take on credit.

ме́лочн/ость *s. f.* pettiness, paltriness || **-о́й** *a.* trifling; petty; (торго́вля) retail; worrying about trifles.

ме́лочь *s. f. coll.* trifle; change (money).

мель *s. f.* shallow; sand-bank; **на́ мель, на мели́** aground.

мелька́-ть II. *vn.* (*Pf.* мелькн-у́ть I.) to flash; to gleam; to glisten, to glitter.

ме́льком *ad.* rapidly, hastily; slightly, cursorily; superficially.

ме́ль/ник *s.* miller || **-ница** *s.* mill || **-ничный** *a.* mill-.

мельча́йший *cf.* **ме́лкий.**

мельча́-ть II. *vn.* (*Pf.* из-) to become smaller, flatter.
ме́льче *cf.* **ме́лкий.**
мельч=и́ть I. *va.* (*Pf.* из-) to make smaller; to crumble.
мелюзга́ *s. coll.* trifles *pl.*; small fish; small fry (of children).
мем/ориа́л *s.* (*comm.*) day-book ‖ **–уа́ры** *s. fpl.* memoirs *pl.*
ме́на *s.* exchange.
ме́нее *comp.*, ~ **ста** under a hundred; **тем не** ~ none the less (*cf.* **ма́лый**).
мензу́рка *s.* (*gpl.*-рок) graduated measure.
меново́й *a.* exchange-.
менуэ́т *s.* minuet.
ме́ньше/ *comp.* smaller; less (*cf.* **ма́лый**) ‖ **–ви́к** *s.* Menshevik.
ме́ньший *cf.* **ма́лый.**
меньшинство́ *s.* minority.
меньшо́й *a.* youngest.
меню́ *s. n. indecl.* menu, bill of fare.
меня́л/а *s. m.* money-changer ‖ **–ьный** *a.* exchange-; for exchanging.
меня́-ть II. *va.* (*Pf.* по-) to change ‖ ~**ся** *vrc.* (чем, на что) to change, to exchange ‖ ~ *vr.* to alter; to change.
ме́ра *s.* measure; **по кра́йней –е** at least; **не в –у** not well-fitting; to excess.
ме́ргель *s. m.* marl.
мере́щ=иться I. *vn.* (*Pf.* по-) to glimmer (in the distance); to appear (in a dream).
мерза́в/ец *s.* (*gsg.* -вца), **–ка** *s.* (*gpl.* -вок) disgusting person; object of aversion.
мерз=и́ть I. 1. *vn.* (*Pf.* о-) (кому́) to excite disgust; (кем, чем) to feel disgust.
ме́рзкий *a.* disgusting, hateful, obnoxious, abominable.
мёрз/лость *s. f.* frozen state ‖ **–лый** *a.* frozen, frosty ‖ **–н-уть** I. *vn.* (*Pf.* за-) to freeze.
ме́рзост/ный *a.* dreadful, detestable ‖ **–ь** *s. f.* abomination, detestableness.
мерид/иа́н *s.* meridian ‖ **–иона́льный** *a.* meridional.
мери́ло *s.* scale, standard.
ме́рин/ *s.* gelding ‖ **–о́с** *s.* merino.
ме́р=ить II. *va.* (*Pf.* по-, с-) to measure, to survey.
ме́рка *s.* (*gpl.* -рок) measuring; measure (of clothes, etc.); **по ме́рке** (made) to measure.
мерканти́льный *a.* mercantile.
ме́ркн-уть I. *vn.* (*Pf.* по-) to grow dark; to disappear.
мерлу́/ха *s., dim.* **–шка** *s.* (*gpl.* -шек) dressed lamb's skin.
ме́рн/ость *s. f.* deliberation; exactness ‖ **–ый** *a.* according to measure; exact, deliberate.
мероприя́тие *s.* means *pl.*; taking measures.
ме́рочка *s.* (*gpl.* -чек) small measure (of drinks).
мёртвенный *a.* deathly pale, pallid; benumbed, stiff.
мертве́-ть II. *vn.* (*Pf.* по, о-) to grow deathly pale; to become benumbed; to expire.
мертв/е́ц *s.* [a] corpse ‖ **–е́цки** *ad.*, ~ **пья́ный** dead drunk ‖ **–е́цкая** (*as s.*) death-chamber ‖ **–е́цкий** *a.* insensible ‖ **–ечи́на** *s.* carrion, carcass.
мертви́ть, у– *cf.* **умерщвля́ть.**
мертворождённый *a.* still-born.
мёртвый *a.* dead ‖ ~ (*as s.*) dead person, corpse.
мерца́-ть II. *vn.* to glimmer.
ме́сиво *s.* mash; mixed corn or grain.
мес=и́ть I. 3. [c] *va.* (*Pf.* за-, раз-, с-) to knead.
месмери́зм *s.* mesmerism.
ме́сса *s.* mass.
Месси́я *s.* Messiah.
месте́чко *s.* (*gpl.* -чек) small place; hamlet.
мести́, месть 23. *va.* (*Pf.* вы́-) to sweep ‖ ~ *v.imp.*, **на дворе́ метёт** there is a snow-storm.
ме́стн/ичество *s.* custom of occupying offices by right of birth ‖ **–ость** *s. f.* locality, place, site ‖ **–ый** *a.* local.
ме́сто/ *s.* [b] place, spot; seat; site; office; (*comm.*) pack, bale, luggage; **места́ми** in places ‖ **–име́ние** *s.* (*gramm.*) pronoun ‖ **–положе́ние** *s.* situation (of a place) ‖ **–пребыва́ние** *s.* domicile, abode, residence, dwelling-place ‖ **–рожде́ние** *s.* birthplace; (*geol.*) seam, bed, vein.
месть *s. f.* vengeance, revenge ‖ ~ *va. cf.* **мести́.**
ме́сяц/ *s.* month; moon ‖ **–еслов** *s.* calendar, almanac.
ме́сячн/ый *a.* lunar, moon-, moon's; monthly ‖ **–ое** (*as s.*) menses *pl.*
мета́лл/ *s.* metal ‖ **–и́ческий** *a.* metal(lic) ‖ **–о́ид** *s.* metalloid ‖ **–урги́ческий** *a.* metallurgical ‖ **–у́ргия** *s.* metallurgy.
метаморфо́за *s.* metamorphosis.
мета́н *s.* (*chem.*) methane.
мета́тель/ *s. m.* hurler, flinger ‖ **–ный** *a.* missile, for hurling; ~ **снаря́д** a projectile.
мета́-ть II. & **мет-а́ть** I. 2. [c] *va.* (*Pf.* метн-у́ть I.) to throw, to cast, to fling; to bring forth (of animals); ~ **жре́бий** to cast lots, to draw lots; ~ **икру́** to spawn ‖ ~**ся** *vr.* to throw o.s. about; to toss (about).

метафи́зика *s.* metaphysics *pl.*
мета́фор/а *s.* metaphor || **–и́ческий** *a.* metaphorical.
мётел *cf.* **метла́.**
мете́лица *s.* snow-storm.
метёлка *s.* (*gpl.* -лок) brush, broom, duster.
мете́ль/ *s. f.* snow-storm || **–щик** *s.* street-sweeper.
мете́ние *s.* sweeping.
метео́р/ *s.* meteor || **–и́ческий** *a.* meteoric || **–оли́т** *s.* meteorolite || **–оло́гия** *s.* meteorology.
мёт=ить. I. 2. *va.* (*Pf.* на-) to mark; (во что) to aim at, to take aim at; to have in view.
ме́тк/а *s.* (*gpl.* -ток) mark, sign || **–ий** *a.* (*comp.* ме́тче) just, right; well-aimed, dead (of a shot); true (of a gun) || **–ость** *s. f.* exactness of aim.
метла́ *s.* [e] (*gpl.* мёт[e]л) broom, besom.
метлови́ще *s.* broom-handle, broom-stick.
метну́ть *cf.* **мета́ть.**
ме́тод/ & **´–а** *s.* method || **–и́ческий** *a.* methodical.
метр *s.* metre.
метранпа́ж *s.* (*typ.*) clicker, maker-up.
ме́тр/ика *s.* baptismal and birth certificate || **–и́ческий** *a.* metric(al); **–и́ческое свиде́тельство** = **ме́трика** || **–опо́лия** *s.* metropolis, capital; mother-city.
мету́ *cf.* **мести́.**
ме́тче *cf.* **ме́ткий.**
мех/ *s.* [b] (*pl.* -а́) fur; fur-skins, peltry; **на –у́** fur-lined; (*pl.* -и́) bellows *pl.*
механи́зм *s.* mechanism.
меха́н/ик *s.* mechanic || **–ика** *s.* mechanics *pl.* || **–и́ческий** *a.* mechanical.
мехов/и́к *s.* [a] fur-rug || **–о́й** *a.* fur, of fur || **–щи́к** *s.* [a] furrier.
мецена́т *s.* Maecenas, patron of art.
меч/ *s.* [a] sword || **–еви́дный** *a.* sword-shaped || **–ено́сец** *s.* (*gsg.* -сца) sword-bearer.
мече́ть *s. f.* mosque.
ме́чешь *cf.* **мета́ть.**
мечта́/ *s.* vision; illusion, revery, fancy || **–ние** *s.* imagination, fancies *pl.* || **–тель** *s.m.*, **–тельница** *s.* visionary, dreamer || **–тельный** *a.* fanciful, visionary, chimerical.
мечта́-ть II. *vn.* (*Pf.* по-) to dream, to fancy.
меша́лка *s.* (*gpl.* -лок) poker, stirrer.
меша́-ть II. *va.* (*Pf.* за-, пере-, с-) to mix; to shuffle (cards); to stir, to poke || **~** *vn.* (*Pf.* по-) (+ *D.*) to disturb, to hinder, to prevent || **~ся** *vrc.* to be mixed, to mix || **~** *vr.* to meddle, to interfere.
ме́шка-ть II. *vn.* (*Pf.* за-, про-) to loiter, to linger, to delay, to tarry.
мешкова́тый *a.* loose, baggy (of clothes); slow, dawdling.

ме́шкотный *a.* dilatory, slow.
мешо́/к *s.* [a] (*gsg.* -шка́), *dim.* **–чек** *s.* (*gsg.* -чка) sack, bag || **–чный** *a.* sack-, bag-.
мещ/ани́н *s.* (*pl.* -а́не), **–а́нка** *s.* (*gpl.* -нок) citizen, burgess || **–а́нский** *a.* citizen || **–а́нство** *s.* citizenship.
мзд/а *s.* remuneration, reward; gain, profit || **–о́имец** *s.* (*gsg.* -мца) extortioner, peculator; bribable, venal person || **–о́имство** *s.* venality, corruption, bribery.
миг/ *s.* wink, twinkling of an eye || **´–ом** *ad.* in a trice, in the twinkling of an eye || **–а́ние** *s.* winking, blinking.
мига́-ть II. *vn.* (*Pf.* мигн-у́ть I.) to wink, to blink.
мигре́нь *s. f.* headache.
мизантро́п/ *s.* misanthropist || **–ия** *s.* misanthropy.
мизе́рный *a.* poor, miserable, pitiful.
мизи́нец *s.* (*gsg.* -нца) the little finger; the little toe.
микро́/б *s.* microbe || **–ко́см** *s.* microcosm || **–ско́п** *s.* microscope || **–скопи́ческий** & **–ско́пный** *a.* microscopic(al).
миксту́ра *s.* mixture, potion.
мила́шка *s. m&f.* (*gpl.* -шек) *coll.* charming person.
ми́ленький *a.* delicate, nice, pretty.
милиционе́р *s.* militia-man.
мили́ция *s.* militia.
милли/а́рд *s.* milliard || **–ме́тр** *s.* millimetre || **–о́н** *s.* million || **–оне́р** & **–о́нщик** *s.* millionaire.
ми́ло *ad.* dearly, prettily, graciously; kindly.
ми́ло+вать II. *va.* (*Pf.* по-) to pardon, to forgive; to reprieve; **поми́луй Бог!** God forbid.
мило+ва́ть II. [b] *va.* to caress, to fondle.
мило/ви́дный *a.* pleasant, nice || **–се́рдие** *s.* compassion, pity; mercy, grace; **сестра́ –се́рдия** Sister of Charity || **–се́рд(н)ый** *a.* merciful, compassionate, pitiful.
ми́лостив/ец *s.* (*gsg.* -вца) benefactor || **–ица** *s.* benefactress || **–ый** *a.* favourable, gracious, benevolent; **~ госуда́рь** Sir.
ми́лостыня *s.* alms *pl.*, charity.
ми́лост/ь *s. f.* favour, grace, kindness; mercy, grace; **–и про́сим!** welcome! **осыпа́ть** (кого́) **–ями** to heap favours on; **сде́лайте ~** have the goodness, be so kind.
мил/очка *s.* (*gpl.* -чек) darling, dear || **–у́ша** *s. m&f.* nice person; nice boy *or* girl.
ми́лый *a.* pleasing, pretty, nice, charming; dear.

ми́льный *a.* mile-, of a mile; ~ **столб** [milestone.
ми́ля *s.* mile.
ми́м/ик *s.* mimic || **-и́ческий** *a.* mimic.
ми́мо/ *ad. & prp.* (+ *G.*) past, by || **-е́здом** *ad.* in passing, on the way; by the way || **-е́зжий** (-ая, -ее) *a.* passing, of pas- [sage.
мимо́за *s.* mimosa.
мимо/лётный *a.* transient, passing || **-хо́дом** *ad.* in passing, on the way past; (*fig.*) by the by, by the way, en passant.
ми́на *s.* mine; countenance, mien, look.
минда́л/ина *s.* almond || **-ь** *s. m.* [a] *coll.* almonds *pl.* (as fruit) || **-ьник** *s.* almond-tree || **-ьный** *a.* of almonds.
минёр *s.* miner.
минера́л/ *s.* mineral || **-оги́ческий** *a.* mineralogical || **-о́гия** *s.* mineralogy || **-ьный** *a.* mineral.
миниатю́р/а *s.* miniature || **-ный** *a.* miniature.
минима́льный *a.* minimal, minimum.
ми́нимум *s.* minimum.
министе́р/ский *a.* ministerial || **-ство** *s.* ministry; ~ **вну́тренних дел** the Home Office; ~ **иностра́нных дел** the Foreign Office; **вое́нное** ~ the War Office.
мини́стр *s.* minister.
минова́ние *s.* avoidance; end, close, termination; passing by.
мино+ва́ть II. [b] *va.* (*Pf.* мин-у́ть I. [a]) to escape, to avoid; (обойти́) to pass over || ~ *vn.* to pass, to expire, to run out || **~ся** *vn.* to pass, to be over.
мино́га *s.* (*ich.*) lamprey.
миноно́сец *s.* (*gsg.* -сца) torpedo-boat.
мино́р *s.* (*mus.*) minor key.
минота́вр *s.* minotaur.
ми́нус *s.* minus.
мину́т/а *s.* minute; moment, instant; **сию́ -у** this moment, immediately; **че́рез -у** in a moment; **в ту -у как** the instant that || **-ка** *s.* (*gpl.* -ток) *dim.* moment, instant || **-ник** *s.* minute-hand || **-ный** *a.* minute; of a moment, momentary; **-ная стре́лка** minute- [hand.
мину́ть *cf.* **минова́ть.**
мир *s.* peace, concord, union; the world, the universe; village community; **ходи́ть по́ -у** to go begging.
мира́ж *s.* mirage.
мирво́л=ить II. *vn.* (*Pf.* по-) (+ *D.*) to connive, to be overindulgent (to).
мириа́да *s.* myriad.
мир=и́ть II. [a] *va.* (*Pf.* по-) (*A.* & I.) to reconcile, to pacify, to conciliate || **~ся** *vr&rc.* to become reconciled (with).
ми́р/ный *a.* of peace, peace; peaceful, pacific; ~ **догово́р** peace treaty; **вести́ -ную жизнь** to lead a peaceful life || **-ово́й** *a.* of peace; ~ (**судья́**) Justice of the Peace; **-ова́я сде́лка** amicable arrangement || **-ое́д** *s.* blood-sucker, parasite, sponger || **-озда́ние** *s.* the Creation || **-олю́бец** *s.* (*gsg.* -бца) lover of peace; a worldly-minded person || **-олюби́вый** *a.* pacific, peace-loving || **-опома́зание** *s.* anointing (at coronation) || **-отво́рец** *s.* (*gsg.* -рца) peacemaker || **-отво́рный** *a.* pacificatory.
ми́рра *s.* myrrh.
мирско́й *a.* worldly; mundane; (не духо́вный) secular, lay; (общинный) of community, parish.
мирт/ & **-́а** *s.* myrtle || **-́овый** *a.* myrtle.
миря́ни́н *s.* (*pl.* -я́не, -я́н) layman; villager.
ми́с/ка *s.* (*gpl.* -сок), *dim.* **-очка** *s.* (*gpl.* -чек) soup-tureen, soup-bowl.
миссионе́р *s.* missionary.
ми́ссия *s.* mission; (посо́льство) embassy.
ми́стик/ *s.* mystic || **-а** *s.* mysticism.
мистифика́ция *s.* mystification.
мистици́зм *s.* mysticism.
мисти́ческий *a.* mystic(al).
ми́тинг *s.* meeting.
митка́ль *s. m.* [a] a kind of cotton stuff.
ми́тра *s.* mitre.
митралье́за *s.* mitrailleuse.
митропо́лия *s.* metropolitan see.
миф/ *s.* myth || **-и́ческий** *a.* mythic(al) || **-ологи́ческий** *a.* mythologic(al) || **-оло́гия** *s.* mythology.
ми́чман *s.* (*pl.* -ы & -а́) midshipman, middy.
мише́нь *s. f.* target, aim, butt.
ми́шенька *s.* (*gpl.* -нек) & **ми́шка** *s.* Bruin (the bear).
мишур/а́ *s.* tinsel || **-́ный** *a.* tinsel.
младе́н/ец *s.* (*gsg.* -нца) infant, child, baby; **грудно́й** ~ suckling || **-ческий** *a.* infant, infant's, infantile || **-чество** *s.* infancy, childhood.
младо́й = **молодо́й.** [junior.
мла́дший (-ая, -ее) *a.* youngest; younger,
млекопита́ющий *a.* mammalian; **-ее (живо́тное)** mammal.
мле-ть II. *vn.* (*Pf.* за-, изо-, обо-) to swoon, to faint away.
мле́чный *a.*, ~ **путь** the Milky Way.
мне *prn. pers.* (*D. of* я) me, to me; **по** ~ for my part.
мнемо́ника *s.* mnemonics *pl.*
мне́ние *s.* opinion, mind.

мни́м/о *ad.* seemingly || **-ый** *a.* imaginary, so-called, pretended.
мни́тельн/ость *s. f.* suspiciousness, mistrust || **-ый** *a.* suspicious, sceptical; hypochondriac(al).
мн=ить II. *vn.* (*Pf.* воз-) to think, to imagine, to be of the opinion || **~ся** *v.imp.*, **мне мни́тся** it seems to me, it appears to me.
мно́гий *a.* (*in pl.*) several, many, many a.
мно́го/ *ad.* (*comp.* бо́льше, бо́лее) much; many; **~ бога́че** far richer; **~ раз** often, many times; **~-ли? как ~?** how much? how many? || **-бо́жие** *s.* polytheism || **-бра́чие** *s.* polygamy || **-ва́то** *ad.* rather much || **-во́дный** *a.* abounding in water || **-гра́нник** *s.* polyhedron || **-гра́нный** *a.* with many faces *or* sides || **-дне́вный** *a.* lasting many days || **-жела́нный** *a.* longed for, desired || **-же́нство** *s.* polygamy || **-знамена́тельный** *a.* of great significance, very significant || **-значи́тельный** *a.* meaning, significant; important; **~ взгляд** a meaning look || **-кра́тный** *a.* frequent, recurring; **~ вид** (*gramm.*) iterative form || **-ле́тний** *a.* long-lived || **-лю́дный** *a.* populous || **-му́жне** *s.* polyandry || **-обра́зный** *a.* multiform; diverse || **-речи́вый** & **-сло́вный** *a.* loquacious, wordy, verbose, prolix, talkative || **-сторо́нний** *a.* many-sided, varied || **-тру́дный** *a.* troublesome, extremely difficult || **-уго́льник** *s.* polygon || **-чи́сленный** *a.* numerous || **-язы́чник** *s.* polyglot || **-язы́чный** *a.* polyglot.
мно́жеств/енный *a.* plural; **-енное число́** (*gramm.*) plural (number) || **-о** *s.* multitude, crowd, quantity; great number.
мно́жимый *a.*, **-ое (число́)** (*math.*) the multiplicand.
мно́житель *s. m.* (*math.*) the multiplier.
мно́ж=ить I. *va.* (*Pf.* у-, по-) (*math.*) to multiply.
мной (мно́ю) *prn. pers.* (*I. of* я) by me, etc.
мн. ч. *abbr. of* **мно́жественное число́** plural.
мобилиза́ция *s.* mobilization.
мобили/зи́ро+вать II. & **-зо+ва́ть** II. [b] *va.* to mobilize.
мог *cf.* **мочь.**
моги́л/а *s.* grave; mound (over grave) || **-ка** *s.* (*gpl.* -лок) small grave || **-ьный** *a.* sepulchral, grave- || **-ьщик** *s.* grave-digger; sexton.
могла́ *cf.* **мочь.**
могота́ *s.* power, strength; **это мне не в -у́** that's beyond me.
могу́, мо́гут *cf.* **мочь.**
могу́чий (-ая, -ее) *a.* powerful, mighty.
могу́ществ/енный *a.* powerful, potent, mighty || **-о** *s.* might, power, potency.
мо́д/а *s.* mode, fashion, vogue; **по -е** in the fashion, fashionably; **не в -е** out of fashion || **-е́ль** *s. f.* model, pattern || **-и́стка** *s.* (*gpl.* -ток) milliner || **-ифика́ция** *s.* modification || **-ифици́ро+вать** II. *va.* to modify || **-ник** *s.* fashionable man, fashion-monger || **-ница** *s.* fashionable woman || **-ннча-ть** II. *vn.* (*Pf.* за-) to follow the fashion, to dress fashionably || **-ный** *a.* fashionable, in the fashion || **-уля́ция** *s.* (*mus.*) modulation.
моё *cf.* **мой.**
мо́ешь *cf.* **мыть.**
мо́жет быть & **~ ста́ться** perhaps, maybe, possibly.
мо́жешь *cf.* **мочь.**
мож(ж)еве́л/ина *s.* juniper-berry || **-ьник** *s.* juniper(-bush).
мо́жно *v.imp.* it is possible; **как ~ скоре́е** as soon as possible.
моза́нка *s.* mosaic.
мозг/ *s.* [b°] brain; (костно́й) marrow || **-ово́й** *a.* brain-, marrow-.
мозжечо́к *s.* [a] (*gsg.* -чка́) little brain, cerebellum.
мозо́л/истый *a.* horny, callous, full of callosities || **-ь** *s. f.* corn (on foot); callosity || **-ьный** *a.*, **~ пла́стырь** corn-plaster.
мой *cf.* **мыть.**
мой *prn. poss.* (моя́, моё, *pl.* мои́) my, mine; **по мо́ему** in my opinion.
мо́йка *s.* (*gpl.* мо́ек) washing; place for washing.
мо́кнуть 52. *vn.* (*Pf.* про-) to get wet, to become wet.
мокро́та *s.* slime; (*med.*) phlegm, mucus.
мокрота́ *s.* wetness, dampness, humidity.
мо́крый *a.* wet, damp, moist, humid.
мол *ad.*, **я ~ иска́л** really (to be sure) I looked for it.
мол/ & -́а *s.* mole, breakwater.
молва́ *s.* loud talk; rumour, report; (*fig.*) repute.
мо́лв=ить II. 7. *va.* (*Pf.* про-) to speak, to utter.
моле́б/ен *s.* (*gsg.* -бна) Te Deum, short divine service, thanksgiving || **-ствие** & **-ство** *s.* Te Deum, public thanksgiving.
моле́ль/ня *s.* oratory, chapel || **-щик** *s.* one who prays.
моли́тв/а *s.* prayer || **-енник** *s.* prayer-book.

мол=и́ть II. [c] *va.* (о чём) to pray, to beg, to beseech || **~ся** *vn.* (*Pf.* по-) (кому́ о чём) to pray (to), to implore, to supplicate.
мол(л)ю́ск *s.* mollusc.
молни/ено́сный *a.* charged with lightning; **-ено́сная ту́ча** thunder-cloud || **-́ия** *s.* lightning, lightning-flash.
молодёжь *s. f. coll.* youth, young people.
моло́денький *a.* still very young.
молоде́-ть II. *vn.* (*Pf.* о-, по-) to grow young.
молод/е́ц *s.* [a] (*gsg.* -дца́) brave man, sharp fellow || **-е́цкий** *a.* brave, valiant, bold || **-е́чество** *s.* courage, valour.
молод=и́ть I. 1. [a] *va.* (*Pf.* о-, по-) to make young, to restore to youth || **~ся** *vr.* to make o.s. look young.
молод/и́ца & **-́ка** *s.* (*gpl.* -док) young wife.
молодо́й *a.* (*pd.* мо́лод, -а́, -о, *pl.* -ы; *comp.* моло́же; *sup.* мла́дший) young || ~ (*as s.*) bridegroom, young husband || **-а́я** (*as s.*) bride, newly married woman.
мо́лодость *s. f.* youth, youthfulness.
молоду́ха *s.* young married woman.
молодцева́тый *a.* well-built, brave, audacious.
моло́дч/ик *s.* dandy, fop & *dim. of* молоде́ц || **-и́на** *s. m.* a strong, stout fellow.
моложа́вый *a.* youthful, young-looking.
моло́же *cf.* **молодо́й.**
моло́ки *s. npl.* milt, soft roe (of fish).
молоко́/ *s.* milk || **-со́с** *s.* greenhorn, novice, beardless youth.
мо́лот/ *s.* (large) hammer, mallet || **-и́лка** *s.* (*gpl.* -лок) threshing-machine || **-и́льщик** *s.* thresher.
молот=и́ть I. 2. [c] *va.* (*Pf.* с-) to thresh.
молот/о́к *s.* [a] (*gsg.* -тка́) hammer; **продава́ть с -ка́** to sell by auction, to auction || **-о́чек** *s.* (*gsg.* -чка) *dim.* hammer.
мол-о́ть II. [c] *va.* (*Pres.* мелю́, ме́лешь, etc.) (*Pf.* из-, с-) to grind, to mill; ~ **вздор** to talk nonsense.
молотьба́ *s.* threshing.
молочко́ *s.* lymph & *dim. of* молоко́.
моло́ч/ник *s.* milkpot; milkman || **-ница** *s.* milkmaid, dairymaid; (*med.*) thrush || **-ный** *a.* of milk, milk-, milky; ~ **брат** foster-brother; **-ная коро́ва** milch-cow || **-ная** (*as s.*) dairy || **-ное** (*as s.*) milk-food.
молочу́ *cf.* **молоти́ть.**
мо́лча *ad.* in silence, silently, tacitly.
молчали́вый *a.* taciturn; reserved, discreet.
молча́льник *s.* a taciturn, reticent person.
молча́ние *s.* silence.
молч=а́ть I. [a] *vn.* (*Pf.* за-, по-) to be silent, to keep silent, to hold one's tongue; **заста́вить ~** to silence.
молчко́м *ad.* in silence, silently.
моль *s. f.* moth.
мольба́ *s.* prayer; entreaty.
мо́льберт *s.* easel.
моме́нт *s.* moment.
мона́рх/ *s.* monarch || **-и́ческий** *a.* monarchic(al) || **-ия** *s.* monarchy.
мона́рший *a.* monarchal.
монасты́р/ский *a.* monastic(al), conventual || **-ь** *s. m.* [a] monastery, cloister, convent; **же́нский ~** nunnery; **вступа́ть в ~** to take the veil, to enter a monastery.
мона́х/ *s.* monk || **-иня** *s.* nun.
мона́ш/енка *s.* (*gpl.* -нок) nun; pastil for fumigation || **-еский** *a.* monk's, monkish, monastic(al) || **-ество** *s.* monasticism, monkhood; monastic life || **-ество+вать** II. *vn.* to lead the life of a monk, to be a monk.
моне́т/а *s.* coin; **зво́нкая ~** hard cash; **ме́лкая ~** change || **-ка** *s.* (*gpl.* -ток) small coin || **-чик** *s.* minter, coiner.
мони́сто *s.* necklace.
монито́р *s.* monitor.
моно/га́мия *s.* monogamy || **-гра́мма** *s.* monogram || **-гра́фия** *s.* monograph.
моно́кль *s. m.* eye-glass, monocle.
моно/ли́т *s.* monolith || **-ло́г** *s.* monologue || **-пла́н** *s.* monoplane || **-по́лия** *s.* monopoly || **-теи́зм** *s.* monotheism || **-то́нный** *a.* monotonous.
монта́ж *s.* assembling, setting up.
монуме́нт/ *s.* monument || **-а́льный** *a.* monumental.
мопс/ *s., dim.* **-́ик** *s.* pug-dog.
мор *s.* pest, pestilence, plague.
мор/али́ст *s.* moralist || **-а́ль** *s. f.* morality, morals *pl.* || **-а́льный** *a.* moral.
морга́-ть II. *vn.* (*Pf.* моргн-у́ть I.) to blink, to twinkle, to wink.
мо́рд/а *s.* muzzle, snout || **-а́стый** *a.* with a large snout || **-а́шка** *s.* (*gpl.* -шек) small bulldog || **-очка** *s.* (*gpl.* -чек) *dim. of* мо́рда.
мо́ре/ *s.* [b] the sea; **-м** by sea || **-пла́вание** *s.* navigation || **-пла́ватель** *s. m.* navigator || **-пла́вательный** *a.* of navigation, nautical || **-хо́д** & **-хо́дец** *s.* (*gsg.* -дца) navigator || **-хо́дство** *s.* navigation.
морж *s.* [a] morse, walrus.

мор=ить II. *va.* (*Pf.* за-, у-) to kill, to destroy; **~ го́лодом** to starve to death; to torment, to trouble; to etch, to stain.

морко́в/ь *s. f.*, *dim.* **-ка** *s.* (*gpl.* -вок) carrot.

морово́й *a.* pestilential; **-а́я я́зва** the pest, plague.

моро́ж/еник *s.* icecream-seller ‖ **-еное** (*as s.*) ice, icecream; **по́рция -еного** an ice.

моро́з/ *s.* frost; cold; **на дворе́ ~** it is freezing outside ‖ **-ец** *s.* (*gsg.* -зца) slight frost.

моро́з=ить I. 1. *va.* (*Pf.* за-) to freeze ‖ **~** *v.imp.*, **на дворе́ моро́зит** it is freezing.

моро́зный *a.* frost-, frosty, cold.

морос=и́ть I. 3. [a] *vn.* (*Pf.* за-), to drizzle ‖ **~** *v.imp.*, **дождь моросит** there is a drizzling rain.

моро́ч=ить I. *va.* (*Pf.* за-, об-) to hoax, to deceive, to impose upon.

моро́шка *s.* (*gpl.* -шек) cloudberry.

морс *s.* (beverage made from) fruit-juice.

морско́й *a.* marine, maritime, naval; of the sea, sea-; **~ разбо́йник** pirate; **~ зали́в** gulf; **-а́я боле́знь** sea-sickness.

морти́ра *s.* (*mil.*) mortar.

мо́рфий *s.* morphium.

морщи́н/а *s.* fold; wrinkle ‖ **-истый** *a.* full of wrinkles, wrinkled ‖ **-ка** *s.* (*gpl.* -нок) *dim. of* морщи́на.

мо́рщ=ить I. *va.* (*Pf.* с-) to wrinkle (up), to shrivel; to knit one's brows.

моря́к *s.* [a] seaman, sailor.

моски́т *s.* mosquito.

москоти́льный *a.* drug.

мо́скоть *s. f. coll.* drugs *pl.*

мост/ *s.* [b°] bridge ‖ **-́ик** *s.* small bridge.

мост=и́ть I. 4. [a] *va.* (*Pf.* вы́-) to pave.

мост/ки́ *s. mpl.* [a] foot-bridge; foot-path (of planks) ‖ **-ово́й** *a.* paved; bridge- ‖ **-ова́я** (*as s.*) pavement ‖ **-о́к** *s.* [a] (*gsg.* -тка́) small bridge.

мо́ська *s.* (*gpl.* -сок) (small) pug-dog.

мот *s.* [b] spendthrift, squanderer, prodigal.

мота́-ть II. *va.* (*Pf.* про-) to squander, to lavish; (*Pf.* на-) to wind, to reel.

моти́в *s.* motive.

мо́то́в/ка *s.* (*gpl.* -вок) squanderer, spendthrift ‖ **-ско́й** *a.* prodigal, lavish, wasteful ‖ **-ство́** *s.* prodigality, lavishness, squandering.

мото́к *s.* [a] (*gsg.* -тка́) skein (of thread).

мото́р/ *s.* motor ‖ **-и́ст** *s.* motorist ‖ **-ный** *a.* motor-.

мотоцикле́т *s.* motor-cycle, motor-bike.

моты́ка *s.* hoe, mattock; pick.

мотылёк *s.* [a] (*gsg.* -лька́) butterfly.

мох/ *s.* (*gsg.* мха & мо́ха, *pl.* мхи) moss; lichen ‖ **-на́тый** *a.* shaggy, hairy ‖ **-ови́к** *s.* [a] moss-mushroom ‖ **-ово́й** *a.* mossy, moss-grown; of moss.

мохо́р *s.* [a] (*gsg.* -хра́) fringe.

моцио́н *s.* motion; exercise.

моча́ *s.* urine; (*vulg.*) piss.

моча́л=ить II. *va.* (*Pf.* из-, раз-) to separate into fibres.

моча́ло *s.* bast (of a lime-tree).

моче/во́й *a.* of urine, urinary; **~ кана́л** urethra; **-ва́я кислота́** uric acid ‖ **-го́нный** *a.* diuretic.

моче́ние *s.* wetting, soaking.

моч=и́ть I. [c] *va.* (*Pf.* на-, с-, за-) to wet, to moisten; to soak; to steep ‖ **~ся** *vn.* to be wet; to urinate, to make water; (*vulg.*) to piss.

мо́чка *s.* (*gpl.* -чек) (*tech.*) wetting, soaking; retting (flax); (of ear, lungs etc.) lobe.

мочь *s. f.* strength, might, power; **и́зо всей мо́чи** with all one's might; **мо́чи нет** it is impossible; it is insufferable.

мочь [γ/-мог] 15. [c 2.] *vn.* (*Pf.* с-) to be able; **не могу́ спать** I cannot sleep; **не мо́жете-ли вы?** can you not? **мо́жет быть** perhaps, it may be ‖ **~ся** *v.imp.*, **мне не мо́жется** I am not feeling well.

моше́н/ник *s.*, **-ница** *s.* swindler, sharper ‖ **-нича-ть** II. *vn.* (*Pf.* с-) to rogue, to swindle, to cheat ‖ **-нический** *a.* roguish, cheating, swindling.

мо́шка *s.* (*gpl.* -шек) *dim.* midge.

мошна́ *s.* [e] (*gpl.* мо́шен) bag, sack, purse.

моще́ние *s.* paving.

мо́щи *s. fpl.* [c] relics *pl.*

мо́щный *a.* strong, robust, powerful.

мощь *s. f.* strength, power.

мрак *s.* darkness, obscurity, gloom.

мра́мор/ *s.* marble ‖ **-ный** *a.* of marble, marble.

мрачне́-ть II. *vn.* (*Pf.* по-) to grow dark or gloomy.

мра́чный *a.* dark, gloomy, sombre; sad, melancholy; **предава́ться -ым мы́слям** to have a fit of the blues.

мсти́тель/ *s. m.* avenger ‖ **-ность** *s. f.* revengefulness, vindictiveness ‖ **-ный** *a.* revengeful; vindictive.

мст=ить I. 4. *va&n.* (*Pf.* ото-) (кому́) to avenge, to revenge o.s.

мудр/ёный *a.* ingenious, clever; (затрудни́тельный) difficult, trying; (чудно́й) strange, odd, peculiar ‖ **-е́ц** *s.* [a] sage, wise man.

мудр=и́ть II. [a] *vn.* (*Pf.* с-) to subtilize.
му́др/ость *s. f.* wisdom, prudence || **–ый** *a.* wise, sage, prudent.
муж *s.* [b] (*pl.* -ья́, -ьёв) husband; [c] (*pl.* му́жи, -е́й) man; **учёный ~** a learned man.
мужа́-ть II. *vn.* (*Pf.* воз-) to attain the age of puberty || **~ся** *vn.* to pluck up courage, to take heart.
муже/ло́жство *s.* sodomy || **–нёк** *s.* [a] (*gsg.* -нька́) dear husband, hubby.
му́же/ский *a.* male; masculine; manly, virile || **–ственный** *a.* courageous, valiant, valorous || **–ство** *s.* manliness, manhood; courage, valour.
мужи́к/ *s.* [a] peasant, countryman; (*fig.*) boor, clodhopper || **–ова́тый** *a.* clumsy; rustic, boorish.
мужи́цкий *a.* peasant's, peasant; rustic, boorish.
мужи́ч/ий (-ья, -ье) *a.* peasant's, peasant || **–и́на** *s.* a big robust fellow; clodhopper || **–ка** *s.* (*gpl.* -чек) peasant(-woman), countrywoman || **–о́к** *s.* [a] (*gsg.* -чка́) *dim. of* мужи́к || **–ьё** *s. coll.* country-people, peasants *pl.*; mob.
му́жн/ин & **–ий** *a.* husband's, marital.
мужско́й *a.* man's, for men, male.
мужчи́на *s.* man, male.
му́з/а *s.* muse || **–е́й** *s.* museum || **–ици́ро+вать** II. *vn.* to play music || **–ыка** *s.* music || **–ыка́льный** *a.* of music, musical || **–ыка́нт** *s.* musician.
му́ка *s.* torment, punishment, pain.
мук/а́ *s.* flour, meal || **–омо́л** *s.* miller || **–омо́льня** *s.* flour-mill.
мул/ *s.* mule || **–а́т** *s.* mulatto || **–а́тка** *s.* (*gpl.* -ток) mulatto woman.
му́мия *s.* mummy.
мунди́р *s.* uniform.
мундшту́к *s.* [a] bit (of a bridle); mouthpiece; (для сига́ры) cigar-holder.
мура́ва *s.* (potter's) glazing.
мурав/а́ *s.* grass, green grass || **–е́й** *s.* [a] ant, pismire || **–е́йник** *s.* ant-hill.
мура́в=ить II. 7. *va.* (*Pf.* за-, по-) to glaze, to varnish.
муравь/е́д *s.* ant-eater || **–и́ный** *a.* ant's, ant-; (*chem.*) formic.
мурлы́к/а *s. m.* tom-cat || **–анне** *s.* purring, purr; buzzing.
мурлык-ать I. 2. *vn.* (*Pf.* мурлы́кнуть) to purr; to hum, to buzz.
муса́т *s.* knife-sharpener; fire-steel.
муска́т *s.* nutmeg.
мускате́ль *s. m.* muscatel, muscadine (wine).
му́скул/ *s.* muscle, sinew || **–ату́ра** *s.* musculature || **–и́стый** *a.* sinewy, muscular || **–ьный** *a.* of muscle, muscular.
му́скус *s.* musk.
му́сор/ *s.* rubbish || **–ный** *a.*, **–ная я́ма** dust-bin, refuse-hole || **–щик** *s.* dustman, rubbish-carter.
муссо́н *s.* monsoon.
мусульма́н/ин *s.*, **–ка** *s.* (*gpl.* -нок) Mussulman, Moslem, Mahometan || **–ский** *a.* Moslem, Mahometan.
мут=и́ть I. 2. (a & c) *va.* (*Pf.* за-, по-, с-) to muddle, to make thick *or* muddy; to disturb, to trouble || **~** *v.imp.*, **меня́ мути́т** I feel sick.
му́тн/ость *s. f.* muddiness, turbidness || **–ый** *a.* muddy, turbid, troubled.
муть *s. f.* turbidity (of liquid); fogginess (of air); dulness (of glass).
му́фт/а *s.* muff; (*tech.*) coupling-box || **–очка** *s.* (*gpl.* -чек) *dim. of prec.*
му́х/а *s.* fly || **–оло́вка** *s.* (*gpl.* -вок) fly-catcher; fly-bane || **–омо́р** *s.* (*bot.*) fly-agaric.
муче́ние *s.* torment, torture, pain.
му́че/ник *s.*, **–ница** *s.* martyr || **–́ничество** *s.* martyrdom.
мучи́тель/ *s. m.* tormentor, torturer || **–ница** *s.* tormentress || **–ный** *a.* painful, tormenting || **–ство** *s.* cruelty, barbarity.
му́ч=ить I. *va.* (*Pf.* по-) to torment, to torture; to annoy || **~ся** *vr.* (над чем) to worry o.s.; (с кем) to torment o.s. (with).
мучн/и́к *s.* [a] dealer in flour, flour-merchant || **–и́стый** *a.* farinaceous; mealy || **–о́й** *a.* mealy, meal-.
мучу́ *cf.* **мути́ть.**
му́чу *cf.* **му́чить.**
му́шка *s.* (*gpl.* -шек) small fly; beauty-spot, patch; (на ружьё) aim, sight; (испа́нская) cantharides *pl.*
мушке́т/ *s.* musket || **–ёр** *s.* musketeer.
муштро+ва́ть II. [b] *va.* (*Pf.* вы́-) to treat with severity; to train; to drill.
мха, мхи *cf.* **мох.**
мхо́вый *a.* of moss, moss-.
мч=ать I. *va.* (*Pf.* по-, у-) to carry away, to whisk away; (of horses) to bolt || **~** *vn.* & **~ся** *vr.* to whirl away, to hurry away, to flit.
мши́стый *a.* mossy, moss-grown, moss-clad.
мще́ние *s.* vengeance, revenge.
мщу *cf.* **мстить.**
мы *prn. pers.* we.
мы́за *s.* farm, country-seat, manor-house.

мыка-ть II. & **мык-ать** I. 2. *va.* (*Pf.* от-, пере-) to hackle (flax); ~ **го́ре** to lead a wretched life || ~**ся** *vn.* to rove, to run about.
мыл=ить II. *va.* (*Pf.* на-) to soap, to lather; ~ (кому́) **го́лову** to give a person a good rating.
мы́ло/ *s.* [b] soap; (on horses) foam, lather || **-ва́рня** *s.* soap-factory, soap-works.
мы́ль/ница *s.* soap-dish || **-ный** *a.* soap-, soapy || **-це** *s.* piece of soap.
мыс *s.* cape, headland, promontory.
мы́сл/енный *a.* mental, of thought; imaginary, fancied || **-имый** *a.* thinkable || **-и́тель** *s. m.* thinker || **-и́тельный** *a.* thinking.
мы́слить 41. *vn.* (*Pf.* по-) (о чём) to think, to reflect; to be of the opinion.
мысль *s. f.* thought, mind, idea, opinion.
мы́тар/ство *s.* sufferings, trials *pl.* (of this life) || **-ь** *s. m.* (*sl.*) tax-gatherer, publican.
мыть 28. *va.* (*Pf.* по-) to wash || ~**ся** *vr.* to wash, to wash o.s.
мыт/ьба́ & **-ьё** *s.* washing, wash.
мыча́ние *s.* lowing, low; bellow(ing).
мыч=а́ть I. [a] *vn.* to low, to bellow.
мы́шек *cf.* **мы́шка.**
мышело́в/ *s.* mouse-catcher || **-ка** *s.* mouse-trap.
мыш/ёнок *s.* (*gsg.* -ёнка, *pl.* -еня́та & -а́та) young mouse || **-́ечный** *a.* muscular || **-и́ный** *a.* & **-́ий** (-ья, -ье) *a.* mouse-, of mice || **-́ка** *s.* (*gpl.* -шек) little mouse.
мышле́ние *s.* thinking, pondering.
мы́шлю *cf.* **мы́слить.**
мы́шца *s.* (*an.*) muscle.
мышь/ *s. f.* [c] mouse; **лету́чая** ~ bat; **полева́я** ~ field-mouse || **-я́к** *s.* [a] arsenic || **-яко́вый** *a.* arsenic(al), arsenious.
мя́гк/ий *a.* (*comp.* мя́гче) soft, tender, smooth; supple; meek || **-ова́тый** *a.* rather soft, tender || **-осерде́чный** *a.* tender-hearted || **-осе́рдие** *s.* tender-heartedness || **-ость** *s. f.* softness, tenderness; (*fig.*) mildness.
мя́гче *cf.* **мя́гкий.**
мягч=и́ть I. *va.* (*Pf.* с-) to soften, to mollify || ~**ся** *vn.* to grow soft.
мяздра́ *s.* scrapings (of hides); flesh-side (of skin).
мяки́на *s.* chaff, husks *pl.*
мя́киш *s.* soft part (of bread); flesh (of fruits).
мя́кн-уть I. *vn.* (*Pf.* от-, раз-, с-) to become soft.
мя́коть *s. f.* tender part (of flesh); pulp (of fruits).
мя́мл=ить II. *vn.* (*Pf.* про-) to mumble, to hum and haw.
мя́мля *s. m&f. coll.* mumbler; a dull person; laggard, slow coach.
мяси́стый *a.* fleshy; pulpy.
мясн/и́к *s.* [a] butcher || **-о́й** *a.* of meat, of flesh; flesh-, meat- || **-о́е** *s.* meat-dish.
мя́со/ *s.* flesh, meat || **-е́дный** *a.* carnivorous || **-пу́ст** *s.* fast-day || **-ру́бка** *s.* mincer.
мя́та *s.* mint; **пе́речная** ~ peppermint.
мяте́ж/ *s.* [a] revolt, sedition, mutiny, rebellion || **-ник** *s.* rebel, mutineer || **-ный** *a.* seditious, rebellious.
мя́тный *a.* of mint, mint-; peppermint-.
мять [γ/-мн] 33. *va.* (*Pf.* пере-) to knead (clay); to scutch (hemp); (*Pf.* по-, с-) to trample, to tread on.
мяу́ка-ть II. *vn.* (*Pf.* мяу́кн-уть I.) to caterwaul, to mew, to miaow.
мяч/ *s.* [a] ball || **-́ик** *s.* small ball.

Н

на *prp.* on, upon, up, to; against, at; by, for, from; in, into, with, towards; ~ **друго́й день** the next day; **игра́ть** ~ **скри́пке** to play the violin; **стать** ~ **коле́ни** to kneel down || ~ *int.* there! ~, **возьми́**! there, take it!
на-аво́сь *ad.* at random.
набалда́шник *s.* cane-head, head of walking-stick.
наба́лтыва-ть II. *va.* (*Pf.* наболта́-ть II.) to talk rubbish; (на кого́) to speak ill (of), to calumniate.
наба́т/ *s.* alarm, alarm-bell, tocsin; rolling of drums; **бить в** ~ to sound the alarm || **-ный** *a.* alarm-; ~ **ко́локол** alarm-bell.
набе́г *s.* irruption, invasion; sudden attack.
набега́-ть II. *vn.* (*Pf.* набежа́ть 46.) (на что) to knock against, to stumble against (in running); to run aground (of ships); (на кого́) to overtake; to crowd together, to assemble.
набе́гом *ad.* in a trice, at the first shot.
набедоку́рить *cf.* **бедоку́рить.**
набекре́нь *ad.* sideways, aslant, tilted on one side (hat, cap).
набело́ *ad.* clean, fair; **переписа́ть** ~ to make a fair copy of.

на́бережн/ый *a.* quay-, wharf- || **-ая** (*as s.*) quay, wharf.
наберу́ *cf.* **набира́ть.**
набива́-ть II. *va.* (*Pf.* наби́ть 27.) to drive in, into (*e.g.* nails); to ram in (stakes); to print (cotton); to stuff (chairs, etc.); to fill (a pipe); to cram; to slaughter plenty, to shoot (birds, game) plenty; to raise (prices) || **~ся** *vr.* to obtrude o.s. upon; to gather in crowds.
наби́в/ка *s.* (*gpl.* -вок) packing, filling (of a club, etc.); stuffing (mattrasses, etc.); printing (stuff) || **-но́й** *a.* stuffed full; printed.
набира́-ть II. *va.* (*Pf.* набра́ть 8. [a 3.]) to gather, to collect; (*typ.*) to compose; (*tech.*) to inlay; to veneer || **~ся** *vr.* to get together, to collect.
наби́тый *a.* stuffed full; **~ дура́к** an arrant fool, a downright idiot; **~ бит-ко́м** chock-full.
наби́ть *cf.* **набива́ть.**
наблюда́тель/ *s. m.*, **-ница** *s.* observer, spectator || **-ный** *a.* observing, of observation; watching, attentive.
наблюда́-ть II. *va.* (*Pf.* наблюсти́ [√блюд] 22. [a 2.]) to observe, to watch, to see; (за + *I.*) to spy (on), to keep an eye on, to supervise; to superintend (children); to pay attention to.
наблюде́ние *s.* observation, watching, watchfulness; surveillance.
на́божный *a.* devout, pious.
набо́й/ка *s.* (*gpl.* -бек) printed calico || **-щик** *s.* calico-printer.
наболе́вший *a.* pained by long suffering.
наболе́-ть II. *vn. Pf.* to be stung with grief.
набо́р/ *s.* assembling, collecting; collection, gathering; levy; (*typ.*) composition; (*tech.*) veneering, inlaying || **-ный** *a.* of composition, veneering; inlaid, inlay || **-щик** *s.* (*typ.*) compositor.
набра́сыва-ть II. *va.* (*Pf.* наброса́-ть II.) to sketch, to outline, to make a rough draft of || **~ся** *vn.* (*Pf.* набро́с=иться I. 4. [a]) (на + *A.*) to spring on, to cast o.s. on, to fall upon.
набра́ть *cf.* **набира́ть.**
набро́сок *s.* (*gsg.* -ска) sketch, outline, rough draft.
набрю́шник *s.* stomacher, body-belt.
набью́ *cf.* **набива́ть.**
набуха́-ть II. *vn.* (*Pf.* набу́хн-уть I.) to swell, to dilate.
нава́га *s.* (*ich.*) dorse.
нава́лива-ть II. *va.* (*Pf.* навал=и́ть II. [a & c]) to heap on, up; to pile up; (на кого́) to load, to burden (*e.g.* work); to crowd (of people) || **~ся** *vr.* (на кого́, на что) to lean upon; to fall on; to bend, to lean (of walls, etc.).
нава́р *s.* broth, beef-tea; (*chem.*) decoction.
нава́рива-ть II. *va.* (*Pf.* навар=и́ть II. [a & c]) to boil in large quantities; to weld (of metal).
нава́стрива-ть II. *va.* (*Pf.* навостр=и́ть II. [a]) to sharpen, to whet; (*fam.*) to accustom (to); **~ у́ши** to prick up one's ears, to cock one's ears || **~ся** *vr.* to become skilful (at); (*fig.*) to acquire good breeding.
навева́-ть II. *va.* (*Pf.* наве́-ять II.) to drift, to heap up, to blow together (of snow).
наведе́ние *s.* directing; guiding; (мо́ста) erection, building.
наведу́ *cf.* **наводи́ть.**
наве́дыва-ться II. *vn.* (*Pf.* наве́да-ться II.) (о чём) to inquire (about, after); to make inquiries (about).
наве́к/ & **-и** *ad.* for ever.
наве́рн/о *ad.* sure, surely; to be sure, certainly, of course || **-яка́** *ad.* of course, certainly, to a certainty.
навёрстыва-ть II. *va.* (*Pf.* наверста́-ть II.) to make up (for), to make good; to retrieve, to restore, to repair; to compensate, to indemnify (one for a thing).
навёртыва-ть II. *va.* (*Pf.* наверн-у́ть I. [a 1.]) to twist, to wind, to twine || **~ся** *vn.* to start (of tears); to turn up unexpectedly.
наве́рх/ *ad.* up, upstairs || **-у́** *ad.* above; upstairs.
наве́с *s.* penthouse, shed; canopy.
на́веселе *ad.* tipsy, half seas over; **немно́го ~** a little the worse for liquor.
наве́сить *cf.* **наве́шивать.**
навести́ *cf.* **наводи́ть.**
навести́ть *cf.* **навеща́ть.**
наве́т/ & **-ие** *s.* calumny, slander, detraction || **-ник** *s.*, **-ница** *s.* calumniator, slanderer || **-ный** *a.* calumnious, slanderous; intriguing.
наве́тренный *a.* exposed to wind; **-ная сторона́** (*mar.*) the weather side.
наве́шива-ть II. *va.* (*Pf.* наве́с=ить I. 3.) to hang, to hang up (a lot of); (две́ри) to hang.
навеща́-ть II. *va.* (*Pf.* навест=и́ть I. 4. [a]) to visit, to call on.
наве́ять *cf.* **навева́ть.**
на́взнич/ь & **-ку** *ad.* backwards, upon one's back.

навзры́д *ad.* sobbing.
навига́ция *s.* navigation. [beetling.
нави́слый *a.* overhanging, projecting;
навлека́-ть II. *va.* (*Pf.* навле́чь [√влек] 18. [a 2.]) to occasion, to cause; to bring on, to draw on; to incur; ~ (что) **на себя́** to incur, to draw down upon o.s. (a punishment, etc.).
навод=и́ть I. 1. [c] *va.* (*Pf.* навести́ [√вед] 22. [a 2.]) to lead, to lead on; to guide, to direct; (ору́дие) to aim, to sight; (лак, кра́ски) to lay on; (мост) to erect; ~ (на кого́) **страх** to frighten; ~ **спра́вки** (о чём) to make inquiries about.
наво́дка *s.* (*gpl.* -док) directing; aiming; erection; laying on.
наводне́ние *s.* inundation, overflow.
наводня́-ть II. *va.* (*Pf.* наводн=и́ть II. [a]) to inundate, to flood, to submerge; to swamp. [enticement.
навожде́ние *s.* instigation; temptation,
наво́з *s.* dung, manure.
наво́з=ить I. 1. *va.* (*Pf.* у-) to manure.
наво́зный *a.* dung-; manure-; **-ная ку́ча** dung-heap. [pillow-slip.
на́волочка *s.* (*gpl.* -чек) pillow-case,
наворо+ва́ть II. [b] *va. Pf.* to accumulate by stealing; to steal, to rob.
навостр/я́ть, -и́ть *cf.* **нава́стривать.**
навря́д *ad.* probably not; ~**-ли э́то так** it is not at all likely, it is very unlikely.
навсегда́ *ad.* for ever, always; **раз** ~ once for all. [to go to meet.
навстре́чу *ad.* to meet, towards; **итти́** ~
навы́ворот *ad.* wrong side out, inside out; in a wrong sense; **де́лать де́ло** ~ to put the car before the horse.
на́вык *s.* habit, custom, practice; ~ **в дела́х** routine.
навыка́-ть II. *vn.* (*Pf.* навы́кн-уть I.) (к + *D.*) to accustom o.s. (to), to get accustomed (to). [the premises.
навы́нос *ad.* retail, for consumption off
навью́чива-ть II. *va.* (*Pf.* навью́ч=ить I.) to load, to charge (with), to pack (upon), to burden.
навя́зчивый *a.* importunate, intrusive, obtrusive.
навя́зыва-ть II. *va.* (*Pf.* навяз-а́ть I. 1. [c]) to attach, to fasten, to tie on; (на кого́, кому́ что) to force (something on a person), to burden (one with a thing) || ~**ся** *vr.* to obtrude o.s., to be importunate.
нага́йка *s.* (*gpl.* -а́ек) whip, scourge.
нага́р *s.* (на свече́) snuff; (на языке́) fur; (*met.*) scoria, clinker.

нагиба́-ть II. *va.* (*Pf.* нагн-у́ть [√гб-] I. [a]) to bend, to bow down || ~**ся** *vr.* to bow down, to stoop.
нагишо́м *ad.* naked, stark naked.
нагла́зники *s. mpl.* blinkers *pl.* (for horses).
нагл/е́ц *s.* [a] an impudent *or* saucy person || **∠ость** *s. f.* impertinence, insolence; sauciness.
на́глухо *ad.* hermetically, air-tight, closely; **запере́ть дверь** ~ to block up, to wall up a door.
на́глый *a.* insolent, impertinent, saucy, impudent, cheeky.
нагляд=е́ться I. 1. [a] *vn. Pf.* (на + *A.*) to gaze on, to contemplate sufficiently; to admire, to feast one's eyes on.
нагна́ивать, нагнои́ть *cf.* **гнои́ть.**
нагна́ть *cf.* **нагоня́ть.**
нагнета́тельный *a.* pressure-.
нагное́ние *s.* suppuration.
нагну́ть *cf.* **нагиба́ть.**
награ́рива-ть II. *va.* (*Pf.* наговор=и́ть II. [a]) (что кому́ на кого́) to calumniate, to slander; to tell, to speak one's fill; to spell, to charm, to bewitch in speaking, to conjure; ~ **новосте́й** to tell much news || ~**ся** *vr.* to offer one's services by allusion; to talk till one is satisfied.
нагово́р *s.* calumny, slander, detraction; witchcraft, conjuration.
наго́й *a.* naked, bare.
на́голо́ *ad.* nakedly, barely; entirely; **разде́ться** ~ to strip o.s. stark naked.
нагоня́й *s.* reprimand, rebuke.
нагоня́-ть II. *va.* (*Pf.* нагна́ть 11. [c 3.]) to reach, to catch up, to overtake; to drive together (in a quantity); to cause (annoyance, etc.); to distil (brandy).
нагора́-ть II. *vn.* (*Pf.* нагор=е́ть II. [a]) to grow hot; to be covered with snuff (of a candle).
нагоре́лый *s.* snuffy (of a candle).
наго́рный *a.* mountainous, hilly; mountain-, highland-; **-ая про́поведь** the Sermon on the Mount. [river).
наго́рье *s.* highland; hilly side (of a
нагота́ *s.* nakedness; bareness.
нагота́влива-ть II. & **наготовля́-ть** II. *va.* (*Pf.* нагото́в=ить II. 7.) to prepare (a quantity of); to store, to procure a stock of. [at a call.
нагото́ве *ad.* ready; **быть** ~ to be ready
награ́д/а *s.* reward, remuneration, recompense; prize || **-но́й** & **∠ный** *a.* as a reward, prize-.

награжда́-ть II. *va.* (*Pf.* наград=и́ть I. 1. [a]) to reward, to recompense; (*fig.*) to endow, to endue.
награжде́ние *s.* reward, remuneration.
нагрева́-ть II. *va.* (*Pf.* нагре́-ть II.) to warm, to heat; **нагре́ть себе́ ру́ки** (*fig.*) to feather one's nest || **~ся** *vr.* to warm o.s., to bask.
нагроможда́-ть II. *va.* (*Pf.* нагромозд=и́ть I. 1. [a]) to heap up, to pile up.
нагроможде́ние *s.* heaping up, piling up; accumulation.
нагру́дн/ик *s.* breastplate, breast-piece || **-ый** *a.* breast-, pectoral.
нагружа́-ть II. *va.* (*Pf.* нагруз=и́ть I. 1. [a & c]) to load, to lade, to freight || **~ся** *vr.* to be laden, to take in a cargo; **су́дно нагружа́ется** the ship is being loaded.
нагру́з/ка *s.* (*gpl.* -зок) cargo, shipment, freight; loading, lading || **-чик** *s.* loader, stower, stevedore.
нагря́н-уть I. *vn. Pf.* (к + *D.*) to come unexpectedly (of guests); (на + *A.*) to surprise, to attack suddenly; **нагря́нула беда́** a misfortune happened.
нагуля́-ться II. *vn.* to have enough of lounging about, of loitering.
над *prp.* (+ *I.*) over, on, above, upon.
нада́влива-ть II. *va.* (*Pf.* надав=и́ть II. 7. [c]) to press, to squeeze out (*e. g.* juice); to press, to squeeze off, in.
надба́вка *s.* (*gpl.* -вок) increase, outbidding.
надбавля́-ть II. *va.* (*Pf.* надба́в=ить II. 7.) [to add, to outbid.
надба́вочный *a.* supplementary, additional.
надвига́-ть *va.* (*Pf.* надви́н-уть I.) to push upon *or* up, to shove up || **~ся** *vr.* to move, to draw near in large quantities.
надво́дный *a.* above the water.
на́двое *ad.* in two; **де́лить ~** to halve, to divide in two.
надво́р/ный *a.* in the yard, yard-, in the court || **-ье** *s.* side of house opening on yard.
надвя́зыва-ть II. *va.* (надвяз-а́ть I. 1. [c]) *va.* to foot (socks, stockings), to knit on to; to patch, to piece.
надгро́бный *a.* sepulchral; grave-, tomb-; **~ ка́мень** tombstone; **-ая речь** funeral oration.
наддава́ть 39. *va.* (*Pf.* надда́ть 38.) to outbid, to give in addition, to add.
наддве́рный *a.* over the door.
надева́-ть II. *va.* (*Pf.* наде́ть 32.) to put on; (*fam.*) to get on (clothes, boots, etc.), to don; **~ тра́ур** to go into mourning; **~ кандалы́** to shackle.
наде́жда *s.* (*vulg.* **надё́жа**) hope, trust, expectation; chance. [trusty.
надё́жный *a.* sure, certain; steady,
наде́л *s.* portion, part, share, allowance.
наде́ла-ть II. *va. Pf.* to make (a great deal), to cause, to occasion.
наделя́-ть II. *va.* (*Pf.* надел=и́ть II. [a & c]) (кого́ чем) to give, to deal, to deal out, to dispense; to provide.
надё́ргива-ть II. *va.* (*Pf.* надё́рга-ть II.) to pluck, to pull out (a good deal).
наде́ть *cf.* **надева́ть.**
наде́-яться II. *vc.* (*Pf.* по-) (на + *A.*) to hope, to trust (in); to rely (on).
надзвё́здный *a.* above, beyond the stars.
надзе́мный *a.* above earth; **-ая желе́зная доро́га** elevated railway.
надзира́тель/ *s. m.* inspector, superintendent, overseer, supervisor || **-ство** *s.* inspection, survey; inspectorship.
надзира́-ть II. *vn.* (над *or* за чем) to inspect, to look after, to oversee, to superintend.
надзо́р *s.* (над кем *or* чем) superintendence, supervision; inspection.
надив=и́ть II. 7. [a] *va. Pf.* to astonish, to surprise || **~ся** *vn.* (+ *D.*) to admire sufficiently; to wonder at.
надкры́л/ие & **-ьник** *s.* wing-case, sheath (of insects).
надла́мыва-ть II. *va.* (*Pf.* надлома́-ть II. & надлом=и́ть II. 7. [c]) to begin to break, to cut; to crease, to crush in; **боле́знь надломи́ла его́** the disease has broken him down.
надлеж=а́ть I. [a] *v.imp.* it is necessary, one ought, one should; **ему́ надлежа́ло** (о том) **поду́мать** he ought to have thought of that. [fit, proper.
надлежа́щий (-ая, -ее) *a.* requisite; due,
надме́нн/ость *s. f.* haughtiness, pride, arrogance || **-ый** *a.* haughty, arrogant, supercilious. [near future.
надня́х *ad.* one of these days, in the
на́до *prp.* = **над.**
на́до/ *v.imp.* one must, it is necessary; **~ рабо́тать** one must work; **мне ~ знать** I must know; **чего́ вам ~?** what do you want? || **~** *v.imp.* & **-б=иться** II. 7. *vn.* to be necessary; **мне на́добится** I need.
на́добн/ость *s. f.* need, want, necessity; exigency; requirement; **в слу́чае -ости** in case of need, if necessary || **-ый** *a.* necessary, needful, requisite.

надоеда́-ть II. *vn.* (*Pf.* надоесть [ƴед] 42.) (+ *D.*) to weary, to annoy, to tire, to bore; **мне э́то надое́ло** I am weary *or* sick of it; **он надое́л мне** I am tired of him, I am sick of him; **он мне смерте́льно надоеда́ет** he wearies me to death.

надое́дливый *a.* tiresome, boring, wearisome.

на́до́лго *ad.* for a long time *or* while.

надорва́ть *cf.* **надрыва́ть.**

надоу́млива-ть II. *va.* (*Pf.* надоу́м=ить II. 7.) (кого́ чем) to suggest an idea, to hint, to intimate; to advise.

надпи́сыва-ть II. *va.* (*Pf.* надпис-а́ть I. 3. [c]) to inscribe, to superscribe, to head; (*comm.*) to endorse.

на́дпись *s. f.* inscription, superscription; (на конве́рте) address; (на моне́те) legend; (на па́мятнике) inscription; (*comm.*) endorsement.

надре́з *s.* cut, incision, notch.

надре́зыва-ть II. *va.* (*Pf.* надре́з-ать I. 1.) to notch, to score, to make an incision in.

надруба́-ть II. *va.* (*Pf.* надруб=и́ть II. 7. [c]) to mark, to cut into, to notch.

надры́в *s.* tear, rent; strain, rupture.

надрыва́-ть II. *va.* (*Pf.* надорв-а́ть I. [a 3.]) to tear a little; ~ **лошадь** to jade, to override a horse || ~ **себя́** & ~**ся** *vr.* to strain, to hurt o.s. by lifting; ~ **со́ смеху** *or* **от сме́ха** to split one's sides with laughing.

надсаж(д)а́-ть II. *va.* (*Pf.* надсад=и́ть I. 1. [c]) to strain; to tire out; ~ **се́рдце** to break one's heart || ~**ся** *vr.* to tire o.s. out; to hurt o.s. (in lifting), to overstrain.

надсма́трива-ть II. *vn.* (*Pf.* надсмотр=е́ть II. [c]) (над *or* за кем, чем) to survey, to supervise, to oversee.

надсмо́тр/ *s.* inspection, supervision, surveillance || **–щик** *s.* inspector, overseer.

надстро́й/ & **–ка** *s.* (*gpl.* -бек) superstructure.

надстро́чный *a.* above the line; interlinear; ~ **перево́д** interlinear translation; (*fam.*) crib.

надува́ла *s. m&f. coll.* cheat, swindler.

надува́-ть II. *va.* (*Pf.* наду́-ть II.) to swell, to puff; to inflate, to blow up, to distend; (*fig.*) to deceive, to cheat, to dupe, to gull || ~**ся** *vn.* to swell; to be puffed up; to be proud, to pride o.s.; to pout, to sulk.

наду́т/ость *s. f.* inflation, bombast, turgidity; bloatedness || **–ый** *a.* bombastic, inflated; swelled, bloated; puffed up *or* inflated with pride; sullen, sulky.

надуша́-ть II. *va.* (*Pf.* надуш=и́ть I. [a]) to perfume; to fumigate.

наеда́-ться II. *vn.* (*Pf.* нае́сться 42.) to eat one's fill.

наедине́ *ad.* face to face, tête-à-tête, in private, privately.

нае́зд/ *s.* incursion; inroad; collision (of vehicles); **–ом** by chance || **–ник** *s.* horseman || **–ничество** *s.* horsemanship.

наезжа́-ть II. *vn.* (*Pf.* нае́хать 45.) (на кого́, что) to come across; to run against, to hit (when riding or driving); to come (in crowds); **нае́хало мно́го купцо́в** many merchants came.

наём/ *s.* (*gsg.* найма́ & наёма, *pl.* на́ймы́) hire, rent; **отдава́ть в на́ймы́** to let out, to rent || **–ник** *s.* mercenary, hireling || **–ный** *a.* hired, let; for hire, to be let; **–ная каре́та** hackney-cab; **–ные во́йска́** mercenary *or* hired troops || **–щик** *s.*, **–щица** *s.* hirer, renter, tenant, lodger.

нае́сться *cf.* **наеда́ться.**

нае́хать *cf.* **наезжа́ть.**

нажа́ть *cf.* **нажима́ть.**

нажда́/к *s.* [a] emery || **–ко́вый** & **–чный** *a.* emery-.

нажи́ва *s.* gain, profit; winnings *pl.*; bait, lure (for fisching); allurement.

нажива́-ть II. *va.* (*Pf.* нажи́ть 31.) to gain, to acquire (money); ~ **долги́** to run into debt; ~ **го́ре** to come to grief; ~ **себе́ друзе́й** to make friends; ~ **себе́ боле́знь** to catch a disease || ~**ся** *vn.* to grow rich, to thrive; to live somewhere a long time.

наживно́й *a.* acquired; lucrative, profitable.

нажи́м/ & **–а́ние** *s.* pressing close; pressing, squeezing out; pressure.

нажима́-ть II. *va.* (*Pf.* нажа́ть [ƴжм] 33.) to press, to squeeze out (juice); to pinch, to nip (of shoes).

нажи́т/ок *s.* (*gsg.* -тка) gain, acquisition || **–очный** *a.* lucrative, profitable.

нажи́ть *cf.* **нажива́ть.**

наза́втра *ad.* for to-morrow.

наза́д *ad.* back, backwards; back again; **тому́** ~ ago; **не́сколько лет тому́** ~ a few years ago.

позади́ *ad.* behind; **быть** ~ to be behindhand, to be in arrears; **часы́** ~ the clock *or* watch is slow.

назва́ние *s.* name; appellation.

назва́ть *cf.* **называ́ть.**

назём *s.* dung, manure.

нáземь *ad.* on the ground, on the floor; down.
назидáтельный *a.* edifying.
назлó *ad.* in spite of, in defiance of.
назначá-ть II. *va.* (*Pf.* назнáч=ить I.) to designate; to fix, to assign, to allot; (когó чем) to appoint (to); **~ мéсто и врéмя** to fix *or* name the time and place.
назначéние *s.* designation; appointment; fixing (of price, etc.); allocation, allowing (of a sum of money).
назовý *cf.* **называ́ть.**
назóйливый *a.* importunate, intrusive.
назревá-ть II. *vn.* (*Pf.* назрé-ть II.) to ripen, to mature; (*med.*) to gather, to come to a head (of boils, etc.).
называ́-ть II. *va.* (*Pf.* назвáть 10. [a 3.]) to name; to term; (когó по и́мени) to call (by name); to invite, to bid together (many guests) || **~ся** *vr.* to be called, to be named; (на что) to invite o.s.; to come (*e. g.* to dinner) uninvited.
наи- *particle* = most; of all.
наи/бóлее *ad.* most of all || **-бóльший** (-ая, -ее) *a.* greatest of all.
наи́вный *a.* naïve, artless, ingenuous; unaffected.
наи́грыва-ть II. *va.* (*Pf.* наигрá-ть II.) to win, to gain (by playing); to play (an air) upon || **~ся** *vr.* to have enough of playing.
наи́зворот *ad.* wrong side out, inside out; in a wrong sense.
наизнáнку *ad.* inside out, wrong side out.
наизýсть *ad.* by heart, by rote.
наилýчший (-ая, -ее) *a.* best (of all).
наимéнее *ad.* least of all, at least.
наименовáние *s.* denomination, name.
наимéньший (-ая, -ее) *a.* least (of all).
наискосóк & **нáискось** *ad.* aslant, obliquely, askance.
наи́тие *s.* infusion (of the Holy Ghost).
найдёныш *s.* foundling.
найдý, найти́ *cf.* **находи́ть.**
наймý *cf.* **нанимáть.**
нáймы *cf.* **наём.**
накáз/ *s.* order, instruction; direction; precept || **-áние** *s.* punishment, chastisement, castigation.
накáзыва-ть II. *va.* (*Pf.* наказ-áть II. 1. [c]) to punish, to chastise; (комý что, когó чем) to order, to enjoin on, to charge (one with a thing).
накáл *s.* red heat, glow.
накáлива-ть II. *va.* (*Pf.* накал=и́ть II. [a]) to make red-hot.
накáлыва-ть II. *va.* (*Pf.* накол-óть II. [c]) to make holes in; to prick *or* cut through; to cut, to split, to cleave (wood) in large quantities; to pin, to fasten with pins.
наканýне *ad.* (+ *G.*) on the eve (of); the day before.
накáпыва-ть II. *va.* (*Pf.* накопá-ть II.) to dig, to dig up (a quantity).
накáчива-ть II. *va.* (*Pf.* накачá-ть II.) (чегó) to pump full.
наки́дка *s.* (*gpl.* -док) throwing over; slip on; **надеть в наки́дку** to throw over one's shoulders (*e. g.* a coat, without putting one's arms in the sleeves).
наки́дыва-ть II. *va.* (*Pf.* наки́н-уть I.) (что на когó) to throw over, to slip on (a cloak, etc.); to increase, to rise in price || **~ся** *vr.* (на когó) to throw o.s. on, to fall on; to spring upon.
накипá-ть II. *vn.* (*Pf.* накип=éть II. 7. [a]) to form by boiling; to be incrusted.
нáкипь *s.f.* (пéна) scum; (твёрдый осáдок) crust, scale; fur.
наклáд/ *s.* damage, loss || **-ка** *s.* (*gpl.* -док) something laid on; addition, rise (in price); trimming (of a dress); **пить чай в -ку** to drink tea with sugar (dissolved in it).
наклад/нóй *a.* laid on, put on; raised (contribution in money); false (of hair); artificial; plated (of silver) || **-нáя** (*as s.*) way-bill; luggage-receipt; (*Am.*) check.
наклáдный *a.* unprofitable, disadvantageous; expensive.
наклáдыва-ть II. *va.* (*Pf.* наклáсть [√-клад] 22. [a 1.]) to lay on; to put on (a certain quantity); (*Pf.* наложи́ть *cf.* налагáть).
наклёвыва-ться II. *vr.* (*Pf.* наклю́н-уться I.) to pick through, to peck through || **~** *vn.* to eat one's fill (of poultry); to bite at the hook (of fishes); (*fig.*) to happen at times.
наклéива-ть II. *va.* (*Pf.* наклé=ить II. [a & c]) to glue on, to paste on.
наклéйка *s.* (*gpl.* -éек) piece glued on; ticket, label pasted on.
наклéп/ *s.* calumny, slander || **-ный** *a.* slanderous.
наклéю *cf.* **наклéивать.**
наклика́-ть II. *va.* (*Pf.* накли́к-ать I. 2.) to call, to call together; **~ на себя́ бедý** to draw down, to incur.
наклобýчива-ть II. *va.* (*Pf.* наклобýч=ить I.) to press one's hat well down.

накло́н/ *s.* slope, declivity; ascent || **-е́ние** *s.* inclination, declivity; (*phys.*) declension; (*gramm.*) mood || **-ность** *s. f.* slope, declivity; (*fig.*) inclination, propensity, disposition || **-ный** *a.* sloping, declivous; (*fig.*) prone, inclined to.

наклоня́-ть II. *va.* (*Pf.* наклон=и́ть II. [c]) to incline, to bow, to bend, to stoop; to tip; ~ **кора́бль на́ бок** to careen a vessel || ~**ся** *vr.* to bow, to bend over, to stoop, to lean over.

наклю́нуться *cf.* **наклёвываться.**

на́кова́льня *s.* (*gpl.* -лен) anvil.

нако́жный *a.* cutaneous, skin-.

нако́лка *s.* (*gpl.* -лок) head-dress.

наколо́ть *cf.* **нака́лывать.**

након/**е́ц** *ad.* finally, after all, at length, in the end || **-е́чник** *s.* ferrule (of stick); chape (of a scabbard); spear-head || **-е́чный** *a.* being at the head, at the end, end-.

накопа́ть *cf.* **нака́пывать.**

накопле́ние *s.* heaping up, accumulation.

накопля́-ть II. *va.* (*Pf.* накоп=и́ть II. 7. [c]) to collect, to heap up, to accumulate; (бога́тства) to hoard up, to scrape *or* rake together.

накра́пывать *cf.* **крапа́ть.**

на́крепко *ad.* strongly, fast, closely; firmly; (стро́го) severely.

на́крест *ad.* across, crosswise.

накрыва́-ть II. *va.* (*Pf.* накры́ть 28.) to cover, to overspread; (кого́) to surprise, to detect, to come upon unawares; ~ **стол** *or* **на́ стол** to lay the table || ~**ся** *vr.* to wrap o.s. up; to put on one's hat *or* cap.

накупа́-ть II. *va.* (*Pf.* накуп=и́ть II. 7. [c]) (чего́) to buy up; (кого́ на кого́, на что) to bribe.

наку́рива-ть II. *va.* (*Pf.* накур=и́ть II. [c]) to fill with smoke; to smoke much; to distil (a certain quantity); (*fig.*) to throw dust in one's eyes.

налага́-ть II. *va.* (*Pf.* налож=и́ть I. [c]) to lay on, to put on; (по́дати, etc.) to impose; (тру́бку) to fill; ~ **тра́ур** to go into mourning; ~ **на себя́ ру́ку** to attempt suicide.

нала́жива-ть II. *va.* (*Pf.* нала́д=ить I.) to repair, to restore to order; (скри́пку) to tune; (поуча́ть) to train, to accustom.

налга́ть 17. *vn. Pf.* to lie, to tell lies; (на кого́) to slander.

нале́во *ad.* to the left, on the left.

налега́-ть II. *vn.* (*Pf.* нале́чь 43.) to press, to bear on; to lean, to rest on; (на кого́ *fig.*) to oppress; ~ **на рабо́ту** to apply o.s. to.

налегке́ *ad.* lightly (dressed); without luggage.

налёт *s.* sudden onset; swoop; (*chem.*) efflorescence, flowers *pl.*; **с -у** in flight, on the wing; (*fig.*) in a hurry.

налета́-ть II. *vn.* (*Pf.* налет=е́ть I. 2. [a]) to fly on, upon; to fall upon, to swoop on; (на кого́) to rush upon, to swoop down on.

нале́чь *cf.* **налега́ть.**

нали́в *s.* sap, juice (of fruits); infusion.

налива́-ть II. *va.* (*Pf.* нали́ть 27.) to pour, to pour in; to fill up (a glass, a bottle with); to spill; to cast, to found || ~**ся** *vr.* to be poured; to fill with juice; to ripen.

нали́в/**ка** *s.* (*gpl.* -вок) liqueur (made from fruit) || **-но́й** *a.* clear and juicy (of fruits).

нали́м *s.* eel-pout, tadpole.

нали́ть *cf.* **налива́ть.**

налицо́ *ad.* present.

нали́чный *a.* ready (of money), in cash, cash-; ~ **соста́в** effective force; **-ые де́ньги** *fpl.* ready money, cash, hard cash.

нало́г *s.* tax, imposition, duty.

наложе́ние *s.* laying, putting on; (по́датей) imposition.

наложи́ть *cf.* **налага́ть.**

нало́жница *s.* concubine.

нало́й *s.* (*eccl.*) lectern.

нало́па-ться II. *vc. Pf.* to gorge o.s.

наля́па-ть II. *va. Pf.* to botch, to bungle (a great deal).

нам *prn. pers.* (*D. of* мы) to us, us; for us; ~ **ну́жно** we need.

нама́зывать *cf.* **ма́зать.**

нама́рывать *cf.* **мара́ть.**

нама́тыва-ть II. *va.* (*Pf.* намота́-ть II.) to wind up, to wind onto.

нама́чивать *cf.* **мочи́ть.**

наме́дни *ad.* (*vulg.*) lately, (only) the other day, a few days ago.

намёк *s.* hint, allusion, intimation.

намека́-ть II. *va.* (*Pf.* намекн-у́ть I. [a]) (на + *A.*) to hint (at); to allude (to); **на что он намека́ет?** what is he alluding to? (*fam.*) what is he driving at?

намерева́-ться II. *vc.* (*Pf.* вознаме́р=иться II.) to intend, to purpose, to design.

наме́р/**ение** *s.* intention, purpose, design; **с -ением** designedly, on purpose, intentionally; **без -ения** unintentionally; **име́ть** ~ to intend || **-енный** *a.* intentional; **он -ен** he intends.

намести́ *cf.* **намета́ть.**

намéстник *s.* viceroy; lord-lieutenant; administrator; vicar (of monastery).
намёт *s.* cover; shed; (large) tent; bird-net.
намéтить *cf.* **мéтить.**
намётка *s.* (*gpl.* -ток) latch; patch.
намётыва-ть II. *va.* (*Pf.* намета́-ть II. & намет-а́ть I. 1. [c]) to cast on; to tack (any material); ~ **икру́** to spawn; to break *or* turn up (by ploughing), to fallow.
намеча́ть *cf.* **мéтить.**
нáми *prn. pers.* (*I. of* мы) by us, through us, with us.
наминá-ть II. *va.* (*Pf.* намя́ть [√мн] 34.) to knead (clay) in a quantity; to bruise, to crush (flax).
намозóл=ить II. *va.* to get corns; ~ (комý) **глаза́** (*fig.*) to become an eyesore to.
намокá-ть II. *vn.* (*Pf.* намóкн-уть I.) to get wet.
намóрдник *s.* muzzle.
намота́ть *cf.* **нама́тывать** & **мота́ть.**
намочи́ть *cf.* **мочи́ть.**
намы́ли/вать, -ть *cf.* **мы́лить.**
намя́ть *cf.* **намина́ть.**
нанесéние *s.* bringing on; heaping up; dealing (insults, etc.).
нанес/ти́, -ý *cf.* **наноси́ть.**
нанима́тель *s. m.* hirer.
нанимá-ть II. *va.* (*Pf.* наня́ть [√нм] 37. [a 4.], *Fut.* найму́, -ёшь) to take, to lease (a house); to hire, to take on hire, to rent (a house); to engage (a servant) || ~**ся** *vr.* to hire o.s. out.
нáнка *s.* nankeen.
нанóс *s.* (*geol.*) alluvium, drift.
нанос=и́ть I. 3. [c] *va.* (*Pf.* нанести́ & нанéсть 26. [a 2.]) to carry to, to lay, to put (a quantity); to waft up, to flow (against); to deal (a blow, etc.); **корáбль нанесло́ нá мель** the vessel was driven aground; ~ (комý) **побóи** to give one a thrashing.
нанóсный *a.* alluvial.
наношý *cf.* **наноси́ть.**
наня́ть *cf.* **нанима́ть.**
наоборóт *ad.* the wrong way; against the nap.
наобу́м *ad.* at random, at a venture.
нáоткось *ad.* slantwise, aslant, askew.
наóтмашь *ad.* with the back of the hand; **удáр** ~ a back-handed blow.
наотрéз *ad.* point-blank, bluntly, flatly.
напада́тель *s. m.* attacker, assailant.
нападá-ть II. *vn.* (*Pf.* напáсть [√пад] 22. [a 1.]) (на + *A.*) to fall on; to attack, to assail, to assault; to swoop down on; to come across.
нападéние *s.* attack, assault, onset.
напáдки *s. mpl.* aggressions, attacks *pl.* (in journals); persecution.

напáива-ть II. *va.* (*Pf.* напо=и́ть II. [a]) to give to drink; to water; ~ (когó) **дóпьяна** to intoxicate; **он напои́л меня́ отли́чным чáем** he gave me excellent tea to drink.
напáмять *ad.* by heart, by rote.
напасá-ть II. *va.* (*Pf.* напас-ти́ I. [a]) to lay in a stock; to provision o.s. (with).
напáсть *s. f.* misfortune, adversity.
напáсть *cf.* **напада́ть.**
напéв *s.* tune, melody, air.
напевá-ть II. *va.* (*Pf.* напéть 29. [a 1.]) to strike up, to sing; (на когó комý) to slander.
напекá-ть II. *va.* (*Pf.* напéчь [√пек] 18. [a 2.]) to bake (a large quantity).
наперёд *ad.* beforehand, first.
напереди́ *ad.* before, in front; in the future.
наперекóр *ad.* in despite, in spite of.
напере/ры́в & **-хвáт** *ad.* vying (with one another).
наперéть *cf.* **напира́ть.**
напéрсн/ик *s.*, **-ница** *s.* bosom-friend, favourite, crony || **-ый** *a.* pectoral-; worn on the breast.
напёрсток *s.* (*gsg.* -тка) thimble.
напéть *cf.* **напева́ть.**
напечáтание *s.* printing, impression.
напечáтать *cf.* **печáтать.**
напéчь *cf.* **напека́ть.**
напивá-ться II. *vn.* (*Pf.* напи́ться 27. [a 3.]) to drink sufficiently (water); to drink one's fill; to get drunk, to become intoxicated.
напи́лок *s.* (*gsg.* -лка) file; rasp.
напирá-ть II. *va.* (*Pf.* наперéть [√пр] 14. [a 1.]) (на + *A.*) to press (against); (на что) to emphasize.
написа́ть *cf.* **писа́ть.**
напи́ток *s.* (*gsg.* -тка) drink, beverage.
напи́тыва-ть II. *va.* (*Pf.* напитá-ть II.) to satiate, to sate; to impregnate; to saturate || ~**ся** *vr.* to glut o.s. (with); to become saturated.
напи́ться *cf.* **напива́ться.**
нáплав/ *s.* float (in angling); stalactite; (*mar.*) buoy || **-нóй** *a.* floating; ~ **мост** floating-bridge, pontoon-bridge.
напла́к-ать I. 2. *va. Pf.*, ~ **глаза́** to injure one's eyes by weeping.
наплетá-ть II. *va.* (*Pf.* наплести́ & наплéсть [√плет] 32. [a 2.]) to tress, to plait; (*fig.*) to talk nonsense; (на когó) to slander, to calumniate.
наплéчник *s.* shoulder-piece (of armour).
наплоди́ть *cf.* **плоди́ть.**

наплы́в/*s.* mire; anything that has drifted in || **-но́й** *a.* alluvial; what has floated in.
напи-у́ться I. [a] *vr. Pf.* (на + *A.*) to stumble (over), to run against.
напова́л *ad.* on the spot; with a blow.
напоёшь *cf.* **напева́ть.**
напои́ть *cf.* **напа́ивать.**
наполня́-ть II. *va.* (*Pf.* напо́лн=ить II.) to fill, to cram, to stuff.
напол̀овину *ad.* half.
напома́живать *cf.* **пома́дить.**
напомин/а́ние *s.* reminding; reminder || **-а́тельный** *a.* reminding; **-а́тельное письмо́** dunning letter (from creditor).
напомина́-ть II. *va.* (*Pf.* напомян-у́ть I. & напо́мн=ить II.) (кому́ о чём) to remind (one of); to call to mind.
напо́р/ *s.* shock, pressure; throng || **-ный** *a.* pressing against.
напосле́док *ad.* at last, in the long run, finally.
напою́ *cf.* **напева́ть.**
напр. *abbr. of* **наприме́р** = for example; e. g.
направле́ние *s.* direction; set; ~ **журна́ла** tendency; **в** ~ (к + *D.*) towards, in the direction of.
направля́-ть II. *va.* (*Pf.* напра́в=ить II. 7.) to direct, to guide; ~ **путь** to wend one's way; ~ **курс** to direct *or* set one's course; ~ **бри́тву** to set a razor || ~**ся** *vr.* (к + *D.*) to direct o.s. (towards), to set out for.
напра́во *ad.* on *or* to the right.
напра́слина *s.* a false accusation.
напра́сн/о *ad.* in vain, to no purpose || **-ый** *a.* vain; fruitless, useless; undeserved, unjust.
напра́шива-ть II. *va.* (*Pf.* напрос=и́ть I. 3. [c]) to invite together; to collect by begging || ~**ся** *vr.* (к кому́ на что) to offer o.s. (for a work); ~ **в го́сти** to force o.s. (upon), to obtrude o.s. (upon).
напре́чь = **напря́чь.**
наприме́р *ad.* for example, for instance; e. g.
напрока́т *ad.* on hire (of mouvable goods); **дава́ть** ~ to let out; **брать** ~ to hire, to take on hire.
напролёт *ad.* through and through, without intermission; **ночь** ~ the whole night through.
напроло́м *ad.* right through, straight on.
напропалу́ю *ad.* at random, headlong, madly; **крича́ть** ~ to shout like a madman; **мота́ть** ~ to go to the dogs.
напроси́ть *cf.* **напра́шивать.**
напро́тив *prp.* (+ *G.*) opposite, over against || ~ *c.&ad.* on the contrary.
напряга́-ть II. *va.* (*Pf.* напря́чь [*pron.* напре́чь] 15. [a 2.]) to bend (a bow), to stretch; to strain, to exert.
напряже́ние *s.* strain, exertion, effort.
напрям/и́к & **-ки́** *ad.* flatly, point-blank; bluntly; without beating about the bush.
напря́чь *cf.* **напряга́ть.**
напуга́-ть II. *va. Pf.* to frighten, to startle, to scare; to overawe || ~**ся** *vn.* to be scared, to be startled (at, by); to be afraid (of).
на́пуск *s.* letting in; letting loose.
напуска́-ть II. *va.* (*Pf.* напуст=и́ть I. 4. [c]) to let in; to let loose; to set on; ~ (на кого́) **соба́ку** to set a dog at one; ~ (на кого́) **страх** to terrify || ~**ся** *vr.* (на + *A.*) to fall upon, to attack.
напу́тств/енный *a.* for the road || **-не** *s.* viaticum || **-о+вать** II. *va.* to provide for a journey; (*eccl.*) to administer the last sacraments.
напущу́ *cf.* **напуска́ть.**
напы́щенн/ость *s.f.* pomposity, bombast || **-ый** *a.* pompous, bombastic, turgid.
напя́лива-ть II. *va.* (*Pf.* напя́л=ить II.) to spread upon, to stretch upon; (*fam.*) to huddle on (one's clothes), to scramble into (one's clothes).
нараба́(о́)тыва-ть II. *va.* (*Pf.* нарабо́та-ть II.) to earn, to get by work.
наравне́ *ad.* (с + *I.*) on an equality (with), on a level (with).
нараспа́шку *ad.* unbuttoned; (*fig.*) frankly, freely; **жить** ~ to keep open house.
нараста́-ть II. *vn.* (*Pf.* нарасти́ 32. [a 2.]) to grow on; to be formed on; to accumulate, to increase.
нарасхва́т *ad.* very quickly, immediately (taken); **това́ры беру́т** ~ there is a great demand for these goods; (*fam.*) these goods are selling like hot cakes.
нарва́ть *cf.* **нарыва́ть** & **рвать.**
наре́з/ *s.* cut, incision, score; notch; rifling (of gun) || **-но́й** *a.* for cutting; rifled (of gun).
нарека́ние *s.* reproach, blame.
нарека́-ть II. *va.* (*Pf.* наре́чь 18. [a 2.]) (кого́) to name, to call; (кого́ в чём, что на кого́) to reproach (with), to blame (for), to censure.
нарече́ние *s.* nomination, designation.
наречённый *a.* nominated, designed; chosen, selected.
наре́чие *s.* dialect; (*gramm.*) adverb.
наре́чь *cf.* **нарека́ть.**

нариц/а́ние *s.* denomination, designation || **-а́тельный** *a.* nominal; (*gramm.*) appellative.
нарк/о́з *s.* narcosis || **-о́тик** *s.* narcotic || **-оти́ческий** & **-оти́чный** *a.* narcotic.
наро́д/ *s.* people, folk; nation; **мно́го -у** many people.
народи́ть *cf.* **нарож(д)а́ть.**
наро́д/ность *s. f.* nationality || **-ный** *a.* national, popular; of the people, public.
народо/вла́стие & **-держа́вие** *s.* democracy, government by the people || **-населе́ние** *s.* population || **-правле́ние** *s.* = **-вла́стие** || **-счисле́ние** *s.* census (of the population).
нарож(д)а́-ть II. *va.* (*Pf.* народ-и́ть I. 1. [a]) to bring forth, to give birth to (much *or* many); to produce || **~ся** *vn.* to be born; to be produced; to be on the increase, to wax (of the moon).
нарожде́ние *s.* birth; production; **~ ме́сяца** increase, waxing of the moon.
наро́ст *s.* excrescence.
наро́ч/но *ad.* on purpose, designedly || **-ный** *a.* express, intentional, designed || **~** & **на́рочный** (*as s.*) express messenger.
нару́ж/ность *s. f.* exterior, outside appearance; **судя́ по -ности** judging *or* to judge by appearances || **-ный** *a.* exterior, external.
нару́жу *ad.* outwardly, outwards.
нарука́вник *s.* half sleeve, false sleeve.
наруша́-ть II. *vn.* (*Pf.* нару́ш=ить I. [a & c]) to break off *or* up; to infringe, to transgress, to violate (a law); to break (a law, one's oath); to disturb (the peace).
наруш/е́ние *s.* infringement, transgression, violation, infraction; breach || **-и́тель** *s. m.* infringer, violator, transgressor.
нарци́сс *s.* narcissus.
на́ры *s. fpl.* bed of boards, plank-bed.
нары́в *s.* abscess, ulcer, sore.
нарыва́-ть II. *va.* (*Pf.* нарв-а́ть I. [a]) to gather, to pluck, to pull (a quantity); to cause to suppurate, to draw || **~** *vn.* to gather, to come to a head (of an abscess); to fester, to suppurate.
нарыва́-ть II. *va.* (*Pf.* нары́ть 28.) to dig, to dig up (a quantity of).
нарывно́й *a.* vesicatory, blistering; **~ пла́стырь** blister, vesicatory plaster.
наря́д/ *s.* dress, attire; costume, finery; array; order, command; **по -у** by order || **-ный** *a.* smart, trim, spruce; decked out, elegant.
наряжа́-ть II. *va.* (*Pf.* наряд=и́ть I. 1. [a & c]) to command, to order, to appoint; (*mil.*) to detail; to dress, to array, to adorn (a bride) || **~ся** *vr.* to dress o.s. up, to deck o.s. out.
нас *prn. pers.* (*G. & A. of* мы) us, of us; **~ не́ было до́ма** we were out, we were not at home.
насажда́-ть II. *va.* to propagate (knowledge, etc.).
насажде́ние *s.* planting; propagation.
наса́жива-ть II. *va.* (*Pf.* насажа́-ть II. & насад=и́ть I. 1. [a & c]) to plant, to set (a quantity); (топо́р) to haft.
насви́стыва-ть II. *va.* (*Pf.* насвист-а́ть I. 4. [c]) to whistle (a tune).
наседа́-ть II. *vn.* (*Pf.* насе́сть 44. [b]) to alight, to settle (on); **пыль насе́ла на стол** the dust settled on the table; to press hard, to urge (one); to sit down (a great many); to perch (on).
насе́дка *s.* (*gpl.* -док) brood-hen.
насека́-ть II. *va.* (*Pf.* насе́чь [γ/сек] 18. [a 1.]) to hew; to notch, to score, to make incisions in.
насеко́м/ое (*as s.*) (*gsg.* -о́мого, *pl.* -о́мые, etc.) insect || **-оя́дный** *a.* insectivorous.
населе́ние *s.* population; (де́йствие) peopling.
населя́-ть II. *va.* (*Pf.* насел=и́ть II. [a & c]) to people, to populate; to settle in, to inhabit.
насе́ст/ & **-ка** *s.* perch, roost (for hens).
насе́сть *cf.* **наседа́ть.**
насе́чка *s.* (*gpl.* -чек) cut, notch, incision.
насе́чь *cf.* **насека́ть.**
наси́жива-ть II. *va.* (*Pf.* насид=е́ть I. 1. [a]) to remain long seated (on); to hatch, to sit (of birds); to contract (a disease, etc.) by long sitting; to distil (a quantity).
наси́лие *s.* violence, force; stress, compulsion.
наси́ло+вать II. *va.* to force, to do violence to; (же́нщину) to violate.
наси́лу *ad.* with difficulty, hardly; at long last.
наси́ль/ный *a.* forcible || **-ственный** *a.* violent, forcible; **-ственная смерть** violent death; **-ственное вторже́ние** forcible entry.
наска́зыва-ть II. *va.* (*Pf.* наказ-а́ть I. 1. [c]) to tell, to relate (a great deal); to prattle, to prate; (на кого́) to backbite one; (кому́ на кого́) to slander, to calumniate.
насквóзь *ad.* through and through, right through.
наско́лько *ad.* how much.

на́скоро *ad.* quickly, hastily, in haste, hurriedly.

наску́чива-ть II. *va.* (*Pf.* наску́ч=ить I.) (кому́ чем) to tire, to weary, to bore; to trouble, to molest, to annoy one; to pester; ~ **до сме́рти** to bore to death; **э́то мне наску́чило** I am thoroughly sick of it.

наслажда́-ться II. *vr.* (*Pf.* наслад=и́ться I. 5. [a]) (чем) to enjoy, to take pleasure *or* delight (in); to rejoice (at).

наслажде́ние *s.* enjoyment, delight, pleasure.

насла́ива-ть II. *va.* (*Pf.* наслo=и́ть II. [a]) to pile up in layers; (*geol.*) to stratify.

насле́д/ие *s.* inheritance, heritage ‖ **–ник** *s.* heir; successor; ~ **престо́ла** heir to the throne; heir-apparent ‖ **–ница** *s.* heiress ‖ **–ный** *a.* hereditary; ~ **принц** Crown Prince ‖ **–о+вать** II. *va.* (*Pf.* у-) to inherit; to succeed to ‖ **–ственность** *s. f.* hereditability, heredity ‖ **–ственный** *a.* hereditary; inherited ‖ **–ство** *s.* inheritance; succession; **лиши́ть –ства** to disinherit.

насл/ое́ние & **–о́й** *s.* (*geol.*) stratification.

наслои́ть *cf.* **насла́ивать.**

наслоня́-ть II. *va.* (*Pf.* наслон=и́ть II. [a & c]) to lean against ‖ **~ся** *vr.* to lean against ‖ ~ *vn.* to saunter, to stroll around.

наслы́шка *s.* (*gpl.*-шек) hearsay, rumour.

насмеха́-ться II. *vn.* (*Pf.* насме-я́ться II. [a]) (над кем) to laugh at, to deride, to scoff at, to make fun of, to joke at.

насме́ш/ка *s.* (*gpl.* -шек) mockery, derision, scoffing, jeering ‖ **–ливый** *a.* mocking, derisive; sneering, sarcastic(al) ‖ **–ник** *s.* mocker, jeerer, derider.

насмея́ться *cf.* **насмеха́ться.**

на́сморк *s.* cold (in the head).

насно́с/е & **–ях** *ad.* (*vulg.*) near her time (of a pregnant woman).

насо́с *s.* pump.

настава́ть 39. [a 1.] *vn.* (*Pf.* наста́ть 32. [b]) to approach, to draw near, to be at hand.

настави́тельный *a.* instructive.

наста́вить *cf.* **наставля́ть.**

наста́в/ка *s.* (*gpl.* -вок) piece set on, head-piece; (*gramm.*) suffix ‖ **–ле́ние** *s.* instruction, information, direction, tuition, teaching; precept, order, command.

наставля́-ть II. *va.* (*Pf.* наста́в=ить II. 7.) to place, to put, to set (a quantity); (обучи́ть) to direct, to instruct, to teach; to level (a telescope).

наста́в/ник *s.* teacher, tutor, instructor ‖ **–ница** *s.* teacher, instructress ‖ **–но́й** *a.* set on, added.

наста́ива-ть II. *va.* (*Pf.* насто=я́ть II. [a]) to infuse, to draw, to allow to draw (tea); (на + *Pr.*) to insist on; (*mil.*) to press ‖ **~ся** *vn.*, **пусть чай насто́ится** let the tea draw.

наста́ть *cf.* **настава́ть.**

на́стежь *ad.* wide open.

настига́-ть II. *va.* (*Pf.* насти́гнуть 52. & насти́чь 15. [a 1.]) to overtake, to come up with, to reach; **ночь насти́гла его́** night overtook him.

настила́-ть II. *va.* (*Pf.* настл-а́ть II. [c], *Fut.* настелю́, -сте́лешь) to lay on, to overlay with; (ка́мнем) to pave; ~ **пол** to floor, to board; ~ **потоло́к** to ceil.

насти́лка *s.* (*gpl.* -лок) planking, boarding, paving.

насти́чь *cf.* **настига́ть.**

насто́й/ & **–ка** *s.* (*gpl.* -о́ек) infusion ‖ **–чивый** *a.* persevering, persistent, firm.

насто́льный *a.* table-; ~ **слова́рь** reference dictionary; **–ная кни́га** reference book.

настора́жива-ть II. *va.* (*Pf.* насторож=и́ть I. [a]) to set, to lay (a trap); ~ **у́ши** (*fig.*) to prick up one's ears, to cock one's ears.

насторо́же *ad.* as sentry, on sentry-go.

настороже́ *ad.* on the look-out, on the alert, cautiously.

настоя́ние *s.* (на + *Pr.*) insistence (on); persistence; perseverance, effort.

настоя́тель/ *s. m.* prior, superior (of a monastery) ‖ **–ница** *s.* prioress, mother-superior ‖ **–ный** *a.* urgent, insistent, pressing.

настоя́ть *cf.* **наста́ивать.**

настоя́щий (-ая, -ее) *a.* present, actual; pure, genuine; downright; **в –ее вре́мя** nowadays; ~ **год** the current year, the present year; ~ **моше́нник** a downright rascal; an out-and-out rogue; **–ее вре́мя** (*gramm.*) present tense.

настра́ива-ть II. *va.* (*Pf.* настро́=ить II.) to build, to construct (a number); (*mus.*) to tune; (*fig.*) to incite, to urge.

на́строго *ad.* severely, strictly.

настрое́ние *s.* frame of mind, state of mind; (*mus.*) tuning.

настро́ить *cf.* **настра́ивать.**

настро́йщик *s.* (piano-)tuner.

настро́чный *a.* above the lines, interlinear.

наступа́тельный *a.* offensive, aggressive.
наступа́-ть II. *vn.* (*Pf.* наступ=и́ть II. 7. [c]) to step on; to attack, to press on; to come (of day, seasons, etc.); **ему́ наступи́л деся́тый год** he had entered his tenth year.
наступле́ние *s.* approach, coming (of day, etc.); (*mil.*) attack.
насту́рц/ий & **-ия** *s.* (*bot.*) nasturtium.
насу́плива-ть II. *va.* (*Pf.* насу́п=ить II. 7.) to pucker, to knit (one's brows) || **~ся** *vr.* to frown.
насу́против *ad.* over against, opposite, vis-à-vis.
на́сухо *ad.* drily; till quite dry.
насчёт *prp.* (+ *G.*) concerning, as to.
насыпа́-ть II. *va.* (*Pf.* насы́п-ать II. 7.) to strew upon; to fill (up).
насы́п/ка *s.* (*gpl.* -пок) strewing upon; filling in || **-но́й** *a.* filled in *or* up.
на́сыпь *s. f.* artificial mound; (*rail.*) embankment; **моги́льная ~** tumulus, barrow.
насыща́-ть II. *va.* (*Pf.* насы́т=ить I. 6.) to satiate, to satisfy, to glut; (*chem.*) to saturate || **~ся** *vr.* to glut o.s., to be satiated.
насыще́ние *s.* satiating; (*chem.*) saturation.
ната́лкива-ть II. *va.* (*Pf.* натолка́-ть II. & натолкн-у́ть I.) (кого́ на что) to push *or* jostle against || **~ся** *vr.* to jostle; to strike, to knock against; to hit upon a thing; (*fig.*) to become polished.
ната́плива-ть II. *va.* (*Pf.* натоп=и́ть II. 7. [c]) to heat very much; to melt, to smelt.
натвор=и́ть II. *va. Pf.* to make, to produce much; to cause, to occasion.
натека́-ть II. *vn.* (*Pf.* нате́чь [√тек] 18. [a 2.]) to flow, to run in; to leak in.
натерп=е́ться II. 7. [c] *vr. Pf.* to have endured much; to suffer, to endure.
натира́-ть II. *va.* (*Pf.* натере́ть 13.) to rub in, to rub on; to grate; to chafe || **~ся** *vr.* to rub o.s. (with).
на́тиск *s.* rush, pressure, shock; attack.
нати́скива-ть II. *va.* (*Pf.* нати́ска-ть II. & нати́сн-уть I.) to press, to squeeze; to cram in, to crowd in || **~ся** *vr.* to troop, to crowd, to throng.
наткну́ть *cf.* **натыка́ть.**
натолкну́ть *cf.* **ната́лкивать.**
натопи́ть *cf.* **ната́пливать.**
натопта́ть *cf.* **ната́птывать.**
наторе́лый *a.* trained; accustomed.
натоща́к *ad.* fasting, on an empty stomach.
натр *s.* natron.
натра́влива-ть II. *va.* (*Pf.* натрав=и́ть II. 7. [a]) to set on, to bait (dogs); to hunt (to death); (*fig.*) to incite, to instigate; (*chem.*) to etch in.
на́тр/ий *s.* (*chem.*) sodium || **-овый** *a.* of sodium, sodium-.
натру́ *cf.* **натира́ть.**
нату́га *s.* tension; effort; straining.
нату́жива-ться II. *vr.* (*Pf.* нату́ж=иться I.) to strain o.s., to exert o.s.
нату́р/а *s.* nature; **с -ы** from life, from nature; **плати́ть -ою** to pay in kind; **счастли́вая ~** a happy disposition || **-ализа́ция** *s.* naturalization || **-али́зм** *s.* naturalism || **-али́ст** *s.* naturalist || **-а́льный** *a.* natural; lifelike; unaffected, artless || **-щик** *s.*, **-щица** *s.* sitter, living model (for painter or sculptor).
натыка́-ть II. *va.* (*Pf.* наты́к-ать I. 2.) to drive in *or* down; to thrust, to stick in; to cram.
натыка́-ться II. *vr.* (*Pf.* наткн-у́ться I. [a]) to strike, to hit, to knock against; to run on, to meet with.
натя́гива-ть II. *va.* (*Pf.* натян-у́ть I. [c]) to stretch, to tighten, to strain; to bend, to string (a bow); to put on with difficulty (boots).
натя́ж/ка *s.* (*gpl.* -жек) strain, stretching; forced explanation, quibble, strained meaning || **-но́й** *a.* for stretching, tightening.
натя́нутый *a.* tight, stretched; (*fig.*) stiff, farfetched, unnatural.
натяну́ть *cf.* **натя́гивать.**
науга́д *ad.* at random, at a venture.
науго́/лок & **-льник** *s.* corner-cupboard; (*math.*) square; (*tech.*) bevel.
науда́чу *ad.* at random, at a venture; at all hazards.
нау́ка *s.* science.
нау́ськива-ть II. *va.* (*Pf.* нау́ська-ть II.) to bait, to hunt; to incite.
наутёк *ad.*, **пусти́ться ~** to take to one's heels, to take to flight.
науча́-ть II. *va.* (*Pf.* науч=и́ть I. [c]) (кого́) to learn, to teach, to instruct; to train || **~ся** *vr.* (чему́) to learn.
нау́чный *a.* scientific(al), learned.
нау́ш/ник *s.*, **-ница** *s.* slanderer, telltale, talebearer || **-нича-ть** II. *vn.* to play the sycophant || **-ничество** *s.* calumny, slander; sycophancy; talebearing.
науща́-ть II. *va.* (*Pf.* науст=и́ть I. 4. [a]) to instigate, to incite.
нафтали́н *s.* naphthaline.

нахáл/ *s.*, **–ка** *s.* (*gpl.* -лок) impudent, saucy person || **–ьный** *a.* impudent, brazen-faced, cheeky; (*fam.*) saucy || **–ьство** *s.* impudence, effrontery.
нахвáтыва-ть II. *va.* (*Pf.* нахватá-ть II.) to lay hold of, to seize (a quantity); ~ **долгóв** to contract debts.
нахлéб/ник *s.*, **–ница** *s.* boarder, lodger.
нахмýрива-ть II. *va.* (*Pf.* нахмýр=ить II.) to wrinkle, to pucker, to knit || **~ся** *vr.* to frown; to knit one's brows, to scowl; to look threatening.
наход=и́ть I. 1. [c] *va.* (*Pf.* найти́ 48.) to find; to meet; to discover || **~ся** *v.pass.* to be found; to be; **их именá нашли́сь в спи́ске** their names were on the list || ~ *vn.*, ~ **за грани́цею** to be abroad.
нахóд/ка *s.* (*gpl.* -док) a find, something found, a godsend || **–чивый** *a.* ready-witted, fertile in expedients, ingenious, with presence of mind.
нахождéние *s.* finding, detecting.
нахрáпом *ad.* by force, by violence, violently.
нацепля́-ть II. *va.* (*Pf.* нацеп=и́ть II. 7. [c]) to hook (on), to catch, to fasten (to).
национáльный *a.* national.
нáция *s.* nation.
начáл/о *s.* beginning, commencement; origin, source; (*in pl.*) elements, first principles *pl.*; **с сáмого –а** from the very beginning, from the outset || **–ьник** *s.* chief, superior; commander; head, headmaster; ~ **стáнции** stationmaster || **–ьница** *s.* mistress || **–ьный** *a.* initial; elementary; **–ьные основáния** (*npl.*) **наýки** the elements of a science || **–ьство** *s.* command, authority; administration; *coll.* authorities, chiefs *pl.* || **–ьство+вать** II. *vn.* (над + *I.*) to command; to be at the head (of), to be in command (of).
начáтки *s. mpl.* elements *pl.*
начáть *cf.* **начинáть.**
начернó *ad.* in the rough; **написáть** ~ to make a rough copy (of).
начерт/áние *s.* plan, sketch, outline; rough draft || **–áтельный** *a.* graphic(al), descriptive.
начéртыва-ть II. *va.* (*Pf.* начертá-ть II.) to trace out, to project, to sketch.
начёт *s.* deficit; miscalculation.
нáчетверо *ad.* into four (parts).
начётчик *s.* a bible-scholar.
начин/áние *s.* beginning; enterprise, undertaking || **–áтель** *s. m.*, **–áтельница** *s.* beginner; author, cause, originator.
начинá-ть II. *va.* (*Pf.* начáть 34. [a 4.]) to begin, to commence; to start || **~ся** *vr.* to begin, to commence a thing; to break out (of war, fire); to set about.
начи́нка *s.* (*gpl.* -нок) stuffing.
начиня́-ть II. *va.* (*Pf.* начин=и́ть II. [c]) to stuff, to fill.
нáчистó *ad.* cleanly, fairly; **переписáть** ~ to make a fair copy of; flatly, bluntly, absolutely; **отказáть** (комý) ~ to give a blunt refusal, to refuse point-blank.
начи́танный *a.* well-read; erudite.
начи́тыва-ть II. *va.* (*Pf.* начитá-ть II.) to read (a great deal) || **~ся** *vn.* to read much, to read one's fill; to be well-read.
начнý *cf.* **начинáть.**
начтó *ad.* why? however much; although.
наш (нáша, -е, *pl.* -и) *prn. poss.* our; ours; **по нáшему** in our opinion; in our way.
нашаты́рь *s. m.* [a] sal ammoniac.
нашéдший *cf.* **находи́ть.**
нашéйник *s.* frill; neck-band; cravat.
нашёл *cf.* **находи́ть.**
нашёптыва-ть II. *va.* (*Pf.* нашепт-áть I. 2. [c]) to whisper (to); to charm, to bewitch (by whispering).
нашéствие *s.* invasion, inroad; ~ **Святóго Дýха** infusion of the Holy Ghost.
нáшива-ть II. *va. iter. of* **носи́ть.**
нашивá-ть II. *va.* (*Pf.* наши́ть 27. [a 3.]) to sew on; to sew a large quantity of.
наши́в/ка *s.* (*gpl.* -вок) sewing on; piece sewn on; (*mil.*) stripe (sewn on); chevron || **–нóй** *a.* sewn on.
нашлá *cf.* **находи́ть.**
нащёка *s.* patch (on shoes).
наявý *ad.* awake.
ная́ве *ad.* clearly, evidently, plainly.
ная́н *s.* insolent fellow; importunate beggar.
ндрав *s.* = **нрав.**
не *ad.* not; (*prov.*) no; none.
небезвы́годный *a.* not without advantage.
небесá *cf.* **нéбо.**
небéсный *a.* heavenly; celestial; **цáрство –ное** heaven, the kingdom of heaven.
неблаго/врéменный *a.* unseasonable, inopportune, untimely, ill-timed || **–дáрный** *a.* thankless, ungrateful || **–пристóйный** *a.* indecent, improper || **–прия́тный** *a.* unfavourable || **–разýмный** *a.* unreasonable, imprudent || **–рóдный** *a.* ignoble, base; low-born.

нёб/ный *a.* palatal || **–о** *s.* palate.
нёбо *s.* [b] (*pl.* небеса́, небе́с, etc.) sky, heaven, firmament; **возноси́ть** (кого́) **до небе́с** to laud to the skies; **под откры́тым –ом** in the open air.
небожи́тель *s. m.* dweller in heaven.
небольшо́й *a.* not large, little; **сто с –и́м** a little over a hundred.
небосво́д *s.* the vault of heaven, firmament.
небоскло́н *s.* horizon.
небо́сь *ad.* perhaps, it may be so, probably.
небре́жный *a.* careless, negligent.
небыва́лый *a.* unprecedented, unheard of.
небыли́ца *s.* fiction, false tale.
нева́жный *a.* insignificant, unimportant.
невда/леке́ & **–ле́чке** *ad.* not far off *or* from, in the neighbourhood.
невдо/га́д & **–мёк** *ad.*, **мне ~ бы́ло** it never entered my head, it didn't occur to me.
неве́д/ение *s.* ignorance || **–омый** *a.* unknown.
неве́ж/а *s. m&f. coll.* churl, boor, ill-bred fellow || **–да** *s. m&f. coll.* ignorant, unlearned person || **–ественный** *a.* boorish, ignorant, uneducated || **–ество** *s.* boorishness, rudeness; ignorance || **–ливый** *a.* rude, impolite, discourteous.
неве́р/ие *s.* unbelief || **–ность** *s. f.* infidelity; untruth; inexactness || **–ный** *a.* faithless, unfaithful; false, inexact, inaccurate || **–оя́тно** *ad.* not probable, not at all likely || **–оя́тный** *a.* improbable, incredible, past belief.
неве́ст/а *s.* bride, betrothed; young woman of marriageable age || **–ка** *s.* (*gpl.* -ток) daughter-in-law; sister-in-law (the brother's wife) || **–ь** *ad.* God alone knows.
невеще́ственный *a.* incorporeal.
невзго́да *s.* ill-luck, misfortune, trouble.
невзира́я *ad.* (на то, что) in spite of, notwithstanding.
невзнача́й *ad.* accidentally, unawares.
невзра́чный *a.* plain, insignificant, ill-favoured.
невзыска́тельный *a.* unexacting, unpretending.
не́видаль/ *s. f.* & **–́щина** *s.* rarity, wonder, prodigy.
невиди́мка *s. m&f.* (*gpl.* -мок) *coll.* invisible person; **ша́пка-~** the invisible cap.
неви́д/имый *a.* invisible || **–ный** *a.* insignificant.
неви́нн/ость *s. f.* innocence || **–ый** *a.* innocent, guiltless.
невменя́емый *a.* irresponsible.
невнима́тельный *a.* inattentive, careless.
невня́тный *a.* indistinct, inaudible, inarticulate.
не́вод *s.* drag-net.
невоз/врати́мый *a.* irretrievable, irreparable || **–вра́тный** *a.* irrevocable, irreparable || **–де́ржный** *a.* immoderate, intemperate || **–мо́жный** *a.* impossible.
нево́л=ить II. *va.* (*Pf.* при-) (чем, к чему́) to force, to compel, to constrain.
нево́ль/ник *s.*, **–ница** *s.* slave; prisoner || **–ничество** *s.* slavery || **–ничий** (-ая, -ее) *a.* slave's; of a slave || **–но** *ad.* involuntarily, reluctantly || **–ный** *a.* involuntary; forced, constrained; against one's will.
нево́ля *s.* slavery; captivity, restraint; necessity; **–ею** under compulsion; **во́лей-нево́лей** willy-nilly.
невообрази́мый *a.* inconceivable, unimaginable.
невооружённый *a.* unarmed, defenceless; **–ым гла́зом** with the naked eye.
невпопа́д *ad.* inopportunely, untimely.
неврал/ги́ческий *a.* neuralgic || **–́ги́я** *s.* neuralgia.
невреди́мый *a.* intact, inviolate, unharmed.
невтерпёж *ad.* unbearably, intolerably.
невы́год/а *s.* disadvantage, harm, loss || **–ный** *a.* disadvantageous, harmful.
невыноси́м/о *ad.* intolerably || **–ый** *a.* intolerable, insufferable, unbearable.
невырази́мый *a.* inexpressible, ineffable.
не́га *s.* effeminacy; luxury; pleasure, delight.
негати́в/ *s.* negative || **–ный** *a.* negative.
негашёный *a.* unslaked; **–ая и́звесть** unslaked lime, quicklime.
не́где *ad.* nowhere; there is no room for; **~ сесть** there is no place to sit.
неглиже́ *s. indecl.* négligé.
него́ = его́ *after prepositions e. g.* **у ~** he has.
него́д/ник *s.*, **–ница** *s.* good-for-nothing, useless person; scamp, loiterer || **–ный** *a.* useless, good-for-nothing, worthless.
негодова́ние *s.* indignation, discontent.
негодо+ва́ть II. [b] *vn.* (*Pf.* воз-) (на что) to be indignant, angry, discontent(ed) (at).
негодя́й/ *s.*, **–ка** *s.* (*gpl.* -я́ек) good-for-nothing.
негоциа́нт *s.* wholesale merchant.
негр *s.* negro; (*fam.*) nigger.
негра́мотный *a.* illiterate, unlettered, not able to read and write.
негритя́н/ка *s.* (*gpl.* -нок) negress || **–ский** *a.* negro-, negro's.
неда́вн/ий *a.* recent || **–о** *ad.* recently, lately, not long ago.

недалёкий *a.* not far (away), near, at hand; near, close (of relationship); limited (of knowledge).
неда́ром *ad.* not in vain.
недви́жим/ость *s. f.* real estate ‖ **–ый** *a.* immovable; **–ое (иму́щество)** real estate.
недействи́тельный *a.* invalid, void, having no affect, inefficacious.
недели́мый *a.* indivisible.
неде́л/ьный *a.* weekly, week-, week's ‖ **–я** *s.* week.
недобо́р *s.* arrears *pl.*
недобро/жела́тель *s. m.* one who bears ill-will or a grudge ‖ **–со́вестный** *a.* unconscientious.
недове́р/ие *s.* mistrust, distrust ‖ **–чи́вый** *a.* mistrustful, distrustful, suspicious.
недове́с *s.* deficiency in weight, short weight.
недове́шива-ть II. *va.* (*Pf.* недове́с=ить I. 3.) to give short weight.
недово́льный *a.* dissatisfied.
недовы́ручка *s.* (*gpl.* -чек) deficiency (in receipts).
недога́дливый *a.* lacking sagacity, not sagacious.
недо/е́дки *s. mpl.* remains, leavings *pl.* (after eating) ‖ **–и́мка** *s.* (*gpl.* -мок) arrears *pl.* (*esp.* of taxes) ‖ **–и́мный** & **–и́мочный** *a.* in arrears.
не́докись *s. f.* (*chem.*) suboxide.
недоме́рива-ть II. *va.* (*Pf.* недоме́р=ить II.) to give short measure.
недомо/га́ние & **–же́ние** *s.* indisposition.
недомога́-ть II. *vn.* to be unwell, to be indisposed.
недомо́лвка *s.* (*gpl.* -вок) omission, something left unsaid.
недоно́сок *s.* (*gsg.* -ска) premature birth.
недоразумева́-ть II. *va.* (*Pf.* недоразуме́-ть II.) to misunderstand, to misapprehend.
недоразуме́ние *s.* misunderstanding, misapprehension.
недоро́д *s.* bad growth; failure of crops.
не́доросль *s. m.* (*gsg.* -ля) & *s. f.* (*gsg.* -ли) a minor, one under age; country squire.
недосмо́тр/ & **–е́ние** *s.* overlooking, oversight, inadvertence.
недосмотр=е́ть II. [c] *va. Pf.* (чего́) to overlook (a mistake).
недосо́л *s.* want of salt.
недостава́ть 39. [a] *vn.* (*Pf.* недоста́ть 32.) to be short of, to be in want of; to be lacking; **у меня́ недостаёт де́нег** I am short of money.
недоста́т/ок *s.* (*gsg.* -тка) (в чём) want, lack (of); poverty, misery; defect, imperfection, fault ‖ **–очный** *a.* insufficient; defective; poor.
недостижи́мый *a.* unattainable, inaccessible.
недосто́йный *a.* unworthy.
недосту́пный *a.* inaccessible, unapproachable.
недо/су́г *s.* lack of time; **мне** ~ I have no time ‖ **–су́жно** *ad.*, **ему́** ~ he has no time (to spare).
недося/га́емый & **–жи́мый** *a.* unattainable.
недотро́га *s. m&f. coll.* extremely sensitive person, a very touchy person; (*bot.*) touch-me-not.
недоу́здок *s.* (*gsg.* -дка) halter.
недоумева́-ть II. *vn.* to be unable to comprehend; to doubt, to be perplexed, to be in doubt.
недоуме́ние *s.* doubt, perplexity; **быть в –ии** to be at a loss; **привести́** (кого́) **в** ~ to perplex.
недочёт *s.* deficit (in accounts).
не́дро *s.* interior; bosom.
не́друг *s.* enemy, foe.
не́ду́г *s.* complaint, sickliness, infirmity.
неду́жный *a.* infirm, ill, sickly, ailing.
неё = **её** *after prepositions e. g.* **у** ~ she has.
неесте́ственный *a.* unnatural.
нежда́нный *a.* unexpected.
нежела́ние *s.* reluctance, aversion (to).
не́жели *c.* than; not only; **пре́жде** ~ before.
нежена́тый *a.* unmarried (of a man).
не́женка *s.* (*gpl.* -нок) tender, soft, effeminate person.
нежило́й *a.* uninhabited.
не́ж=ить I. *va.* (*Pf.* по-) to pamper, to indulge, to pet ‖ **~ся** *vr.* to pamper o.s.
не́жнича-ть II. *vn.* (*Pf.* по-) to affect tenderness, to behave indulgently.
не́жн/ость *s. f.* tenderness, softness, delicacy ‖ **–ый** *a.* tender, soft, fine, delicate, dainty.
неза/бве́нный *a.* never to be forgotten ‖ **–бу́дка** *s.* (*gpl.* -док), *dim.* **–бу́дочка** *s.* (*gpl.* -чек) (*bot.*) forget-me-not.
незави́дный *a.* not to be envied, unenvied.
незави́симый *a.* independent.
незада́ч/а *s.* bad luck, ill-luck ‖ **–ливый** & **–ный** *a.* unlucky, unfavourable.
незадо́лго *ad.* lately, not long ago; (до + *G.*) shortly before.
незазо́рный *a.* blameless, irreproachable.
незаконнорождённый *a.* illegitimate, natural, born out of wedlock.

незако́нн/ость *s. f.* illegality || **–ый** *a.* illegal, unlawful.

незамени́мый *a.* irreparable, irreplaceable.

незаме́тный *a.* imperceptible, plain.

незаму́жняя *a.* unmarried (of a woman) || ~ (*as s.*) unmarried woman; (*leg.*) spinster.

незапа́мятный *a.* immemorial; **с –ных времён** from time immemorial.

незва́ный *a.* uninvited; unasked.

нездоро́в=иться II. 7. *v. imp.*, **мне нездоро́вится** I don't feel well.

нездоро́в/ый *a.* unwell, indisposed || **–ье** *s.* indisposition, sickliness.

незло́бивый *a.* mild, gentle, benevolent, benignant; free from malice.

незначи́тельный *a.* unimportant, insignificant, of no consequence.

незре́лый *a.* immature, unripe.

незри́мый *a.* invisible.

незы́блемый *a.* firm, unshakable, immovable.

неизбе́жный *a.* inevitable, unavoidable.

неиз/ве́стный *a.* unknown; uncertain || **–глади́мый** *a.* indelible || **–лечи́мый** *a.* incurable || **–ме́нный** *a.* immutable, unchangeable, unalterable; steady || **–мери́мый** *a.* immeasurable, immense.

неиз'ясни́мый *a.* inexplicable.

неимове́рный *a.* incredible.

неиму́щий (-ая, -ее) *a.* indigent, poor, necessitous.

неиску́сный *a.* unskilful, awkward.

неис/поведи́мый *a.* inscrutable, impenetrable || **–полни́мый** *a.* impracticable, not feasible || **–по́рченный** *a.* unspoiled; innocent; incorrupted || **–прави́мый** *a.* incorrigible || **–пра́вный** *a.* careless, negligent.

неи́стов/ство *s.* fury, rage, frenzy || **–ый** *a.* furious, raging, fierce, mad with rage.

неис/тощи́мый *a.* inexhaustible || **–цели́мый** *a.* incurable || **–черпа́емый** *a.* inexhaustible || **–числи́мый** *a.* countless, innumerable.

ней = **ей** *after prepositions e. g.* **о ней** about her.

нейтр/алите́т *s.* neutrality || **–а́льный** *a.* neutral.

не́кий *a.* a certain, some.

не́когда *ad.* once, sometime, formerly, in former times; **мне** ~ I have no time.

не́кого *adverb. expression* there is no one whom; **мне** ~ **люби́ть** I have no one to love.

не́кому *adverb. expression* there is no one to whom.

не́который *a.* a certain.

некраси́вый *a.* ugly, plain, unsightly.

некроло́г *s.* necrology.

некста́ти *ad.* untimely, inopportunely, at a wrong time.

не́кто *prn.* some one, somebody, a certain person.

не́куда *adverb. expression* there is nowhere, where; **мне** ~ **е́хать** I have nowhere to go to.

некуря́щий *s.* non-smoker.

нела́дный *a.* unserviceable, unfit; uncanny, weird.

нелёгкая (си́ла) *s.* the Evil One, the devil; **куда́ его́** ~ **занесла́!** where on earth has he gone to! where the devil has he gone to!

неле́пый *a.* absurd, foolish, nonsensical.

нело́вкий *a.* awkward, unskilled, clumsy.

нельзя́ *v.imp.* it is impossible; one can (may) not; **э́того** ~ **сде́лать** that cannot be done; **как** ~ **лу́чше** as well as possible; **ника́к** ~ it is absolutely impossible.

нелюди́м/ *s.*, **–ка** *s.* (*gpl.* -мок) misanthrope || **–ый** *a.* misanthropic(al), unsociable.

нём *prn.*, **о** ~ about him.

нема́ло *ad.* not few, enough.

неме́дленн/ый *a.* prompt, without delay || **–о** *ad.* promptly, at once, instantly, forthwith.

неме́-ть II. *vn.* (*Pf.* за-, о-) to become *or* grow dumb; (of limbs) to get numbed.

немилосе́рд(н)ый *a.* pitiless, merciless.

неми́лость *s. f.* disgrace, disfavour, discredit.

немину́емый *a.* inevitable, unavoidable.

немно́/го *ad.* a little, somewhat || **–гий** *a.* (*esp. in pl.*) a few, some || **–ж(еч)ко** *ad.* (*dim. of* немно́го) just a little, somewhat.

немо́й *a.* dumb, speechless; mute; (of limbs) numb.

немо́лчный *a.* incessant, never silent.

немота́ *s.* dumbness; speechlessness.

не́мочь *s. f.* illness, affliction, infirmity; weakness, disease; **бле́дная** ~ chlorosis.

не́мощ/ный *a.* weak, infirm; ill, sickly || **–ь** *s. f.* weakness, illness, sickliness.

нему́ = **ему́** *after prepositions e. g.* **к** ~ to him.

нему́др/ый & **–я́щий** *a.* simple, common.

ненави́д=еть I. 1. *va.* (*Pf.* воз-) to hate, to detest, to abhor.

ненави́ст/ник *s.*, **–ница** *s.* one who hates || **–ный** *a.* hating; hateful; spiteful, odious.

не́нависть *s. f.* hatred, hate; detestation.

ненагля́дный *a.* admirable, charming, enchantingly beautiful.
ненадёжный *a.* untrustworthy; uncertain, precarious.
нена́добный *a.* superfluous, unnecessary.
ненаро́/ком & **–чно** *ad.* unintentionally.
ненаруши́мый *a.* inviolable.
нена́ст/ный *a.* rainy, cloudy, overcast || **–ье** *s.* bad, rainy weather.
ненасыти́мый *a.* insatiable, insatiate.
необ/ду́манный *a.* inconsiderate, thoughtless || **–ита́емый** *a.* uninhabited || **–озри́мый** *a.* unbounded, infinite, boundless; countless || **–разо́ванный** *a.* uneducated, ignorant || **–у́зданный** *a.* unbridled, unrestrained || **–ходи́мо** *ad.*, **мне ~** it is necessary for me, I have to || **–ходи́мый** *a.* necessary, indispensable.
необ'я́тный *a.* immense, vast.
необ/ыкнове́нный & **–ыча́йный** *a.* unusual, uncommon, extraordinary || **–ы́чный** *a.* strange, curious, uncommon, odd.
неограни́ченный *a.* unbounded, unlimited.
неоднокра́тный *a.* repeated, reiterated.
неодобр/е́ние *s.* disapproval || **–и́тельный** *a.* disapproving.
нео/доли́мый *a.* invincible || **–душевлённый** *a.* inanimate || **–живлённый** *a.* inanimate, lifeless; (of business) slack, dull || **–жи́данный** *a.* unexpected, unlooked for || **–конча́тельный** *a.* incomplete; **–ное наклоне́ние** (*gramm.*) infinitive (mood) || **–ко́нченный** *a.* unfinished, incomplete || **–пи́санный** *a.* indescribable, inexpressible || **–пла́тный** *a.* insolvent || **–пла́ченный** *a.* not paid; (of letter) not prepaid || **–пределённый** *a.* vague, indefinite, indeterminate; **–ное наклоне́ние** (*gramm.*) infinitive (mood) || **–пределимый** *a.* undefinable || **–проверж**и́**мый** *a.* irrefutable, incontestable || **–пря́тный** *a.* slovenly, dirty.
нео́пытный *a.* inexperienced, unskilled.
неоргани́ческий *a.* inorganic(al).
нео/сла́бный *a.* unremitting, unremitted || **–смотри́тельный** *a.* inconsiderate, incautious, thoughtless, rash || **–снова́тельный** *a.* groundless, unfounded || **–спори́мый** *a.* indisputable, incontestable || **–сторо́жный** *a.* incautious, imprudent, indiscreet || **–существи́мый** *a.* infeasible, unrealizable || **–сяза́емый** *a.* impalpable, intangible.
неот/врати́мый *a.* inevitable || **–вя́зчивый** *a.* importunate.
не́откуда *ad.* from nowhere, in no way.
неот/ло́жный *a.* urgent, pressing || **–лу́чный** *a.* permanent, inseparable || **–мени́мый** *a.* irrevocable, irreversible || **–сту́пный** *a.* pressing, importunate || **–чужда́емый** *a.* inalienable.
неот'е́млемый *a.* indefeasible, inalienable.
неохо́т/а *s.* unwillingness, reluctance, disinclination; **~ мне** I am not inclined (to) || **–но** *ad.* unwillingly, reluctantly || **–ный** *a.* unwilling, reluctant.
неоцени́мый *a.* invaluable, inestimable, priceless, precious, dear.
не/па́рный *a.* odd, uneven || **–пла́вкий** *a.* infusible || **–пла́та** & **–платёж** *s.* [a] non-payment || **–плате́льщик** *s.* insolvent debtor || **–пло́тный** *a.* incompact || **–победи́мый** *a.* invincible || **–пови́нный** *a.* innocent, guiltless; independent (of) || **–поворо́тливый** *a.* sluggish, inert, clumsy || **–пого́да** *s.* bad, inclement weather || **–погреши́мый** *a.* infallible, impeccable || **–подалёку** *ad.* not far off, at no great distance || **–податно́й** *a.* duty-free, exempt from duty or tax || **–подви́жный** *a.* immovable, motionless; (of stars) fixed || **–подде́льный** *a.* genuine, real || **–подку́пный** *a.* incorruptible; not to be bribed.
непо/дража́емый *a.* inimitable || **–дходя́щий** *a.* unsuitable || **–зволи́тельный** *a.* not allowed, unallowed, illicit || **–ко́йный** *a.* restless, ill at ease; troublesome || **–колеби́мый** *a.* steadfast, unshakeable, immovable || **–ко́рный** *a.* disobedient, not docile || **–ме́рный** *a.* immoderate, excessive; exorbitant.
непо/ня́тливый *a.* unintelligent, stupid, dull of comprehension || **–ня́тный** *a.* incomprehensible, unintelligible || **–ро́чный** *a.* irreproachable, pure, chaste || **–ря́док** *s.* (*gsg.* -дка) disorder || **–ря́дочный** *a.* in disorder, disorderly || **–се́д** *s.*, **–се́да** *s. m&f. coll.*, **–се́дка** *s.* (*gpl.* -док) a person without perseverance || **–си́льный** *a.* beyond one's strength || **–сле́довательный** *a.* inconsequent, inconsistent || **–слуша́ние** *s.* disobedience || **–слу́шный** *a.* disobedient || **–сре́дственный** *a.* immediate, proximate, direct || **–стижи́мый** *a.* incomprehensible, inconceivable || **–стоя́нный** *a.* inconstant, unsteady; changing, wavering || **–стоя́нство** *s.* inconstancy, instability, mutability.
непоти́зм *s.* nepotism.

непо/тре́бный *a.* useless, worthless; dissolute, lewd; ~ **дом** brothel, house of ill fame; **-тре́бная же́нщина** whore, prostitute ‖ **-тре́бство** *s.* lewdness, profligacy ‖ **-чте́ние** *s.* irreverence, lack of respect, disregard ‖ **-чти́тельный** *a.* irreverent, disrespectful.

непра́вд/а *s.* falsehood, untruth; guilt, wrong, injustice ‖ **-оподо́бие** *s.* improbability, unlikelihood ‖ **-оподо́бный** *a.* improbable, unlikely.

непра́в/едный *a.* unjust, iniquitous, wrong ‖ **-ильный** *a.* irregular, anomalous, incorrect ‖ **-ый** *a.* unjust, wrong.

непред/ви́денный *a.* unforeseen ‖ **-усмотри́тельный** *a.* improvident.

непре/кло́нный *a.* inflexible, inexorable ‖ **-ло́жный** *a.* immutable; unchangeable ‖ **-ме́нно** *ad.* by all means; certainly, without fail ‖ **-ме́нный** *a.* unfailing, infallible, certain; (*math.*) constant; ~ **секрета́рь** permanent secretary ‖ **-одоли́мый** *a.* irresistible; insuperable, insurmountable ‖ **-ры́вный** *a.* continuous, uninterrupted ‖ **-ста́нный** *a.* continuous, unceasing.

непри/вы́чка *s.* want of habit, of practice ‖ **-вы́чный** *a.* unaccustomed, unwonted ‖ **-го́дный** *a.* useless, incompetent, good for nothing ‖ **-коснове́нный** *a.* inviolable ‖ **-ли́чный** *a.* indecent, unseemly ‖ **-ме́тный** *a.* imperceptible ‖ **-мири́мый** *a.* implacable, irreconcilable ‖ **-нуждённый** *a.* unconstrained, free and easy ‖ **-ня́тие** *s.* rejection, nonacceptance ‖ **-сто́йный** *a.* indecent, unbecoming ‖ **-сту́пный** *a.* inaccessible; unapproachable; impregnable (of a fort) ‖ **-су́тственный** *a.*, ~ **день** vacation-day; **-ное вре́мя** vacation-time; time on which the courts do not sit ‖ **-тво́рный** *a.* sincere, ingenuous, unfeigned ‖ **-ча́стный** *a.* not participating, not implicated in ‖ **-я́зненный** *a.* hostile, inimical; grudging, malevolent ‖ **-я́знь** *s. f.* hostility, enmity, hatred ‖ **-я́тель** *s. m.*, **-я́тельница** *s.* enemy, foe ‖ **-я́тельский** *a.* hostile; **-я́тельские де́йствия** *npl.* hostilities *pl.* ‖ **-я́тный** *a.* disagreeable, unpleasant.

непро/бу́дный *a.* sound, lethargic(al) (of sleep); ~ **сон** (*fig.*) the sleep that knows no waking, death ‖ **-должи́тельный** *a.* not lasting, short-lived, short, ephemeral ‖ **-е́здный** *a.* impassable (of roads) ‖ **-изво́льный** *a.* involuntary ‖ **-мока́емый** *a.* impermeable, impervious to water; waterproof, watertight ‖ **-ница́емый** *a.* impermeable, impervious; ~ **для во́здуха** airtight; ~ **для воды** watertight ‖ **-сти́тельный** *a.* inexcusable, unpardonable ‖ **-ходи́мый** *a.* impassable, impracticable (of wood, morass).

непро́чный *a.* not solid, not durable.

нера́в/енство *s.* inequality, disparity ‖ **-номе́рный** *a.* disproportionate ‖ **-ный** *a.* unequal, unlike.

нерад/е́ние *s.* carelessness, neglect ‖ **-и́вый** *a.* negligent, listless, careless.

нераз/бо́рчивый *a.* not particular, not fastidious; (ру́копись) illegible ‖ **-де́льный** *a.* indivisible; undivided ‖ **-лу́чный** *a.* inseparable ‖ **-реши́мый** *a.* insoluble (problem, etc.) ‖ **-ры́вный** *a.* indissoluble ‖ **-у́мие** *s.* stupidity, folly, senselessness ‖ **-у́мный** *a.* senseless, stupid, preposterous.

нерас/ка́янный *a.* impenitent, obdurate ‖ **-положе́ние** *s.* dislike, disinclination ‖ **-суди́тельный** *a.* rash, imprudent, inconsiderate ‖ **-твори́мый** *a.* (*chem.*) insoluble ‖ **-торо́пный** *a.* slow, sluggish, awkward.

нерв/ *s.* nerve ‖ **-́ный** & **-о́зный** *a.* nervous.

нере́дко *ad.* often, frequently.

нереши́тельный *a.* irresolute, undecided, wavering.

неро́вный *a.* unequal; uneven.

нерукотвор/е́нный & **-́ный** *a.* not made by human hands.

неруши́мый *a.* indestructible.

неря́/ха *s. m&f. coll.* slovenly person, sloven, slut ‖ **-шливый** *a.* slovenly.

не/сбы́точный *a.* impossible, not feasible ‖ **-свари́мый** *a.* indigestible ‖ **-све́дущий** (-ая, -ее) *a.* ignorant (of), unversed (in) ‖ **-своевре́менный** *a.* untimely, inopportune ‖ **-сво́йственный** *a.* not properly pertaining to ‖ **-сгово́рчивый** *a.* intractable; hard to convince ‖ **-сгора́емый** *a.* incombustible, fire-proof.

несе́ние *s.* bearing; ~ **яи́ц** laying (*cf.* нести́).

несес(с)е́р *s.* dressing-case; needle-case.

несёшь *cf.* **нести́.**

не/ска́занный *a.* unutterable ‖ **-скла́дица** *s.* nonsense; incoherency ‖ **-скла́дный** *a.* incoherent; nonsensical ‖ **-склоня́емый** *a.* indeclinable.

не́сколько *ad.* some, a little, a few.

не/скро́мный *a.* immodest, indiscreet ‖ **-слы́ханный** *a.* unheard of; strange ‖ **-слы́шный** *a.* inaudible.

несмотря́ *ad.* notwithstanding, in spite of; ~ **на то, что** apart from the fact that. [insufferable.
несно́сный *a.* intolerable, unbearable,
несоблюде́ние *s.* non-observance.
несовершеннолéт/ие *s.* (*leg.*) minority, nonage || **-ний** *a.* minor, under age, not of age.
несоверше́н/ный *a.* imperfect, incomplete || **-ство** *s.* imperfection, imperfectness, incompleteness.
несовмест/и́мый & **-́ный** *a.* incompatible, inconsistent (with).
несогла́с/ие *s.* discord, dissension, variance || **-ный** *a.* discordant, at variance, not in agreement (with).
несо/измери́мый *a.* (*math.*) incommensurable || **-круши́мый** *a.* indestructible || **-мне́нно** *ad.* certainly, for certain, surely || **-мне́нный** *a.* indubitable; sure || **-обра́зный** *a.* incompatible || **-разме́рный** *a.* disproportionate, incommensurate || **-стоя́тельность** *s. f.* insolvency || **-стоя́тельный** *a.* insolvent.
несподру́чный *a.* inconvenient, not handy, not manageable.
неспосо́бный *a.* incapable, unable, unfit.
несправедли́вый *a.* unjust, wrong, wrongful. [matchless.
несравне́нный *a.* incomparable, peerless,
нестерпи́мый *a.* unbearable, intolerable.
нести́ 26. [a 2.] *va.* (*Pf.* по-) to carry; to bring, to bear; to wear; (*Pf.* с-) (о ку́рице) to lay; (терпе́ть) to bear, to endure; (до́лжность) to carry out, to perform; ~ **вздор, дичь, чепуху́, околёсицу** to talk nonsense || ~ *vn.* to be a smell of; to be a draught; **здесь несёт** there's a draught; (of horses) to bolt || **~сь** *vn.* to hurry along, to drift, to flow; **молва́ несётся** there is a rumour; (*Pf.* с-) (о пти́це) to lay.
нестроево́й *a.* out of the ranks.
не/стро́йный *a.* shapeless, unwieldy; discordant; disorderly || **-сура́зный** *a.* ill-favoured; absurd || **-схо́дный** *a.* dissimilar, unlike, incongruous; (of price) high, exorbitant, unreasonable || **-схо́дство** *s.* dissimilarity, disparity, difference || **-сча́стие** *s.* ill-luck, misfortune, bad luck, adversity; **по** *or* **к -сча́стию** unfortunately, unhappily || **-счастли́вец** *s.* (*gsg.* -вца), **-счастли́вица** *s.* an unlucky person || **-счастли́вый** *a.* unfortunate, unhappy || **-сча́стный** *a.* unfortunate, unhappy, unlucky; ~ **слу́чай** an accident || **-счётный** *a.* innumerable.
нет *ad.* no, not || ~ *v.imp.* there is not, there are not; ~ **его́ до́ма** he is not at home; **у меня́** ~ I have not.
нетерп/ели́вый *a.* impatient, restless || **-е́ние** *s.* impatience || **-и́мый** *a.* intolerant, impatient. [able.
нетле́нный *a.* incorruptible, imperish-
не́топырь *s. m.* (*zool.*) bat. [rect.
нето́чный *a.* inexact, inaccurate, incor-
нетре́звый *a.* intoxicated, tipsy.
не-тро́нь-меня́ *s.* (*bot.*) touch-me-not, yellow balsam.
не́тто *ad.* (*comm.*) net.
не́ту (*fam.*) = **нет.**
неуваж/е́ние *s.* disrespect, disregard || **-и́тельный** *a.* disrespectful, contemptuous; not worth noticing.
неувяда́емый *a.* unfading, fadeless.
неугас/а́емый & **-́ный** *a.* inextinguishable.
неугомо́нный *a.* turbulent; restless.
неуда́ч/а *s.* lack of success; failure, miscarriage || **-ник** *s.*, **-ница** *s.* unlucky person || **-ный** *a.* unsuccessful; abortive.
неудержи́мый *a.* irresistible, intractable.
неудо́б/ный *a.* inconvenient || **-овари́мый** *a.* indigestible || **-ство** *s.* inconvenience, difficulty. [tory.
неудовлетвори́тельный *a.* unsatisfac-
неудово́льствие *s.* discontent, displeasure.
неуже́ли *ad.* is it possible? indeed? do you say so? really? ~ **он бо́лен?** is it possible that he is ill?
неужи́вчивый *a.* intolerant; unsociable, quarrelsome.
неузнава́емый *a.* not recognizable, indiscernible.
неукло́нный *a.* steadfast, firm. [sy.
неуклю́жий (-ая, -ее) *a.* awkward, clum-
неукосни́тельный *a.* immediate, prompt, speedy.
неукроти́мый *a.* unruly, untam(e)able.
неулови́мый *a.* not to be caught.
неум/е́лый *a.* clumsy; ignorant || **-е́нье** *s.* ignorance || **-е́ренный** *a.* immoderate, excessive, measureless.
неуме́стный *a.* out of place, misplaced, unsuitable.
неумоли́мый *a.* inexorable, implacable.
неумо́л/кный & **-чный** *a.* incessant, clamorous.
неумы́шленный *a.* unintentional, unpremeditated.

неупла́та *s.* non-payment.
неупотреби́тельный *a.* not in use.
неурожа́й/ *s.* failure of crops; bad harvest || **–ный** *a.* unfruitful, bad.
неуро́чный *a.* unseasonable.
неуря́дица *s.* disorder, confusion.
неусто́й/ка *s.* (*gpl.* -бок) failure (to keep a promise); breach of contract; fine for such a breach || **–чивый** *a.* irresolute; failing to keep one's word.
неустраши́мый *a.* intrepid, dauntless.
неустро́йство *s.* disorder, disarray.
неусту́пчивый *a.* tenacious, obstinate.
неусы́пный *a.* indefatigable, unwearied.
неу/те́шный *a.* disconsolate, inconsolable || **–толи́мый** *a.* unappeasable, insatiate || **–томи́мый** *a.* indefatigable, unwearied.
не́уч/ *s.* churl, ill-bred man || **–ти́вость** *s.f.* impoliteness, incivility; ill-breeding || **–ти́вый** *a.* impolite; ill-bred.
неуязви́мый *a.* invulnerable.
нефри́т *s.* (*min.*) nephrite, jade; (*med.*) nephritis.
нефт/епромы́шленность *s.f.* naphtha production, naphtha industry || **–епромы́шленный** *a.* of the naphtha industry || **–ь** *s.f.* naphtha || **–яно́й** *a.* naphtha-.
нехорошо́ *ad.* badly; not too well.
не́хотя *ad.* unwillingly, reluctantly, against one's will.
нецелесообра́зный *a.* inexpedient.
нецензу́рный *a.* not passed by the censor.
неча́/янно *ad.* unexpectedly, unawares || **–янный** *a.* unlooked-for, unexpected.
не́чего *adverb. expression* nothing, it is useless to, there is no need to; **вам ~ боя́ться** you have nothing to fear.
нечест/и́вец *s.* (*gsg.* -вца) impious person || **–и́вый** *a.* impious, godless.
нече́стный *a.* dishonest, dishonourable.
не́чет *s.* uneven, odd number; **чёт и́ли ~** odd or even.
нечётный *a.* odd, uneven.
нечисто/пло́тный *a.* slovenly, dirty || **–та́** *s.* [h] uncleanliness, dirtiness; impurity, foulness; dirt (sweepings *pl.*, dust, etc.).
нечи́стый *a.* unclean, dirty; impure, foul; **–ое де́ло** *a.* suspicious affair; **~ на́ руку** light-fingered; **~ (дух)** Satan, the devil.
не́что *prn.* something, somewhat.
нечувстви́тельный *a.* unfeeling, lacking in feeling.
не́што (*vulg.*) = **ра́зве.**
нешу́точный *a.* in earnest, not joking, serious.
неща́дный *a.* unsparing, relentless, unmerciful.
не́ю = **е́ю** *after prepositions e.g.* **с ~** with her.
нея́вка *s.* (*gpl.* -вок) non-appearance; **~ в суд** default.
нея́сный *a.* indistinct, not clear.
ни *c.* not; **~ . . . ~** neither . . . nor; **что я ему́ ~ говори́л** whatever I said to him; **~ на час** not even for a single hour; **как он ~ стара́лся** in spite of all his efforts; **~ за что́** not for the world; **кто бы ~ был** whoever it may be.
нибу́дь *cf.* **кто-нибу́дь, что-нибу́дь,** etc.
ни́ва *s.* field; arable field.
нивели́ро+ва́ть II. [& b] *va.* (*Pf.* с-) to level.
нигде́ *ad.* nowhere.
нигили́ст/ *s.*, **–ка** *s.* (*gpl.* -ток) nihilist.
нижа́йший *cf.* **ни́зкий.**
ни́же/ (*comp. of* ни́зкий) lower; less; **~ пяти́ рубле́й** less than five roubles || **–(по)имено́ванный** *a.* named below || **–подписа́вшийся** *s.* the undersigned.
ни́жний *a.* low, lower, under, inferior; **~ эта́ж** ground-floor; **–няя пала́та** the Lower House, the House of Commons.
низ *s.* [b°] lower part; bottom; ground-floor; (*med.*) stool.
низ-а́ть I. 1. [c] *va.* to string, to thread (pearls).
низведе́ние *s.* leading down; degradation, deposition.
низверга́-ть II. *va.* (*Pf.* низве́ргнуть 52.) to throw down, to cast down; (*chem.*) to precipitate.
низверже́ние *s.* casting down, precipitation.
низвод=и́ть I. 1. [c] *va.* (*Pf.* низвести́ 22. [a 2.]) to lead down; to debase, to humble, to degrade.
ни́зенький *a.* rather low (*dim. of* ни́зкий).
низина́ *s.* [h] low ground, a low place.
ни́зкий *a.* (*comp.* ни́же, *comp. & sup.* ни́зший, *sup.* нижа́йший) low; base; of bad quality; mean.
низко/покло́нный *a.* cringing, servile || **–про́бный** *a.* of base alloy; **–про́бная моне́та** debased coin.
низлага́-ть II. *va.* (*Pf.* низлож=и́ть I. [c]) to throw, to cast down; to depose; to subdue; to conquer.
низложе́ние *s.* laying down, deposition; conquering.
ни́зменный *a.* low, low-lying.
ни́зовый *a.* lower, lying lower down a river.
низо́вье *s.* land lying near the mouth of a river.
низойти́ *cf.* **нисходи́ть.**
ни́зость *s.f.* lowness; meanness, baseness, vileness.
ни́зший *cf.* **ни́зкий.**

низь *s.f.* a low place; string (of pearls, etc.).
никáк *ad.* in no way, not at all, in no wise, by no means.
никакóй *prn.* none, no, not one, not any, none at all; **ни в какóм слу́чае** by no means, in no case whatsoever.
ни́к(к)ел/евый *a.* nickel-‖**-ь** *s.m.* nickel.
ни/когдá *ad.* never; **егó почти́ ~ нет дóма** he is scarcely ever at home ‖ **-кóим, ~ óбразом = никáк**‖**-коти́н** *s.* nicotine ‖ **-ктó** *prn.* nobody, no one, none ‖ **-кудá** *ad.* nowhere; **это ~ не годи́тся** that's of no earthly use ‖ **-мáло = нискóлько.**
ни́мфа *s.* nymph.
ни/откýда *ad.* from nowhere ‖**-скóлько** *ad.* not at all, not in the least.
ниспадá-ть II. *vn.* (*Pf.* ниспáсть 22. [a 1.]) to fall down.
ниспосылá-ть II. *va.* (*Pf.* ниспослáть 40. [a 1.]) to send down (from heaven).
ниспровергáть = низвергáть.
нисход=и́ть I. 1. [c] *vn.* (*Pf.* низойти́ 48.) to go down, to descend.
ни́т/ка *s.* (*gpl.* -ток), *dim.* **-очка** *s.* (*gpl.* -чек) thread ‖ **-очный** *a.* thread-, of thread.
нитроглицери́н *s.* nitroglycerine.
ни́тчатый *a.* of thread.
нить *s.f.* thread; filament; **~ жи́зни** (*fig.*) thread of life.
них = их *after prepositions e.g.* **в ~** in them.
ниц = ничкóм.
ничегó nothing, tolerably, it doesn't matter; **~ себé** so-so, passably (*cf.* ничтó).
ничéй (ничья́, -ьé, *pl.* -ьи́) no one's, belonging to nobody.
ничкóм *ad.* flat, face downwards, on one's face.
ничтó/ *prn.* nothing ‖ **-жный** *a.* of no importance, insignificant.
ничýть *ad.* by no means, not at all.
ни/чьё, -чья́ *cf.* **-чéй.**
ниш/ & **⁻а** *s.* niche.
нищá-ть II. *vn.* (*Pf.* об-) to become poor.
ни́щ/енка *s.* (*gpl.* -нок) beggar(-woman) ‖ **-енский** *a.* beggarly, beggarlike, beggar's ‖ **-енство** *s.* beggary, mendicity ‖ **-енство+вать** II. *vn.* to beg, to live by begging ‖ **-етá** *s.* poverty, indigence ‖ **-ий** (-ая, -ее) *a.* indigent, poor, in need ‖ **~** (*as s.*) beggar, mendicant, pauper.
но *c.* but; yet; **не тóлько . . ., но и . . .** not only . . ., but also.
новéлла *s.* novel.
нов/изнá *s.* novelty, innovation ‖ **-инá** *s.* fresh land, freshly ploughed land ‖ **-и́нка** *s.* (*gpl.* -нок) novelty ‖ **-и́ца** novice (in monastery) ‖ **-ичóк** *s.* [a] (*gsg.* -чкá) *dim. of prec.* & novice, beginner, greenhorn ‖ **-обрáнец** *s.* (*gsg.* -нца) recruit ‖ **-обрáчный** *a.* newly-wedded, newly-married ‖ **-оведéние** *s.* innovation ‖ **-озавéтный** *a.* of the New Testament ‖ **-олýние** *s.* new moon ‖ **-омóдный** *a.* new-fashioned ‖ **-орождённый** *a.* newly-born ‖ **-осéлье** *s.* new quarters *pl.*; moving into new quarters; **прáздновать ~** to give a house-warming.
нóвость *s.f.* [c] novelty, newness; news *pl.*
нóвшество *s.* innovation, novelty.
нóвый *a.* new, recent, fresh.
новь *s.f.* virgin soil, fresh land; first fruit; new moon.
ногá *s.* [f] leg; foot; **идти́ в нóгу** (*mil.*) to march in step; **со всех ног** at full speed; **на ми́рной ногé** on peace-footing; **сбить** (когó) **с ног** to overthrow, to overturn; to harass, to tire out; (*fig.*) to confound.
ногот/óк *s.* [a] (*gsg.* -ткá), **-óчек** *s.* (*gsg.* -чка) *dim. of foll.*
нóготь *s.m.* [c] (*pl.* нóгти) nail (on finger or toe).
ногтоéд/ & **-а** *s.* whitlow.
нож/ *s.* [a] knife ‖ **⁻ик** *s.* & **⁻ичек** *s.* (*gsg.* -чка) small knife; **перочи́нный** *or* **кармáнный ~** pen-knife ‖ **⁻ка** *s.* (*gpl.* -жек) small foot *or* leg; leg (of a chair, etc.); stem (of a wine-glass) ‖ **⁻ницы** *s.fpl.* scissors *pl.*, a pair of scissors ‖ **-нóй** *a.* of the foot, of the leg ‖ **-ны́** *s. fpl.* [a] (*G.* -жён) sheath, scabbard.
ноздревáтый *a.* porous, spongy, full of holes.
ноздря́ *s.* [e] nostril.
номáд s. nomad.
номенклатýра *s.* nomenclature.
нóмер/ *s.* number; room (in a hotel) ‖ **-нóй** (*as s.*) boots (at a hotel) ‖ **-óк** *s.* [a] (*gsg.* -ркá) small number, small room (in a hotel).
номинáльный *a.* nominal.
нонпарéль *s.f.* (*typ.*) nonpareil.
норá *s.* [f] hole, den, lair, burrow.
норд *s.* (*mar.*) north; north wind.
нóрка *s.* (*gpl.* -рок) *dim.* den; (*zool.*) marsh-otter, mink.
нóрм/а *s.* norm, rule ‖ **-áльный** *a.* normal.
нóров/ *s.* habit, usage, custom; whim, caprice; stubbornness ‖ **-истый** *a.* capricious, stubborn.

норов=и́ть II. 7. [a] *vn.* (*Pf.* по-) to watch an opportunity, to wait for a favourable moment; (кому́) to act in the interests (of); (во что) to aim (at).
норо́к *s.* [a] (*gsg.* -рка́) weasel.
нос/ *s.* [b°] nose; beak; prow (of ship); (*geog.*) cape, spit of land; **говори́ть в ~** to speak through the nose ‖ **-а́стый** *a.* large-nosed, long-nosed ‖ **-́ик** *s.* small nose; small beak.
noси́л/ки *s.fpl.* (*gpl.* -лок) litter, sedan-chair; stretcher ‖ **-ьный** *a.* for carrying, portable, for wearing; **-ьное бельё** body-linen ‖ **-ьщик** *s.* porter.
нос=и́ть I. 3. [c] *va.* (*Pf.* по-) to bear, to carry, to wear; to lay (eggs) ‖ **~ся** *vr.* to wear well (of clothes); to float, to be wafted; to hover; **но́сится слух** it is rumoured.
но́с/ка *s.* carrying, bearing; wearing (of clothes) ‖ **-кий** *a.* durable, wearing well (of clothes); good for laying (of hens) ‖ **-ово́й** *a.* of the nose, nasal; (*mar.*) of the bow; **~ звук** (*gramm.*) nasal; **~ плато́к** handkerchief; **-ова́я часть судна́** the bows *pl.* ‖ **-огре́йка** *s.* (*gpl.* -éек) short-stemmed pipe ‖ **-о́к** *s.* [a] (*gsg.* -ска́) small nose; snout, nozzle; foot (of a sock); toe (of a boot) ‖ **-opо́г** *s.* rhinoceros.
но́т/а *s.* note; (*in pl.*) music ‖ **-а́риус** *s.* notary ‖ **-а́ция** *s.* reprimand, lecture; **дать, прочита́ть** (кому́) **-а́цию** to read one a lecture ‖ **-ный** *a.* music-, note.
ноче+ва́ть II. [b] *vn.* (*Pf.* за-, пере-) to pass the night, to spend the night.
ноч/ёвка *s.* (*gpl.* -вок) spending the night; a night's lodging ‖ **-ле́г** *s.* night's lodging, lodging for the night ‖ **-ле́жник** *s.*, **-ле́жница** *s.* night's lodger ‖ **-ле́жное** (*as s.*) price of a night's lodging ‖ **-ни́к** *s.* [a] night-light ‖ **-но́й** *a.* night-, of the night, nocturnal.
ночь *s.f.* [c] night, night-time; **при наступле́нии но́чи** at nightfall; **но́чью** by night, in the night, during the night; **споко́йной но́чи**! good night!
но́ш/а *s.* load, burden ‖ **-е́ние** *s.* carrying.
ноя́брь/ *s.m.* [a] November ‖ **-ский** *a.* of November, November-.
нрав *s.* character, temper, humour, disposition; (*in pl.*) manners, customs *pl.*
нра́в=иться II. 7. *vn.* (*Pf.* по-) to please.
нраво/уче́ние *s.* ethics *pl.*; moral philosophy ‖ **-учи́тель** *s.m.* moralist, moral philosopher.
нра́вственный *a.* moral.
н./ст. *abbr. of* **но́вого сти́ля** = new style.
ну *int.* come! well! well then! now then! **~ скоре́е!** now then, be quick about it; **~ ла́дно!** well, all right! **~ его́!** deuce take him! confound him!
ну́жда́ *s.* [d] need, want, necessity; **~ в де́ньгах** lack of money; **нет -ы́** there is no need; **-ы нет!** it does'nt matter; don't mention; **в слу́чае -ы́** in case of necessity, if necessary; **по -е́** of necessity.
нужда́-ться II. [b] *vn.* (в чём) to need, to be in want (of), to be short (of).
ну́ж/ник *s.* water-closet ‖ **-ный** *a.* necessary, requisite; pressing, urgent ‖ **-но** *ad.*, **мне -но** I must ‖ **-ное** (*as s.*) necessaries *pl.*
ну́-ка *int.* now then! well!
нул/ево́й *a.* null ‖ **-ь** *s.m.* [a] nought, cipher, null; zero (on scales).
ну́мер/ = **но́мер** ‖ **-а́ция** *s.* numeration ‖ **-о+ва́ть** II. [b] *va.* (*Pf.* за-) to number.
нумизма́тика *s.* numismatics *pl.*
ну́нций *s.* (papal) nuncio.
нутро́ *s.* inside, interior; bowels *pl.*, entrails *pl.*; **это мне по -у́** that suits me.
ны́нешний *a.* present, of the present time; this day's; **~ день** this day.
ны́н(ч)е *ad.* now, at present, to-day, nowadays.
ныря́-ть II. *vn.* (*Pf.* нырн=у́ть I. [a]) (во что) to dive, to plunge; to sneak in.
ныть 28. *vn.* (*Pf.* за-) to ache, to fret (about); **у меня́ се́рдце но́ет** my heart is breaking.
нытьё *s.* dull pein, ache.
ню́хательный *a.* for smelling; **~ таба́к** snuff.
ню́ха-ть II. *va.* (*Pf.* по-, *mom.* ню́хн-уть I.) to smell, to sniff; to take (snuff).
ня́ньч=ить I. *va.* (*Pf.* вы́-) to nurse, to dandle (a child) ‖ **~ся** *vn.* (с кем) to take a great deal of trouble (with).
ня́н/я *s.*, **-ька** *s.* (*gpl.* -нек), **-юшка** *s.* (*gpl.* -шек) nurse.

О

о (об, обо) *prp.* (+ *Pr.*) of, concerning, about, upon; (+ *A.*) against ‖ **~** *int.* oh!
оа́зис *s.* oasis.
об *cf.* **о.**
о́ба *num. pl. m&n.* (*G.* обо́их) both.
обагря́-ть II. *va.* (*Pf.* обагр=и́ть II. [a]) to redden; **~ кро́вью** to stain with blood.

обанкру́титься *cf.* **банкру́титься.**
обая́/ние *s.* fascination, charm, enchantment || **-тельный** *a.* fascinating, charming, enchanting.
обва́л/ *s.* falling (in, down), collapse; **го́рный ~** landslide || **-ива-ть** II. *va.* (*Pf.* обвал=и́ть II. [a & c]) to heap round; to tumble down, to shake down || **~ся** *vr.* to collapse. [knead.
обва́лива-ть II. *va.* (*Pf.* обваля́-ть II.) to
обва́рива-ть II. *va.* (*Pf.* обвар=и́ть II. [a & c]) to scald.
об/везти́ *cf.* **-вози́ть** || **-венча́ть** *cf.* **венча́ть** || **-вёртыва-ть** II. *va.* (*Pf.* -верт=е́ть I. 2. [a & c] & -верн-у́ть I. [a]) (чем, во что) to wrap (up), to envelop, to fold || **-ве́с** *s.* wrong weight || **-вести́** *cf.* **-води́ть** || **-ветша́лый** *a.* old, decayed, superannuated || **-ветша́ть** *cf.* **ветша́ть** || **-вечере́ть** *cf.* **вечере́ть** || **-ве́шива-ть** II. *va.* (*Pf.* -ве́с=ить I. 3.) to wrong a person in the weight; (*Pf.* -ве́ша-ть II.) (чем) to hang (round) || **-ве́ять** *cf.* **ве́ять** || **-вива́-ть** II. *va.* (*Pf.* -ви́ть 27. [a 1.], *Fut.* обовью́, -ьёшь) to twist round, to wind round; to wrap (up); to enlace || **~ся** *vr.* to twist, to twine, to wind round, to writhe, to clime || **-вине́ние** *s.* accusation, charge || **-вини́тель** *s. m.*, **-вини́тельница** *s.* accuser; prosecutor, plaintiff || **-вини́тельный** *a.* accusatory || **-виня́-ть** II. *va.* (*Pf.* -вин=и́ть II.) (кого́ в чём) to accuse; to charge (with) || **-виса́-ть** II. *vn.* (*Pf.* -ви́снуть 52.) to hang down, to droop || **-ви́слый** *a.* drooping, hanging down || **-ви́ть** *cf.* **-вива́ть** || **-во́д** *s.* enclosing, surrounding || **-вод=и́ть** I. 1. [c] *va.* (*Pf.* -вести́ & -ве́сть 22. [a 2.]) to lead round; (чем) to surround, to encompass || **-во́дный** *a.* encircling, enclosing, surrounding || **-воз=и́ть** I. 1. [c] *va.* (*Pf.* -ве́зть & -везти́ 25.) to drive, to convey round || **-вора́жива-ть** II. & **-ворожа́-ть** II. *va.* (*Pf.* -ворож=и́ть I. [a]) to charm, to bewitch, to fascinate || **-воро́выва-ть** II. *va.* (*Pf.* -воро+ва́ть II. [b]) to steal, to rob, to plunder || **-ворожи́тельный** *a.* charming, enchanting || **-вя́зыва-ть** II. *va.* (*Pf.* -вяз-а́ть I. 1. [c]) to tie round; to wrap round, to wind about (*e. g.* trees).
об/га́жива-ть II. *va.* (*Pf.* -га́д=ить I. 1.) to befoul, to soil.
об/гиба́-ть II. *va.* (*Pf.* -огн-у́ть I.) to turn round; to drive round *or* about; (*mar.*) to sail round, to weather (a cape) || **-гла́дыва-ть** II. *va.* (*Pf.* -глод-а́ть I. 1. [c]) to gnaw (all) round || **-го́н** & **-го́нка** *s.* outrunning, outstripping || **-гоня́-ть** II. *va.* (*Pf.* -огна́ть 11. [c], *Fut.* -гоню́, -го́нишь) (кого́) to outrun, to outstrip || **-гора́-ть** II. *vn.* (*Pf.* -гор=е́ть II. [a]) to burn (all) round; to burn down || **-горе́лый** *a.* burnt (all) around || **-грыза́-ть** II. *va.* (*Pf.* -гры́зть 25. [a 1.]) to gnaw at, to gnaw around.
об/дава́ть 39. *va.* (*Pf.* -да́ть 38.) to pour upon, to overflow || **~** *v.imp.*, **обдаёт хо́лодом** my flesh creeps || **-де́лка** *s.* (*gpl.* -лок) work, mounting, setting || **-де́лыва-ть** II. *va.* (*Pf.* -де́ла-ть II.) to fashion, to form, to work; to finish; to arrange; to cheat || **-деля́-ть** II. *va.* (*Pf.* -дел=и́ть II. [a & c]) to wrong s.o. (in sharing) || **-дёргива-ть** II. *va.* (*Pf.* -дёрга-ть II., *mom.* -дёрн-уть I.) to draw, to pull round; to draw, to close (the curtains); to arrange, to put in order (one's clothes) || **-дира́-ть** II. *vn.* (*Pf.* -одра́ть 8. [a], *Fut.* -деру́, -дерёшь) to tear off all round; to bark, to peel (a tree); to flay, to skin (an ox) || **-дува́-ть** II. *va.* (*Pf.* -ду́-ть II. [b]) to blow away, off; to dupe, to fool || **-ду́мыва-ть** II. *va.* (*Pf.* -ду́ма-ть II.) to consider, to ponder, to meditate, to reflect.
обе *num. fpl.* (*G.* обе́их) both.
обега́-ть II. *va.* (*Pf.* обе́га-ть II.) to run over, to run through, to run from one end to the other; (*Pf.* обежа́ть 46.) to ramble, to wander; to run round; to avoid, to flee from; to overtake, to overhaul || **~** *vn.*, **~ круго́м** to run around.
обе́д/ *s.* dinner, lunch; **-нее вре́мя** dinner-time || **-а-ть** II. *vn.* (*Pf.* по-, от-) to dine, to have dinner || **-енный** *a.* dinner-.
обедн/е́лый *a.* impoverished, reduced to poverty || **-е́ть** *cf.* **бедне́ть.**
обе́дня *s.* (*gpl.* -ден) mass.
обез/гла́влива-ть II. *va.* (*Pf.* -гла́в=ить, II. 7.) to behead, to decapitate || **-до́лива-ть** II. *va.* (*Pf.* -до́л=ить II.) to deprive s.o. of his share; to make unfortunate || **-ле́с=ить** I. 3. *va. Pf.* to clear of woods || **-ли́чива-ть** II. *va.* (*Pf.*-ли́ч=ить I.) to generalize || **-лю́де-ть** II. *vn. Pf.* to become depopulated || **-лю́д=ить** I. 1. *va. Pf.* to depopulate || **-надёжива-ть** II. *va.* (*Pf.* -надёж=ить I.) to bereave of hope || **-обра́жива-ть** II. *va.* (*Pf.* -обра́з=ить I. 1.) to disfigure, to mutilate || **-опа́сить** *cf.*

безопа́сить || **–ору́жива-ть** II. *va.* (*Pf.* -ору́ж=ить I.) to disarm; (*fig.*) to pacify || **–у́меть** *cf.* **безу́меть.**
обезья́н/а *s.* ape, monkey || **–(н)ича-ть** II. *vn.* to ape, to mimic || **–ство** *s.* aping, apish imitation.
обели́ск *s.* obelisk.
обе́лива-ть II. & **обеля́-ть** II. *va.* (*Pf.* обел=и́ть II. [a & c]) to whiten, to whitewash.
оберега́-ть II. *va.* (*Pf.* обере́чь 15. [a 2.]) to protect, to guard || **~ся** *vr.* (от чего́) to guard against, to beware of.
обер-/конду́ктор *s.* (*rail.*) (chief) guard || **–прокуро́р** *s.* attorney-general.
обёртка *s.* (*gpl.* -ток) cover, wrapper, envelope.
обес/кура́жива-ть II. *va.* (*Pf.*-кура́ж=ить I.) to discourage, to dishearten || **–пе́чение** *s.* bail, security, guarantee || **–пе́чива-ть** II. *va.* (*Pf.* -пе́ч=ить I.) to bail, to secure, to guarantee || **–поко́ить** *cf.* **беспоко́ить** || **–си́леть** *cf.* **бесси́леть** || **–си́лива-ть** II. *va.* (*Pf.* -си́л=ить II.) to weaken, to enfeeble || **–сме́рт=ить** II. *va. Pf.* to immortalize || **–цве́чива-ть** II. *va.* (*Pf.* -цве́т=ить I. 2.) to discolour, to deprive of colour || **–це́нива-ть** II. *va.* (*Pf.* -цен=и́ть II. [a & c]) to deprive of value, to reduce in value, to make valueless || **–че́стить** *cf.* **бесче́стить.**
обе́т/ *s.* vow, solemn promise || **–ова́ние** *s.* promise || **–ова́нный** *a.* (*eccl.*) promised, of promise.
обещ/а́ние *s.* promise, word || **–а́-ть** II. *va.* (*Pf.* по-) to promise, to vow.
об/жа́ло+вать II. *va. Pf.* to accuse, to lodge a complaint || **–же́чь** *cf.* **–жига́ть** || **–жива́-ться** II. *vn.* (*Pf.* -жи́ться 31. [a 3.]) to become acclimatized, to get used to a new dwelling; (*fig.*) to be at home || **–жига́(те)льный** *a.* for burning; for baking (bricks); for calcining (metals) || **–жига́-ть** II. *va.* (*Pf.* -же́чь 16., *Fut.* обожгу́, -жжёшь, -жгу́т) to burn (*e. g.* a finger); to scald (with hot water); to bake (bricks); to calcine (metals) || **~ся** *vr.* (чем) to burn o.s.; to scald o.s. || **–жира́-ться** II. *vn.* (*Pf.* -ожр-а́ться I. [a]) to cram o.s.; to surfeit o.s. || **–жи́ться** *cf.* **жива́ться** || **–жо́ра** *s. m&f. coll.* glutton || **–жо́рливость** *s. f.* gluttony, voracity || **–жо́рливый** *a.* gluttonous, voracious || **–жо́рство** *s.* gluttony, greediness, voracity.
обза/веде́ние *s.* furnishing (with necessary things); installation || **–вод=и́ть** I. 1. [c]) *va.* (*Pf.* -вести́ 22.) to furnish (with necessary things), to fit up || **~ся** *vr.* to provide o.s. (with); to instal o.s.
обзо́р/ *s.* cursory view, survey; outline; horizon || **–ный** *a.* observation-; visible on all sides.
обзыва́-ть II. *va.* (*Pf.* обозва́ть 10. [a], *Fut.* обзову́, -ёшь) to call by name; to call (one) names, to scold.
обива́-ть II. *va.* (*Pf.* оби́ть 27., *Fut.* обобью́, -ьёшь) to clout, to board, to case; to knock, to strike off (apples); to wear out, to push off; **~ обо́ями** to hang with tapestry *or* wall-paper.
оби́вка *s.* (*gpl.* -вок) clouting, ironwork; casing; hanging.
оби́д/а *s.* insult, affront, outrage; wrong, injustice, damage, injury || **–еть** *cf.* **обижа́ть** || **–ный** *a.* offensive, abusive; prejudicial, injurious || **–чивый** *a.* susceptible, touchy, easily offended || **–чик** *s.*, **–чица** *s.* affronter, offender, insulter.
обижа́-ть II. *va.* (*Pf.* оби́д=еть I. 1.) to affront, to offend, to insult; to injure, to wrong.
оби́л/ие *s.* abundance, plenty || **–ьный** *a.* abundant, plentiful, copious.
обиняки́ *s. mpl.* subterfuges *pl.*, circumlocution, beating about the bush.
обира́-ть II. *va.* (*Pf.* обобра́ть 8.) to gather, to pluck, to pick; to rob; (*fig.*) to fleece.
обит/а́емый *a.* habitable || **–а́тель** *s.m.*, **–а́тельница** *s.* inhabitant, resident, inmate || **–а́-ть** II. *va&n.* to inhabit, to dwell, to reside. [*cf.* **обива́ть.**
оби́т/ель *s. m.* cloister, monastery || **–ь**
обихо́д/ *s.* housekeeping || **–ный** *a.* household-, daily, everyday; necessary, requisite.
об/ка́лыва-ть II. *va.* (*Pf.* -кол-о́ть II. [c]) to cleave, to break round (ice); to cut, to hew (a block); to pin (strings) || **–кла́дка** *s.* (*gpl.* -док) edging, trimming, bordering || **–кла́дыва-ть** II. *va.* (*Pf.* -лож=и́ть I. [c]) to edge, to trim, to lace (a dress); (*Pf.* -(о)кла́сть 22.) to lay round, to line, to border (with stones); to impose (taxes) || **–кле́ива-ть** II. *va.* (*Pf.* -кле́=ить II. & -кле=и́ть II. [a]) to glue round, to paste over; to inlay; **~ обо́ями** to paper (walls) || **–кле́йка** *s.* (*gpl.* -е́ек) pasting; **~ обо́ями** papering || **–кра́дыва-ть** II. *va.* (*Pf.* об(о)кра́сть

22. [a 1.]) to steal from, to rob, to plunder, to pilfer || **-ла́ва** *s.* beat, battue, beating (in hunting) || **-лага́-ть** II. *va.* (*Pf.* -лож=и́ть I. [c]) to besiege, to lay siege to, to invest; to impose (something on s.o.).

облагоро́/жива-ть II. *va.* (*Pf.* -д=ить I. 1.) to ennoble.

облад/а́ние *s.* possession; domination || **-а́тель** *s. m.*, **-а́тельница** *s.* possessor, owner, master || **-а́-ть** II. *vn.* (чем) to possess, to own, to have; to be master of.

о́блако *s.* [b] (*pl.* -á, -óв) cloud.

об/ла́мыва-ть II. *va.* (*Pf.* -лома́-ть II. & -лом=и́ть II. 7. [c]) to break down, off (all round).

обласка́ть *cf.* **ласка́ть.**

областно́й *a.* provincial; district-, territorial.

о́бласть *s. f.* [c] province, district.

обла́тка *s.* (*gpl.* -ток) wafer.

об/лача́-ть II. *va.* (*Pf.* -лач=и́ть I. [a]) to invest, to adorn, to array (a priest) || **-лаче́ние** *s.* array; vestments *pl.*

о́блач/ко *s.* [b & c] (*pl.* -ка́ & -ки, *G.* -ко́в) small cloud || **-ный** *a.* cloudy.

об/ла́-ять II. *va.* to bark at || **-лега́-ть** II. *va.* (*Pf.* -ле́чь 43.) to surround; to blockade, to invest, to besiege || **-легча́-ть** II. *va.* (*Pf.* -легч=и́ть I.) to ease, to lighten; to relieve, to alleviate, to mitigate || **-легче́ние** *s.* easement, relief, alleviation, mitigation || **-легчи́тельный** *a.* palliative, giving relief || **-леза́-ть** II. *va&n.* (*Pf.* -ле́зть 25.) (о́коло чего́, что) to crawl, to climb, to creep round || ~ *vn.* to fall out (of the hair) || **-лека́-ть** II. *va.* (*Pf.* -ле́чь 18.) to wrap up; to clothe, to invest, to array || **-лени́ться** *cf.* **лени́ться** || **-лепля́-ть** II. *va.* (*Pf.* -леп=и́ть II. 7. [c]) to stick round; to settle down on (of flies, etc.) || **-лета́-ть** II. *va.* (*Pf.* -лет=е́ть I. 2. [a]) to fly round; to fly through, to come about || ~ *vn.* to fall off (of leaves) || **-ле́чь** *cf.* **-лега́ть** & **-лека́ть** || **-лива́-ть** II. *va.* (*Pf.* -ли́ть 27., *Fut.* оболью́, -льёшь) to pour over, to drench || **~ся** *vr.* to pour over o.s. (cold water); ~ **слеза́ми** to burst into tears.

облига́ция *s.* bond, obligation.

обли́зыва-ть II. *va.* (*Pf.* облиз-а́ть I. 1. [c]) to lick off, to lick at.

о́блик *s.* features *pl.*, look, appearance.

об/ли́ть *cf.* **-лива́ть** || **-лицо́вка** *s.* (*gpl.* -вок) boarding; plastering, facing; stucco-work || **-лицо́выва-ть** II. *va.* (*Pf.* -лице+ва́ть II. [b]) to board; to face (with boards *or* plaster) || **-лича́-ть** II. *va.* (*Pf.* -лич=и́ть I.) to detect, to disclose; to show (a talent); (кого́ в чём) to convict, to accuse, to unmask || **-личе́ние** *s.* detection, disclosure; conviction || **-личи́тель** *s. m.* convicter; discloser, discoverer || **-личи́тельный** *a.* accusatory, incriminating || **-ложе́ние** *s.* trimming, edging, mounting; assessment; (*mil.*) investment || **-ложи́ть** *cf.* **-кла́дывать** & **-лага́ть** || **-ло́жка** *s.* edging, trimming; cover (of a book) || **-лока́чива-ться** II. *vr.* (*Pf.* -локот=и́ться I. 2. [a]) to lean one's elbow(s) on || **-лома́ть** *cf.* **-ла́мывать** || **-ло́мовщина** *s.* carelessness, lack of energy, laziness; unconcern || **-ло́мок** *s.* (*gsg.* -мка) fragment, broken piece, splinter; (*in pl.*) remains *pl.*, debris, wreck, ruins *pl.* || **-лупа́ть** *cf.* **лупи́ть** || **-лы́жный** *a.* false, slanderous || **-лысе́ть** *cf.* **лысе́ть** || **-любо+ва́ть** II. [b] *va. Pf.* to be pleased (with), to like, to become fond (of), to choose.

об/ма́зыва-ть II. *va.* (*Pf.* -ма́з-ать I. 2.) to coat; to anoint, to smear, to spread; to cement || **-ма́кива-ть** II. *va.* (*Pf.* -макн-у́ть I. [a]) to dip, to steep.

обма́н/ *s.* deceit, delusion, hoax, imposture, fraudulency || **-ный** *a.* deceitful, deceptive; fraudulent || **-чивость** *s. f.* deception, delusion, illusion || **-чивый** *a.* deceptive, illusory || **-щик** *s.*, **щица** *s.* cheat, impostor, fraud || **-ыва-ть** II. *va.* (*Pf.* обман-у́ть I. [a]) to cheat, to delude, to deceive; to hoax, to take in, to dupe.

об/ма́рыва-ть II. *va.* (*Pf.* -мара́-ть II.) to soil, to dirty all over || **-ма́тыва-ть** II. *va.* (*Pf.* -мота́-ть II.) to wind round || **-ма́хива-ть** II. *va.* (*Pf.* -махн-у́ть I.) to fan away, to blow off; ~ **пыль** (с чего́) to dust, to dust away, to sweep off || **~ся** *vr.* to fan o.s. || **-меле́ть** *cf.* **меле́ть** || **-мельча́ть** *cf.* **мельча́ть.**

обме́/н & **-на** *s.* exchange, interchange; barter || **-нива-ть** II. *va.* (*Pf.* -ня́-ть II. & -н=и́ть II. [a & c]) to exchange, to swap, to barter; to change (money).

обме́р *s.* measure, measurement, dimension; wrong measure; (*geom.*) outline.

об/мере́ть *cf.* **-мира́ть** || **-мерза́-ть** II. *vn.* (*Pf.* -мёрзнуть 52.) to freeze round || **-ме́рива-ть** II. & **-меря́-ть** II. *va.* (*Pf.* -ме́р=ить II.) to measure off, out;

(когó на что) to cheat in measuring || **–метá-ть** II. *va.* (*Pf.* -мести́ 23. [a 2.]) to sweep all over || **–мирá-ть** II. *vn.* (*Pf.* -мерéть 13. [a 4.], *Fut.* обомрý, -ёшь) to faint, to swoon; to get numbed || **–мóлв=иться** II. 7. *vn. Pf.* to make a mistake in speaking, to make a slip of the tongue || **–мóлвка** *s.* (*gpl.* -вок) a slip of the tongue || **–морáжива-ть** II. *va.* (*Pf.* -морóз=ить I. 1.) to freeze (after watering).

óбморок *s.* swoon, faint, fainting fit; **пáдать в ~** to swoon, to faint, to become unconscious.

об/морóчить *cf.* **морóчить** || **–мотáть** *cf.* **–мáтывать.**

обмундир/óвка *s.* (*gpl.* -вок) (*mil.*) equipment, uniform || **–óвыва-ть** II. *va.* (*Pf.* -о+вáть II. [b]) to equip, to fit out.

об/мывá-ть II. *va.* (*Pf.* -мы́ть 28.) to wash all over; to wash away.

обна/дёжива-ть II. *va.* (*Pf.* -дёж=ить I.) (когó чем *or* в чём) to assure, to give hopes, to encourage; to warrant, to guarantee || **–жá-ть** II. *va.* (*Pf.* -ж=и́ть I. [a]) to bare (the head, the hand, etc.); to unsheath, to draw (a sword) || **–жé-ние** *s.* baring, uncovering; drawing; disclosing, unmasking || **–рóдование** *s.* promulgation, publication || **–рóды-ва-ть** II. *va.* (*Pf.* -рóдо+вать II.) to publish, to promulgate, to proclaim || **–рýжение** *s.* discovery, uncovering, disclosure; manifestation || **–рýжи-ва-ть** II. *va.* (*Pf.* -рýж=ить I.) to uncover, to lay open, to disclose, to reveal; to manifest.

об/нáшива-ть II. *va.* (*Pf.* -нос=и́ть I. 3. [c]) to stretch clothes by wearing; to wear out || **~ся** *vr.* to wear out || **–носи́ть** *cf.* **–нести́** || **–нимá-ть** II. *va.* (*Pf.* -ня́ть 37. [b 4.], *Fut.* -нимý, -ни́мешь & обоймý, -ёшь) to surround, to embrace, to hug, to clasp in one's arms || **–нищáлый** *a.* beggared, impoverished || **–нищáть** *cf.* **нищáть** || **–нóв** *s., dim.* **–нóвка** *s.* (*gpl.* -вок) new thing, novelty || **–новлéние** *s.* restoration, renovation || **–новля́-ть** II. *va.* (*Pf.* -нов=и́ть II. 7. [a]) to renew, to renovate, to restore; to reanimate; (*fig.*) to regenerate || **–нос=и́ть** I. 3. [c] *va.* (*Pf.* -нести́ & -нéсть 26. [a 2.]) to carry round; to serve round; to encircle, to enclose; to miss, to pass by (in serving round) || **–нóсок** *s.* (*gsg.* -ска) worn-out article of clothing || **–ню́-хива-ть** II. *va.* (*Pf.* -ню́ха-ть II.) to smell all over, to smell, to snuffle at || **–ня́ть** *cf.* **–нимáть.**

об/обрáть *cf.* **обирáть** || **–общá-ть** II. *va.* (*Pf.* -общ=и́ть I. [a]) to make common, to generalize || **–общéние** *s.* generalization || **–огащá-ть** II. *va.* (*Pf.* -огат=и́ть I. 6. [a]) to enrich || **–огнáть** *cf.* **–гоня́ть** || **–огнýть** *cf.* **–гибáть.**

обоготворя́ть *cf.* **боготвори́ть.**

обогревá-ть II. *va.* (*Pf.* обогрé-ть II.) to warm.

óбод/ *s.* (*pl.* ободья), *dim.* **–óк** *s.* [a] (*gsg.* -дкá) felloe, rim; hoop (of wheel) || **–рáнец** *s.* tatterdemalion || **–рáть** *cf.* **обдирáть** || **–рéние** *s.* encouragement, incitement || **–ри́тельный** *a.* encouraging || **–ря́-ть** II. *va.* (*Pf.* -р=и́ть II. [a]) to encourage, to inspirit, to incite.

обож/áние *s.* adoration, worship || **–áтель** *s. m.*, **–áтельница** *s.* adorer, worshipper || **–á-ть** II. *va.* to adore, to worship; (*fig.*) to idolize || **–рáться** *cf.* **обжирáться.**

обóз *s. coll.* conveyance, train (of waggons); (*mil.*) baggage.

обо/звáть *cf.* **обзывáть** || **–знá-ться** II. *vn.* to be mistaken; (в ком) to take one person for another || **–значá-ть** II. *va.* (*Pf.* -знáч=ить I.) to designate, to denote, to mark out || **–значéние** *s.* designation, denotation; signing, marking out.

обóз/ничий (*as s.*) bagage-master, waggon-master || **–ный** *a.* baggage- || **~** (*as s.*) baggage-master.

обо/зревá-ть II. *va.* (*Pf.* -зр-éть II. [a]) to examine, to inspect, to survey || **~ся** *vn.* to look about o.s.; to take one's bearings, to find out || **–зрéние** *s.* inspection, visitation; survey, review.

обóи *s. mpl.* hangings *pl.*, tapestry; wallpaper || **–йный** *a.* tapestry-, wallpaper- || **–йти́** *cf.* **обходи́ть** || **–йщик** *s.* upholsterer; paper-hanger.

обо/крáсть *cf.* **обкрáдывать** || **–лá-кива-ть** II. *va.* (*Pf.* -лóчь 19. [a]) to wrap up, to envelop; to cover || **–лóчка** *s.* (*gpl.* -чек) envelope, cover, wrapper; (*an.*) membrane, tegument || **–льсти́-тель** *s. m.*, **–льсти́тельница** *s.* seducer; deceiver || **–льсти́тельный** *a.* seductive, alluring, tempting || **–льщá-ть** II. *va.* (*Pf.* -льст=и́ть I. 4. [a]) to seduce, to allure, to entice || **–льщéние** *s.* seduction, allurement, enticement || **–млéть** *cf.* **млеть** || **–ня́ние** *s.* smelling; smell || **–ня́тельный** *a.* smelling-, olfactory || **–ня́-ть** II. *va.* to smell, to scent || **–ра́чива-ть** II. *va.* (*Pf.* -рот=и́ть I. 2. [c]) to turn; to return; to restore; to change, to transform || ~ *vn.* to revert || **–рва́нец** *s.* (*gsg.* -нца) ragamuffin, tatterdemalion || **–рва́ть** *cf.* **обрыва́ть.**

обо́р/ка *s.* (*gpl.* -рок) flounce, trimming || **–о́на** *s.* defence || **–они́тельный** *a.* defensive || **–оня́-ть** II. *va.* (*Pf.* -он=и́ть II. [a]) to defend, to stand up for || **–о́т** *s.* reverse, back, opposite side; (*comm.*) circulation; turnover.

о́борот/ень *s. m.* wer(e)wolf || **–и́ть** *cf.* **обора́чивать.**

оборо́т/ливый *a.* clever, skilful, enterprising || **–ный** *a.* inverse, inverted; by return (of post); **–ная сторона́** the other side, the inside; back, reverse.

обо/ру́до+вать II. *va. Pf.* to bring about, to accomplish; to cultivate (the ground) || **–снова́ние** *s.* (*phil.*) argument, proof || **–сно́выва-ть** II. *va.* (*Pf.* -сно+ва́ть II. [b]) to base, to prove || **–обля́-ть** II. *va.* (*Pf.* -со́б=ить II. 7.) to separate, to exclude (from); (*fig.*) to isolate || **–стря́-ть** II. *va.* (*Pf.* -стр=и́ть II. [a]) to sharpen, to point.

обою́д/ность *s. f.* mutuality, reciprocity || **–ный** *a.* mutual, reciprocal || **–оо́стрый** *a.* two-edged.

обраб/а́(о́)тыва-ть II. *va.* (*Pf.* -бта-ть II.) to cultivate, to till, to plough; to work; to elaborate || **–о́тка** *s.* working, fashioning; elaboration; cultivation.

обра́довать *cf.* **ра́довать.**

о́браз/ *s.* form, figure, shape; way, sort, manner; **гла́вным –ом** chiefly, principally; (*pl.* -а́) image (of a saint) || **–е́ц** *s.* [a] (*gsg.* -зца́) model, pattern, sample; example || **–и́на** *s.* phiz, ugly face || **–ный** *a.* full of images, picturesque || **–ова́ние** *s.* formation; organization; culture, refinement, education || **–о́ванный** *a.* cultured, educated || **–ова́тельный** *a.* cultural, educational; figurative || **–о́выва-ть** II. *va.* (*Pf.* -о+ва́ть II. [b]) to form, to model, to fashion; to educate, to refine, to cultivate || **~ся** *vn.* to be formed; to be educated || **–о́к** *s.* [a] (*gsg.* -зка́) small image (of a saint) || **–у́млива-ть** II. *va.* (*Pf.* -у́м=ить II. 7.) to undeceive, to bring to reason, to open a person's eyes || **~ся** *vr.* to be undeceived, to think better (of) || **–цо́вый** *a.* exemplary, standard.

обра́зчик *s.* pattern, sample, specimen; (*in pl.*) pattern-card.

об/рамля́-ть II. *va.* (*Pf.* -ра́м=ить II. 7.) to frame || **–раста́-ть** II. *vn.* (*Pf.* -расти́ 35. [a 2.]) to be covered with a growth (of hair, etc.) || **–ра́тный** *a.* return-; inverted, reverse; converse, counter || **–ра́тно** *ad.* back(ward), back again || **–раща́-ть** II. *va.* (*Pf.* -рат=и́ть I. 6. [a]) to turn (back), to return; to direct; to restore; to change, to transform, to transmute; to circulate, to make use of; to convert (sinners, etc.); **~ внима́ние** (на что) to pay attention to, to look after; to take into consideration || **~ся** *vr&n.* to turn round; (к кому́) to address, to apply to; (с кем) to keep company (with) || **–раще́ние** *s.* turning, turn; revolution, rotation; circulation; conversion, metamorphosis, change; intercourse, dealings *pl.* || **–ревизова́ть** *cf.* **ревизова́ть** || **–ре́з** *s.* cutting, edge (of books); size (of a book); relay, setback (of a wall); **в ~** exactly, to a T. || **–ре́зание** *s.* paring, cutting off; pruning, loping (of trees); docking (of a tail) || **–резно́й** *a.* cut, clipped (paper); measured off (ground) || **–ре́зок** *s.* (*gsg.* -зка) paring, clipping, cutting, snip || **–ре́зыва-ть** II. *va.* (*Pf.* -ре́з-ать I. 1.) to clip, to pare, to prune off, to lop, to dock, to trim; to circumcise || **~ся** *vr.* to be cut; to be circumcised; (кого́ *fig.*) to cut up, to tear to pieces, to fare ill (with) || **–река́-ть** II. *va.* (*Pf.* -ре́чь 18. [a 2.]) to vow, to consecrate; to destine; to doom (*e. g.* to death).

обрем/ене́ние *s.* load, burden; charging; overloading, overburdening || **–ени́тельный** *a.* burdensome, onerous; overwhelming || **–еня́-ть** II. *va.* (*Pf.* -ен=и́ть II. [a]) to (over)burden, to overload; to overwhelm (with work).

об/рета́-ть II. *va.* (*Pf.* -рести́ & -ре́сть 23.) to find out, to discover; to attain || **–ре́чь** *cf.* **–река́ть** || **–рива́-ть** II. *va.* (*Pf.* -ри́ть 30.) to shave off || **–рисо́вка** *s.* (*gpl.* -вок) (*art.*) sketch, outline || **–рисо́выва-ть** II. *va.* (*Pf.* -рисо+ва́ть II. [b]) (*art.*) to sketch, to outline, to make a rough draft of || **~ся** *vr.* to appear, to stand out in relief || **–ро́к** *s.* poll-tax (paid by peasants); **насле́дственный ~** quit-rent || **–ро́слый** *a.* overgrown || **–роста́ть** = **–раста́ть** || **–ро́чный** *a.* liable to tax (*cf.* обро́к) || **–руба́-ть** II. *va.* (*Pf.* -руб=и́ть II. 7. [c])

to cut round; to cut off the top of, to lop, to trim (trees); to hem (napkins, etc.) || **-ру́бок** *s.* (*gsg.* -бка) (hewn) block, log || **-русе́лый** *a.* Russianized, Russified || **-русе́-ть** II. *vn.* to become Russified, Russianized || **-рус=и́ть** I. 3. [a] *va.* to Russify, to Russianize.

о́бру/ч *s.* [c] hoop (of a cask) || **-ча́льный** *a.* betrothal-, wedding- || **-ча́-ть** II. *va.* (*Pf.* -ч=и́ть I. [a & c]) to betroth (with), to affiance (to) || **-че́ние** *s.* betrothal.

об/ру́шива-ть II. *va.* (*Pf.* -ру́ш=ить I.) to destroy, to overturn, to overthrow || **~ся** *vr.* to fall in, to fall to pieces; to throw down || **-ры́в** *s.* steep declivity, precipice || **-рыва́-ть** II. *va.* (*Pf.* -ор-в-а́ть I. [a]) to pluck round *or* off (flowers); to cut short || **~ся** *vr.* to tear (of clothes, etc.); to fall down || **-рыва́-ть** II. *va.* (*Pf.* -ры́ть 28.) to dig round; to dig up, to turn up || **-ры́вистый** *a.* steep, precipitous || **-ры́вок** *s.* (*gsg.* -вка) piece torn off (*e. g.* of a cord) || **-ры́згива-ть** II. *va.* (*Pf.* -ры́зга-ть II.) to sprinkle, to bespatter, to splash || **-ры́ть** *cf.* **-рыва́ть.**

обря́д/ *s.* ceremony; rite || **-ность** *s. f.* ceremonial, ritual || **-ный** *a.* ceremonial.

обряжа́-ть II. *va.* (*Pf.* обряд=и́ть I. 1. [a & c]) to arrange; to attire.

об/са́дка *s.* (*gpl.* -док) planting round || **-са́жива-ть** II. *va.* (*Pf.* -сад=и́ть I. 1. [a & c]) to set with plants, to plant round || **-са́сыва-ть** II. *va.* (*Pf.* -сос-а́ть I. [a]) to suck round || **-сева́-ть** II. *va.* (*Pf.* -се́-ять II.) to sow, to sow over || **-семеня́-ть** II. *va.* (*Pf.* -семен=и́ть II. [a]) to sow over || **-серватория** *s.* observatory.

обскура́нт/ *s.* obscurant (an opponent of enlightenment) || **-и́зм** *s.* obscurantism.

обсле́д/ование *s.* investigation || **-ыва-ть** II. *va.* (*Pf.* -о+вать II.) to investigate.

об/соса́ть *cf.* **-са́сывать** || **-со́хлый** *a.* dried up || **-со́хнуть** *cf.* **-сыха́ть** || **-ставля́-ть** II. *va.* (*Pf.* -ста́в=ить II. 7.) to set, to put, to place round; to get up, to arrange; to furnish || **-стано́вка** *s.* (*gpl.* -вок) setting, putting round; getting up, arranging || **-стоя́тельность** *s. f.* detail, particular || **-стоя́тельный** *a.* circumstantial, detailed || **-стоя́тельство** *s.* circumstance, case, affair || **-сто=я́ть** II. [a] *vn.* to be, to be like || **-стра́гива-ть** II. *va.* (*Pf.* -строга́-ть II.) to plane (over) || **-стре́лива-ть** II. *va.* (*Pf.* -стреля́-ть II. & -стрел=и́ть II. [c]) to try by firing (a firearm); to shoot at, to bombard || **-стрига́-ть** II. *va.* (*Pf.* -стри́чь 15. [a 1.]) to shear, to cut round, to clip, to crop || **~ся** *vr.* to get one's hair cut || **-стру́кция** *s.* obstruction || **-ступа́-ть** II. *va.* (*Pf.* -ступ=и́ть II. 7. [c]) to surround, to invest || **-сужда́-ть** II. *va.* (*Pf.* -суд=и́ть I. 1. [c]) to judge, to deliberate, to consider || **-сужде́ние** *s.* deliberation, consideration || **-су́шива-ть** II. *va.* (*Pf.* -суш=и́ть I. [a & c]) to dry (up) || **-счи́тыва-ть** II. *va.* (*Pf.* -счита́-ть II. & -че́сть 24. [a 2.], *Fut.* обочту́, -ёшь) to cheat in a calculation || **~ся** *vr.* to make a mistake (in counting) || **-сыпа́-ть** II. *va.* (*Pf.* -сы́п-ать II. 7.) to strew over, to bestrew || **-сыха́-ть** II. *vn.* (*Pf.* -со́хнуть 52.) to dry up, to become dry.

об/та́чива-ть II. *va.* (*Pf.* -точ=и́ть I. [c]) to turn (on a lathe); (*Pf.* -тача́-ть II.) to whip (stitch) || **-тека́-ть** II. *va.* (*Pf.* -те́чь 18. [a 2.]) to flow round, to wash (of a river) || **-тёсыва-ть** II. *va.* (*Pf.* -тес-а́ть I. 3. [c]) to hew (beams), to rough-hew, to cut (stones) || **-тира́-ть** II. *va.* (*Pf.* -тере́ть 14. [a 1.], *Fut.* оботру́, -ёшь) to rub round, to wipe over || **-точи́ть** *cf.* **-та́чивать** || **-тя́гива-ть** II. *va.* (*Pf.* -тяп-у́ть I. [a]) to stretch, to draw (over), to cover || **-тя́жка** *s.* (*gpl.* -жек) stretching over, covering; **в -тя́жку** tight-fitting, close-fitting.

обува́-ть II. *va.* (*Pf.* обу́-ть II. [b]) to shoe, to provide with footwear.

о́бувь *s. f.* footwear, boots and shoes.

об/у́глива-ть II. *va.* (*Pf.* -у́гл=ить II.) to carbonize, to char || **-у́за** *s.* load, burden; encumbrance || **-у́здыва-ть** II. *va.* (*Pf.* -узда́-ть II.) to bridle, to curb; to break in (a horse); (*fig.*) to repress, to check, to restrain || **-усло́влива-ть** II. *va.* (*Pf.* -усло́в=ить II. 7.) (что чем) to put conditions (to) || **-у́х** *s.* back (of a knife); butt-end (of an axe) || **-уча́-ть** II. *va.* (*Pf.* -уч=и́ть I. [c]) (кого́ чему́) to teach, to instruct, to train || **-уче́ние** *s.* teaching, instruction, tuition, training.

об/хва́т *s.* girth; clasping || **-хва́тыва-ть** II. *va.* (*Pf.* -хват=и́ть I. 2. [c]) to embrace, to clasp, to hug; to seize, to catch; to enclose || **-хо́д** *s.* visit(ing); roundabout way; circuit, turn, tour; **дозо́рный ~** patrol (on foot) || **-ходи́тельность** *s. f.* affability, courteousness, sociability || **–ходи́тельный** *a.* affable, sociable || **–ход=и́ть** I. 1. [c] *va.* (*Pf.* -ойти́ 48. [a 1.]) to go round, to make a tour of; to overtake; to outflank || **~ся** *vn.* (с кем) to treat, to use; to cost, to come to, to amount to; (без кого́ *or* чего́) to do without; to dispense (with) || **–хо́дный** *a.* going round, patrolling || **–хожде́ние** *s.* intercourse, dealings, ways *pl.*

об/че́сть *cf.* **–счи́тывать** || **–чёт** *s.* error in counting, miscalculation.

об/ша́рива-ть II. *va.* (*Pf.* -ша́р=ить II.) to ransack, to rummage, to ferret all over || **–шива́-ть** II. *va.* (*Pf.* -ши́ть 27., *Fut.* обошью́, -ьёшь) to sew round, to trim, to border, to hem; to clothe, to provide with clothes; to face, to line (with boards) || **–ши́вка** *s.* (*gpl.* -вок) trimming; facing, boarding || **–ши́рность** *s. f.* spaciousness, extent, vastness; comprehensiveness || **–ши́рный** *a.* spacious, extensive, vast, comprehensive, voluminous || **–шла́г** *s.* [a] (*pl.* -и́ & -а́) cuff, facing.

обще/досту́пный *a.* generally accessible || **–жите́йский** *a.* usual, ordinary, everyday || **–жи́тие** *s.* social life, living together (*esp.* in a monastery) || **–изве́стный** *a.* notorious; universally known || **–наро́дный** *a.* general, public.

обще́ние *s.* sociability, intercourse.

обще/поле́зный *a.* universally beneficial || **–поня́тный** *a.* popular, generally understood (*i. e.* non-technical) || **–приня́тый** *a.* usual, customary.

обще́ств/енность *s. f.* sociality, socialness || **–енный** *a.* common, general, public.

о́бщ/ество *s.* society; club; (*comm.*) company; community, society, association || **–еупотреби́тельный** *a.* customary, generally in use || **–ий** (-ая, -ее) *a.* common, general, public; **~ стол** table d'hôte, ordinary; **–ее бла́го** the public weal || **–ина** *s.* common good; community; parish, township; (charitable) association || **–инный** *a.* of the community, common || **–и́тельный** *a.* sociable || **–ность** *s. f.* community; totality.

об'/его́рива-ть II. *va.* (*Pf.* -его́р=ить II.) to cheat; (*fam.*) to fool, to bamboozle, to hoodwink || **–еда́-ть** II. *va.* (*Pf.* -е́сть 42.) to gnaw round; to corrode, to eat away; to sponge on; to eat more than || **~ся** *vr.* to gorge o.s.; to surfeit o.s. || **–едине́ние** *s.* assimilation, unification || **–единя́-ть** II. *va.* (*Pf.* -един=и́ть II.) to unify, to unite, to assimilate || **–е́дки** *s. mpl.* leavings *pl.* || **–е́зд** *s.* riding round; circuit, round, visitation; roundabout way; **дозо́рный ~** mounted patrol || **–ездно́й** *a.* patrol-; **–ездна́я стра́жа** mounted patrol || **–е́здчик** *s.* mounted guard; breaker-in || **–езжа́-ть** II. *va.* (*Pf.* -е́хать 45.) to ride round, to go over; to outride; (*Pf.* -е́зд=ить I. 1.) to break in (a horse).

об'е́кт/ *s.* object || **–и́в** *s.* object-glass, lens (of a camera, etc.) || **–и́вный** *a.* objective.

об'ём/ *s.* girth; volume, size, bulk; extent, dimension || **–истый** *a.* bulky, voluminous.

об'/е́сться *cf.* **–еда́ться** || **–е́хать** *cf.* **–езжа́ть** || **–яви́тель** *s. m.*, **–яви́тельница** *s.* announcer; advertiser || **–явле́ние** *s.* announcement; declaration; advertisement; bill, placard || **–явля́-ть** II. *va.* (*Pf.* -яв=и́ть II. 7. [a & c]) to state, to declare, to announce; to advertise; to notify, to intimate; to publish, to proclaim || **–яде́ние** *s.* gluttony, gorging, surfeit || **–ясне́ние** *s.* explanation, exposition, elucidation || **–ясни́тель** *s. m.* explainer, commentator, illustrator || **–ясни́тельный** *a.* explanatory, explicative || **–ясня́-ть** II. *va.* (*Pf.* -ясн=и́ть II.) to explain, to elucidate, to expound || **~ся** *vr.* to speak plainly; to come to an explanation || **–я́тие** *s.* embrace || **–я́ть** *cf.* **обнима́ть.**

обыва́тель/ *s. m.*, **–ница** *s.* inhabitant, inmate, resident || **–ский** *a.* of inmates.

обы́грыва-ть II. *va.* (*Pf.* обыгра́-ть II.) to outplay, to win of a person; to beat in playing; to improve (an instrument) by playing on it.

обы́дённый *a.* of one day, in one day.

обыкно/ве́ние *s.* habit, custom, usage, wont || **–ве́нный** *a.* usual, ordinary, customary, habitual.

о́быск *s.* perquisition; **дома́шний ~** domiciliary search.

обы́скива-ть II. *va.* (*Pf.* обыск-а́ть I. 4. c]) to search all over, to ransack; to examine.

обы́ч/ай *s.* custom, use, wont, habit || **–ный** *a.* ordinary, common, usual, customary.

обя́занн/ость *s. f.* duty, obligation || **–ый** *a.* obliged.

обяза́тель/ный *a.* obligatory, binding; kind, obliging || **-ство** *s.* obligation, engagement.
обя́зыва-ть II. *va.* (*Pf.* обяз-а́ть I. 1. [c]) (кого́ к чему́) to bind, to oblige, to engage || **~ся** *vr.* to bind o.s.; to pledge o.s.
ова́л/ *s.* oval || **-ьный** *a.* oval.
ова́ция *s.* ovation.
овдов/е́лый *a.* widowed || **-е́ть** *cf.* **вдове́ть.**
ове́н *s.* [a] (*gsg.* -вна́) (*sl.*) ram; (*astr.*) Aries, the Ram.
овёс *s.* [a] (*gsg.* овса́) oats *pl.*
ове́ч/ий (-ья, -ье) *a.* sheep-, sheep's || **-ка** *s.* (*gpl.* -чек) a ewe lamb.
ови́н *s.* kiln (for drying corn).
овладева́-ть II. *va.* (*Pf.* овладе́-ть II.) (+*I.*) to seize, to take possession of; to secure, to master, to conquer.
о́вод *s.* gadfly.
о́вощ/и *s. mpl.* (*G.* -е́й) vegetables *pl.* || **-ни́к** *s.*, **-ни́ца** *s.* greengrocer || **-но́й** *a.* vegetable-.
овра́г *s.* ravine, gully.
овся́н/ка *s.* (*gpl.* -нок) oatmeal soup; (*orn.*) greenfinch || **-ый** *a.* oat, oaten.
овц/а́ *s.* [b & f] sheep, ewe || **-ево́д** *s.* sheep-breeder || **-ево́дство** *s.* sheep-breeding.
овч/а́рка *s.* (*gpl.* -рок) sheep-dog || **-а́рня** *s.* (*gpl.* -рен) sheep-fold, sheep-cot || **-и́на** *s.* sheepskin || **-и́нка** *s.* (*gpl.* -нок) *dim. of prec.*
ога́р/ок *s.* (*gsg.* -рка) stump of a candle || **-очек** *s.* (*gsg.* -чка) *dim. of prec.*
оглавле́ние *s.* table of contents.
огла́ска *s.* (*gpl.* -сок) exposure, publicity.
огла/ша́-ть II. *va.* (*Pf.* -с=и́ть I. 3. [a]) to announce, to publish; to publish (the banns of marriage); to fill the air (with cries) || **-ше́ние** *s.* publication; announcement; publication (of the banns).
огло́бля *s.* (*gpl.* -бель) shaft (of a car).
огло́хнуть *cf.* **гло́хнуть.**
оглупе́ть *cf.* **глупе́ть.**
огля́/дка *s.* (*gpl.* -док) retrospection; looking back || **-дыва-ть** II. *va.* (*Pf.* -д=е́ть I. 1. [a] & -н-у́ть I. [c]) to look round at, to gaze at, to examine || **~ся** *vr.* to look back, to look round, to take a look round.
огне/гаси́тель *s. m.* fire-extinguisher || **-ды́шащий** *a.* vomiting fire, volcanic.
о́гне/нный *a.* fire-, of fire; fiery || **-покло́нник** *s.*, **-покло́нница** *s.* fire-worshipper || **-стре́льный** *a.* for firing, fire-, explosive || **-туши́тель** *s. m.* fire-extinguisher || **-упо́рный** *a.* fire-proof, refractory.
огни́во *s.* steel (for striking a light).
огова́рива-ть II. *va.* (*Pf.* оговор=и́ть II. [a]) to blame, to censure; to denounce.
огово́р/ *s.* accusation; denunciation || **-ка** *s* (*gpl.* -рок) reserve, clause, limitation.
оголте́лый *a.* foolish, silly, frivolous.
оголя́-ть II. *va.* (*Pf.* огол=и́ть II. [a]) to bare, to denude.
огонёк *s.* [a]) (*gsg.* -нька́) *dim. of foll.*
ого́нь *s. m.* [a] (*gsg.* огня́) fire; light; (*mil.*) firing; (*fig.*) vivacity.
огора́жива-ть II. *va.* (*Pf.* огород=и́ть I. 1. [a & c]) to enclose, to encircle, to fence in, to encompass.
огоро́д/ *s.* kitchen-garden || **-ник** *s.*, **-ница** *s.* kitchen-gardener, market-gardener || **-ничество** *s.* kitchen-gardening, market-gardening || **-ный** *a.* garden-, vegetable-.
огоро́ш=ить I. *va. Pf.* (*fam.*) to disconcert, to strike dumb.
огор/ча́-ть II. *va.* (*Pf.* -ч=и́ть I. [a]) to afflict, to distress, to vex || **-че́ние** *s.* affliction, grief, sorrow, concern, vexation.
огра́бить *cf.* **гра́бить.**
огра́да *s.* enclosure; protection; wall (around a monastery, a church); bulwark.
огра/жда́-ть II. *va.* (*Pf.* -д=и́ть I. 1. [a]) to enclose, to fence; (*fig.*) to protect || **-жде́ние** *s.* enclosing, fencing; (*fig.*) protection.
огран/иче́ние *s.* limitation, restriction, restraint; без **-иче́ния** unrestricted || **-и́ченный** *a.* limited, scant, restricted; narrow-minded || **-и́чива-ть** II. *va.* (*Pf.* -и́ч=ить I.) to limit, to bound; to restrict, to restrain || **~ся** *vr.* (чем) to confine o.s. to || **-ичи́тельный** *a.* restrictive, limiting.
огро́м/ность *s. f.* hugeness, enormity, vastness, colossal size || **-ный** *a.* huge, vast, colossal, immense, enormous.
огруб/е́лый *a.* roughened, hardened || **-е́ть** *cf.* **грубе́ть.**
огрыза́-ть II. *va.* (*Pf.* огры́зть 25. [a 2.]) to gnaw round, at || **~ся** *vn.* to be snappish, to snarl; (*fig.*) to be quarrelsome.
огры́зок *s.* (*gsg.* -зка) picked bone.
огу́зок *s.* (*gsg.* -зка) rump, buttock.
огу́л/ом & **-ьно** *ad.* wholesale || **-ьный** *a.* wholesale.
огур/е́ц *s.* [a] (*gsg.* -рца́) cucumber || **-е́чный** *a.* cucumber-.

огу́рчик *s.* small cucumber.
о́да *s.* ode.
ода́бривать = **одо́бривать.**
одали́ска *s.* odalisque.
ода́рива-ть II. & **одаря́-ть** II. *va.* (*Pf.* одар=и́ть II.) to endow, to gift, to indue.
одева́-ть II. *va.* (*Pf.* оде́ть 32.) to clothe, to dress, to attire. [apparel.
оде́жда *s.* (*fam.* одёжа) clothes *pl.*, attire,
одеколо́н *s.* Eau de Cologne.
оделя́-ть II. *va.* (*Pf.* одел=и́ть II.) (чем) to give, to bestow.
одеревян/е́лый *a.* lignified; hardened || **-е́ть** *cf.* **деревяне́ть.**
оде́рж/ива-ть II. *va.* (*Pf.* одерж-а́ть I. [c]) to seize; to gain (a victory); **~ верх** (над кем) to get the upperhand (the better) of one || **-и́мый** *a.* (чем) seized, overcome, afflicted (with disease); struck (with fear); possessed (of a devil).
оде́/ть *cf.* **-ва́ть** || **-я́ло** *s.* blanket, bed-cover; **стёганое ~** quilt || **-я́ль-ный** *a.* blanket- || **-я́льце** *s.* small blanket || **-я́ние** *s.* clothes *pl.*, dress, attire, apparel.
оди́н/ *num&prn.* (одна́, одно́, *pl.* одни́) one; single, sole; **~ на ~** face to face; **одни́м сло́вом** in short, in fine || **-а́ко-вый** *a.* same, like, identical || **-ёхо-нек** & **-ёшенек** *a.* quite alone || **-над-цатый** *num.* eleventh || **-надцать** *num.* eleven || **-о́кий** *a.* alone; lonely, solitary; single || **-о́чество** *s.* solitude, loneliness; single life || **-о́чка** *s. m&f.* unmarried person || **-о́чный** *a.* single, sole, solitary.
одича́лый *a.* wild, shy, unsociable.
одича́ть *cf.* **дича́ть.**
одна́/ *cf.* **оди́н** || **-жды** *ad.* once || **-ко** & **-кож(е)** *ad&c.* but, yet, still, however, nevertheless.
одн/и́, -о́, *cf.* **оди́н.**
одно/- *in cpds.* = mono-, one- || **-а́кт-ный** *a.* one-act; **-а́ктная пье́са** a one-act play || **-бо́ртный** *a.* single-breasted || **-вре́менный** *a.* simultaneous || **-гла́-зый** *a.* one-eyed, monocular || **-го́док** *s.* person born in the same year || **-го́рбый** *a.* with one hump; **~ верблю́д** dromedary || **-дво́рец** *s.* (*gsg.* -рца) a certain class of peasant || **-дне́вный** *a.* of one day, ephemeral || **-зву́чие** *s.* unison, homophony || **-зву́чный** *a.* homophonous, in unison || **-зна́чащий** *a.* synonymous || **-имённый** *a.* homonymous || **-ка́шник** *s.* schoolfellow, mate || **-коле́йный** *a.* mono-rail || **-ко́лка** *s.* (*gpl.* -лок) two-wheeled cab, cabriolet || **-коне́чный** *a.* with one point || **-ко́нный** *a.* single-horse || **-копы́тный** *a.* soliped, solidungulate || **-кра́тный** *a.* (occurring) once || **-лёток** *s.*, **-лётка** *s.* (*gpl.* -ток) person born in the same year || **-ма́чтовый** *a.* single-masted || **-ме́стный** *a.* one-seater || **-но́гий** *a.* one-legged || **-обра́зие** *s.* uniformity, monotony || **-обра́зный** *a.* uniform, equable, monotonous || **-полча́нин** *s.* (*pl.* -а́не, -а́н) comrade, mate (of the same regiment) || **-по́лый** *a.* unisexual || **-по́люсный** *a.* monopolar || **-ро́д-ный** *a.* homogeneous || **-ру́кий** *a.* one-handed, one-armed || **-сло́жный** *a.* monosyllabic || **-ство́льный** *a.* single-barrelled || **-ство́рчатый** *a.* (*zool.*) univalve; (door) single-leafed || **-сто-ро́нний** *a.* unilateral; one-sided || **-у́хий** *a.* one-eared || **-фами́лец** *s.* (*gsg.* -льца), **-фами́лица** *s.* person of the same (family) name, namesake || **-фами́льный** *a.* having the same (family) name || **-цве́тный** *a.* (*phys.*) monochromatic; (*art.*) monochrome || **-эта́жный** *a.* of one storey, one-storied.
одобре́ние *s.* approbation, approval, assent; acclamation.
одо́брива-ть II. *va.* (*Pf.* одо́бр=ить II.) to approve; to acclaim.
одобри́тельный *a.* approving.
одолева́-ть II. *va.* (*Pf.* одоле́-ть II.) to vanquish, to conquer, to master, to surmount.
одол/жа́-ть II. *va.* (*Pf.* -ж=и́ть I.) (кого́ чем) to help out, to lend; to oblige, to indebt || **~ся** *vr.* (кому́) to be obliged (to) || **-же́ние** *s.* loan; favour, kindness; **сде́лайте ~!** do me the favour! || **-жи́-тельный** *a.* obliging, kind.
одр *s.* [a] bed, couch; bier, hearse.
одрях/ле́ть, -́нуть *cf.* **дряхле́ть.**
одува́нчик *s.* (*bot.*) dandelion.
оду́мыва-ться II. *vn.* (*Pf.* оду́ма-ться II.) to think better of it, to change one's mind.
одур/а́чить *cf.* **дура́чить** || **-е́лый** *a.* crazy, mad || **-е́ть** *cf.* **дуре́ть** || **-и́ть** *cf.* **-ря́ть** || **-ма́нить** *cf.* **дурма́нить.**
о́дурь *s. f.* craziness, insanity, madness, stupefaction, absence of mind.
одуря́-ть II. *va.* (*Pf.* одур=и́ть II. [a]) to stupefy.
одутлова́тый *a.* puffed up, bloated.

одуше/влéние *s.* animating, inspiring || **–влá-ть** II. *va.* (*Pf.* -в=и́ть II. 7. [a]) to animate, to inspire.
оды́ш/ка *s.* asthma, shortness of breath || **–ливый** *a.* short-winded, asthmatic.
ожени́ть *cf.* **жени́ть.**
ожереби́ться *cf.* **жереби́ться.**
ожерéлье *s.* necklet.
ожесто/чá-ть II. *va.* (*Pf.* -ч=и́ть I.) to harden, to sour, to embitter, to exasperate || **–чéние** *s.* obduracy, bitterness, exasperation.
ожéчь = **обжéчь.**
ожи/вá-ть II. *vn.* (*Pf.* ожи́ть 31. [a 4.]) to revive, to come to life || **–влéние** *s.* revival, (re)animation; liveliness, high spirits || **–влá-ть** II. *va.* (*Pf.* -в=и́ть II. 7. [a]) to animate, to revive, to resuscitate || **~ся** *vr.* to revive.
ожи/дáние *s.* waiting, expectation || **–дá-ть** II. *va.* to expect, to wait for, to look for.
ожи́ть *cf.* **оживáть.**
оза/бóчива-ть II. *va.* (*Pf.* -бóт=ить I. 2.) (когó чем) to preoccupy, to trouble || **~ся** *vr.* (чем) to be preoccupied || **–дáчива-ть** II. *va.* (*Pf.* -дáч=ить I.) to perplex, to puzzle, to embarrass.
озаря́-ть II. *va.* (*Pf.* озар=и́ть II.) to illuminate, to shine upon (of the sun); (*fig.*) to enlighten.
оздор/áвлива-ть II. *vn.* (*Pf.* -óв=ить II. 7.) to recover, to be restored to health || **–овлéние** *s.* recovery; restoration (of health).
óземь *ad.* to the ground, down.
озеркó *s. dim. of* óзеро.
озёрный *a.* lake-.
óзеро *s.* [b] (*pl.* озерá, озёр, etc.) lake.
ози́мый *a.*, **~ хлеб** winter-corn.
óзимь *s. f.* winter-corn.
озирá-ть II. *va.* to look round at, to survey || **~ся** *vn.* to look about one.
озлоб/лéние *s.* anger, wrath, ire, exasperation || **–ля́ть** *cf.* **злóбить.**
ознак/омлéние *s.* making *or* becoming acquainted, acquaintance || **–омля́-ть** II. *va.* (*Pf.* -óм=ить II. 7.) (с + *I.*) to make acquainted (with), to acquaint (with) || **~ся** *vr.* to become acquainted with, to find out.
ознаме/нóвыва-ть II. *va.* (*Pf.* -но+вáть II. [b]) to signalize.
означá-ть II. *va.* (*Pf.* ознáч=ить I.) to betoken, to denote, to designate; to stand for.
ознóбь *s. f.* chilblain.
ознобля́-ть II. *va.* (*Pf.* озноб=и́ть II. 7. [a]) to get (a limb) frostbitten.
озолоти́ть *cf.* **золоти́ть.**
озóн *s.* ozone.
озор/ни́к *s.* [a], **–ни́ца** *s.* a saucy, impudent person, brawler || **–ничá-ть** II. *vn.* to be saucy *or* impudent; to pick a quarrel || **–нóй** *a.* unbridled; saucy, impudent; quarrelsome.
озя́бнуть *cf.* **зя́бнуть.**
ой *int.* oh! ah! **~-ли?** (*fam.*) is that possible?
окáзия *s.* occasion.
окáзыва-ть II. *va.* (*Pf.* оказ-áть I. 1. [c]) to show, to prove, to express; to render (assistance); to pay (attention) || **~ся** *vr.* to show o.s., to appear; to prove.
окаймля́ть *cf.* **кайми́ть.**
окам/енéлый *a.* petrified || **–енéть** *cf.* **каменéть.**
окáнчива-ть II. *va.* (*Pf.* окóнч=ить I.) to finish, to terminate, to put an end to || **~ся** *vr.* to end, to come to an end.
окáпыва-ть II. *va.* (*Pf.* окáп-ать II.) to cause drops to fall on.
окáпыва-ть II. *va.* (*Pf.* окопá-ть II.) to dig round, to entrench || **~ся** *vr.* to entrench o.s.
окáрмлива-ть II. *va.* (*Pf.* окорм=и́ть II. 7. [c]) to overfeed, to feed to excess; to poison (with food).
окáчива-ть II. *va.* (*Pf.* окат=и́ть I.) to pour over, to souse (with water).
окая́нный *a.* damned, cursed || **~** (*as s.*) devil.
океáн/ *s.* ocean || **–ский** *a.* oceanic.
оки́дыва-ть II. *va.* (*Pf.* окидá-ть II. & оки́н-уть I.) (что чем) to cast round; to surround, to encompass; **~ взóром** *или* **глазáми** to keep an eye on.
окис/лéние *s.* oxidation || **´–лый** *a.* oxidized || **–ля́-ть** II. *va.* (*Pf.* ´–л=ить II.) to oxidize.
óкись *s. f.* oxide.
оклáд/ *s.* trimming (on ikons); feature, contour (of face); assessment, tax; salary || **–истый** *a.*, **–истая бородá** a full beard || **–нóй** & **–ный** *a.* for trimming; tax-; fixed (salary).
оклеветáть *cf.* **клеветáть.**
óклик *s.* call, hail.
окликá-ть II. *va.* (*Pf.* окли́кн-уть I.) to call, to hail; to publish the banns.
окли́чка *s.* (*gpl.* -чек) publication of the banns (of marriage).
окнó *s.* [d] window.
óко *s.* (*pl.* óчи, очéй, etc.) eye; **~ за ~** an eye for an eye.
окóвы *s. fpl.* fetters *pl.*, chains *pl.*
окóвыва-ть II. *va.* (*Pf.* око+вáть II. [a]) to bind with iron, to mount with iron; to fetter, to chain.

околдо́выва-ть II. *va.* (*Pf.* околдо+ва́ть II. [b]) to bewitch, to enchant.
околева́-ть II. *vn.* (*Pf.* околе́-ть II.) to perish (of animals). [nonsense.
околё́с/ица & **–ная** *s.* fiddle-faddle,
око́лица *s.* environs *pl.*, vicinity; roundabout way; pasturage (near a village).
околи́чность *s. f.* accessory circumstance; circumlocution; **говори́ть без –ей** not to beat about the bush, to speak plainly.
о́кол/о *prp* (+*G.*) round, around, about; nearly, approximately || **–оплóдник** *s.* seed-vessel || **–óток** *s.* (*gsg.* -тка) police-district; *coll.* neighbourhood || **–óточный** *a.* neighbouring, district- || ~ (*as s.*) district-inspector of police || **–па́чива-ть** II. *va.* (*Pf.* -па́ч=ить I.) to humble; to fool, to make a fool of.
око́лыш/ *s.*, *dim.* **–ек** *s.* (*gsg.* -шка) band (of a cap).
око́льный *a.* neighbouring, adjacent; ~ **путь** roundabout way.
оконе́чность *s. f.* end, tip, extremity.
око́н/ница *s.* window-frame || **–ный** *a.* window- || **–це** *s.* (*pl.* -цы, -цев) small window || **–ча́ние** *s.* ending, completion, termination, end, conclusion || **–ча́тельный** *a.* ending, final, definitive, conclusive; ~ **вид** (*gramm.*) perfective aspect || **–чить** *cf.* **ока́нчивать.**
око́п/ *s.* entrenchment, trench || **–а́ть** *cf.* **ока́пывать.** [*cf.* **корна́ть.**
окор/ми́ть *cf.* **ока́рмливать** || **–на́ть**
о́корок *s.* (*pl.* -а́, -о́в) ham, gammon.
окост/ене́лый *a.* ossified, hardened; benumbed || **–ене́ть** *cf.* **костене́ть.**
окоти́ться *cf.* **коти́ться.**
окочен/е́лый *a.* benumbed, stiff || **–е́ть** *cf.* **кочене́ть.**
око́ш/ечко *s.* (*gpl.* -чек) small window || **–ечный** *a.* window- || **–ко** *s.* (*gpl.* -шек) *dim.* window. [verge, outskirt.
окра́ина *s.* frontier territory; border,
окр/а́ска *s.* (*gpl.* -сок) dyeing, painting, stain(ing) || **–а́шива-ть** II. *va.* (*Pf.* -а́с=ить I. 3.) to dye, to paint (over); to tinge, to stain.
окре́пнуть *cf.* **кре́пнуть.**
о́кре́ст *prp.* (+ *G.*) around, round about.
окрести́ть *cf.* **крести́ть.**
окре́ст/ность *s. f.* environs *pl.*, neighbourhood, vicinity || **–ный** *a.* adjacent, neighbouring; suburban.
окриве́ть *cf.* **криве́ть.**
о́крик *s.* call, halloo.
окровавля́ть *cf.* **крова́вить.**
окропля́-ть II. *va.* (*Pf.* окроп=и́ть II. 7. [a]) to (be-)sprinkle.
окро́шка *s.* (*gpl.* -шек) a dish of hash and "kvass". [(off).
о́круг/ *s.* district || **–ле́ние,** *s.* rounding
окру́г/лость *s. f.* roundness, rotundity || **–лый** *a.* round, rotund || **–ля́-ть** II. *va.* (*Pf.* -л=и́ть II. [a]) to round, to make round.
окружа́-ть II. *va.* (*Pf.* окруж=и́ть I.) to enclose, to encircle, to surround; to drive round.
окруж/но́й & **´ный** *a.* district-; neighbouring; **´ное письмо́** circular (letter).
окру́жность *s. f.* circuit; circle; environs *pl.*; circumference.
окру́чива-ть II. *va.* (*Pf.* окрут=и́ть I. 2. [c]) to twist round, to wind round; to wrap (up), to envelop.
окрыля́-ть II. *va.* (*Pf.* окрыл=и́ть II. [a]) to wing; (*fig.*) to encourage.
окта́ва *s.* octave.
октаэ́др *s.* octahedron.
октябри́ны *s. fpl.* communistic baptism.
октя́брь/ *s. m.* [a] October || **–ский** *a.* October, of October. [oculate.
окули́ро+вать II. *va.* to graft, to in-
окули́ст *s.* oculist.
окуна́-ть II. *va.* (*Pf.* окун-у́ть I. [a]) to dip, to immerse, to plunge.
окунё́к *s.* [a] (*gsg.* -нька́) *dim. of foll.*
о́кунь *s. m.* [c] perch, bass.
о́куп *s.* ransom.
окупа́-ть II. *va.* (*Pf.* окуп=и́ть II. 7. [c]) to ransom, to redeem.
окургу́зить *cf.* **кургу́зить.**
оку́рива-ть II. *va.* (*Pf.* окур=и́ть II. [c]) to fumigate. [end.
оку́рок *s.* (*gsg.* -рка) cigar-, cigarette-
оку́тыва-ть II. *va.* (*Pf.* оку́та-ть II.) to muffle up, to wrap up.
ола́дья *s.* (*gpl.* -дей) pancake, fritter.
олеа́ндр *s.* oleander.
оледен/е́лый *a.* frozen; benumbed || **–е́ть** *cf.* **леденéть.**
оле́н/ий (-ья, -ье) *a.* deer's, stag's, deer-, stag- || **–ина** *s.* venison; buckskin || **–ь** *s. m.* stag, hart, deer; **се́верный ~** reindeer.
олеогра́фия *s.* oleograph.
оли́в/а *s.* olive-tree || **–ка** *s.* (*gpl.* -вок) olive || **–ковый** *a.* olive-.
олига́рхия *s.* oligarchy. [olympic.
олимп/иа́да *s.* olympiad || **–и́йский** *a.*
оли́фа *s.* linseed-oil varnish.
олицетво/ре́ние, *s.* personification, impersonation; embodiment || **–ря́-ть** II.

va. (*Pf.* -р=и́ть II. [a]) to personify, to impersonate; to embody.
о́лов/о *s.* tin, pewter || **–я́нный** *a.* tin, pewter.
о́лух/ *s.* clown, dolt, lout, blockhead, ass || **–ова́тый** *a.* doltish, clownish, stupid.
о́льх/а *s.* alder(-tree) || **–о́вый** *a.* alder-.
оля́пова́тый *a.* botched, clumsy.
ом *s.* (*tech.*) ohm.
ома́р *s.* lobster.
омерз/е́ние *s.* disgust, repugnancy || **–е́ть** *cf.* **мерзе́ть** || **–и́тельный** *a.* disgusting, loathsome, repugnant.
омертв/е́лый *a.* deathly pale, wan; benumbed || **–е́ть** *cf.* **мертве́ть.**
о́мнибу́с *s.* omnibus, bus.
омове́ние *s.* washing, ablution.
омолоди́ть *cf.* **молоди́ть.**
омра/ча́-ть II. *va.* (*Pf.* -ч=и́ть I.) to obscure, to darken; to blind, to dazzle || **–че́ние** *s.* obscuration, darkening, dimness.
о́мут *s.* deep pool (in a river).
он *prn. pers.* he (**она́** she, **оно́** it; *pl.* **они́** they).
онани́зм *s.* onanism.
онеме́ть *cf.* **неме́ть.**
онеме́чива-ть II. *va.* (*Pf.* онеме́ч=ить I.) to Germanize, to Teutonize.
онёр *s.* honours *pl.* (at cards).
онтоло́гия *s.* ontology.
ону́ча *s.* (*fam.*) leggings *pl.*
о́ный *a.* (*obs.*) that; **во вре́мя о́но** at that time.
опада́-ть II. *vn.* (*Pf.* опа́сть 22. [a 1.]) to fall off (of leaves); to sink (of water); to decrease (of a tumor); to fall away, to decline, to diminish.
опа́здывание *s.* delay, retardation.
опа́здыва-ть II. *vn.* (*Pf.* опозда́-ть II.) to come too late, to be late; to be slow (of clocks, etc.).
опа́ива-ть II. *va.* (*Pf.* опо=и́ть II. [a]) to make drunk; to poison (with a beverage; to spoil by watering (too much or at the wrong time); (*Pf.* опая́-ть II.) to solder all round.
опа́л/ *s.* opal || **–а** *s.* ban, disgrace || **–овый** *a.* opal- || **–ый** *a.* fallen off; emaciated, thin; sunken (of cheeks) || **–ьный** *a.* in disgrace, disgraced.
опа́мято+ваться II. *vn.* to come to o.s.; to recover consciousness.
опа́рива-ть II. *va.* (*Pf.* опа́р=ить II.) to scald, to parboil.
опарши́веть *cf.* **парши́веть.**
опаса́-ться II. *vr.* (чего́) to guard against, to take care of; to fear, to apprehend.
опасе́ние *s.* fear, apprehension; caution.
опа́с/ливость *s. f.* cautiousness, wariness, circumspection || **–ливый** *a.* cautious, wary, circumspect || **–ность** *s. f.* danger, peril || **–ный** *a.* dangerous, perilous || **–ть** *cf.* **опада́ть.**
опа́х/ива-ть II. *va.* (*Pf.* опах-а́ть I. 3. [c]) to plough round, to turn up (by ploughing); (*Pf.* -н-у́ть I. [a]) to fan (away); to dust off, to brush off || **–а́ло** *s.* fan.
опая́ть *cf.* **опа́ивать.**
опе́к/а *s.* guardianship, tutelage, wardship || **–у́н** *s.*, **–у́нша** *s.* guardian, ward || **–у́нский** *a.* tutelar(y) || **–у́нство** *s.* tutelage; guardianship, wardship || **–у́нство+вать** II. *vn.* (над кем) to be the guardian (of).
опёнок *s.* (*gsg.* -нка) golden-brown mushroom.
о́пер/а *s.* opera || **–а́тор** *s.* operator; surgeon || **–ацио́нный** *a.* operating- || **–а́ция** *s.* operation.
опережа́-ть II. *va.* (*Pf.* оперед‹и́ть I. 1. [a]) to outrun, to outstrip.
опер/е́ние *s.* feathering || **–е́тка** *s.* (*gpl.* -ток) operetta || **–е́ть** *cf.* **опира́ть.**
о́перный *a.* opera-; ~ **дом** opera-house.
оперя́-ть II. *va.* (*Pf.* опер=и́ть II.) to feather, to plume; (*fig.*) to hearten, to cheer up.
опеча́ливать *cf.* **печа́лить.**
опеча́/тка *s.* (*gpl.* -ток) misprint, erratum || **–тыва-ть** II. *va.* (*Pf.* -та-ть II.) to seal up (officially).
опе́шива-ть II. *vn.* (*Pf.* опе́ш=ить I.) to be unmounted, to go on foot; to be disconcerted, to be put out.
опива́-ть II. *va.* (*Pf.* опи́ть 27. [a]) to drink at another's expense || **~ся** *vr.* to get drunk; to drink o.s. to death.
опи́вки *s. fpl.* (*G.* -вок) what is left over after drinking, slops *pl.*
о́пий *s.* opium.
опи́лива-ть II. *va.* (*Pf.* опил=и́ть II. [a]) to file *or* saw round about.
опи́лок *s.* (*gsg.* -лка) sawn-off piece; (*in pl.*) filings, shavings *pl.*
опира́-ть II. *va.* (*Pf.* опере́ть 14. [a], *Fut.* обопру́, -ёшь) to lean (against, upon) || **~ся** *vr.* (обо что) to lean, to rest, to recline (on).
опис/а́ние *s.* description, specification || **–а́тель** *s. m.*, **–а́тельница** *s.* describer || **–а́тельный** *a.* descriptive.
опи́ска *s.* (*gpl.* -сок) slip of the pen, mistake (in writing).
опи́сыва-ть II. *va.* (*Pf.* опис-а́ть I. 3. [c]) to describe; to confiscate || **~ся** *vn.* to make a mistake in writing.

опись *s. f.* list, inventory; confiscation.
опи́ть *cf.* **опива́ть.**
опла́кива-ть II. *va.* (*Pf.* опла́к-ать I. 2.) to weep for, to bewail, to mourn, to lament.
опла́т/а *s.* payment || **-ный** *a.* payable.
опла́чива-ть II. *va.* (*Pf.* оплат=и́ть I. 2. [c]) to pay, to pay off.
оплёвыва-ть II. *va.* (*Pf.* опле+ва́ть II. [a]) to spit upon; (*fig.*) to despise.
оплесневе́ть *cf.* **плесневе́ть.**
оплета́-ть II. *va.* (*Pf.* оплести́ & оплёсть 23. [a 2.]) to plait round, to entwine; to cheat, to hoax; (*fam.*) to eat up.
опле/у́ха & **-у́шина** *s.* a box on the ear.
оплеши́веть *cf.* **плеши́веть.**
оплодотво/ре́ние *s.* fecundation, impregnation || **-ри́тельный** *a.* fecundating, impregnating || **-ря́-ть** II. *va.* (*Pf.* -р=и́ть II.) to fecundate, to impregnate, to fertilize.
оплóт *s.* dam, bulwark, rampart.
оплоша́ть *cf.* **плоша́ть.**
оплóшн/ость *s. f.* negligence, carelessness || **-ый** *a.* negligent, neglectful, remiss.
оплыва́-ть II. *va.* (*Pf.* оплы́ть 31. [a]) to sail round, to circumnavigate; to round, to double (a cape) || ~ *vn.* to gutter, to run (of a candle).
оповеща́-ть II. *va.* (*Pf.* оповест=и́ть I. 4. [a]) to inform, to announce.
опóек *s.* (*gsg.* опо́йка) calf, calfskin.
опозд/а́лый *a.* belated, delayed, too late || **-а́ние** *s.* delay || **-а́ть** *cf.* **опа́здывать.**
опоз/нава́ть 39. II. *va.* (*Pf.* -на́-ть II.) to recognize, to know; to investigate; to reconnoitre || **-на́ние** *s.* recognition.
опозо́рить *cf.* **позо́рить.**
опои́ть *cf.* **опа́ивать.**
опо́йковый *a.* calf-, calfskin-.
опол/ча́-ть II. *va.* (*Pf.* -ч=и́ть I. [a]) to arm, to equip || **-че́нец** *s.* (*gsg.* -нца) militia-man || **-че́ние** *s.* arming, equipment; militia || **-я́чива-ть** II. *va.* (*Pf.* -я́ч=ить II.) to Polonize, to make Polish.
опóр/ *s.*, **во весь** ~ at full speed || **-а** *s.* support, stay, prop || **-а́жнива-ть** II. & **-ожня́-ть** II. *va.* (*Pf.* -о́жн=ить II. & -о́зн=ить II.) to empty, to vacate || **-ный** *a.* serving as a support, supporting || **-о́чение** *s.* censure, blame; disgrace; vilification || **-о́чить** *cf.* **поро́чить.**
опост/ы́леть *cf.* **посты́леть** || **-ы́лый** *a.* (grown) indifferent, weary (of).

опохмеля́-ться II. *vr.* (*Pf.* опохмел=и́ться II. [a]) to recover from the effects of drinking.
опо/чива́льня *s.* (*gpl.* -лен) bedchamber, bedroom || **-чива́-ть** II. *vn.* (*Pf.* -чи́-ть II. [b]) to sleep, to rest, to repose.
опошля́-ть II. *va.* (*Pf.* опо́шл=ить II.) to make tasteless, hackneyed, common.
опоя́сыва-ть II. *va.* (*Pf.* опоя́с-ать I. 3.) to gird, to girdle.
оппо/зи́ция *s.* opposition || **-не́нт** *s.* opponent || **-ни́ро+вать** II. *vn.* to oppose.
опра́/ва *s.* setting, mounting (of jewellery, etc.) || **-вда́ние** *s.* justification, exculpation; discharge, acquittal || **-вда́тельный** *a.* justificative, exculpatory || **-вдыва-ть** II. *va.* (*Pf.* -вда́-ть II.) to justify, to exculpate; to acquit || **~ся** *vr.* to exculpate o.s.; to clear o.s., to be realized, to come true || **-вля́-ть** II. *va.* (*Pf.* -в=ить II. 7.) to set right, to arrange; to set, to mount (of jewellery, etc.) || **~ся** *vr.* to set right, to arrange o.s. (of dressing); to recover; to justify o.s.
опра́стыва-ть II. *va.* (*Pf.* опроста́-ть II.) to empty, to vacate.
опра́шива-ть II. *va.* (*Pf.* опрос=и́ть I. 3. [c]) to question, to interrogate.
опреде/ле́ние *s.* definition; determination; decision, decree; nomination, appointment || **-лённость** *s. f.* precision, definiteness; settledness || **-лённый** *a.* determined, definite, fixed, stated; precise, strict || **-ли́мый** *a.* definable, determinable || **-ля́-ть** II. *va.* (*Pf.* -л=и́ть II. [a]) to define; to determine; to decree, to ordain; to fix, to settle; to allot, to assign; to appoint, to nominate || **~ся** *vr.* to enlist, to enrol o.s.
опре́сно́к *s.* unleavened bread, azyme; (*in pl.*) the feast of the Passover.
опри́ч/(н)ина *s.* body-guard (of the Czar Ivan IV.) || **-ь** *prp.* (*obs.*) except, save.
опро/верга́-ть II. *va.* (*Pf.* -ве́ргнуть 52.) to refute, to confute, to disprove || **-верже́ние** *s.* refutation, confutation || **-ки́дыва-ть** II. *va.* (*Pf.* -ки́н-уть I.) to overthrow, to overturn, to upset; (*mar.*) to capsize; (что на кого́ *fig.*) to throw upon (the gilt) || **~ся** *vr.* to upset, to overturn, to capsize; (*fig.*) to fall upon || **-ме́тчивый** *a.* precipitate, overhasty, rash.
о́прометью *ad.* hastily, headlong, head over heels.
опро́с/ *s.* interrogatory; cross-examination || **-и́ть** *cf.* **опра́шивать** || **-ный** *a.* interrogatory || **-та́ть** *cf.* **опра́стывать**

|| **-товоло́с=иться** I. 3. *vr. Pf.* to tear off one's head-dress; to do something foolish, to compromise o.s.
опротестова́ть *cf.* **протестова́ть.**
опроти́ве-ть II. 7. *vn. Pf.* to become repugnant.
опры́скива-ть II. *va.* (*Pf.* опры́ска-ть II., *mom.* опры́сн-уть I.) to (be)sprinkle.
опря́т/ность *s. f.* tidiness, neatness || **-ный** *a.* tidy, neat, clean.
о́птик/ *s.* optician || **-а** *s.* optics *pl.*
оптим/и́зм *s.* optimism || **-и́ст** *s.* optimist.
опти́ческий *a.* optic, optical.
оптов/о́й & **-́ый** *a.* wholesale || **-щи́к** *s.* [a] wholesale merchant.
о́птом *ad.* wholesale.
опубликова́ть *cf.* **публикова́ть.**
опуска́-ть II. *va.* (*Pf.* опуст=и́ть I. 4. [c]) to let down, to lower, to drop; to slacken, to relax; to omit, to leave out; to neglect (a chance); ~ **ру́ки** (*fig.*) to lose courage || **~ся** *vr.* to sink down; to relax; (*fig.*) to grow weak; to lose courage; to slack(en).
опуст/е́лый *a.* grown waste, desert || **-е́ть** *cf.* **пусте́ть** || **-ша́-ть** II. *va.* (*Pf.* -опш=и́ть I.) to lay waste, to ravage, to devastate || **-ше́ние** *s.* waste, ravage, devastation || **-ши́тельный** *a.* ravaging, devastating.
опу́тыва-ть II. *va.* (*Pf.* опу́та-ть II.) to envelop, to wind round; (*fig.*) to enmesh, to implicate. [swell (up).
опуха́-ть II. *vn.* (*Pf.* опу́хнуть 52.) to
опу́хлый *a.* swollen, bloated.
о́пухоль *s. f.* swelling, tumour.
опуша́-ть II. *va.* (*Pf.* опуш=и́ть I. [a]) to trim, to edge, to border || **~ся** *vn.* to get feathers; to burst into leaf.
опу́шка *s.* (*gpl.* -шек) trimming, border, edge (of a dress); skirt, border (of a wood).
о́пыт/ *s.* experience, knowledge experiment || **-ность** *s. f.* experience, skilfulness || **-ный** *a.* experienced, expert; experimental, empiric(al).
опьян/е́лый *a.* drunk, intoxicated || **-е́ние** *s.* drunkenness, intoxication || **-е́ть** *cf.* **пьяне́ть.**
опя́ть *ad.* again, anew, once more.
ора́ва *s.* (*vulg.*) crowd, great number.
ора́кул *s.* oracle.
ора́ла *s. m&f.* bawler.
орангута́нг *s.* orang-outang.
ора́нж/евый *a.* orange || **-ере́йный** *a.* greenhouse- || **-ере́я** *s.* orangery, greenhouse.

ора́тор/ *s.* orator || **-ский** *a.* oratorical || **-́ия** *s.* (*mus.*) oratorio.
ор-а́ть I. [a] *vn.* (*Pf.* за-) to bawl.
ор-а́ть II. [c] *va.* (*Pf.* вз-) to plough, to till.
орби́та *s.* (*astr.*) orbit.
о́рбита *s.* socket of the eye.
орга́н *s.* (*mus.*) organ.
о́рган/ *s.* organ; ~ **слу́ха** organ of hearing || **-иза́тор** *s.* organizer || **-иза́ция** *s.* organization || **-изо́выва-ть** II. *va.* (*Pf.* -изо+ва́ть II. [b]) to organize || **-и́зм** *s.* organism || **-и́ст** *s.* organist || **-и́ческий** *a.* organic(al).
о́ргия *s.* orgy.
орд/а́ *s.* [d] horde; crowd, band || **-́ен** *s.* order (religious, etc.); [b] (*pl.* -а́) order, badge (decoration) || **-́ер** *s.* [b] (*pl.* -а́) order, command || **-ина́рец** *s.* (*gsg.* -рца) (*mil.*) orderly || **-ина́рный** *a.* ordinary, common, usual.
орёл *s.* [a] (*gsg.* орла́) eagle.
оре́х/ *s.* nut; **америка́нский** ~ Brazilian nut; **гре́цкий** ~ walnut; **кита́йский** ~ pignut; **коко́совый** ~ coconut; (**лесно́й**) ~ hazel-nut || **-овый** *a.* nut-.
оре́ш/ек *s.* (*gsg.* -шка) *dim. of* оре́х || **-ина** *s.* nut-tree; hazel-tree, hazel (bush) || **-ник** *s.* hazel-bush; hazel-grove; grove of nut-trees.
оригина́л/ *s.* original; eccentric person || **-ьность** *s. f.* originality; eccentricity || **-ьный** *a.* original; eccentric(al).
ориент/али́ст *s.* orientalist || **-а́ция** *s.* orientation || **-и́ро+ваться** II. *vr.* to find one's way. [tral.
орке́стр/ *s.* orchestra || **-овый** *a.* orches-
орлёнок *s.* (*pl.* -ля́та) young eagle, eaglet.
о́рл/ик *s.* small eagle || **-и́ный** *a.* eagle's, eagle-, aquiline || **-и́ца** *s.* (hen-)eagle || **-я́нка** *s.* heads or tails (a game).
орна́ме́нт *s.* ornament.
орнитоло́г/ *s.* ornithologist || **-ия** *s.* ornithology.
оробе́ть *cf.* **робе́ть.**
орош/а́-ть II. *va.* (*Pf.* орос=и́ть I. 3. [a]) to water, to moisten, to wet; to irrigate || **-е́ние** *s.* irrigation, watering; moistening.
ору́д/ие *s.* instrument, tool, implement; (*mil.*) gun, piece; organ, means *pl.* || **-ийный** *a.* (*mil.*) gun- || **-о+вать** II. *vn.* (*Pf.* об-) (+*I.*) to manage, to administer.
ору́ж/ие *s.* arm(s), weapon || **-е́йник** *s.* armourer, gunsmith || **-е́йный** *a.* arms-, of arms, gun- || **-ено́сец** *s.* (*gsg.* -сца) armour-bearer, esquire.

орфогра́ф/ия *s.* orthography || **–и́ческий** *a.* orthographic(al).
оса́ *s.* [e] wasp.
оса́да *s.* siege.
осади́ть *cf.* **осажда́ть** & **оса́живать.**
оса́д/ка *s.* (*gpl.* -док) sinking, settlement, subsidence; (*mar.*) draught || **–ный** *a.* (*mil.*) siege-, battering-; **–ное ору́дие** siege-gun || **–ок** *s.* (*gsg.* -дка) sediment, deposit; (*chem.*) precipitate || **–очный** *a.* for precipitating; sedimentary.
осажда́-ть II. *va.* (*Pf.* осад=и́ть I. 1. [a]) (*mil.*) to besiege, to lay siege to, to invest; (*chem.*) to precipitate.
оса́жива-ть II. *va.* (*Pf.* осад=и́ть I. 1. [a & c]) to back, to rein back; (*chem.*) to precipitate.
оса́н/истый *a.* stately, dignified, with a noble bearing || **–ка** *s.* (*gpl.* -нок) imposing bearing, stateliness.
освед/омле́ние *s.* information || **–омля́-ть** II. *va.* (*Pf.* ⁓ом=ить II. 7.) (кого́ о чём) to inform (a person of something) || **⁓ся** *vr.* (о чём) to inquire about, to make inquiries.
осве/жа́-ть II. *va.* (*Pf.* -ж=и́ть I. [a]) to freshen, to refresh, to cool || **⁓ся** *vr.* to refresh o.s., to cool o.s. || **–же́ние** *s.* cooling, refreshing || **–жи́тельный** *a.* refreshing, cooling.
освети́тельный *a.* illuminating, light-.
осве/ща́-ть II. *va.* (*Pf.* -т=и́ть I. 6. [a & c]) to light, to illuminate; (*fig.*) to enlighten || **–ще́ние** *s.* light(ing), illumination; (*fig.*) enlightening.
освиде́тельство/вать *cf.* **свиде́тельствовать** || **–вание** *s.* inspection.
освирепе́ть *cf.* **свирепе́ть.**
осви́стыва-ть II. *va.* (*Pf.* освист-а́ть I. 4. [c]) to hiss.
освободи́тель *s. m.* deliverer, liberator.
освобо/жда́-ть II. *va.* (*Pf.* -д=и́ть I. 1. [a]) to free, to rid, to deliver; to discharge; to emancipate || **–жде́ние** *s.* deliverance, liberation, release, emancipation.
осво́ива-ть II. *va.* (*Pf.* осво́=ить II.) to appropriate; to acclimatize (of plants) || **⁓ся** *vr.* (с чем) to familiarize o.s. (with), to make o.s. familiar (with); to become acclimatized (of plants).
освяти́тельный *a.* inaugural.
освящ/а́-ть II. *va.* (*Pf.* освят=и́ть I. 6. [a]) to consecrate, to inaugurate || **–е́ние** *s.* consecration, inauguration.
осед/а́-ть II. *vn.* (*Pf.* осе́сть 44.) to settle, to sink, to subside, to give way; (*chem.*) to be pecipitated || **–ла́ть** *cf.* **седла́ть.**
осе́длый *a.* settled.
осека́-ться II. *vn.* (*Pf.* осе́чься 18.) to miss fire, to misfire.
осёл *s.* [a] (*gsg.* осла́) ass, donkey.
осёлок *s.* (*gsg.* -лка) whetstone, hone; touchstone.
осеменя́-ть II. *va.* (*Pf.* осемен=и́ть II. [a]) to sow.
осе́нний *a.* autumn, autumnal.
о́сень *s. f.* autumn; **–ью** in (the) autumn.
осеня́-ть II. *va.* (*Pf.* осен=и́ть II. [a]) to shade, to shadow; to bless; **⁓ себя́ кре́стным зна́мением** to cross o.s.; **⁓ кресто́м** to bless.
осётр *s.* [a] (*ich.*) sturgeon.
осетр/и́на *s.* the flesh of the sturgeon || **–о́вый** *a.* sturgeon-.
осе́сть *cf.* **оседа́ть.**
осе́ч/ка *s.* (*gsg.* -чек) misfire, flash in the pan || **–ься** *cf.* **осека́ться.**
оси́лива-ть II. *va.* (*Pf.* оси́л=ить II.) to overcome, to subdue, to conquer, to worst.
оси́н/а *s.* aspen(-tree) || **–ник** *s.* grove of aspen-trees || **–овый** *a.* aspen || **–ый** *a.* wasp's.
оси́п/лость *s. f.* hoarseness || **–лый** *a.* hoarse || **–нуть** 52. *vn. Pf.* to become hoarse.
осиро/те́лый *a.* orphan(ed) || **–те́ть** *cf.* **сироте́ть** || **–т=и́ть** I. 2. [a] *va. Pf.* to orphan.
осия́-ть II. *va.* to shine upon, to illuminate.
оска́лива-ть II. *va.* (*Pf.* оска́л=ить II.) to show (one's teeth).
оскandáл=ить II. *va. Pf.* (кого́) to discredit s.b.
осквер/не́ние *s.* defilement, pollution; profanation || **–ни́тель** *s. m.* defiler; profaner || **–ни́тельный** *a.* profane || **–ня́-ть** II. *va.* (*Pf.* -н=и́ть II. [a]) to defile, to pollute; (*fig.*) to profane.
осклабля́-ться II. *vr.* (*Pf.* оскла́б=иться II. 7. [a]) to smile, to simper.
оско́лок *s.* (*gsg.* -лка) splinter, chip.
о́скользень *s. m.* (*gsg.* -зня) false stroke, miss (at billiards).
оско́мина *s.* setting one's teeth on edge; **наби́ть –у** (кому́) (*fig.*) to bore a person.
оскопля́-ть II. *va.* (*Pf.* оскоп=и́ть II. 7. [a]) to geld, to castrate.
оскор/би́тель *s. m.* offender, insulter, reviler, abuser || **–би́телный** *a.* offensive, insulting, abusive || **–бле́ние** *s.* affront, offence, insult, abuse || **–бля́-ть** II. *va.* (*Pf.* -б=и́ть II. 7. [a]) to offend, to insult, to affront, to wound, to hurt || **⁓ся** *vr.* to be offended *or* hurt; to take offence.

оскоро́м=иться II. 7. *vr. Pf.* to break the fast (by eating meat).
оскреба́-ть II. *va.* (*Pf.* оскрести́ & оскре́сть 21.) to scrape off.
оскрёбок *s.* (*gsg.* -бка) scraping.
оску/дева́-ть II. *vn.* (*Pf.* -де́-ть II.) to grow poor, to become impoverished; to grow weak || **-де́лый** *a.* grown poor, impoverished || **-де́ние** *s.* impoverishment.
осла/бева́-ть II. *vn.* (*Pf.* -бе́-ть II., *mom.* -́бнуть 52.) to grow weak, to become feeble || **-бе́лый** *a.* weakened, enfeebled || **-бле́ние** *s.* weakening, enfeeblement || **-бля́-ть** II. *va.* (*Pf.* -́б=ить II. 7.) to loosen, to relax; to weaken, to debilitate, to enfeeble; (*fig.*) to extenuate, to allow for.
ослёнок *s.* (*pl.* -ля́та) young ass, ass's foal.
осле/пи́тельный *a.* dazzling, blinding || **-пле́ние** *s.* blindness; dazzling || **-пля́-ть** II. *va.* (*Pf.* -п=и́ть II. 7. [a]) to blind; to dazzle.
о́сл/ик *s.* little ass, donkey || **-и́ный** *a.* ass's, ass-, donkey- || **-и́ца** *s.* she-ass.
ослож/не́ние *s.* complication || **-ня́-ть** II. *va.* (*Pf.* -н=и́ть II. [a] to complicate.
ослуша́ние *s.* disobedience.
ослу́ш/ива-ться II. *vn.* (*Pf.* -а-ться II.) to disobey, to be disobedient || **-ливый** *a.* disobedient || **-ник** *s.*, **-ница** *s.* disobedient person.
ослы́ш=аться I. *vc. Pf.* to be mistaken in hearing.
осма́трива-ть II. *va.* (*Pf.* осмотр=е́ть II. [c]) to examine, to inspect, to survey || **~ся** *vn.* (в чём) to look about one, to find out where one is.
осме́ива-ть II. *va.* (*Pf.* осме-я́ть II. [a]) to deride, to mock; to jeer, to scoff (at).
осме́лива-ться II. *vr.* (*Pf.* осме́л=иться II.) to take the liberty, to venture, to make bold, to dare.
осмея́ние *s.* derision, mockery, scoffing.
осмо́тр/ *s.* examination, inspection; domiciliary visit || **-е́ние** *s.* circumspection, precaution || **-е́ть** *cf.* **осма́тривать** || **-и́тельность** *s. f.* circumspection, prudence, caution, carefulness || **-и́тельный** *a.* circumspect, prudent, cautious, wary, discreet.
осмы́сленный *a.* clever, well thought out.
оснасти́ть *cf.* **осна́щивать.**
осна́стка *s.* (*gpl.* -ток) (*mar.*) rigging.
осна́щива-ть II. & **оснаща́-ть** II. *va.* (*Pf.* оснаст=и́ть I. 4. [a]) (*mar.*) to rig.
осно́в/а *s.* beginning, basis, foundation; warp (in weaving) || **-а́ние** *s.* foundation; elements *pl.*, rudiments *pl.*; basis, base || **-а́тель** *s. m.* founder || **-а́тельность** *s. f.* solidity, soundness || **-а́тельный** *a.* solid, well-founded, steady; intelligent, judicious || **-но́й** & **-ный** *a.* fundamental, radical; sound.
осо́б/а *s.* person, individual || **-енно** *ad.* especially, particularly || **-енность** *s. f.* particularity, peculiarity, speciality, singularity || **-енный** *a.* separate; special, particular, peculiar, singular || **-ня́к** *s.* [a] isolated house, detached villa.
особо́ровать *cf.* **собо́ровать.**
о́собь *s. f.* individual.
осов/е́лый *a.* grown stupid, unconscious, stupefied; startled, bewildered || **-е́-ть** II. *vn. Pf.* to become stupefied, unconscious, startled.
осо́ка *s.* (*bot.*) sedge, reed-grass.
осолове́лый *a.* dull, dim (of the eyes).
осолоди́ть *cf.* **солоди́ть.**
о́спа *s.* smallpox.
оспа́рива-ть II. *va.* (*Pf.* оспо́р=ить II.) to contest, to dispute, to deny, to impugn.
о́сп/енный *a.* variolous; affected with smallpox || **-ина** *s.* pock(-mark) || **-оприви́вание** *s.* vaccination.
осрамля́-ть II. *va.* (*Pf.* осрам=и́ть II. 7. [a]) to shame, to disgrace, to insult, to abuse.
ост *s.* (*mar.*) east, east wind.
остава́ться 39. *vc.* (*Pf.* оста́ться 32.) to remain, to be left; to stay, to stop; **но́мер остаётся за мно́ю** I shall take the room.
оставле́ние *s.* forsaking, abandoning, desertion.
оставля́-ть II. *va.* (*Pf.* оста́в=ить II. 7.) to leave, to abandon, to forsake; to relinquish, to give up; to let alone.
остально́й *a.* remaining.
остана́влива-ть II. & **остановля́-ть** II. *va.* (*Pf.* останов=и́ть II. 7. [a & c]) to stop, to stay, to detain; to suspend, to delay; to interrupt, to hinder || **~ся** *vr.* to stop, to halt, to rest; to stay, to put up.
оста́н/ки *s. mpl.* remains *pl.* || **-о́вка** *s.* (*gpl.* -вок) stop(page), halt, delay, suspension, cessation, standstill; (*rail.*) station || **-о́вочный** *a.* for stopping, able to stop.
остаре́ть *cf.* **старе́ть.**
оста́т/ок *s.* (*gsg.* -тка) remainder, remains *pl.*, rest, residue, surplus || **-очный** *a.* remaining, residual.
остеоло́гия *s.* osteology.

остепеня́-ть II. *va.* (*Pf.* остепен=и́ть II. [a]) to bring a person to his senses.
остерве/не́лый *a.* exasperated, enfuriated, grown furious || **-ня́-ть** II. *va.* (*Pf.* -н=и́ть II. [a]) to madden, to enfuriate, to exasperate || **~ся** & **-не́-ть** II. *vn.* to rage, to become furious, exasperated.
остерега́-ть II. *va.* (*Pf.* остере́чь 15. [a 2.]) to guard; to caution, to warn || **~ся** *vr.* to beware, to guard against, to be careful.
остз/е́ец *s.* (*gsg.* -е́йца) an inhabitant of the Baltic provinces || **-е́йский** *a.* Baltic.
о́стов *s.* skeleton.
остолбене́/лый *a.* benumbed, stupefied (with fright) || **-ние** *s.* stupefaction, stupor || **-ть** *cf.* **столбене́ть.**
остоло́п *s.* dolt, blockhead, idiot.
осторо́ж/ность *s.f.* cautiousness, circumspection, wariness, prudence, discretion || **-ный** *a.* cautious, wary, prudent, discreet.
остра́стка *s.* (*gpl.* -ток) menace, threat.
остреё = **остриё.**
о́стренький *a.* very sharp, bitter; witty.
остре́-ть II. *vn.* to grow sharp *or* pointed.
остр/ига́ть, -и́чь *cf.* **обстрига́ть.**
остриё *s.* edge, point.
остр=и́ть II. *va.* to sharpen, to point || ~ *vn.* (над чем) to poke fun (at), to crack jokes, to play the wit, to scoff (at).
о́стров/ *s.* [b] (*pl.* -а́) island || **-итя́нин** *s.* (*pl.* -я́не, -я́н, etc.), **-итя́нка** *s.* (*gpl.* -нок) islander || **-но́й** *a.* island-, insular || **-о́к** *s.* [a] (*gsg.* -вка́) *dim. of* о́стров.
остро́г/ *s.* prison, jail || **-а́** *s.* fish-spear, harpoon, gaff.
остро/гла́зый *a.* sharp-sighted || **-коне́чный** *a.* sharp, sharp-pointed || **-но́сый** *a.* sharp-nosed || **-сло́в** *s.* wag, witty person || **-та́** *s.* [h] sharpness, acridity; keenness, shrewdness; witticism || **-уго́льный** *a.* acute-angled || **-у́мие** *s.* wit, ingenuity || **-у́мный** *a.* sharp-witted, clever, ingenious, smart.
о́стр/ый *a.* (*pd.* остёр, остра́, -о́; *comp.* остре́е; *sup.* остре́йший) sharp, edged (of tools); acrid, pungent (of liquids); acute (of a malady); (*fig.*) witty, cutting, biting || **-я́к** *s.* [a] a wit, wag.
остужа́-ть II. *va.* (*Pf.* остуд=и́ть I. 1. [a & c]) to chill, to cool.
остыва́-ть II. *vn.* (*Pf.* осты́н-уть I.) to cool, to cool down, to grow cool (*also fig.*).
осужд/а́-ть II. *va.* (*Pf.* осуд=и́ть I. 1. [c]) to condemn, to blame, to censure || **-е́ние** *s.* condemnation, blame, censure.
осу́н-уться I. *vn.* *Pf.* to grow thin, to decline.
осу́шива-ть II. & **осуша́-ть** II. *va.* (*Pf.* осуш=и́ть I. [a & c]) to drain; to dry (up); to drink off.
осущест/вле́ние *s.* realization, accomplishment || **-вля́-ть** II. *va.* (*Pf.* -в=и́ть II. 7. [a]) to realize, to accomplish.
осчастли́в=ить II. 7. *va.* *Pf.* to make happy.
осыпа́-ть II. *va.* (*Pf.* осы́п-ать II. 7.) to strew round; to set, to stud (with diamonds, etc.); to load, to overwhelm (with abuse, favours, etc.) || **~ся** *vn.* to fall in, to crumble away.
ось/ *s. f.* [c] axle(-tree); (*tech.*) shaft; (*math.*) axis || **´-ми** *in cpds.* = octo-, octa- || **-ми́на** *s.* a dry measure = 11.55 pecks || **-му́ха** *s.*, *dim.* **-му́шка** *s.* (*gpl.* -шек) an eighth, an eighth part; one eighth of a pound; **в -му́шку** in octavo.
осяз/а́емость *s. f.* palpability, tangibleness || **-а́емый** *a.* palpable, tangible || **-а́ние** *s.* (the sense of) touch; feel, feeling || **-а́тельный** *a.* sensitive, of touch; palpable, tangible || **-а́-ть** II. *va.* to touch, to feel.
от (**о́то**) *prp.* (+ *G.*) from, out of; for; against; **день ото дня** from day to day; **защища́ться ~ хо́лода** to protect o.s. against the cold; **~ ре́вности** out of jealousy.
ота́ва *s.* after-grass, aftermath.
ота́плива-ть II. *va.* (*Pf.* отоп=и́ть II. 7. [c]) to heat, to warm.
ота́птыва-ть II. *va.* (*Pf.* отопт-а́ть I. 2. [c]) to tread down, to trample on.
отба́/вка *s.* (*gpl.* -вок) diminution, decrease || **-вля́-ть** II. *va.* (*Pf.* -в=ить II. 7.) to diminish, to decrease.
отбараба́н=ить II. *va.* to cease drumming.
отбега́-ть II. *vn.* (*Pf.* отбежа́ть 46.) to run away.
отбива́-ть II. *va.* (*Pf.* отби́ть 27., *Fut.* отобью́, -ьёшь) to knock, to break off (a lock, etc.); to beat, to throw back (a ball); to repel, to repulse; to parry, to ward off; (у кого́ что) to retake, to take (a town) || **~ся** *vr.* to keep off, to rid o.s. (of); **~ от рук** to be incorrigible.
отбира́-ть II. *va.* (*Pf.* отобра́ть 8. [a 3.], *Fut.* отберу́, -ёшь) (у кого́ что) to take away; to choose, to pick, to select.

отбла́го/вестить *cf.* **бла́говестить** || **–дари́ть** *cf.* **благодари́ть.**
о́т/блеск *s.* reflection || **–бо́й** *s.* repelling, repulse; (*mil.*) retreat; ricochet || **–бо́р** *s.* choice, selection || **–бо́рный** *a.* choice, select || **–боя́рива-ться** II. *vr.* (*Pf.* -боя́р=иться II.) (от чего́, кого́) to get rid of || **–бра́сыва-ть** II. *va.* (*Pf.* -бро́с=ить I. 3.) to throw away, to throw back, to spurn || **–брива́-ть** II. *va.* (*Pf.* -бри́ть 30.) to finish shaving, to shave off; (*fig.*) to get rid of || **–бро́с** *s.* refuse, offal, leavings *pl.* || **–быва́-ть** II. *vn.* (*Pf.* -бы́ть 49.) to depart, to set out || ~ *va.* to do, to fulfil (one's duty), to perform || **–бы́тие** *s.* departure.
от/ва́га *s.* venture, daring || **–ва́жива-ть** II. *va.* (*Pf.* -ва́д=ить I. 1.) (кого́ от чего́) to disaccustom (from), to wean one from a habit || **~ся** *vr.* (от чего́) to break off || **–ва́жива-ться** II. *vr.* (*Pf.*-ва́ж=иться I.) (на что) to hazard, to risk, to run the risk of, to dare, to make bold (to) || **–ва́жность** *s. f.* daring, fearlessness, boldness || **–ва́жный** *a.* daring; fearless, bold || **–ва́л** *s.* fall, falling in; unmooring, pushing off, departure (of a vessel from land); mould-board (of a plough) || **–ва́лива-ть** II. *va.* (*Pf.* -вал=и́ть II. [a & c]) to roll away; (*fam.*) to hand over (money) || ~ *vn.* to push off (from land), to leave the shore || **~ся** *vr.* to fall off, to come off, to become loose (of plastering) || **–ва́р** *s.* decoction; **мясно́й** ~ broth, beef tea || **–ва́рива-ть** II. *va.* (*Pf.* -вар=и́ть II. [a & c]) to finish boiling; to scald; to clean by boiling || **–варно́й** *a.* boiled (up), decocted || **–ве́дыва-ть** II. *va.* (*Pf.* -ве́да-ть II.) to taste; (*fig.*) to try, to attempt || **–везти́** *cf.* **–вози́ть** || **–верга́-ть** II. *va.* (*Pf.* -ве́ргнуть 52.) to cast away, to throw away; to reject, to refuse; to disown, to repudiate.
отверд/ева́ть *cf.* **тверде́ть** || **–е́лость** *s. f.* hardness, callousness; callosity || **–е́лый** *a.* hardened, callous || **–е́ние** *s.* hardening, growing callous.
от/ве́рженный *a.* rejected, repudiated || **–верну́ть** *cf.* **–вёртывать** || **–ве́рстие** *s.* opening, aperture || **–вёртка** *s.* (*gpl.* -ток) screwdriver || **–вёрточный** *a.* for unscrewing || **–вёртыва-ть** II. *va.* (*Pf.* -верт=е́ть I. 2. [c] & -верн-у́ть I.) to unscrew, to screw off; to turn away.
отве́/с *s.* plumb, lead; plumb-line; perpendicular; precipitous slope || **–сить** *cf.* **–шивать** || **–сный** *a.* perpendicular, vertical, plumb || **–сти́** *cf.* **отводи́ть.**
отве́т/ *s.* answer, reply, response, rejoinder; account, responsibility; **позва́ть к –у** to call to account; **дать** ~ (в чём) to render an account of || **–ить** *cf.* **отвеча́ть** || **–ный** *a.* answering, counter-, in answer || **–ственность** *s. f.* responsibility, liability || **–ственный** *a.* responsible || **–ство+вать** II. *vn.* (на что) to answer, to reply; (за что, в чём) to be answerable for, to guarantee || **–чик** *s.*, **–чица** *s.* surety, bail, guarantee; (*leg.*) respondent, defendant.
отвеча́-ть II. *vn.* (*Pf.* отве́т=ить I. 2.) (на что) to answer, to reply; (за что, кого́) to be answerable, accountable, responsible for; (+ *D.*) to correspond to.
отве́шива-ть II. *va.* (*Pf.* отве́с=ить I. 3.) to weigh (off); ~ **покло́н** to make a deep bow.
отви́лива-ть II. *vn.* (*Pf.* отвиля́-ть II. & отвильн-у́ть I. [a]) to escape, to extricate o.s.
отви́нчива-ть II. *va.* (*Pf.* отвинт=и́ть I. 2.) to unscrew, to screw off.
от/виса́-ть II. *vn.* (*Pf.* -ви́снуть 52.) to hang down || **–ви́слый** *a.* hanging down, pendent || **–влека́-ть** II. *va.* (*Pf.* -вле́чь 18. [a 2.]) to draw off, to withdraw; to call off; to divert; to abstract || **–влече́ние** *s.* drawing off; (*fig.*) diversion; abstraction || **–влечённость** *s. f.* abstractedness, abstraction || **–влечённый** *a.* abstract(ed).
от/во́д *s.* leading away; turning aside (of water); warding off (of a stroke); (*leg.*) challenge; **громово́й** ~ lightning-conductor || **–вод=и́ть** I. 1. [c] *va.* (*Pf.* -вести́ & -ве́сть 22. [a 2.]) to lead away *or* off, to draw aside; to allot, to assign; to divert || **–во́дный** *a.* for leading away; assigned, allotted || **–воёвыва-ть** II. *va.* (*Pf.* -вое+ва́ть II. [b]) to reconquer || **–воз=и́ть** I. 1. [c] *va.* (*Pf.* -везти́ & -ве́зть 25. [a 2.]) to drive away, to transport, to carry away (in a conveyance) || **–вора́чива-ть** II. *va.* (*Pf.* -ворот=и́ть I. 2. [c]) to turn away, aside; to avert; to turn up (a sleeve, etc.); to unscrew || **~ся** *vr.* to turn away (from) || **–воро́т** *s.* facing, lapel (of a coat); boot-top || **–воро́тный** *a.* for turning up || **–воря́-ть** II. *va.* (*Pf.* -вор=и́ть II. [c]) to open, to lay open.

отвра/ти́тельность *s. f.* hideousness, horribleness; repugnance, repulsiveness || **–ти́тельный** *a.* disgusting, repulsive, hideous, loathsome || **–ща́-ть** II. *va.* (*Pf.* -т=ить I. 6. [a]) to ward off, to keep off, to turn aside (from); (*fig.*) to avert || **–ще́ние** *s.* turning away; warding off; (от чего́) aversion, dislike (to), repugnance, reluctance.

отвсю́ду *ad.* from all parts, from everywhere.

от/выка́-ть II. *vn.* (*Pf.* -вы́кнуть 52.) (от + *G.*) to disaccustom o.s. (from) || **–вы́клый** *a.* disaccustomed || **–вы́чка** *s.* (*gpl.* -чек) giving up a habit, a custom || **–вя́зыва-ть** II. *va.* (*Pf.* -вяз-а́ть I. 1. [c]) to untie, to loose(n), to unfasten || **~ся** *vr.* to untie o.s., to get loose; (*fig.*) to get rid of.

отга́/дка *s.* (*gpl.* -док) solution (of a riddle) || **–дчивый** *a.* ingenious, good at solving puzzles || **–дыва-ть** II. *va.* (*Pf.* -да́-ть II.) to guess, to solve (a riddle); to change one's mind.

от/гиба́-ть II. *va.* (*Pf.* отогн-у́ть I.) to unbend, to straighten || **–глаго́льный** *a.* (*gramm.*) verbal || **–гова́рива-ть** II. *va.* (*Pf.* -говор=и́ть II. [a]) (кого́ от чего́) to dissuade one (from a thing), to persuade not to || **~ся** *vr.* (чем) to excuse o.s., to find an excuse, to pretend || **–гове́ть** *cf.* **гове́ть** || **–гово́рка** *s.* (*gpl.* -рок) excuse, pretence, evasion, loop-hole, subterfuge || **–гоня́-ть** II. *va.* (*Pf.* -огна́ть 11. [c], *Fut.* -гоню́, -го́нишь) to drive away, off || **–гора́жива-ть** II. *va.* (*Pf.* -город=и́ть I. 1. [c]) to fence off, to partition off || **–горо́дка** *s.* (*gpl.* -док) fencing off, partition || **–грыза́-ть** II. *va.* (*Pf.* -гры́зть 25. [a 1.]) to gnaw off, to bite off || **–гуля́ть** *cf.* **гуля́ть.**

отдава́ть 39. *va.* (*Pf.* отда́ть 38.) to give (back), to deliver, to return, to restore, to repay; to do, to render (justice, homage); to pay (a visit); to let go, to loosen, to cast off (a rope, etc.) || ~ *vn.* to taste, to smell of || ~ *v.imp.* to recoil, to kick (of a gun); to cease (of an illness) || **~ся** *vr.* to surrender, to yield; to give o.s. up (to); to resign o.s. to; to resound, to re-echo.

отда́влива-ть II. *va.* (*Pf.* отдав=и́ть II. 7. [c]) to squeeze, to crush, to squash.

отда/ле́ние *s.* removal; distance || **–лённый** *a.* distant, remote, far, out of the way || **–ля́-ть** II. *va.* (*Pf.* -л=и́ть II. [a]) to remove, to put away; (*fig.*) to delay, to put off (of time); to alienate || **~ся** *vr.* (от чего́) to go away, to turn aside; to shun, to avoid.

от/да́рива-ть II. *va.* (*Pf.* -дар=и́ть II. [a]) to make a present in return || **~ся** *vrc.* (с кем) to give presents to one another || **–да́ть** *cf.* **-дава́ть** || **–да́ча** *s.* payment; delivery; surrender || **–двига́-ть** II. *va.* (*Pf.* -дви́н-уть I.) to move away, to remove || **–дви́жка** *s.* (*gpl.* -жек) moving, shoving away, removing; bar, bolt.

отде́л/ *s.* division, section; share || **–ать** *cf.* **–ывать** || **–е́ние** *s.* separation, partition; division, section; chapter, part (of books); (*rail.*) compartment || **–и́мый** *a.* separable || **–и́ть** *cf.* **–я́ть** || **–ка** *s.* (*gpl.* -лок) finishing, trimming || **–ыва-ть** II. *va.* (*Pf.* -ла-ть II.) to finish, to put the finishing touch to; to trim, to adorn; to abuse, to maltreat; to spoil || **~ся** *vr.* (с чем) to end, to finish, to terminate; (от чего́) to get rid of. to deliver (from), to disengage o.s. (from) || **–ьно** *ad.* separately; apart, singly || **–ьность** *s. f.* separateness || **–ьный** *a.* separate, divided, extra- || **–я́-ть** II. *va.* (*Pf.* -л=и́ть II. [a]) to separate; to isolate; to divide, to single out || **~ся** *vr.* to be separated, to separate, to part, to divide.

от/дёргива-ть II. *va.* (*Pf.* -дёрн-уть I.) to draw back, away, aside || **–дира́-ть** II. *va.* (*Pf.* -одра́ть 8. [a 3.], *Fut.* -деру́, -дерёшь) to tear away, off; to flog, to whip || **–дохнове́ние** *s.* breathing-space, relaxation, rest, repose || **–дохну́ть** *cf.* **–дыха́ть** || **–дуба́сить** *cf.* **дуба́сить** || **–дува́-ть** II. *va.* (*Pf.* -ду́н-уть I.) to blow away; (*Pf.* -ду́-ть II. [b]) (*fig.*) to thrash, to give a person a good hiding || **~ся** *vr.* to breathe thick, to gasp, to pant; (от + *G.*) to get free of || **–ду́шина** *s.* air-hole, vent(-hole).

о́тдых/ *s.* breathing-space, repose || **–а́-ть** II. *vn.* (*Pf.* отдохн-у́ть I.) to rest o.s.; to take rest.

отёк *s.* dropsy.

отека́-ть II. *vn.* (*Pf.* отёчь 18. [a 2.]) to run, to gutter; to swell (up).

отели́ться *cf.* **тели́ться.**

оте́ль/ *s. m.* hotel || **–ный** *a.* hotel-.

отере́ть = обтере́ть.

оте́ц *s.* [a] father.

оте́че/ский *a.* fatherly, paternal || **-ственный** *a.* native, of one's native land, mother- || **–ство** *s.* native country, native land, mother-country.

оте́чь *cf.* **отека́ть.**
отжива́-ть II. *va.* (*Pf.* отжи́ть 31.) to serve out, to finish, to pass one's term; to work off (a debt).
о́тзвук *s.* resonance, echo.
отзы́в *s.* recall (of a messenger).
о́тзыв/ *s.* nomination, call, protest; declaration, remark; (*leg.*) answer to a call || **-а́-ть** II. *va.* (*Pf.* отозва́ть 10. [a 3.], *Fut.* отзову́, -ёшь) to call away; to withdraw; to recall || **~ся** *vn.* (о ком) to declare, to mention; (чем) to smell of, to smack of.
отзы́вчивый *a.* resounding, echoing; (*fig.*) sympathizing.
отира́ть = **обтира́ть.**
отка́/з *s.* (в чём *or* от чего́) refusal, denial; renunciation || **-зно́й** *a.* left by will || **-зыва-ть** II. *va.* (*Pf.* -з-а́ть I. 1. [c]) (кому́ в чём) to refuse, to deny; (от ме́ста) to dismiss, to discharge; (кому́ что) to bequeath, to leave by will || **~ся** *vr.* (от чего́) to renounce, to resign, to disclaim, to give up, to forswear.
от/ка́лыва-ть II. *va.* (*Pf.* -кол-о́ть II. [c]) to cleave away, to split off; to unpin; to cease splitting || **-ка́пыва-ть** II. *va.* (*Pf.* -копа́-ть II.) to dig up, to disinter; (*fig.*) to ferret out || **-ка́рмлива-ть** II. *va.* (*Pf.* -корм=и́ть II. 7. [c]) to fatten; to leave off feeding || **-ка́т** *s.* rolling away; recoil, kick (of a gun) || **-ка́тыва-ть** II. *va.* (*Pf.* -ката́-ть II.) to finish rolling, mangling (of linen); to belabour, to give a good beating to; (*Pf.* -кат=и́ть I. 2. [a & c]) to roll down, away || **-ка́чива-ть** II. *va.* (*Pf.* -нача́-ть II.) to pump out; to bring to life by rocking (a drowned man) || **-ка́шлива-ть** II. *va.* (*Pf.* -ка́шля-ть II., *mom. Pf.* -ка́шлян-уть I.) to cough up, away; to clear one's throat || **-кидно́й** *a.* folding back; turn-down (collar) || **-ки́дыва-ть** II. *va.* (*Pf.* -кида́-ть II. & -ки́н-уть I.) to throw away, to fling away; to fold back || **-кла́дыва-ть** II. *va.* (*Pf.* -лож=и́ть I. [c]) to take out, to unyoke (horses); to put off, to adjourn, to postpone; to turn down (a collar); (*also Pf.* -кла́сть 22. [a 1.]) to lay apart, aside; to put by, to put back || **-кла́нива-ться** II. *vn.* (*Pf.* -кла́ня-ться II.) (+ *D.*) to take one's leave (of) || **-кле́ива-ть** II. *va.* (*Pf.* -кле=и́ть II. [a & b]) to unglue || **-клёпыва-ть** II. *va.* (*Pf.* -клепа́-ть II.) to unrivet.
о́тклик/ *s.* answer (to a call) || **-а́-ться** II. *vn.* (*Pf.* ́-н-уться I.) (на что) to answer (to a call).
откло/не́ние *s.* turning aside, warding off; declination, declension || **-ня́-ть** II. *va.* (*Pf.* -н=и́ть II. [c]) to turn aside, off; to avert, to divert, to ward off || **~ся** *vr.* (от чего́) to turn away (from), to avoid.
от/козы́рива-ть II. *va.* (*Pf.* -козыря́-ть II.) to trump || **-кола́чива-ть** II. *va.* (*Pf.* -колот=и́ть I. 2. [c]) to break open, to knock off; to give a good beating to || **-ко́ле** *ad.* whence, from where || **-коло́ть** *cf.* **-ка́лывать** || **-командирова́ть** *cf.* **командирова́ть** || **-копа́ть** *cf.* **-ка́пывать** || **-корми́ть** *cf.* **-ка́рмливать.**
отко́с/ *s.* declivity, slope || **-ный** *a.* sloping, slanting.
открове́н/ие *s.* revelation, inspiration || **-ность** *s. f.* frankness, openness, candidness || **-ный** *a.* frank, open, candid, plain-spoken, open-hearted.
от/кру́чива-ть II. *va.* (*Pf.* -крут=и́ть I. 2. [a & c]) to untwine, to untwist || **-крыва́-ть** II. *va.* (*Pf.* -кры́ть 28.) to open, to uncover, to unveil, to expose; to divulge, to expose; to discover, to reveal; to make known, to disclose; to find out, to detect || **~ся** *vr.* to open, to show o.s., to reveal o.s.; to declare o.s.; to appear (of a malady).
откры́т/ие *s.* opening; unveiling (of a monument); discovery; disclosure, revelation || **-ка** *s.* (*gpl.* -ток) post-card || **-ый** *a.* open, uncovered, overt; (*fig.*) plain; **-ое письмо́** post-card.
отры́ть *cf.* **открыва́ть.**
отку́да *ad.* whence, from where; **~-нибудь** from somewhere.
о́тку/п *s.* [b] (*pl.* -а́) lease; **отдава́ть на ~** to lease out; **брать на ~** to take on lease || **-па́-ть** II. *va.* (*Pf.* -п=и́ть II. 7. [c]) to lease; to ransom || **~ся** *vr.* to ransom o.s. || **-пно́й** *a.* leased, leasehold-.
отку́п/орива-ть II. *va.* (*Pf.* -ор=ить II.) to uncork, to broach; to open, to unpack || **-орка** *s.* uncorking, broaching || **-щи́к** *s.* [a], **-щи́ца** *s.* lease-holder.
от/ку́сыва-ть II. *va.* (*Pf.* -кус=и́ть I. 3. [c]) to bite off || **-ку́шива-ть** II. *va.* (*Pf.* -ку́ша-ть II.) (чего́) to taste || **-ку́ша-ть** II. *vn. Pf.* to finish eating; to have done eating *or* drinking.
отлаг/а́тельство *s.* procrastination, delay, postponement || **-а́-ть** II. *va.* (*Pf.*

отлож=и́ть I. [c]) to put off, to delay, to defer, to postpone.

от/ла́мыва-ть II. *va.* (*Pf.* -лома́-ть II. & -лом=и́ть II. 7. [c]) to break off || **–лега́-ть** II. *vn.* (*Pf.* -ле́чь 41. [b]) to settle, to fall to the bottom; to become lighter, to ease || **–лежа́лый** *a.* thoroughly matured (of fruit) || **–лёжива-ть** II. *va.* (*Pf.* -леж-а́ть I. [a]) to get sore by lying; to cause a limb to fall asleep (by lying on it too long) || **–лепля́-ть** II. *va.* (*Pf.* -леп=и́ть II. 7. [c]) to unglue; to mould, to model || **–лета́-ть** II. *vn.* (*Pf.* -лет=е́ть I. 2. [a]) to fly away, off || **–лётный** *a.* flying away; **–лётные птицы** *fpl.* birds of passage || **–ле́чь** *cf.* **–лега́ть.**

отли́в/ *s.* ebb, ebb-tide; play of colours || **–а́-ть** II. *va.* (*Pf.* отли́ть 27. [a 3.], *Fut.* отолью́, -ьёшь) to pour off; to cast, to found || ~ *vn.* to change colours || **–ка** *s.* (*gpl.* -вок) pouring off; casting, founding || **–но́й** *a.* cast, founded; for pouring off.

от/липа́-ть II. *vn.* (*Pf.* -ли́пнуть 52.) not to stick, to come loose || **–литографи́ровать** *cf.* **литографи́ровать** || **–ли́ть** *cf.* **–лива́ть.**

отли́/чие *s.* distinction, difference || **–ча́-ть** II. *va.* (*Pf.* -ч=и́ть I. [a]) to discriminate; to distinguish || ~**ся** *vr.* to distinguish o.s. || **–чи́тельность** *s. f.* distinctiveness || **–чи́тельный** *a.* distinctive, characteristic, distinguishing || **–чно** *ad.* excellently, very well || **–чный** *a.* distinct; distinguished, excellent.

отло́г/ий *a.* sloping || **–ость** *s. f.* slope, declivity.

отлож/и́ть *cf.* **откла́дывать** & **отлага́ть** || **–но́й** *a.* that may be turned down.

отло́м/ок *s.* (*gsg.* -мка) fragment || **–а́ть** *cf.* **отла́мывать.**

отлу/ча́-ть II. *va.* (*Pf.* -ч=и́ть I. [a]) to remove; to exclude; ~ **от це́ркви** to excommunicate || **–че́ние** *s.* separation, removing, removal; exclusion; ~ **от це́ркви** excommunication || **–чка** *s.* (*gpl.* -чек) absence || **–чный** *a.* absent.

от/лы́нива-ть II. *vn.* (*Pf.* -лы́н-уть I.) (от чего́) to avoid || **–ма́лива-ть** II. *va.* (*Pf.* -мол=и́ть II. [c]) to avert by prayer || **–ма́лчива-ться** II. *vn.* (*Pf.* -молч=а́ться I. [a]) to endure in silence || **–ма́хива-ть** II. *va.* (*Pf.* -маха́-ть II. & -махн-у́ть I. [a]) to fan away, to blow away; to cut off || ~**ся** *vr.* (от + *G.*) to keep away from o.s. by fanning || **–ма́чива-ть** II. *va.* (*Pf.* -моч=и́ть I. [c]) to loosen by moistening || **–межева́ть** *cf.* **межева́ть.**

отме́листый *a.* shoaly, full of shoals *or* sand-banks.

о́тмель *s. f.* shoal, sand-bank.

отме́/на *s.* abolition, suppression, repeal, annulment; countermanding || **–нность** *s. f.* difference; excellence || **–нный** *a.* different; excellent || **–ня́-ть** II. *va.* (*Pf.* -н=и́ть II. [a & c]) to revoke, to recall, to repeal, to annul, to abolish, to rescind; to reverse, to countermand.

от/мерза́-ть II. *vn.* (*Pf.* -мёрзнуть 52.) to freeze off; to thaw || **–ме́рива-ть** II. & **–меря́-ть** II. *va.* (*Pf.* -ме́р=ить II.) to measure off, out || **–ме́стка** *s.* (*gpl.* -ток) revenge, vengeance || **–мета́-ть** II. *va.* (*Pf.* -мести́ & -ме́сть 23. [a 2.]) to sweep away, off; (*Pf.* -метн-у́ть I. [a]) to throw away, to cast out; to reject || **–ме́тка** *s.* (*gpl.* -ток) mark, note, annotation || **–меча́-ть** II. *va.* (*Pf.* -ме́т=ить I. 2.) to mark (out), to note, to annotate || **–мока́-ть** II. *vn.* (*Pf.* -мо́кнуть 52.) to come off by being wet || **–моли́ть** *cf.* **–ма́ливать** || **–молча́ться** *cf.* **–ма́лчиваться** || **–мора́жива-ть** II. *va.* (*Pf.* -моро́з=ить I. 1.) to freeze off || **–мота́ть** *cf.* **–ма́тывать** || **–мочи́ть** *cf.* **–ма́чивать.**

отмщ/а́ть *cf.* **мстить** || **–е́ние** *s.* revenge, vengeance.

от/мыва́-ть II. *va.* (*Pf.* -мы́ть 38. [b]) to wash off, away; to wash out || **–мыка́-ть** II. *va.* (*Pf.* -омкн-у́ть I.) to unlock, to open; to unfix (a bayonet) || **–мы́чка** *s.* (*gpl.* -чек) picklock, skeletonkey, master-key || **–мя́кнуть** *cf.* **мя́кнуть.**

от/не́кива-ться II. *vn.* (*Pf.* -не́ка-ться II.) (от чего́) to refuse to do; to deny || **–нести́** *cf.* **–носи́ть** || **–нима́-ть** II. *va.* (*Pf.* -ня́ть 37., *Fut.* -ниму́, -нимёшь & -ыму́, -ымёшь) (что от чего́) to take away, off; to cut off, to amputate; ~ **ребёнка от груди́** to wean a child || ~**ся** *vr.* to become paralysed.

относ/=и́ть I. 3. [c] *va.* (*Pf.* отнести́ & отне́сть 26. [a 2.]) to bear away, to carry away, to remove; (к чему́) to ascribe, attribute || ~**ся** *vr.* (к чему́ *or* до чего́) to refer to, to concern, to have a bearing upon; (к кому́) to apply to || **–и́тельно** *ad.* (+ *G.*) relative to, with respect to, concerning, touching || **–и́тельность** *s. f.* relativity || **–и́тельный** *a.* relative.

отноше́ние *s.* relation, respect, regard; connection, terms *pl.*; report, communication; (*math.*) ratio.

от/ны́не *ad.* henceforth, from now on || **–ню́дь** *ad.*, ~ **не** by no means, not at all || **–ня́тие** *s.* taking off, away; amputation || **–ня́ть** *cf.* **–нима́ть.**

о́от/ *prp. cf.* **от** || **–бе́дать** *cf.* **обе́дать** || **–бра́ть** *cf.* **отбира́ть** || **–всю́ду** *cf.* **отвсю́ду** || **–гна́ть** *cf.* **отгоня́ть** || **–гну́ть** *cf.* **отгиба́ть** || **–грева́-ть** II. *va.* (*Pf.* -гре́-ть II.) to warm, to take the chill off || **–двига́ть, –дви́нуть** *cf.* **отдвига́ть** || **–дра́ть** *cf.* **отдира́ть** || **–зва́ние** *s.* recall || **–зва́ть** *cf.* **отзыва́ть.**

отойти́ *cf.* **отходи́ть.**

ото/мкну́ть *cf.* **отмыка́ть** || **–мща́ть** *cf.* **мстить.**

отоп/ле́ние *s.* heating, warming; **парово́е** ~ steam-heating || **–ля́ть** *cf.* **ота́пливать** || **–та́ть** *cf.* **ота́птывать.**

ото/ра́чива-ть II. *va.* (*Pf.* -роч=и́ть I.) to edge, to border (with ribbon) || **–рва́ть** *cf.* **отрыва́ть** || **–ропе́лый** *a.* frightened, cowed, terrified, timid || **–ропе́ть** *cf.* **торопе́ть** || **–ро́чка** *s.* (*gpl.* -чек) border, trimming; edge, edging (with ribbon) || **–сла́ть** *cf.* **отсыла́ть.**

отощ/а́ть *cf.* **тоща́ть** || **-а́лый** *a.* emaciated.

отпад/а́-ть II. *vn.* (*Pf.* отпа́сть 22. [a. 1.]) to fall away, off; (от кого́) to abjure, to renounce, to fall away (from); to decay; to pass, to be over || **–е́ние** *s.* falling away, off; apostacy, abjuration.

от/па́ива-ть II. *va.* (*Pf.* -пая́-ть II.) to unsolder; (*Pf.* -по=и́ть II. [a]) to feed, to fatten (on milk); ~ (кого́) **от отра́вы** to give an antidote || **–па́рыва-ть** II. *va.* (*Pf.* -пор-о́ть II. [c]) to unrip, to unsew; to unpick || **–па́сть** *cf.* **–пада́ть** || **–пева́ние** *s.* burial-service || **–пева́-ть** II. *va.* (*Pf.* -пе́ть 29. [a 1.]) to read the burial-service; to finish singing; to chide, to rebuke || **–пе́тый** *a.* (*fig.*) hopeless, incorrigible.

отпеча́т/ок *s.* (*gsg.* -тка) imprint; impression, mark; stamp || **–ыва-ть** II. *va.* (*Pf.* -а-ть II.) to print, to imprint, to stamp.

отпи/ва́-ть II. *va.* (*Pf.* отпи́ть 27. [a 1.], *Fut.* отопью́, -ьёшь) to drink off || **´–лива-ть** II. *va.* (*Pf.* -л=и́ть II.) to saw away, off.

отпир/а́тельство *s.* denial, disavowal || **–а́-ть** II. *va.* (*Pf.* отпере́ть 14. [a 4.], *Fut.* отопру́, -ёшь) to unlock, to open || **~ся** *vr.* to open; (от чего́) to deny, to disavow, to retract || **–ова́ть** *cf.* **пирова́ть.**

отпи́/ска *s.* (*gpl.* -сок) (written) answer, announcement; (*leg.*) confiscation || **–сыва-ть** II. *va.* (*Pf.* -с-а́ть I. 3. [c]) to answer, to announce (in writing); (что у кого́ *leg.*) to confiscate; to cure a disease by means of a magic piece of writing || **~ся** *vr.* to answer (in writing); to finish writing.

от/пи́ть *cf.* **–пива́ть** || **–пи́хива-ть** II. *va.* (*Pf.* -пихн-у́ть I.) to push away, off, back; (*mar.*) to shove off || **–пла́та** *s.* repayment, requital, retribution || **–пла́чива-ть** II. *va.* (*Pf.* -плат=и́ть I. 2. [c], *Fut.* -плачу́, -пла́тишь [*pron.* -пло́тишь]) to repay, to requite; ~ (кому́) **тем же** to give one tit for tat || **–плыва́-ть** II. *vn.* (*Pf.* -плы́ть 31. [a 3.]) to sail, to set sail, to put off; to swim off, away || **–плы́тие** *s.* sailing off, departure (of vessels) || **–пля́сыва-ть** II. *va.* (*Pf.* -пляс-а́ть I. 3. [c]) to cease dancing; to finish (a dance); to dance off, to tire (one's feet, etc.) by dancing.

о́тповедь *s. f.* reply, answer, response.

от/пои́ть *cf.* **–па́ивать** || **–полирова́ть** *cf.* **полирова́ть** || **–по́р** *s.* resistance; elasticity || **–поро́ть** *cf.* **–па́рывать.**

отпра/ви́тель *s. m.*, **–ви́тельница** *s.* forwarder, sender || **–вле́ние** *s.* forwarding, despatching, expedition, sending off; exercise, administration (of an office); celebration (of divine service); (*med.*) function || **–вля́-ть** II. *va.* (*Pf.* ´–в=ить II. 7.) to despatch, to forward, to send off; to perform, to exercise || **~ся** *vr.* to depart, to go to, to set out, to start.

от/пра́здновать *cf.* **пра́здновать** || **–пра́шива-ть** II. *va.* (*Pf.* -прос=и́ть I. 3. [c]) to ask leave (for), to beg for leave of absence for; ~ (у кого́) **дете́й домо́й** to request s.o. to allow the children to go home || **~ся** *vr.* to take leave; ~ **в о́тпуск** to take furlough || **–пре́чь** = **–пря́чь** || **–пры́гива-ть** II. *vn.* (*Pf.* -пры́гн-уть I.) to spring back, to rebound.

о́т/прыск *s.* shoot, sucker, offshoot, tendril; (*fig.*) offspring || **–пряга́-ть** II. *va.* (*Pf.* -пря́чь [*pron.* -пре́чь] 15. [a 2.], *Pret.* -пря́г [*pron.* -прёг]) to unharness, to unyoke || **–пря́жка** *s.* (*gpl.* -жек) unharnessing || **–пуск** *s.* leave of absence; (*mil.*) furlough; despatch; (*leg.*) notice, dismissal || **–пуска́-ть** II. *va.* (*Pf.* -пуст=и́ть I. 4. [c]) to let go, to give leave; ~ **на во́лю** to free, to emancipate; to discharge, to dismiss; to despatch; to forgive, to remit (sins); to let grow (hair, etc.); to relax, to slack(en) || **–пускно́й** *a.* despatched, enfranchised; (*mil.*) furlough-, on furlough || **–пускна́я** (*as s.*) license, certificate of freedom; (*comm.*) bill of freight || **–пу́тыва-ть** II. *va.* (*Pf.* -пу́та-ть II.) to disentangle, to unravel || **–пуще́ние** *s.* release, dispensation; emancipation; ~ **грехо́в** remission of sins; **козёл –пуще́ния** the scapegoat || **–раба́(о́)-тыва-ть** II. *va.* (*Pf.* -рабо́та-ть II.) to finish work on; to work off (a debt).

отра́в/а *s.* poison; poisoning || **–и́тель** *s. m.*, **–и́тельница** *s.* poisoner || **–ле́ние** *s.* poisoning || **–ля́-ть** II. *va.* (*Pf.* отрав=и́ть II. 7. [a & c]) to poison.

отра́д/а *s.* comfort, consolation || **–ный** *a.* consoling, comforting.

отра/жа́тель *s. m.* reflector || **–жа́тельный** *a.* reflecting || **–жа́-ть** II. *va.* (*Pf.* -з=и́ть I. 1. [a]) to repel; to ward, to keep off, to parry; to throw back, to reflect; to refute (an argument) || **~ся** *vr.* to be reflected (in the water) || **–же́ние** *s.* repulse; reflection; refutation.

отрапортова́ть *cf.* **рапортова́ть.**

о́трасль *s. f.* sprout, shoot; branch; (*fig.*) offspring, scion.

от/раста́-ть II. *vn.* (*Pf.* -расти́ 35. [a 2.]) to grow again, to sprout || **–ра́щива-ть** II. & **–раща́-ть** II. *va.* (*Pf.* -раст=и́ть I. 4. [a]) to let grow || **–ре́з** *s.* cut part, part cut off || **–ре́зать** *cf.* **–ре́зывать** || **–резвле́ние** *s.* sobering || **–резвля́-ть** II. *va.* (*Pf.* -резв=и́ть II. 7. [a]) to sober **–ре́зок** *s.* (*gsg.* -зка) piece cut off; (*math.*) segment || **–резно́й** *a.* cut; truncated (of a cone) || **–ре́зыва-ть** II. & **–реза́-ть** II. *va.* (*Pf.* -ре́з-ать I. 1.) to cut away, off; to snip off || **–река́-ться** II. *vr.* (*Pf.* -ре́чься 18. [a 2.]) (от + *G.*) to deny, to disavow, to disown; to renounce, to abjure, to forswear || **–рекомендова́ть** *cf.* **рекомендова́ть** || **–ре́пье** *s.* rags, tatters *pl.* || **–ретирова́ться** *cf.* **ретирова́ться** || **–рече́ние** *s.* (от + *G.*) renunciation, denial, disavowal; abdication; abjuration || **–ре́чься** *cf.* **–река́ться.**

отреш/а́-ть II. *va.* (*Pf.* отреш=и́ть I. [a]) (от + *G.*) to dismiss, to remove (from office) || **–е́ние** *s.* (от до́лжности) dismissal.

отриц/а́ние *s.* negation, negative || **–а́тельный** *a.* negative || **–а́-ть** II. *va.* to deny, to negative.

от/ро́г *s.* branch, ramification (of a mountain) || **–ро́дие** *s.* race, breed, offspring; tribe, species *pl.*; monstrosity.

о́т/роду & **–родя́сь** *ad.* from birth, since one's birth || **–ро́к** *s.* boy, lad || **–роста́ть** & **–рости́** *cf.* **–раста́ть** & **–ра́щивать** || **–ро́сток** *s.* (*gsg.* -тка) sprout, shoot, branch, offshoot; antler; (*an.*) outgrowth || **–ро́ческий** *a.* boy's; girl's || **–ро́чество** *s.* adolescence, boyhood, girlhood.

отруба́-ть II. *va.* (*Pf.* отруб=и́ть II. 7. [c]) to cut away, off; to strike off; to chop off.

о́труби *s. fpl.* bran (of flour).

отрыва́-ть II. *va.* (*Pf.* оторва́-ть I. [a 3.]) to tear, to pull off; to tear away from; (кого́ от чего́) to keep off, to hinder, to divert; (*Pf.* отры́ть 28. [b]) to dig away, up, out; to disinter.

отры́в/истый *a.* broken, abrupt, disconnected || **–ка** *s.* (*gpl.* -вок) cutting off; interruption || **–но́й** *a.* for tearing off; torn off; ~ **календа́рь** block-calendar || **–ок** *s.* (*gsg.* -вка) piece torn off; fragment; **–ками** fragmentarily || **–очный** *a.* fragmentary || **–очно** *ad.* by fits and starts.

отрыга́-ть II. *va.* (*Pf.* отрыгн-у́ть I. [a]) to belch; to eructate; ~ **жва́чку** to chew the cud, to ruminate.

от/ры́жка *s.* (*gpl.* -жек) eructation || **–ры́ть** *cf.* **–рыва́ть** || **–ря́д** *s.* detachment, division || **–ря́дный** *a.* divisional, of a detachment || **–ряжа́-ть** II. *va.* (*Pf.* -ряд=и́ть I. 1. [a & c]) to detach, to order (a soldier); to depute, to delegate (an official) || **–ряса́-ть** II. *va.* (*Pf.* -рясти́ 26. [a 2.]) to shake off, down || **–ря́хива-ть** II. *va.* (*Pf.* -ряхн-у́ть I. [a]) to shake away.

от/са́док *s.* (*gsg.* -дка) slip, transplanted plant || **–са́жива-ть** II. *va.* (*Pf.* -сад=и́ть I. 1. [a & c]) to transplant || **–салютова́ть** *cf.* **салютова́ть.**

о́т/свет *s.* reflection (of light) || **–све́чива-ть** II. *vn.* to be reflected (of light); to glitter || **–сека́-ть** II. *va.* (*Pf.* -се́чь 18. [a 1.]) to cut off, away; to hew off; to shut off (steam) || **–се́ль** & **–се́ле** *ad.* hence; henceforth || **–сече́ние** *s.* cutting away, off; hewing off || **–си́жива-ть** II. *va.* (*Pf.* -сид=е́ть I. 1. [a]) to sit out; to finish distilling; to get one's legs cramped by long sitting.

от/ска́блива-ть II. *va.* (*Pf.* -скобл=и́ть II. [a & c]) to shave off, away; to scrape off || **–ска́кива-ть** II. *va.* (*Pf.* -скак-а́ть I. 2. [c]) to gallop (a certain distance) || ~ *vn.* to gallop away || **–ска́кива-ть** II. *vn.* (*Pf.* -скоч=и́ть I. [c], *mom.* -скокн-у́ть I.) to leap away, to spring off; to bound back, to rebound || **–скреба́-ть** II. *va.* (*Pf.* -скрести́ & -скре́сть 21. [a 2.]) to scrape away, to scratch away || **–скрёбки** *s. mpl.* scrapings *pl.* || **–слоня́-ть** II. *va.* (*Pf.* -слон=и́ть II. [a & c]) to open (a shop); to remove, to draw off (a screen, a blind, etc.) || **–слу́жива-ть** II. *va.* (*Pf.* -служ=и́ть I. [c]) to serve out (one's time); (кому́) to return an obligation || **–сове́тыва-ть** II. *va.* (*Pf.* -сове́то+вать II.) to dissuade, to advise not to || **–со́хнуть** *cf.* **–сыха́ть.**

отсро́/чива-ть II. *va.* (*Pf.* -ч=ить I.) to adjourn, to defer; to prolong, to suspend; to postpone || **–чка** *s.* (*gpl.* -чек) adjournment, deferment, respite, suspension, prolongation, postponement; ~ **на неопределённое вре́мя** adjournment sine die || **–чный** *a.*, **–чные дни** (*comm.*) days of grace.

отстава́ть 39. [a 1.] *vn.* (*Pf.* отста́ть 32. [b 1.]) (от + *G.*) to remain behind, to straggle; to be in arrears; to desist (from); to come off, to come loose; to be slow (of a watch).

отста́/вка *s.* (*gpl.* -вок) dismissal, discharge; resignation, retirement; **вы́йти в –вку** to retire (from service) || **–вля́-ть** II. *va.* (*Pf.* -в=ить II. 7.) to put away, aside, to remove (from); to discharge, to dismiss || **–вно́й** *a.* dismissed, discharged, retired.

от/ста́ива-ть II. *va.* (*Pf.* -сто=я́ть II. [a]) to stand out (a certain time); to tire with long standing; to stand up for, to defend; (*chem.*) to allow (a liquid) to stand, to decant || **~ся** *vr.* to stand (of liquids); to take shelter; to rest standing (of horses) || **–ста́лый** *a.* backward, in arrears, straggling || ~ (*as s.*) straggler || **–ста́ть** *cf.* **–постава́ть** || **–стега́ть** *cf.* **стега́ть** || **–стёгива-ть** II. *va.* (*Pf.* -стегн-у́ть I. [a]) to unbutton, to unfasten || **–сто́й** *s.* deposit, sediment, dregs *pl.* || **–стоя́ть** *cf.* **–ста́ивать** || **–стра́ива-ть** II. *va.* (*Pf.* -стро́=ить II.) to finish building || **–страня́-ть** II. *va.* (*Pf.* -стран=и́ть II. [a]) to set aside, to put aside; ~ **от до́лжности** to dismiss, to discharge || **–стре́лива-ться** II. *vr.* (*Pf.* -стреля́-ться II.) to defend o.s. by shooting || **–стро́йка** *s.* (*gpl.* -ро́ек) completion of building.

отсту/па́-ть II. *vn.* (*Pf.* -п=и́ть II. 7. [c]) to go back, to retire, to retreat, to withdraw; to apostatize, to forsake (one's religion) || **~ся** *vn.* (от + *G.*) to renounce, to desist from, to abjure; ~ **от своего́ сло́ва** not to keep one's word || **–пле́ние** *s.* retirement, retreat; abjuration.

отсту́п/ник *s.*, **–ница** *s.* apostate, abjurer || **–ничество** *s.* apostacy || **–но́й** *a.* apostate || **–но́е** (*as s.*) & **–ны́е де́ньги** indemnity.

отсу́т/ствие *s.* absence; default || **–ство+вать** II. *vn.* to be absent.

от/счи́тыва-ть II. *va.* (*Pf.* -счита́-ть II.) to count off, to reckon off, to deduct || **–сыла́-ть** II. *va.* (*Pf.* -осла́ть 40. [a 1.]) to send off, to despatch; to discharge || **–сы́лка** *s.* (*gpl* -лок) sending off, despatching || **–сыпа́-ть** II. *va.* (*Pf.* -сы́п-ать II. 7.) to strew off, to pour off; to measure out a certain quantity (of corn) || **–сыре́ть** *cf.* **сыре́ть** || **–сыха́-ть** II. *vn.* (*Pf.* -со́хнуть 52.) to dry up, to wither || **–сю́да** *ad.* hence, from here; henceforth; from this.

от/та́ива-ть II. *va.* (*Pf.* -та́-ять II.) to thaw, to melt off || ~ *vn.* to thaw || **–та́лкива-ть** II. *va.* (*Pf.* -толкну́-ть I. [a]) to push away, back, off; to thrust aside, away || **–та́птыва-ть** II. *va.* (*Pf.* -топт-а́ть I. 2. [c]) to wear out (one's shoes); to finish stamping || **–таска́ть** *cf.* **таска́ть** || **–та́скива-ть** II. *va.* (*Pf.* -тащ=и́ть I. [a & c]) to drag away, off, aside; to pull aside, away, back || **–те́нок** *s.* (*gsg.* -нка) shade, tint; **с се́рым –тенком** with a touch of grey || **–теня́-ть** II. *va.* (*Pf.* -тен=и́ть II. [a]) to shade, to tint.

о́т/тепель *s. f.* thaw || **–тесня́-ть** II. *va.* (*Pf.* -тесн=и́ть II. [a]) to squeeze off; to press, to push back, to drive away || **–тира́-ть** II. *va.* (*Pf.* -тере́ть 14. [a 1.], *Fut.* -отру́, -трёшь) to rub off, away; to warm by rubbing; to wipe away || **–тиск** *s.* print, impression || **–ти́скива-ть** II. *va.* (*Pf.* -ти́сн-уть I.) to print, to imprint, to impress || **–того́** *ad.* therefore; ~ **что** because || **–толкну́ть** *cf.* **–та́лкивать.**

оттома́н/ка *s.* divan || **–ский** *a.* Ottoman.

от/топта́ть *cf.* **–та́птывать** || **–топы́рива-ть** II. *va.* (*Pf.* -топы́р=ить II.) to spread out || **–торга́-ть** II. *va.* (*Pf.* -то́ргнуть 52.) to tear away, off || **–торже́ние** *s* tearing away, off || **–точи́ть** *cf.* **–та́чивать** || **–треп-а́ть** II. 7. [c] *va. Pf.* to finish backling; to dishevel; to tousle; to worry || **–ту́да** *ad.* thence, therefrom, from there; since then || **–тушева́ть** *cf.* **тушева́ть** || **–тяга́-ть** II. *va. Pf.* (что у кого́) to gain by a lawsuit || **–тя́гива-ть** II. *va.* (*Pf.* -тян-у́ть I. [c]) to stretch, to expand; to drag away; to protract, to prolong.

оту́жинать *cf.* **у́жинать.**

отума́нива-ть II. *va.* (*Pf.* отума́н=ить II.) to befog; to dim, to darken; (*fig.*) to confuse, to confound || **~ся** *vn.* to be befogged, to get darkened, overcast; to get intoxicated.

отуп/ле́ние *s.* blunting || **–ля́-ть** II. *va.* (*Pf.* отуп=и́ть II. 7. [c]) to blunt, to dull.

от/уча́-ть II. *va.* (*Pf.* -уч=и́ть I. [c]) (кого́ от чего́) to wean one from a habit || **–ха́живать** *iter. of* **–ходи́ть** || **–ха́ркива-ть** II. *va.* (*Pf.* -ха́ркн-уть I.) to cough out; to expectorate || **–хлёбыва-ть** II. *va.* (*Pf.* -хлеба́-ть II., *mom.* -хлебн-у́ть I. [a]) to sup off, to sip off.

отхо́д s. departure, setting out; end, termination.

отход=и́ть I. 1. [c]) *vn.* (*Pf.* отойти́ 48., *Fut.* отойду́, -ёшь) to go away, to depart, to set out; to stand back; **отойди́** clear the way; to avoid; to end, to come to an end; to thaw; to die.

отхо́д/ный *a.* secluded || **–ная** (*as s.*) prayer for the dying.

отхо́жий *a.* retired, backward; distant; **–ее ме́сто** water-closet.

от/цвета́-ть II. *vn.* (*Pf.* -цвести́ & -цве́сть 23. [a 2.]) to lose the blossoms; to fade || **–цепле́ние** *s.* unhooking; (*rail.*) uncoupling || **–цепля́-ть** II. *va.* (*Pf.* -цеп=и́ть II. 7. [c]) to unhook, to uncouple.

отц/еуби́йство *s.* parricide || **–еуби́йца** *s. m&f.* parricide || **–о́вский** *a.* fatherly, paternal.

от/ча́ива-ться II. *vr.* (*Pf.* -ча́я-ться II.) to despair, to be desperate || **–ча́лива-ть** II. *va.* (*Pf.* -ча́л=ить II.) to unmoor, to untie (a boat, etc.) || **–ча́сти** *ad.* partly, in part; at times || **–ча́яние** *s.* despair || **–ча́янность** *s. f.* hopelessness, desperate state; foolhardiness || **–ча́янный** *a.* desperate, hopeless; foolhardy.

о́тче *sl.* (*V. of* оте́ц); **~ наш** Our Father; the Lord's prayer.

от/чего́ *ad.* why, wherefore || **–чека́нива-ть** II. *va.* (*Pf.* -чека́н=ить II.) to emboss; to coin; to pronounce distinctly || **–чёркива-ть** II. *va.* (*Pf.* -черкн-у́ть I. [a]) to mark (with a line).

о́тчество *s.* patronymic.

отчёт/ *s.* account, report; settling of accounts || **–ливость** *s. f.* precision, exactness || **–ливый** *a.* exact, precise || **–ность** *s. f.* accountability || **–ный** *a.* responsible, accountable.

отчи́зна *s.* native land.

о́тч/им *s.* stepfather || **–ина** *s.* patrimony, (family-)estate.

отчис/ле́ние *s.* deduction; cashiering (of an official) || **–ля́-ть** II. *va.* (*Pf.* ́-л=ить II.) to deduct; to cashier (an official).

от/чи́тыва-ть II. *va.* (*Pf.* -чита́-ть II.) to finish reading; to heal by prayers and reading the Gospel || **–чища́-ть** II. *va.* (*Pf.* -чи́ст=ить I. 4.) to clean off, to scour || **–чужда́-ть** II. *va.* to alienate, to estrange; (*leg.*) to expropriate || **–чужде́ние** *s.* alienation, estrangement; (*leg.*) expropriation || **–ша́гива-ть** II. *vn.* (*Pf.* -шага́-ть II., *mom.* -шагн-у́ть I. [a]) (от чего́) to step back || **~** *va.* to measure by stepping, to step, to pace || **–шатн-у́ться** I. *vr. Pf.* to estrange o.s.; to become a stranger to.

отше́ль/ник *s.*, **–ница** *s.* hermit, anchorite || **–нический** *a.* eremitic(al) || **–ничество** *s.* eremitical life, hermit's life.

от/ше́ствие *s.* departure || **–шиба́-ть** II. *va.* (*Pf.* -шиби́ть 51. [a]) to strike off, to knock off, to hit back || **–шлифо́выва-ть** II. *va.* (*Pf.* -шлифо+ва́ть II. [b]) to grind off, to polish || **–шпи́лива-ть** II. *va.* (*Pf.* -шпи́л=ить II.) to unpin || **–штукату́рить** *cf.* **штукату́рить.**

от/щепе́нец *s.* (*gsg.* -нца), **–щепе́нка** *s.* (*gpl.* -нок) schismatic, heretic, apostate || **–щепля́ть** II. *va.* (*Pf.* -щеп=и́ть II. 7. [c]) to split off, to chip away.

от'/еда́-ть II. *va.* (*Pf.* -е́сть 42.) to eat off, to gnaw off; (*chem.*) to corrode || **~ся** *vn.* to get fat from good eating || **–е́зд** *s.* departure, start || **–езжа́-ть** II. *vn.* (*Pf.* -е́хать 45.) to depart, to get out, to start || **–е́млемый** *a.* removable, alienable || **–я́вленный** *a.* acknowledged, notorious, arrant.

о́т/ыгрыш *s.* money won back || **–ы́грыва-ть** II. *va.* (*Pf.* -ыгра́-ть II.) to play, to finish playing; to win back || ~ся *vr.* to win back, to regain || **–ымáть** = **–нимáть.**

отяго/щéние *s.* (over)burdening, (over-) loading; oppression || **–тéть** *cf.* **тяготéть** || **–чá-ть** II. *va.* (*Pf.* -ч=йть I. [a]) to (over) load, to (over) burden; to oppress.

отяжелéть *cf.* **тяжелéть.**

оф/éня *s. m.* hawker, pedlar || **–йт** *s.* ophite, serpentine, spleenstone.

офицéр/ *s.* officer; ~ **генерáльного штáба** staff-officer || **–ский** *a.* officer's || **–ство** *s.* officer's rank; corps of officers || **–ша** *s.* officer's wife.

офиц/нáнт *s.* butler (in hotels) || **–иáльный** *a.* official || **–иóзный** *a.* semi-official.

офранц/ýжива-ть II. *va.* (*Pf.* -ýз=ить I. 1.) to Frenchify.

ох/ *int.* ah! alas! || **´-ание** *s.* sigh(ing), groaning || **–áпка** *s.* (*gpl.* -пок) armful || **´-а-ть** II. *vn.* (*Pf.* за-, *mom.* ´-н-уть I.) to sigh, to groan || **–áять** *cf.* **хáять** || **–вáт,** etc. *cf.* **обхвáт,** etc.

охлад/евá-ть II. *vn.* (*Pf.* -é-ть II.) to cool down, to grow cool || **–éлый** *a.* cooled (down) || **–йтельный** *a.* cooling, cool.

охлажд/á-ть II. *va.* (*Pf.* охлад=йть I. 5. & 1. [a]) to chill, to cool; (*fig.*) to damp **–éние** *s.* cooling, making cool; ~ **пáра** condensation of steam.

охме/лéлый *a.* drunk, intoxicated || **–лéть** *cf.* **хмелéть** || **–ля́-ть** II. *va.* (*Pf.* -л=йть II. [a]) to intoxicate.

óхнуть *cf.* **óхать.**

охóта *s.* (к + *D.*) inclination, liking, desire; (за + *I.*) hunt(ing), chase.

охóт=иться I. 2. *vn.* (к + *D.*) to have a liking for; (за + *I. or* на + *A.*) to hunt, to chase.

охóт/ник *s.* amateur; volunteer; hunter, fowler, sportsman || **–ница** *s.* amateur; huntress || **–нич(еск)ий** *a.* hunting, hunter's || **–ность** *s. f.* readiness, willingness || **–ный** *a.* ready, willing || **–но** *ad.* willingly, with pleasure.

охóчий (-ая, -ее) *a.* (до чегó) fond of, desirous of, inclined to.

óхра *s.* ochre.

охрá/на *s.* protection, guard; safekeeping, custody || **–нéние** *s.* protection, preservation || **–нительный** *a.* guarding, preservative, protective || **–ня́-ть** II. *va.* (*Pf.* -н=йть II. [a]) to keep, to guard, to preserve, to protect.

охрйп/лость *s. f.* hoarseness || **–лый** *a.* hoarse || **–нуть** *cf.* **хрйпнуть.**

охромéть *cf.* **хромéть.**

охýлка *s.* (*gpl.* -лок) censure, blame.

оцарáпать *cf.* **царáпать.**

оцéн/ива-ть II. & **–я́-ть** II. *va.* (*Pf.* оцен=йть II. [a & c]) to appraise, to tax, to estimate, to rate, to value || **–ка** *s.* (*gpl.* -нок) valuation, estimate, assessment || **–щик** *s.* estimator, taxer, valuator.

оцепен/éлый *a.* numb, numbed || **–éние** *s.* numbness, torpidity || **–éть** *cf.* **цепенéть.**

оцепл/éние *s.* closing, surrounding; tying round || **–я́-ть** II. *va.* (*Pf.* оцеп=йть II. 7. [c]) to tie round; to surround.

очáг *s.* [a] hearth, fire-place.

очар/овáние *s.* enchantment, charm; (*fig.*) fascination, charm || **–овáтельный** *a.* enchanting, charming, (be-) witching, fascinating, charming, enchanting || **–óвыва-ть** II. *va.* (*Pf.* -о+вáть II. [b]) to enchant, to bewitch; to charm, to fascinate.

очевйд/ец *s.* (*gsg.* -дца), **–ица** *s.* eye-witness || **–ность** *s. f.* obviousness, conspicuousness || **–ный** *a.* obvious, evident, manifest, apparent, plain.

óчень *ad.* very, most, much, greatly, exceedingly.

очервйветь *cf.* **червйветь.**

óчеред/ь *s. f.* turn, succession; **по –и** by turns; **тепéрь вáша ~** it's your turn now || **–нóй** *a.* alternately, in turns; whose turn it is.

óчерк *s.* outline, sketch, draught, draft.

очерня́ть *cf.* **чернйть.**

очерствéть *cf.* **черствéть.**

очер/тáние *s.* sketch, outline; contour || **´-чива-ть** II. *va.* (*Pf.* -т=йть I. 2. [a]) to trace round, to outline, to sketch.

óчи *cf.* **óко.**

очинйть *cf.* **чинйть.**

очйст/ка *s.* (*gpl.* -ток) cleaning, cleansing, purification; clearance; (*chem.*) decantation || **–йтельный** *a.* cleansing, cleaning; purificative.

очищ/á-ть II. *va.* (*Pf.* очйст=ить I. 4.) to clean, to cleanse, to clear, to purify; to evacuate, to clear; to pare, to peel; to refine (metals); to exonerate || **~ся** *vr.* to clear o.s. || **–éние** *s.* clean(s)ing, clearing, purification; payment, clearance; evacuation; exoneration; refinement (of metals).

очкó *s. dim.* eye; (*bot.*) eye, bud; point (at games); eye (of a needle); (*pl.* очкй) spectacles, glasses *pl.*

очной *a.* ocular, eye; **~ врач** oculist; **~ свидетель** eye-witness; **очная ставка** (*leg.*) confrontation.
очн-уться I. [a] *vn. Pf.* to awake, to open one's eyes; (*med.*) to come to, to regain consciousness.
очувство+ваться II. *vr. Pf.* to recover consciousness, to recover one's senses.
очут=иться II. [a & c]) *or* I. 2. [c] *vn. Pf.* to appear suddenly.
ошалеть *cf.* **шалеть.**
ошеек *s.* (*gsg.* ошейка) neck-piece.
ошейник *s.* (dog's) collar.
ошел/омля-ть II. *va.* (*Pf.* -ом=ить II. 7. [a & c]) to stun (by a blow on the head); to nonplus || **–ушить** *cf.* **шелушить** || **–ьмовать** *cf.* **шельмовать.**
ошершаветь *cf.* **шершаветь.**
ошиб/ка *s.* (*gpl.* -бок) mistake, error, fault, blunder; **по –ке** by mistake || || **–а-ться** II. *vn.* (*Pf.* ошиб-иться I. [a]) to err, to mistake, to make a mistake, to blunder; **вы ошибаетесь** you are making a mistake; **~ в дороге** to lose one's way || **–очка** *s.* (*gpl.* -чек) *dim. of* ошибка || **–очность** *s. f.* erroneousness, faultiness || **–очный** *a.* erroneous, faulty, mistaken, wrong.
ошика-ть II. *va. Pf.* to hiss, to greet with hisses.
ошлифовать *cf.* **шлифовать.**
ошпарива-ть II. *va.* (*Pf.* ошпар=ить II.) to scald.
оштрафовать *cf.* **штрафовать.**
оштукатурить *cf.* **штукатурить.**
ощениться *cf.* **щениться.**
ощетиниться *cf.* **щетиниться.**
ощупыва-ть II. *va.* (*Pf.* ощупа-ть II.) to feel, to fumble at || **~ся** *vr.* to grope one's way, to feel about one (in the dark).
ощупь *s. f.* feeling, groping; **–ью, на ~** groping(ly).
ощутительный *a.* perceptible, palpable, noticeable.
ощу/ща-ть II. *va.* (*Pf.* -т=ить I. 2. [a]) to feel, to perceive, to notice || **~ся** *vr.* to be felt, to be perceived || **–щение** *s.* feeling, sensation, perception.
оягниться *cf.* **ягниться.**
ояловеть *cf.* **яловеть.**

П

пав/а *s.* peahen || **–иан** *s.* baboon || **–ильон** *s.* pavilion; summer-house || **–лин** *s.* peacock || **–линий** *a.* peacock's.
паг/ода *s.* pagoda || **–оленок** *s.* (*gsg.* -нка) leg (of a stocking) || **–уба** *s.* ruin, destruction || **–убный** *a.* destructive, ruinous, pernicious.
пад/аль *s. f.* carrion; windfall, fallen fruit || **–а-ть** II. *vn.* (*Pf.* пасть 22. [a 1.]) to fall, to drop down; to be ruined; to sink, to fall in (of a wall); to fall out, to come out (of hair, etc.); to die, to perish (of animals); **~ духом** to lose courage; **–ающая звезда** a falling star || **–ёж** *s.* [a] fall; **скотский ~** murrain, cattle-plague || **–ёж** *s.* [a] (*gramm.*) case || **–ение** *s.* fall(ing), decline || **–кий** *a.* (до + *G. or* на + *A. or* к + *D.*) eager, keen, avid || **–кость** *s. f.* eagerness, avidity || **–учий** *a.* falling; epileptic; **–учая (болезнь)** epilepsy || **–черица** *s.* stepdaughter.
паев/ый & **–ой** *a.* of part, portion; share-, of shares.
паёк *s.* [a] (*gsg.* пайка) (*mil.*) allowance, monthly ration (of meal, etc.).
паж *s.* [& a] page, train-bearer.
пажить *s. f.* pasture(-land).
паз/ *s.* [b°] groove, mortise || **́уха** *s.* bosom, breast; breast-pocket.
пай/ *s.* [b] share || **́ка** *s.* (*gpl.* паек) solder(ing) || **́щик** *s.*, **́щица** *s.* shareholder.
пак/гауз *s.* warehouse, storehouse || **–ет** *s.* parcel, packet || **–етбот** *s.* packet-boat || **́ля** *s.* tow || **–о+вать** II. [b] *va.* (*Pf.* за-, у-) to pack (up).
пакост=ить I. 4. *va.* (*Pf.* за-, ис-) to soil, to dirty; (*Pf.* на-) to do mischief, to cause a nuisance.
пакост/ник *s.* vile man; mischief-maker || **–ница** *s.* vile woman || **–нича-ть** II. *vn.* (*Pf.* на-) to do harm, to do mischief || **–ный** *a.* vile, filthy, nasty; mischievous; disastrous || **–ь** *s. f.* filth, dirt; mischief, harm; nastiness.
пал/анкин *s.* palanquin || **–ата** *s.* large apartment; chamber; tribunal; House (of Commons, etc.); ward (in a hospital); (*in pl.*) palace || **–ати = полати** || **–атка** *s.* (*gpl.* -ток) tent || **–ач** *s.* [a] executioner, hangman || **–аш** *s.* [a] cutlass, broadsword, cavalry sabre || **́евый** *a.* straw-coloured, pale yellow || **–ёный** *a.* burnt (*cf.* палить) || **́ец** *s.* (*gsg.* пальца) finger; toe; **большой ~** thumb; big toe; **указательный ~** forefinger || **–исад** *s.* palisade, pile-work || **–исадник** *s.* palisade, paling, lath-fence; (small) front-garden || **–итра** *s.* palette.

пал⸗и́ть II. [a] *va.* (*Pf.* с-) to burn, to scorch || ~ *vn.* (*Pf.* вы́-) to fire; **пали́!** fire!

па́л/ица *s.* club, mace; lath, stick || **–ка** *s.* (*gpl.* -лок) stick, cane, walking-stick; ~ **сургуча́** a stick of sealing-wax || **–лиати́в** palliative || **–о́мник** *s.* pilgrim || **–о́мничество** *s.* pilgrimage || **–очка** *s.* (*gpl.* -чек) *dim. of* па́лка || **–очный** *a.* of stick, stick- || **–уба** *s.* deck || **–убный** *a.* deck-, decked || **–ый** *a.* dead, perished (of animals) || **–ьба́** *s.* firing, fire, volley, discharge || **–ьма** *s.* palm || **–ьмовый** *a.* palm- || **–ьто́** *s. indecl.* overcoat || **–ьчик** *s. dim. of* па́лец (*cf.* ма́льчик).

памфле́т/ *s.* pamphlet || **–и́ст** pamphleteer.

па́мят/ливый *a.* having a good memory || **–ник** *s.* monument; memorial || **–ный** *a.* memorable; commemorative; **–ная кни́жка** note-book || **–ь** *s. f.* memory; remembrance, recollection, souvenir; **без –и** unconscious; **на –и** from memory, by heart.

пан/ *s.* (Polish) gentleman, sir || **–аце́я** *s.* panacea || **–де́кты** *s. mpl.* pandects *pl.* || **–еги́рик** *s.* panegyric, eulogy, encomium || **–е́ль** *s. f.* wainscotting; pavement, foot-path || **–ибра́т** *s.* fellow; confidant, bosom-friend || **´–ика** *s.* panic || **–икади́ло** *s.* chandelier, lustre (in churches) || **–ихи́да** *s.* requiem, mass for the dead || **–и́ческий** *a.* panic || **´–на** *s.* (Polish) young lady, miss || **–о́птикум** *s.* panopticum || **–ора́ма** *s.* panorama || **–сио́н** *s.* boarding-school || **–сионе́р** *s.*, **–сионе́рка** *s.* (*gpl.* -рок) boarder, pensioner || **–тало́ны** *s. mpl.* trousers, breeches *pl.* || **–талы́к** *s.* sense, order; **сби́ться с –талы́ку** to be at one's wits' end || **–теи́зм** *s.* pantheism || **–теи́ст** *s.* pantheist || **–теисти́ческий** *a.* pantheistic(al) || **–те́ра** *s.* panther || **–томи́ма** *s.* pantomime || **–томи́мный** *a.* pantomimic || **´–цырь** *s. m.* coat of mail, armour || **´–цырный** *a.* armoured, mail-clad, iron-clad || **´–ья** *s.* (Polish) lady.

па́п/а *s.* papa, pa; pope || **–а́ша** *s. m.* & **–енька** *s. m.* (*gpl.* -нек) dad, daddy || **–ерть** *s. f.* porch (of a church) || **–илько́тка** *s.* (*gpl.* -ток) curling-paper, hair-roller || **–иро́са** *s.*, *dim.* **–иро́ска** *s.* (*gpl.* -сок) cigarette || **–иро́сница** *s.* cigarette-case || **–иро́сный** *a.* cigarette- || **–и́рус** *s.* papyrus || **–и́ст** *s.* papist || **–ка** *s.* (*gpl.* -пок) pasteboard, cardboard; portfolio || **–оротник** *s.* bracken, fern || **–ский** *a.* papal, pontifical || **–ство** *s.* papacy || **–ушник** *s.* a kind of white home-made bread.

пар/ *s.* [b°] steam, vapour; fallow (of land); **под ´–ом** lying fallow; **перегре́тый ~** superheated steam; **на всех –а́х** at full steam, full steam ahead || **´–а** *s.* pair; couple; ~ **пла́тья** a suit (of clothes) || **–а́бола** *s.* parable; (*geom.*) parabola || **–аболи́ческий** *a.* parabolic(al) || **–а́граф** *s.* paragraph || **–а́д** *s.* parade, review; state, gala; **в по́лном –а́де** in full dress || **–а́дный** *s.* parade-; state-, court-, gala-.

парадо́кс/ *s.* paradox || **–а́льный** *a.* paradoxical.

парази́т/ *s.* parasite || **–ный** *a.* parasitic(al).

парал/изо+ва́ть II. [b] *va.* to paralyse || **–и́тик** *s.* paralytic || **–и́ч** *s.* paralysis, palsy || **–и́чный** *a.* paralytic, palsied.

паралле́л/ь *s. f.* parallel || **–огра́м** *s.* parallelogram || **–ьный** *a.* parallel.

пара/пе́т *s.* parapet || **–фра́з** *s.* paraphrase || **–ф(ф)и́н** *s.* paraffin || **–шю́т** *s.* parachute.

па́р/ение *s.* steaming, stewing || **–е́ние** *s.* soaring, hovering (in the air) || **–ень** *s. m.* (*gsg.* -рня) fellow, lad || **–и́** *s. n. indecl.* wager, bet; **держа́ть ~** to bet, to wager.

пари́к/ *s.* wig || **–ма́хер** *s.* hairdresser; wig-maker || **–ма́херская** *s.* hairdresser's (shop, saloon) || **–ма́херский** *a.* hairdresser's.

пар⸗и́ть II. [a] *vn.* to soar, to hover (in the air).

па́р⸗ить II. *va.* to steam out, to stew; to cause to perspire; to whip, to lash (to induce perspiration).

парк/ *s.* park || **–е́т** *s.* parquet floor, inlaid floor || **–е́тчик** *s.* parquet floor layer.

парла́мент/ *s.* parliament || **–ёр** *s.* parliamentary || **–ский** *a.* parliamentary.

пар/ни́к *s.* [a] hotbed, forcing bed || **´–ник** *s.* one of a pair || **–ни́шка** *s. m.* (*gpl.* -шек) a merry little lad, boy || **–но́й** *a.* (still) warm, freshly killed; **–но́е молоко́** fresh milk || **´–ный** *a.* of a pair; forming a pair; drawn by two horses, two horsed.

паро/ви́к *s.* [a] boiler || **–во́з** *s.* locomotive, engine || **–во́й** *a.* steam-; fallow; **–вое по́ле** fallow land.

паро́дия *s.* parody.

пароксизм *s.* paroxysm.
пароль *s. m.* watchword, password.
паром/ *s.* ferry(-boat) || **–щик** *s.* ferryman.
паро/перегреватель *s. m.* (steam) superheater || **–ход** *s.* steamship, steamer; **~-ледорез** ice-breaker; **буксирный ~** steam tug; **винтовой ~** screw-steamer; **колёсный ~** paddle steamer || **–ходный** *a.* steamship-, steamer- || **–ходик** *s.* small steamer || **–ходство** *s.* steam-navigation.
парочка *s.* (*gpl.* -чек) *dim. of* пара.
парт/ер *s.* (*theat.*) pit || **–изан** *s.* partisan || **–изанский** *a.* partisan || **–ийный** *a.* party- || **–икулярный** *a.* particular, private; civilian (of dress) || **–итура** *s.* (*mus.*) partition, score || **´–ия** *s.* party; faction; game; match || **–нёр** *s.* partner.
парус/ *s.* [b] (*pl.* -а) sail; **поднять все –а** to crowd sail || **–ина** *s.* sailcloth || **–инный** *a.* sailcloth- || **–ник** *s.* sailmaker || **–ный** *a.* sail-, sailing.
парфюм/ер *s.* perfumer, dealer in perfumes || **–ерия** *s.* perfumery.
парч/а *s.* brocade || **–ёвый** *a.* of brocade.
парш/ & **–а** *s.* (*esp. in pl.*) scab, scurf || **–иве-ть** II. *vn.* (*Pf.* о-) to grow scabby || **–ивец** *s.* (*gsg.* -вца), **–ивица** *s.* scabby person || **–ивый** *a.* scabby, scurfy || **–ивость** *s. f.* scabbiness.
пас/ *s.* brace, strap (of a carriage); pass (at cards); **я ~** (I) pass (at cards) || **´–ека** *s.* stock of bees; bee-hive || **´–ечник** *s.* keeper of bee-hives, bee-keeper.
пасквиль *s. m.* (*leg.*) pasquil, lampoon, libel.
паскудный *a.* vile, abominable, disgusting, nasty.
пасмурн/ость *s. f.* dull gloomy weather; (*fig.*) gloomy air, sullenness || **–ый** *a.* gloomy, dull, murky; (*fig.*) gloomy, sullen.
пасо+вать II. [b] *vn.* (*Pf.* с-) to pass (at cards).
паспорт/ *s.* [& b] (*pl.* -ы & -а) passport, pass || **–ный** *a.* passport-.
пассаж/ *s.* passage || **–ир** *s.*, **–ирка** *s.* (*gpl.* -рок) passenger; **зал для –иров** waiting-room || **–ирский** *a.* passenger-, passenger's.
пассат/ *s.* trade-wind || **–ный** *a.*, **–ные ветры** the trade winds, the Trades.
пассив/ *s.* liabilities *pl.*, debts *pl.* || **–ный** *a.* passive.
паст/бище *s.* pasture, pasturage || **–ва** *s.* pasture; (*ec.*) flock.
пастель *s. f.* pastel, crayon.
пастернак *s.* parsnip.
пасти 26. [a 2.] *va.* to pasture, to graze; (*fam.*) to save up, to spare.
паст/ор *s.* pastor, parson || **–орат** *s.* pastorship, parsonage || **–ух** *s.* [a] shepherd, herdsman, herd || **–уш(еск)ий** *a.* shepherd's, herd's || **–ушок** *s.* [a] (*gsg.* -шка) young herd, young shepherd || **–ырь** *s. m.* pastor || **–ь** *s. f.* [c] jaws *pl.*, mouth || **–ь** *cf.* **падать** || **–ьба** *s.* grazing, pasturing; pasturage, pasture.
Пасх/а *s.* (Jewish) Easter, Easter day; Passover; **п–** Easter cake made with curdled milk || **–альный** *a.* Paschal.
пасьянс *s.* patience (card-game).
пасынок *s.* (*gsg.* -нка) stepson.
патент/ *s.* patent; licence || **–ованный** *a.* patented || **–о+вать** II. [b] *va. Pf. & Ipf.* to patent.
патетический *a.* pathetic(al).
патока *s.* syrup, molasses *pl.*, treacle.
патолог/ия *s.* pathology || **–ический** *a.* pathological.
патриар/х *s.* patriarch || **–хальный** *a.* patriarchal || **–ш(еск)ий** *a.* patriarch's, patriarchal || **–шество** *s.* patriarchate.
патриот/ *s.*, **–ка** *s.* (*gpl.* -ток) patriot || **–изм** *s.* patriotism || **–ический** *a.* patriotic(al).
патрон/ *s.* patron, protector; (*mil.*) cartridge; model, pattern; cigarette-paper (already rolled for filling) || **–ный** *a.* cartridge- || **–таш** *s.* cartridge-bag.
патруль *s. m.* patrol.
пауза *s.* (*mus*). pause.
паук *s.* [a] spider.
паут/ина *s.* cobweb, spider's web || **–инный** *a.* of cobweb, spider's web.
паучок *s.* [a] (*gsg.* -чка) *dim. of* паук.
пафос *s.* pathos.
пах *s.* [b°] (*an.*) groin; flank (of horses).
пахаб/ник *s.* filthy, smutty talker || **–ный** *a.* filthy, smutty || **–ство** *s.* filthiness, filth, smut.
пахарь *s. m.* ploughman, tiller, husbandman.
пах-ать I. 3. [c] *va.* (*Pf.* вс-) to till, to plough; (*Pf.* пахн-уть I. [a]) to blow away, to fan.
пах/нуть 52. *vn.* (*Pf.* за-) (+ *I.*) to smell (of) || **–овой** *a.* (*an.*) inguinal || **–ота** *s.* ploughing, tilling, tillage || **–отный** *a.* arable; of ploughing, plough- || **–учесть** *s. f.* fragrance || **–учий** (-ая, -ее) *a.* sweet-scented, fragrant.
пациент/ *s.*, **–ка** *s.* (*gpl.* -ток) patient.
пач/е *ad.* more than: **~ чаяния** contrary to expectations || **–ка** *s.* (*gpl.*

-чек) parcel, bundle || **–ка-ть** II. *va.* (*Pf.* за-, ис-, вы́-) to soil, to dirty, to sully || **–котня́** *s.* daub(ing), smear, scrawling || **–ку́н** *s.* [a], **–ку́нья** *s.* sloven; dauber, scrawler.

паш/а́ *s.* pasha || **⁄–ня** *s.* (*gpl.* -шен) ploughed field, plough-land, corn-land || **–те́т** *s.* pasty, pie.

па́юсный *a.*, **–ная икра́** pressed caviar.

пая́ль/ник *s.* soldering-iron, -club || **–ный** *a.* (for) soldering || **–щик** *s.* solderer.

пая́-ть II. *va.* (*Pf.* за-) to solder.

пая́ц *s.* clown, buffoon, mountebank.

пев/е́ц *s.* [a] (*gsg.* -вца́), **–и́ца** *s.* singer; poet || **–у́н** *s.* [a], **–у́нья** *s.* singer, songster; person passionately fond of singing || **–у́честь** *s. f.* harmony, sweetness || **–у́чий** (-ая, -ее) *a.* harmonious, sweet, melodious || **⁄–ческий** *a.* song-, of singers || **⁄–чий** *a.* singing-; **⁄–чие пти́цы** *fpl.* song-birds.

пега́с *s.* Pegasus.

педаго́г/ *s.* pedagogue || **–ика** *s.* pedagogics *pl.* || **–и́ческий** *a.* pedagogic(al).

педа́ль *s. f.* pedal.

педа́нт/ *s.*, **–ка** *s.* (*gpl.* -ток) pedant || **–и́зм** & **–ство** *s.* pedantry || **–(и́че)ский** *a.* pedantic(al).

педе́ль *s. m.* beadle (in a University).

пейза́ж/ *s.* landscape || **–и́ст** *s.* landscape painter.

пек/а́рня *s.* bakery, baker's (shop) || **⁄–арь** *s. m.* [& b] (*pl.* -и & -я́) baker || **–лева́нный** *a.* made of bolted rye-meal || **⁄–ло** *s.* (*gpl.* -кол) (*sl.*) boiling pitch; glow, heat; hell.

пел/ена́ *s.* covering, cloth; swaddling-clothes *pl.*; cloth hanging behind the ikon; **алта́рная ~** altar-cloth || **–ена́-ть** II. *va.* (*Pf.* за-, с-) to swaddle, to swathe || **–ёнка** *s.* (*gpl.* -нок), *dim.* **–ёночка** *s.* (*gpl.* -чек) swaddling-cloth || **–ери́на** *s.* & **–ери́нка** *s.* (*gpl.* -нок) pelerine || **–ика́н** *s.* pelican || **–ьме́ни** *s. mpl.* small pies filled with minced meat (*or* fish, etc.).

пе́мз/а *s.* pumice(-stone) || **–овый** *a.* pumice-.

пе́н/а *s.* foam, froth, scum; spume, spray || **–ёк** *s.* [a] (*gsg.* -нька́) small stump, stub; stem (of a mushroom) || **–ие** *s.* singing, song || **–истый** *a.* frothy, foaming; sparkling (of wine).

пе́н=ить II. *va.* (*Pf.* вс-) to cause to froth, to foam || **~ся** *vr.* to foam; to froth, to sparkle (of wine).

пе́н/ка *s.* (*gpl.* -нок) scum (on liquids); **морска́я ~** meerschaum || **–ковый** *a.* meerschaum- || **–ный** *a.* foamy, frothy.

пенсион/е́р *s.*, **–е́рка** *s.* (*gpl.* -рок) pensioner.

пе́нсия *s.* pension, allowance.

пенсне́ *s.* pince-nez.

пе́нтюх *s.* clown, blockhead, idiot, lout.

пень/ *s. m.* (*gsg.* пня) stump, stub || **–ка́** hemp (prepared for spinning) || **–ко́вый** *a.* hemp-, hempen || **–юа́р** *s.* (lady's) dressing-gown, peignoir.

пе́ня *s.* fine.

пеня́-ть II. *vn.* (*Pf.* по-) (на кого́ за что) to reproach, to upbraid.

пе́пел/ *s.* (*gsg.* -пла) ashes *pl.*, ash, embers, cinders *pl.*

пепел=и́ть II. [a] *va.* (*Pf.* ис-) to reduce to ashes, to incinerate.

пепел/и́ще *s.* heap of ashes; site of a burnt house.

пе́пель/ница *s.* ash-tray; cinerary urn || **–ный** *a.* ashy; ashen, ash-grey.

пе́рв/енец *s.* (*gsg.* -нца) first-born, firstling || **–енство** *s.* primogeniture, birthright; preeminence, priority || **–енство+ва́ть** II. [b] *vn.* to have priority, to take precedence (of) || **–и́чный** *a.* primitive.

перво/бы́тный *a.* primitive, primordial, original || **–кла́ссный** *a.* first-class || **–нача́льник** *s.* head official || **–нача́льный** *a.* primitive, primordial, primeral || **–о́браз** *s.* prototype || **–престо́льный** *a.*, **~ го́род** capital, chief city || **–прису́тствующий** *s.* president (of the Senate) || **–ро́дный** *a.* first-born, first-begotten || **–степе́нный** *a.* first-rate.

пе́рвый *a.* first; foremost, chief, prime; **в –ом часу́** between 12 and 1 o'clock.

перга́мент/ *s.* parchment || **–ный** *a.* parchment.

пере/бега́-ть II. *vn.* (*Pf.* -бежа́ть 46.) to run over; to go over, to desert (to the enemy) || **–бе́жка** *s.* (*gpl.* -жек) desertion; (foot-)race; distance (in a race) || **–бе́жчик** *s.* deserter, runaway || **–бес=и́ться** I. 3. [c] *vr.* to rage; to be wild || **–бива́-ть** II. *va.* (*Pf.* -би́ть 27. [a 1.]) to break to pieces; to kill all; to slaughter (a quantity); to beat over again; (речь) to interrupt; to drop (a remark); to overbid || **~ся** *vn.* to lead a miserable existence || **–бира́-ть** II. *va.* (*Pf.* -бра́ть 8.) to look over, to examine, to sort; to turn over (the leaves of a book); to twang (a musical instrument) || **~ся** *vr.* to cross over; to pass over; to remove || **–бой** *s.* counter-current; uneven striking (of a clock); overbidding || **–бор** *s.* surplus (of receipts); rapids *pl.* || **–борка** *s.* (*gpl.* -рок) removal; partition || **–бранка** *s.* (*gpl.* -нок) mutual abuse, quarrel || **–брасыва-ть** II. *va.* (*Pf.* -брос=ить I. 3. & -броса́-ть II.) to throw over || **–брать** *cf.* **–бирать.**

пере/вал *s.* dragging across; (highest) mountain-pass || **–валива-ть** II. *va.* (*Pf.* -вал=ить II. [a & c]) to roll over (flour-bags, etc.); to draw across (a boat); **ему уже за сорок –валило** he is already over forty || **–варива-ть** II. *va.* (*Pf.* -вар=ить II. [a & c]) to reboil, to boil over again; to overboil; to digest || **–везти** *cf.* **–возить** || **–вёрстка** *s.* (*gpl.* -ток) (*typ.*) paging, setting in pages || **–вёртыва-ть** II. *va.* (*Pf.* -верн-уть I. [a]) to turn, to turn over; (*Pf.* -вертеть) to put (a lock) out of order || **–верша-ть** II. *va.* (*Pf.* -верш=ить I. [a]) to try over again, to revise judg(e)ment (in a lawsuit) || **–вес** *s.* overweight; preponderance; **дать ~** to turn the scale; **~ голосов** a majority of votes || **–вести** *cf.* **–водить** || **–вешива-ть** II. *va.* (*Pf.* -вес=ить I. 3.) to weigh over again; to hang up in another place; to weigh down || **~ся** *vn.* to hang down over || **–вива-ть** II. *va.* (*Pf.* -вить 27.) to wind over again; (что чем) to wind round || **–вира-ть** II. *va.* (*Pf.* -вр-ать I. [a]) to repeat a lie; to repeat wrongly; to outdo a person in telling lies.

перевод *s.* removal, transference; translation; (*comm.*) remittance, draft; **~ стрелки** (*rail.*) points *pl.*

пере/вод=ить I. 1. [c] *va.* (*Pf.* -вести & -весть 22. [a 2.]) to transfer, to remove; to translate; to remit, to transfer (money); to destroy, to extirpate (rats, etc.); **~ дух** to fetch one's breath || **~ся** *vn.* to disappear, to die out (of insects); to become exhausted (of money).

перевод/ный *a.* transferred, removed; translated; remitted; reported; **~ вексель** draft; **–ная надпись** endorsement || **–чик** *s.* translator.

пере/воз *s.* transport, transportation, conveyance, carriage; ferry || **–воз=ить** I. 1. [c] *va.* (*Pf.* -везти & -везть 25. [a 2.]) to transport, to convey.

перевоз/ка *s.* (*gpl.* -зок) conveying, conveyance, transporting || **–ный** *a.* for conveying, transporting; transport- || **–чик** *s.* ferryman.

перевор/ачива-ть II. *va.* (*Pf.* -от=ить I. 2. [c]) to turn, to turn over || **–от** *s.* turn, change (in an affair); revolution.

перевощик = перевозчик.

переврать *cf.* **перевирать.**

перевя/зка *s.* (*gpl.* -зок) binding; (*med.*) bandage, dressing; band, twine || **–зочный** *s.* bandage-, dressing- || **–зыва-ть** II. *va.* (*Pf.* -з-ать I. 1. [c]) to tie, to bind, to bandage; to dress (a wound); to tie over again.

перевязь *s. f.* shoulder-belt; (*mil.*) Sam Brown belt, bandoleer; scarf.

пере/гар *s.* burning through; excess of spirit; brandy of best quality || **–гиб** *s.* bend, fold; dog's ear (turned down corner of leaf of book); loop (of a river); turn (of a road) || **–гиба-ть** II. *va.* (*Pf.* -гн-уть I. [a]) to bend, to turn up, to fold over.

перегля/дка *s.* (*gpl.* -док) blinking at, glance at || **–дыва-ть** II. *va.* (*Pf.* -н-уть I. [c]) to look over; to wink at, to glance at || **~ся** *vrc.* to exchange glances.

пере/гнать *cf.* **–гонять** || **–гнуть** *cf.* **–гибать** || **–говарива-ть** II. *va.* (*Pf.* -говор=ить II. [a]) (с кем о чём) to discuss, to negotiate || **~ся** *vrc.* (о чём) to confer, to carry on negotiations || **–говоры** *s. mpl.* negotiations *pl.*; **вести ~** (с кем) to carry on negotiations (with).

перегон/ *s.* & **–ка** *s.* (*gpl.* -нок) outstripping, outrunning; overdriving; distillation, rectification || **–ный** *a.* rectified, distilled; of *or* for distillation; **~ завод** distillery || **–я-ть** II. *va.* (*Pf.* перегнать 11. [c]) to drive to another place; to outstrip, to outrun; to distill.

перего/ражива-ть II. *va.* (*Pf.* -род=ить I. 1. [c]) to partition, to fence off || **–ра-ть** II. *vn.* (*Pf.* -р=еть II. [a]) to burn up, out || **–релый** *a.* burnt up, out || **–родка** *s.* (*gpl.* -док) partition, dividing wall || **–родочный** *a.* partition-, dividing-.

пере/гружа-ть II. *va.* (*Pf.* -груз=ить I. 1. [a & c]) to tranship; to overload || **–грузка** *s.* (*gpl.* -зок) transhipment; overloading || **–грыза-ть** II. *va.* (*Pf.* -грыз-ть I. [a 1.]) to gnaw, to bite through (nuts, etc.).

перед (–о) *prp.* (+ *A.* & *I.*) before, in front of.

перёд/ *s.* [a°] fore, forepart, face, front, front part; (*in pl.*) the front wheels; toecaps; **итти передом** to go forward, to go in front.

пере/дава́ть 39. *va.* (*Pf.* -да́ть 38.) to give over, to hand over, to deliver (up); ~ **ве́ксель** to transmit, to transfer, to make over; to report, to communicate; to give too much, to pay too high, to give too much in change; to reproduce (a sound); ~ (**на́дписью**) to endorse || **–да́точный** *a.* transferable; ~ **биле́т** ticket entitling one to change on to another line; **–да́точная на́дпись** endorsement || **–да́ча** *s.* transmission, transfer; communication.

передба́нник *s.* anteroom of a bath.

пере/двига́-ть II. *va.* (*Pf.* -дви́н-уть I.) to move, to remove, to shift; (*mil.*) to dislodge || **–движе́ние** *a.* shifting, removing; dislodging.

переде́л/ *s.* mint || **–ка** *s.* (*gpl.* -лок) remaking, transforming, restoring; redivision || **–ыва-ть** II. *va.* (*Pf.* -а-ть II.) to remake, to do again, to transform, to remodel, to repair.

пере/дёргива-ть II. *va.* (*Pf.* -дёрн-уть I.) to pull (a string) through; to conceal, to smuggle (a card at play) || **–де́ржива-ть** II. *va.* (*Pf.* -держ-а́ть I. [c]) to hold, to keep too long; to expend too much; to receive stolen goods || **–де́ржка** *s.* (*gpl.* -жек) excessive expenditure; holding too long; receiving, hiding (of stolen goods); re-calculation.

пере́д/ний *a.* fore, front, anterior || **–няя** (*as s.*) anteroom || **–ник** *s.* apron.

пе́ред/о *cf.* **пе́ред** || **–ово́й** *a.* fore, in front, leading; **–ова́я статья́** leading article (in a newspaper) || **–о́к** *s.* [a] (*gsg.* -дка́) forepart; upper, vamp (of a shoe); fore-carriage.

пере/до́хнуть 52. *vn. Pf.* to perish away (of cattle) || **–дохн-у́ть** I. [a] *vn. Pf.* to fetch a breath || **–дра́знива-ть** II. *va.* (*Pf.* -дразн=и́ть II. [c]) to mimic, to ape || **–дря́га** *s.* immense confusion, hurly-burly, quarrel || **–ду́мыва-ть** II. *va.* (*Pf.* -ду́ма-ть II.) to change one's mind.

пере/езжа́-ть II. *vn.* (*Pf.* -е́хать 45.) to cross, to pass, to go over, to traverse; to remove, to shift || ~ *va.* to run over || **–жда́ть** *cf.* **–жида́ть** || **–жёвыва-ть** II. *va.* (*Pf.* -же+ва́ть II. [a]) to chew over again; to ruminate || **–жива́-ть** II. *vn.* (*Pf.* -жи́ть 31. [a 3.]) to survive, to outlive, to outlast; to experience, to live in many places || **–жида́-ть** II. *va.* (*Pf.* -жд-а́ть I. [a 3.]) to await, to outwait; to wait till something is over || **–звóн** *s.* ringing of bells by turns || **–зимо́вка** *s.* (*gpl.* -вок) wintering || **–зимова́ть** *cf.* **зимова́ть** || **–зрева́-ть** II. *vn.* (*Pf.* -зре́-ть II.) to grow too ripe || **–зре́лый** *a.* over-ripe, too ripe || **–зяба́-ть** II. *vn.* (*Pf.* -зя́бнуть 52.) to be frozen through; to be destroyed by the frost, to be frostbitten (of plants).

пере/имено́выва-ть II. *va.* (*Pf.* -имено+ва́ть II. [b]) to rename || **–и́мчивость** *s. f.* docility, aptitude || **–и́мчивый** *a.* docile, apt || **–ина́чива-ть** II. *va.* (*Pf.* -ина́ч=ить I.) to change, to alter; to misinterpret || **–йти́** *cf.* **–ходи́ть.**

пере/ка́пыва-ть II. *va.* (*Pf.* -копа́-ть II.) to dig over again; to dig across || **–ка́рмлива-ть** II. *va.* (*Pf.* -корм=и́ть II. 7. [c]) to overfeed || **–ка́т** *s.* roll (of thunder); sand-bank (in a river) || **–ка́тыва-ть** II. *va.* (*Pf.* -ката́-ть II.) to roll, to mangle over again; (*also Pf.* -кат=и́ть I. 2. [a & c]) to roll over to another place || **–ки́дыва-ть** II. *va.* (*Pf.* -кида́-ть II. & -ки́ну-ть I.) to throw, to fling over, across || ~**ся** *vr.* to tumble over, tu turn a somersault || ~ *vrc.* (чем) to throw (*e. g.* a ball) to one || **–кипа́-ть** II. *vn.* (*Pf.* -кип=е́ть II. 7. [a]) to boil to excess || **–киса́-ть** II. *vn.* (*Pf.* -ки́снуть 52.) to grow too sour.

пе́рекись *s. f.* (*chem.*) peroxide.

пере/кла́дина *s.*, *dim.* **–кла́динка** *s.* (*gpl.* -нок) cross-beam, transom, joist; plank, foot-bridge || **–кла́дка** *s.* (*gpl.* -док) repacking, reloading, laying over again (of wood); plank (over a brook) || **–кладно́й** *a.* shifted repacked; **е́хать на –кладных** to travel post with relays of horses || **–кла́дыва-ть** II. *va.* (*Pf.* -кла́сть 22. [a 1.]) to lay over again; to repack; to put in another place; to change horses; (*Pf.* -лож=и́ть I. [c]) (что чем) to wrap up, to envelop; to lay *or* put in between (hay, paper, etc. in packing up); ~ **листы́ кни́ги (бума́гою)** to interleave a book (with paper); to bar, to stop (a way) || **–клика́-ть** II. *va.* (*Pf.* -кли́к-ать I. 2. & -кли́кн-уть I.) to call over; (*mil.*) to call the roll || ~**ся** *vrc.* to call to one another || **–кли́чка** *s.* (*gpl.* -чек) roll-call; **де́лать –кли́чку** to call the roll || **–копа́ть** *cf.* **–ка́пывать** || **–корми́ть** *cf.* **–ка́рмливать** || **–кочёвыва-ть** II. *vn.* (*Pf.* -коче+ва́ть II. [b]) to remove camp (of nomads), to wander further || **–кра́шива-ть** II. *va.* (*Pf.* -кра́с=ить I. 3.) to dye, to paint over again || **–крести́ть** *cf.* **–кре́щи-**

вать & **крести́ть** || **-крёстный** *a.* crossing, cross-; ~ **допрос** cross-examination || **-крёсток** *s.* (*gsg.* -тка) cross-roads *pl.* || **-кре́щенец** *s.* (*gsg.* -нца) person rebaptized || **-кре́щива-ть** II. *va.* (*Pf.* -крест=и́ть I. 4. [a & c]) to re-baptize, to baptize over again; to cross || **-кру́чива-ть** II. *va.* (*Pf.* -крут=и́ть I. 2. [a & c]) to twist over again; to twist too much || **-кувы́рка-ть** II. *va.* (*Pf.* -кувыр(к)н-у́ть I. [a]) to upset, to capsize || **~ся** *vr.* to somersault, to fall head over heels || **-купа́-ть** II. *va.* (*Pf.* -куп=и́ть II. 7. [c]) to buy up, to engross; to outbid; to buy a great deal || **-ку́пка** *s.* (*gpl.* -пок) buying up, engrossment || **-купно́й** *a.* bought up || **-ку́пщик** *s.* forestaller, engrosser || **-ку́сыва-ть** II. *va.* (*Pf.* -кус=и́ть I. 3. [c]) to bite in two; to take a bite, a snack of.

пере/лага́-ть II. *va.* (*Pf.* -лож=и́ть I. [c]) to translate; (*mus.*) to transpose, to score for another instrument || **-ла́мыва-ть** II. *va.* (*Pf.* -лом=и́ть II. 7. [c]) to break up, to break in two; to break, to fracture (a limb); ~ **себя́** (*fig.*) to subdue one's feelings; (*Pf.* -лома́-ть II.) to break a good deal up || **-леза́-ть** II. *va.* (*Pf.* -ле́зть 25. [b 1.]) to climb over || **-ле́сок** *s.* (*gsg.* -ска) wood of thinly planted young trees, preserve || **-ле́сье** *s.* glade (in a wood) || **-лёт** *s.* flight across, passage || **-лета́-ть** II. *vn.* (*Pf.* -лет=е́ть I. 2. [a]) to fly over, across || **-лётный** *a.*, **-лётные пти́цы** *fpl.* birds of passage || **-ли́в** *s.* play of colours || **-лива́-ть** II. *va.* (*Pf.* -ли́ть 27. [a 3.]) to transfuse, to pour over, to decant; to re-smelt, to remelt, to recast || **~ся** *vr.* to flow over; (*without Pf.*) to pour forth (of music); to play (of colours) || **-ливно́й** *a.* transfused, recast, remoulded || **-ли́стыва-ть** II. *va.* (*Pf.*-листо+ва́ть II. [b]) to turn over the leaves (of a book) || **-ло́г** *s.* newly ploughed field || **-ложе́ние** *s.* (*mus.*) transposition; scoring for another instrument || **-ложи́ть** *cf.* **-кла́дывать** & **-лага́ть** || **-ло́й** *s.* gonorrhea || **-ло́м** *s.* fracture, break(age), rupture; crisis (of an illness) || **-лома́ть** & **-ломи́ть** *cf.* **-ла́мывать.**

пере/ма́лыва-ть II. *va.* (*Pf.* -мол-о́ть II. [c], *Fut.* -мелю́, -ме́лешь) to grind over again || **-ма́нива-ть** II. *va.* (*Pf.* -ман=и́ть II. [c]) to entice, to decoy over || **-межа́-ть** II. *va.* (*Pf.* -меж=и́ть I. [a]) to leave an interval || **~ся** *vr.* to intermit, to come, to occur at intervals; **-межа́ющаяся лихора́дка** intermittent fever.

переме́н/а *s.* change (of the weather, one's clothes, a lodging, an office, etc.); hour of recreation, leisure-hour (in schools), alteration || **-я́-ть** II. *va.* (*Pf.* -н=и́ть II. [a & c]) to change (the habits, servants, horses, etc.), to alter || **-ность** *s. f.* changeableness, changeability || **-ный** *a.* alternate; variable, changeable || **-чивый** *a.* changeable, variable, fickle, inconstant.

пере/мерза́-ть II. *vn.* (*Pf.* -мёрзнуть 52.) to freeze up, over through; to be killed by frost (of plants); to be penetrated by frost || **-ме́рива-ть** II. & **-меря́-ть** II. *va.* (*Pf.* -ме́р=ить II.) to remeasure, to measure over again || **-мести́ть** *cf.* **-меща́ть** || **-мётыва-ть** II. *va.* (*Pf.* -мета́-ть II.) to throw, to cast over; to sew (with), to baste over again || **-ме́шивать** *cf.* **меша́ть** || **-меща́-ть** II. *va.* (*Pf.* -мест=и́ть I. 4. [a]) to transpose, to transfer, to remove || **-меще́ние** *s.* removal, transposition || **-мина́-ть** II. *va.* (*Pf.* -мя́ть 34. [a 1.]) to knead again; to knead all; to rub, to move (the limbs to make warm); to crumple (clothes) || **-ми́рие** *s.* truce, armistice, suspension of hostilities || **-мога́-ть** II. *va.* (*Pf.* -мо́чь 15. [c 2.]) to prevail over, to overcome, to overpower || **~ся** *vr.* to strive, not to give in || **-моло́ть** *cf.* **-ма́лывать.**

пере/несе́ние *s.* transportation, removal; bearing, enduring || **-нима́-ть** II. *va.* (*Pf.* -ня́ть 37. [a 3.]), *Fut.* -йму́, -мёшь) to intercept, to catch, to stop, to seize; (у кого́) to learn from, to imitate, to ape || **-но́с** *s.* transport, transfer; division (of words); (*comm.*) carrying forward (balance) || **-нос=и́ть** I. 3. [c] *va.* (*Pf.* -нести́ & -не́сть 26. [a 2.]) to transport, to transfer, to convey; to endure, to bear; to divide (syllables); (*comm.*) to bring, to carry forward || **-но́сица** & **-но́сье** *s.* the bridge of the nose || **-но́ска** *s.* (*gpl.* -сок) — **-несе́ние** || **-ночева́ть** *cf.* **ночева́ть** || **-ня́ть** *cf.* **-нима́ть.**

переодева́-ть II. *va.* (*Pf.* переоде́ть 32. [b 1.]) to change one's clothes.

пере/пада́-ть II. *vn.* (*Pf.* -па́сть 22. [a 1.]) to fall at intervals; to elapse (of time); to accrue (of profits) || **-па́ива-ть**

II. *va.* (*Pf.* -пая́-ть II.) to resolder, to solder all; (*Pf.* -по:и́ть II. [a]) to give too much drink to, to make drunk || **–па́лзывать** *cf.* **–ползáть** || **–па́сть** *cf.* **–пада́ть** || **–па́чкива-ть** II. *va.* (*Pf.* -па́чка-ть II.) to daub, to soil all over.

пе́реп/ел *s.* [b] (*pl.* -á) (*orn.*) quail || **–ёлка** *s.* (*gpl.* -лок) (hen-)quail, female quail || **–еля́тник** *s.* quail hunter; sparrow-hawk.

перепеча́/тка *s.* (*gpl.* -ток) reprint, re-impression || **–тыва-ть** II. *va.* (*Pf.* -та-ть II.) to reprint.

пере/пива́-ть II. *vn.* (*Pf.* -пи́ть 27. [a 3.]) to drink too much, to get drunk || **~ся** *vr.* to drink to excess, to ruin o.s. by drinking.

перепи́/ска *s.* (*gpl.* -сок) transcription; copying; **~ набело́** fair copy; correspondence || **–счик** *s.*, **–счица** *s.* transcriber, copyist || **–сыва-ть** II. *va.* (*Pf.* -с-áть I. 3. [c]) to transcribe, to copy; to draw up a list of, to catalogue || **~ся** *vrc.* to correspond (with).

пе́репись *s. f.* inventory, list, catalogue; **наро́дная ~** census; **~ иму́щества** inventory of goods.

пере/пи́ть *cf.* **–пива́ть** || **–пла́та** *s.* overpayment, excess pay || **–пла́чива-ть** II. *va.* (*Pf.* -плат=и́ть I. 2. [c]) to pay too much, to pay in excess.

переплёт/ *s.* binding; **отдава́ть в ~** to get (a book) bound || **–ный** *a.* bookbinder's, bookbinding || **–чик** *s.* bookbinder.

пере/плета́-ть II. *va.* (*Pf.* -плести́ & -плéсть 23. [a 2.]) to plait over again; to interlace, to entwine; to bind (books) || **–плыва́-ть** II. *va.* (*Pf.* -плы́ть 31. [a 3.]) to swim over, across || **–пои́ть** *cf.* **–па́ивать** || **–по́й** *s.* excessive drinking || **–полза́-ть** II. *vn.* (*Pf.* -ползти́ & -по́лзть 25. [a 2.]) to crawl, to creep over || **–полне́ние** *s.* overfilling || **–полня́-ть** II. *va.* (*Pf.* -по́л=нить II.) to overfill, to cram || **–поло́х** *s.* rumpus, tumult, alarm; sudden fright || **–полош=и́ть** I. [a & c] *va.* to alarm, to raise a tumult; to disturb || **–по́нка** *s.* (*gpl.* -нок) membrane; **бараба́нная ~** the drum of the ear || **–по́нчатый** *a.* membraneous || **–пра́ва** *s.* passage, crossing (a river); **~ че́рез брод** fording a river || **–пра́вка** *s.* (*gpl.* -вок) correction || **–правля́-ть** II. *va.* (*Pf.* -пра́в=ить II. 7.) to put over, to ferry over; to correct || **~ся** *vr.* to cross, to pass over; **~ че́рез брод** to ford a river || **–прева́-ть** II. *vn.* (*Pf.* -пре́-ть II.) to stew too much; to roast too long; to sweat through || **–пре́чь = –пря́чь** || **–про́быва-ть** II. *va.* (*Pf.* -про́бо+вать II.) to taste, to try all, one after the other || **–продава́ть** 39. *va.* (*Pf.* -прода́ть 38. [a 4.]) to resell, to retail || **–прода́вец** *s.* (*gsg.* -вца), **–прода́вица** *s.* reseller, retailer || **–прода́жа** *s.* resale, retail sale || **–прода́жный** *a.* to be retailed, for retail, retail- || **–пру́да** *s.* dam (across a river), weir || **–пружа́-ть** II. *va.* (*Pf.* -пруд=и́ть I. 1. [a & c]) to dam up, across, to build a dam across || **–пры́гива-ть** II. *vn.* (*Pf.* -пры́гнуть 52.) to jump over, across || **–пряга́-ть** II. *va.* (*Pf.* -пря́чь 43. [a]) to change horses; to harness to another vehicle || **–пу́тыва-ть** II. *va.* (*Pf.* -пу́та-ть II.) to entangle, to throw into disorder; (*fig.*) to perplex, to confound || **–пу́тье** *s.* crossroads *pl.*

пере/раба́(о́)тыва-ть II. *va.* (*Pf.* -рабо́та-ть II.) to do over again; to work up; to elaborate || **–рабо́тка** *s.* (*gpl.* -ток) doing over again; working up || **–раста́-ть** II. *vn.* (*Pf.* -расти́ 35. [a 2.]) to overgrow, to grow taller than; to outgrow || **–ре́з** *s.* part cut in two; cutting-through, cross-cut || **–ре́зыва-ть** II. *va.* (*Pf.* -ре́з-ать I. 1.) to cut through, to cut in two; to intersect || **–рожда́-ть** II. *va.* (*Pf.* -род=и́ть I. 1. [a]) to regenerate || **~ся** *vr.* to be regenerated; to revive; to degenerate || **–рожде́ние** *s.* regeneration, revival; degeneration || **–роста́ть = –раста́ть** || **–руба́-ть** II. *va.* (*Pf.* -руб=и́ть II. 7. [c]) to cut to pieces, asunder || **–ры́в** *s.* interruption; rent, break; (*med.*) rupture || **–рыва́-ть** II. *va.* (*Pf.* -рв-áть I. [a]) to rend, to tear; to interrupt || **–ряжа́-ть** II. *va.* (*Pf.* -ряд=и́ть I. 1. [a & c]) to dress anew, again; to disguise.

пере/са́дка *s.* (*gpl.* -док) transplanting; (*rail.*) change (of trains) || **–са́жива-ть** II. *va.* (*Pf.* -сад=и́ть I. 1. [a & c]) to transplant; to transfer; to remove (pupils) || **~ся** *vr.* (*Pf.* -се́сть 44.) to change seats; (*rail.*) to change || **–са́лива-ть** II. *va.* (*Pf.* -са́л=ить II.) to grease again; to smear with grease (too much); (*Pf.* -сол=и́ть II. [a]) to salt anew; so salt (too much) || **–сека́-ть** II. *va.* (*Pf.* -се́чь 18. [a 1.]) to cut in two, asunder; to intersect, to cross; (*mil.*) to cut off (the retreat); to whip, to flog all, one after the other || **–селе́нец** *s.* (*gsg.* -нца), **–селе́нка** *s.* (*gpl.* -нок) emigrant || **–селе́ние** *s.* removal (to); emigration; transmigration || **–селя́-ть** II. *va.* (*Pf.* -сел=и́ть II. [a & c]) to remove, to settle in another place || **~ся** *vr.* to emigrate; to settle down in another place || **–се́сть** *cf.* **–са́живаться** || **–сече́ние** *s.* crossing, cutting in two; intersection || **–се́чь** *cf.* **–сека́ть** || **–си́-лива-ть** II. *va.* (*Pf.* -си́л=ить II.) to master, to get the better of || **–ска́з** *s.* retelling; (*in pl.*) tittle-tattle, gossip || **–ска́зыва-ть** II. *va.* (*Pf.* -сказ-а́ть I. 1. [c]) to retell, to repeat; to gossip || **–ска́кива-ть** II. *vn.* (*Pf.* -скоч=и́ть I. [c] & -скокн-у́ть I. [a]) (че́рез что) to leap, to jump over, across; (*Pf.* -скак-а́ть I. 2. [c]) to outgallop, to outrun || **–сла́ть** *cf.* **–сыла́ть** || **–сма́трива-ть** II. *va.* (*Pf.* -смотр=е́ть II. [c]) to reexamine, to revise; to look over all, everything || **–сме́шник** *s.* mocker, scoffer || **–смо́тр** *s.* revision.

пере/со́л *s.* salting too much || **–соли́ть** *cf.* **–са́ливать** || **–со́хнуть** *cf.* **–сыха́ть** || **–спа́ть** *cf.* **–сыпа́ть** || **–спева́ть, –спе́ть** = **–зрева́ть** || **–спра́шива-ть** II. *va.* (*Pf.* -спрос=и́ть I. 3. [c]) to question over again, to reexamine (a witness) || **–ссо́рива-ть** II. *va.* (*Pf.* -ссо́р=ить II.) to set at variance, to disunite, to set by the ears || **–става́ть** 39. [a] *vn.* (*Pf.* -ста́ть 32. [b]) to cease, to leave off, to give over || **–ставля́-ть** II. *va.* (*Pf.* -ста́в=ить II. 7.) to remove, to displace; to put in another place || **–ста-на́влива-ть** II. & **–становля́-ть** II. *va.* (*Pf.* -станов=и́ть II. 7. [a & c]) to remove || **–стано́вка** *s.* (*gpl.* -вок) displacement, removal; transposition (of words) || **–ста́ть** *cf.* **–става́ть** || **–стра́(о́)ива-ть** II. *va.* (*Pf.* -стро́=ить II.) to rebuild, to reconstruct; (*mus.*) to retune || **–страхова́ние** & **–страхо́вка** *s.* (*gpl.* -вок) re-insurance || **–страхо́вы-ва-ть** II. *va.* (*Pf.* -страхо+ва́ть II. [b]) to re-insure || **–стре́лива-ться** II. *vrc.* (*Pf.* -стреля́-ться II.) to skirmish, to keep on firing on both sides || **–стре́лка** *s.* (*gpl.* -лок) firing, skirmishing || **–стро́йка** *s.* (*gpl.* -бек) rebuilding, reconstruction || **–ступа́-ть** II. *va.* (*Pf.* -ступ=и́ть II. 7. [c]) (что *or* че́рез что) to go over, to step over, to overstep || **–су́-ды** *s. mpl.* tittle-tattle, gossip, cavilling, small talk || **–счи́тыва-ть** II. *va.* (*Pf.* -счита́-ть II. & -че́сть 23. [a 2.]) to count over again; to examine, to check.

пере/сыла́-ть II. *va.* (*Pf.* -сла́ть 40. [a 1.]) to send (over), to despatch, to forward || **–сы́лка** *s.* (*gpl.* -лок) forwarding, despatch || **–сыпа́-ть** II. *va.* (*Pf.* -сы́п-ать II. 7.) to pour out of one container into another; to sprinkle, to bestrew, to pour (upon) in layers, by turns || **~** *vn.* (*Pf.* -сп=а́ть I. 7. [a]) to oversleep o.s.; to pass the night || **–сы-ха́-ть** II. *vn.* (*Pf.* -со́хнуть 52.) to dry up, to become parched.

пере/та́скива-ть II. *va.* (*Pf.* -таска́-ть II. & -тащ=и́ть I. [a & c]) to drag to another place; to drag secretly off, away (one thing after another) || **–тасо́выва-ть** II. *va.* (*Pf.* -тасо+ва́ть II. [b]) to shuffle, to reshuffle (cards) || **–терпе́ть** = **пре-терпева́ть** || **–тира́-ть** II. *va.* (*Pf.* -тере́ть 13. [a 1.]) to rub, to wipe over again, all; to grind again (colours); to fray, to rub through || **–толко́выва-ть** II. *va.* (*Pf.* -толко+ва́ть II. [b]) to misinterpret; to give a false explanation of; to interpret again || **–то́ржка** *s.* (*gpl.* -жек) re-auctioning.

пере́ть 13. *va.* to press, to jostle; to push on (with difficulty).

перетя́гива-ть II. *va.* (*Pf.* перетян-у́ть I. [c]) to outweigh, to weigh down, to surpass; to draw over to another place.

переу́лок *s.* (*gsg.* -лка) by-lane, side-street; **глухо́й ~** cul-de-sac, blind alley.

пере/хва́тыва-ть II. *va.* (*Pf.* -хват=и́ть I. 2. [c]) to snatch up (letters, etc.); to seize (thieves, etc.); to capture (vessels); to snatch, to catch (a ball); **~ де́нег** to borrow money (for a short time); to tie round; (*Pf.* -хват-а́ть II.) to intercept || **–хитр=и́ть** II. [a] *va. Pf.* to outwit, to outdo in cunning || **–хо́д** *s.* passage; removal; transition; (*mil.*) march, a day's march || **–ход=и́ть** I. 1. [c] *va.&n.* (*Pf.* -йти́ 48. [a 2.]) (что *or* че́рез что) to go over, to pass over, to traverse; to pass by; to change (one's dwelling) || **–хо́дный** *a.* transitional, transitory || **–ходя́щий** *a.* (*gramm.*) transitive.

пе́рец *s.* (*gsg.* -рца) pepper.

пере/чека́нива-ть II. *va.* (*Pf.* -чека́н=ить II.) to recast (coins) || **–чека́нка** *s.* (*gpl.* -нок) recoinage, recasting (coins).

пе́речень *s. m.* (*gsg.* -чня) sum, total; summary, compendium; list.

пере/чёркива-ть II. *va.* (*Pf.* -черка́-ть II. & -черкн-у́ть I. [a]) to strike out, to cancel, to cross || **–че́сть** *cf.* **–счи́тывать** || **–чёт** *s.* enumeration; surplus || **–числе́ние** *s.* secound counting, counting over || **–числя́-ть** II. *va.* (*Pf.* -чи́сл=ить II.) to number, to add up, to examine again || **–чи́тыва-ть** II. *va.* (*Pf.* -чита́-ть II.) to read over again; to read all.

пере́ч=ить I. *vn.* (кому́ в чём) to thwart, to hinder; to contradict.

пе́реч/ница *s.* pepper-caster, pepper-box || **–ный** *a.* pepper-.

пере/ша́гива-ть II. *vn.* (*Pf.* -шагн-у́ть I. [a]) (че́рез что) to step, to stride over, across || **–ше́ек** *s.* (*gsg.* -е́йка) isthmus, neck of land || **–шёптыва-ться** II. *vrc.* (*Pf.* -шепт-а́ться I. 2. [c] & -шепн-у́ться I. [a]) (о чём) to whisper to one another, to talk in a whisper || **–шива́-ть** II. *va.* (*Pf.* -ши́ть 27. [a 1.]) to sew again, to resew || **–экзамено́выва-ть** II. *va.* (*Pf.* -экзамено+ва́ть II. [b]) to reexamine.

периге́й *s.* perigee.

пери́ла *s. npl.* railing, balustrade, handrail.

пери́метр *s.* perimeter.

пери́на *s.* feather bed.

пери́од/ *s.* period || **–и́ческий** *a.* periodic(al).

пери́стый *a.* feathery; fleecy (of clouds).

перифе́рия *s.* periphery.

перл/ *s.* pearl || **–аму́т(р)** *s.* mother of pearl || **–аму́тровый** *a.* mother of pearl || **ˊ–овый** *a.* pearl- || **–о́вый** *a.*, **–о́вая крупа́** pearl-barley.

перна́тый *a.* feathered.

перо́/ *s.* [d] (*pl.* пе́рья) feather; pen; fin (of a fish); blade (of an oar) || **–чи́нный** *a.*, ~ **но́жик** penknife.

перпендикуля́р/ *s.* perpendicular || **–ный** *a.* perpendicular.

перро́н *s.* (*rail.*) platform.

пе́рси *s. fpl.* breast, bosom.

пе́рсик/ *s.* peach || **–овый** *a.* peach-.

персо́н/а *s.* person(age) || **–а́л** *s.* staff || **–а́льный** *a.* personal.

перспекти́ва *s.* perspective.

пе(ё)рст/ *s.* [a] finger.

пе́рст/ень *s. m.* [c] (*gsg.* -тня) ring (with a stone) || **–ь** *s. f.* the earth, dust.

пертурба́ция *s.* perturbation.

перу́н *s.* lightning, flash of lightning; **гремя́щий** ~ thunderbolt; **П–** the old Slavonic god of thunder.

перхо́та *s.* tickling in the throat, coughing slightly.

пе́рхоть *s. f.* pellicle, film; scale.

перцо́вка *s.* (*gpl.* -вок) pepper-brandy.

перча́т/ка *s.* (*gpl.* -ток) glove || **–очка** *s.* (*gpl.* -чек) *dim. of prec.* || **–очник** *s.* glover.

перш=и́ть *v.imp.* (*Pf.* за-) to tickle (in the throat).

пёрышко *s.* (*gpl.* -шек) *dim. of* перо́.

пёс *s.* [a] (*gsg.* пса) dog.

пе́с/ельник *s.* singer, chorister (of folk-songs) || **–енка** *s.* (*gpl.* -нок) little song, ditty || **–енник** *s.* good singer; book of songs, song-book || **–енница** *s.* good singer || **–енный** *a.* song-.

песе́ц *s.* [a] (*gsg.* -сца́) the Arctic fox.

пёс/ий (-ья, -ье), *a.* dog's, dog- || **–ик** *s.* *dim. of* пёс.

песка́рь *s. m.* [a] (*ich.*) gudgeon, groundling.

песнь *s. f.* canticle, hymn, song.

пе́сня *s.* (*gpl.* -сен) song.

пес/о́к *s.* [a°] (*gsg.* -ска́) sand || **–о́чница** *s.* sand-box; spittoon || **–о́чный** *a.* sand-, sanded.

пессим/и́зм *s.* pessimism || **–и́ст** *s.* pessimist || **–исти́ческий** *a.* pessimistic(al).

пест/ *s.* [a] pestle || **ˊ–ик** *s.* small pestle; (*bot.*) pistil.

пестре́-ть II. *vn.* (*Pf.* за-) to appear *or* become variegated, coloured; to glitter, to glisten.

пестр=и́ть II. [a] *vn.* (*Pf.* за-) to be dazzling (to the eyes) || ~ *va.* to make variegated, to speckle.

пестрота́ *s.* medley, motley, mixture (of colours).

пёстрый *a.* many-coloured, variegated.

песцо́вый *a.* of the Arctic fox.

песч/а́ник *s.* sandstone || **–а́ный** *a.* sand-, sandy || **–и́на** *s.*, *dim.* **–и́нка** *s.* (*gpl.* -нок) grain of sand.

пета́рда *s.* petard.

пе́телька *s.* (*gpl.* -лек) *dim. of* пе́тля.

пети́т *s.* (*typ.*) brevier.

петли́ца *s.* buttonhole; loop.

пе́тля *s.* (*gpl.* -тель) bow, loop, knot; noose, running-knot; stitch, mesh; button-hole; eye (of a needle, a hook); hinge (of a door).

петру́шка *s.* (*gpl.* -шек) (*bot.*) parsley; **П–** Punch (in Punch and Judy show).

пет/у́х *s.* [a] cock || **–у́ший** (-ья, -ье) *a.* cock's || **–ушо́к** *s.* [a] (*gsg.* -шка́) small cock, cockerel.

петь 29. [a 1.] *vn&a.* (*Pf.* с-, про-) to sing.

пехо́т/а *s.* (*mil.*) infantry, foot || **–и́нец** *s.* (*gsg.* -нца) foot-soldier || **–ный** *a.* foot-, infantry-.

печа́л=ить II. *va.* (*Pf.* о-) to afflict, to grieve, to sadden || **~ся** *vr.* (о чём) to sorrow, to grieve.

печа́ль/ *s. f.* grief, sorrow || **–ный** *a.* sorrowful, mournful, sad.

печа́т/а-ть II. *va.* (*Pf.* на-) to print, to imprint (upon); (*Pf.* за-) to seal (up) || **–ный** *a.* printed, printing-; sealed, stamped || **–ня** *s.* (*gpl.* -тен) printing-house, -office, printer's || **–ь** *s. f.* seal, signet, stamp; (*typ.*) print, press; (printed) type, printing-type; **отда́ть в ~** to get printed; **вы́йти из –и** to be published, to appear.

печ/е́ние *s.* baking || **–ёнка** *s.* (*gpl.* -нок) *dim.* liver || **–ёный** *a.* baked || **´–ень** *s. f.* liver || **–е́нье** *s.* pastry || **´–ка** *s.* (*gpl.* -чек) *dim. of* печь || **–ни́к** *s.* [a] stove-setter || **–но́й** *a.* stove-, oven- || **–ь** *s. f.* [c] stove, oven (for baking); furnace (for smelting).

печь 18. [a 2.] *va.* (*Pf.* с-) to fry, to bake; to scorch, to burn (of the sun) || **~ся** *vn.* (*without Pf.*) (о чём) to take care of.

пеш/ехо́д *s.* & **–ехо́дец** *s.* (*gsg.* -дца), **–ехо́дка** *s.* (*gpl.* -док) pedestrian, foot-passenger || **–ехо́дный** *a.* pedestrian, foot- || **–е́чком** *ad.* on foot || **´–ий** (-ая, -ее) *a.* pedestrian, on foot || **´–ка** *s.* (*gpl.* -шек) pawn (at chess); king (at draughts) || **–ко́м** *ad.* on foot.

пеще́р/а *s.* cave, cavern, den || **–ный** *a.* [cave-.

пиан/и́но *s. indecl.* pianino || **–и́ст** *s.*, **–и́стка** *s.* (*gpl.* -ток) pianist.

пиа́но *s. indecl.* piano.

пи́в/о *s.* [b] beer, ale || **–но́й** *a.* beer- || **–на́я** (*as s.*) beerhouse, tavern || **–оваре́ние** *s.* brewing (of beer) || **–ова́ренный** *a.* for brewing (beer); **~ заво́д** brewery || **–ова́рня** *s.* (*gpl.* -рен) brewery.

пи́гал/ица *s.* & **–ка** *s.* (*gpl.* -лок) (*orn.*) [lapwing.

пигме́й *s.* pygmy, dwarf.

пиджа́к *s.* [a] short jacket (for men).

пии́т *s.* poet.

пик/ *s.* (mountain-) peak || **´–а** *s.* pike, lance, spear; **в ´–у** in defiance of || **–е́** *s. indecl.* quilting || **–е́йный** *a.* of quilting || **–е́т** *s.* (*mil.*) picket; (at cards) piquet || **´–и** *s. fpl.* [& c] spades *pl.* (at cards) || **–ни́к** *s.* picnic || **–о́вка** *s.* (*gpl.* -вок) a spade card || **´–овый** *a.* of spades.

пил/а́ *s.* [d] saw; file; **~-ры́ба** saw-fish || **–игри́м** *s.* pilgrim || **–игри́мство** *s.* pilgrimage || **–и́ка-ть** II. *vn.* to thrum (on the violin).

пил=и́ть II. [a] *va.* to saw, to file; (*fig.*) to annoy, to plague.

пи́л/ка *s.* (*gpl.* -лок) sawing, filing; small saw, file || **–о́т** *s.* pilot || **–очка** *s.* (*gpl.* -чек) small saw, file || **–ьный** *a.* saw-, sawing- || **–ьщик** *s.* sawer || **–ю́лька** *s.* (*gpl.* -лек) pillule || **–ю́льный** *a.* pill- || **–ю́ля** *s.* pill.

пиме́нт *s.* pimento.

пин/а́-ть II. *va.* (*Pf.* пн-уть I. [a]) to spurn, to kick aside || **–о́к** *s.* [a] (*gsg.* -нка́) kick, spurn.

пио́н/ *s.* (*bot.*) peony || **–е́р** *s.* (*mil.*) pioneer || **–е́рный** *a.* pioneer-.

пир/ *s.* [b°] feast, banquet || **–ами́да** *s.* pyramid || **–амида́льный** *a.* pyramidical || **–а́т** *s.* pirate || **–а́тский** *a.* pirate-, piratical || **–о+ва́ть** II. [b] *vn.* (*Pf.* от-, по-) to feast, to carouse, to banquet || **–о́г** *s.* [a] pie, pastry || **–о́жник** *s.* pastry-cook || **–о́жное** (*as s.*) cake, pastry || **–о́жный** *a.* pie-, pastry- || **–о́жная** (*as s.*) & **–о́жня** *s.* (*gpl.* -жен) pastry-cook's (shop) || **–ожо́к** *s.* [a] (*gsg.* -жка́) *dim. of* пиро́г || **–у́шка** *s.* (*gpl.* -шек) small feast || **´–шество́** *s.* feast(ing), banquet.

пис/а́ка *s. m.* a good writer; bad author, scribbler || **–а́ние** *s.* writing; scripture || **´–ан(н)ый** *a.* painted; spruce, decorated || **´–арский** *a.* writer's, scribe's || **´–арь** *s. m.* [b & c] (*pl.* -и & -я́) writer, scribe || **–а́тель** *s. m.*, **–а́тельница** *s.* writer, author || **–а́тельский** *a.* author's.

пис-а́ть I. 3. [c] *va.* (*Pf.* на-) to write; to compose; to paint; **пи́шущая маши́на** typewriter; **пи́шущая на маши́не** typist.

писе́ц *s.* [a] (*gsg.* -сца́) = **пи́сарь.**

писк/ *s.* squeak, chirp, piping || **–ли́вый** *a.* piping, squeaking || **´–нуть** *cf.* **пища́ть** || **–отня́** *s.* chirping, squeaking, whimpering || **–у́н** *s.* [a], **–у́нья** *s.* squeaker, whimperer.

пист/оле́т *s.* pistol || **–о́н** *s.* piston.

писч/ебума́жный *a.* writing-paper- || **´–ий** *a.*, **´–ая бума́га** writing-paper.

письм/ена́ *s.* (*pl. of* пи́сьмя) polite literature || **´–енный** *a.* written, in writing; for writing || **–ецо́** *s. dim. of foll.* || **–о́** *s.* [d] letter, epistle; writing; handwriting || **–о́вник** *s.* letter-writer, guide to letter-writing || **–оводи́тель** *s. m.* secretary || **–ово́д(и́тель)ство** *s.* functions of a secretary || **–оно́сец** *s.* (*gsg.* -сца) letter-carrier, postman || **´–я** *s. n.* (*gsg.* **´–**мени) (*typ.*) letter; character.

пит/а́ние *s.* nutrition, nourishing || **–а́тельный** *a.* nourishing, nutritious || **–а́-ть** II. *va.* to nourish, to feed; to board, to maintain; (*fig.*) to nourish, to cherish || **–е́йный** *a.* drinking- (of spirits); **~ дом** ale-house, tavern.

Пи́тер *s.* (*fam.*) St. Petersburg.

пито́м/ец *s.* (*gsg.* -мца) foster-son, foster-child || **–ица** *s.* foster-daughter, foster-child || **–ник** *s.* nursery.

пить 27. [a 3.] *va.* (*Pf.* вы́-) to drink.

питьё *s.* drinking; drink, beverage; (*med.*) potion.

пиха́-ть II. *va.* (*Pf.* пихн-у́ть I. [a]) to push, to shove, to thrust, to poke at.

пи́хта *s.* fir(-tree).

пи́чка-ть II. *va.* (*Pf.* на-) to stuff, to cram.

пич/у́га *s.*, *dim.* **–у́жка** *s.* (*gpl.* -жек) & **–у́жечка** *s.* (*gpl.* -чек) (small) bird.

пи́ща *s.* nourishment, food, nutriment.

пищ=а́ть I. [a] *vn.* (*Pf.* за-, *mom.* пи́скн-уть I.) to chirp, to squeak (of birds); to scream, to shriek, to whim (of children); to creak (of doors).

пище/варе́ние *s.* digestion || **–вари́тельный** *a.* digestive || **–во́д** *s.* (*an.*) gullet || **–во́й** *a.* food-, for *or* of food.

пия́вка *s.* (*gpl.* -вок) leech.

пла́в/ание *s.* swimming; sailing; voyage || **–ательный** *a.* for swimming || **–а-ть** II. *vn.* (*Pf.* по-, про-) to swim, to float; to sail || **–и́льник** *s.* crucible, melting-pot || **–и́льный** *a.* (s)melting-, for (s)melting || **–и́льня** *s.* (*gpl.* -лен) (s)melting-house, foundry || **–и́льщик** *s.* (s)melter.

пла́в=ить II. 7. *va.* (*Pf.* рас-) to (s)melt, to fuse; (*Pf.* с-) to float (wood).

пла́в/ка *s.* (s)melting, fusion; floating (wood) || **–кий** *a.* (easily) fusible || **–кость** *s. f.* fusibility || **–ле́ние** *s.* (s)melting, fusing || **–ность** *s. f.* fluency, facility, ease (of speech) || **–ный** *a.* fluent, easy, facile (of speech) || **–у́н** *s.* [a] swimmer; *coll.* driftwood; (*bot.*) lycopodium.

пла́к/альщица *s.* hired mourner || **–а́т** *s.* advertisement, placard, poster.

пла́к-ать I. 2. *vn.* (*Pf.* за-, по-) to weep, to cry; (по ком) to mourn || **~ся** *vn.* (without *Pf.*) (кому́ на что) to complain of.

пла́к/са *s. m&f. coll.* whiner, whimperer || **–си́вый** *a.* whining, whimpering, inclined to weep || **–у́чий** *a.*, **–у́чая и́ва** weeping willow || **–у́щий** (-ая, -ее) *a.* weeping.

плам/ене́-ть II. *vn.* to flame, to blaze; (*fig.*) to burn with, to be inflamed (with love, etc.) || **´–енный** *a.* flame-, flaming; (*fig.*) fiery, ardent, passionate || **´–я** *s. n.* (*gsg.* ´–мени) flame, blaze.

план/ *s.* plan; sketch; **за́дний ~** background; **пере́дний ~** foreground || **–е́та** *s.* planet || **–ета́рный** *a.* planetary || **–е́тный** *a.* planet-, of planet || **–име́трия** *s.* planimetry || **–иро+ва́ть** II. [b] *va.* (*Pf.* с-) to even, to level; to size (paper) || **´–ка** *s.* (*gpl.* -нок) ledge, lath, batten; (*mar.*) cleat, plank || **–та́тор** *s.* planter || **–та́ция** *s.* plantation || **–ше́т** *s.* planetable; busk (for corsets).

пласт/ *s.* layer, stratum; slice || **–а́-ть** II. *va.* (*Pf.* на-, рас-) to slit, to rip up, to slice open || **´–ика** *s.* plastic art || **–и́на** *s.* plate, sheet (of metal); board, plank || **–и́нка** *s.* (*gpl.* -нок) *dim. of prec.* || **–и́ческий** *a.* plastic || **–о+ва́ть** II. [b] *va.* (*Pf.* на-) to dispose in layers || **´–ырь** *s. m.* plaster; **англи́йский ~** court-plaster.

пла́т/а *s.* pay(ment), hire; wages *pl.*; fare || **–ёж** *s.* [a] payment || **–ёжный** *a.* of payment || **–е́льщик** *s.*, **–е́льщица** *s.* payer; paymaster || **–и́на** *s.* platinum || **–и́новый** *a.* (of) platinum.

плат=и́ть I. 2. [c] *va.* (*Pf.* за-) to pay (for); to pay off; (*fig.*) to repay, to requite.

плат/о́к *s.* [a] (*gsg.* -тка́), *dim.* **–о́чек** *s.* (*gsg.* -чка) kerchief, cloth; **носово́й ~** handkerchief; **ше́йный ~** neckcloth || **–фо́рма** *s.* platform || **´–ье** *s.* dress; clothing, clothes *pl.* || **´–ьице** *s. dim. of prec.* || **–яно́й** *a.* dress-, of clothes; **~ шкаф** wardrobe.

плафо́н *s.* ceiling.

пла́ха *s.* block (for executions).

плац/ *s.* (*mil.*) place; large square || **–ка́рта** *s.* (*rail.*) ticket for reserved seat.

плач/ *s.* lamentation, wailing, weeping; dirge, threnody; **´–ем пла́кать** to weep bitterly || **–е́вный** *a.* deplorable, lamentable; sad, woeful.

плаш/ко́т *s.* lighter, pontoon || **–мя́** *ad.* on *or* with the flat side, flat on the earth.

плащ/ *s.* cloak, mantle (for men without sleeves) || **–ани́ца** *s.* shroud.

плебе́й/ *s.* plebeian || **–ский** *a.* plebeian.

плев/а́ *s.* film, membrane || **–а́ка** *s. m&f.* spitter || **–а́тельница** *s.* spittoon; (*Am.*) cuspidor.

пле+ва́ть II. [a & b] *vn.* (*Pf.* на-, *mom.* плю́н-уть I.) to spit (out).

плево́к *s.* [a] (*gsg.* -вка́) spittle, saliva.

плёвый *a.* (*vulg.*) paltry, trifling, insignificant.

плед *s.* plaid.
плем/енной *a.* for breeding || **⁄я** *s. n.* [b] (*gsg.* ⁄мени, *pl.* -мена́) tribe, race, family; breed (of animals) || **–я́нник** *s.* nephew || **–я́нница** *s.* niece.
плен/ *s.* [°] captivity, bondage; (*fig.*) slavery || **–е́ние** *s.* taking captive; captivity || **–и́тельный** *a.* captivating, entrancing, charming || **–и́ть** *cf.* **–я́ть** || **⁄ник** *s.*, **⁄ница** *s.* prisoner, captive; (*fig.*) slave (to one's passions) || **⁄ный** *a.* captivated || ~ (as *s.*) prisoner, captive.
плён/ка *s.* (*gpl.* -нок) & **–очка** *s.* (*gpl.* -чек) pellicle, film; chaff.
пленя́-ть II. *va.* (*Pf.* плен=и́ть II. [a]) to take captive, to take prisoner; (кого́ чем *fig.*) to captivate, to charm || **~ся** *vr.* (чем *fig.*) to be ravished, to be captivated.
плеона́зм *s.* pleonasm.
пле́сень *s. f.* mould(iness).
плеск *s.* splashing, dashing (with water); applauding.
плеск-а́ть I. 4. [c] *vn.* (*Pf.* плесн-у́ть I. [a]) to splash, to dabble; to applaud || ~ *va.* to spill, to pour out.
плесн/еве́лый *a.* mouldy; musty || **⁄еве-ть** II. *vn.* (*Pf.* за-, о-) to grow mouldy.
плес/ти́ & –ть 23. [a 2.] *va.* (*Pf.* за-, с-) to plait, to braid (hair); to make (baskets); to weave (bone-lace); to wattle; (*fig.*) to tell lies || **–ти́сь** *vr.* to drag o.s. on; (о́коло чего́, по чём) to wind, to twine (round).
плет/е́ние *s.* plaiting (hair); weaving (bone-lace); wattling || **–ёный** *a.* plaited, wattle- || **–е́нь** *s. m.* [& a] (*gsg.* -тня́) wattled hedge; wicker-worker.
плётка *s.* (*gpl.* -ток) (small) whip(-lash).
плеть *s. f.* [c] whip, lash.
плеч/ево́й *a.* shoulder- || **–о́** *s.* [e] (*pl.* пле́чи, плеч, плеча́м, etc.) shoulder; **на ~!** shoulder arms!
плеш/и́ве-ть II. *vn.* (*Pf.* о-) to grow bald || **–и́вец** *s.* (*gsg.* -вца) bald headed person || **–и́вость** *s. f.* baldness || **–и́вый** *a.* bald, bald-headed || **–и́на** *s.* a bald spot; glade, clearing (in a wood) || **–ь** *s. f.* bald pate.
плит/а́ *s.* [d & e] freestone; (flag)stone; **ку́хонная ~** hearth-plate || **⁄ка** *s.* (*gpl.* -ток) *dim.* plate; tablet (of chocolate); (iron-)heater || **–ня́к** *s.* [a] flag, floorstone || **⁄очка** *s.* (*gpl.* -чек) *dim. of* пли́тка.
плов/е́ц *s.* [a] (*gsg.* -вца́) swimmer, floater || **–у́чий** (-ая, -ее) *a.* swimming-, floating-.
плод *s.* [a] fruit.
плод=и́ть I. 1. [a] *va.* (*Pf.* рас-, на-) to breed (animals); to cultivate (plants); to propagate, to multiply.
плодо/ви́тость *s. f.* fertility, fruitfulness; productiveness || **–ви́тый** *a.* fruitful, fertile; productive || **–но́сный** *a.* fruitful, fertile, frugiferous || **–ро́дие** *s.* & **–ро́дность** *s. f.* fertility, fruitfulness || **–ро́дный** *a.* fertile, fruitful, fecund || **–тво́рный** *a.* fructifying, fecundating, fertilizing.
плое́ние *s.* folding.
пло=и́ть II. [a & b] *va.* (*Pf.* с-) to fold, to ruffle.
плой/ *s.* fold || **⁄ка** *s.* (*gpl.* пло́ек) folding.
пло́мб/а *s.* lead seal; filling (of a tooth) || **–иро+ва́ть** II. [b] *va.* (*Pf.* за-) to affix leaden seals to; to plug, to fill (a tooth).
пло́ск/ий *a.* (*comp.* пло́ще) flat; (*fig.*) dull || **–одо́нный** *a.* flat-bottomed || **–оно́сый** *a.* flat-nosed || **–ость** *s. f.* flat surface, plane; (*fig.*) dul(l)ness.
плот/ *s.* [a] raft || **–ва́** *s.* (*ich.*) roach || **⁄ик** *s.* small raft || **–и́на** *s.* dam, dike; (*rail.*) embankment || **⁄ник** *s.* carpenter || **⁄ничa-ть** II. *vn.* to follow the trade of a carpenter || **⁄нич(еск)ий** *a.* carpenter's || **⁄ничество** *s.* carpentry || **⁄ность** *s. f.* compactness, density, solidity || **⁄ный** *a.* compact, dense; stout, vigorous, thick-set || **–оуго́дие** *s.* sensuality, voluptuousness || **–оуго́дник** *s.* sensual man || **–оуго́дный** *a.* sensual, voluptuous || **⁄ский & –ско́й** *a.* fleshly, carnal || **–ь** *s. f.* the flesh; body; **кра́йняя ~** the foreskin.
пло́х/о *ad.* badly, poorly || **–о́й** *a.* (*comp.* ху́же пло́ше) bad, poor; negligent.
плоша́-ть II. *vn.* (*Pf.* о-) to grow worse (of the health); to be negligent, to be careless.
площ/а́дка *s.* (*gpl.* -док) small square; landing (of stairs) || **–адно́й** *a.* market-; **~ язы́к** Billingsgate || **⁄адь** *s. f.* [c] square, public place; market-place; area; platform || **⁄е** *cf.* **пло́ский** || **–и́ца** *s.* crab-louse.
плуг *s.* [b] plough.
плут/ *s.* [b] rogue, knave, cheat, sharper || **–а́-ть** II. *vn.* (*Pf.* про-) to stray, to wander, to stroll || **–и́шка** *s. m.* (*gpl.* -шек) little rogue || **⁄ня** *s.* roguish trick, piece of cheating || **–о+ва́ть** II. [b] *vn.* (*Pf.* с-) to cheat, to play foul || **–о́вка** *s.* (*gpl.* -вок) cheat || **–овско́й** *a.* knavish, cheating || **–овство́** *s.* roguery, cheating, swindling.

плыть 31. [a 3.] *vn.* (*Pf.* по-) to sail, to navigate; to float, to swim; to gutter (of resin, a candle); to run over (of cooking).
плюга́вый *a.* vile, detestable, ugly.
плюма́ж *s.* plume, plumage (on a hat).
плю́нуть *cf.* **плева́ть.**
плюс *s.* [b] plus, the sign +.
плю́ха *s.* a box on the ear.
плюш/ *s.* plush || **´евый** *a.* of plush, plush-.
плющ/ *s.* [a] ivy || **´евый** *a.* ivy-, ivied || **–е́ние** *s.* flattening (of metals).
плющ=и́ть I. [a] *va.* (*Pf.* плюсн-уть I.) to flatten, to laminate (metals).
пляс/ & **–а́ние** *s.* dancing.
пляс-а́ть I. 3. [c] *vn.&a.* (*Pf.* по-, про-) to dance (in the Russian fashion).
пля́с/ка & **–ня** *s.* (*gpl.* -сок) dance || **–ово́й** *a.* dance-, dancing- || **–у́н** *s.* [a], **–у́нья** *s.* (impassioned) dancer.
пневмати́ческий *a.* pneumatic(al).
по *prp.* (+ *A.*) up to, as far as, to, till; **по́ уши** up to one's ears; (+ *D.*) on, by, at, from, for; through, at the rate of; (+ *Pr.*) after.
по ... A proverb often merely forming the Perfective aspect. In this case the verb is to be looked for under the simple verb.
по- *as prefix* = in the manner of, like; **помо́ему** in my opinion; **по-ру́сски** in Russian.
по/ба́ива-ться II. *vc.* (кого́) to be somewhat afraid (of) || **–басёнка** *s.* (*gpl.* -нок) little tale, story || **–бе́г** *s.* escape, flight, desertion; (*bot.*) shoot, sprout, runner || **–бегу́шка** *s. m.&f.* (*gpl.* -шек) *coll.* gadabout, person running always about || **–бегу́шки** *s. fpl.* running to and fro; **быть на –бегу́шках** to be errand-boy, to be running messages.
побе́д/а *s.* victory, triumph, conquest || **–и́тель** *s. m.* conqueror; victor || **–и́ть** *cf.* **побежда́ть** || **–оно́сец** *s.* (*gsg.* -сца) vanquisher, victor, victorious person || **–оно́сный** *a.* victorious, triumphant.
по/бежда́-ть II. *va.* (*Pf.* -бед=и́ть I. 5. [a]) to vanquish, to conquer, to overcome; to master || **–бере́жный** *a.* situated on the shore, coast; littoral, maritime || **–бере́жье** *s.* coast, (sea)shore || **–бива́-ть** II. *va.* (*Pf.* -би́ть 27. [a 1.]) to massacre, to slay; to strike, to beat down, to conquer, to overcome; to lay waste (of hail) || **–бира́-ть** II. *va.* (*Pf.* -бра́ть 8. [a 3.]) to take little by little, to take away in quantity *or* in large numbers; **чорт тебя́ –бери́!** the devil take you! || **~ся** *vn.* to go begging || **–бла́жка** *s.* (*gpl.* -жек) connivance, indulgence || **–блёклый** *a.* faded, withered || **–бли́же** *ad.* somewhat nearer || **–бли́зости** *ad.* in the neighbourhood, near at hand.
побо́и/ *s. mpl.* beating, thrashing || **–ще** *s.* bloody fight, slaughter; shambles *pl.*, field of battle.
побо́льше *ad.* somewhat more.
побо́р/ *s.* prestation; extortion || **–о́ть** *cf.* **боро́ть** || **–ник** *s.* champion, upholder.
по/бо́чный *a.* accessory; collateral; natural, illegitimate || **–бра́ть** *cf.* **–бира́ть** || **–бряку́шка** *s.* (*gpl.* -шек) (child's) rattle || **–буди́тель** *s. m.*, **–буди́тельница** *s.* inciter || **–буди́тельный** *a.* inciting; **–ная причи́на** motive, reason || **–бужда́-ть** II. *va.* (*Pf.* -буд=и́ть I. 1. [c]) to incite, to induce, to impel, to put up to || **–бужде́ние** *s.* impulse, incitation, stimulation, inducement || **–быва́льщина** *s.* true event, fact || **–бы́вка** *s.* (*gpl.* -вок) a short stay *or* visit.
по/ва́дка *s.* (*gpl.*-док) (bad) habit || **–ва́д=иться** I. 1. *vr.* to become accustomed to, to get into the habit of || **–ва́лка** *s.*, **спать в –ва́лку** sleeping side by side on the floor || **–ва́льный** *a.* general; epidemic(al).
по́вар *s.* cook.
пова́р/енный *a.* kitchen-, cooking-, culinary; **–енная соль** common salt || **–ёнок** *s.* (*pl.* -я́та) kitchen-boy, scullion || **–и́ха** *s.* (female) cook || **–ско́й** *a.* cook's, kitchen-.
по-ва́шему *cf.* **ваш.**
по/ве́да-ть II. *va. Pf.* to relate, to tell || **–веде́ние** *s.* conduct, behaviour || **–велева́-ть** II. *va.* to command, to order; (чем) to be in command; (*Pf.* -вел=е́ть II. [a]) (+ *D.*) to order, to enjoin (on) || **–веле́ние** *s.* command, order || **–вели́тель** *s. m.* commander, master, sovereign || **–вели́тельный** *a.* imperative, commanding || **–верга́-ть** II. *va.* (*Pf.* -ве́ргнуть 52.) to put down; to throw down; to offer, to present to, to lay before one || **–ве́ренный** (*as s.*) attorney, deputy; agent; (*leg.*) solicitor || **–ве́рить** *cf.* **ве́рить** & **–веря́ть** || **–ве́рка** *s.* (*gpl.* -рок) verification, control; proof || **–верну́ть** *cf.* **–вора́чивать** || **–вёрстный** *a.* by versts.

пове́рх/ *prp.* (+ *G.*) above, over || **–ностный** *a.* external, exterior; superficial; (*fig.*) shallow || **–ность** *s. f.* surface, superficies; outside, exterior.

по/ве́рье *s.* (popular) belief, superstition || **–веря́-ть** II. *va.* (*Pf.* -вéр=ить II.) to verify, to control; (кому́ что) to confide to, to trust.

пове́с/а *s. m&f. coll.* madcap, tomboy || **–ить** *cf.* **ве́шать** || **–ничa-ть** II. *vn.* to behave wildly, to play the madcap || **–твова́ние** *s.* narrative, narration, relation || **–тво+ва́ть** II. [b] *va.* (о чём) to narrate, to relate || **–тка** *s.* (*gpl.* -ток) announcement; (written) notification, notice.

по́весть *s. f.* [c] tale, novel, story; narrative; report.

пове́трие *s.* miasma, pestilential atmosphere; epidemic.

по/веща́-ть II. *va.* (*Pf.* -вест=и́ть I. 4. [a]) (когó о чём) to announce, to inform || **–вива́льный** *a.*, **–ная ба́бка** & **–вива́льщица** *s.* midwife || **–вива́-ть** II. *va.* (*Pf.* -ви́ть 27. [a 3.]) to swathe, to swaddle (a child); to deliver, to bring forth, to be delivered (of a child) || **–ви́димому** *ad.* seemingly, as it seems.

пови́н/ность *s. f.* obligation, duty; obedience, submission; **рекру́тская ~** levy || **–ный** *a.* obliged; culpable, guilty; submissive || **–о+ва́ться** II. [b] *vr.* to obey, to comply (with) || **–ове́ние** *s.* obedience.

пови/ту́ха *s.* midwife || **–́ть** *cf.* **–ва́ть.**

по́вод *s.* [b°] (*pl.* -á & –́ья, –́ьев) rein, bridle; cause, occasion, reason, motive; **дать ~** (к чему́) to give the chance, the opportunity; **по –у** (+ *G.*) as regards.

повóзка *s.* (*gpl.* -зок) vehicle, car, carriage.

повор/а́чива-ть II. *va.* (*Pf.* -от=и́ть I. 2. [c] & поверн-у́ть I. [a]) to turn (about) || **~ся** *vr.* to turn (round); to bestir o.s. || **–о́т** *s.* turning, turn; bend; **~ со́лнца** solstice || **–о́тливость** *s. f.* agility, activity || **–о́тливый** *a.* agile, nimble, active || **–о́тный** *a.* turning, turn-.

по/вреждá-ть II. *va.* (*Pf.* -вред=и́ть I. 1. [a]) to spoil, to damage, to corrupt; (*fig.*) to injure, to hurt, to harm || **–вреждéние** *s.* damage; corruption; injury.

повремéнный *a.* periodic(al).

повсе/гóдный *a.* yearly || **–днéвный** *a.* daily || **–мéстно** *ad.* everywhere || **–мéстный** *a.* universal, general || **–мéсячный** *a.* monthly || **–ча́сный** *a.* hourly.

повстречá-ть II. *va. Pf.* to meet, to fall in (with) || **~ся** *vrc.* (с кем) to meet, to fall in (with).

повсю́ду *ad.* everywhere, in every place.

повто/ре́ние *s.* repetition, reiteration || **–ри́тельный** *a.* repeated, iterative || **–ря́-ть** II. *va.* (*Pf.* -р=и́ть II. [a]) to repeat; to rehearse (a lesson); to reiterate.

по/выша́-ть II. *va.* (*Pf.* -вы́с=ить I. 3.) to raise (the price); to elevate; to promote, to advance || **–вы́ше** *ad.* a little higher, a little above || **–выше́ние** *s.* promotion, advancement; elevation; rise (in price).

повя́/зка *s.* (*gpl.* -зок) headband, fillet; band, tie; (*med.*) bandage || **–зыва-ть** II. *va.* (*Pf.* -з-áть I. 1. [c]) to tie, to bind, to wrap; to tie up, to bind (sheaves).

по́вязь *s. f.* = **повя́зка.**

по/гáнец *s.* (*gsg.* -нца) nasty, dirty man || **–гáн=ить** II. *va.* (*Pf.* о-) to dirty, to pollute || **–гáнка** *s.* (*gpl.* -нок) nasty, dirty woman; toadstool (inedible mushroom) || **–гáныш** *s.* disgusting person; (*bot.*) inedible mushroom, toadstool || **–гáный** *a.* impure, dirty, nasty, disgusting || **–́гань** *s. f.* dirt, disgustingness; *coll.* vermin || **–гасáть** *cf.* **гáснуть** || **–гашá-ть** II. *va.* (*Pf.* -гас=и́ть I. 3. [a & c]) to extinguish, to put out (fire, a light); to quench (one's thirst); to slake (lime); to suppress; to liquidate, to sink (a debt) || **–гашéние** *s.* extinction, putting out; liquidation, sinking || **–гибáть** *cf.* **ги́бнуть** || **–ги́бель** *s. f.* ruin, destruction || **–глощá-ть** II. *va.* (*Pf.* -глот=и́ть I. 6. [c]) to engulf, to swallow up; to suck in, to absorb (liquids) || **–глощéние** *s.* swallowing up, engulfing; absorption || **–глу́бже** *ad.* somewhat deeper || **–гнáть** *cf.* **–гоня́ть.**

по/говáрива-ть II. *vn.* (*Pf.* -говор=и́ть II. [a]) (о чём) to speak now and then; (*only Pf.*) (с кем) to have a talk (with one), to come to an understanding (with one) || **–говóрка** *s.* (*gpl.* -рок) talk, rumour; (*proverbial*) saying, adage; short discourse || **–гóда** *s.* weather || **–годи́(те)** *Imp.* wait! (*cf.* годи́ть) || **–головный** *a.* general, universal || **–гóн** *s.* pursuit; (*mil.*) shoulder-piece || **–гóнный** *a.* of length, in length || **–гóнщик** *s.* driver (of cattle) || **–róня** *s.* pursuit, chase; *coll.* pursuers *pl.*, those in pursuit || **–го-ня́-ть** II. *va.* (*Pf.* -гна́ть 11.) to drive on (*cf.* гнать).

по/гора́-ть II. *vn.* (*Pf.* -гор=е́ть II. [a]) to be burned out of house and home || **–горе́лец** *s.* (*gsg.* -льца) one who has lost his all by fire, one whose house has been burned || **–горе́лый** *a.* burned down.

по/го́ст *s.* churchyard, cemetery || **–гра-ни́чный** *a.* frontier, bordering, border-.

по́греб/ *s.* [b] (*pl.* -á) cellar || **–а́льный** *a.* burial-, funeral || **–а́-ть** II. *va.* (*Pf.* погре(б)сти́ 21. [a 2.]) to bury, to inter || **–е́ние** *s.* burial, interment || **–е́ц** *s.* [a] (*gsg.* -бца́) luncheon basket || **–но́й** *a.* cellar- || **–о́к** *s.* [a] (*gsg.* -бка́) small cellar (*esp.* wine-cellar).

по/гему́шка *s.* (*gpl.* -шек) child's rattle || **–грести́** *cf.* **–греба́ть** || **–греша́-ть** II. *vn.* (*Pf.* -греш=и́ть I. [a]) to sin, to transgress; to err || **–гре́шность** *s. f.* error, mistake || **–гро́м** *s.* destruction, devastation; pogrom || **–гружа́-ть** II. *va.* (*Pf.* -груз=и́ть I. 1. [a & c]) to plunge, to immerse, to dip (into water); to load, to freight (goods) || **~ся** *vr.* to plunge o. s., to sink into; to dive || **–груже́ние** *s.* & **–гру́зка** *s.* (*gpl.* -зок) immersion; loading, lading || **–гу́дка** *s.* (*gpl.* -док) air, tune, melody.

под (по́до) *prp.* (+ *A.*) under, near, to; (of time) shortly before, about; **~ у́тро** towards morning; (+ *I.*) under, near, at; **~ де́ревом** under a tree; **~ Бер-ли́ном** near Berlin.

под *s.* [°] bottom; **печно́й ~** hearth.

по/дава́ть 39. *va.* (*Pf.* -да́ть 38. [a 4.]) to give, to present; to serve; to drive up || **~ся** *vr.* to move on; to give way; to yield || **–давля́-ть** II. *va.* (*Pf.* -да-в=и́ть II. 7. [c]) to crush; (*fig.*) to stifle, to suppress, to smother || **–да́вно** *ad.* all the more, so much the more.

пода́гр/а *s.* gout || **–ик** *s.* gouty person || **–и́ческий** *a.* gouty.

пода́р/ок *s.* (*gsg.* -рка), *dim.* **–очек** *s.* (*gsg.* -чка) gift, present.

пода́т/ель *s. m.* giver, dispenser; bearer, deliverer (of a letter) || **–ливый** *a.* complaisant, compliant; liberal, generous || **–но́й** *a.* subject to tax; tax- || **–ь** *cf.* **подава́ть.**

по́дать *s.* [c] tax; tribute

пода́ч/а *s.* giving (of alms); gift; **~ го́-лоса** voting || **–ка** *s.* (*gpl.* -чек) gift, alms *pl.*

подая́ние *s.* alms *pl.*, charity.

под/бавля́-ть II. *va.* (*Pf.* -ба́в=ить II. 7.) to add, to subjoin || **–бега́-ть** II. *vn.* (*Pf.* -бежа́ть 46.) to run up to, to come running to || **–бива́-ть** II. *va.* (*Pf.* -би́ть 27., *Fut.* подобью́) to put under; to set with (*e. g.* nails); to line (clothes); (кого́ за что *fig.*) to incite, to urge; **~** (кому́) **глаза́** to give one a black eye || **~ся** *vr.* (по́до что) to thrust o.s.; to force o.s.; (под кого́ *fig.*) to try to ingratiate o.s. (with) || **–бира́-ть** II. *va.* (*Pf.* -обра́ть 8., *Fut.* -беру́) to take up, to gather up, to pick up; to tuck up (one's dress); to match, to assort; to pack (cards) || **~ся** *vr.* to insinuate o.s.; (к кому́, под кого́) to approach furtively || **–блю́дник** *s.* dish-mat || **–бо́й** *s.* lining || **–бо́р** *s.* suit, set, match(ing); sorting; **(как) на ~** choice, selected || **–боро́док** *s.* (*gsg.* -дка) chin || **–боро́дочный** *a.* chin- || **–боче́нива-ться** II. *vr.* (*Pf.* -боче́-н=иться II.) to put one's arms akimbo || **–бра́сыва-ть** II. *va.* (*Pf.* -бро́с=ить I. 3.) to throw, to hurl to; to expose (a child) || **–брю́шина** *s.* abdomen || **– брю́шник** *s.* abdominal belt; belly-band.

под/ва́л *s.* cellar, vault; basement(-storey) || **–ва́льный** *a.* cellar- || **–ве́домствен-ность** *s. f.* dependence, subordination || **–ве́домственный** *a.* dependent on || **–везти́** & **–ве́зть** *cf.* **–вози́ть** || **–ве-не́чный** *a.* nuptial, wedding- || **–вер-га́-ть** II. *va.* (*Pf.* -ве́ргнуть 52.) to inflict, to expose, to subject, to submit || **–верже́ние** *s.* subjection || **–вёрты-ва-ть** II. *va.* (*Pf.* -верн-у́ть I. [a]) to slip, to thrust under, to foist on || **~ся** *vr.* to slip (under), to fall under || **–ве́ска** *s.* (*gpl.* -сок) pendant, (ear-)drop || **–ве́с-ный** *a.* suspended; suspension- || **–вести́** *cf.* **–води́ть** || **–ве́тренный** *a.* (*mar.*) lee || **–́вечер** *ad.* towards evening || **–ве́шива-ть** II. *va.* (*Pf.* -ве́с=ить I. 3.) to hang under, to suspend (from) || **–вздо́хи** *s. mpl.* the haunches *pl.*

по́дви/г *s.* exploit, (famous) deed || **–га́-ть** II. *va.* (*Pf.* -́н-уть I.) to advance, to move, to push on, up, forward; (кого́ на что) to induce, to cause one to || **~ся** *vr.* to advance, to move forward; to get on (with a work) || **–́жник** *s.* athlete; warrior, champion; fanatic || **–́жно́й** & **–жный** *a.* movable, mobile || **–за́-ться** II. *vr.* to devote o.s. to; to apply o.s. to, to study (a thing); (за что) to fight, to struggle.

под/вла́стный *a.* subject, submissive || **-во́да** *s.* cart || **-вод=и́ть** I. 1. [c] *va.* (*Pf.* -вести́ & -ве́сть 22.) to lead up to, to bring up to; to lead, to trot out (a horse); to present, to introduce; ~ **под пра́вило** to apply a rule to; ~ **ито́г** to make up the total || **-во́дный** *a.* under water, submerged, submarine || **-во́дчик** *s.* driver of a cart || **-во́з** *s.* transport, carriage || **-воз=и́ть** I. 1. [c] *va.* (*Pf.* -везти́ & -ве́зть 25.) to supply, to import; to drive up to || **-во́рный** *a.* of a habitation || **-воро́тня** *s.* (*gpl.* -тен) board under a gate || **-во́рье** *s.* inn; conventual church and house || **-во́х** *s.* evil intention || **-вя́зка** *s.* (*gpl.* -зок) garter.

под/гиба́-ть II. *va.* (*Pf.* -огн-у́ть I. [a]) to cross (one's legs); to bend, to turn up || **-гля́дыва-ть** II. *va.* (*Pf.* -гляд=е́ть I. 1. [a]) to lie in wait for a thing, to learn the knack || **-гнива́-ть** II. *vn.* (*Pf.* -гни́-ть II. [a]) to rot underneath || **-гова́рива-ть** II. *va.* (*Pf.* -говор=и́ть II. [a]) (кого́ к чему́) to induce, to incite to; to persuade **-гово́р** *s.* instigation, persuasion || **-гоня́-ть** II. *va.* (*Pf.* -огна́ть 11., *Fut.* -гоню́) to drive on, under; to drive up to; to adjust || **-гора́-ть** II. *vn.* (*Pf.* -гор=е́ть II. [a]) to burn underneath || **-готовля́-ть** II. *va.* (*Pf.* -гото́в=ить II. 7.) to prepare, to get ready || **-греба́-ть** II. *va.* (*Pf.* -грести́ & -гре́сть 21.) to rake up, to scrape up || **-гу́лива-ть** II. *vn.* -гуля́-ть II.) to get tipsy.

под/дава́ть 39. *va.* (*Pf.* -да́ть 38.) (чего́) to add, to multiply; to strengthen, to fortify || **~ся** *vr.* to submit, to yield, to give in || **-давки́** *s. mpl.*, **игра́ть в ~** to play at draughts.

по́ддан/ический *a.* of subject || **-ый** *a.* & *s.* subject || **-ство** *s.* subjection; nationality.

под/да́ть *cf.* **-дава́ть** || **-дева́-ть** II. *va.* (*Pf.* -де́ть 32.) to put on under; to hook in, to catch up (with a hook); (*fig.*) to trick, to cheat || **-дёвка** *s.* (*gpl.* -вок) sleeveless underdress, undervest, jerkin || **-де́лка** *s.* (*gpl.* -лок) counterfeit, falsification, adulteration || **-де́лыва-ть** II. *va.* (*Pf.* -де́ла-ть II.) to counterfeit, to falsify, to adulterate || **-де́льный** *a.* imitated, counterfeit, artificial, false || **-де́ржива-ть** II. *va.* (*Pf.* -держ=а́ть I. [c]) to hold up, to support, to maintain, to sustain, to help, to protect || **-де́ржка** *s.* (*gpl.* -жек) support, aid, assistance, maintenance || **-до́нки** *s. mpl.* sediment, dregs *pl.* (*also fig.*).

по/де́лыва-ть II. *va.* (*Pf.* -де́ла-ть II.) to do now and then; **что вы -де́лываете?** how do you pass your time? || **-дённый** *a.* daily, by the day || **-дёнщик** *s.* day-labourer || **-дёнщина** *s.* day-labour || **-дёнщица** *s.* charwoman || **-дёргива-ть** II. *va.* (*Pf.* -дёрн-уть I.) (что чем) to cover (with) || **-держа́ние** *s.* (temporary) use || **-де́ржанный** *a.* used, worn, second-hand || **-деше́вле** *ad.* cheaper, quite cheap.

под/жа́рива-ть II. *va.* (*Pf.* -жа́р=ить II.) to roast, to fry, to toast (a little) || **-жа́ристый** *a.* brown(ed), done brown || **-жа́рый** *a.* emaciated, lean, slender || **-жа́ть** *cf.* **-жима́ть** || **-же́чь** *cf.* **-жига́ть** || **-жига́тель** *s. m.*, **-жига́тельница** *s.* incendiary; (*fig.*) firebrand || **-жига́-ть** II. *va.* (*Pf.* -же́чь 16., *Fut.* -ожгу́) to set on fire, to set fire to; (*fig.*) to excite, to stir up || **-жида́-ть** II. *va.* (*Pf.* -ожд-а́ть I. [a]) to wait for || **-жима́-ть** II. *va.* (*Pf.* -жа́ть 33., *Fut.* -ожму́) to cross one's legs and sit down (in the Turkish fashion) || **-жо́г** *s.* incendiarism.

под/задо́рива-ть II. *va.* (*Pf.* -задо́р=ить II.) to stir up, to provoke, to incite || **-заты́лок** *s.* (*gsg.* -лка) nape (of the neck) || **-заты́льник** *s.* a blow on the nape (of the neck) || **-земе́лье** *s.* subterranean vault, cave || **-зе́мный** *a.* underground, subterranean; **-зе́мная (желе́зная) доро́га** underground railway, Underground || **-зо́рный** *a.*, **-ная труба́** telescope; **-ная ба́шня** watchtower || **-зыва́-ть** II. *va.* (*Pf.* -озва́ть 10., *Fut.* -зову́, -зовёшь) to call up; to invite, to entice.

по/дира́-ть II. *va.* (*Pf.* -дра́ть 8.) (за́ волосы) to tear, to pull, to tug sometimes || ~ *v.imp.*, **меня́ по ко́же -дира́ет** that makes my flesh creep.

под/ка́пыва-ть II. *va.* (*Pf.* -копа́-ть II.) to dig under, to undermine || **~ся** *vr.* to dig through; (под кого́ *fig.*) to seek to injure || **-карау́лива-ть** II. *va.* (*Pf.* -карау́л=ить II.) to keep watch on, to waylay, to spy || **-ка́шива-ть** II. *va.* (*Pf.* -кос=и́ть I. 3. [c]) to mow down || **~ся** *vr.* (of the legs) to sink under one || **-кидно́й** *a.* foisted || **-ки́дыва-ть** II. *va.* (*Pf.* -ки́н-уть I.) to throw under; to put under; to convey (a thing) secretly (to one); ~(кому́) **младе́нца** to foist s.o.

a child; ~ подмётки (под башмакѝ) to sole || **–кѝдыш** *s.* a foisted child || **–кла́дка** *s.* (*gpl.* -док) underlayer; lining || **–кла́дыва-ть** II. *va.* (*Pf.* -лож=и́ть I. [c]) to lay under; to line || **–ко́ва** *s.* horseshoe || **–кова́ть** *cf.* **–ко́вывать** || **–ко́вка** *s.* (*gpl.* -вок) horse-shoeing; small horseshoe || **–ко́вный** *a.* horseshoe- || **–ковообра́зный** *a.* of horseshoe shape, shaped like a horseshoe || **–ко́выва-ть** II. *va.* (*Pf.* -ко+ва́ть II. [a]) to shoe (a horse) || **–ко́жный** *a.* subcutaneous || **–коле́нок** *s.* (*gsg.* -нка) ham(string) || **–ко́п** *s.* mine, sap || **–копа́ть** *cf.* **–ка́пывать** || **–ко́пщик** *s.* sapper || **–коси́ть** *cf.* **–ка́шивать** || **–кра́дыва-ться** II. *vn.* (*Pf.* -кра́сться 22. [a 1.]) to steal up to, to sneak up to || **–кра́шива-ть** II. *va.* (*Pf.* -кра́с=ить I. 3.) to retouch, to repaint; to dye || **–крепле́ние** *s.* strengthening, fortifying; (*mil.*) reinforcements *pl.* || **–крепля́-ть** II. *va.* (*Pf.* -креп=и́ть II. 7. [a]) to reinforce; to fortify, to strengthen; to corroborate; (*mil.*) to reinforce || **~ся** *vr.* to grow stronger.

по́д/куп *s.* bribery, corruption || **–купа́-ть** II. *va.* (*Pf.* -куп=и́ть II. 7. [c]) to bribe, to corrupt, to suborn || **–купно́й** *a.* bribed, corrupt.

под/лага́-ть II. *va.* = **–кла́дывать** || **–ла́жива-ть** II. *va.* (*Pf.* -ла́д=ить I. 1.) to (at)tune || **~ся** *vr.* (к кому́) to accommodate o.s.; (под кого́) to ingratiate o.s. (with).

по́дле *prp.* (+ *G.*) beside, near, alongside, by the side of || ~ *ad.* close by, hard by.

под/леж=а́ть I. *vn.* to be subject to, to be liable to || **–лежа́щий** *a.* subject, competent, liable || **–лежа́щее** (*as s.*) (*gramm.*) subject || **–леза́-ть** II. *vn.* (*Pf.* -ле́зть 25. [b]) to creep under; (под кого́) (*fig.*) to creep into favour; to insinuate o.s. into a person's good graces || **–лета́-ть** II. *vn.* (*Pf.* -лет=е́ть I. 2. [a]) to fly up to || **–ле́ц** *s.* [a] infamous wretch, scoundrel, dastard || **–лива́-ть** II. *va.* (*Pf.* -ли́ть 27., *Fut.* -олью́) to pour to, to add || **–ли́вка** *s.* (*gpl.* -вок) sauce, gravy || **–ли́зыва-ть** II. *va.* (*Pf.* -лиз-а́ть I. 1. [c]) to lick (up).

по́длинн/ик *s.* original, first draught || **–ый** *a.* authentic, original, real.

под/ли́ть *cf.* **–лива́ть.**

по́длича-ть II. *vn.* (*Pf.* с-) to act abjectly, meanly; to cringe, to fawn.

под/ло́бье *s.* lower part of the forehead; (*an.*) socket of the eye, orbit; **смотре́ть** (на кого́) **из –ло́бья** to look askance at || **–ло́г** *s.* fraud, deceit, counterfeit || **–ложи́ть** *cf.* **–кла́дывать** || **–ло́жный** *a.* false, spurious, counterfeit || **∠лость** *s. f.* meanness, baseness, vileness, abjectness || **–лу́нный** *a.* sublunar || **∠лый** *a.* mean, vile, base, dastardly.

под/ма́зыва-ть II. *va.* (*Pf.* -ма́з-ать I. 1.) to grease, to anoint; (кому́ *fam.*) to bribe, to grease one's palm || **–ма́нива-ть** II. *va.* (*Pf.* -ман=и́ть II. [c]) to entice, to decoy || **–ма́слива-ть** II. *va.* (*Pf.* -ма́сл=ить II.) to butter, to oil; (*fig.*) to bribe || **–масте́рье** *s. m.* foreman || **–ма́хива-ть** II. *va.* (*Pf.* -махн-у́ть I. [a]) to sweep away, to brush away; (*fig.*) to dash off (one's signature) || **–ма́чива-ть** II. *va.* (*Pf.* -моч=и́ть I. [c]) to moisten, to wet, to damp underneath || **–ме́н & –ме́на** *s.* (secret) substitution, exchange || **–ме́нива-ть** II. & **–меня́-ть** II. *va.* (*Pf.* -мен=и́ть II. [a & c]) to exchange (for), to substitute (secretly).

по́д/месь *s. f.* admixture, alloy || **–мета́-ть** II. *va.* (*Pf.* -мести́ & -ме́сть 32. [a 2.]) to sweep out, up, under; to blow up (snow) (*cf.* -мётывать) || **–мётка** *s.* (*gpl.* -ток) sole (of a boot) || **–мётный** *a.* supposititious, spurious, false; secretly conveyed (a letter to one) || **–мётыва-ть** II. *va.* (*Pf.* -мета́-ть II. & -метн-у́ть I. [a]) to throw under; to sew onto, to stitch underneath; to sole (boots); (*only* 2. *Pf.*) to substitute, to convey (a thing) secretly (to one) || **–меча́-ть** II. *va.* (*Pf.* -ме́т=ить I. 2.) to observe, to notice, to waylay (one); (у кого́ что) to obtain a thing from one by lying in wait || **–ме́шива-ть** II. *va.* (*Pf.* -меша́-ть II.) to mix, to alloy, to adulterate (with water) || **–ми́гива-ть** II. *vn.* (*Pf.* -мигн-у́ть I. [a]) to wink at one || **–мо́га** *s.* aid, assistance, succour || **–мока́-ть** II. *vn.* (*Pf.* -мо́кнуть 52.) to get wet underneath; to get damaged by moisture || **–мора́жива-ть** II. *va.* (*Pf.* -моро́з=ить I. 1.) to freeze a little || ~ *vn.* to begin to freeze.

под/мо́стки *s. mpl.* scaffolding; trestles *pl.*; **театра́льные ~** stage || **–мочи́ть** *cf.* **–ма́чивать** || **–мыва́-ть** II. *va.* (*Pf.* -мы́ть 28. [b]) to wash up; to wash away, off, out; to undermine (a river its bank) || **–мы́шка** *s.* (*gpl.* -шек) (*an.*) arm-pit.

под/начáльный *a.* subordinate || **–небéсный** *a.* terrestrial, earthly || **–небéсная** (*as s.*) the earth || **–небéсье** *s.* the sky, the atmosphere, the air || **–несéние** *s.* presentation, offering || **–нести́** *cf.* **–носи́ть** || **–нимá-ть** II. *va.* (*Pf.* -ня́ть 37. [c 4.]) to raise, to lift up; to take up, to pick up; to hoist (a sail); to weigh (anchor); ~ (когó) **нá смех** to ridicule one || ~**ся** *vr.* to rise, to get up, to go up || **–новлéние** *s.* renovation || **–новля́-ть** II. *va.* (*Pf.* -нов=и́ть II. 7. [a]) to repair, to renovate || **–ногóтный** *a.* under the nail; **знать всю –ногóтную** to know the ins and outs of a matter || **–нóжие** *s.* footstool || **–нóжка** *s.* (*gpl.* -жек) step (of a carriage); (*in pl.*) carpet used at a wedding || **–нóжный** *a.* under the foot; ~ **корм** green fodder, pasture || **–нóс** *s.* tray, salver || **–нос=и́ть** I. 3. [c]) *va.* (*Pf.* -нести́ & -нéсть 26.) to offer, to present; to bring to || **–ношéние** *s.* offering, presentation || **–ня́тие** *s.* raising, lifting up; elevation || **–ня́ть** *cf.* **–нимáть.**

подобá-ть II. *v.imp.* it becomes, it is becoming, it ought to be.

подóбие *s.* resemblance, likeness.

подóблачный *a.* under the clouds.

подóб/ный *a.* like, similar, same, such || **–но** *ad.* similarly, alike || **–острáстие** *s.* servility, slavishness || **–острáстный** *a.* servile, slavish, mean, base.

под/обрáть *cf.* **–бирáть** || **–огнáть** *cf.* **–гоня́ть** || **–огнýть** *cf.* **–гибáть** || **–огревá-ть** II. *va.* (*Pf.* -огрé-ть II.) to warm up || **–одвигá-ть** II. *va.* (*Pf.* -одви́н-уть I.) to move up, near; to shove under || **–ождáть** *cf.* **–жидáть** || **–озвáть** *cf.* **–зывáть** || **–озревá-ть** II. *va.* (*Pf.* заподóзр=ить II. & заподó-зр=еть II.) (в чём) to suspect; to throw suspicion on; ~ **что-то** to smell a rat || **–озрéние** *s.* suspicion || **–озри́тельный** *a.* suspicious, distrustful; suspected (of).

подóйник *s.* milk-pail.

под/ойти́ *cf.* **–ходи́ть** || **–окóнник** *s.* window-sill || **–óл** *s.* skirt, tail (of a dress) || **–óлгу** *ad.* (for) a long time || **–ольщá-ться** II. *vn.* (*Pf.* -ольст=и́ться I. 4. [a]) (к комý) to insinuate o.s.; to ingratiate o.s.

по(-)домáшнему *ad.* homely, simply.

подóнки *s. mpl.* dregs *pl.* (*also fig.*).

под/опéчный *a.* in tutelage || **–орвáть** *cf.* **–рывáть.**

по/дорóжник *s.* (*orn.*) yellow-hammer, bunting; (*bot.*) plantain, ribwort || **–дорóжный** *a.* on the roadside; journey- || **–дорóжная** (*as s.*) order for post-horses.

под/ослáть *cf.* **–сылáть** || **–оспевá-ть** II. *vn.* (*Pf.* -оспé-ть II.) to arrive in time || **–остлáть** *cf.* **–стилáть** || **–охóдный** *a.* income- || **–óшва** *s.* sole (of foot and boot); foot (of a mountain).

под/падá-ть II. *vn.* (*Pf.* -пáсть 22. [a 1.]) to fall under; (под + *A. fig.*) to incur || **–пáива-ть** II. *va.* (*Pf.* -пая́-ть II.) to weld, to solder underneath; (*Pf.* -по=и́ть II. [a]) to make tipsy, to intoxicate || **–пáлзывать** *cf.* **–ползáть** || **–певá-ть** II. *va.* (*Pf.* -пéть 29.) to accompany, to sing (with) || **–пи́лива-ть** II. *va.* (*Pf.* -пил=и́ть II. [a & c]) to saw underneath, to file slightly || **–пирá-ть** II. *va.* (*Pf.* -перéть 14., *Fut.* -опрý) to prop up, to stay, to support || **–писáть** *cf.* **–пи́сывать** || **–пи́ска** *s.* (*gpl.* -сок) note of hand; subscription; signature || **–писнóй** *a.* of subscription || **–пи́счик** *s.*, **–пи́счица** *s.* subscriber || **–пи́сыва-ть** II. *va.* (*Pf.* -пис-áть I. 3. [c]) to sign || ~**ся** *vr.* to sign; (на что) to subscribe (to) || **⁄пись** *s. f.* signature, subscription || **–плывá-ть** II. *vn.* (*Pf.* -плы́ть 31. [a 3.]) to sail, to swim up to, to swim under || **–пои́ть** *cf.* **–пáивать.**

под/ползá-ть II. *vn.* (*Pf.* -ползти́ 25. [a 2.]) to crawl, to creep under || **–полкóвник** *s.* lieutenant-colonel || **⁄пол** & **–пóлье** *s.* cellar under the floor || **–пóльный** *a.* under the floor; (*fig.*) secret || **–пóра** *s.* prop, stay, support || **–порýчик** *s.* sub-lieutenant, second-lieutenant || **–пóчва** *s.* subsoil || **–поя́сыва-ть** II. *va.* (*Pf.* -поя́с-ать I. 3.) to gird up, to girth || **–правля́-ть** II. *va.* (*Pf.* -прáв=ить II. 7.) to correct, to rectify (slightly) || **–прáпорщик** *s.* ensign-bearer || **–прýга** *s.* saddle-girth, belly-band || **–пры́гива-ть** II. *vn.* (*Pf.* -пры́гн-уть I.) to jump under; to skip up to, to come along skipping || **–пускá-ть** II. *va.* (*Pf.* -пуст=и́ть I. 4. [c]) to allow to approach, to admit; to mix on, to add.

под/ражáтель *s. m.* imitator || **–ражáтельный** *a.* imitative || **–ражá-ть** II. *vn.* (комý в чём) to imitate, to mimic || **–разделéние** *s.* subdivision || **–разделя́-ть** II. *va.* (*Pf.* -раздел=и́ть II. [a]) to subdivide || **–разумева́-ть** II. *va.* to suppose; to understand; to add mentally.

подра́ть *cf.* **подира́ть.**

под/реза́-ть II. & **–ре́зыва-ть** II. *va.* (*Pf.* -ре́з-ать I. 1.) to cut underneath, to clip (from below); to cut short, to lop, to dock.

подро́б/ность *s.f.* detail, particular; **все –ности** the ins and outs of an affair || **–ный** *a.* detailed, circumstantial, exact.

подро́сток *s.* (*gsg.* -тка) person in his teens, youth; stripling.

по/дру́га *s.*, *dim.* **–дру́жка** *s.* (*gpl.* -жек) friend, playmate.

под/румя́нива-ть II. *va.* (*Pf.* -румя́н=ить II.) to rouge (the face); to colour a little; (кого́) to make s.o. blush, colour || **–ру́чный** *a.* handy; manual, hand- || ~ (*as s.*) assistant || **–ры́в** *s.* blowing up, explosion; damage, injury, harm || **–рыва́-ть** II. *va.* (*Pf.* -ры́ть 28. [b 1.]) to dig underneath, to sap; (*Pf.* -орва́ть I. [a]) to blow up, to explode; to damage, to hurt, to injure, to harm.

подря́д/ *s.* contract || **–ный** *a.* of, by contract || **–чик** *s.* contractor.

под/ряжа́-ть II. *va.* (*Pf.* -ряд-и́ть I. 1. [a & c]) to hire, to engage || **~ся** *vr.* to hire o.s. out, to contract, to undertake || **–ря́сник** *s.* (under-)cassock.

под/са́жива-ть II. *va.* (*Pf.* -сад=и́ть I. 1. [a & c]) to help up, to help to mount; to plant in addition || **–све́чник** *s.* candlestick || **–сева́-ть** II. *va.* (*Pf.* -се́=ять II.) to sow in addition || **–си́жива-ть** II. *va.* (*Pf.* -сид=е́ть I. 1. [a]) to lie in ambush (for one), to spy on || **–ска́зчик** *s.*, **–ска́зчица** *s.* prompter || **–ска́зыва-ть** II. *va.* (*Pf.* -сказ-а́ть I. 1. [c]) to prompt || **–ска́кива-ть** II. *vn.* (*Pf.* -скак-а́ть I. 2. [c]) to come along galloping; (*Pf.* -скоч=и́ть I. [c] & -скокн-у́ть I. [a]) to skip up to; to jump up, to bound || **–слаща́-ть** II. & **–сла́щива-ть** II. *va.* (*Pf.* -сласт=и́ть I. 4. [a]) to sweeten || **–слепова́тый** *a.* extremely short-sighted || **–слу́жива-ть** II. *vn.* (*Pf.* -служ=и́ть I.) to show o.s. eager to serve, to try to ingratiate o.s. || **–слу́шива-ть** II. *va.* (*Pf.* -слу́ша-ть II.) to overhear, to eavesdrop || **–сма́трива-ть** II. *va.* (*Pf.* -смотр=е́ть II. [c]) to spy on, to watch || **–сме́ива-ться** II. *vc.* (*Pf.* -сме-я́ться II. [a]) (над кем) to laugh at, to make fun of || **–сне́жник** *s.* snow-drop.

под/собля́-ть II. *vn.* (*Pf.* -соб=и́ть II. 7. [a & c]) to help, to assist, to succour || **–со́выва-ть** II. *va.* (*Pf.* -со+ва́ть II. [b] & -су́н-уть I.) to shove under; to slip, to give (a thing) secretly (to one) || **–со́лнечник** *s.* sunflower || **–со́хнуть** *cf.* **–сыха́ть** || **–спо́р** & **–спо́рье** *s.* help, assistance; surrogate || **–ста́вка** *s.* (*gpl.* -вок) support, stay, prop, stand; bridge (of an instrument) || **–ставля́-ть** II. *va.* (*Pf.* -ста́в=ить II. 7.) to put, to set under; to hold out; to supply the place of || **–ставно́й** *a.* in store, spare; false, spurious; **–ставны́е ло́шади** *mpl.* relay-horses || **–ста́вочка** *s.* (*gpl.* -чек) small support, stand || **–стака́нник** *s.* metal holder for a tea-glass || **–стерега́-ть** II. *va.* (*Pf.* -стере́чь 15. [a]) to watch, to spy on, to waylay || **–стила́-ть** II. *va.* (*Pf.* -остла́ть 9.) to lay, to strew under || **–сти́лка** *s.* (*gpl.* -лок) litter, bedding (for horses, cattle) || **–стра́ива-ть** II. *va.* (*Pf.* -стро́=ить II.) to build under; (*mus.*) to attune to.

подстрек/а́тель *s. m.* instigator || **–а́тельный** *a.* instigating, stirring up || **–а́тельство** *s.* instigation, spurring, setting on || **–а́-ть** II. *va.* (*Pf.* -н-у́ть I. [a]) to instigate, to incite, to urge on to.

под/стре́лива-ть II. *va.* (*Pf.* -стрел=и́ть II. [a & c]) to wound by a shot, to wing || **–стрига́-ть** II. *va.* (*Pf.* -стри́чь 15. [a 1.]) to cut off *or* short, to clip; to trim, to lop, to dock; to prune (trees) || **–стро́ить** *cf.* **–стра́ивать** || **–стро́чный** *a.*, ~ **перево́д** interlinear translation || **–ступа́-ть** II. *vn.* (*Pf.* -ступ=и́ть II. 7. [c]) to approach, to come up to || **–суди́мый** *a.* accused || ~ (*as s.*) the accused, defendant || **–су́дный** *a.* under the jurisdiction of || **–су́нуть** *cf.* **–со́вывать** || **–сыла́-ть** II. *va.* (*Pf.* -осла́ть 40., *Fut.* -ошлю́) to send secretly || **–сыпа́-ть** II. *va.* (*Pf.* -сы́п-ать II. 7.) to strew in addition, to mix, to mingle || **–сыха́-ть** II. *vn.* (*Pf.* -со́хнуть 52.) to dry up little by little.

под/та́ива-ть II. *vn.* (*Pf.* -та́=ять II.) to thaw underneath || **–тасо́выва-ть** II. *va.* (*Pf.* -тасо+ва́ть II. [b]) to pack cards, to prepare the cards with a view to cheating; to pack (a jury) || **–тверди́тельный** *a.* confirmative || **–твержда́-ть** II. *va.* (*Pf.* -тверд=и́ть I. 1. [a]) to confirm, to affirm; to vouch, to ratify, to sanction (a contract), to attest (officially); (кому́ что) to reiterate, to impress (a thing on one) || **–твержде́ние** *s.* confirmation, attestation; reiteration || **–тека́-ть** II. *vn.* (*Pf.* -те́чь 18. [a 2.]) to flow under; to suffuse || **–тира́-ть** II. *va.* (*Pf.* -тере́ть 14. [a 1.], *Fut.* -отру́) to wipe (up); to rub off || **–толка́ть** & **–толкну́ть** *cf.* **–та́лкивать** || **–тру́нива-ть** II. *vn.* (*Pf.* -трун=и́ть II. [c]) (над кем) to banter, to chaff || **–тя́гива-ть** II. *va.* (*Pf.* -тян-у́ть I. [c]) to draw, to pull up; to pull tighter, to tighten || ~ *vn.* to accompany with the voice || **–тя́жки** *s. fpl.* (*G.* -жек) braces, suspenders *pl.*

под/урне́лый *a.* grown ugly || **–уча́-ть** II. *va.* (*Pf.* -уч=и́ть I. [c]) to put a person up to something secretly || **–у́шечка** *s.* (*gpl.* -чек) small cushion || **–у́шка** *s.* (*gpl.* -шек) cushion, pillow; pad; transom; (*rail.*) sleeper; (*tech.*) bearing || **–у́шный** *a.* poll-, by head || **–ущa-ть** II. *va.* (*Pf.* -уст=и́ть I. 4. [a]) to instigate, to incite.

под/хва́тыва-ть II. *va.* (*Pf.* -хват=и́ть I. 2. [c]) to take up quickly; to catch up (a ball, a word); to snatch, to snap up; to catch hold (of), to snatch away; to strike in (with the whole chorus) || **–ход=и́ть** I. 1. [c] *vn.* (*Pf.* -ойти́ 48.) to come under, to come near, to approach, to draw near; to border on, to be adjacent to; to resemble, to be like; to fit || **–ходя́щий** (-ая, -ее) *a.* suitable (to, for), convenient, appropriate.

под/цепля́-ть II. *va.* (*Pf.* -цеп=и́ть II. 7. [c]) to hook under; to catch (with a hook), to pick up || **–ча́с** *ad.* now and then, occasionally, at times || **–чёркива-ть** II. *va.* (*Pf.* -черкн-у́ть I. [a]) to underline; to accentuate || **–чине́ние** *s.* submission, subjection, subservience || **–чинённость** *s. f.* subordination, inferior position || **–чиня́-ть** II. *va.* (*Pf.* -чин=и́ть II. [a]) to subordinate; to subject, to subdue; to bring under subjection || **~ся** *vr.* (кому́, чему́) to accommodate o.s. to, to submit to, to resigne o.s. to || **–чи́стка** *s.* (*gpl.* -ток) cleaning; pruning; erasure || **–чища́-ть** II. *va.* (*Pf.* -чи́ст=ить I. 4.) to clean; to lop, to prune (trees); to erase.

под/шиба́-ть II. *va.* (*Pf.* -шиби́ть 51. [a]) to trip one up || **–шива́-ть** II. *va.* (*Pf.* -ши́ть 27. [a 1.]) to sew underneath || **–ши́вка** *s.* (*gpl.* -вок) sewing underneath; piece sewn on underneath || **–ши́пник** *s.* (*tech.*) bearing || **–шта́никн** *s. mpl.* (pair of) drawers, pants *pl.* || **–шу́чива-ть** II. *vn.* (*Pf.* -шут=и́ть I. 2. [c]) (над кем) to banter, to quiz, to chaff, to laugh at.

под'/еда́-ть II. *va.* (*Pf.* -е́сть 44.) to eat underneath, to gnaw at || **–е́зд** *s.* approach, drive; entrance(-steps); driving up (to one's house) || **–езжа́-ть** II. *vn.* (*Pf.* -е́хать 45.) to approach, to advance (other than on foot); to drive up (to one's house); (к кому́ *fig.*) to insinuate o.s., to ingratiate o.s. || **–ём** *s.* taking up; lift; ascent; setting out, removal; instep (of the foot); lever; **де́ньги на ~** travelling expenses *pl.*; **лёгкий на ~** nimble, lively; **тяжёлый на ~** heavy; slow-going, dull || **–ёмный** *a.* that lifts up, lifting; for lifting up; elevating; **~ кран** crane (for hoisting); **~ мост** swing-bridge; **–ёмная маши́на** lift.

под/ы́грыва-ть II. *va.* (*Pf.* -ыгра́-ть II.) to accompany (on an instrument) || **–ыма́ть** *cf.* **–нима́ть** || **–ы́скива-ть** II. *va.* (*Pf.* -ыск-а́ть I. 4. [c]) to sort out, to select (what is suitable).

подья́чий (*as s.*) clerk, scrivener; (*abus.*) scribbler, quill-driver.

подю́жинно *ad.* by the dozen.

по/еда́-ть II. *va.* (*Pf.* -е́сть 42.) to eat a little; to eat up; to devour; to corrode || **–еди́нок** *s.* (*gsg.* -нка) duel, single combat.

по́езд *s.* [b] (*pl.* -а́) train; procession; **това́рный ~** goods-train.

пое́здка *s.* (*gpl.* -док) trip, excursion; journey, voyage.

поём/ *s.* [& d] (*gsg.* пойма́, *pl.* поёмы) inundation || **–ный** *a.* inundated.

пое́ние *s.* watering (cattle).

пое́сть *cf.* **есть** & **поеда́ть.**

пожа́луй/ *ad.* well, be it so, if you like, for my part || **–ста** (*fam. pron.* пожа́лста) (if you) please, be so kind, have the kindness to || **–те** come in, please; ~ **сюда́** pray come here, please come here (*cf.* жа́ловать).

пожа́р/ *s.* fire, conflagration || **–ище** *s.* site of a conflagration || **–ный** *a.* fire-; **–ная труба́** fire-engine; **~ сигна́л** fire-alarm || **~** (*as s.*) fireman.

по/жа́тие *s.* pressing, squeezing; **~ руки́** handshake || **–жа́ть** *cf.* **–жима́ть** || **–жела́ние** *s.* wish, desire, longing || **–же́ртвование** *s.* offering; sacrifice || **–жи́ва** *s.* gain, profit || **–жива́-ть** II. *vn.* to live; **как вы –жива́ете?** how are you? || **–живée** *ad.* somewhat livelier, quicker || **–живля́-ться** II. *vn.* (*Pf.* -жив=и́ться II. 7. [a]) (чем) to feather one's nest, to profit (from) || **–жи́зненный** *a.* life-long, perpetual, for life || **–жило́й** *a.* old, elderly, advanced in years || **–жима́-ть** II. *va.* (*Pf.* -жа́ть 33.) to press, to squeeze a little; ~ **плеча́ми** to shrug one's shoulders || **–жина́-ть** II. *va.* (*Pf.* -жа́ть 33. [a 1.]) to reap (*also fig.*); to harvest || **–жира́-ть** II. *va.* (*Pf.* -жр-а́ть I. [a]) to devour, to eat up || **–жи́тки** *s. mpl.* goods, chattels *pl.*, property, effects *pl.*

по́за *s.* pose, posture, attitude.

поза/вчера́ *ad.* the day before yesterday || **–ди́** *ad.* & *prp.* (+ *G.*) behind.

по/зволе́ние *s.* permission, leave || **–позволи́тельный** *a.* allowed, permitted; of permission || **–зволя́-ть** II. *va.* (*Pf.* -зво́л=ить II.) to permit, to allow; **–зво́льте огня́** oblige me with a light; **–зво́льте узна́ть** be so kind as to inform me || **–звоно́к** *s.* [a] (*gsg.* -нка́) small bell; (*an.*) vertebra || **–звоно́чный** *a.* vertebrate(d); ~ **столб** the spinal column, the spine.

поздне́нько *ad.* rather late.

по́здний *a.* (*comp.* позднée & по́зже) late; **–им ве́чером** late in the evening.

поздорове́е *ad.* in perfect health.

поздр/ави́тель *s. m.* congratulator || **–ави́тельный** *a.* congratulatory || **–авле́ние** *a.* congratulation, felicitation; ~ **с но́вым го́дом** best wishes for a happy New-Year || **–авля́-ть** II. *va.* (*Pf.* -а́в=ить II. 7.) (кого́ с чем) to congratulate, to felicitate; ~ **с но́вым го́дом** to wish one a happy New-Year.

по/зёвыва-ть II. *vn.* to yawn now and again || **–земе́льный** *a.* land-, agrarian.

по́зже (*comp. of* по́здний) **не ~ пяти́ часо́в** not later than five o'clock, five o'clock at the latest; **двумя́ часа́ми ~** two hours later; **он пришёл ~ всех** he came last of all.

позити́вный *a.* positive.

пози́ция *s.* position.

по/злаща́-ть II. *va.* (*Pf.* -злат=и́ть I. 6. [a]) to gild || **–знава́ть** 39. [a] *va.* (*Pf.* **-зна́-ть** II. [b]) to know, to recognize || **–зна́ние** *s.* knowledge, information || **–золо́та** *s.* gilding || **–зо́р** *s.* shame, disgrace, ignominy, dishonour || **–зо́р=ить** II. *va.* (*Pf.* о-) to discredit, to dishonour, to disgrace, to shame || **–зо́рище** *s.* (shameful) spectacle, sight || **–зо́рный** *a.* scandalous, shameful, disgraceful || **–зуме́нт** *s.* galloon, lace, trimming || **–зы́в** *s.* desire, longing; (*leg.*) summons *pl.* || **–зыва́-ть** II. *va.* (*Pf.* -зва́ть 10.) to call (for); (*leg.*) to summon, to cite || ~ *v.imp.*, **меня́ –зыва́ет** (на что) I have a longing for.

по/имённый *a.* nominal, by name || **–именова́ние** *s.* designation, nomination || **–имено́выва-ть** II. *va.* (*Pf.* -имено+ва́ть II. [b]) to nominate, to designate || **–и́мка** *s.* (*gpl.* -мок) apprehending, catching || **–́иск** *s.* search, quest; (*mil.*) reconnoitring || **–и́стине** *ad.* indeed, truly, verily.

по=и́ть II. [a] *va.* (*Pf.* на-) to water, to give to drink.

по́йло *s.* watering-place; trough; drink (for animals).

пойма́ть *cf.* **лови́ть.**

пойти́ *cf.* **итти́.**

пока́ *ad.* as long as, while; till, until; as yet, in the meantime; ~ **не** unless.

пока́з/ *s.* show, display || **–а́ние** *s.* showing, exhibition; (*leg.*) deposition, testimony || **–а́тель** *s. m.* informer, deponent; (*math.*) index, exponent || **–но́й** & **–ный** *a.* for display || **–ыва-ть** II. *va.* (*Pf.* показ-а́ть I. 1. [c]) to show, to display, to exhibit; (*leg.*) to depose, to bear witness, to give evidence || **~ся** *vr.* to show o.s.; to appear || ~ *v.imp.* to seem, to appear.

по/како́вски *ad.* (*fam.*) how? in what way? || **–ка́мест** *ad.* in the meantime, meanwhile || **–ка́нчива-ть** II. *va.* (*Pf.* -ко́нч=ить I.) to finish, to complete || **–ка́тость** *s. f.* slope, declivity || **–ка́тый** *a.* inclined, sloping || **–кая́ние** *s.* penitence, repentance; penance; **умере́ть без –кая́ния** to die impenitent || **–кида́-ть** II. *va.* (*Pf.* -ки́н-уть I.) to forsake, to abandon, to give up || **–кла́дистый** *a.* roomy, commodious || **–кла́жа** *s.* laying, placing, packing; cargo; baggage; deposit || **–клёп** *s.* calumny, slander.

покло́н/ *s.* bow, salute, greeting, curtsy || **–е́ние** *s.* worship, adoration || **–и́ться** *cf.* **–я́ться** & **кла́няться** || **–ник** *s.*, **–ница** *s.* worshipper, adorer || **–я́-ться** II. *vr.* (*Pf.* -н=и́ться II. [c]) (кому́) to worship, to adore (*cf.* кла́няться).

поко́=ить II. *va.* (кого́) to procure rest for.

поко́й/ *s.* rest, repose, peace; room; **удали́ться на ~** to retire (from business); **оста́вьте меня́ в поко́е** leave me alone; **ве́чный ему́ ~** peace to his ashes || **-ник** *s.*, **-ница** *s.* the diceased, the late lamented || **-ный** *a.* quiet, calm, still; deceased, defunct, late; comfortable, easy; **-ной но́чи!** good night!

по/коле́ние *s.* generation, race || **-ко́нчить** *cf.* **-ка́нчивать** || **-коре́ние** *s.* subjection, conquest || **-кори́тель** *s. m.* conquerror, victor || **-ко́рность** *s. f.* submissiveness, obedience, humility || **-ко́рный** *a.* submissive, obedient, humble; **ваш -ко́рнейший слуга́** your most obedient servant; **-ко́рно благодарю́** many thanks, thank you very much || **-коря́-ть** II. *va.* (*Pf.* -кор=и́ть II. [a]) to subjugate, to subject; to conquer || **~ся** *vr.* to submit to, to yield; to reconcile o.s. to || **-ко́с** *s.* mowing; meadow || **-ко́сный** *a.* mowing-, meadow- || **-кра́жа** *s.* theft, larceny, robbery; stolen object || **-кре́пче** *ad.* somewhat stronger || **-кри́кива-ть** II. *vn.* to scream, to cry from time to time; (на кого́) to shout at.

покро́в/ *s.* [a] cover; shelter; protection; **П- Пресвяты́я Богоро́дицы** the feast of the intercession of the Holy Virgin || **-и́тель** *s. m.* protector, patron || **-и́тельница** *s.* protectress || **-и́тельство** *s.* protection, patronage || **-и́тельство+вать** II. *va.* (кого́) to protect, to patronize, to support.

по/кро́й *s.* cut (of a coat), shape, fashion || **-кро́мка** *s.* (*gpl.* -мок) selvage (of cloth) || **-крыва́ло** *s.* cover, veil, covering; coverlet || **-крыва́льный** *a.* covering, for cover || **-крыва́-ть** II. *va.* (*Pf.* -кры́ть 28.) to cover, to spread over, to wrap up; to drown (a voice); to cover, to bear (the expenses) || **-кры́тие** *s.* covering; shelter; defrayal (of expenses) || **-кры́шка** *s.* (*gpl.* -шек) cover; coverlet || **-ку́да = пока́.**

покуп/а́тель *s. m.* buyer, purchaser, customer || **-а́-ть** II. *va.* (*Pf.* -куп=и́ть II. 7. [c]) to buy, to purchase.

поку́п/ка *s.* (*gpl.* -пок) purchase || **-но́й** *a.* bought, purchased; purchase- || **-щи́к, -щи́ца = покупа́тель, -ница.**

по/куша́-ться II. *vc.* (*Pf.* -кус=и́ться I. 3. [a]) (на что) to try; to attempt (one's life), to make an attempt; **он -куси́лся на самоуби́йство** he attempted suicide || **-куше́ние** *s.* trying; attempt; **~ на жизнь** attempt on one's life.

пол *s.* sex; [b°] floor, ground.

пол- *in cpds.* half-, semi-.

пола́ *s.* skirt (of a coat).

по/лага́-ть II. *va.* (*Pf.* -лож=и́ть I. [c]) to put, to place, to lay down on, upon; to purpose, to propose; to appoint, to fix (time, salary, etc.); (*only Ipf.*) to consider, to think, to suppose; **поло́жим, что . . .** supposing . . . || **~ся** *vr.* (на кого́) to rely on, to trust one, to confide (in) || **-ла́ти** *s. fpl.* bed of boards, plank bed; scaffold.

по-латы́ни *ad.* in Latin.

полго́да *s. m.* (*gsg.* полуго́да) half-year, six months.

по́лдень *s. m.* (*gsg.* полу́дня, *pl. us.* полдни) noon; **в ~** at noon; **до полу́дня** in the forenoon; **после полу́дня** in the afternoon.

полдне́вный *a.* half-daily.

по́лдник *s.* (*pl.* полу́дники) light evening-meal (between lunch and supper).

по́лднича-ть II. *vn.* (*Pf.* по-) to make *or* take a light evening meal.

полдня́ *s.* (*gsg.* полудня́) half a day, a half-day.

полдю́жины *s. f.* (*gsg.* полудю́жины) a half dozen.

по́ле/ *s.* [b] field, ground; margin (in books); brim (of a hat) || **-во́й** *a.* field-.

поле́гче *ad.* lighter, easier; more slowly, not so fast.

поле́з/ность *s. f.* utility, usefulness || **-ный** *a.* useful, serviceable.

поле́мика *s.* dispute, polemics *pl.*

поле́но *s.* log of wood.

поле́сье *s.* forest-land.

полёт *s.* flight.

по́лз/а-ть II. & **полз-ти́** I. [a] *vn.* (*Pf.* по-) to creep, to crawl || **-ко́м** *ad.* creeping (on all fours) || **-у́н** *s.* [a] creeper; (*fig.*) low, sneaking person.

ползу́чий (-ая, -ее) *a.* creeping; **-ие расте́ния** *npl.* (*bot.*) creepers *pl.*

полива́льный *a.* for watering.

по/лива́-ть II. *va.* (*Pf.* -ли́ть 27. [a 3.]) to water || **-ли́вка** *s.* (*gpl.* -вок) watering, sprinkling.

поли/га́мия *s.* polygamy || **-го́н** *s.* polygon.

поли́п *s.* polyp(us).

полир/ова́льный *a.* for polishing || **-о+ва́ть** II. [b] *va.* (*Pf.* от-) to polish, to burnish || **-о́вка** *s.* (*gpl.* -вок) polishing; polish, gloss || **-о́вщик** *s.*, **-о́вщица** *s.* polisher.

по́лис *s.* (insurance) policy.

поли/теи́зм *s.* polytheism || **-техни́ческий** *a.* polytechnical.

поли́т/ик *s.* politician || **-ика** *s.* politics *pl.* || **-ипа́ж** *s.* woodcut || **-и́ческий**

a. political || **–ýра** *s.* varnish, polish, gloss || **–ь** *cf.* **поливáть.**

полúц/ия *s.* police || **–(ей)мéйстр** *s.* chief of police || **–éйский** *a.* police-, of police || ~ (*as s.*) policeman.

полúчное (*as s.*) corpus delicti; **поймáть с –ным** to seize (a thief) with the stolen goods in his possession.

полк/ *s.* [a°] regiment || **´–а** *s.* (book-) shelf, book-stand; bracket; pan (of a gun) || **–óвник** *s.* colonel || **–óвница** *s.* colonel's wife || **–овóдец** *s.* (*gsg.* -дца) leader, captain, general || **–овóй** *a.* regimental.

пол/минýты *s. f.* (*gsg.* -уминýты) half a minute.

полнé-ть II. *vn.* (*Pf.* по-) to fill up, to grow full; to grow stout.

пóлно/ *ad.* full, fully || ~ & **~-те** *int.* enough! stop! cease! || **–вéсный** *a.* of full value, of full weight || **–влáстный** *a.* sovereign, absolute || **–крóвие** *s.* ful(l)ness of blood, full-bloodedness || **–крóвный** *a.* full-blooded, plethoric || **–лýние** *s.* full moon || **–мóчие** *s.* full power, authority || **–мóчный** *a.* invested with full power, empowered, authorized; ~ **министр** plenipotentiary || **–прáвный** *a.* competent || **–тá** *s.* & **–сть** *s. f.* completeness, ful(l)ness, plenitude.

пол(ý)нóчный *a.* midnight-.

пóл/нóчь *s. f.* (*gsg.* -ýночи) midnight.

пóлный *a.* (*pd.* пóлон, -лнá, -лно, -лны; *comp.* -лнée) full; entire, complete; stout, corpulent; high (of water).

половúк *s.* [a] mat; long narrow carpet.

половúн/а *s.* half; middle; ~ **пя́того** half past four || **–ный** *a.* half || **–чатый** *a.* halved; folding (of a door) || **–щик** *s.* half-sharer.

поло/вúца *s.* board, plank (of a floor) || **–вóдье** *s.* high-water || **–вóй** *a.* floor-; sex-, sexual || ~ (*as s.*) waiter.

полóгий *a.* sloping.

полож/éние *s.* position, situation; circumstance, state; attitude, posture; thesis, proposition; statute, regulation; **на вое́нном –éнии** on a war footing || **–úтельный** *a.* positive; steady, serious || **–úть** *cf.* **класть & полагáть.**

пóлоз *s.* (*pl.* полóзья) slide (of a sleigh).

полóк *s.* [a] (*gsg.* -лкá) sweating-bench (in a Russian bath).

полóмка *s.* (*gpl.* -мок) breaking, fracture.

полон=úть II. [a] *va.* (*Pf.* за-) to capture, to take prisoner (in war).

полосá/ *s.* [f] strip, stripe, streak; tract, zone; bar (of iron); run (of luck) || **–тый** *a.* striped, streaked.

полóс/ка *s.* (*gpl.* -сок) *dim. of* полосá || **–кáние** *s.* rinsing (out); gargling; gargle, throat-water || **–кáтельница** *s.* rinsing-bowl, slop-basin || **–кá-ть** I. 4. [c] *va.* (*Pf.* -н-ýть I. [a]) to rinse, to wash off; to gargle || **~ся** *vr.* to splash, to dabble || **–о+вáть** II. [b] *va.* (*Pf.* рас-) to divide into strips; to draw into bars (iron); (*Pf.* ис-) to flog, to whip || **–овóй** *a.* bar-, in bars (of iron).

пóлость *s f.* (*an.*) hollow, cavity.

полот/éнце *s.* towel || **–ёр** *s.* floor waxer and polisher || **–нó** *s.* [h] (*gpl.* ´–тен) linen, sheeting; (*rail.*) permanent way || **–ня́ный** *a.* linen.

пол-óть II. [c] *va.* (*Pf.* вы́-) to weed (out).

полоýмный *a.* half-witted, feeble-minded.

пóлочка *s.* (*gpl.* -чек) *dim. of* пóлка.

пол/слóва *s. m.* (*gsg.* -услóва) half a word || **–сóтни** *s. f.* (*gsg.* -усóтни) half a hundred.

полсть *s. f.* (sleigh-)cover; carpet; curtain (of a door).

полтúн/а *s.* fifty copecks, half a rouble || **–ник** *s.* piece of fifty copecks || **–ный** *a.* worth, costing half a rouble.

полторá/ *num.* one and a half || **–ста** *num.* one hundred and fifty.

полу/... *in cpds.* = half-, semi-, demi- || **–бóг** *s.* demigod || **–глáсный** *a.*, **–глáсная (бýква)** (*gramm.*) semivowel || **–гóдие** *s.* a half-year, six months || **–годúчный** *a.* half-yearly || **–дённый** *a.* of half a day || **´–денный** *a.* midday, noonday; southern || **–дúкий** *a.* half-savage || **–крýг** *s.* semicircle || **–крýглый** *a.* semicircular || **–мéра** *s.* half-measure; (*fig.*) half measures || **–мéсяц** *s.* half-moon || **–мрáк** *s.* partial obscurity, twilight || **´–нóчник** *s.* person fond of staying up late at night; night-reveller, roisterer || **´–нóчный** *a.* midnight-; northern || **–оборóт** *s.* half-turn || **–óстров** *s.* [b] peninsula || **–откры́тый** *a.* half open, ajar || **–сапогú** *s.mpl.*, **–сапóжки** *s. fpl.* (*G.* -жек) half-boots || **–свéт** *s.* feeble light, twilight; demi-monde || **–стáнция** *s.* intermediate station || **–тéнь** *s. f.* mezzotint; (*astr.*) penumbra || **´–торагодовáлый** *a.* aged one and a half years.

полу/чáтель *s. m.*, **–чáтельница** *s.* receiver; addressee || **–чá-ть** II. *va.* (*Pf.* -ч=úть I. [c]) to receive, to obtain, to get; to gain, to win.

полуша́рие *s.* hemisphere.

полу́шка *s.* (*gpl.* -шек) quarter of a copeck.

полу/што́ф *s.* measure = 0,61 l || **-шу́бок** *s.* (*gsg.* -бка) short fur cloak.

пол/фу́нта *s. m.* (*gsg.* -уфу́нта) half a pound || **-часа́** *s. m.* (*gsg.* -уча́са) half an hour.

по́лый *a.* hollow; bare, uncovered.

по́лымя *s.* = **пла́мя.**

полы́н/ный *a.* of wormwood; **-ная во́дка** absinthe || **-ь** *s. f.* wormwood || **-ья́** *s.* open place in the ice.

по́льз/а *s.* use; advantage, profit, gain || **-ование** *s.* use; (*leg.*) usufruct; (*med.*) treatment || **-о+вать** II. *va.* (*med.*) to treat, to doctor, to attend || **~ся** *vr.* (*Pf.* вос-) (чем) to profit, to make use of, to take advantage of, to enjoy.

по́лька *s.* (*gpl.* -лек) polka.

полюбо́вный *a.* amicable.

по́люс/ *s.* pole || **-ный** *a.* pole-.

поля́на *s.* fresh land; (forest-)glade.

поляриза́ция *s.* polarization.

поля́рн/ость *s. f.* polarity || **-ый** *a.* polar.

пома́да *s.* pomade.

пома́д=ить I. 1. *va.* (*Pf.* на-) to pomade.

пома́з/ание *s.* anointing; (*also fig.*) unction || **-анник** *s.* anointed sovereign.

помале́ньку *ad.* little by little, gently; so-so, tolerably.

по/ма́лчива-ть II. *vn.* to remain silent, to hold one's tongue || **-ма́рка** *s.* (*gpl.* -рок) blot; cancel, erasure || **-мело́** *s.* [h] (*pl.* -ме́лья) hearth-broom || **-ме́льче** *ad.* more shallow; somewhat smaller || **-ме́ньше** *ad.* somewhat less || **-мертве́лый** *a.* pale as death, deathly pale || **-мести́тельность** *s. f.* roominess, capaciousness || **-мести́тельный** *a.* roomy, spacious, capacious || **-мести́ть** *cf.* **-меща́ть** || **-ме́стный** *a.* local; landed || **-ме́стье** *s.* estate, domain, landed property || **-ме́стье(и)це** *s. dim. of prec.*

по́/месь *s. f.* cross, crossbreeding; mongrel || **-ме́сячный** *a.* monthly || **-мёт** *s.* dung; excrement; litter, brood || **-ме́та** *s.* & **-ме́тка** *s.* (*gpl.* -ток) sign, mark; (*leg.*) notice || **-ме́ха** *s.* impediment, hindrance, obstacle || **-меча́-ть** II. *va.* (*Pf.* -ме́т=ить I. 2.) to mark, to note; (*leg.*) to date || **-ме́шанный** *a.* mad, insane || **-меша́тельство** *s.* madness, insanity || **-меша́ть** *cf.* **меша́ть** || **~ся** *vn.* to grow mad, to become insane || **-меща́-ть** II. *va.* (*Pf.* -мест=и́ть I. 4. [a]) to place, to put up (*e. g.* furniture); to invest (money); to lodge; to insert (in a newspaper) || **-меще́ние** *s.* investment; place, premises *pl.*, lodging, placing; insertion || **-ме́щик** *s.* landlord, landowner, owner of an estate.

помидо́р *s.* tomato.

по/ми́лование *s.* pardon, forgiveness, mercy || **-ми́мо** *prp.* (+ *G.*) besides, except; without the knowledge of, unknown to; **~ меня́** without my knowing it.

поми́н/ *s.* mention, remembrance; **о нём и -у не́ было** he was not even mentioned || **-а́льный** *a.* memorial || **-а́ние** *s.* list of names of those recently deceased to be read out in church; anniversary, prayer for the dead || **-а́-ть** II. *va.* (*Pf.* помян-у́ть I. [c]) to remember; (о чём) to mention, to speak about; (кого́) to have a mass said for the dead; **-а́й как зва́ли** he has completely disappeared || **-ки** *s. fpl.* (*G.* -нок) commemoration for the dead || **-у́тно** *ad.* every minute, every moment.

помира́-ть II. *vn.* (= умира́ть); **~ со́ смеху** to burst with laughter.

по́мн=ить II. *va.* (*Pf.* вс-) to remember, to recollect, to bear in mind || **~ся** *v.imp.*, **мне по́мнится** I recollect.

по/мно́гу *ad.* much, in large quantities || **-множа́ть** = **умножа́ть** || **-мо́га** *s.* assistance, help, aid || **-мога́-ть** II. *vn.* (*Pf.* -мо́чь 15. [c 2.]) to assist, to help, to aid; to relieve, to sustain || **-мо́и** *s. mpl.* slops *pl.*, dish-water || **-мо́йный** *a.* slop-, cess- || **-мо́л** *s.* grinding; fee for grinding || **-мо́лвка** *s.* (*gpl.* -вок) betrothal || **-мо́лвлива-ть** II. *va.* (*Pf.* -мо́лв=ить II. 7.) (за кого́) to betroth (with), to affiance (to); **она́ -мо́лвлена за моего́ бра́та** she is engaged to my brother.

помо́р/ье *s.* maritime country, coastland, sea-coast; (sea-)shore, beach, littoral || **-я́нин** *s.* (*pl.* -я́не), **-я́нка** *s.* (*gpl.* -нок) inhabitant of the sea-coast.

помо́ст *s.* floor(ing); scaffold, stage.

по́мочи *s. fpl.* [c] braces, suspenders *pl.*; leading-strings *pl.*

помо́чь *cf.* **помога́ть.**

по́мочь *s. f.* help.

помо́щник *s.* helper, assistant.

по́мощь *s. f.* help, aid, assistance, support.

по́мп/а *s.* pump; pomp, splendour || **-о́н** *s.* (*mil.*) tuft (of a shako).

по/мрача́-ть II. *va.* (*Pf.* -мрач=и́ть I. [a]) to obscure, to darken, to cloud, to dim || **-мраче́ние** *s.* darkening, obscuration || **-мыка́-ть** II. *va.* to send one to and fro ; (кем) to deal (with one), to harass.

по́/мыс(е)л *s.* (*gsg.* -сла) thought; design, intention || **-мышля́-ть** II. *vn.* (*Pf.* -мы́слить 41.) (что *or* о чём) to think, to consider, to reflect on; to intend || **-мяну́ть** *cf.* **-мина́ть.**

пона/ма́рь *s. m.* [a] sexton, sacristan || **-пра́сну** *ad.* in vain, to no purpose, without avail.

понево́ле *ad.* against one's will.

понеде́ль/ник *s.* Monday || **-ничный** *a.* Monday's, of Monday || **-ный** *a.* weekly.

понемно́гу *ad.* little by little, by degrees.

по́ни *s. m. indecl.* pony.

по/нижа́-ть II. *va.* (*Pf.* -ни́з=ить I. 1.) to lower, to reduce, to abate || **~ся** *vr.* to fall, to sink, to go down, to abate || **-ни́же** *ad.* lower; a little below || **-ниже́ние** *s.* lowering; falling down, subsiding; reduction; (*comm.*) fall; **игра́ть на ~** to "bear", to speculate on a fall || **-ника́-ть** II. *vn.* (*Pf.* -ни́кнуть 52.) to lower, to sink; to lie down (of corn); to sink (of water); to dry up (of a spring); **~ голово́ю** to hang down one's head, to be crestfallen || **-нима́-ть** II. *va.* (*Pf.* -ня́ть 37. [a 4.], *Fut.* пойму́) to understand, to comprehend || **-но́с** *s.* *s.* diarrhœa || **-носи́тель** *s. m.* defamer, slanderer || **-носи́тельный** *a.* defamatory, slanderous || **-нос=и́ть** I. 3. [c] *va.* to defame, to libel, to slander, to cast an aspersion on || **-ноше́ние** *s.* slander, calumny; scandal; disgrace || **-но́шенный** *a.* worn, old (of clothes).

понт/ёр *s.* punter || **-иро+ва́ть** II. [b] *va.* to punt || **-о́н** *s.* pontoon || **-онёр** *s.* (*mil.*) pontonier || **-о́нный** *a.* pontoon-.

по/нуди́тельный *a.* coercive, compulsory || **-нужда́-ть** II. *va.* (*Pf.* -ну́д=ить I. 1. [c]) to compel, to force, to constrain || **-нужде́ние** *s.* coercion, compulsion || **-нука́-ть** II. *va.* to drive on, to impel || **-нутру́** *ad.* agreeable; **э́то мне ~** that suits me perfectly || **-ны́не** *ad.* hitherto, up to now || **-ня́тие** *s.* understanding, comprehension; idea, notion || **-ня́тливость** *s. f.* power of comprehension, intelligence || **-ня́тливый** *a.* intelligent, quick of apprehension || **-ня́тность** *s. f.* intelligibility, clearness || **-ня́тный** *a.* intelligible, clear || **-нято́й** (*as s.*) witness || **-ня́ть** *cf.* **-нима́ть.**

по/о́даль *ad.* at some distance || **-очерёдный** *a.* alternate, by turns || **-ощре́ние** *s.* encouragement, incentive, spur || **-ощри́тель** *s. m.* encourager, inciter || **-ощря́-ть** II. *va.* (*Pf.* -ощр=и́ть II. [a]) to encourage, to animate, to spur (on), to incite, to stimulate.

поп *s.* [a] priest.

попада́-ть II. *vn.* (*Pf.* попа́сть 22. [a 1.]) to fall (in, into); (во что) to hit, to strike; to chance (upon), to chance to be (at); to meet (with), to fall in (with), to hit (upon); **как (ни) попа́ло** at random, hit or miss, pell-mell; **~ в беду́** to get into a scrape || **~ся** *vn.* to fall into (*e. g.* a hole), to fall into the hands of; to be found, to be caught; (*fam.*) to be taken in.

попадья́ *s.* priest's wife.

по/па́рно *ad.* in pairs || **-перёк** *ad.* crossways, athwart || **~** *prp.* (+ *G.*) across; opposite to; contrary to || **-переме́нность** *s. f.* alternation, change || **-переме́нный** *a.* alternative, reciprocating || **-пере́чина** *s.* cross-beam, cross-rail; (*mar.*) cross-piece || **-пере́чник** *s.* diameter; breadth || **-пере́чный** *a.* transverse, diametrical, cross-; **встре́чный и ~** (*fig.*) the first comer.

попеч/е́ние *s.* care, solicitude; charge || **-и́тель** *s. m.* trustee, guardian; curator || **-и́тельство** *s.* trusteeship, guardianship; curatorship.

по/пива́-ть II. *va.* (*Pf.* -пи́ть 27. [a 3.]) to drink often || **-пира́-ть** II. *va.* (*Pf.* -пр-а́ть I. [a]) to tread, to trample down; **~ нога́ми** to trample on, to tread under foot; to scorn, to set at naught; to vanquish, to strike down, to floor || **-плаво́к** *s.* [a] (*gsg.* -вка) float (on a fishing-line); cork-float (on nets) || **-плат=и́ться** I. 2. [c] *vr.* (2nd *sg. pron.* -пло́тишь) to pay (off); (чем) to pay for (with).

попо́в/ич *s.* priest's son || **-ка** *s.* (*gpl.* -вок) a round armoured vessel; sleigh with a pair of horses; a kind of brandy || **-на** *s.* (*gpl.* -вен) priest's daughter.

по/по́йка *s.* (*gpl.* -по́ек) carouse, spree, drinking-bout || **-пола́м** *ad.* in two (halves), in half; half and half; **раздели́ть ~** to halve || **-ползнове́ние** *s.* stumbling; temptation, inclination, longing || **-полне́ние** *s.* supplement, addition || **-полня́-ть** II. *va.* (*Pf.* -по́лн=ить II.) to complete, to make up, to supply || **-полу́дни** *ad.* in the afternoon ||

–полу́ночи *ad.* after midnight, in the small hours of the morning || **–по́на** *s.* horse-cloth, saddle-cloth.

попра́/вка *s.* (*gpl.* -вок) & **–вле́ние** *s.* repair, reparation; correction; recovery (of health) || **–вля́-ть** II. *va.* (*Pf.* -в=ить II. 7.) to repair, to mend, to readjust, to put right; to correct, to rectify; to amend || **~ся** *vr.* to recover, to get better; to correct o.s.

по/пра́ть *cf.* **–пира́ть** || **–пре́жнему** *ad.* as before, as formerly || **–прёк** *s.* reproach, reproof || **–река́-ть** II. *va.* (*Pf.* -прекн-у́ть I.) (кого́ чем *or* в чём) to reproach, to reprove, to blame.

по́/прище *s.* career, field, arena; course; sphere (of action); scene, seat (of war) || **–просту** *ad.* simply; without ceremony || **–проша́йка** *s.m.&f.* (*gpl.* -ша́ек) *coll.* importunate beggar || **–проша́йнича-ть** II. *vn.* to be constantly begging and praying; to importune || **–прыгу́н** *s.* [a], **–прыгу́нья** *s.* jumper, tumbler; madcap || **–puга́й** *s.* parrot.

популя́р/ность *s. f.* popularity || **–ный** *a.* popular || **–изи́ро+вать** II. & **–изо+ва́ть** II. [b] *va.* to popularize.

попури́ *s. n. indecl.* (*mus.*) pot-pourri.

по/пуска́-ть II. *va.* (*Pf.* -пуст=и́ть I. 4. [c]) to let, to permit, to allow; to connive (at).

по́пуст(о́м)у *ad.* to no purpose, in vain.

попу́та-ть II. *va. Pf.* to embroil, to entrap, to ensnare, to perplex, to mislead.

попу́т/ник *s.* (*bot.*) plantain, rib-wort || **–ный** *a.* fair, favourable (of a wind); travelling- || **–чик** *s.*, **–чица** *s.* fellow-traveller.

по/пы́тка *s.* (*gpl.* -ток) trial, attempt, venture || **–пых** *s.*, **в –пыха́х** in a hurry || **–пя́тный** *a.* retrograde.

пора́ *s.* [f] time; while; it is time; **~ обе́дать** it is time to dine; **с тех пор** since then; **с тех са́мых пор, как ...** ever since ...; **до сих пор** till now; **до тех пор, пока́** till then; **с кото́рых пор** since when.

по́ра *s.* pore.

пораб/оти́тель *s. m.* enslaver, subjugator || **–оща́-ть** II. *va.* (*Pf.* -от=и́ть I. 6. [a]) to enslave, to subjugate || **–още́ние** *s.* enslavement, subjugation, subjection.

по/ража́-ть II. *va.* (*Pf.* -раз=и́ть I. 1. [a]) to strike, to cut down; to defeat, to overthrow; **~ кинжа́лом** to stab; (*fig.*) to astound, to dumbfound, to shock || **–раже́ние** *s.* stroke, blow; defeat, overthrow, rout || **–рази́тельный** *a.* striking; astounding || **–ране́ние** *s.* slight wound || **–ра́н=ить** II. *va. Pf.* to wound slightly || **–раста́-ть** II. *vn.* (*Pf.* -расти́ 35.) to grow over (with), to be covered (with) || **–рва́ть** *cf.* **–рыва́ть** || **–реде́лый** *a.* grown thinner, scarcer || **–ре́з** *s.* cut, gash, wound || **–ре́зыва-ть** II. *va.* (*Pf.* -ре́з-ать I. 1.) to cut a little, to make a slight gash in || **–ре́чье** *s.* river country || **–реша́-ть** II. *va.* (*Pf.* -реш=и́ть I. [a]) to decide, to determine.

по́рист/ость *s. f.* porosity || **–ый** *a.* porous.

порица́/ние *s.* blame, censure, reproof || **–а́тель** *s. m.* censor, reprover || **–а́тельный** *a.* censorious, reproving || **–а́-ть** II. *va.* to blame, to censure, to reprove.

по́рка *s.* (*gpl.* -рок) whipping, castigation.

по́ровну *ad.* equally, in equal parts.

поро́г *s.* threshold; cataract (in a river), rapids *pl.*

поро́д/а *s.* birth, extraction; breed, stock, race; brood, variety (of animals) || **–истый** *a.* thoroughbred, of good breed.

поро/жда́-ть II. *va.* (*Pf.* -д=и́ть I. 1. [a]) to beget, to generate, to breed || **–жде́ние** *s.* descent, breed; brood.

поро́ж/ний *a.* empty, vacant; unloaded || **–мя́** & **–нём** *ad.* empty, without a load.

по́рознь *ad.* separately, apart.

поро́к *s.* vice; blemish; defect.

поро́м/ *s.* ferry(-boat); punt || **–щик** *s.* ferry-man.

поро/сёнок *s.* (*pl* -ся́та) porker; **моло́чный ~** sucking-pig || **–с=и́ться** I. 3. [c] *vn.* (*Pf.* о-) to farrow.

поро́слый *a.* grown over, overgrown.

по́росль *s. f.* young wood.

по́рост *s.* seaweed.

пороста́ть = пораста́ть.

порос/я́тина *s.* flesh of a sucking-pig, young pork || **–я́чий** (-ья, -ье) *a.* pig's, of sucking-pig.

пор-о́ть II. [c] *va.* (*Pf.* рас-) to rip up; to cut, to rip open (a fish); to tear open, to wound; (*Pf.* от-) to flog, to whip, to thrash; (*Pf.* на-), **~ вздор, дичь** to talk nonsense.

по́рох/ *s.* (gun)powder; **он –у не вы́думал** (*fig.*) he won't set the Thames on fire || **–овни́ца** *s.* powder-horn, powder-flask || **–ово́й** *a.* (gun)powder-.

поро́ч=ить I. *va.* (*Pf.* о-) to blame, to defame, to dishonour, to calumniate.

поро́чный *a.* imperfect, defective; depraved, vicious.

поро́ш/а *s.* newly fallen snow || **-и́на** *s.*, *dim.* **-и́нка** *s.* (*gpl.* -нок) mote; grain of powder.

порош=и́ть I. [a] *va.* (*Pf.* за-) to cover with dust, to powder || ~ *vn.* to fall slowly; **снег пороши́т** the snow is falling very fine.

порошо́к *s.* [a] (*gsg.* -шка́) powder (in general); ~ **от насеко́мых** insect-powder; **зубно́й** ~ tooth-powder.

порт/ *s.* [°] port, harbour; port-hole || **-а́л** *s.* portal || **-ве́йн** *s.* port(-wine) || **´-ер** *s.* porter || **´-ерная** (*as s.*) beershop, public house || **´-ик** *s.* portico, porch.

по́рт=ить I. 2. *va.* (*Pf.* ис-) to spoil, to damage; to corrupt, to deprave.

порт/ки́ *s. mpl.* (a pair of) drawers *pl.* || **-моне́** *s. indecl.* purse || **-ни́ха** *s.* dressmaker || **-но́й** (*as s.*) tailor || **-ня́га** *s.* a bad tailor, bungler || **-ня́жество** *s.* tailoring, tailor's business || **-ня́ж=ить** I. *vn.* to carry on the business of tailor, to tailor || **-ня́жный** *a.* tailor-, tailor's || **-ово́й** *a.* port-, harbour || **-о-фра́нко** *s. indecl.* free port.

портре́т/ *s.* portrait || **-и́ст** *s.* portrait-painter, portraitist || **-ный** *a.* portrait-.

порт/сига́р *s.* cigar-case || **-упе́я** *s.* sword-belt || **-фе́ль** *s. m.* portfolio || **-ье́ра** *s.* door-hangings *pl.*, door-curtain, portière || **-я́нка** *s.* (*gpl.* -нок) a piece of coarse cloth wrapped round the foot instead of a stocking.

пору́б/ка *s.* (*gpl.* -бок) cutting down; felling (trees); wood-stealing || **-щи́к** *s.* wood-cutter; wood-stealer.

по/руга́ние *s.* insult, abuse || **-ру́ка** *s.* guarantee, surety, bail, security; **на -ру́ки** on bail; **быть -ру́кою** (за кого́) to go bail for || **-руча́тель** *s. m.* employer, one who commissions another || **-руча́-ть** II. *va.* (*Pf.* -руч=и́ть I. [a&c]) to intrust (with), to commit; to commission || ~**ся** *vr.* (за что) to go bail for, to guarantee || **-руче́ние** *s.* commission, errand; (*comm.*) order || **-ру́чик** *s.* lieutenant || **-ручи́тель** *s. m.*, **-ручи́тельница** *s.* surety, bail, guarantee || **-ручи́тельный** *a.* of bail, etc. || **-ручи́тельство** *s.* bail, guarantee, surety.

порфи́р/ *s.* porphyry || **-а** *s.* purple || **-ный** *a.* of porphyry || **-оро́дный** *a.* born in the purple.

порха́-ть II. *vn.* (*Pf.* порхн-у́ть I. [a]) to flutter.

по́рц/ия *s.* portion || **-ио́н** *s.* ration, allowance.

по́рча *s.* deterioration, damage; corruption; rottenness; depravity; spell, bewitchment.

по́ршень *s. m.* (*gsg.* -шня) piston.

поры́в/ *s.* burst, impulse; fit, jerk; gust, puff (of wind) || **-а́-ть** II. *va.* (*Pf.* пор-в-а́ть I. [a 3.]) to tear asunder || ~**ся** *vn.* to tear || **-истый** *a.* violent, impetuous; squally, gusty; jerky.

порыж/е́лый *a.* grown reddish || **-е́ть** *cf.* **рыже́ть.**

поря́д/ковый *a.*, **-ковое числи́тельное** (*gramm.*) ordinal || **-ок** *s.* (*gsg.* -дка) order; **по -ку** in order, successively; **-ком** regular, properly || **-очно** *ad.* tolerably, passably; pretty much, thoroughly || **-очный** *a.* well-furnished, in good trim (of an establishment); orderly, regulated, proper; thorough; passable.

поса́д/ *s.* suburb || **-ка** *s.* (*gpl.* -док) seat; placing, putting; setting, planting || **-ник** *s.* *formerly* mayor of some Russian towns.

посажённый *a.* by the fathom.

посажёный *a.* taking the place of; ~ **оте́ц** nuptial godfather.

по́свист *s.* whistle, whistling.

по/-сво́ему & **-сво́йски** *ad.* in one's own way.

посвя/ща́-ть II. *va.* (*Pf.* -т=и́ть I. 6.) to consecrate, to devote; to dedicate (a book, etc.); (кого́ во что) to initiate || **-ще́ние** *s.* consecration; dedication; initiation. [*cf.* **се́ять.**

посе́в/ *s.* sowing; seed-time || **-а́-ть** II.

поседе́лый *a.* grown grey (of the hair).

посел/е́нец *s.* (*gsg.* -нца), **-е́нка** *s.* (*gpl.* -нок) settler, colonist; person deported to Siberia, convict || **-е́ние** *s.* settlement, colony; **сосла́ть на** ~ to deport to Siberia.

посёлок *s.* (*gsg.* -лка) a small village.

посе/ля́нин *s.* (*pl.* -ля́не) villager, peasant, countryman || **-ля́нка** *s.* (*gpl.* -нок) female peasant, countrywoman || **-ля́-ть** II. *va.* (*Pf.* -л=и́ть II. [a & c]) to settle, to establish; (в ком что *fig.*) to instil, to inspire (one with) || ~**ся** *vr.* to settle (down).

посеме́йный *a.* family-, of family, domestic. [be so.

посему́ *ad.* accordingly; **быть** ~ it shall

посети́тель/ *s. m.*, **-ница** *s.* visitor, guest.

посе/ща́-ть II. *va.* (*Pf.* -т=и́ть I. 6. [a]) to visit; to frequent; (*ec.*) to visit (with), to inflict || **-ще́ние** *s.* visit; (*fig.*) visitation, affliction.

по/сидéлки *s. fpl.* (*G.* -лок) sittings *pl.*, evening meetings *pl.* (for work and chatting in villages) || **-сильный** *a.* according to one's strength || **-синéлый** *a.* grown blue || **-скользá-ться** II. *vn.* (*Pf.* -скользн-ýться I.) to slip, to slide || **-скóльку** *ad.* how much; (in) how far, as far as || **-скóнный** *a.* hemp-, hempen || **-скорéе** *ad.* quickly, hastily, quicker || **-скýдный** *a.* vile, abominable.

посла/блéние *s.* connivance, indulgence || **-бля́-ть** II. *va.* (*Pf.* ⁴б=ить II. 7.) to let go, to loosen || ~ *vn.* (комý в чём) to connive at, to show indulgence to.

посл/áнец *s.* [&a] (*gsg.* -нца) envoy; messenger; agent || **-áние** *s.* message, letter; Epistle || **-áнник** *s.* envoy, ambassador || **-áнница** *s.* ambassador's wife || **-áннический** *a.* envoy's, ambassadorial.

пóсланный (*as s.*) messenger, envoy.

послáть *cf.* **посылáть** & **слать.**

послáще *ad.* somewhat sweeter.

пóсл/е *prp.* (+ *G.*) after; ~ **тогó** after that, thereafter || ~ *ad.* afterwards, later (on) || **-éдний** *a.* last, final; lowest; **-éднее врéмя** recent times, lately || **-éдователь** *s.m.* follower, partisan, adherent || **-éдовательность** *s. f.* successiveness || **-едовáтельность** *s. f.* consequentialness || **-éдовательный** *a.* successive || **-едовáтельный** *a.* consequent(ial) || **-éдствие** *s.* consequence; result || **-éдующий** (-ая, -ее) *a.* following, subsequent, next || **-езáвтра** *ad.* the day after to-morrow || **-eобéденный** *a.* afterdinner; afternoon- || **-eслóвие** *s.* epilogue.

по/слóвица *s.* proverb, adage || **-служнóй** *a.* service- || **-слушáние** *s.* obedience || **-слýшник** *s.* lay brother || **-слýшница** *s.* lay-sister || **-слýшный** *a.* obedient; docile.

по/смáтривать *cf.* **смотрéть** || **-смéива-ться** II. *vn.* (*Pf.* -сме-я́ться I. [a]) (над кем) to laugh at, to poke fun (at one) || **-смéртный** *a.* posthumous || **-смéшище** *s.* laughing-stock || **-смея́ние** *s.* laugh at, mockery, derision.

посóбие *s.* assistance, relief, subsidy.

посо/бля́-ть II. *va.* (*Pf.* -б=и́ть II. 7. [a & c]) to help, to assist, to relieve.

посóб/ник *s.*, **-ница** *s.* aid, helper; accomplice.

посóл/ *s.* ambassador || **-ьский** *a.* ambassadorial, ambassador's || **-ьство** *s.* embassy, legation.

посóтенно *ad.* by the hundred, by hundreds.

пóсох *s.* staff; (shepherd's) crook; (bishop's) crosier, crozier.

по/спевá-ть II. *vn.* (*Pf.* -спé-ть II.) to ripen; to be ready; to be in time, to come in time; (за кем) to keep up (with) || **-спешáть** *cf.* **спеши́ть** || **-спéшность** *s. f.* haste, speed, celerity || **-спéшный** *a.* quick, speedy.

по/срамля́-ть II. *va.* (*Pf.* -срам=и́ть II. 7. [a]) to shame, to humiliate, to disgrace || **-среди́** *prp.* (+ *G.*) in the middle, in the midst, among || **-срéдник** *s.* mediator; (*comm.*) middleman; (*fam.*) go-between; (*leg.*) umpire, arbitrator || **-стрéднический** *a.* arbitral || **-срéдничество** *s.* mediation, intervention || **-срéдственность** *s. f.* mediocrity || **-срéдственный** *a.* mediocre, middling, moderate || **-срéдство** *s.* means; intervention, mediation; **-срéдством** (+ *G.*) by means (of), through.

пост/ *s.* [a°] fast(ing); **вели́кий** ~ Lent; [°] stand, standing-place; (*mil.*) post || **-áв** *s.* move, motion; set of millstones; cupboard (for vessels) || **-авéц** *s.* [a] (*gsg.* -вцá) (umbrella-)stand; small cupboard; dresser, sideboard || **-áвка** *s.* (*gpl.* -вок) delivery, supply; erection; getting up (a play) || **-авля́-ть** II. *va.* (*Pf.* -áв=ить II. 7.) to put, to place, to set; to supply, to deliver; to erect, to set up, to raise; to get up (a play); to regulate (a watch); ~ **на своём** to get, to have one's own way || **-авнóй** *a.* delivered; delivery- || **-авщи́к** *s.* [a], **-авщи́ца** *s.* contractor, purveyor, supplier, caterer.

постанó/вка *s.* (*gpl.* -вок) erection, raising (*e. g.* a monument); getting up (a play); (*art.*) attitude, line || **-влéние** *s.* decision, disposition, direction || **-вля́-ть** II. *va.* (*Pf.* -в=и́ть II. 7. [c]) to state, to fix, to settle, to dispose, to decree; ~ **пригово́р** to give judgment, to bring in a verdict.

по(-)стáрому *ad.* as before, as of old.

постéль/ *s. f.* bed, couch || **-ка** *s.* (*gpl.* -лек) *dim. of prec.* || **-ный** *a.* bed-.

постепéнн/ый *a.* gradual, progressive || **-о** *ad.* by degrees, gradually.

постигá-ть II. *va.* (*Pf.* пости́гнуть 52. & пости́чь 15. [a 1.]) to befall; to understand, to comprehend.

постиж/éние *s.* comprehension || **-и́мость** *s. f.* comprehension, intelligibleness || **–и́мый** *a.* comprehensible, conceivable, intelligible.

постила́-ть II. *va.* (*Pf.* постла́ть 9. [c]) to spread, to lay; **~ посте́ль** to make a bed; **~ пол** to board, to floor (*cf.* стлать).

пости́лка *s.* (*gpl.* -лок) spreading, laying; litter, bedding (for animals).

пост=и́ться I. 4. [a] *vn.* (*Pf.* про-) to fast, to keep the fast.

по/сти́чь *cf.* **–стига́ть** || **–стла́ть** *cf.* **–стила́ть.**

по́ст/ник *s.*, **–ница** *s.* faster || **–ннча-ть** II. *vn.* to fast, to keep the fast || **–ный** *a.* fast-; meagre, lean.

посто́й *s.* (*mil.*) quarters *pl.*; **поста́вить на ~** to quarter.

по/сто́льку *ad.* so much || **–сторо́нний** *a.* foreign, irrelevant, accessory; extraneous.

посто́я/лец *s.* (*gsg.* -льца), **–лица** *s.* lodger, tenant || **–лый** *a.*, **~ двор** inn (with stables) || **–лое** (*as s.*) rent (for lodging) || **–нный** *a.* constant, continual, perpetual; steady, steadfast || **–нство** *s.* constancy, steadfastness.

постре́л *s.* scapegrace, scamp; (*med.*) lumbago.

пострига́-ть II. *va.* (*Pf.* постри́чь 15. [c 1.]) to cut (the hair); **~ в мона́хи** to invest, to veil || **~ся** *vr.* (of men) to take the habit; (of women) to take the veil.

постриже́ние *s.* cutting (the hair); **~ в мона́хи(ни)** taking the habit *or* the veil, entering a monastery *or* a nunnery.

по/строе́ние *s.* building, erection, structure; (*math.*) construction || **–стро́йка** *s.* (*gpl.* -бек) building, structure, edifice || **–стро́мка** *s.* (*gpl.* -мок) trace (of a harness) || **–стро́чный** *a.* by lines, by the line.

посту/па́тельный *a.* progressive || **-па́-ть** II. *vn.* (*Pf.* -п=и́ть II. 7. [c]) to act, to treat; to enter (a school, an office, etc.); **~ в солда́ты** to enlist || **~ся** *vn.* (чем кому́) to give up, to renounce (in favour of) || **–пле́ние** *s.* conduct, behaviour; entering, enlisting.

посту́пок *s.* (*gsg.* -пка) act(ion), course of action, behaviour, treatment.

по́ступь *s. f.* step, walk, gait.

посты́дный *a.* shameful, scandalous.

посты́ле-ть II. *vn.* (*Pf.* о-) to grow disgusting, hateful.

посу́д/а *s.* vessels, plates and dishes *pl.*; **кухонная ~** kitchen ware, kitchen utensils *pl.* || **–ина** *s.* vessel || **–ный** *a.* vessel-, dish-.

посу́л *s.* promise.

посу́точный *a.* of twenty-four hours.

посыл/а́-ть II. *va.* (*Pf.* посла́ть 41. [a]) to send away, to despatch; (за кем) to send for || **´–ка** *s.* (*gpl.* -лок) sending; parcel, packet (for sending off) || **´–очка** *s.* (*gpl.* -чек) *dim.* parcel, packet (for sending off) || **´–ьный** (*as s.*) messenger.

посы/п-а́ть II. *va.* (*Pf.* **´–**па-ть II. 7.) (что чем) to strew, to sprinkle, to pour upon || **~ся** *vn.* (*only Pf.*) to pour down, to rain down in quantity (hail, snow, stones, etc.); **пу́ли ´–пались** the bullets came pouring like hail.

посяг/а́тельство *s.* (на что) attempt on one's life; encroachment, infringement (on) || **–а́-ть** II. *vn.* (*Pf.* -н-у́ть I. [a]) (на что) to make an attempt on; to infringe on.

пот *s.* [°] sweat, perspiration.

по/таённый & **–тайно́й** *a.* clandestine, secret, hidden, underhand; **~ фона́рь** dark lantern || **–така́-ть** II. *vn.* (кому́) to connive (at), to indulge (one in) || **–таску́ха** & **–таску́шка** *s.* (*gpl.* -шек) street-walker, prostitute || **–тасо́вка** *s.* (*gpl.* -вок) brawl, scuffle || **–та́чка** *s.* (*gpl.* -чек) indulgence, spoiling (children).

пота́ш *s.* potash.

по-тво́ему *cf.* **твой.**

потво́р/ство *s.* indulgence || **–ство+вать** II. *vn.* to indulge, to connive, to spoil.

поте́лый *a.* in a sweat, perspiring.

потёмки *s. fpl.* (*G.* -мок) dark(ness).

поте́ря *s.* loss.

потеря́-ть II. *va.* to lose.

поте́-ть II. *vn.* (*Pf.* вс-) to sweat, to perspire; (*Pf.* по-) to toil, to work hard.

поте́ха *s.* fun, amusement, diversion.

потеша́-ть II. *va.* (*Pf.* поте́ш=ить I.) to amuse, to divert || **~ся** *vr.* to sport, to amuse o.s.; to divert o.s.

поте́ш/ливый *a.* fond of amusement, amusing, jovial, entertaining || **–ник** *s.*, **–ница** *s.* amusing person, jester, wag || **–ный** *a.* funny, amusing, diverting.

по/тира́-ть II. *va.* (*Pf.* -тере́ть 14. [a 1.]) to rub slightly || **–тихо́ньку** *ad.* gently; secretly; slowly.

пот/ли́вый *a.* subject to perspiration || **´–ный** *a.* sweaty, covered with sweat || **–ово́й** *a.* sweat-; sudorific || **–ого́нный** *a.* (*med.*) sudorific.

пото́к *s.* current, stream; **~ ре́чи** torrent of words.

потол/о́к *s.* [a] (*gsg.* -лка́) ceiling || **–о́чный** *a.* ceiling-.

потóм/ *ad.* after that, afterwards, subsequently || **–ок** *s.* (*gsg.* -мка) descendant, offspring || **–ственный** *a.* hereditary || **–ство** *s.* posterity; descendants *pl.* || **–ý** *ad.* therefore, consequently || **~ что** *c.* because, as.

потó/п *s.* flood, inundation, deluge || **–пá-ть** II. *vn.* (*Pf.* -н-ýть I. [a]) to sink, to drown || **–пля́-ть** II. *va.* (*Pf.* -п=и́ть II. 7. [c]) to submerge, to sink; to flood, to inundate.

потóчный *a.* of stream, of current.

по/трáва *s.* grazing; damage caused by allowing cattle to graze in corn || **–трафля́-ть** II. *va.* (*Pf.* -трáф=ить II. 7.) to hit the mark; **на негó не –трáфишь** it's impossible to please him || **–трáчива-ть** II. *va.* (*Pf.* -трáт=ить I. 2.) to spend, to squander.

потрé/ба *s.* need, want || **–би́тель** *s. m.* consumer; **óбщество –би́телей** Co-operative Society || **–блéние** *s.* consumption, use || **–бля́-ть** II. *va.* (*Pf.* -б=и́ть II. 7. [a]) to consume, to use, to eat up || **–бность** *s. f.* necessity, need, want || **–бный** *a.* necessary, requisite.

пóтро/хи & –хá *s. mpl.* [b & c] bowels, intestines *pl.* || **–ш=и́ть** I. [a] *va.* (*Pf.* вы́-) to gut, to disembowel.

потря/сá-ть II. *va.* (*Pf.* -сти́ 26. [a 2.]) to shake, to jolt; (*fig.*) to trouble, to disturb || **~ся** *vr.* to tremble, to shake || **–сéние** *s.* shaking, shock, jolt, jolting.

потýги *s. fpl.* labour, childbirth.

поту/пля́-ть II. *va.* (*Pf.* ⁄п=нить II. 7.), **~ глазá** to cast down one's eyes; **~ гóлову** to hang down one's head || **–хáть** *cf.* **тýхнуть.**

пóтч/евание *s.* treating, regaling || **–е+вать** II. *va.* (*Pf.* по-) to treat, to regale; to offer a person something to eat.

по/тя́гива-ть II. *va.* (*Pf.* -тян-ýть I. [c]) to pull at (little by little) || **–утрý** *ad.* in the morning || **–учá-ть** II. *va.* (*Pf.* -уч=и́ть I. [c]) to teach, to instruct; to edify || **~ся** *vr.* to learn, to be edified (by) || **–учéние** *s.* information, instruction, precept || **–учи́тельный** *a.* instructive; didactic(al).

похáб/ник *s.*, **–ница** *s.* ribald man *or* woman || **–ничa-ть** II. *vn.* (*Pf.* с-) to behave obscenely, to talk smut || **–ный** *a.* ribald, obscene, smutty || **–ство & –щина** *s.* ribaldry, obscenity.

похвал/á *s.* praise, encomium, eulogy || **–ьбá** *s.* (*gpl.* -леб) boast(ing), bragging, swaggering || **⁄ьный** *a.* praiseworthy, laudable, meritorious; laudatory; **⁄ьное слóво** eulogy, panegyric || **–я́-ть** II. *cf.* **хвали́ть.**

похити́тель *s. m.* ravisher; kidnapper; **~ престóла** usurper.

похи/щá-ть II. *va.* (*Pf.* ⁄т=ить I. 6. [c]) to ravish, to carry away, to kidnap; to steal, to rob; to usurp || **–щéние** *s.* ravishing, kidnapping; theft; usurpation.

по/хлёбка *s.* (*gpl.* -бок) (*vulg.*) soup, porridge || **–хмéлье** *s.* headache (caused by drunkenness).

похóд *s.* campaign, expedition; march; **крестóвый ~** crusade.

поход=и́ть I. 1. [c] *vn.* to walk up and down; (на когó, на что) to be like, to resemble.

похóд/ка *s.* (*gpl.* -док) walk, gait, bearing || **–ный** *a.* camp-, campaigning.

пóходя *ad.* on the move, going; continually.

похóжий (-ая, -ее) *a.* (на когó, на что) resembling, like; **–е на дождь** it looks like rain; **он похóж на своегó отцá** he resembles his father.

похорóнный *a.* funeral, burial.

пóхороны *s. fpl.* [c] funeral, obsequies *pl.*

пóхот/ь & –ли́вость *s. f.* lasciviousness, lust, voluptiousness || **–ли́вый** *a.* lascivious, lustful, lecherous.

поцелýй *s.* kiss.

почáсно *ad.* hourly, by the hour.

пóчасту *ad.* often, frequently.

початóй *a.* begun, commenced, broached (of a cask).

по/чáток *s.* (*gsg.* -тка) commencement; what has been cut || **–чáть** *cf.* **–чинáть** || **–чáще** *ad.* (more) frequently.

пóчв/а *s.* soil, ground, earth || **–енный** *a.* soil-, earth-.

почём *ad.* how much? what is the price of?

почемý *ad.* why?

пóчерк *s.* hand, handwriting.

почерп/á-ть II. *va.* (*Pf.* -н-ýть I. [a]) to draw (water); (*fig.*) to plagiarize.

пóчесть *s. f.* honour, reputation; mark of respect; distinction, dignity.

почéсть *cf.* **почитáть.**

почёт/ *s.* honour, respect, esteem || **–ный** *a.* honorable, honorary; of honour.

пóчеч/ка *s.* (*gpl.* -чек) small bud || **–ный** *a.* kidney-, nephritic || **–ýй** *s.* hemorrhoids, piles *pl.* || **–ýйный** *a.* hemorrhoidal.

почивá-ть II. *vn.* (*Pf.* почи́-ть II. [b 1.]) to sleep, to rest, to repose.

почи́/н *s.* beginning, first cut; handsel || **–на́-ть** II. *va.* (*Pf.* поча́ть 34. [a 4.]) to commence, to begin; to commence to cut (a loaf of bread); to broach (a cask) || **–нка** *s.* (*gpl.* -нок) mending, repair(ing); darning || **–ня́-ть** II. *va.* (*Pf.* -н≈и́ть II. [a & c]) to mend, to repair, to darn.

почит/а́й *ad.* (*fam.*) (= почти́) almost || **–а́ние** *s.* honour(ing), respect(ing), esteem(ing) || **–а́тель** *s. m.* admirer, reverer || **–а́-ть** II. *va.* (*Pf.* почт≈и́ть I. [a]) to honour, to respect; to revere, to esteem highly; (чем) to worship (God); (*Pf.* поче́сть 24. [a 2.]) (кого́ чем, за кого́) to believe, to look upon (on) as, to think one, to take one for, to consider || **~ся** *v.pass.* to be reputed, to be considered.

почи́ть *cf.* **почива́ть.**

по́чка *s.* (*gpl.* -чек) kidney; (*bot.*) bud, eye.

по́чт/а *s.* post; post-office || **–альо́н** & **–алио́н** *s.* postman || **–а́мт** *s.* post-office || **–а́рь** *s. m.* [a] postman || **–дире́ктор** *s.* Postmaster-General || **–е́ние** *s.* respect, esteem, veneration; **с соверше́нным –е́нием** respectfully yours (in letters) || **–е́нный** *a.* honourable, respectable || **–и́** *ad.* almost, nearly || **–и́тельность** *s. f.* respectfulness, deference || **–и́тельный** *a.* respectful, deferential || **–и́ть** *cf.* **почита́ть** || **–о́вый** *a.* post-; **–о́вая ма́рка** stamp; **–о́вая конто́ра** post-office.

поша́тыва-ть II. *va.* (*Pf.* пошата́-ть II.) to shake; to rock, to toss; (*Pf.* пошатн-у́ть I [a]) to cause to stagger, to stagger.

по́шлин/а *s.* duty, customs *pl.*, tax; **вывозна́я ~** export duty; **ввозна́я ~** import duty; **~ с вина́** duty on wine || **–ный** *a.* subject to duty, dutiable; duty-.

по́шл/ость *s. f.* triviality, insipidness, commonplaceness || **–ый** *a.* trivial, commonplace, hackneyed.

пошту́чный *a.* by the piece; **–ая рабо́та** piece-work.

поща́да *s.* mercy, pardon; quarter.

пощёчина *s.* a box on the ear.

поэ́/зия *s.* poetry || **–ма** *s.* poem || **–т** *s.* poet || **–те́сса** *s.* poetess || **–ти́ческий** *a.* poetic(al).

поэ́тому *c.* therefore, on that account, that's why.

поя/вле́ние *s.* apparition, appearance || **–вля́-ться** II. *vr.* (*Pf.* -в≈и́ться II. 7. [a & c]) to appear, to make one's appearance; to come forth, to pop up.

поя́рковый *a.* of lamb's wool.

по́яс/ *s.* [b] (*pl.* -а́) girdle, belt; (*geog.*) zone || **–не́ние** *s.* explanation, elucidation || **–ни́тельный** *a.* explanatory || **–ни́ца** *s.* loins *pl.* || **–но́й** *a.* of girdle, belt-; **~ портре́т** half-length portrait; **~ покло́н** a deep bow || **–ня́-ть** II. *va.* (*Pf.* -н≈и́ть II. [a]) to explain, to elucidate, to expound.

праба́б/а *s.*, *dim.* **–ка** *s.* (*gpl.* -бок) & **–ушка** *s.* (*gpl.* -шек) great-grandmother.

пра́вд/а *s.* truth, probity, honesty; justice, right; **э́то ~** that's true || **–и́вость** *s. f.* uprightness, truthfulness, veracity || **–и́вый** *a.* upright, truthful, veracious || **–оподо́бие** *s.* probability, likelihood || **–оподо́бный** *a.* likely, probable, plausible.

пра́вед/ник *s.* a just man || **–ный** *a.* just, righteous.

прави́ло *s.* helm, rudder; (*tech.*) guide-rod.

пра́вил/о *s.* rule, maxim, principle || **–ьность** *s. f.* regularity, accuracy, correctness || **–ьный** *a.* regular, accurate, correct.

прави́тель/ *s. m.*, **–ница** *s.* administrator, ruler, manager, director || **–ственный** *a.* of the government, governmental || **–ство** *s.* government, administration || **–ство+вать** II. *vn.* to govern, to direct.

пра́в≈ить II. 7. *va.* (+ *I.*) to govern, to rule, to manage, to direct, to administer; (*Pf.* с-) to feast, to celebrate; (*Pf.* в-) to set (a dislocated limb); (*Pf.* вы́-) to set, to whet (a razor).

пра́в/ка *s.* (*gpl.* -вок) proof, proof-sheet || **–ле́ние** *s.* government; direction, administration, management || **–нук** *s.* great-grandson || **–нука** *s.*, *dim.* **–нучка** *s.* (*gpl.* -чек) great-granddaughter || **–о** *s.* [b] right, justice; **быть в –е** to have the right; to be entitled to; **по –у** by right, by virtue of || **~** *ad.* truly, indeed || **–ове́д** *s.* jurist || **–ове́дение** *s.* jurisprudence || **–ове́рный** *a.* orthodox || **–ово́й** *a.* law- || **–описа́ние** *s.* orthography || **–осла́вие** *s.* orthodoxy, the true faith || **–осла́вный** *a.* orthodox || **–оспосо́бность** *s. f.* (*leg.*) capacity || **–оспосо́бный** *a.* (*leg.*) capable || **–осу́дие** *s.* administration of justice, equity || **–осу́дный** *a.* just, equitable || **–ота́** *s.* righteousness, equitableness; legality, lawfulness || **–ый** *a.* right, to the right (hand); just, upright.

прагмати́ческий *a.* pragmatic(al).
пра́дед *s.* great-grandfather.
пра́зд/нество́ *s.* feast, festival, solemnity || **–ник** *s.* holiday, feast, festival || **–ни-ча-ть** II. *vn.* to feast, to take a holiday || **–ничный** *a.* holiday-, festival- || **–но-вание** *s.* celebration of a feast || **–но+вать** II. *va.* (*Pf.* от-) to celebrate || **–носло́вие** *s.* idle talk, twaddle || **–ность** *s. f.* idleness, laziness, sloth || **–ношата́ющийся** *s. m.* idler, lounger, vagrant || **–ный** *a.* vacant, empty; idle, lazy; useless, empty (of words).
пра́ктик/ *s.* practitioner || **–а** *s.* practice || **–о+ва́ть** II. [b] *vn.* to practise.
практи́ч/еский & **–ный** *a.* practical; **–еская матема́тика** applied mathematics *pl.*
прама́терь *s. f.* [c] our first mother, the mother of the human race.
пра́отец *s.* (*gsg.* -тца) our first father, the father of the human race.
пра́порщик *s.* (*mil.*) ensign.
прапра/ба́бка *s.* (*gpl.* -бок) great-great-grandmother || **–де́д** *s.* great-great-grandfather.
прароди́тель *s. m.* forefather.
пра́сол *s.* wholesale cattle-jobber, fish-dealer.
прах *s.* dust; ashes *pl.* (of the dead).
пра́ч/ечная (*as s.*) laundry || **–ка** *s.* (*gpl.* -чек) laundress, washerwoman.
пра́ща *s.* sling.
пра́щур *s.* great-great-grandfather's [father.
пре/быва́ние *s.* stay, sojourn || **–быва́-ть** II. *vn.* (*Pf.* -бы́ть 49.) to stay, to remain; to sojourn, to reside || **–взойти́** *cf.* **–восходи́ть.**
превоз/мога́-ть II. *va.* (*Pf.* -мо́чь 15. [b 2.]) to overcome, to master, to surmount || **–нос=и́ть** I. 3. [c] *va.* (*Pf.* -нести́ & -не́сть 26. [a 2.]) to praise, to exalt, to extol || **–ноше́ние** *s.* exaltation, extolling.
превос/ходи́тельство *s.* Excellency (as a title) || **–ход=и́ть** I. 1. [c] *va.* (*Pf.* превзойти́ 48.) (кого́ в чём) to excel, to surpass || **–хо́дный** *a.* excellent, superb; **–хо́дная сте́пень** (*gramm.*) superlative || **–хо́дство** *s.* excellence, superiority.
пре/вра́тность *s. f.* changeableness (of destiny), inconstancy, instability || **–вра́тный** *a.* changeable, inconstant; queer, unpleasant || **–враща́-ть** II. *va.* (*Pf.* -врат=и́ть I. 6. [a]) to change, to convert, to turn, to transmute, to transform; to pervert, to alter; **~ в у́голь** to carbonize || **–враще́ние** *s.* transformation, transmutation, metamorphosis; **~ в у́голь** carbonization || **–выша́-ть** II. *va.* (*Pf.* -вы́с=ить I. 3.) to surpass, to excel; to exceed, to go beyond (one's powers) || **–выше́ние** *s.* surpassing; exceeding, going beyond.
пре/гра́да *s.* impediment, obstacle, bar; **грудобрю́шная ~** (*an.*) diaphragm || **–гражда́-ть** II. *va.* (*Pf.* -град=и́ть I. 5. [a]) to bar, to impede, to hinder || **–греша́-ть** II. *vn.* (*Pf.* -греш=и́ть I. [a]) to sin, to transgress || **–греше́ние** *s.* sin, transgression.
пред = пе́ред.
пре/дава́ть 39. [a 1.] *va.* (*Pf.* -да́ть 38.) to give up, to deliver, to hand over; to betray; **~ земле́** to bury || **~ся** *vr.* to give o.s. up to; to devote o.s. (to a thing), to become addicted to || **–да́ние** *s.* giving up, delivery, handing over; betrayal; tradition || **–́данность** *s. f.* devotion, attachement (to) || **–́данный** *a.* devoted (in letters), attached (to) || **–да́тель** *s. m.* traitor || **–да́тельница** *s.* traitress || **–да́тельский** *a.* treacherous || **–да́тельство** *s.* treachery || **–да́ть** *cf.* **–дава́ть.**
пред/вари́тельный *a.* preliminary || **–варя́-ть** II. *va.* (*Pf.* -вар=и́ть II. [a]) to prevent, to precede, to anticipate; (кого́ о чём) to give notice, to let one know in advance || **–вести́ть** *cf.* **–веща́ть** || **–ве́стник** *s.*, **–ве́стница** *s.* precursor, forerunner, harbinger || **–ве́чный** *a.* eternal, everlasting (of God) || **–веща́-ть** II. *va.* (*Pf.* -вест=и́ть I. 4. [a]) to predict, to forebode, to presage || **–взя́тый** *a.* preconceived; **–взя́тое мне́ние** preconception || **–ви́дение** *s.* prevision, foresight || **–ви́д=еть** I. 1. *va.* to foresee || **–вкуша́-ть** II. *va.* (*Pf.* -вкус=и́ть I. 3. [c]) to have a foretaste of || **–вкуше́ние** *s.* foretaste || **–води́тель** *s. m.* leader, chief, general || **–води́тельство** *s.* chief command, leadership || **–води́тельство+вать** II. *vn.* (чем) to lead, to command, to be in command || **–вод=и́ть** I. 1. [c] *va.* to lead || **~** *vn.* to be in command.
преддве́рие *s.* vestibule, hall; portico (of churches).
преде́л/ *s.* bound(ary); (*geog.*) frontier; (*fig.*) limit; end of the life || **–ьный** *a.* bounding, bordering; extreme, utmost.
предержа́щий *a.* (*sl.*) superior, sovereign.

пред/знаменова́ние *s.* omen, presage, augury || **–исло́вие** *s.* preface, introduction, preamble || **–лага́-ть** II. *va.* (*Pf.* -лож=и́ть I. [c]) to offer, to propose || **–ло́г** *s.* pretext, pretence; (*gramm.*) preposition || **–ложе́ние** *s.* offer, proposal, proposition; (*gramm.*) sentence; (*log.*) thesis || **–ло́жный** *a.*, ~ **паде́ж** (*gramm.*) prepositional (case).

пред/ме́стный *a.* suburban, local || **–ме́стье** *s.* suburb, outskirt (of a city) || **–ме́т** *s.* object, matter; aim, view, purpose; theme, subject || **–ме́тный** *a.* objective.

предна/знача́-ть II. *va.* (*Pf.* -зна́ч=ить I.) to predestine; to fix, to appoint in advance || **–значе́ние** *s.* predestination, appointment in advance || **–ме́ренный** *a.* intended, intentional || **–черта́ние** *s.* preliminary plan, project.

пре́до *cf.* **пред** & **пе́ред.**

пре́док *s.* (*gsg.* -дка) forefather, ancestor.

предо/пределе́ние *s.* predestination; predetermination || **–предели́-ть** II. *va.* (*Pf.* -предел=и́ть II. [a]) to predestine, to predetermine || **–ставле́ние** *s.* leaving to, reserving to, reservation || **–ставля́-ть** II. *va.* (*Pf.* -ста́в=ить II. 7.) to leave to, to reserve for; ~ **в распоряже́ние** to place at the disposal of || **–стерега́-ть** II. *va.* (*Pf.* -стере́чь 15. [a 2.]) (от чего́) to warn, to caution (against) || ~**ся** *vr.* to take care, to take precautions || **–стереже́ние** *s.* warning, caution || **–сторо́жность** *s. f.* precaution, caution, wariness || **–сторо́жный** *a.* cautious, wary, circumspect || **–суди́тельный** *a.* blameworthy, reprehensible, scandalous.

предотвра/ща́-ть II. *va.* (*Pf.* -т=и́ть I. 6. [a]) to avert, to prevent, to ward off.

предохра/не́ние *s.* preservation, prevention, warding off || **–ни́тельный** *a.* preservative, preventive, safety-; ~ **кла́пан** safety-valve || **–ня́-ть** II. *va.* (*Pf.* -н=и́ть II. [a]) (от чего́) to protect, to preserve; to prevent, to avert.

пред/писа́ние *s.* prescription, prescript, instruction, order || **–пи́сыва-ть** II. *va.* (*Pf.* -пис-а́ть I. 3. [c]) to prescribe, to instruct, to order, to dictate || **–пле́чие** *s.* forearm || **–полага́емый** *a.* supposed, provided that, presumable || **–полага́-ть** II. *va.* (*Pf.* -полож=и́ть I. [c]) to suppose, to presume, to surmise; to propose, to intend; **челове́к –полага́ет, а Бог располага́ет** man proposes and God disposes || **–положе́ние** *s.* supposition, supposal, surmise, conjecture, hypothesis, presumption; purpose, intention || **–положи́тельный** *a.* suppositional, conjectural, hypothetic(al), presumptive || **–после́дний** *a.* penultimate, last but one, second last || **–посыла́-ть** II. *va.* (*Pf.* -посла́ть 40.) to send in advance, beforehand || **–почита́-ть** II. *va.* (*Pf.* -поче́сть 24. [a 2.]) to prefer, to like better || **–почте́ние** *s.* preference || **–почти́тельно** *ad.* preferably || **–почти́тельный** *a.* preferred, preferable || **–пра́здничный** *a.*, ~ **день** the eve of a festival || **–прии́мчивость** *s. f.* enterprising character, enterprising spirit || **–прии́мчивый** *a.* enterprising, go-ahead || **–принима́тель** *s. m.* enterpriser, one who undertakes || **–принима́-ть** II. *va.* (*Pf.* -приня́ть 37. [c 4.]) to undertake, to set about || **–прия́тие** *s.* undertaking, enterprise.

предрас/полага́-ть II. *va.* (*Pf.* -полож=и́ть I. [c]) to predispose (in favour of) || **–положе́ние** *s.* predisposition || **–су́док** *s.* (*gsg.* -дка) prejudice.

предрека́-ть II. *va.* (*Pf.* предре́чь 18. [a 2.]) to predict, to foretell.

председа́тель/ *s. m.* president, chairman || **–ница** *s.* chairwoman || **–ский** *a.* of the president, of the chairman || **–ство** *s.* presidency, chairmanship || **–ство+вать** II. *vn.* to preside, to be in the chair.

предсказа́/ние *s.* prophecy, prediction || **–тель** *s. m.* soothsayer, prophet || **–тельница** *s.* soothsayer, prophetess.

пред/ска́зыва-ть II. *va.* (*Pf.* -сказ-а́ть I. 1. [c]) to predict, to prophesy, to foretell || **–сме́ртный** *a.* (happening shortly) before death, death- || **–стави́тель** *s. m.*, **–стави́тельница** *s.* representative, spokesman; deputy, substitute || **–стави́тельный** *a.* representative || **–ставле́ние** *s.* representation, exhibition; (*theat.*) performance || **–ставля́-ть** II. *va.* (*Pf.* -ста́в=ить II. 7.) to present, to offer, to produce; to exhibit; to represent, to perform || ~**ся** *vr.* to present o.s., to introduce o.s. (to one); (чем) to feign, to pretend to be; ~ **больны́м** to feign illness, to pretend to be ill || **–сто=я́ть** II. [a] *vn.* to be imminent; **ему́ –сто́ит опа́сность** he is threatened with danger.

пред/те́ча *s.* forerunner, precursor (*esp.* of St. John the Baptist) || **–убежде́-**

ние *s.* bias, prejudice || **–уведомлéние** *s.* (previous) notice, notification, announcement; warning || **–уведомля́-ть** II. *va.* (*Pf.* -увéдом=ить II. 7.) (когó о чём) to inform, to notify (beforehand), to announce, to advertise || **–угáдыва-ть** II. *va.* (*Pf.* -угадá-ть II.) to guess beforehand, to foresee || **–упреждá-ть** II. *va.* (*Pf.* -упред=и́ть I. 5. [a]) to come before, to forestall, to anticipate, to prevent; to prepare; (когó о чём) to inform, to warn (in advance) || **–упреждéние** *s.* forestalling, anticipating, preventing, warning || **–усмáтрива-ть** II. *va.* (*Pf.* -усмотр=éть II. [c]) to foresee || **–усмотри́тельный** *a.* provident, foreseeing.

пред/чу́вствие *s.* presentiment, foreboding || **–чу́вство+вать** II. *va.* to have a presentiment, to forebode; **я –чу́вствую опáсность** I have a presentiment of danger || **–шéственник** *s.*, **–шéственница** *s.* predecessor || **–шéство+вать** II. *vn.* (чему́) to antecede, to precede.

пред'/яви́тель *s. m.* presenter, producer; (*comm.*) bearer; **вéксель на –яви́теля** a bearer-check || **–явлéние** *s.* presentation; **по –явлéнии** (*comm.*) at sight || **–явля́-ть** II. *va.* (*Pf.* -яв=и́ть II. 7. [a & c]) to exhibit, to produce; (*comm.*) to present; to assert (one's claims).

предыду́щий (-ая, -ее) *a.* preceding, last.

преéм/ник *s.* heir, successor || **–ница** *s.* heiress || **–(ниче)ство** *s.* succession.

прéжде/ *ad.* before, at first, formerly, heretofore || ~ *prp.* (+ *G.*) before; ~ **всегó** above all || **–врéменность** *s. f.* prematurity, precocity || **–врéменный** *a.* premature, precocious.

прéжний *a.* previous, former, foregoing.

президéнт *s.* president.

пре/зирá-ть II. *va.* (*Pf.* -зр=éть II. [a]) to despise, to contemn, to scorn, to disdain || **–зрéние** *s.* contempt, scorn, disdain || **–зрéнный** *a.* contemptible, vile || **–зри́тельный** *a.* contemptible, despicable || **–избы́ток** *s.* (*gsg.* -тка) & **–изоби́лие** *s.* superabundance.

преиму́committств/енный

преиму́честв/енный *a.* preeminent || **–о** *s.* prerogative, privilege, preeminence; preference, superiority.

преиспóдняя (*as s.*) the nether regions, Hades.

прейс-курáнт *s.* current price, price-list.

пре/клонéние *s.* inclination, stooping (of the head), bending (of the knees) || **–клóнный** *a.* (к чему́) inclined, disposed (to); advanced in years || **–клоня́-ть** II. *va.* (*Pf.* -клон=и́ть II. [c]) to bend, to bow; (*fig.*) to incline, to dispose || **~ся** *vr.* to bow; to worship.

преко/слóвие *s.* contradiction || **–слó-в=ить** II. 7. *vn.* to contradict.

прекрáсный *a.* beautiful, fine, handsome; excellent.

пре/кращá-ть II. *va.* (*Pf.* -крат=и́ть I. 6. [a]) to discontinue, to break off, to leave off, to stop, to put an end to; to make up, to settle (a difference); to set (a task) || **~ся** *vr.* to cease || **–кращéние** *s.* cessation, stoppage, discontinuation, suspension || **–лéстный** *a.* charming, delightful || **–́лесть** *s. f.* charm, attraction; **э́то** ~ that is beautiful, enchanting || **–лиминáрный** *a.* preliminary || **–ломлéние** *s.* refraction || **–ломля́-ть** II. *va.* (*Pf.* -лом=и́ть II. 7. [c]) to break, to fracture; to refract (light).

прель/сти́тельный *a.* charming; tempting, seductive || **–щá-ть** II. *va.* (*Pf.* -ст=и́ть I. 4. [a]) to charm, to captivate; to seduce, to entice.

прельщéние *s.* seduction, temptation.

прéлый *a.* rotten.

прелюбодéй/ *s.* adulterer || **–ка** (*gpl.* -дéек) adulteress || **–(ствен)ный** *a.* adulterous || **–ство** *s.* adultery || **–ство+вать** II. *vn.* to commit adultery.

прелюбодея́ние *s.* adultery.

пре/лю́дия *s.* prelude || **–мину́ть** *cf.* **миновáть.**

премиро+вáть II. [b] *va.* (чем) to award a prize to.

прéмия *s.* prize; premium.

прему́дрый *a.* all-wise.

прене/брегá-ть II. *va.* (*Pf.* -брéчь 15. [a 2.]) (чем, что) to contemn, to disdain, to scorn, to set at naught || **–брежéние** *s.* neglect, disregard, contempt, disdain, scorn || **–брежи́тельный** *a.* disdainful, contemptuous, scornful.

прéние *s.* dispute, discussion, controversy, debate.

преоблад/áние *s.* predominance, prevalence || **–á-ть** II. *vn.* to predominate, to prevail.

преобра/жá-ть II. *va.* (*Pf.* -з=и́ть I. 1. [a]) to transform; to transfigure || **–жéние** *s.* transformation; transfiguration, glorification.

преобраз/овáние *s.* reorganization, reform || **–ováтель** *s. m.* reorganizer, reformer || **–óвыва-ть** II. *va.* (*Pf.* -о+вáть II. [b]) to reorganize, to reform.

преодо/левá-ть II. *va.* (*Pf.* -лé-ть II.) to surmount, to overcome, to master.
преосвящéн/ный *a.* most eminent (in titles) || **–ство** *s.* Eminence, Grace (in titles).
препинáние *s.* stoppage; **знáки –ия** punctuation marks *or* signs.
препо/давáние *s.* teaching, instruction || **–давáтель** *s. m.* teacher || **–давáть** 39. *va.* (*Pf.* -дáть 38.) to teach, to instruct || **–дóбие** *s.* Holiness, Reverence (in titles) || **–дóбный** *a.* holy; reverend (in titles) || **–ловéние** *s.* the fourth Wednesday after Easter, Mid-Pentecost.
препóна *s.* impediment, obstacle, hindrance, bar.
препо/ручá-ть II. *va.* (*Pf.* -руч=йть I. [a & c]) to confide, to trust, to commend.
препро/вождá-ть II. *va.* (*Pf.* -вод=йть I. 1. [c]) to forward, to send, to despatch || **–вождéние** *s.* despatching, forwarding; passing (the time); ~ **врéмени** pastime.
препя́тств/ие *s.* impediment, obstacle, hindrance, bar || **–о+вать** II. *vn.* (*Pf.* вос-) (комý в чём) to hinder, to impede, to stand in the way.
прерогати́ва *s.* prerogative.
преры́в/истый, –чатый & **–чивый** *a.* broken, uneven.
пресви́тер *s.* priest.
пресекá-ть II. *va.* (*Pf.* пресéчь 18. [a 1.]) to interrupt, to cut short; to leave off, to stop; to abolish, to do away with; to limit.
преслéд/ование *s.* pursuit; persecution || **–ователь** *s. m.* pursuer, persecutor || **–о+вать** II. *va.* to pursue, to follow; (*leg.*) to sue.
пресловýтый *a.* illustrious, famed, renowned.
пресмык/áние *s.* creeping, crawling; cringing || **–á-ться** II. *vr.* to creep, to crawl, to cringe || **–áющееся** (*as s.*) reptile.
пресн/овáтый *a.* somewhat fresh (of water), rather flat; slightly leavened || **–овóдный** *a.* fresh water- || **´–ый** *a.* fresh (of water); unleavened (of bread).
пресс/ *s.* (*tech.*) press || **´–а** *s.* the Press || **–о+вáть** II. [b] *va.* to press || **~-папьé** *s. indecl.* paper-weight.
престарéл/ость *s. f.* advanced old age || **–ый** *a.* advanced in years, very old.
престóл/ *s.* throne; altar (in Holy of Holies) || **–онаслéд(ован)ие** *s.* succession to the throne || **–ьный** *a.* altar-, throne-; ~ **гóрод** capital.

престу/плéние *s.* transgression, violation, infringement; crime, offence || **–пá-ть** II. *va.* (*Pf.* -п=йть II. 7. [c]) to violate, to infringe, to break (a law) || **´–пник** *s.*, **´–пница** *s.* criminal, culprit, delinquent || **´–пный** *a.* criminal; culpable, guilty.
пресы/щá-ть II. *va.* (*Pf.* ´–т=ить I. 6.) to satiate, to sate, to cloy, to surfeit || **–щéние** *s.* satiety, glut, surfeit.
претво/ря́-ть II *va.* (*Pf.* -р=йть II. [a]) to change, to transform, to transmute.
претенд/éнт *s.* pretender, aspirant, claimant, candidate || **–о+вáть** II. [b]) *vn.* (на что) to claim, to aspire to.
претéнзия *s.* pretension, claim; demand; **без –ий** unassuming, unpretending.
претер/певá-ть II. *va.* (*Pf.* -п=éть II. 7. [c]) to suffer, to bear, to endure, to undergo.
преткновéние *s.* stumbling; hindrance, impediment, obstacle.
пре-ть II. [b] *vn.* (*Pf.* взо-) to perspire, to sweat; (*Pf.* со-) to rot; (*Pf.* по-) to stew.
преувели́/чение *s.* exaggeration || **–чива-ть** II. *va.* (*Pf.* -ч=ить I.) to exaggerate.
преус/певá-ть II. *vn.* (*Pf.* -пé-ть II.) to progress, to advance, to succeed, to prosper, to thrive, to get on.
префéкт/ *s.* prefect || **–ýра** *s.* prefecture.
преферáнс *s.* preference (game of cards).
при/ *prp.* (+ *Pr.*) near, at, on, by; before, in the presence of; under, in the reign of, in the time of; ~ **всём том** notwithstanding, after all || **–бáвка** *s.* (*gpl.* -вок) & **–бавлéние** *s.* addition, augmentation, supplement (of a periodical) || **–бавля́-ть** II. *va.* (*Pf.* –бáв=ить II. 7.) to add, to subjoin, to augment, to supply; ~ **шáгу** to quicken one's pace || **~ся** *vr.* to increase (of days, the moon, etc.) || **–бáвочка** *s.* (*gpl.* -чек) small addition, adjunct, supplement || **–бáвочный** *a.* additional, supplementary || **–баýтка** *s.* (*gpl.* -ток) witticism, sally; adage || **–бегá-ть** II. *vn.* (*Pf.* -бежáть 46.) to run to, to come running to; (*Pf.* -бéгн-уть I. 5.) (к + *D.*) to have recourse to, to apply to || **–бéжище** *s.* recourse, refuge, asylum || **–берегá-ть** II. *va.* (*Pf.* -берéчь 15. [a 2.]) to keep, to preserve, to reserve, to spare || **´–бережный** *a.* near the coast, littoral || **´–бережье** *s.* coast, coastland, shore || **–бивá-ть** II. *va.* (*Pf.* -бить 27. [a 1.])

to fix, to fasten, to nail on; to beat down (of hail) || **-би́вка** *s.* (*gpl.* -вок) nailing on, fastening || **-бира́-ть** II. *va.* (*Pf.* -бра́ть 8. [a 3.]) to arrange, to put in order; to fit, to match, to suit; ~ (что) **к рука́м** to appropriate || **-ближа́-ть** II. *va.* (*Pf.* -бли́з=ить I. 1.) to bring near || **~ся** *vr.* to approach, to draw near || **-ближе́ние** *s.* approach; (*math.*) approximation || **-ближённый** *a.* (к кому́) on familiar terms (with) || **-близи́тельность** *s. f.* approximation || **-близи́тельный** *a.* approximate.

при/бо́й *s.* surf, breakers *pl.* || **-бо́р** *s.* apparatus, implements *pl.*, gear, set; knife and fork; **ча́йный ~** tea-things; **пи́сьменный ~** writing materials *pl.* || **-бра́ть** *cf.* **-бира́ть** || **-бре́жный,** etc. *cf.* **-́бережный** || **-бы́ва́-ть** II. *vn.* (*Pf.* -бы́ть 49.) to arrive, to come; to grow, to increase, to rise (of water) || **-́быль** *s. f.* gain, profit, benefit; increase, rise || **-бы́тие** *s.* arrival || **-бы́ток** *s.* (*gsg.* -тка) gain, profit || **-бы́ть** *cf.* **-быва́ть.**

при/ва́жива-ть II. *va.* (*Pf.* -ва́д=ить I. 1.), **~ к рука́м** to tame, to habituate, to accustom to (of birds) || **-ва́л** *s.* halt, halting-place || **-ва́лива-ть** II. *va.* (*Pf.* -вал=и́ть II. [a & c]) to roll; to reach, to arrive at; to crowd || **-ва́р** *s.* & **-ва́рок** *s.* (*gsg.* -рка) trimmings *pl.*; addition to a ration (for soldiers).

приват/-доце́нт *s.* assistant professor; unpaid university lecturer || **-́ный** *a.* private.

при/веде́ние *s.* leading up, bringing || **-везти́** & **-ве́зть** *cf.* **-вози́ть** || **-вере́дливый** *a.* capricious, exacting || **-ве́рженец** *s.* (*gsg.* -нца) & **-ве́рженик** *s.*, **-ве́рженица** *s.* partisan, adherent, follower || **-ве́рженность** *s. f.* attachment, adherence || **-ве́рженный** *a.* attached to, devoted to || **-ве́с** *s.* overweight || **-ве́сить** *cf.* **-ве́шивать** || **-вести́** *cf.* **-води́ть.**

приве́т/ *s.* good reception, welcome, greeting || **-ливость** *s. f.* affability, courteousness, friendliness, politeness || **-ливый** *a.* courteous, friendly, affable || **-ственный** *a.* welcoming, of welcome || **-ствие** *s.* kind reception, greeting, welcome, welcoming || **-ство+вать** II. *va.* to welcome, to greet.

при/ве́шива-ть II. *va.* (*Pf.* -ве́с=ить I. 3.) to hang to, to attach to, to append; to add to the weight || **-вива́ние** *s.* & **-ви́вка** *s.* (*gpl.* -вок) grafting; inoculation; **~ о́спы** vaccination || **-вива́-ть** II. *va.* (*Pf.* -ви́ть 27. [a 3.]) to graft, to ingraft; to inoculate || **-виде́ние** *s.* apparition, ghost, spectre, phantom || **-ви́д=еться** I. 1. *v.imp.* to appear (in a dream).

привиле́г/ия *s.* privilege || **-иро́ванный** *a.* privileged, licensed.

при/ви́нчива-ть II. *va.* (*Pf.* -винт=и́ть I. 2. [a]) to screw on, onto || **-ви́тие** = **-вива́ние** || **-ви́ть** *cf.* **-вива́ть** || **-влека́тельность** *s. f.* attractiveness, attraction, charm || **-влека́тельный** *a.* attractive, alluring, charming || **-влека́-ть** II. *va.* (*Pf.* -вле́чь 18. [a 2.]) to attract, to draw; **~ к суду́** to bring before a court || **-влече́ние** *s.* attracting, drawing near || **-во́д** *s.* leading along; transmission || **-вод=и́ть** I. 1. [c] *va.* (*Pf.* -вести́ & -ве́сть 22. [a 2.]) to bring, to lead up; to put, to throw (*e. g.* into ecstasy); to cite, to quote, to name; **~ в поря́док** to set in order; **~ к прися́ге** to put on oath || **~ся** *v.imp.* to happen, to chance || **-во́з** *s.* import, importation (of merchandise) || **-воз=и́ть** I. 1. [c] *va.* (*Pf.* -везти́ & -ве́зть 25. [a 2.]) to bring, to convey, to carry (in a conveyance); to import.

приво́ль/е *s.* comfortable life || **-ный** *a.* comfortable, pleasing.

привор/а́жива-ть II. *va.* (*Pf.* -ож=и́ть I. [a]) to bewitch || **-о́тный** *a.* magic(al), bewitching.

при/вра́тник *s.* porter, door-keeper || **-выка́-ть** II. *vn.* (*Pf.* -вы́кнуть 52.) (к чему́) to accustom o.s. to, to grow accustomed to || **-вы́чка** *s.* (*gpl.* -чек) habit, custom, use || **-вы́чный** *a.* habitual, usual, customary.

привя́/занный *a.* attached to, devoted to || **-за́ть** *cf.* **-зывать** || **-зка** *s.* (*gpl.* -зок) tying, binding; tie, band || **-зчивый** *a.* quarrelsome || **-зыва-ть** II. *va.* (*Pf.* -з-а́ть I. 1. [c]) (к чему́) to tie, to bind, to attach (to) || **~ся** *vr.* (к кому́) to stick, to adhere to, to attach, to devote o.s. to; to wrangle, to cavil.

при́вязь *s. f.* tie, band, string; tether (for cattle).

при/гвожда́-ть II. *va.* (*Pf.* -гвозд=и́ть I. 1. [a]) to nail on || **-гиба́-ть** II. *va.* (*Pf.* -гн-у́ть I. [a]) to bend (in, down, up), to fold || **-гласи́тельный** *a.* of invitation || **-глаша́-ть** II. *va.* (*Pf.* -глас=и́ть I. 3. [a]) to invite, to ask || **-глаше́ние** *s.* invitation || **-гля́дный** *a.* sightly, comely || **–гля́дыва-ть** II. *vn.* (*Pf.* -гляд=е́ть I. 1. [a] & -гля́н-у́ть I [c]) (за чем) to look after, to take care of || **~ся** *vn.* to see too much of || **–гна́ть** *cf.* **–гоня́ть** || **–гну́ть** *cf.* **–гиба́ть** || **–гова́рива-ть** II. *va.* (*Pf.* -говор=и́ть II. [a]) to add; (кого́ к чему́) to condemn, to sentence || **⁀говор** *s.* decree, judgment, sentence || **–годи́ться** *cf.* **годи́ться** || **–го́дность** *s. f.* utility, usefulness, fitness || **–го́дный** *a.* useful, suitable, fit || **–го́жий** (-ая, -ее) *a.* comely, pretty || **–голу́бить** *cf.* **голу́бить** || **–го́н** *s.* bringing up in droves (of cattle) || **–го́нка** *s.* (*gpl.* -нок) fitting, adjusting || **–гоня́-ть** II. *va.* (*Pf.* -гна́ть 11. [c 3.]) to drive up (cattle); to float (wood); to fit (together), to adjust.

при/горе́лый *a.* scorched, slightly burnt (of bread) || **⁀город** *s.* suburb; country-town || **⁀городный** *a.* suburban || **–го́рок** *s.* (*gsg.* -рка) hill, hillock || **⁀горшни** *s. fpl.* full of one's two hands, the two hands cupped together || **–горю́нива-ться** II. *vn.* (*Pf.* -горю́н=иться II.) to grieve, to sorrow, to become sad *or* dejected.

пригот/а́влива-ть II. *va.* = **–готовля́ть** || **–ови́тельный** *a.* preparatory || **–овле́ние** *s.* preparation, preparing || **-овля́-ть** II. *va.* (*Pf.* -о́в=ить II. 7.) to prepare, to dress (food), to make ready || **~ся** *vr.* to prepare o.s. for, to get ready.

при/гре́зиться *cf.* **гре́зить** || **–грози́ть** *cf.* **грози́ть.**

при/дава́ть 39. *va.* (*Pf.* -да́ть 38. [a 3.]) to add, to subjoin, to augment; to give, to inspire (courage, etc.) || **–да́влива-ть** II. *va.* (*Pf.* -дав=и́ть II. 7.) to press close, to squeeze to; **~ па́лец** to get one's finger jammed || **–да́ное** (*as s.*) dowry, marriage-portion || **–да́ток** *s.* (*gsg.* -тка) addition, supplement || **–да́точный** *a.* additional, supplementary || **–да́ть** *cf.* **–дава́ть** || **–да́ча** *s.* addition, increase; **в –да́чу** in addition, to boot, into the bargain.

при/две́рный *a.* (placed) at the door || **–двига́-ть** II. *va.* (*Pf.* -дви́н-уть I.) to move near, to push near || **–дво́рный** *a.* (royal) court- || **~** (*as s.*) Officer of the Court, courtier.

при/де́л *s.* chapel, side-altar || **–де́лыва-ть** II. *va.* (*Pf.* -де́ла-ть II.) to fix, to fasten, to attach (to); to put, to join to || **–де́ржива-ть** II. *va.* (*Pf.* -держ=а́ть I. [c]) to hold, to sustain; to hold back, to detain || **~ся** *vr.* (за что) to hold on to; (чего́) to follow, to stick (to an opinion, a system, etc.).

при/дира́-ться II. *va.* (*Pf.* -дра́ться 8. [a 3.]) (к кому́) to pick a quarrel (with); (к чему́) to cavil, to nag at.

приди́р/ка *s.* (*gpl.* -рок) quarrelling; cavil, nagging, chicanery || **–чивый** *a.* captious, quarrelsome || **–щик** *s.* squabbler, quarrelsome person.

при/доро́жный *a.* on the roadside, road-side- || **–дра́ться** *cf.* **–дира́ться.**

придти́ *cf.* **приходи́ть.**

при/ду́мыва-ть II. *va.* (*Pf.* -ду́ма-ть II.) to think (out), to devise, to imagine, to contrive, to meditate (on) || **⁀дурь** *s. f.* silliness, touch of madness; eccentricity || **–душ=и́ть** I. [c] *va. Pf.* to strangle, to choke outright; to quench (a fire) || **–дыха́ние** *s.* (*gramm.*) aspiration || **–дыха́тельный** *a.*, **~ звук** *or* **–дыха́тельная** (*as s.*) (*gramm.*) aspirate.

при/еда́-ть II. *va.* (*Pf.* -е́сть 42. [a]) to eat up (all), to devour || **–е́зд** *s.* arrival || **–езжа́-ть** II. *vn.* (*Pf.* -е́хать 45. [b]) to come, to arrive (other than on foot) || **–е́зжий** (-ая, -ее) (*as s.*) newcomer, stranger (who has arrived by car).

приём/ *s.* reception, receiving, dose; manner, deportment, way; (*mil.*) manual exercise || **–ка** *s.* (*gpl.* -мок) receiving, reception || (**é**)**–ник** *s.* (*chem.*) receiver, recipient || **–ный** *a.* reception-; **~ оте́ц** foster-father || **–ная** (*as s.*) drawing-room, reception-room || **–щик** *s.* receiver || **–ыш** *s.* an adopted child, foster-child.

при/е́сть *cf.* **–еда́ть** || **–жа́ть** *cf.* **–жима́ть** || **–же́чь** *cf.* **–жига́ть.**

прижив/а́лец *s.* (*gsg.* -льца) & **–а́льщик** *s.*, **–а́лка** *s.* (*gpl.* -лок) hanger-on || **–а́-ть** II. *va.* (*Pf.* прижи́ть 31. [a 4.]) to beget, to have (children) || **~** *vn.* (у кого́) to be on a visit to || **~ся** *vr.* to accustome o.s. (to one's surroundings), to become acclimatized; (*bot.*) to grow, to thrive.

при/жига́-ть II. *va.* (*Pf.* -же́чь 16. [a 2.]) to burn (up, out), to scorch; to cauterize (a wound) || **–жима́-ть** II. *va.* (*Pf.* -жа́ть 18. [a 1.]) to press (to), to squeeze; to oppress, to vex || **–жи́мка** *s.* (*gpl.* -мок) chicanery, oppression, cavilling || **–жи́ть** *cf.* **–жива́ть.**

приз *s.* prize (in competitions); (*mar.*) prize, capture.

приза/ . . . with verbs indicates "a little, somewhat" || **–ду́мыва-ться** II. *vn.*

(*Pf.* -ду́ма-ться II.) (над чем) to be absorbed in, to become thoughtful, to be rather pensive.

при/зва́ние *s.* vocation, calling, mission **|́званный** *a.* able, qualified for, fit; called || **-зва́ть** *cf.* **-зыва́ть.**

призе́мистый *a.* stubby, of low stature.

при́зм/а *s.* prism || **-ати́ческий** *a.* prismatic(al).

при/знава́ть 39. *va.* (*Pf.* -зна́-ть II. [b]) to acknowledge, to own || **~ся** *vr.* (в чём) to confess, to avow; **~** (**сказа́ть**) frankly speaking, to tell the truth . . . || **|́знак** *s.* sign, token, indication, mark || **-зна́ние** *s.* confession, acknowledgment, avowal || **-зна́тельность** *s. f.* gratitude, thankfulness || **-зна́тельный** *a.* grateful, thankful.

при/зово́й *a.* prize- || **-зо́р** *s.* care, guardianship || **|́зрак** *s.* vision, apparition, phantom || **|́зрачный** *a.* imaginary, illusory, visionary, fantastic(al) || **-зрева́-ть** II. *va.* (*Pf.* -зр=е́ть II. [a]) to take care of, to provide for || **-зре́ние** *s.* care, provision (for).

при/зы́в *s.* call, citation, summons || **-зыва́-ть** II. *va.* (*Pf.* -зва́ть 10. [a 3.]) to call, to call upon, to summon; to invoke.

при́иск *s.* a find; (*min.*) mine; **золоты́е -и** gold-mine.

прии́с/кива-ть II. *va.* (*Pf.* -к-а́ть I. 4. [c]) to seek, to search for; to find out.

прийти́ *cf.* **приходи́ть.**

прика́/з *s.* order, command || **-за́ние** *s.* order, direction, instruction, injunction || **-за́ть** *cf.* **-зывать** || **-зчик** *s.* clerk, assistant (in a business) || **-зыва-ть** II. *va.* (*Pf.* -з-а́ть I. 1. [c]) to order, to command, to bid, to summon; **~ до́лго жить** to die; **что прика́жете?** what can I do for you?

при/ка́лыва-ть II. *va.* (*Pf.* -кол-о́ть II. [c]) to fasten (with pins) || **-каса́-ться** II. *vc.* (*Pf.* -косн-у́ться I. [a]) (чего́, к чему́) to touch; (*fig.*) to attack || **-ка́тыва-ть** II. *va.* (*Pf.* -кат=и́ть I. 2. [c]) to roll towards, to roll up to || **-ка́щик** = **-ка́зчик** || **-ки́дыва-ть** II. *va.* (*Pf.* -кида́-ть II. & -ки́н-уть I.) to throw to, in, to add; to try on (a dress); to verify a weighing; to expose (a child) || **~ся** *vr.* to feign, to pretend || **-кла́д** *s.* trimmings *pl.* (for a dress); (*mil.*) butt (-end) || **-кладно́й** *a.* mixed, added; applied, practical || **-кла́дыва-ть** II. *va.* (*Pf.* -лож=и́ть I. [c]) to annex, to apply, to join, to add; to enclose; to set, to put, to affix (a seal, etc.) || **~ся** *vr.*, **~ ружьём** to take aim at; **~ ко кресту́** to kiss the cross || **-кле́ива-ть** II. *va.* (*Pf.* -кле́=и́ть II. [a & b]) to glue to, to paste to || **-кле́йка** *s.* glueing to, pasting on; piece pasted on || **-клоня́-ть** II. *va.* (*Pf.* -клон=и́ть II. [a]) to incline, to bend, to bow || **-ключа́-ться** II. *vr.* (*Pf.* -ключ=и́ться I. [a]) to happen, to occur || **-ключе́ние** *s.* event, occurrence, adventure; **иска́тель -ключе́ний** adventurer || **-ко́выва-ть** II. *va.* (*Pf.* -ко+ва́ть II. [a]) to forge on to; to chain; (*fig.*) to engross, to attract, to captivate || **-коко́шить** *cf.* **коко́шить** || **-кола́чива-ть** II. *va.* (*Pf.* -колот=и́ть I. 2. [c]) to nail to; to give a sound drubbing to || **-коло́ть** *cf.* **-ка́лывать** || **-командиро́выва-ть** II. *va.* (*Pf.* -командиро+ва́ть II. [b]) to attach.

прикосн/ове́ние *s.* contact, touch || **-ове́нность** *s. f.* (к + *D.*) contiguity; participation, implication || **-ове́нный** *a.* (к + *D.*) adjacent, adjoining, contiguous; participating (in) || **-у́ться** *cf.* **прикаса́ться.**

при/кра́са *s.* embellishment; ornament **-кра́шива-ть** II. *va.* (*Pf.* -кра́с=ить I. 3.) to embellish, to adorn, to beautify, to decorate; (*fig.*) to palliate || **-крепле́ние** *s.* fastening || **-крепля́-ть** II. *va.* (*Pf.* -креп=и́ть II. 7. [a]) to fasten, to fix (to) || **-крыва́-ть** II. *va.* (*Pf.* -кры́ть 28. [b 1.]) to cover, to screen; to defend, to protect || **-кры́тие** *s.* cover, screen; escort, convoy.

при/купа́-ть II. *va.* (*Pf.* -куп=и́ть II. 7. [c]) to buy up (all), to purchase more *or* in addition; to buy, to take (at cards) || **-ку́пка** *s.* (*gpl.* -пок) additional purchase; buying up; buying in (at cards) || **-купно́й** *a.* bought in addition; buying || **-ку́ска** *s.* (*gpl.* -сок) biting in addition; **пить чай в -ку́ску** to drink tea unsugared, but while holding a lump of sugar in the mouth || **-ку́сыва-ть** II. *va.* (*Pf.* -кус=и́ть I. 3. [c]) to take a bite of something along with; **~ язы́к** to bite one's tongue.

при/ла́вок *s.* (*gsg.* -вка) counter || **-лага́тельное** *a.*, (**и́мя**) **~** (*gramm.*) adjective || **-лага́-ть** II. *va.* (*Pf.* -лож=и́ть I. [c]) to add, to join to; to subjoin, to enclose (in a letter) || **-ла́жива-ть** II. *va.* (*Pf.* -ла́д=ить I. 1.) to adjust, to adapt, to fit (to) || **-ласка́ть** *cf.* **ласка́ть** || **-лега́-ть** II. *vn.* (к чему́) to adjoin, to be adjacent to, to be contiguous (to), to border (upon); to put (against), to lean (against *e. g.* the wall) || **-лежа́ние** *s.* diligence, assiduity, application || **-ле́жный** *a.* diligent, assiduous, studious || **-лёт** *s.* flight, arrival of birds || **-лета́-ть** II. *vn.* (*Pf.* -лет=е́ть I. 2. [a]) to fly to, to come flying.

при/ли́в *s.* flow, confluence; flood; ~ **и отли́в** ebb and flow || **-лива́-ть** II. *va.* (*Pf.* -ли́ть 27. [a 3.]) to pour to, to pour more || ~ *vn.* to rush, to flow (to); (*fig.*) to crowd in (upon); to mount (to one's head) || **-ли́зыва-ть** II. *va.* (*Pf.* -лиз-а́ть I. 1. [c]) to lick at, to lick (clean) || **~ся** *vr.* to smooth one's hair; (к кому́) to ingratiate o.s. (with) || **-липа́-ть** II. *vn.* (*Pf.* -ли́пнуть 52.) to stick, to cleave, to cling, to adhere (to); to be catching, to be communicated (of a disease) || **-ли́пчивость** *s. f.* contagiousness, infectiousness || **-ли́пчивый** *a.* contagious, catching, infectious || **-ли́ть** *cf.* **-лива́ть.**

прили́ч/ество+вать II. *vn.* to be becoming, to be fitting || **-не** *s.* decency, decorum, propriety, seemliness || **-ный** *a.* decent, proper, becoming, seemly.

при/ложе́ние *s.* putting to, setting; application; affixing (*e. g.* a seal); addition, enclosure (in letters); supplement (to books); (*gramm.*) apposition; **с -ложе́нием ...** enclosing ... || **-ложи́ть** *cf.* **-кла́дывать & -лага́ть** || **-луча́-ть** II. *va.* (*Pf.* -луч=и́ть I. [a & c]) to attract, to allure, to decoy.

прильну́ть *cf.* **льнуть.**

при́ма *s.* (*mus.*) first violin; string a, chord la; (*comm.*) prime bill (of exchange).

при/ма́зыва-ть II. *va.* (*Pf.* -ма́з-ать I. 1.) to paste to, to cement; to oil, to pomade || **-мани́ть** *cf.* **мани́ть** || **-ма́нка** *s.* (*gpl.* -нок) allurement, attraction; decoy, bait || **-ма́нчивый** *a.* attractive, alluring, enticing || **-ма́чива-ть** II. *va.* (*Pf.* -моч=и́ть I. [c]) to moisten, to wet (on the outside).

приме/не́ние *s.* comparison; application, adaptation || **-ни́мость** *s.f.* applicability, adaptability || **-ни́мый** *a.* comparable; applicable, adaptable, appliable (to) || **-ни́тельность = -ни́мость** || **-ни́тельный = -ни́мый** || **-ня́-ть** II. *va.* (*Pf* -н=и́ть II. [a & c]) (что к чему́) to compare (with), to refer (to); to adapt, to apply, to put in practice || **~ся** *vr.* (к чему́) to conform (to), to comply (with).

приме́р *s.* example, model, pattern; precedent; **показа́ть** (над кем) ~ to set an example; **на** ~ for instance, for example.

при/мерза́-ть II. *vn.* (*Pf.* -мёрзнуть 52.) (к + *D.*) to freeze to; to perish with the frost (of plants) || **-ме́рива-ть** & **-меря́-ть** II. *va.* (*Pf.* -ме́р=ить II.) to try on || **-ме́рка** *s.* (*gpl.* -рок) trying on, try-on || **-ме́рность** *s. f.* exemplariness || **-ме́рный** *a.* exemplary; approximate, rough; sham (*e. g.* of a fight) || **-меря́ть** *cf.* **-ме́ривать.**

при́месь *s. f.* admixture, alloy.

приме́т/а *s.* sign, mark, characteristic || **-ить** *cf.* **примеча́ть** || **-ливость** *s. f.* attention, attentiveness || **-ливый** *a.* attentive, careful || **-ный** *a.* visible, perceptible, evident.

приме/ча́ние *s.* note, foot-note || **-ча́тельность** *s. f.* remarkableness, notableness || **-ча́тельный** *a.* remarkable, notable || **-ча́-ть** II. *va.* (*Pf.* ⁻́т=ить I. 2.) to remark, to observe, to notice, to pay attention to; (за кем) to watch over.

при/ме́шива-ть II. *va.* (*Pf.* -меша́-ть II.) to add in kneading, to mix in with, to intermix, to mingle || **-мире́ние** *s.* reconciliation, peacemaking || **-мири́тель** *s. m.* reconciler, peacemaker || **-мири́тельный** *a.* conciliatory || **-миря́-ть** II. *va.* (*Pf.* -мир=и́ть II. [a]) to reconcile || **-мкну́ть** *cf.* **-мыка́ть** || **-мо́рский** *a.* maritime, seaside- || **-мочи́ть** *cf.* **-ма́чивать** || **-мо́чка** *s.* (*gpl.* -чек) moistening, wetting; compress; wash (for the eyes, etc.).

при/мч=а́ть I. [a] *va. Pf.* to bring along quickly || **~ся** *vn.* to run, to drive, to gallop along quickly || **-мыва́-ть** II. *va.* (*Pf.* -мы́ть 28.) to wash ashore; to flow, to float (against); to wash out (all) || **-мыка́-ть** II. *va.* (*Pf.* -мкн-у́ть I. [a]) (к чему́) to join on to; to close (a door), to shut tightly; to fix (bayonets) || ~ *vn.* & **~ся** *vn.* to join, to adjoin.

принад/леж=а́ть I. [a] *vn.* (кому́) to belong, to appertain (to) || **-ле́жность** *s. f.* attribute; appurtenance, belonging(s); (*in pl.*) utensils, parts *pl.*; (*leg.*) competence.

принево́ливать *cf.* **нево́лить.**

принесе́ние *s.* bringing, producing; **~ прися́ги** taking an oath.

при/нести́, –не́сть *cf.* **–носи́ть.**

при/ника́-ть II. *vn.* (*Pf.* -ни́кнуть 52.) to stoop, to bow down, to cower; (к + *D.*) to nestle closely to || **–нима́-ть** II. *va.* (*Pf.* -ня́ть 37. [c 4.], *Fut.* -му́, ⁄-мешь) to receive, to accept, to take; **~ ме́ры** to take measures; **~** (кого́) **за сы́на** to adopt; **~ во внима́ние** to take into account; **~** (что) **на себя́** to take on o.s., to assume; **~ уча́стие** (в чём) to take part in, to participate in || **~ся** *vr.* (за что) to undertake, to set about; to commence, to begin || **–нора́влива-ть** II. *va.* (*Pf.* -норов=и́ть II. 7. [a & c]) to adjust, to fit (to); (*fig.*) to adapt || **~ся** *vr.* (к чему́) to conform, to adapt o.s. to || **–нос=и́ть** I. 3. [c] *va.* (*Pf.* -нести́ & -не́сть 26. [a 2.]) to bring, to fetch; to bring in, to yield, to produce; to lodge, to prefer (a complaint); to take (an oath); to give, to return (thanks) || **–ноше́ние** *s.* offering, present, gift || **–нуди́тельный** *a.* compulsory || **–нужда́-ть** II. *va.* (*Pf.* -ну́д=ить I. 1.) to compel, to force, to oblige || **–нужде́ние** *s.* constraint, compulsion, force || **–нуждённость** *s. f.* constraint, stiffness, affectation || **–нуждённый** *a.* constrained, affected, stiff.

принц/ *s.* prince || **–е́сса** *s.* princess || **⁄и́п** *s.* principle || **–ипиа́льный** *a.* on principle.

приня́т/ие *s.* reception, acceptation, admission || **–ь** *cf.* **принима́ть.**

прио/бодря́-ть II. *va.* (*Pf.* -бодр=и́ть II. [a & b]) to encourage (one), to inspire (one) with courage || **–бодре́ние** *s.* encouragement || **–брета́тель** *s. m.* acquirer || **–брета́-ть** II. *va.* (*Pf.* -брести́ & -бре́сть 23. [a 2.], *Pret.* -брёл) to acquire, to obtain, to gain, to win, to get || **–брете́ние** *s.* acquiring, acquisition, gain || **–бща́-ть** II. *va.* (*Pf.* -бщ=и́ть I. [a]) to unite, to join, to add, to associate; to incorporate; to administer (communion) || **–бще́ние** *s.* subjoining, addition; incorporation; communion.

прио́р/ *s.* prior || **–ите́т** *s.* priority.

приоса́/нива-ться II. *vr.* (*Pf.* -н=иться II.) to assume a dignified air.

приостан/а́влива-ть II. & **–овля́-ть** II. *va.* (*Pf.* -ов=и́ть II. 7. [a & c]) to stop a little, to suspend a while || **~ся** *vr.* to stand still, to stop, to cease || **–о́вка** *s.* (*gpl.* -вок) & **–овле́ние** *s.* stop, suspension.

прихо́/чива-ть II. *va.* (*Pf.* -т=ить I. 2.) (кого́ к чему́) to inspire with a desire for || **~ся** *vr.* (к чему́) to get a desire for something.

при/пада́-ть II. *vn.* (*Pf.* -па́сть 22. [a 1.]) to fall down; to seize, to befall (one); to be indisposed; **~ к нога́м** to fall on one's knees, to kneel down || **–па́док** *s.* (*gsg.* -дка) attack, fit, paroxysm; touch (of fever, etc.) || **–па́ива-ть** II. *va.* (*Pf.* -пая́-ть II.) to solder to || **–па́йка** *s.* (*gpl.* -па́ек) soldering on; thing soldered on || **–па́рка** *s.* (*gpl.* -рок) fomentation; poultice || **–па́с** *s.* store, supply, provision, stock; **с'естны́е –па́сы** victuals, provisions *pl.*; **боевы́е –па́сы** ammunition || **–паса́-ть** II. *va.* (*Pf.* -пасти́ 26. [a 2.]) to lay in a store *or* a supply of; to procure, to provide o.s. (with) || **–пасе́ние** *s.* laying in a store, procuring || **–па́сть** *cf.* **–пада́ть** || **–пая́ть** *cf.* **–па́ивать** || **–пе́в** *s.* accompaniment; burden, refrain (of a song) || **–пева́-ть** II. *va.* to accompany (with the voice), to sing (with one), to join in singing; **жить –пева́ючи** to live a cheerful life.

припёк/ *s.* sunny side, part exposed to the sun; sunstroke; burnt part (of bread); increase in weight (of a baked piece of bread).

при/пека́-ть II. *va.* (*Pf.* -пе́чь 18. [a 2.]) to stick to the pan (in baking), to burn (in baking); to burn (of the sun) || **–печа́тыва-ть** II. *va.* (*Pf.* -печа́та-ть II.) to print (in addition), to insert || **–пира́-ть** II. *va.* (*Pf.* -пере́ть 14. [a 2.]) to close lightly; to press, to thrust against *or* close.

припи́/ска *s.* (*gpl.* -сок) postscript; rider (of a law); codicil (of a will) || **–сно́й** *a.* added (as a postscript); counted in, incorporated || **–сыва-ть** II. *va.* (*Pf.* -с-а́ть I. 3. [c]) to add (in writing); to count in, to incorporate, to enrol.

при/пла́та *s.* additional payment || **–пла́чива-ть** II. *va.* (*Pf.* -плат=и́ть I. 2. [c] 2nd *sg. etc. pron.* -пло́тишь) to pay in addition, to pay all (of debts) || **–плета́-ть** II. *va.* (*Pf.* -плести́ & -пле́сть 23. [a 2.]) to plait to, to interweave; (кого́ к чему́) to implicate, to involve || **~ся** *vr.* to be deeply implicated in.

припло́д/ *s.* increase (of cattle); brood || **–ный** *a.* brood-, for breeding.

при/плыва́-ть II. *vn.* (*Pf.* -плы́ть 31. [a

3.]) to swim up to, to sail up to || **-плю́щива-ть** II. *va.* (*Pf.* -плю́сн-уть I.) to flatten out || **-пля́сыва-ть** II. *vn.* to dance (to a tune, to music) || **-поднима́-ть** II. *va.* (*Pf.* -подня́ть 37. [b 4.]) to raise, to lift (a little); to draw up a little (*e.g.* a curtain); to tuck up (the dress); to build (somewhat higher); to hoist (a sail) || **~ся** *vr.* to rise, to get up; to sit up (in bed); to shoot up || **-ползá-ть** II. *vn.* (*Pf.* -ползти́ & -по́лзть 25. [a 2.]) to crawl, to creep along to; **~ ползко́м** to come creeping along on all fours || **-поминá-ть** II. *va.* (*Pf.*-по́мн=ить II.) to remind, to put in mind of; to remember, to recollect.

припра́/ва *s.* seasoning, condiment, flavouring || **-вка** *s.* (*gpl.* -вок) & **-вле́ние** *s.* preparation; making ready, dressing (of food) || **-вля́-ть** II. *va.* (*Pf.* -в=ить II. 7.) to prepare, to make ready, to dress (of food); to season, to spice, to flavour.

припре́чь = припря́чь.

при/пры́гива-ть II. *vn.* (*Pf.* -пры́га-ть II. & -пры́гн-уть I.) to jump, to skip, to hop up to, to caper || **-пры́жка** *s.* (*gpl.* -жек) skipping, hopping || **-прягá-ть** II. *va.* (*Pf.* -пря́чь [*pron.* -пре́чь] 15. [a 2.], *Pret.* -пря́г [*pron.* -прёг]) to harness to, to put to || **-пря́жка** *s.* (*gpl.* -жек) harnessing to; traces *pl.*, side-traces, harness (of the side-horse) || **-пряжно́й** *a.* harnessed to (in addition); **-пряжна́я ло́шадь** side-horse, by-horse || **-пря́тыва-ть** II. *va.* (*Pf.* -пря́т-ать I. 2.) to hide, to secrete carefully || **-пря́чь** *cf.* **-прягáть.**

при́пу/ск *s.* letting in; making longer *or* broader (a dress) || **-скá-ть** II. *va.* (*Pf.* -ст=и́ть I. 4. [c]) to let in; to make longer *or* broader (a dress).

припу́/тыва-ть II. *va.* (*Pf.* -та-ть II.) to entangle, to embroil, to involve.

при/рáвнива-ть II. *va.* (*Pf.* -равня́-ть II.) to fill up, to level; (*Pf. also* -равн=и́ть II.) to equalize || **-растá-ть** II. *vn.* (*Pf.* -расти́ 35. [a 2.]) (к чему́) to adhere to, to grow onto, to accrue; to increase || **-ращá-ть** II. *va.* (*Pf.* -раст=и́ть I. 4. [a]) to cause to grow to; to augment, to increase || **-раще́ние** *s.* augmentation, increase || **-ревновáть** *cf.* **ревновáть** || **-ре́зыва-ть** II. *va.* (*Pf.* -ре́з-ать I. 1.) to cut, to fit to; to add in; to kill (in large quantities) || **-ре́чный** *a.* (situated) near a river, riverside- || **-ро́да** *s.* nature || **-ро́дный** *a.* natural; of birth, by birth, innate || **-рождённый** *a.* inborn, innate || **-ро́слый** *a.* grown onto, excrescent || **-ро́ст** *s.* increase, growth || **-рости́ = -расти́** || **-рости́ть = -расти́ть.**

при/сáжива-ть II. *va.* (*Pf.* -сад=и́ть I. 1. [a & c]) (когó за что) to make to sit down to (work); to plant, to lay (in addition to) || **-свáтыва-ть** II. *va.* (*Pf.* -свáта-ть II.) (кому́) to make up a match for || **~ся** *vr.* (к кому́) to pay one's addresses to, to court, to woo, to ask in marriage || **-сви́стыва-ть** II. *vn.* (*Pf.* -сви́сн-уть I.) to accompany with whistling, to whistle now and then.

при/свое́ние *s.* appropriation, usurpation || **-сво́ива-ть** II. *va.* (*Pf.* -сво́=ить II.) (себе́) to appropriate, to arrogate to o.s.; to attribute to o.s., to usurp.

при/седá-ть II. *vn.* (*Pf.* -се́сть 44.) to squat, to cower; to bend the knees; to make a curtsy, to curtsy || **-сёлок** *s.* (*gsg.* -лка) hamlet, small village || **-се́ст** *s.* sitting; **в оди́н ~** at a sitting || **-скáзка** *s.* (*gpl.* -зок) embellishment, flourish (to a fairy-tale) || **-скáкива-ть** II. *vn.* (*Pf.* -скак-áть I. 2. [c]) to leap, to jump along to; to come galloping || (*Pf.* -скоч=и́ть I. [c] & -скокн-у́ть I. [a]) to spring up, to leap, to jump up.

прискóрб/ие *s.* affliction, distress, grief, sorrow || **-ный** *a.* sorrowful, sad.

при/ску́чива-ть II. *vn.* (*Pf.* -ску́ч=ить I.) (кому́) to tire, to weary, to bore || **-слáть** *cf.* **-сылáть** || **-слоня́-ть** II. *va.* (*Pf.* -слон=и́ть II. [a & c]) (к чему́) to set up (against), to lean (against).

при/слу́га *s.* service, attendance; domestics, servants *pl.*; (*mil.*) crew (of a gun, etc.) || **-слу́жива-ть** II. *vn.* (кому́) to serve, to attend, to wait upon || **~ся** *vr.* to be obsequious to, to fawn on || **-слу́жливый** *a.* officious; obsequious || **-слу́жник** *s.*, **-слу́жница** *s.* servant; fawner, obsequious person || **-слу́шива-ть** II. *va.* (*Pf.* -слу́ша-ть II.) to listen to || **~ся** *vn.* (к чему́) to listen to, to give an ear to; to accustom one's ear to || **-смáтрива-ть** II. *vn.* (*Pf.* -смотр=е́ть II. [c]) (за чем) to look after, to keep an eye on; to observe || **~ся** *vn.* (к чему́) to examine carefully; (чему́) to get tired of looking at || **-смире́ть** *cf.* **смире́ть** || **-смире́лый** *a.* grown quiet || **-смо́тр** *s.* (за кем) superintendence, surveillance, supervision, inspection || **-смотре́ть** *cf.*

–смáтривать || **–смóтрщик** *s.* overseer, superintendent, supervisor || **–сни́ться** *cf.* **сни́ться.**

присно– *in cpds.* = ever; *e. g.* **присносýщий** (-ая, -ее) (*sl.*) everlasting.

присовé/тыва-ть II. *va.* (*Pf.* -то+вать II.) to advise, to counsel.

присово/куплéние *s.* junction, joining, addition || **–купля́-ть** II. *va.* (*Pf.* -куп=и́ть II. 7. [c]) to add, to join, to annex.

присоеди/нéние *s.* adjunction, annexation, incorporation || **–ня́-ть** II. *va.* (*Pf.* -н=и́ть II. [a]) to adjoin, to annex, to add, to incorporate.

при/сóхлый *a.* dried up || **–сóхнуть** *cf.* **–сыхáть.**

при/спевá-ть II. *vn.* (*Pf.* -спé-ть II.) to arrive in time; to approach, to draw near (of time).

приспосо/блéние *s.* adaptation; contrivance || **–бля́-ть** II. *va.* (*Pf.* ´-б=ить II. 7.) (к чемý) to adapt, to fit, to adjust; to prepare; to apply (to a science) || **~ся** *vr.* to adapt o.s. to, to conform to.

при́став *s.* [b & c] (*pl.* -ы & -á) overseer, inspector, commissary; **судéбный ~** bailiff; **чáстный ~** police inspector.

при/ставáть 39. [a] *vn.* (*Pf.* -стáть 31. [b 1.]) to lodge, to put up, to stay, to stop; (к чемý) to land, to put in; to stick, to adhere; to join, to side (with), to take the part of; to pursue closely, to press hard upon, to bother; to be communicated (of a disease); to fit, to suit || **–стáвка** *s.* (*gpl.* -вок) addition; piece set on; (*gramm.*) prefix || **–ставля́-ть** II. *va.* (*Pf.* -стáв=ить II. 7.) (к чемý) to set on, to set to, to put to, to lean, to place (against); to appoint (as overseer); to sew onto || **–ставнóй** *a.* sewn onto.

при́стальный *a.* attentive, assiduous, diligent; fixed (of a look).

пристáнище *s.* refuge, shelter, asylum.

при́/стань *s. f.* landing-place, wharf, quay; refuge || **–стáть** *cf.* **–ставáть** || **–стёгива-ть** II. *va.* (*Pf.* -стегá-ть II.) to baste, to sew to slightly; to button, to buckle on; (*Pf.* -стегн-ýть I. [a]) to put alongside (a horse) || **–стёжка** *s.* (*gpl.* -жек) basting; what is sewn on; button, buckle, trace-hook || **–стóйность** *s. f.* decency, decorum, propriety || **–стóйный** *a.* decent, proper, decorous || **–стрá(ó)ива-ть** II. *va.* (*Pf.* -стрó=ить II.) to build to, to add (to a building); to procure, to provide (for) || **–стрáстие** *s.* partiality; passion (for) || **–стрáстный** *a.* partial; passionately fond of || **–стращá-ть** II. *va.* (*Pf.* -страст=и́ть I. 4. [a]) (когó к чемý) tc arouse a person's passion, partiality (for) || **~ся** *vr.* (к чемý) to have a passion for, to be extremely fond of || **–стрáщива-ть** II. *va.* (*Pf.* -стращá-ть II.) to intimidate || **–стрóить** *cf.* **–стрáивать** || **–стрóйка** *s.* (*gpl.* -стрóек) side-building, outhouse, lean-to || **–стрýнива-ть** II. *va.* (*Pf.* -стрýн=ить II.) to be severe on, to press, to urge (one).

при́сту/п *s.* access, approach, admittance (to); beginning; (*mil.*) storm(ing), assault; **взять –пом** to storm, to take by storm || **–пá-ть** II. *vn.* (*Pf.* -п=и́ть II. 7. [c]) (к комý) to draw near, to approach; to enter on, to commence; to proceed to; to press closely, to importune || **~ся** *vn.* to approach, to come near, to accost.

при/стыжá-ть II. *va.* (*Pf.* -стыд=и́ть I. 1. [a]) to make ashamed, to cause to blush with shame || **–стя́жка** *s.* side-horse, by-horse, led horse || **–суждá-ть** II. *va.* (*Pf.* -суд=и́ть I. 1. [c]) (когó к чемý) to condemn, to sentence, to convict; (что комý) to adjudicate, to award; to advise (one) || **–суждéние** *s.* condemnation, sentence, judgment; adjudication || **–сýтственный** *a.* court-, law- || **–сýтствие** *s.* presence; session, audience; council-chamber || **–сýтство+вать** II. *vn.* to be present; to sit (by), to be sitting, to preside || **–сýтствующий** (*as s.*) bystander, spectator, assessor, senator || **–сýщий** (-ая, -ее) *a.* present (at).

при/сылá-ть II. *va.* (*Pf.* -слáть 40. [a]) to send to || **–сы́лка** *s.* (*gpl.* -лок) sending; thing sent || **–сыхá-ть** II. *vn.* (*Pf.* -сóхнуть 52.) to stick to in drying.

прися́г/а *s.* oath; **дать –у = присягáть; привести свидéтеля к –е** to swear a witness || **–á-ть** II. *vn.* (*Pf.* -н-ýть I. [a]) to swear, to take an oath.

прися́дка *s.*, **плясáть в –у** to dance in the Russian way (*i. e.* squatting on one's heels and shooting one's legs from under one and then springing up).

прися́жный *a.* on oath, sworn || **~** (*as s.*) juror.

при/тáива-ть II. *va.* (*Pf.* -та=и́ть II. [a]) to conceal, to secrete; **~ дыхáние** to hold one's breath || **–тáптыва-ть** II. *va.* (*Pf.* -топт-áть I. 2. [c]) to tread down, to stamp || **–тáскива-ть** II. *va.* (*Pf.* -тащ÷йть I. [a & c]) to drag along.

притвó/р *s.* leaf (of a door); porch (of a church) || **–рúть** *cf.* **–рять** || **–рный** *a.* feigned, pretended, hypocritical || **–рство** *s.* dissimulation, simulation, hypocrisy, pretence || **–ря́-ть** II. *va.* (*Pf.* -р÷йть II. [a & c]) to shut, to close (not completely) || **~ся** *vr.* to feign, to pretend, to simulate; **~ больны́м** to feign illness.

при/текá-ть II. *vn.* (*Pf.* -тéчь 18. [a 2.]) to flow to, to run to || **–теснéние** *s.* oppression, persecution || **–теснúтельный** *a.* oppressive, vexatious || **–тесня́-ть** II. *va.* (*Pf.* -тесн÷йть II. [a]) to oppress, to persecute, to vex; to press close || **–тирáнье** *s.* paint, rouge, cosmetic || **–тúскива-ть** II. *va.* (*Pf.* -тúска-ть II. & -тúсн-уть I.) to press to, to squeeze against, to compress || **–тихá-ть** II. *vn.* (*Pf.* -тúхнуть 52.) to become calm; to grow still || **–ткну́ть** *cf.* **–тыкáть.**

при/тóк *s.* tributary, affluent || **–тóм** *ad.* besides, moreover || **–тóн** *s.* haunt, den, nest (*esp.* of robbers) || **–топтáть** *cf.* **–тáптывать** || **–торгóвыва-ть** II. *va.* (*Pf.* -торго+вáть II.) to gain by trade || **–тóрный** *a.* insipid, sweetish, mawkish || **–трáва** *s.* bait || **–трóгива-ться** II. *vn.* (*Pf.* -трóн-уться I.) (до чегó) to touch lightly, to finger.

притти́ *cf.* **приходи́ть.**

при/туплéние *s.* blunting, dulling || **–тупля́-ть** II. *va.* (*Pf.* -туп÷йть II. 7. [a & c]) to blunt, to dull; (*fig.*) to deaden.

при́тча *s.* parable, allegory.

при/тыкá-ть II. *va.* (*Pf.* -ткн-у́ть I. [a]) (чем) to stick to, to pin to || **–тягáтельный** *a.* of attraction, attractive || **–тя́гива-ть** II. *va.* (*Pf.* -тян-у́ть I. [c]) to draw to, to attract || **–тяжáтельный** *a.* appropriating; **–ное местоимéние** (*gramm.*) possessive pronoun || **–тяжéние** *s.* attraction || **–тязáние** *s.* (на что, к чему́) pretension, claim || **–тязáтельный** *a.* pretentious, fastidious || **–тязá-ть** II. [b]) *vn.* (к чему́) to lay claim to || **–тяну́ть** *cf.* **–тя́гивать.**

при/ударя́-ть II. *va.* (*Pf.* -удáр÷ить II.) to whip (a horse); (за + *I. fam.*) to court || **–умножá-ть** II. *va.* (*Pf.* -умнóж÷ить I.) to increase, to augment || **~ся** *vr.* to increase || **–урóчива-ть** II. *va.* (*Pf.* -урóч÷ить I.) to fix, to appoint (a date) || **–учá-ть** II. *va.* (*Pf.* -уч÷йть I. [c]) (к чему́) to habituate, to accustom, to train.

при/хвáрыва-ть II. *vn.* to be sickly *or* ailing; to be in bad health || **–хвáстыва-ть** II. *vn.* (*Pf.* -хвáста-ть II. & -хвастн-у́ть I. [a]) to add to one's boasts, to brag || **–хвáтыва-ть** II. *va.* (*Pf.* -хват÷йть I. 2. [c]) to lay hold of, to seize; to borrow || **~** *v.imp.* to damage || **´–хвостень** *s. m.* (*gsg.* -тня) hanger-on, toady || **–хлебáтель** *s. m.* parasite, sponger, toady || **–хлóпыва-ть** II. *va.* (*Pf.* -хлóпн-уть I.) to clap to, to bang to (a door).

при/хóд *s.* coming, arrival; income, revenue; parish || **–ход÷йть** I. 1. [c] *vn.* (*Pf.* -тти́ & -йти́ 48.) to come, to arrive (on foot); to approach, to draw near; (во что) to fall into; **~ в себя́** (*or* **в чу́вство**) to come to, to recover consciousness || **~ся** *vn.* to fit, to suit; to be obliged to, to have to; to happen; to cost, to amount to || **–хóдный** *a.* account-, income- || **–ходорасхóдный** *a.* of income and expenses, cash- || **–ходорасхóдчик** *s.* cashier || **–хóдский** *a.* parish-, parochial || **–хожáнин** *s.* (*pl.* -áне), **–хожáнка** *s.* (*gpl.* -нок) parishioner || **–хóжий** (-ая, -ее) *a.* foreign, newly come || **~** (*as s.*) newcomer || **–хóжая** (*as s.*) ante-room || **–хотли́вый** *a.* capricious, whimsical; squeamish || **´–хоть** *s. f.* caprice, whim, fancy || **–хрáмыва-ть** II. *vn.* to limp slightly.

при/цéл *s.* taking aim; target, butt, aim; sight (of a gun) || **–цéлива-ться** II. *vr.* (*Pf.* -цéл÷иться II.) (во что) to aim at, to take aim at || **–цéльный** *a.* target- || **–цéнива-ться** II. *vr.* (*Pf.* -цен÷йться II. [a & c]) (к чему) to ask the price || **–цéпка** *s.* (*gpl.* -пок) hooking; (*rail.*) coupling; (*fig.*) chicanery || **–цепля́-ть** II. *va.* (*Pf.* -цеп÷йть II. 7. [c]) to hook on, to fasten to; (*rail.*) to couple.

при/чáл *s.* hawser, rope || **–чáлива-ть** II. *va.* (*Pf.* -чáл÷ить II.) to lash to, to moor, to make fast || **–чáстие** *s.* Communion; (*gramm.*) participle || **–чáстник** *s.*, **–чáстница** *s.* communicant || **–чáстный** *a.* (чему́) sharing, participating in || **–чащá-ть** II. *va.* (*Pf.* -част÷йть I. 4. [a]) to give communion to || **~ся** *vr.* to receive the Holy Communion || **–чащéние** *s.* giving the Communion; || **–чёска** *s.* (*gpl.* -сок) head-dress; hair-dressing || **–чéсть** *cf.* **–читáть** || **–чё-**

сыва-ть II. *va.* (*Pf.* -чес-áть I. 3. [c]) to comb, to dress (the hair) || **~ся** *vr.* to comb one's hair, to dress one's hair || **–чéтник** *s.* churchman, sexton || **–чи́на** *s.* cause, reason, motive || **–чинéние** *s.* causing, occasioning || **–чи́нный** *a.* being the cause of, causal || **–чиня́-ть** II. *va.* (*Pf.* -чин=и́ть II. [a]) to cause, to occasion, to be the cause of.

при/числя́-ть II. *va.* (*Pf.* -чи́сл=ить II.) to join, to add, to include || **~ся** *vr.* to rank o.s. amongst, to belong to || **–чита́-ть** II. *va.* (*Pf.* -чéсть 24. [a 2.]) to add to an account; to impute, to attribute.

причт *s.* clergy; retinue.

причу́д/а *s.* caprice, whim, fancy || **–ливость** *s. f.* whimsicalness, fancifulness, oddness, capriciousness || **–ливый** *a.* whimsical, odd, fantastic, queer || **–ник** *s.* whimsical person.

пришéл/ец *s.* (*gsg.* -льца), **ица** *s.* newcomer, stranger.

при/шéствие *s.* arrival, advent || **–шиба́-ть** II. *va.* (*Pf.* -шиб=и́ть I. [a]) to hurt, to damage; to kill, to despatch || **–шива́-ть** II. *va.* (*Pf.* -ши́ть 27. [a 1.]) to sew to || **–ши́вка** *s.* (*gpl.* -вок) sewing on; piece sewn on || **–шивнóй** *a.* sewn on.

при́/шлый *a.* newly come, arrived || **–шпи́лива-ть** II. *va.* (*Pf.* -шпи́л=ить II.) to pin to || **–шпóрива-ть** II. *va.* (*Pf.* -шпóр=ить II.) to spur (on).

при/щёлкива-ть II. *va.* (*Pf.* -щёлкн-уть I.) to latch (a door) || **~** *vn.* to snap one's fingers || **–щемля́-ть** II. *va.* (*Pf.* -щем=и́ть II. 7. [a]) to pinch, to nip || **–щу́рива-ть** II. *va.* (*Pf.* -щу́р=ить II.) to blink, to screw up (one's eyes).

при/ю́т *s.* asylum, refuge, shelter || **–ют=и́ть** I. 2. [a] *va. Pf.* to shelter, to give refuge to || **–я́зненный** *a.* benevolent, friendly || **–я́знь** *s. f.* benevolence, kindness, friendship || **–я́тель** *s. m.*, **–я́тельница** *s.* friend || **–я́тельский** *a.* friendly, amicable || **–я́тность** *s. f.* agreeableness, pleasantness, charm || **–я́тный** *a.* agreeable, pleasant, pleasing.

про/ *prp.* (+ *A.*) for; of, about || **–аккомпани́ровать** *cf.* **аккомпани́ровать** || **´–ба** *s.* trial, essay; sample || **–бавля́-ть** II. *va.* (*Pf.* -бáв=ить II. 7.) to dawdle, to trifle away || **~ся** *vr.* (чем) to make shift to live, to contrive to get on; to spend, to pass (the time) || **–бáлтыва-ть** II. *va.* (*Pf.* -болтá-ть II.) to prattle away (time); to rattle off (a lesson); to shake thoroughly (a liquid); to blab.

про/барабáнить *cf.* **барабáнить** || **–бéг** & **–бегáние** *s.* running through, across || **–бегá-ть** II. *vn.* (*Pf.* -бежáть 46. [a]) to run through *or* across; to drift along (of clouds) || **~** *va.* to run through, to skim (a book) || **–бéга-ть** II. *va. Pf.* to run around (a certain length of time), to run to and fro || **–бéл** *s.* blank, gap, blank leaf (in a book) || **–бивá-ть** II. *va.* (*Pf.* -би́ть 27. [a 1.]) to pierce, to cut through, to make a hole in; to punch, to clip (tickets); to strike (of a clock) || **~ся** *vr.* to work *or* to press through (a crowd); to elbow one's way; (над *or* с чем) to exert o.s.; (*mil.*) to cut one's way through || **–бирá-ть** II. *va.* (*Pf.* -брáть 8. [a 1.]) to part, to separate; to pick out, to select; to lecture one, to censure severely; **меня́ –бирáет морóз** I am freezing dreadfully || **~ся** *vr.* to elbow one's way, to force one's way.

проб/и́рка *s.* (*gpl.* -рок) (*chem.*) test-tube || **–и́рный** *a.* test-, for testing, for assaying || **–и́рщик** *s.* (*min.*) assayer, tester || **´–ка** *s.* (*gpl.* -бок) cork; **он глуп, как ~** he is an absolute ass || **´–ковый** *a.* cork, cork-.

проблéм/а *s.* problem || **–ати́ческий** & **–ати́чный** *a.* problematic(al).

прó/блеск *s.* ray of light, flash, gleam || **–блуждáть** *cf.* **блуждáть.**

прóб/ный *a.* trial-, proof-, sample- || **–о+вать** II. *va.* (*Pf.* ис-, по-) to try, to test; to taste (wine, etc.).

про/бóина *s.* hole (of a bullet); hole (in a dress by rubbing through); (*mar.*) leak || **–бóй** *s.* cramp(-iron) || **–бóйник** *s.* punch || **–бóйный** *a.* for punching holes || **–болтáть** *cf.* **–бáлтывать** || **–бóр** *s.* parting (of the hair) || **–бормотáть** *cf.* **бормотáть.**

прóбоч/ка *s.* (*gpl.* -чек) (small) cork || **–ник** *s.* cork-screw || **–ный** *a.* cork-.

про/брáть *cf.* **–бирáть** || **–бренчáть** *cf.* **бренчáть** || **–буждá-ть** II. *va.* (*Pf.* -буд=и́ть I. 1. [c]) to (a)wake, to rouse || **~ся** *vr.* to awake, to wake up || **–буждéние** *s.* (a)waking, rousing || **–букси́ровáть** *cf.* **букси́ровáть** || **–бурáвлива-ть** II. *va.* (*Pf.* -бурáв=ить II. 7.) to bore, to pierce || **–бывá-ть** II. *vn.* (*Pf.* -бы́ть 49.) to stay, to remain a certain time.

прова́/л *s.* falling in, downfall, gap; (*theat.*) trap(-door); ~ **тебя́ возьми́!** deuce take you! || **-ла́ндаться** *cf.* **вала́ндаться** || **-лива-ть** II. *va.* (*Pf.* -л=и́ть II. [a & c]) to tumble through, to cast through, to throw across || ~ *vn.* to roll past, to pass by; **-лива́й да́льше!** go to Jericho! || **~ся** *vr.* to fall through, to give way; to fall in (of the ceiling); to break into (on the ice); to sink in (*e. g.* a morass); (на экза́мене) to fail; **-ли́сь ты!** to the deuce with you! deuce take you! **куда́ он -ли́лся?** where on earth has he got to? || **-лина** *s.* place which has fallen in, gap, hole || **-льси́рова́ть** *cf.* **вальси́рова́ть.**

прова́нский *a.*, **-ое ма́сло** olive-oil, salad-oil.

про/веде́ние *s.* leading through; passing (of time) || **-ве́дыва-ть** II. *va.* (*Pf.* -ве́да-ть II.) (о чём) to make inquiries (about); (кого́) to ask (after), to call upon, to visit || **-везти́ & -ве́зть** *cf.* **-вози́ть** || **-ве́рка** *s.* (*gpl.* -рок) examination, revision, control || **-веря́-ть** II. *va.* (*Pf.* -ве́р=ить II.) to examine, to look over, to verify, to control || **-ве́с** *s.* wrong weight, underweight || **-вести́ & -ве́сть** *cf.* **-води́ть** || **-ве́трива-ть** II. *va.* (*Pf.* -ве́тр=ить II.) to air, to ventilate.

про/виа́нт *s.* provisions, victuals *pl.* || **-виде́ние** *s.* providence || **-ви́дение** *s.* foresight || **-ви́д=еть** I. 1. *va.* to foresee || **-ви́зия** *s.* victuals *pl.*; provision; commission || **-ви́зор** *s.* [& b] (*pl. also* -а́) dispenser || **-вини́ться** *cf.* **-виня́ться** || **-винти́ть** *cf.* **-ви́нчивать.**

провинц/иали́зм *s.* provincialism || **-иа́льный** *a.* provincial || **'-ия** *s.* province.

про/ви́нчива-ть II. *va.* (*Pf.* -винт=и́ть I. 2. [a]) to screw through || **-виня́-ться** II. *vc.* (*Pf.* -вин=и́ться II. [a]) (в чём пе́ред кем) to become guilty of something, to fall into error || **-влачи́ть** *cf.* **влачи́ть.**

прово́д/ *s.* leading about (of horses); conduit, turning aside, diversion (of water); transport (*e. g.* of prisoners).

про/вод=и́ть I. 1. [c] *va.* (*Pf.* -вести́ & -ве́сть 22. [a 2.]) to lead, to convey through; (*el.*) to conduct; to lay (a road, a water-pipe); to dupe, to deceive; to spend (time).

проводни́к *s.* [a] conductor; leader, guide; ~ **теплоты́** conductor of heat.

про́воды *s. mpl.* funeral.

прово/жа́тель *s. m.* & **-жа́тый** (*as s.*) conductor, guide || **-жа́-ть** II. *va.* (*Pf.* -д=и́ть I. 1. [c]) to escort, to conduct, to accompany.

прово́з/ *s.* carriage, transport, conveyance || **-ве́стник** *s.* predicter, prophet, herald || **-веща́-ть** II. *va.* (*Pf.* -вест=и́ть I. 4. [a]) to predict, to foretell; to announce, to proclaim || **-веще́ние** *s.* prediction, prophecy; proclamation || **-глаша́-ть** II. *va.* (*Pf.* -глас=и́ть I. 3. [a]) to proclaim, to publish; ~ **тост** to give a toast || **-глаше́ние** *s.* proclamation, publication, announcement.

про/воз=и́ть I. 1. [c] *va.* (*Pf.* -везти́ & -ве́зть 25. [a 2.]) to convey, to transport, to carry || **~ся** I. 1. [c] *vr. Pf.* (с кем, с чем) to worry o.s., to slave; to exert, to tire o.s. || **-во́зный** *a.* transport-, freight-.

про/вола́кива-ть II. *va.* (*Pf.* -воло́чь 18. [c 2.]) to trail through; to draw through; (*Pf.* -лоч=и́ть I. [c]) to spin out, to protract (a lawsuit) || **'-волока** *s.* wire || **-воло́чка** *s.* (*gpl.* -чек) protraction, delay || **'-волочный** *a.* wire-, of wire.

провоня́лый *a.* stinking.

прово́р/ность *s. f.* = **прово́рство** || **-ный** *a.* quick, nimble, agile, speedy, swift, ready, sharp || **-ство** *s.* quickness, nimbleness, agility, speed, swiftness.

про/га́лина *s.* place free from ice (on a river); glade (in a wood) || **-гимна́зия** *s.* preparatory gymnasium (a secondary school without the higher classes) || **-гла́тыва-ть** II. *va.* (*Pf.* -глот=и́ть I. 2. [c]) to swallow up, to devour || **-гля́дыва-ть** II. *va.* (*Pf.* -гляд=е́ть I. 1. [a]) to look at, to examine slightly; to overlook || ~ *vn.* (на что) to spend a certain time looking at || ~ *vn.* (*Pf.* -глян-у́ть I. [c]) to appear, to make one's appearance (of the sun, etc.) || **-гна́ть** *cf.* **-гоня́ть** || **-гне́ваться** *cf.* **гне́ваться** || **-гневля́ть & -гневи́ть** *cf.* **гневи́ть** || **-гнива́-ть** II. *vn.* (*Pf.* -гни́-ть II. [a]) to rot through || **-гно́з** *s.* prognosis || **-гова́рива-ться** II. *vr.* (*Pf.* -говор=и́ться II. [a]) to blab, to blurt out a secret; to betray o.s. in speaking || **-гове́ть** *cf.* **гове́ть** || **-голода́ть** *cf.* **голода́ть.**

прого́н/ *s.* driving (cattle); drifting, floating (wood); path leading to a pasture || **-ный** *a.* driven; floated || **-я́-ть**

II. *va.* (*Pf.* прогнáть 11. [c]) to drive through; to drive, to turn, to scare away, to dispel, to dissipate; to float (timber); ~ **сквозь строй** to make a person run the gauntlet.

про/горá-ть II. *vn.* (*Pf.* -гор=éть II. [a]) to burn through; to burn up || **-горéлый** *a.* burnt through || **-гóрьклый** *a.* rancid, rank, bitter || **-гóрькнуть** *cf.* **гóрькнуть** || **-гости́ть** *cf.* **гости́ть** || **-гремéть** *cf.* **гремéть.**

прогрéсс/ *s.* progress || **-и́вный** *a.* progressive || **-и́ст** *s.* progressionist || **-ия** *s.* progression.

про/грохотáть *cf.* **грохотáть** || **-грызá-ть** II. *va.* (*Pf.* -гры́зть 25. [a 1.]) to gnaw through.

прогýл/ива-ть II. *va.* (*Pf.* -я́-ть II.) to miss (dinner) by walking; to neglect, to omit (lessons); to shirk (school); to loiter away (time); to spend, to squander (money) || **~ся** *vr.* to take a walk *or* a stroll, to go for a walk || **-ка** *s.* (*gpl.* -лок) walk, stroll; trip, excursion; ~ **верхóм** a ride || **-ьный** *a.* wasted.

про/давáть 39. *va.* (*Pf.* -дáть 38.) to sell, to dispose of || **-давéц** *s.* [a] (*gsg.* -вцá), **-давщи́к** *s.*, **-давщи́ца** *s.* seller, vendor, dealer || **-дáжа** *s.* sale || **-дáжность** *s. f.* mercenariness, venality || **-дáжный** *a.* for sale; venal, mercenary, bribable.

про/девá-ть II. *va.* (*Pf.* -дéть 32.) to thread (a needle), to hang in (ear-rings) || **-дезинфици́ровать** *cf.* **дезинфици́ровать** || **-деклами́ровать** *cf.* **деклами́ровать** || **-дéлка** *s.* breach, opening; trick || **-дéлыва-ть** II. *va.* (*Pf.* -дéла-ть II.) to cut, to break through, to break (a hole); to husk, to shell; ~ **штýки** to show tricks || **-демонстри́ровать** *cf.* **демонстри́ровать.**

про/дёргива-ть II. *va.* (*Pf.* -дёрн-уть I.) to pull through, to thread || **-дéржива-ть** II. *va.* (*Pf.* -держ=áть I. [c]) to detain, to keep, to hold back (a thing) a certain time; to keep one waiting || **-дéть** *cf.* **-девáть** || **-дефили́ровать** *cf.* **дефили́ровать** || **-дешеви́ть** *cf.* **дешеви́ть** || **-диктовáть** *cf.* **диктовáть** || **-дирá-ть** II. *va.* (*Pf.* -дрáть 8. [a 3.]) to tear up *or* through (boots, etc.) || **~ся** *vr.* to force one's way through || **-дирижи́ровать** *cf.* **дирижи́ровать** || **-длéние** *s.* prolongation, lengthening; delay, retardation || **-дли́ть** *cf.* **длить** || **-дневáть** *cf.* **дневáть.**

продовóльств/енный *a.* supply-, provision- || **-ие** *s.* necessaries of life, board, maintenance, victualling stores, supplies, provisions, victuals *pl.*, províant.

продолби́ть *cf.* **долби́ть.**

продол/говáтый *a.* oblong, longish || **-жáтель** *s. m.* continuator || **-жá-ть** II. *va.* (*Pf.* -ж=и́ть I. [a] & ⁄-ж=ить I.) to continue, to keep on, to keep up; to prolong, to prolongate, to protract || **~ся** *vr.* to keep on, to last, to continue || **-жéние** *s.* continuation, duration, length; sequel; prolongation, protraction; **в** ~ (+ *G.*) during, in the course of, in the space of || **-жи́тельность** *s. f.* long duration, tiresomeness || **-жи́тельный** *a.* of long duration, lasting, continuous, wearisome.

про/дóльный *a.* longitudinal || **-дрáть** *cf.* **-дирáть** || **-дрем-áть** II. 7. [c] *vn. Pf.* to doze awhile, to take a short nap || **-дрóгнуть** *cf.* **дрóгнуть** || **-дуби́ть** *cf.* **дуби́ть** || **-дувá-ть** II. *va.* (*Pf.* -дý-ть II. [b]) to blow (through); to purify (gold); to dissipate, to gamble away (money) || **~ся** *vr.* (*fam.*) to spend all one's money (*e. g.* at cards) || **-дувнóй** *a.* for blowing through; purified (of gold); (*fig.*) cunning, sly.

продýкт/ *s.* product(ion), produce || **-и́вность** *s. f.* productivity || **-и́вный** *a.* productive.

про/дýть *cf.* **-дувáть** || **-дýшина** *s.* air-hole, vent(-hole) || **-дырáвливать** *cf.* **дырáвить.**

про/едá-ть II. *va.* (*Pf.* (-éсть 42.) to spend (in eating); to eat, to gnaw through; to corrode || **-éзд** *s.* passage, passing (through), riding *or* driving through; **-éзда нет** no thoroughfare; **-éздом** on the way through || **-éздка** *s.* (*gpl.* -док) driving *or* riding past; travelling through; breaking in (a horse) || **-езжá-ть** II. *vn.* (*Pf.* -éхать 45.) to drive, to ride through, by, past; ~ **верхóм чéрез гóрод** to ride through a town || ~ *va.* to travel (a distance, so many miles, etc.) || **~ся** *vn.* to go for a drive *or* a ride; (*Pf.* -éзд=ить I. 1.) to ride, to drive about || ~ *va.* to spend in riding *or* driving || **~ся** *vn.* to spend all one's money in riding *or* driving || **-éзживать** = **-езжáть** || **-éзжий** (-ая, -ее) *a.* public (of a way) || ~ (*as s.*) traveller.

проéкт/ *s.* project, scheme, plan || **-и́ро+вáть** II. [& b] *va.* to scheme, to project, to plan.
проéкция *s.* projection.
проём/ *s.* opening, hole pierced right through || **-ный** *a.* going right through.
про/éсть *cf.* **-едáть** || **-éхать** *cf.* **-езжáть.**
про/жáрива-ть II. *va.* (*Pf.* -жáр=ить II.) to roast thoroughly || **-ждáть** *cf.* **ждать** || **-жёвыва-ть** II. *va.* (*Pf.* -же+вáть II. [a]) to chew, to masticate thoroughly || **-жéктор** *s.* searchlight || **-жéчь** *cf.* **-жигáть** || **-живá-ть** II. *vn.* (*Pf.* -жи́ть 31. [a 4.]) to live, to spend one's life, to reside || ~ *va.* to spend, to waste, to squander || **-жигá-ть** II. *va.* (*Pf.* -жéчь 16. [a 2.]) to burn through; ~ **жизнь** to lead a fast life.
прожóр/а *s. m&f.* glutton || **-ливость** *s. f.* gluttony, voracity || **-ливый** *a.* gluttonous, voracious.
прожужжáть *cf.* **жужжáть.**
прó/за *s.* prose || **-зáик** *s.* prose-writer, prosaist || **-заи́ческий** *a.* prosaic(al), prose-.
прозаклá/дыва-ть II. *va.* (*Pf.* -до+вать II.) to lose by betting.
про/звáние *s.* surname || **-звáть** *cf.* **-зывáть** || **-звенéть** *cf.* **звенéть** || **-́звище** *s.* byname, nickname || **-звучáть** *cf.* **звучáть** || **-зёвыва-ть** II. *va.* (*Pf.* -зевá-ть II.) to miss, to let slip, to omit.
прозели́т/*s.*, **-ка** *s.* (*gpl.* -ток) proselyte.
прозимовáть *cf.* **зимовáть.**
прозор/ли́вец *s.* (*gsg.* -вца), **-ли́вица** *s.* sharp-sighted person || **-ли́вость** *s.f.* perspicacity, sharp-sightedness || **-ли́вый** *a.* sharp-sighted, perspicacious, sagacious.
прозрáч/ность *s. f.* transparency, pellucidness || **-ный** *a.* transparent; pellucid, clear (of water).
про/зывá-ть II. *va.* (*Pf.* -звáть 10. [a]) to surname, to name; to nickname || ~**ся** *vr.* to be called, to be surnamed, to be nicknamed || **-зябáемое** (*as s.*) vegetable, plant || **-зябá-ть** II. *vn.* (*Pf.* -зя́бнуть 52.) to vegetate, to shoot, to sprout (*cf.* **зя́бнуть**).
проúгрыва-ть II. *va.* (*Pf.* проигрá-ть II.) to lose at play, to gamble away; to spend in playing || ~**ся** *vr.* to ruin o.s. by play.
прóигрыш *s.* losses (at play, etc.).
произ/ведéние *s.* production, product, produce; derivation (of words) || **-води́тель** *s. m.* producer || **-води́тельность** *s.f.* productiveness, productivity; efficiency || **-води́тельный** *a.* productive || **-вод=и́ть** I. 1. [c] *va.* (*Pf.* -вести́ & -вéсть 22. [a 2.]) to produce, to yield, to bear; to cause, to effect; to promote; to derive || ~**ся** *vp.* to be produced, to take place, to happen || **-вóдный** *a.* derivative || **-вóдство** *s.* production; execution (of a work); promotion; derivation || **-вóл** *s.* pleasure, will, freewill; arbitrariness || **-вóльность** *s. f.* arbitrariness || **-вóльный** *a.* arbitrary; voluntary || **-несéние** *s.* recitation, recital; pronouncing || **-нос=и́ть** I. 3. [c] *va.* (*Pf.* -нести́ & -нéсть 26. [a 2.]) to pronounce, to deliver, to utter || **-ношéние** *s.* pronunciation || **-ойти́** *cf.* **происходи́ть** || **-растá-ть** II. *vn.* (*Pf.* -расти́ 35. [a 2.]) to grow up, to shoot up *or* out, to sprout forth.
прóиск *s.* (*us. in pl.*) intrigues *pl.*
проис/текá-ть II. *vn.* (*Pf.* -тéчь 18. [a 2.]) to flow (from), to emanate, to rise; to come, to result (from) || **-ход=и́ть** I. 1. [c] *vn.* (*Pf.* произойти́ 48. [a 2.]) to arise, to spring, to proceed from, to result, to emanate; to take place, to occur; to descend (from) || **-хождéние** *s.* origin, source, spring; descent, extraction, birth || **-шéствие** *s.* event, occurrence.
пройдóха *s. m&f.* clever rascal.
прóйма *s.* opening, hole; slit.
прок *s.* use, profit, benefit.
про/кажённый *a.* leprous || ~ (*as s.*) leper || **-кáза** *s.* leprosy || **-кáз=ить** I. 1. & **-кáзнича-ть** II. *vn.* (*Pf.* на-) to play pranks, to play tricks || **-кáзник** *s.*, **-кáзница** *s.* wag, rogue || **-кáзы** *s. fpl.* pranks, tricks *pl.*, roguery || **-кáлыва-ть** II. *va.* (*Pf.* -кол-óть II. [c]) to pierce through and through || **-кáпыва-ть** II. *va.* (*Pf.* -копá-ть II.) to dig through || **-кáрмлива-ть** II. *va.* (*Pf.* -корм=и́ть II. 7. [c]) to feed, to keep, to maintain a certain time; to spend in feeding || **-кáт** *s.* hire, lending on hire; **на** ~ on hire || **-кáтыва-ть** II. *va.* (*Pf.* -катá-ть II. & -кат=и́ть I. 2. [a & c]) to roll (out), to hammer out (metal) || ~**ся** *vn.* to take a drive || **-кипá-ть** II. *vn.* (*Pf.* -кип=éть II. 7. [a]) to boil thoroughly || **-ки́снуть** *cf.* **ки́снуть.**
про/клáдка *s.* (*gpl.* -док) interlayer; interleaf; (*typ.*) lead, space-line || **-клáдыва-ть** II. *va.* (*Pf.* -лож=и́ть I. [c]) (что по чём) to trace out, to open (a

road; (*Pf. also* -класть 22. [a 1.]) (что чем) to lay between, to interleave; (*typ.*) to lead; to reckon, to calculate; to make a mistake in a calculation.

прокламáция *s.* proclamation.

про/клинá-ть II. *va.* (*Pf.* -клясть 36. [a 4.]) to curse || **-клятие** *s.* curse, malediction || **-клятый** *a.* cursed || **-кóл** *s.* piercing through; stab || **-колóть** *cf.* **-кáлывать** || **-контролировать** *cf.* **контролировать** || **-копáть** *cf.* **-кáпывать** || **-кормить** *cf.* **-кáрмливать** || **-кóрм** *s.* & **-кормлéние** *s.* maintenance, support, feeding, keep, board || **-корпéть** *cf.* **корпéть** || **-крáдыва-ться** II. *vn.* (*Pf.* -крáсться 22. [a]) to steal through, to creep, to steal in || **-куратýра** *s.* procuratorship || **-кýрива-ть** II. *va.* (*Pf.* -кур=ить II. [a & c]) to perfume; to spend in smoking || **-курóр** *s.* procurator, attorney || **-кýсывать** II. *va.* (*Pf.* -кус=ить I. 3. [c]) to bite (right) through || **-кýчива-ть** II. *va.* (*Pf.* -кут=ить I. 2. [c]) to squander, to dissipate, to waste.

про/лагáть = **-клáдывать** || **-лáза** *s. m&f.* sneak, toady, plotter || **-лáмыва-ть** II. *va.* (*Pf.* -ломá-ть II. & -лом=ить II. 7. [c]) to break through (an opening); to hew, to cut through (ice) || **~ся** *vn.* to break into, down (of ice bridges, etc.) || **-легá-ть** II. *vn.* (of a road) to lead to, to go, to run; to extend, to reach to || **⌐лежень** *s. m.* place *or* wound chafed from lying on; getting sore by lying, getting bedsore || **-лёжива-ть** II. *vn.* (*Pf.* -леж=áть I. [a]) to lie some time || **~** *va.* to chafe (one's skin) by lying, to get sore by lying || **-лезá-ть** II. *vn.* (*Pf.* -лéзть 25. [b]) to climb through, to crawl through || **-лепетáть** *cf.* **лепетáть** || **-лéсок** *s.* (*gsg.* -ска) clearing, clear space (in a wood) || **-лёт** *s.* flight; opening, aperture; arch, span (of a bridge); **на ~** through and through.

пролетар/иáт *s.* proletariat || **⌐ий** *s.* proletarian || **⌐ский** *a.* proletarian.

про/летá-ть II. *vn.* (*Pf.* -лет=éть I. 2. [a]) to fly through *or* past; to pass quickly (of time) || **-лётка** *s.* (*gpl.* -ток) a light four-wheeler || **-лéчива-ть** II. *va.* (*Pf.* -леч=ить I. [a]) to treat some time; to spend in medicines || **-лив** *s.* strait(s) || **-ливá-ть** II. *va.* (*Pf.* -лить 27. [a 4.]) to spill, to shed, to pour out; (*fig.*) to discharge, to vent || **-ливнóй** *a.*, **~ дождь** a heavy downpour || **-литие** *s.* effusion, shedding; **~ крóви** bloodshed, slaughter || **-лить** *cf.* **-ливáть** || **-лóг** *s.* prologue || **-ложить** *cf.* **-клáдывать** || **-лóм** *s.* breaking through, breach || **-ломáть** & **-ломить** *cf.* **-лáмывать.**

про/мáтыва-ть II. *va.* (*Pf.* -мотá-ть II.) to dissipate, to squander || **⌐мах** *s.* miss; fault, blunder, oversight; **дать ~** to miss (one's stroke); to commit a fault; **он не ~** he is no fool || **-мáхива-ться** II. *vn.* (*Pf.* -махн-ýться I. [a]) to miss (one's stroke, one's aim), to fail || **-мáчива-ть** II. *va.* (*Pf.* -моч=ить I. [c]) to soak; to wet through (now and then) || **-мá-яться** II. *vr.* to suffer some time || **-маячить** *cf.* **маячить** || **-медлéние** *s.* retardation, delay || **-мéдлить** *cf.* **мéдлить** || **-мéж(ду)** *prp.* (+ *G.*) between || **-межýток** *s.* (*gsg.* -тка) interval, intermediate space, space of time, distance || **-межýточный** *a.* intermediate; intervening || **-мелькá-ть** II. *vn.* (*Pf.* -мелькн-ýть I.) to flash, to pass as quick as lightning || **-мéн** *s.* exchange; truck, barter; rate of exchange; agio || **-мéнива-ть** II. *va.* (*Pf.* -меня́-ть II.) (на что) to exchange, to barter || **-мéр** *s.* measuring; (*mar.*) sounding; mistake in measuring || **-мéрива-ть** II. *va.* (*Pf.* -мéр=ить II.) to measure, to sound || **-мерзá-ть** II. *vn.* (*Pf.* -мёрзнуть 52.) to freeze through || **-мёрзлый** *a.* frozen through || **-мерять** = **-мéривать** || **-мéшкать** *cf.* **мéшкать.**

про/минá-ть II. *va.* (*Pf.* -мять 33. [a 1.]) to knead thoroughly; to walk about (a horse) || **-мóзглость** *s. f.* mustiness, rankness, rottenness || **-мóзглый** *a.* musty, mouldy (of fruits); rancid, rank (of butter); rotten || **-мóзгнуть** *cf.* **мóзгнуть** || **-мóина** *s.* place worn away by action of water; former channel (of a stream); pool (on ice) || **-мокáтельный** *a.*, **-ная бумáга** blotting-paper || **-мокá-ть** II. *vn.* (*Pf.* -мóкнуть 52.) to get wet through, to be drenched || **-мóклый** *a.* wet through, drenched; **насквóзь ~** wet through and through, wringing-wet || **-мóлвить** *cf.* **мóлвить** || **-молчáть** *cf.* **-мáлчивать** || **-мотáть** *cf.* **-мáтывать** & **мотáть** || **-мочить** *cf.* **-мáчивать.**

промыв/áльный *a.* for washing || **-áльщик** *s.* buddler, ore-washer || **-áние** *s.* washing, buddling || **-á-ть** II. *va.* (*Pf.* промыть 28. [b]) to wash, to buddle.

про́/мысел *s.* (*gsg.* -сла) business, trade, profession; **го́рный ~** mining || **–мысл** *s.* providence || **–мысло́вый** *a.* professional, manufacturing || **–мы́ть** *cf.* **–мыва́ть** || **–мы́шленник** *s.* manufacturer || **–мы́шленность** *s. f.* industry || **–мы́шленный** *a.* industrial || **–мышля́-ть** II. *vn.* (*Pf.* -мыслить 41.) (чем) to trade, to follow a business; (о чём) to care for || **~** *va.* to procure, to follow (a business), to get, to earn || **–мя́млить** *cf.* **мя́млить** || **–мя́ть** *cf.* **–мина́ть.**

про/на́шива-ть II. *va.* (*Pf.* -нос=ить I. 3. [c]) to wear for some time; to wear out || **–нести́** *cf.* **–носи́ть** || **–нза́-ть** II. *va.* (*Pf.* -нз=ить I. [a]) to pierce, to bore; to be piercing (of cold) || **–нзе́ние** *a.* piercing || **–нзи́тельный** *a.* piercing, penetrating, sharp, shrill; biting cold || **–ни́зыва-ть** II. *va.* (*Pf.* -низ-а́ть I. 1. [c]) to pierce through; to string (beads) || **–ника́-ть** II. *va.* (*Pf.* -ни́кнуть 52.) to penetrate, to permeate, to strike through; (*fig*) to see through, to fathom || **–нима́-ть** II. *va.* (*Pf.* -ня́ть 37., *Fut.* пройму́) to pierce, to penetrate (of the cold); to bring round, to bring to reason || **–ница́емость** *s. f.* penetrability, permeability || **–ница́емый** *a.* penetrable, permeable || **–ница́тельность** *s. f.* penetration, sagacity, shrewdness || **–ница́тельный** *a.* penetrating, searching, shrewd || **–ница́ть** *cf.* **–ника́ть.**

про/нос=и́ть I. 3. [c] *va.* (*Pf.* -нести́ & -не́сть 26.) to carry, to bear past; to spread, to circulate; to carry past; to drift (of water) || **~** *v.imp.* to purge, to have a motion || **~ся** *vr.* to rush past, to fly past; to circulate, to spread.

проны́р/а *s. m&f.* intriguer, slyboots || **–ливость** *s. f.* cunning, craftiness, slyness || **–ливый** *a.* intriguing, cunning, sly || **–ство** *s.* intrigues *pl.*, underhand practice.

про/ню́хива-ть II. *va.* (*Pf.* -ню́ха-ть II.) to smell, to ferret out || **–ня́ть** *cf.* **–нима́ть.**

пропага́нд/а *s.* propaganda || **–и́ро+вать** II. *va.* to carry out propaganda || **–и́ст** *s.*, **–и́стка** *s.* (*gpl.* -ток) propagandist.

про/пада́-ть II. *vn.* (*Pf.* -па́сть 22. [a 1.]) to be lost; to disappear; to perish, to be spoiled; **у меня́ –па́ла соба́ка** I have lost my dog; **куда́ же вы –па́ли?** where have you been all this time? || **–па́жа** *s.* loss; thing lost || **–па́лзывать = –полза́ть.**

про́/пасть *s. f.* precipice, abyss, gulf; multitude, a huge amount, a lot || **–па́сть** *cf.* **–пада́ть** || **–па́щий** (-ая, -ее) *a.* lost, ruined || **–пека́-ть** II. *va.* (*Pf.* -пе́чь 18. [a 2.]) to bake thoroughly, for some time; to scorch through (of the sun) || **–пе́ть** *cf.* **петь** || **–пива́-ть** II. *va.* (*Pf.* -пи́ть 27. [a 4.]) to spend (time, money) in drinking, to squander away in drink || **–пи́ска** *s.* (*gpl.* -сок) entry; visa; notification (to the police), omission (in writing) || **–писно́й** *a.*, **–на́я бу́ква** *s.* capital (letter) || **–пи́сыва-ть** II. *va.* (*Pf.* -пис-а́ть I. 3. [c]) to enter, to register; to visa; to notify one's arrival, etc.; to prescribe (a medicine); to spend time writing || **–пись** *s. f.* copy, copy-head.

про/пита́ние *s.* subsistence, livelihood || **–пи́тыва-ть** II. *va.* (*Pf.* -пита́-ть II.) to feed, to nourish, to support; to steep in, to impregnate || **–пи́ть** *cf.* **–пива́ть** || **–пи́хивать** II. *va.* (*Pf.* -пиха́-ть II. & -пихн-у́ть I. [a]) to push, to shove, to force through || **–пла́вать** *cf.* **пла́вать** || **–плута́ть** *cf.* **плута́ть** || **–плыва́-ть** II. *vn.* (*Pf.* -плы́ть 31. [a 3.]) to swim a certain distance; to swim, to sail through *or* across || **–пляса́ть** *cf.* **пляса́ть.**

пропове́д/ник *s.* preacher || **–нический** *a.* preacher's || **–ыва-ть** II. *va.* (*Pf.* -о+вать II.) to preach.

про́/поведь *s. f.* [c] sermon || **–полза́-ть** II. *vn.* (*Pf.* -ползти́ 25. [a 2.]) to crawl, to creep through *or* over.

пропо́рц/ия *s.* proportion || **–иона́льность** *s. f.* proportionality || **–иона́льный** *a.* proportional.

пропости́ться *cf.* **пости́ться.**

про́/пуск *s.* pass, permission to leave *or* pass, free pass; omission, gap || **–пуска́-ть** II. *va.* (*Pf.* -пуст=ить I. 4. [c]) to let pass, to allow (one) to pass; to let through; to let elapse, to let pass away (time); to let slip, to neglect (time, an opportunity); to let go, to slip; to omit, to leave out, to pass over, to skip; **~ слух** to circulate, to spread a rumour || **–пускно́й** *a.* of admission, admission-; for filtering; **–на́я бума́га** filter-paper; blotting-paper || **–пья́нство+вать** *va.* to spend in drink.

про/раста́-ть II. *vn.* (*Pf.* -расти́ 35. [a 2.]) to germinate, to spring up (of seed);

to grow up, to shoot out, to sprout; to grow through || **-рвáть** *cf.* **-рывáть** || **-рéз** *s.* cutting through; cut, slit || **-рéзыва-ть** II. & **-резá-ть** II. *va.* (*Pf.* -рéз-ать I. 1.) to cut through || **~ся** *vr.* to be coming through (of the teeth); **у ребёнка зýбы -рéзываются** the child is teething || **-рекá-ть** II. *va.* (*Pf.* -рéчь 18.) to foretell, to predict, to prophesy || **-рéха** *s.* hole, slit, slash, vent seam (in a dress) || **-рицáлище** *s.* oracle || **-рицáтель** *s. m.* foreteller, prophet || **-рицáтельный** *a.* prophetic(al) || **-рицáть = -рекáть** || **-рóк** *s.* prophet || **-роня́-ть** II. *va.* (*Pf.* -рон=и́ть II. [c]) to let fall, to drop || **-ростáть = -растáть** || **-рóческий** *a.* prophetic(al) || **-рóчество** *s.* prophecy, prediction || **-рóч=ить** I. *vn.* (*Pf.* на-) to prophesy || **-рóчица** *s.* prophetess || **-рубá-ть** II. *va.* (*Pf.* -руб=и́ть II. 7. [c]) to cut through, to break through || **´-рубь** *s. f.* ice-hole.

про/ры́в *s.* tearing asunder; breaking through, breach, cut || **-рывá-ть** II. *va.* (*Pf.* -рв-áть I. [a]) to tear through, to rend (*e. g.* dresses); to break through (a dam); to cut open, to lance (an ulcer); (*Pf.* -ры́ть 28.) to dig through.

про/сáжива-ть II. *va.* (*Pf.* -сад=и́ть I. 1. [a & c]) to squander || **-сáк** *s.* scrape; **попáсть в ~** to get into a scrape || **-сáлива-ть** II. *va.* (*Pf.* -сáл=ить II.) to grease; (*Pf.* -сол=и́ть II. [a]) to salt, to pickle thoroughly || **-сáчива-ться** II. *vr.* (*Pf.* -соч=и́ться I. [a]) to ooze through || **-свáтыва-ть** II. *va.* (*Pf.* -свáта-ть II.) to promise in marriage to || **-свежá-ть** II. *va.* (*Pf.* -свеж=и́ть I. [a]) to air || **-свéрлива-ть** II. *va.* (*Pf.* -сверл=и́ть II. [a]) to bore through, to perforate.

просвé/т *s.* window-opening (in a wall); shining through of light; (*fig.*) bright spot || **-ти́тель** *s. m.* enlightener, one who spreads enlightenment || **-ти́тельный** *a.* enlightening || **-ти́ть** *cf.* **-щáть** || **-тлé-ть** II. *vn. Pf.* to clear up, to grow bright (of the sky); to grow cheerful (of the face) || **-тля́-ть** II. *va.* (*Pf.* -тл=и́ть II. [a]) to clarify, to clear; to make light *or* bright (a house); to cheer (the face).

про/свéчива-ть II. *vn.* (сквозь что) to shine, to glisten, to glitter through || **-свещá-ть** II. *va.* (*Pf.* -свет=и́ть I. 6. [a]) to enlighten; to instruct || **-свещéние** *s.* enlightenment, instruction || **-севá-ть** II. *va.* (*Pf.* -сé-ять II.) to sift, to bolt || **´-седь** *s. f.* some grey hairs || **´-сéка** *s.* opening, gap (in a wood) || **-секá-ть** II. *va.* (*Pf.* -сéчь 18. [a 1.]) to cut, to hew through || **-сёлок** (*gsg.* -лка) by-road, by-way || **-сёлочный** *a.*, **-ная дорóга** by-road || **-сéять** *cf.* **-севáть** || **-си́жива-ть** II. *vn.* (*Pf.* -сид=éть I. 1. [a]) to be seated for some time; to sit up (to a certain time); **~ всю ночь** to sit up all night; **просидéть вéчер** (у когó) to spend the evening || **´-синь** *s. f.* bluish colour; **в ~** bluish.

проси́тель/ *s. m.*, **-ница** *s.* petitioner, suppli(c)ant || **-ный** *a.* of solicitation, containing a petition, petitionary.

прос=и́ть I. 3. [c] *va.* (*Pf.* по-) (когó о чём *or* у когó чегó) to beg, to ask, to pray, to entreat (a thing from one); (*leg.*) to petition (for); to invite, to bid (guests) || **~ся** *vr.* to request, to ask for; to apply (to one for); to solicit (one for), to petition; to sue (for a place); **~ в óтпуск** to ask for leave of absence; **~ домóй** to ask to be allowed home.

про/сия́-ть II. *vn. Pf.* to clear up, to begin to shine, to shine forth || **-скáкива-ть** II. *vn.* (*Pf.* -скоч=и́ть I. [c] & -скокн-ýть I. [a]) to jump, to leap through; to rush past; (*Pf.* -скак-áть I. 2. [c]) to gallop past, to gallop by || **-скользá-ть** II. *vn.* (*Pf.* -скользн-ýть I. [a]) to slip, to steal, to creep past *or* away, to slip through || **-слáбить** *cf.* **слáбить** || **-славлéние** *s.* glorification || **-славля́-ть** II. *va.* (*Pf.* -слáв=ить II. 7.) to glorify, to extol; to make famous (*cf.* слáвить) || **-слéдо+вать** II. *vn.* to travel, to pass through *or* by || **-слез=и́ть** I. 1. [a] *va. Pf.* to move one to tears || **~ся** *vr.* to be moved to tears, to shed tears || **-служи́ть** *cf.* **служи́ть** || **-слýшива-ть** II. *va.* (*Pf.* -слýша-ть II.) to hear out, to listen to; to hear (one his lessons), to make one say his lessons || **-слывáть** *cf.* **слыть** || **-слы́ш=ать** I. *va.* to hear, to know by hearsay.

про/смáтрива-ть II. *va.* (*Pf.* -смотр=éть II. [c]) to examine, to run over, to look over; to overlook, not to notice || **-смóтр** *s.* examination, revision; oversight || **-снýться** *cf.* **-сыпáться.**

прóсо *s.* millet.

про/сóвыва-ть II. *va.* (*Pf.* -сýн-уть I.) to push, to shove, to thrust through || **~ся** *vr.* to force one's way through.

просо́дия *s.* prosody.

про/соли́ть *cf.* **–са́ливать** || **–со́нки** *s. mpl.* & **–со́нье** *s.* state between sleeping and waking; **в –со́нках** half asleep || **–со́хлый** *a.* dried up || **–со́хнуть** *cf.* **–сыха́ть** || **–сочи́ться** *cf.* **–са́чиваться** || **–спа́ть** *cf.* **–сыпа́ть.**

проспе́кт *s.* prospectus; a broad street.

про/спряга́ть *cf.* **спряга́ть** || **–сро́чение** *s.* expiration of a fixed period || **–сро́чива-ть** II. *va.* (*Pf.* -сро́ч=ить I.) to allow the term to expire; ~ **о́тпуск** to exceed one's leave of absence || **–сро́чка** *s.* (*gpl.* -чек) = **–сро́чение.**

проста́к *s.* [a] simpleton, booby, ninny.

просте́н/ок *s.* (*gsg.* -нка) partition; part of a wall between two windows *or* two doors || **–очный** *a.*, **–очное зе́ркало** pier-glass.

про/стира́-ть II. *va.* (*Pf.* -стере́ть 14. [a 1.]) to stretch, to spread out, to extend out || ~**ся** *vr.* (до + *G.*) to extend, to stretch, to reach; to amount to.

прости́тельный *a.* excusable, pardonable.

простит/у́тка *s.* (*gpl.* -ток) prostitute || **–у́ция** *s.* prostitution.

прости́ть *cf.* **проща́ть.**

про́сто/ *ad.* simply, plainly, merely || **–ва́тость** *s. f.* simplicity; silliness || **–ва́тый** *a.* simple(-minded); silly, foolish || **–воло́сый** *a.* bare-headed || **–ду́шие** *s.* simplicity, artlessness, frankness, ingenuousness || **–ду́шный** *a.* simple-minded, artless, sincere, frank, ingenuous.

прост/о́й *a.* (*comp.* про́ще) simple, plain, homely; sincere, frank; ordinary, common; **–ы́ми глаза́ми** with the naked eye; **–е́йшие живо́тные** protozoa.

просто́й *s.* time after expiration of a fixed term; time during which a house remains unoccupied; lay-days.

просто/ква́ша *s.* curdled milk || **–лю́дин** *s.*, **–лю́динка** *s.* (*gpl.* -нок) plebeian || ~**-на́просто** *ad.* quite plainly; without beating about the bush || **–наро́дие** *s.* populace, mob; common people || **–наро́дный** *a.* popular; common, vulgar, plebeian || **–на́ть** *cf.* **стона́ть.**

просто́р/ *s.* spaciousness, room, space; leisure; **дай** ~! clear the way! || **–ный** *a.* spacious, roomy, ample; large.

просто/ре́чие *s.* popular speech || **–серде́чие** *s.* & **–серде́чность** *s. f.* candour, frankness, artlessness || **–серде́чный** *a.* candid, frank, artless || **–та́** *s.* simplicity, plainness, candour, frankness; silliness, foolishness || **–фи́ля** *s. m&f.* noodle, ninny, nincompoop.

простра́н/ность *s. f.* spaciousness, roominess, vastness; diffuseness, verbosity || **–ный** *a.* spacious, vast; diffuse, prolix, verbose, circumtantial || **–ство** *s.* wideness, largeness, expanse, dimension.

про/стре́лива-ть II. *va.* (*Pf.* -стрел=и́ть II. [c]) to shoot through || **–сту́да** *s.* cold || **–сту́дный** *a.* cold-, of a cold, catarrhal || **–стужа́-ть** II. & **–сту́жива-ть** II. *va.* (*Pf.* -студ=и́ть I. 1. [c]) to cool; to chill || ~**ся** *vr.* to catch (a) cold, to get a cold || **–ступа́-ть** II. *vn.* (*Pf.* -ступ=и́ть II. 7. [c]) to rush, to step, to come forth, to appear || **–сту́пок** *s.* (*gsg.* -пка) offence, delinquency || **–стыва́-ть** II. *vn.* (*Pf.* -сты́н-уть I. & -сты́ть 32. [b]) to cool (down); to grow cold, cool || **–стыня́** *s.* sheet || **–стя́к** = **–ста́к.**

про/су́нуть *cf.* **–со́вывать** || **–су́шива-ть** II. *va.* (*Pf.* -суш=и́ть I. [a & c]) to dry (thoroughly); to air (of washing) || **–су́шка** *s.* drying (up) || **–существова́ть** *cf.* **существова́ть.**

просфора́ *s.* host, wafer.

про/счи́тыва-ть II. *va.* (*Pf.* -счита́-ть II.) to count for some time, to count over several times || ~**ся** *vr.* to make a mistake in counting || **–сы́п** *s.* awakening; **спать без –сы́пу** to sleep soundly; **он –сы́пу не зна́ет, он пьёт без –сы́пу** he is never sober, he is always drunk || **–сыпа́-ть** II. *vn.* (*Pf.* -сп=а́ть II. 7. [a]) to sleep for some time; **я –спа́л це́лый день** I slept the whole day || ~ *va.* to miss, to lose, to neglect by sleeping; to sleep away time (dinner, a train, etc.) || ~**ся** *vn.* to have one's sleep out; to sleep off (the results of drinking), to sleep o.s. sober || ~**ся** *vn.* (*Pf.* -сн-у́ться I. [a]) to awake, to rouse o.s. || **–сыпа́-ть** II. *va.* (*Pf.* -сы́п-ать II. 7.) to strew, to scatter, to spill || **–сыха́-ть** II. *vn.* (*Pf.* -со́хнуть 52) to dry up, to get dried.

про́сьба *s.* request; petition; **у меня́ до вас** ~ I have a request to make you.

просяно́й *a.* millet-, of millet.

прота́лин/а *s.*, *dim.* **–ка** *s.* (*gpl.* -нок) a place where the snow has melted.

про/та́лкива-ть II. *va.* (*Pf.* -толка́-ть II., *mom.* -толкн-у́ть I. [a]) to push through; to thrust, to push on, away (a boat over a shallow place) || **~ся** *vr.* to force one's way through || **-танцо+ва́ть** II. [b] *va.* to dance away *or* through || **~** *vn.* to dance a certain time || **-та́птыва-ть** II. *va.* (*Pf.* -топт-а́ть I. 2. [c]) to tread out, to stamp in (a foot-path); to wear out (one's boots).

протеж/е́ *s.* protegé(e) || **-и́ро+вать** II. *va.* to favour, to protect, to patronize.

про/тека́-ть II. *vn.* (*Pf.* -те́чь 18. [a 2.]) to run, to flow through, by, past; to be leaky, to leak; to go, to pass by (of time).

проте́кц/ия *s.* protection || **-иони́зм** *s.* protectionism || **-иони́ст** *s.* protectionist.

про/телеграфи́ровать *cf.* **телеграфи́ровать** || **-тере́ть** *cf.* **-тира́ть.**

проте́ст/ *s.* protest || **-анти́зм** *s.* Protestantism || **-а́нтский** *a.* Protestant || **-а́нт** *s.*, **-а́нтка** *s.* (*gpl.* -ток) Protestant || **-о+ва́ть** II. [b] *vn.&a.* (*Pf.* о-) to protest against; **~ ве́ксель** to protest a bill of exchange.

проте́чь *cf.* **протека́ть.**

про́тив *prp.* (+ *G.*) opposite to; against, contrary to; **за и ~** the pros and cons; **~ тече́ния** upstream.

про́тивень *s. m.* (*gsg.* -вня) rectangular frying-pan.

проти́в=иться II. 7. *vr.* (*Pf.* вос-) to oppose, to resist.

проти́в/ник *s.*, **-ница** *s.* adversary, opponent, antagonist || **-ность** *s. f.* contrariety, adverseness; opposition; refractoriness, obstinacy || **-ный** *a.* opposite, contrary, adverse; opposed, counter-; repugnant, loathsome; **в -ном слу́чае** otherwise.

противо/бо́рство *s.* opposition, antagonism || **-бо́рство+вать** II. *vn.* (+ *D.*) to oppose, to resist || **-ве́с** *s.* counterpoise, counter-weight || **-де́йствие** *s.* counteraction; reaction; resistance || **-де́йство+вать** II. *vn.* to counteract; to react; to resist, to oppose || **-есте́ственный** *a.* unnatural || **-зако́нный** *a.* illegal, contrary to law || **-полага́-ть** II. *va.* (*Pf.* -полож=и́ть I. [c]) to oppose; to set against || **-положе́ние** *s.* opposition; antithesis || **-поло́жность** *s. f.* opposition, contrast, difference || **-поло́жный** *a.* opposite, contrary || **-речи́вый** *a.* contradictory || **-ре́ч=ить** I. *vn.* (+ *D.*) to contradict, to belie, to be at variance (with) || **-ре́чие** *s.* contradiction; inconsistency || **-сто=я́ть** II. [a] *vn.* to confront; to resist; (*Pf.* -ста́ть 32.) to oppose o.s. to, to stand against || **-я́дие** *s.* antidote || **-я́дный** *a.* antidotal, acting as an antidote.

про/тира́-ть II. *va.* (*Pf.* -тере́ть 14. [a 1.]) to rub through, to rub sore; to strain (peas, etc.) || **~ся** *vr.* to force one's way through || **-ти́скива-ть** II. *va.* (*Pf.* -ти́ска-ть II. & -ти́сн-уть I.) to press, to force through || **-ткну́ть** *cf.* **-тыка́ть.**

прото/диа́кон *s.* archdeacon || **-иере́й** *s.* archpriest.

прото́к *s.* canal (through a watershed) connecting two river-basins.

протоко́л *s.* record, minutes *pl.*, official report, protocol.

про/толка́ть & **-толкну́ть** *cf.* **-та́лкивать** || **-топта́ть** *cf.* **-та́птывать** || **-торго́выва-ть** II. *va.* (*Pf.* -торго+ва́ть II. [b]) to lose in trading || **~ся** *vr.* to ruin o.s. by trade || **´-тори** *s. fpl.* (*leg.*) costs *pl.* || **-торя́-ть** II. *va.* (*Pf.* -тор=и́ть II.) to open up, to trace out, to beat (a way).

прототи́п *s.* prototype.

про/то́чина *s.* damage done by moths; worm-hole || **-то́чный** *a.* flowing through, running (of water) || **-трезвле́ние** *s.* sobering || **-трезвля́-ть** II. *va.* (*Pf.* -трезв=и́ть II. 7. [a]) to sober || **~ся** *vr.* to get sober || **-труб=и́ть** II. 7. [a & c] *vn. Pf.* to blow the trumpet for some time; (о чём) to divulge, to noise abroad || **-ту́хлый** *a.* tainted, spoiled, rotten, putrid || **-ту́хнуть** *cf.* **ту́хнуть** || **-тыка́-ть** II. *va.* (*Pf.* -ткн-у́ть I. [a]) to pierce through and through, to transfix, to spit || **-тя́гива-ть** II. *va.* (*Pf.* -тян-у́ть I. [c]) to stretch forth *or* out, to spread, to extend, to hold out; to protract, to spin out, to prolong; to linger; **-тяну́ть но́ги** to die; (*fam.*) to kick the bucket || **~ся** *vr.* to stretch o.s., to extend, to reach (to); to last, to linger, to hold out || **-тяже́ние** *s.* extension, extent; expansion, dimension || **-тя́жность** *s. f.* slowness (of speech) || **-тя́жный** *a.* drawling, slow (of speech) || **-тяну́ть** *cf.* **-тя́гивать.**

проуча́-ть II. & **проу́чива-ть** II. *va.* (*Pf.* -уч=и́ть I. [c]) to repeat a lesson, to learn for some time; to lecture, to give a lesson to; **я тебя́ проучу́!** I'll teach you!

профани́ро+вать II. *va.* to profane.

профа́н *s.* layman.

профе́сс/ия *s.* profession || **-иона́льный** *a.* professional || **-ор** *s.* professor || **-орский** *a.* professorial; professor's || **-у́ра** *s.* professorship.
про́филь/ *s. m.* profile || **-ный** *a.* in profile.
про/фильтрова́ть *cf.* **фильтрова́ть** || **-ха́жива-ть** II. *vn.* (*Pf.* -ход=и́ть I. 1. [c]) to be walking for some time || **~ся** *vn.* (*only Ipf. aspect*) to go for a walk || **-хва́тыва-ть** II. *va.* (*Pf.* -хват=и́ть I. 2. [c]) to penetrate, to pierce (of cold) || **-хла́да** *s.* coolness, freshness (of the weather) || **-хлади́тельный** *a.* refreshing, cooling; refrigerating || **-хла́дность** *s. f.* freshness, coolness || **-хла́дный** *a.* fresh, cool || **-хлажда́-ть** II. *va.* (*Pf.* -хлад=и́ть I. 5. [a]) to refresh, to cool || **-хлажде́ние** *s.* refreshing, cooling.
про/хо́д *s.* passage, way, thoroughfare; (*an.*) conduit, duct; **го́рный ~** mountain-pass; **за́дний ~** anus || **-ходи́мец** = **пройдо́ха** || **-ход=и́ть** I. 1. [c] *vn.* (*Pf.* пройти́ 48., *Fut.* пройду́) to go, to pass through, along; to cross over, to traverse; to go past (of time); to expire, to elapse; to break up (of ice on a river); to walk, to go, to run about for some time || **~** *va.* to give a lecture; to look over, to run through, to examine (*cf.* -ха́живать) || **-ходно́й** *a.* pass-, passage-, serving as a passage; **-на́я ко́мната** connecting room || **-хожде́ние** *s.* going, walking through, crossing || **-хо́жий** (-ая, -ее) (*as s.*) passer-by || **-хохота́ть** *cf.* **хохота́ть.**
про/цвета́ние *s.* flourishing, thriving, prosperity || **-цвета́-ть** II. *vn.* (*Pf.* -цвести́ 23. [a 2.] *Pret.* -цвёл) to flower, to bloom, to blossom; to flourish, to thrive || **-цеду́ра** *s.* procedure || **-це́жива-ть** II. *va.* (*Pf.* -цед=и́ть I. 1. [a & c]) to filter, to strain || **-це́нт** *s.* interest, percentage, rate per cent; **приноси́ть -це́нты** to bear interest; **сло́жные -це́нты** compound interest; **по десяти́ -це́нтов в год** at ten per cent per annum || **-це́нтный** *a.* percentage- || **-це́сс** *s.* action, lawsuit; process || **-це́ссия** *s.* procession; **похоро́нная ~** funeral (procession) || **-че́сть** *cf.* **-чи́тывать.**
про/чёсыва-ть II. *va.* (*Pf.* -чес-а́ть I. 3. [c]) to comb thoroughly; to hackle thoroughly || **-чёт** *s.* mistake in calculation || **-чётный** *a.* miscalculated.

про́чий (-ая, -ее) *a.* other; remaining; **и -ее** (*abbr.* и пр.) et cetera; **ме́жду про́чим** among other things, besides.
про/чи́стить *cf.* **-чища́ть** || **-чи́стка** *s.* cleaning, cleansing || **-чи́тыва-ть** II. *va.* (*Pf.* -чита́-ть II. & -че́сть 24.) to read through, to have finished reading; (*only 1. Pf.*) to spend some time reading.
про́ч=ить I. *va.* to keep, to reserve, to lay by; (что за кого́ *or* кому́) to destine, to design.
про/чища́-ть II. *va.* (*Pf.* -чи́ст=ить I. 4.) to clean, to scour || **~ся** *vr.* to clear up (of the weather).
про́ч/ность *s. f.* solidity, durability, stability || **-ный** *a.* solid, durable, stable, lasting.
прочте́ние *s.* reading (through), perusal.
прочь *ad.* away, off; **поди́ ~!** be off! go away! **я не ~ (от э́того)** I am not disinclined.
про/ше́дший *a.* past, bygone; **-ше́дшее вре́мя** (*gramm.*) past tense || **-ше́ние** *s.* petition; **пода́ть ~** to present a petition || **-шепта́ть** *cf.* **шепта́ть** || **-ше́ствие** *s.* lapse, expiration || **-ше́ствовать** *cf.* **ше́ствовать** || **-шиба́-ть** II. *va.* (*Pf.* -шиб=и́ть I. [a]) to knock, to strike through; to break open || **-шива́-ть** II. *va.* (*Pf.* -ши́ть 27. [a 1.]) to sew through; to sew for some time || **-шипе́ть** *cf.* **шипе́ть.**
прошлого́дный *a.* last year's, of last year.
про́шлое (*as s.*) (time) past.
про́шлый *a.* past, last.
прошну/ро́выва-ть II. *va.* (*Pf.* -ро+ва́ть II. [b]) to lace, to pass a string through.
про/ща́льный *a.* parting, farewell || **-ща́ние** *s.* leave-taking, farewell, parting || **-ща́-ть** II. *va.* (*Pf.* -ст=и́ть I. 4. [a]) to pardon, to forgive, to excuse; to remit (a guilt); to absolve (sins); **-ща́й(те)!** farewell! good-bye! || **~ся** *vr.* (с кем) to take one's leave, to bid good-bye || **-ще** *comp. of* просто́й || **-щелы́га** = **пройдо́ха** || **-ще́ние** *s.* pardon, forgiveness; remission, absolution.
про/экзаменова́ть *cf.* **экзаменова́ть** || **-явле́ние** *s.* manifestation, appearance, display; (*phot.*) development || **-явля́-ть** II. *va.* (*Pf.* -яв=и́ть II. 7. [a & c]) to manifest, to display, to show; to develop (a photo) || **~ся** *vn.* to appear, to come forth, to arise || **-ясне́-ть** II. *vr. Pf.* to clear up (of the weather) || **-ясня́-ть** II. *va.* (*Pf.* -ясн=и́ть II. [a])

to elucidate, to explain, to make one understand a thing, to illustrate.

пруд *s.* [a] pond.

пруд=и́ть I. 1. [a & c] *va.* (*Pf.* за-) to dam up (water).

прудово́й *a.* pond-.

пруж/и́на *s.* spring; (*fig.*) motive power, mainspring || **–и́нный** *a.* spring-.

руса́к *s.* [a] cockroach.

прут/ *s.* (*pl.* пру́тья) rod, twig; bar (of metal) || **–ко́вый** *a.* in bars.

прыг *s.* spring, leap, jump.

пры́г/а-ть II. *vn.* (*Pf.* -н-уть I.) to jump, to spring, to leap, to bound, to hop || **–у́н** *s.* [a], **–у́нья** *s.* jumper, skipper, hopper.

прыжо́к *s.* [a] (*gsg.* -жка́) jump, spring, hop, leap, bound; caper, gambol.

пры́ска-ть II. & **пры́ск-ать** I. 4. *va.* (*Pf.* пры́сн-уть I.) to sprinkle, to damp (linen) || ~ *vn.* to spurt, to spout; ~ **со́ смеху** to burst out laughing.

пры́т/кий *a.* nimble, quick, swift || **–ь** *s. f.* rapid pace; swiftness, nimbleness; **во всю** ~ at a headlong pace.

прыщ/ *s.* [a] pimple || **–ева́тый** *a.* pimply || **´–ик** *s.* small pimple.

прюне́ль *s. f.* prunella.

пряд/е́ние *s.* spinning || **–и́льный** *a.* spinning || **–и́льня** *s.* (*gpl.* -лен) spinning-mill || **–и́льщик** *s.*, **–и́льщица** *s.* spinner || **–ь** *s. f.* thread, yarn; ~ **воло́с** lock of hair.

пря́ж/а *s.* spun yarn, spun goods *pl.* || **–ка** *s.* (*gpl.* -жек) buckle.

пря́лка *s.* (*gpl.* -лок) distaff, spinning-wheel.

прям/ёхонький *a.* quite straight || **–изна́** *s.* straightness || **–ико́м** *ad.* straight on || **–оду́шие** *s.* straightforwardness, uprightness || **–оду́шный** *a.* straightforward, upright, frank, honest || **–о́й** *a.* straight, erect; direct, right; frank, upright; true, real, downright || **´–о** *ad.* straight on; frankly, openly || **–а́я** (*as s.*) straight line || **–олине́йный** *a.* straightlined, rectilinear || **–ота́** *s.* frankness, uprightness || **–оуго́льник** *s.* rectangle || **–оуго́льный** *a.* rectangular || **–ь** *s. f.* straightness.

пря́н/ик *s.*, *dim.* **–ичек** *s.* (*gsg.* -чка) gingerbread || **–ичник** *s.*, **–ичница** *s.* gingerbread-baker || **–ость** *s. f.* spiciness; (*in pl.*) spices *pl.* || **–ый** *a.* spiced, spicy; spice-.

прясть 22. [a 1.] *va.* (*Pf.* с-, по-) to spin.

пря́т-ать I. 2. *va.* (*Pf.* с-) to keep, to hide, to conceal; ~ **под замо́к** to lock away.

пря́тки *s. fpl.* (*G.* -ток) hide-and-seek; **игра́ть в** ~ to play (at) hide-and-seek.

пря́ха *s.* spinner.

псал/мопе́вец *s.* (*gsg.* -вца) psalm-singer || **–мопе́ние** *s.* psalm-singing, psalmody || **–о́м** *s.* [a] (*gsg.* -лма́) psalm || **–о́мщик** *s.* psalm-reader || **–ти́рь** *s. f.* & **–ты́рь** *s. m.* [a] psalter.

пса́р/ный *a.* dog- || **–ня** *s.* (*gpl.* -рен) dog-kennel || **–ь** *s. m.* [a] dog-keeper, dog-feeder.

псевдони́м *s.* pseudonym.

пси́на *s.* dog's flesh.

пси́х/ика *s.* psychics *pl.* || **–и́ческий** *a.* psychic(al) || **–о́ло́г** *s.* psychologist || **–ологи́ческий** *a.* psychologic(al) || **–оло́гия** *s.* psychology.

псо́вый *a.* of dogs, of hounds.

пта́ш/ка *s.* (*gpl.* -шек) & **–ечка** *s.* (*gpl.* -чек) *dim.* bird.

птен/е́ц *s.* [a] (*gsg.* -нца́) & **´–чик** *s.* nestling, fledgeling; (*fig.*) youngest child, pet.

пти́ц/а *s.* bird || **–ево́д** *s.* bird-fancier || **–ело́в** *s.* bird-catcher.

пти́ч/ий (-ья, -ье) *a.* bird's, poultry- || **–ка** *s.* (*gpl.* -чек) small bird || **–ник** *s.* bird-fancier; bird-seller, dealer in birds; aviary; poultry-yard.

пу́бл/ика *s.* public || **–ика́ция** *s.* publication; notice, advertisement || **–ико+ва́ть** II. [b] *va.* (*Pf.* о-) to publish, to announce; to advertise || **–ици́ст** *s.* publicist || **–и́чность** *s. f.* publicity || **–и́чный** *a.* public; ~ **дом** brothel; **–и́чная же́нщина** prostitute.

пу́г/ало *s.* scarecrow, bugbear || **–а́-ть** II. *va.* (*Pf.* ис-, *mom.* -н-у́ть I. [a]) to frighten, to scare, to terrify || **~ся** *vr.* (чего́) to be startled, to shock; to take fright; to shy (of a horse) || **–а́ч** *s.* [a] horn-owl || **–ли́вость** *s. f.* fearfulness, shyness; skittishness || **–ли́вый** *a.* fearful, shy, easily startled, skittish || **–ну́ть** *cf.* **–а́ть** || **–овица** *s.* button || **–ови́чный** *a.* button-.

пуд/ *s.* [b] pood (= 40 Russian pounds) **´–ель** *s. m.* [b & c] (*pl.* -и & -я́) poodle || **´–(д)инг** *s.* pudding || **–лингова́ние** *s.* puddling || **–лингo+ва́ть** II. [b] *va.* to puddle || **–ови́к** *s.* [a] weight of one pood || **–ово́й** *a.* weighing one pood || **´–ра** *s.* powder || **´–реница** *s.* powder-box || **´–р=ить** II. *va.* (*Pf.* на-) to powder.

пуз/а́н *s.* [a], *dim.* **–а́нчик** *s.* big-bellied person; (*fam.*) paunch || **–а́(с)тый** *a.* big-bellied, pot-bellied || **–а́те-ть** II. *vn.*

(*Pf.* о-) to develop a paunch; (*vulg.*) to become pregnant || ˊо *s.* (*vulg.*) belly, paunch || **–ырёк** *s.* [a] (*gsg.* -ырька́) & **–ырёчек** *s.* (*gsg.* -чка) little bubble; (*med.*) vesicle; phial || **–ы́ристый** *a.* full of bubbles, bubbly || **–ы́рище** *s.* large bubble || **–ы́рь** *s. m.* [a] bubble; (*an.*) bladder; blister; phial.

пук/ *s.* [b] (*pl.* -и́ & пу́чья) bundle, bunch, fag(g)ot, truss; tuft (of hair) || **ˊа-ть** II. *vn.* (*Pf.* ˊн-уть I.) to pop, to burst; to crack (a whip).

пул/ево́й *a.* bullet- || **–емёт** *s.* machine-gun || **–емётчик** *s.* machine-gunner || **ˊька** *s.* (*gpl.* ˊлек) small bullet; pool (in games) || **–ьс** *s.* pulse || **ˊьсовый** *a.* of the pulse || **ˊя** *s.* bullet || **–я́рда** *s.* & **–я́р(д)ка** *s.* (*gpl.* -рок, -док) fat pullet.

пункт/ *s.* point, spot; article, part || **–и́рный** *a.* dotted, stippled; dotting, stippling || **–иро+ва́ть** II. [b] *va.* to dot, to stipple || **–уа́льность** *s. f.* punctuality || **–уа́льный** *a.* punctual.

пунсо́н *s.* (coin-)stamp; die, punch, matrix.

пунцо́вый *a.* flame-coloured, crimson.

пунш *s.* punch.

пуп/ *s.* [b°] navel || **–ови́на** *s.* navel-string, umbilical cord || **–о́к** *s.* [a] (*gsg.* -пка́) *dim. of* пуп || **–о́чный** *a.* umbilical.

пурга́ *s.* violent snow-storm.

пури́зм *s.* purism.

пу́рпур/ *s.* purple || **–овый** *a.* purple.

пуска́-ть II. *va.* (*Pf.* пуст=и́ть I. 4. [c]) to let, to let go, to allow to pass *or* to enter; to spread (a rumour); to let fly, to shoot, to dart; to sprout; ~ **кровь** to bleed one; ~ **на во́лю** to set at liberty; ~ **в ход** to set going, to start (*cf.* пусть) || **~ся** *vn.* to undertake, to start, to begin, to fall to.

пуст/е́-ть II. *vn.* (*Pf.* о-) to become empty *or* desolate, to grow waste, deserted || **–о+ва́ть** II. [b] *vn.* to lie fallow (of land); to be unoccupied (of a house) || **–оголо́вый** *a.* shallow-brained, addle-pated, silly || **–о́й** *a.* empty, hollow; deserted; vain, void, idle, futile, useless || **–оме́л=ить** II. *vn.* to talk nonsense, to prate || **–оме́ля** *s. m.&f.* chatterbox, babbler, prater || **–опоро́жний** *a.* empty, vacant; fallow, uncultivated || **–освя́т** *s.*, **–свя́тка** *s.* (*gpl.* -ток) hypocrite || **–осло́в=ить** II. 7. = **–оме́лить** || **–ота́** *s.* [h] emptiness, empty space, void, vacuum; futility, vainness || **–оцве́т** *s.* sterile (male) flower || **ˊошь** *s. f.* [c] waste ground, uncultivated plot of land; (*fig.*) nonsense || **–ы́нник** *s.* hermit || **–ы́ннический** *a.* eremitic(al), solitary || **–ы́нничество** *s.* solitary life, life of a hermit || **–ы́нный** *a.* desert, waste || **ˊынь** *s. f.* & **ˊыня** *s.* hermitage || **–ы́ня** *s.* desert || **–ы́рь** *s.* [a] vacant place between two houses.

пуст/ь *Imp.* let, may; ~ **бу́дет так** let it be so; ~ **он де́лает что хо́чет** let him do as he likes; ~ **подождёт!** let him wait! (*cf.* пуска́ть) || **–я́к** *s.* [a] (*esp. in pl.*) trifle; nonsense, fiddle-faddle || **–я́чный** *a.* trifling, nonsensical.

пу́т/аница *s.* intricacy, confusion, entanglement || **–а-ть** II. *va.* (*Pf.* на-) to entangle (in), to embroil; to confuse, to perplex || **~ся** *vr.* to get involved in; to become confused || **–еводи́тель** *s. m.* (railway-)guide, guide(-book) || **–ево́дный** *a.* guiding, leading || **–ево́й** *a.* road-, travelling- || **–е́ец** *s.* (*gsg.* -е́йца) civil engineer || **–еме́р** *s.* odometer || **–ешéственник** *s.*, **–ница** *s.* traveller, wayfarer || **–ешéствие** *s.* journey, travel(ling) || **–ешéство+вать** II. *vn.* (*Pf.* по-) to travel, to voyage, to wander (about) || **ˊик** *s.* trap (for small animals) || **ˊник** *s.*, **ˊница** *s.* traveller || **ˊный** *a.* clever, intelligent, able, fit || **ˊы** *s. fpl.* shackles, fetters *pl.*

путь *s. m.* [a] way, road, path; voyage, journey; (*astr.*) orbit; (*fig.*) way, means, manner, course; advantage, good; (*rail.*) track; **путём** thoroughly, severely; **водяны́м путём** by water; by sea; **по пути́** on the way; **сби́ться с пути́** to lose one's way; **мле́чный ~** the Milky Way.

пуф *s.* puff.

пух/ *s.* [°] down || **ˊленький** *a.* chubby, plump || **ˊлый** *a.* swollen, puffed up, bloated, thick-set || **ˊнуть** 52. *vn.* (*Pf.* рас-) to swell up, out || **–ови́к** *s.* [a] feather bed, down-bed || **–ови́на** *s.*, *dim.* **–ови́нка** *s.* (*gpl.* -нок) a single down-feather || **–о́вка** *s.* (*gpl.* -вок) down-cushion || **–о́вый** *a.* of down, down-.

пуч/егла́зый *a.* goggle-eyed || **–и́на** *s.* abyss, gulf; whirlpool.

пу́ч=ить I. *va.* (*Pf.* вс-) to swell, to distend, to puff.

пучо́к *s.* [a] (*gsg.* -чка́) *dim.* bundle, pack, bunch.

пу́ш/ечка s. (*gpl.* -ечек) *dim. of* пу́шка || **-ечный** *a.* cannon- || **-и́нка** = **пуховинка** || **-и́стый** *a.* downy; woolly; flocky, flaky.

пуш=и́ть I. [a] *va.* (*Pf.* вс-) to loosen; (*Pf.* рас-) to scold, to chide (*cf.* опушать).

пу́ш/ка s. (*gpl.* -шек) cannon, gun, piece || **-но́й** *a.* fur-, furclad || ~ (*as s.*) furs *pl.* || **-о́к** s. [a] (*gsg.* -шка́) down (on chin).

пу́щ/е *ad.* more, most; ~ **всего́** most of all, chiefly || **-ий** (-ая, -ее) *a.* greater, worse.

пчел/а́ s. [d] (*pl.* пчёлы) bee || **-и́ный** *a.* bee-, of bees.

пчёлка s. (*gpl.* -лок) *dim. of* пчела́.

пчелово́д/ s. & **-ец** s. (*gsg.* -дца) bee-master, apiarist || **-ство** s. apiculture, bee-farming.

пче́льник s. apiary.

пшен/и́ца s. wheat || **-и́чный** *a.* wheat-, wheaten.

пшённый *a.* millet-.

пшено́ s. millet.

пыж/ s. [a] wad(ding) || **-́ик** s. a small puffed up man.

пыл/ s. [°] flame, blaze, heat, fire; (*fig.*) glow, passion; **в -у́ спо́ра** in the heat of a dispute; **в -у́ гне́ва** in a fit of anger || **-а́-ть** II. *vn.* (*Pf.* вос-, за-) to flame, to blaze, to burn in full blaze, to be in flames (*also fig.*) || **-и́нка** s. (*gpl.* -нок) & **-и́ночка** s. (*gpl.* -чек) particle of dust.

пыл=и́ть II. [a] *vn.* (*Pf.* за-) to make dusty || **~ся** *vr.* to get dusty.

пы́л/кий *a.* ardent, passionate, fiery, violent, hot-spirited || **-кость** s. *f.* violence, ardour, fire, impetuosity || **-ь** s. *f.* [g] dust; (*bot.*) pollen || **-ьник** s. (*bot.*) anther || **-ьный** *a.* dusty, covered with dust.

пыре́й s. (*bot.*) couch-grass, spear-grass.

пыря́-ть II. *va.* (*Pf.* пырн-у́ть I. [a]) to butt, to thrust at.

пыта́-ть II. *va.* to try, to test; to question, to sound; to inquire (into); to torture, to torment || **~ся** *vr.* to make an attempt.

пы́т/ка s. (*gpl.* -ток) torture, rack; **подверга́ть -ке** to torture || **-ли́вость** s. *f.* inquisitiveness, inquiring disposition, desire for investigating || **-ли́вый** *a.* inquisitive, inquiring, searching, curious || **-очный** *a.* torture-.

пыхт=е́ть I. 2. [a] *vn.* (*Pf.* за-) to pant, to puff, to be out of breath.

пыш=а́ть I. [c] *vn.* (*Pf.* пы́хн-уть I. [a]) to blaze, to flame; to pant; ~ **гне́вом** to blaze with anger.

пы́ш/ка s. (*gpl.* -шек) dough-nut, puff (pastry) || **-ность** s. *f.* pomp, ostentation, splendour || **-ный** *a.* pompous, sumptuous, luxurious; showy, ostentatious.

пьедеста́л s. pedestal.

пье́са s. (*theat.*) piece.

пьян/е́-ть II. *vn.* (*Pf.* о-) to get drunk, to become intoxicated || **-́ица** s. *m&f.* drunkard, toper || **-́ство** s. drunkenness || **-́ство+вать** II. *vn.* to tope, to be addicted to drink || **-чу́га** = **-́ица** || **-́ый** *a.* drunk, intoxicated, tipsy, inebriated || **-ю́га** = **-́ица.** [span.

пядь s. *f.* [c], *dim.* **пя́де́нь** s. *f.* [c] palm,

пя́л=ить II. *va.* (*Pf.* рас-) to stretch (in a frame), to stretch (out); ~ **глаза́** to open one's eyes wide.

пя́льцы s. *mpl.* embroidering frame.

пясть s. *f.* (*an.*) metacarpus.

пята́ s. [e] heel; **ходить** (за кем) **по -а́м** to tread on the heels of a person; (*fig.*) to pursue one closely.

пят/а́к s. [a], *dim.* **-ачо́к** s. [a] (*gsg.* -чка́) five copeck piece || **-ери́к** s. [a] having five pieces, *e. g.* five to the pound || **-ери́цею** *ad.* five times || **-и́чный** *a.* fivefold, quintuple || **-ёрка** s. (*gpl.* -рок) the five (at cards, of a team) || **-ерно́й** *a.* composed of five parts || **-́еро** s. five (of persons); **нас бы́ло** ~ there were five of us.

пяти/алты́нный s. fifteen copeck piece || **-гла́вый** *a.* five-headed, with five cupolas || **-гра́нник** s. pentahedron || **-гра́нный** *a.* pentahedral || **-десятиле́тний** *a.* fifty years old || **-десятирублёвка** s. (*gpl.* -вок) fifty rouble note || **-деся́тница** s. Whitsuntide, Pentecost || **-деся́тый** *num.* fiftieth || **-дне́вный** *a.* of five days || **-кни́жие** s. Pentateuch || **-копе́ечник** s. five copeck piece || **-копе́ечный** *a.* of five copecks || **-кра́тный** *a.* (repeated) five times || **-ле́тие** *a.* quinquennium, period of five years || **-ле́тний** *a.* of five years; five years old || **-ме́сячный** *a.* of five months || **-проце́нтный** *a.* five-per-cent- || **-рублёвка** s. (*gpl.* -вок) five rouble note || **-со́тый** *num.* five-hundredth || **-сто́пный** *a.* having five feet in the line; ~ **стих** pentameter.

пя́т=ить I. 2. *va.* (*Pf.* по-) to push, to drive back; to force back || **~ся** *vr.* to

back, to fall back, to draw back, to retire; to withdraw (one's words).
пяти/уго́льник *s.* pentagon ‖ **-уго́льный** *a.* pentagonal ‖ **-фунто́вый** *a.* weighing five pounds.
пя́тка *s.* (*gpl.* -ток) heel; **показа́ть -и** to take to one's heels, to show a clean pair of heels.
пятнадцатиле́тний *a.* fifteen years old.
пятна́дцат/ый *num.* fifteenth ‖ **-ь** *num.* fifteen.
пятна́-ть II. *va.* (*Pf.* за-) to smear, to spot, to stain; (*obs.*) to mark, to brand.
пя́тни/ца *s.* Friday; **по -цам** on Fridays ‖ **-чный** *a.* of Friday, Friday's.
пят/но́ *s.* [d] spot, blot, stain, smear; **роди́мое ~** mole, birth-mark; **в ′-нах** spotted ‖ **′-нышко** *s.* (*gpl.* -шек) *dim. of prec.*
пято́/к *s.* [a] (*gsg.* -тка́), *dim.* **-чек** *s.* (*gsg.* -чка) five, five things (*e.g.* five eggs). [one fifth.
пя́тый *num.* fifth; **пя́тая(часть)** a fifth,
пять/ *num.* five ‖ **-деся́т** *num.* fifty ‖ **-со́т** *num.* five hundred ‖ **-ю́** *ad.* five times. [back.
пя́чение *s.* backing, falling back, pushing

Р

раб/ *s.* [a] slave, bond(s)man ‖ **-а́** *s.* slave, bond(s)woman ‖ **-оле́пие** *s.* servility; cringing ‖ **-оле́пный** *a.* servile, cringing, slavish ‖ **-оле́пство** *s.* servility, slavishness ‖ **-оле́пство+вать** II. *vn.* to be servile, to cringe.
рабо́та *s.* work, labour, task.
рабо́та-ть II. *vn&a.* (*Pf.* по-) to work, to labour.
рабо́т/ник *s.* workman, worker, (day-) labourer ‖ **-ница** *s.* workwoman ‖ **-ный** = **рабо́чий** ‖ **-ода́тель** *s. m.* employer ‖ **-оспосо́бный** *a.* able, fit for work ‖ **-я́щий** (-ая, -ее) *a.* laborious, industrious, hard-working.
рабо́чий (-ая, -ее) *a.* work-, working, worker's ‖ **~** (*as s.*) workman.
ра́б/ский *a.* slavish, servile ‖ **-ство** *s.* slavery, bondage; serfdom ‖ **-ы́ня** *s.* (female) slave, bond(s)woman.
равви́н/ *s.* rabbi ‖ **-ский** *a.* rabbinic(al).
ра́вен/ *cf.* **ра́вный** ‖ **-ство** *s.* equality, parity.
равн/е́ние *s.* making even, levelling ‖ **-ёшенько** *ad.* quite equally ‖ **-и́на** *s.* plain, level ground ‖ **-о́** *ad.* equally, alike; in like manner; **всё ~** all the same; **мне всё ~** it's all one to me.
равно/бе́дренный *a.* (*math.*) isosceles ‖ **-ве́сие** *s.* equilibrium, equipoise, balance ‖ **-ве́сный** *a.* in equilibrium ‖ **-де́йствующий** *a.*, **-щая (си́ла)** resultant ‖ **-де́нственный** *a.* equinoctial ‖ **-де́нствие** *s.* equinox ‖ **-ду́шие** *s.* equanimity, calmness ‖ **-ду́шный** *a.* indifferent, unconcerned, cool ‖ **-зна́чащий** *a.* equivalent, identical ‖ **-ме́рный** *a.* proportional, symmetric(al), equal ‖ **-обра́зный** *a.* uniform ‖ **-пра́вие** *s.* equality, equal rights *pl.* ‖ **-пра́вный** *a.* enjoying equal rights ‖ **-си́льный** *a.* of equal force ‖ **-сторо́нний** *a.* (*math.*) equilateral.
ра́вность *s. f.* equality, parity.
равно/уго́льный *a.* equiangular ‖ **-це́нный** *a.* equivalent.
ра́вный *a.* (*pd.* ра́вен, -вна, -вно́, -вны) equal, (a)like, similar.
равня́-ть II. *va.* (*Pf.* по-) (что с чем) to equalize, to balance; to even, to level; (*mil.*) to dress (the ranks); (что чему́) to equal, to compare ‖ **~ся** *vr.* to be on a par (with); (с + *I.*) to compare o.s. (to); to come up to.
рад/ *a.* glad, happy, pleased; **~ не ~** willy-nilly; **я э́тому о́чень ~** I am delighted to hear that ‖ **-е́ние** *s.* zeal; assiduity ‖ **-е́тель** *s. m.*, **-е́тельница** *s.* zealous person ‖ **-е́-ть** II. *vn.* (*Pf.* по-) (кому́ *or* о ком, о чём) to take care (of), to devote o.s. (to) ‖ **-ёхонек** & **-ёшенек** *a.* heartily glad, delighted ‖ **′-и** *prp.* (+ *G.*) for, for the sake of, on account of; **~ тебя́, ~ вас** for your sake; **~ приме́ра** as an example; **~ Бо́га** for God's sake; **проси́ть Христа́ ~** to beg [or to ask for alms.
ра́дий *s.* radium.
радика́л/ *s.* radical ‖ **-ьный** *a.* radical.
радиотелегра́фия *s.* wireless telegraphy.
ради́ска *s.* (*gpl.* -сок) radish.
ра́диус *s.* radius.
ра́до+вать II. *va.* (*Pf.* об-, по-) to delight, to rejoice, to gladden ‖ **~ся** *vr.* (+ *D.*) to rejoice, to be delighted.
ра́дост/ный *a.* glad, joyous, joyful ‖ **-ь** *s. f.* joy, rejoicing, gladness.
ра́ду/га *s.* rainbow ‖ **-жный** *a.* rainbow-.
раду́ш/ие *s.* readiness, willingness, kind-heartedness ‖ **-ный** *a.* ready, willy, kind-hearted.
раёк *s.* [a] (*gsg.* райка́) (*theat.*) upper gallery, the gods; puppet-show; (*an.*) iris; (*phys.*) prism.

раз/ *s.* [b] (*gpl.* раз) time; **~, два, три** one, two, three; **два ´а** twice; **пять ~** five times; **не ~** more than once, often; **ни ´у** not once; **~ навсегда́** once for all || **´ом** *ad.* at once, at a stroke; **как ~** just, exactly, just in time; **вот тебе́ ~!** there we have it! || **~** *ad.* one day, once || **~** *c.* as soon as, when once.

раз– (*before voiceless consonants* **рас-**) prefix indicating division, separation.

раз/бавля́-ть II. *va.* (*Pf.* -ба́в=ить II. 7.) to dilute || **–ба́лтыва-ть** II. *va.* (*Pf.* -болта́-ть II.) to shake, to stir up (of liquids); to blurt out, to blab, to divulge || **–бе́г** *s.* run; start || **–бега́-ться** II. *vn.* (*Pf.* -бежа́ться 46. [a]) to run away, to disperse; to take a run || **–беру́** *cf.* **–бира́ть** || **–бива́-ть** II. *va.* (*Pf.* -би́ть 27. [a 1.], *Fut.* разобью́, etc.) to break (to pieces), to shatter; to defeat, to cut to pieces (an enemy); to pitch (camp); (*typ.*) to space; **~ на страни́цы** to make up into pages || **–би́вка** *s.* (*gpl.* -вок) breaking (to pieces); **в –би́вку** separately, by the piece || **–би́вчивый** *a.* fragile; brittle || **–бира́тельство** *s.* examination, inquiry, discussion || **–бира́-ть** II. *va.* (*Pf.* -обра́ть 8. [a 3.], *Fut.* -беру́, -берёшь, etc.) to take to pieces; to undo, to take asunder; to sell off; to decipher; to examine, to discuss (an affair); to analyse, to review (a book); to sort (cards, etc.); (*typ.*) to distribute || **–би́тие** *s.* breaking (to pieces); defeat || **–битно́й** *a.* sprightly; smart; quick, energetic || **–би́ть** *cf.* **–бива́ть** || **–бла́говестить** *cf.* **бла́говестить** || **–богате́ть** *cf.* **богате́ть.**

разбо́й/ *s.* robbery, brigandage || **–ник** *s.* robber, highwayman, bandit, brigand || **–ннча-ть** II. *vn.* to rob, to commit robbery || **–нический** & **–ничий** *a.* rapacious; of robbers, robber's || **–ничество** *s.* (highway-)robbery.

раз/болта́ть *cf.* **–ба́лтывать** || **–бо́р** *s.* choice, selection; distinction; discernment; sale; sort, quality; examination, analysis, review || **–бо́рка** *s.* (*gpl.* -рок) taking to pieces || **–бо́рный** *a.* that can be taken to pieces || **–бо́рчивый** *a.* fastidious, cautious; particular; distinct, legible (of writing) || **–бран=и́ть** II. *va. Pf.* to give a good scolding to, to rate soundly || **~ся** *vrc.* to wrangle, to quarrel || **–бра́сыва-ть** II. *va.* (*Pf.* -броса́-ть II. & -бро́с=ить I. 3.) to throw about, to scatter, to disperse; to squander || **–бро́с** *s.* scattering || **–буди́ть** *cf.* **буди́ть** || **–буха́-ть** II. *vn.* (*Pf.* -бу́хнуть 52.) to swell up || **–буше+ва́ться** II. [b] *vn. Pf.* (to begin) to rage, to storm.

раз/ва́л *s.* swinging, rocking; amble, soft trot; brim (of a vase); the crowd || **–ва́лива-ть** II. *va.* (*Pf.* -вал=и́ть II. [a & c]) to throw asunder *or* about; to pull down (a wall) || **~ся** *vr.* to fall to pieces; to come asunder; to stretch o.s. negligently || **–ва́лина** *s.* (*esp. in pl.*) ruin, debris || **–ва́лка** *s.* throwing asunder || **–ва́рива-ть** II. *va.* (*Pf.* -вар=и́ть II. [a & c]) to boil till soft || **–ва́рка** *s.* boiling till soft || **–варно́й** *a.* boiled soft *or* to rags.

ра́зве *ad.* then? perhaps? || **~** *c.* unless, if not; **~ то́лько** save, except.

раз/вева́-ть II. *va.* (*Pf.* -ве́-ять II.) to blow asunder, away, to scatter; to dispel; to dissipate; to bloat, to puff up (of the wind); to blow into a flame (fire) || **~ся** *vr.* to wave, to float (of a flag, etc.) || **–ве́дать** *cf.* **–ве́дывать** || **–веде́ние** *s.* taking to pieces; breeding (of animals); cultivation (of plants) || **–ве́дка** *s.* (*gpl.* -док) search, inquiry, exploration; (*min.*) prospecting || **–ве́дочный** *a.* search-; prospecting || **–ве́дыва-ть** II. *va.* (*Pf.* -ве́да-ть II.) (о чём) to inquire (into), to investigate, to explore; (*min.*) to prospect || **–веду́** *cf.* **–води́ть** || **–везти́** *cf.* **–вози́ть** || **–ве́нчива-ть** II. *va.* (*Pf.* -венча́-ть II.) to uncrown, to dethrone; to divorce || **–верну́ть** *cf.* **–вёртывать** || **–вёрстка** *s.* (*gpl.* -ток) equal distribution, repartition || **–вёрстыва-ть** II. *va.* (*Pf.* -верста́-ть II.) to distribute equally || **–вёртыва-ть** II. *va.* (*Pf.* -верн-у́ть I. [a]) to unwrap, to unfold, to unroll; to open (a letter) || **~ся** *vr.* to bloom, to open (of flowers); to unfold, to develop; (*mil.*) to deploy || **–веселя́-ть** II. *va. cf.* **весели́ть** || **–ве́систый** *a.* branched, branchy || **–ве́сить** *cf.* **–ве́шивать** || **–вести́** *cf.* **–води́ть** || **–ветвле́ние** *s.* ramification, branching || **–ветвля́-ть** II. *va.* (*Pf.* -ветв=и́ть II. 7. [a]) to ramify; to divide into several branches || **~ся** *vr.* to branch off, out, to ramify || **–ве́шива-ть** II. *va.* (*Pf.* -ве́ша-ть II.) to hang about, to hang out, up; (*Pf.* -ве́с=ить I. 3.) to weigh (out); to hang (of boughs); **~ у́ши** to prick up one's ears || **–ве́ять** *cf.* **–вева́ть** || **–вива́-ть** II. *va.* (*Pf.* -ви́ть 27. [a], *Fut.* -овью́, -овьёшь) to untwist, to unroll; to uncurl; to develop; to increase (speed) || **~ся** *vr.* to develop (into); to be developed || **–ви́лина** *s.* bifurcation || **–ви́листый** *a.* forked || **–ви́нчива-ть** II. *va.* (*Pf.* -винт=и́ть I. 2. [a]) to unscrew || **–ви́тие** *s.* development; growth; progress || **–ви́ть** *cf.* **–вива́ть** || **–влека́-ть** II. *va.* (*Pf.* -вле́чь 18. [a] 2.) to undo, to separate; to divert, to distract, to cheer || **~ся** *vr.* to seek diversion, to divert o.s. || **–влече́ние** *s.* distraction, diversion, recreation, amusement || **–во́д** *s.* distribution; divorce; (*mil.*) guard-parade; (*in pl.*) pattern (on cloth) || **–води́тель** *s. m.* cultivator, planter; breeder || **–вод=и́ть** I. 1. [c] *va.* (*Pf.* -вести́ & -ве́сть 22. [a 2.]) to separate; to divorce; to take apart; to dilute; to kindle (a fire); to lay out (a garden); to breed, to rear; to set (a saw) || **~ся** *vr.* to get separated; to get divorced; to multiply (of vermins) || **–во́дка** *s.* (*gpl.* -док) = **–веде́ние;** saw-set || **–во́дный** *a.* divorce-, of divorce || **–во́дная** (*as s.*) deed of divorce || **–воз=и́ть** I. 1. [c] *va.* (*Pf.* -везти́ & -ве́зть 25. [a 2.]) to convey, to carry, to transport || **–во́зка** *s.* (*gpl.* -зок) conveying, carrying, transport || **–воро́выва-ть** II. *va.* (*Pf.* -воро+ва́ть II. [b]) to rob, to plunder, to pillage || **–врати́тель** *s. m.* depraver, seducer || **–врати́тельный** *a.* perversive, corruptive || **–врати́ть** *cf.* **–враща́ть** || **–вра́тник** *s.* debauchee, libertine || **–вра́тнича-ть** II. *vn.* to lead a dissipated life || **–вра́тный** *a.* depraved, dissolute, lewd, vicious || **–враща́-ть** II. *va.* (*Pf.* -врат=и́ть I. 6. [a]) to deprave, to corrupt, to seduce || **~ся** *vr.* to grow depraved || **–враще́ние** *s.* corruption, perversion, seduction || **–вращённый** *a.* debauched, depraved || **–вя́зка** *s.* (*gpl.* -зок) result, denouement || **–вя́зный** *a.* easy, free, unconstrained || **–вя́зыва-ть** II. *va.* (*Pf.* -вяз-а́ть I. 1. [c]) to untie, to undo, to loosen; (*fig.*) to free, to deliver; **~** (кому́) **ру́ки** to give a free hand to; **~ язы́к** to set a person's tongue wagging.

раз/га́вливаться = **–говля́ться** || **–га́дка** *s.* (*gpl.* -док) solution, key (of a riddle) || **–га́дчик** *s.*, **–га́дчица** *s.* guesser, solver (of a riddle) || **-га́дыва-ть** II. *va.* (*Pf.* -гада́-ть II.) to guess, to solve (a riddle); to find out || **–га́нивать** = **–гоня́ть** || **–га́р** *s.* highest point of heat; culmination; **в са́мом –га́ре** in the very thick of, in full swing || **–гиба́-ть** II. *va.* (*Pf.* -огн-у́ть I. [a]) to unbend, to straighten; to open a book || **–гильдя́й** *s.*, **–гильдя́йка** *s.* (*gpl.* -дя́ек) loafer, sloucher || **–глаго́льствовать** II. *vn.* to converse; to twaddle || **–гла́жива-ть** II. *va.* (*Pf.* -гла́д=ить I. 1.) to smooth, to iron out || **–гла́ска** *s.* (*gpl.* -сок) publicity, spreading (of a report); disagreement || **–глаша́-ть** II. *va.* (*Pf.* -глас=и́ть I 3. [a]) to divulge, to noise abroad, to spread (a report) || **–гля́дыва-ть** II. *va.* (*Pf.* -гляд=е́ть I. 1. [a]) to view, to examine, to consider carefully || **–гне́вать** *cf.* **гневи́ть** || **–гова́рива-ть** II. *vn.* to converse (with); to discourse || **~** *va.* (*Pf.* -говор=и́ть II.) to dissuade (one) from (a thing) || **–говля́-ться** II. *vc.* (*Pf.* -гове́-ться II.) to commence to eat meat after Lent || **–гово́р** *s.* conversation, discourse, talk || **–говор=и́ться** II. *vr. Pf.* to enter into conversation with one, to become talkative || **–гово́рный** *a.* colloquial; spoken || **–го́н** *s.* running about; sending away (of post-horses); (*typ.*) spacing; **в –го́не** on the road (of post-horses) || **–го́нистый** *a.* wide apart, large (of writing) || **–гоня́-ть** II. *va.* (*Pf.* -огна́ть 11. [c]) to drive away, apart, asunder; to disperse || **–гора́-ться** II. *vn.* (*Pf.* -гор=е́ться II. [a]) to flame up, to blaze, to flare up; to take fire || **–горяча́ть** *cf.* **горячи́ть** || **–грабле́ние** *s.* plundering, pillage || **–грабля́-ть** II. *va.* (*Pf.* -гра́б=ить II. 7.) to pillage, to plunder, to sack || **–грани́чива-ть** II. *va.* (*Pf.* -грани́ч=ить I.) to fix boundaries *or* the limits of, to mark off; to partition off || **–графля́ть** *cf.* **графи́ть** || **–гро́м** *s.* destruction; **~ в дому́** confusion, muddle, hurly-burly || **–громля́ть** *cf.* **громи́ть** || **–гружа́-ть** II. *va.* (*Pf.* -груз=и́ть I. 1. [a & c]) to unload, to discharge (a ship) || **–груже́ние** *s.* & **–гру́зка** *s.* (*gpl.* -зок) unloading, discharging (of a ship) || **–грыза́ть** *cf.* **грызть** || **–гу́л** *s.* drinking-bout, carouse; debauchery || **–гу́лива-ть** II. *vn.* to walk, to stroll (about) || **~** *va.* (*Pf.* -гуля́-ть II.) to drive away by walking (*e. g.* grief, sleep) || **~ся** *vr.* to take a walk; to be in good spirits by walking; to clear up (of the weather) || **–гу́льный** *a.* loose, unhampered; (*fam.*) extreme.

раз/дава́ть 30. *va.* (*Pf.* -да́ть 38. [a 4.])

to distribute, to spend, to give away, to hand about || **~ся** *vn.* to stretch; to make room; to make way; to resound, to ring, to be heard || **–да́влива-ть** II. *va.* (*Pf.* -дав=и́ть II. 7. [c]) to squash, to crush, to trample on || **–да́рива-ть** II. *va.* (*Pf.* -дар=и́ть II.) to give away, to distribute in presents || **–да́точный** *a.* for distribution || **–да́ть** *cf.* **–дава́ть** || **–да́ча** *s.* distribution || **–два́ивать** = **двои́ть** || **–двига́-ть** II. *va.* (*Pf.* -дви́н-уть I.) to move asunder, to remove; to spread out (one's feet) || **–движно́й** *a.* for moving asunder; **~ стол** telescope-table, extending table || **–двое́ние** *s.* dividing in two parts, bipartition; bifurcation || **–двои́ть** *cf.* **двои́ть** || **–дева́-ть** II. *va.* (*Pf.* -де́ть 32. [b]) to undress; to uncover || **–де́л** *s.* separation; division; section; partition || **–де́лать** *cf.* **–де́лывать** || **–деле́ние** *s.* division, separation, distribution || **–дели́мый** *a.* divisible || **–дели́тельный** *a.* dividing || **–дели́ть** *cf.* **–деля́ть & дели́ть** || **–де́лыва-ть** II. *va.* (*Pf.* -де́ла-ть II.) to pay off || **~ся** *vr.* (с кем) to settle (with), to come to terms (with) || **–де́льный** *a.* divided, separated; of division || **–деля́-ть** II. *va.* (*Pf.* -дел=и́ть II. [a & c]) to divide, to share, to distribute; to disunite, to separate || **~ся** *vr.* to divide, to part, to separate; to be divided *or* separated || **–де́ть** *cf.* **–дева́ть** || **–дира́-ть** II. *va.* (*Pf.* -одра́ть 8. [a 3.], *Fut.* -деру́) to tear asunder, to rend; to lacerate (of wild animals) || **~ся** *vr.* to tear, to rend || **~** *vn.* to be torn, to burst asunder || **–добре́ть** *cf.* **добре́ть** || **–до́бр=ить** II. *va. Pf.* to make (a person) disposed towards one, to gain *or* to win one over || **~ся** *vr.* to become kind, generous || **–до́лье** *s.* ease, comfort; abundance, plenty || **–до́р** *s.* dissension, discord, quarrel || **–до́рный** *a.* quarrelsome || **–дража́-ть** II. *va.* (*Pf.* -драж=и́ть I. [a]) to irritate, to provoke, to exasperate || **–дражи́тельный** *a.* irritable, irascible; irritating, exasperating || **–дразни́ть** *cf.* **дразни́ть** || **–дробле́ние** *s.* parcelling, dismemberment; (*math.*) reduction || **–дробля́-ть** II. *va.* (*Pf.* -дроб=и́ть II. 7. [a]) to break into pieces; to parcel out; to dismember; (*math.*) to reduce || **–дружа́-ть** II. *va.* (*Pf.* -друж=и́ть I. [a]) to set at variance, to disunite || **–дува́-ть** II. *va.* (*Pf.* -ду́-ть II. [b]) to puff, to blow up, to swell out, to inflate; to blow away *or* asunder; to blow into a flame; **~ спор** (*fig.*) to kindle a quarrel || **~ся** *vr.* to puff o.s. up, to brag; to pout, to be sulky || **–ду́мыва-ть** II. *va.* (*Pf.* -ду́ма-ть II.) (что о чём) to meditate, to ponder over a thing, to reflect upon, to think over; to change one's mind; to give up (an idea) || **–ду́мье** *s.* reflection, consideration; hesitation, irresolution || **–ду́ть** *cf.* **–дува́ть.**

раз/жа́лоб=ить II. 7. *va. Pf.* to move to pity, to touch || **~ся** *vr.* to be moved with pity; to be touched || **–жа́лование** *s.* degradation || **–жа́ло+вать** II. *va.* to degrade, to cashier; **~ в рядовы́е** *or* **в солда́ты** to reduce to the ranks.

раз/жа́ть *cf.* **–жима́ть** || **–жёвыва-ть** II. *va.* (*Pf.* -же+ва́ть II. [a]) to chew; (кому́ что *fig.*) to repeat over and over again (to) || **–же́чь** *cf.* **–жига́ть** || **–жи́ва** *s.* gain, profit; winnings *pl.* || **–жива́-ться** II. *vc.* (*Pf.* -жи́ться 31. [a 3.]) to grow rich; (+ *I.*) to get, to obtain || **–жига́-ть** II. *va.* (*Pf.* -же́чь 16. [a 2.], *Fut.* -ожгу́, -жжёшь, -жгу́т) to heat, to stir (the fire), to make red-hot; (*fig.*) to excite, to arouse || **–жижа́-ть** II. *va.* (*Pf.* жид=и́ть I. 1. [a]) to dilute, to rarefy || **–жиже́ние** *s.* rarefaction; dilution || **–жима́-ть** II. *va.* (*Pf.* -жа́ть 33. [a], *Fut.* -ожму́, -ожмёшь) to open, to loosen; to force apart || **–жире́-ть** II. *vn. Pf.* to become stout *or* fat || **–жи́ться** *cf.* **–жива́ться.**

раз/задо́рива-ть II. *va.* (*Pf.* -задо́р=ить II.) to provoke, to incense, to excite || **~ся** *vr.* to grow warm, to get excited || **–знако́м=иться** II. 7. *vrc. Pf.* (с + *I.*) to break off one's acquaintance (with) || **–зола́чива-ть** II. *va.* (*Pf.* -золот=и́ть I. 2. [a]) to gild.

ра́з/ик *s.* (*dim. of* раз) just once; **ещё ~** just once more || **–и́нуть** *cf.* **–ева́ть** || **–и́ня** *s. m&f.* gaper, starer, dullard, drowsy fellow; jackanapes; idler, dawdler || **–и́тельный** *a.* striking, remarkable, impressive.

раз=и́ть I. 1. [a] *va.* to beat, to strike; to cut down || **~** *vn.* (чем) to smell of (*cf.* поража́ть).

раз/лага́-ть II. *va.* (*Pf.* -лож=и́ть I. [c]) (*chem.*) to analyse, to decompose; (*math.*) to transform || **–ла́д & –ла́дица** *s.* disagreement; discord, dissension; (*mus.*) dissonance, discordance || **–ла́жива-ть** II. *va.* (*Pf.* -ла́д=ить I. 1.)

(*mus.*) to put out of tune || ~ *vn.* to break off one's acquaintance; **они́ друг с дру́гом –ла́дили** they have broken off their acquaintance || **–ла́ком=ить** II. 7. *va. Pf.* to make one's mouth water || **–ла́мыва-ть** II. *va.* (*Pf.* -ломá-ть II.) to break, to shatter; to tear up; to demolish, to pull down || **–ле-н=и́ться** II. [a & c] *vn. Pf.* to become *or* to grow lazy || **–лета́-ться** II. *vn.* (*Pf.* -лет=éться I. 2. [a]) to fly away, off, asunder || **–ле́чься** 43. [a 2.] *vr. Pf.* to stretch o.s. out, to lie down (to sleep) || **–ли́в** = **–ли́тие** || **–лива́(те)льный** *a.* for pouring out; **–ная ло́жка** (soup-) ladle || **–ли́ва́нный** *a.*, **–ное мо́ре** drinks in abundance || **–лива́-ть** II. *va.* (*Pf.* -ли́ть 27. [a 4.], *Fut.* -олью́, -ольёшь) to draw off, to decant, to bottle; to pour out || **~ся** *vn.* to run over; to flow over, to overflow (of a river) || **–ли́тие** *s.* overflow(ing) (of a river) || **–лича́-ть** II. *va.* (*Pf.* -лич=и́ть I. [a]) to distinguish, to discern || **–личе́ние** *s.* distinction || **–ли́чие** *s.* discrimination, difference; diversity || **–ли́чный** *a.* distinct, different, diverse, various || **–ложе́ние** *s.* (*chem.*) analysis, decomposition; (*math.*) transformation || **–ло-жи́ть** *cf.* **–лага́ть** & **раскла́дывать** || **–ло́м** *s.* breaking, breach; (*med.*) fracture || **–лома́ть** *cf.* **–ла́мывать** || **–лу́ка** *s.* separation, parting || **–луча́-ть** II. *va.* (*Pf.* -луч=и́ть I. [c]) to part, to separate || **~ся** *vr.&rc.* to part, to separate || **–луче́ние** *s.* separation, parting || **–лу́чник** *s.* separator.

раз/мазня́ *s.* a very thin gruel; (*fig.*) drowsy fellow, milksop || **–ма́зыва-ть** II. *va.* (*Pf.* -ма́з-ать I. 1.) to smear, to spread upon; to grease, to oil; to fill, to stop up; (*fig.*) to amplify, to describe at length || **–ма́лыва-ть** II. *va.* (*Pf.* -мол-о́ть [c], *Fut.* -мелю́, -ме́лешь) to grind (fine) || **–ма́тыва-ть** II. *va.* (*Pf.* -мота́-ть II.) to unwind, to reel off; ~ **де́ньги** to squander || **–ма́х** *s.* swinging, oscillation; brandish, swing (of one's hand); flapping (of wings); **уда́рить всем –ма́хом, со всего́ –ма́ху** to hit with all one's might || **–ма́хива-ть** II. *va.* (*Pf.* -махн-у́ть I.) to brandish, to swing, to flourish, to wave; to oscillate; to throw open (a door); ~ **рука́ми** to gesticulate || **~ся** *vr.* to draw back one's hand for a blow; to spring open (of a door) || **–ма́чива-ть** II. *va.* (*Pf.* -моч=и́ть I. [c]) to soften, to moisten, to soak || **–ма́шистый** *a.* bold, virile (of handwriting, etc.) || **–межёвыва-ть** II. *va.* (*Pf.* -меже+ва́ть II. [b]) to limit, to mark the boundaries (of lands) || **–мельча́-ть** II. *va.* (*Pf.* -мельч=и́ть I. [a]) to pound, to crush, to grind to powder || **–ме́н** *s.* change, exchange || **–ме́нива-ть** II. *va.* (*Pf.* -меня́-ть II.) to change, to exchange || **~ся** *vrc.* to exchange, to interchange || **–ме́нный** *a.* of exchange, change || **–ме́р** *s.* dimension, proportion, scale; (*poet.*) rhythm, metre; (*mus.*) time, measure || **–ме́рива-ть** II. & **–меря́-ть** II. *va.* (*Pf.* -ме́р=ить II.) to measure off *or* out, to survey; (*fig.*) to proportion || **–мета́-ть** II. *va.* (*Pf.* -мести́ 23. [a 2.]) to sweep asunder (to both sides) || **–мётыва-ть** II. *va.* (*Pf.* -мета́-ть II. & -мет-а́ть I. 2. [c]) to throw about, to disperse, to scatter || **–меши-ва-ть** II. *va.* (*Pf.* -меша́-ть II.) to stir up || **–меща́-ть** II. *va.* (*Pf.* -мест=и́ть I. 4. [a]) to dispose, to distribute (in various places); ~ **по кварти́рам** to quarter || **–меще́ние** *s.* disposition, distribution; ~ **по кварти́рам** quartering; ~ **слов** order of words || **–мина́-ть** II. *va.* (*Pf.* -мя́ть 34. [a], *Fut.* -омну́, -омнёшь) to knead well; to walk about (a horse); to exercise (one's limbs) || **–множа́-ть** II. *va.* (*Pf.* -мно́ж=ить I.) to multiply, to increase || **~ся** *vr.* to multiply; to increase || **–множе́ние** *s.* multiplication, increase || **–мозжа́-ть** II. *va.* (*Pf.* -мозж=и́ть I. [a]) to crush, to dash to pieces; ~ (кому́) **го́лову** to batter a person's brains out || **–мо́л** *s.* grist; grinding fine || **–мо́лвка** *s.* (*gpl.* -вок) difference, variance, disagreement || **–мо-ло́ть** *cf.* **–ма́лывать** || **–мота́ть** *cf.* **–ма́тывать** || **–моча́лить** *cf.* **моча́-лить** || **–мочи́ть** *cf.* **–ма́чивать** || **–мо́чка** *s.* (*gpl.* -чек) soaking, moistening || **–мыва́-ть** II. *va.* (*Pf.* -мы́ть 28. [b 1.]) to wash thoroughly; to wash, to sweep away, to underwash || **–мы-шле́ние** *s.* reflection, consideration || **–мышля́-ть** II. *vn.* (*Pf.* -мы́слить 41.) to reflect (upon), to ponder, to meditate (on), to think over || **–мягча́-ть** II. *vn.* (*Pf.* -мягч=и́ть I. [a]) to soften, to mollify || **–мяка́-ть** II. *vn.* (*Pf.* -мя́кн-уть I.) to grow soft *or* tender (of meat); to grow mellow (of fruit) || **–мя́ть** *cf.* **–ми-на́ть.**

раз/на́шива-ть II. *va.* (*Pf.* -нос=и́ть I.

3. [c]) to wear out (boots) || **–нести́** *cf.* **–носи́ть** || **–нима́-ть** II. *va.* (*Pf.* -ня́ть 38. [c 4.]) to part, to separate; to take apart; to take to pieces, to cut up; to carve (roast-meat); ~ **дра́ку** to stop a fight.

ра́зн=иться II. [a] *vr.* to differ, to be different (from).

ра́зница *s.* difference.

разно/ви́дный *a.* of different form, not uniform, varied, various || **–гла́сие** & **–гла́сица** *s.* discordance, diversity, difference (of opinion), disagreement; (*mus.*) dissonance || **–гла́сный** *a.* discordant, of a different opinion; (*mus.*) dissonant || **–мы́слие** *s.* difference of opinion || **–обра́зие** *s.* inequality, variety || **–обра́зный** *a.* varied, various || **–племе́нный** *a.* of different race || **–речи́вость** *s. f.* contradiction || **–речи́вый** *a.* contradictory || **–ре́чие** *s.* contradiction, contradictory statement || **–ро́дный** *a.* heterogeneous.

раз/но́с *s.* & **–но́ска** *s.* (*gpl.* -сок) delivery (of letters); wearing out (of clothes); hawking, peddling || **–нос=и́ть** I. 3. [c] *va.* (*Pf.* -нести́ 26. [a 2.]) to deliver (letters); to blow away, to disperse (of a storm); to spread (news); ~ **това́ры** to hawk, to peddle || ~ *v.imp.* to swell, to inflate || **~ся** *vr.* to be dispersed; to spread (of a rumour).

разн/осторо́нний *a.* (*geom.*) scalene || **–́ость** *s. f.* variety, diversity; (*math.*) difference || **–о́счик** *s.* hawker, pedlar; postman, telegraph-boy; ~ **газе́т** newspaper-boy || **–оцве́тный** *a.* many-coloured || **–очи́нец** *s.* (*gsg.* -нца) plebeian, commoner (free from imposts) || **–оязы́чный** *a.* polyglot || **–у́здыва-ть** II. *va.* (*Pf.* -узда́-ть II.) to unbridle; (*fig.*) to let loose || **–́ый** *a.* different, various, unlike || **–ю́хива-ть** II. *va.* (*Pf.* -ню́ха-ть II.) (*fig.*) to smell (out) || **–я́ть** *cf.* **–има́ть.**

раз/облача́-ть II. *va.* (*Pf.* -облач=и́ть I. [a]) to undress; ~ **свяще́нника** to unfrock; (*fig.*) to reveal; to unmask || **–облаче́ние** *s.* undressing; unfrocking; (*fig.*) revelation || **–обра́ть** *cf.* **–бира́ть** || **–обща́-ть** II. *va.* (*Pf.* -общ=и́ть I. [a]) to separate; to isolate; (*tech.*) to disconnect; (*mil.*) to head off || **–ово́й** *a.* for each performance || **–огна́ть** *cf.* **–гоня́ть** || **–огну́ть** *cf.* **–гиба́ть** || **–огрева́-ть** II. *va.* (*Pf.* -огре́-ть II.) to warm up *or* again || **–одева́-ть** II. *va.* (*Pf.* -оде́ть 32. [b]) to dress up, to trick out; to adorn, to deck out || **–одра́ть** *cf.* **–дира́ть** & **драть** || **–озли́ть** *cf.* **злить** || **–ойти́сь** *cf.* **расходи́ться** || **–о́к** *s.* [a] (*gsg.* -зка́) (*dim. of* раз) just once || **–орва́ть** *cf.* **–рыва́ть** & **рвать** || **–оре́ние** *s.* devastation, ruin, destruction; (*fig.*) downfall, ruin, misery || **–ори́тель** *s. m.* destroyer; (*fig.*) waster || **–ори́тельный** *a.* ruinous, wasteful || **–ори́ть** *cf.* **–оря́ть** || **–оружа́-ть** II. *va.* (*Pf.* -ору́ж=ить I.) (*mil.* & *mar.*) to disarm, to dismantle || **–оря́-ть** II. *va.* (*Pf.* -ор=и́ть II. [a]) to ruin, to destroy, to lay waste || **~ся** *vr.* to go to ruin, to be ruined || **–осла́ть** *cf.* **рассыла́ть** || **–охо́чива-ть** II. *va.* (*Pf.* -охо́т=ить I. 2.) (кого́ к чему́) to give (one) a desire for || **~ся** *vr.* to get a longing for || **–очарова́ние** *s.* disenchantment, disappointment || **–очаро́выва-ть** II. *va.* (*Pf.* -очаров+ва́ть II. [b]) to disappoint, to disenchant || **–о́чек** *s.* (*gsg.* -чка) *dim.* just once.

раз/раба́(о́)тыва-ть II. *va.* (*Pf.* -рабо́та-ть II.) to till (a field); (*min.*) to work, to exploit; (*fig.*) to treat of, to dwell on, to discuss || **–рабо́тка** *s.* (*gpl.* -ток) tilling, cultivation; (*min.*) working, exploitation || **–ра́внива-ть** II. *va.* (*Pf.* -ровня́-ть II.) to level, to smooth || **–ража́-ться** II. *vr.* (*Pf.* -раз=и́ться I. 1. [a]) to burst, to break out (of a storm); ~ **сме́хом** to burst out laughing || **–раста́-ться** II. *vn.* (*Pf.* -расти́сь 35. [a 2.]) to grow thickly *or* luxuriantly || **–режа́-ть** II. *va.* (*Pf.* -реди́ть) to thin out; to rarefy || **–ре́з** *s.* cut, slash; (*geom.*) section; (*arch.*) profile, section || **–ре́зыва-ть** II. *va.* (*Pf.* -ре́з-ать I. 1.) to cut up; to carve; to split || **–реша́-ть** II. *va.* (*Pf.* -реш=и́ть I. [a]) to solve, to decide; to permit, to allow; ~ **от грехо́в** to remit the sins of, to absolve || **~ся** *vr.* to be solved, etc.; ~ **от бре́мени (сы́ном)** to be delivered (of a son) || **–реше́ние** *s.* solution, decision; remission; absolution; permission, leave; ~ **от бре́мени** delivery || **–реши́тельный** *a.* absolutory || **–ро́знива-ть** II. *va.* (*Pf.* -ро́зн=ить II.) to separate (things which properly go together) || **–руба́-ть** II. *va.* (*Pf.* -руб=и́ть II. 7. [c]) to cut out *or* asunder || **–руга́-ть** II. *va. Pf.* to scold, to slang || **~ся** *vrc.* to abuse one another, to indulge in invectives || **–руша́-ть** II. *va.* (*Pf.* -ру́ш=ить

I.) to demolish, to destroy, to lay waste; to ruin; to frustrate (plans, etc.) || **–рушéние** *s.* destruction, ruin; frustration || **–рушúтель** *s. m.* destroyer, waster || **–рушúтельный** *a.* destructive, ruinous || **–рыв** *s.* breach, rent; (*med.*) rupture || **–рывá-ть** II. *va.* (*Pf.* -ор-в-áть I. [a]) to tear, to rend; (*fig.*) to break off; to violate; to burst, to explode || **~ся** *vr.* to tear, to be torn || ~ *vn.* to burst, to explode; (*fig.*) to burst (with) || **–рывá-ть** II. *va.* (*Pf.* -рыть 28. [b]) to dig out *or* up, to hollow out, to root up || **–рывнóй** *a.* for blowing up, explosive || **–рыхля́-ть** II. *va.* (*Pf.* -рыхл=ить II.) to loosen, to mellow (land) || **–ря́д** *s.* category, division, section, class; (*elec.*) discharge || **–рядúть** *cf.* **–ряжáть** || **–ря́дка** *s.* (*gpl.* -док) (*typ.*) leads *pl.*; spacing || **–ря́дник** *s.* ejector (of a gun) || **–ря́дный** *a.* of rank; of classes; **–ря́дная кнúга** (*obs.*) list of noble families || **–ряжá-ть** II. *va.* (*Pf.* -ряд=úть I. 1. [a & c]) to adorn, to deck; (*elec.*) to discharge; (*mil.*) to unload; (*typ.*) to space || **–ряжéние** *s.* adorning; (*elec.*) discharge; (*mil.*) unloading || **–увá-ть** II. *va.* (*Pf.* -ý-ть II.) to pull off, to take off (one's boots *or* stockings) || **–уверя́-ть** II. *va.* (*Pf.* -увéр=ить II.) (когó в чём) to dissuade; to undeceive || **–узнавáть** 39. *va.* (*Pf.* -узнá-ть II.) (что *or* о чём) to inquire about *or* after, to make inquiries || **–украшá-ть** II. *va.* (*Pf.* -укрáс=ить I. 3.) to adorn, to embellish.

рáзум/ *s.* reason, sense, meaning, intellect || **–éние** *s.* understanding, intelligence || **–é-ть** II. *va.* to understand, to comprehend || **~ся** *v.imp.*, **э́то самó собóю –éется** that is self-evident, (that is a matter) of course.

разýм/ник *s.* person of sense || **–ннча-ть** II. *vn.* to subtilize || **–ность** *s. f.* cleverness; reasonableness || **–ный** *a.* reasonable, prudent; clever.

раз/ýть *cf.* **–увáть** || **–ýчива-ть** II. *va.* (*Pf.* -уч=ить I. [c]) to learn, to rehearse; to study, to exercise || **~ся** *vr.* (*only Pf.*) to forget, to unlearn, not to be in practice.

раз'/едá-ть II. *va.* (*Pf.* -éсть 44. [a 1.]) to eat up (all of); (*chem.*) to eat into, to corrode || **~ся** *vn.* to fatten, to thrive (on good food) || **–единéние** *s.* separation, retirement || **–единя́-ть** II. *va.* (*Pf.* -един=úть II. [a]) to separate, to retire, to isolate (one); (*elec.*) to disconnect || **–éзд** *s.* setting-out, departure (of several persons); (*mil.*) horse-patrol || **–езжá-ться** II. *vn.* (*Pf.* -éхаться 45.) to set out, to depart; to pass, to give way one another (of carriages); to go to pieces || **–éсть** *cf.* **–едáть** || **–яря́-ть** II. *va.* (*Pf.* -яр=úть II. [a]) to enrage, to infuriate || **~ся** *vr.* to become furious || **–яснéние** *s.* explanation, elucidation || **–ясня́-ть** II. *va.* (*Pf.* -ясн=úть II. [a]) to elucidate, to clear up, to explain || **~ся** *vr.* to become clear.

разы́/скива-ть II. *va.* (*Pf.* -ск-áть I. 4. [c]) to search, to investigate; to find out, to discover.

рай/ *s.* [b°] paradise || **–óн** *s.* territory, province || **´-ский** *a.* of paradise, paradisiac(al).

рак/ *s.* crayfish; (*med.*) cancer; **морскóй** ~ crab || **´-а** *s.* shrine || **–éта** *s.* rocket; racket || **–úта** *s.* (*bot.*) willow || **–úтник** *s.* (*bot.*) willow-plot || **´-овина** *s.* mussel; mussel-shell; (*arch.*) flute, channel || **–ýша** *s.*, *dim.* **–ýшка** *s.* (*gpl.* -шек) mussel-shell.

рáм/а *s.* frame || **–ка** *s.* (*gpl.* -мок) & **–очка** *s.* (*gpl.* -чек) *dim. of prec.* || **–очник** *s.* frame-maker || **–па** *s.* (*theat.*) footlights *pl.*

рáна *s.* wound.

ранг/ *s.* rank, dignity || **´-овый** *a.* of rank || **–óут** *s.* (*mar.*) mast and yards, spars *pl.*

рандевý *s. n. indecl.* rendezvous.

рáн/ее *cf.* **рáнний** || **–éнько** *ad.* rather early, too early || **–éт** *s.* rennet, queen-apple || **–ёхонько** *ad.* very early (in the morning) || **–éц** *s.* (*gsg.* -нца) knapsack, haversack.

рáн=ить II. *va. Ipf. & Pf.* to wound, to hurt.

рáнка *s.* (*gpl.* -нок) a slight wound.

рáнний *a.* (*comp.* рáньше & рáнее) early.

рáно *ad.* early, at an early hour, early in the morning.

рáночка *s.* (*gpl.* -чек) slight wound.

ран/т *s.* edge, brim, border || **–ь** *s. f.* the early morning, early hours || **´-ьше** (& **´-ее**) *ad.* earlier, sooner; formerly, before.

рап/úра *s.* rapier, foil || **´-орт** *s.* report, account || **–орто+вáть** II. [b] *vn.* (*Pf.* от-) to report || **–с** *s.* rape || **´-совый** *a.* rape-.

рáс/а *s.* race || **–кáива-ться** II. *vc.* (*Pf.* -кáя-ться II.) (в + *Pr.*) to repent, to regret || **–кáлива-ть** II. *va.* (*Pf.* -кал=úть II.) to make red-hot, to make incandescent || **–ка́лыва-ть** II. *va.* (*Pf.* -кол-о́ть II. [c]) to cleave, to split; to crack; to slit || **–ка́пыва-ть** II. *va.* (*Pf.* -копа́-ть II.) to dig up, out, open || **–ка́т** *s.* sliding place, skating-rink; roll (of thunder) || **–ка́тистый** *a.* sloping; rolling, roaring || **–ка́тыва-ть** II. *va.* (*Pf.* -ката́-ть II.) to roll asunder, to unroll; to roll out (metals); ~ **те́сто** to roll dough || **~ся** *vr.* to rumble, to roll (of thunder) || **–ка́чива-ть** II. *va.* (*Pf.* -кача́-ть II.) to set swinging, to swing, to roll (of a ship) || **~ся** *vr.* to swing; to be shaken loose || **–ка́шлива-ться** II. *vn.* (*Pf.* -ка́шля-ться II.) to have a violent fit of coughing || **–ка́яние** *s.* repentance || **–ка́яться** *cf.* **–ка́иваться** || **–кваc=ить** I. 3. *va. Pf.* to crush, to squash; (*fam.*) to beat to pulp || **–квита́ться** *cf.* **квита́ться** || **–кидно́й** *a.* for throwing open, folding, extending || **–ки́дыва-ть** II. *va.* (*Pf.* -кида́-ть II. & -ки́н-уть I.) to throw asunder; to disperse, to scatter; to pitch (a tent); to spread (one's legs) || **–киса́-ть** II. *vn.* (*Pf.* -ки́снуть 52.) to sour, to turn sour; (*fig.*) to grow tired || **–кла́дыва-ть** II. *va.* (*Pf.* разлож=и́ть I. [c]) to lay out, to spread (articles); to fix, to allot; to lay out (cards) || **–кла́нива-ться** II. *vrc.* (*Pf.* -кла́ня-ться II.) to greet, to salute; to make one's bow, to take leave of || **–кле́ива-ть** II. *va.* (*Pf.* -кле=и́ть II. [a & c]) to unglue || **~ся** *vr.* (*fig.*) to dissolve, to be broken up, to come to nothing || **–ко́выва-ть** II. *va.* (*Pf.* -кова́ть II. [a]) to hammer out; to unshoe (a horse); to unfetter (a prisoner) || **–ковы́рива-ть** II. *va.* (*Pf.* -ковыря́-ть II.) to scratch open (a wound) || **–ко́л** *s.* cleft, crack, crevice; (*ec.*) schism || **–кола́чива-ть** II. *va.* (*Pf.* -колот=и́ть I. 2. [c]) to break to pieces, to beat to pieces; to smash to pieces, to break; to stretch (boots on a last); (*fig.*) to beat, to defeat || **–коло́ть** *cf.* **–ка́лывать** & **коло́ть** || **–ко́льник** *s.* schismatic, sectarian, heretic || **–ко́льнический** *a.* schismatic(al) || **–ко́пка** *s.* (*gpl.* -пок) digging up; excavation || **–коше́лива-ться** II. *vr.* (*Pf.* -коше́л=иться II.) to get generous, to give liberally || **–краса́вица** *s.* a perfect beauty || **–кра́сить** *cf.* **–кра́шивать** || **–кра́ска** *s.* (*gpl.* -сок) colouring; painting || **–красне́-ть(-ся)** II. *vc. Pf.* to become, to grow red; to redden || **–кра́шива-ть** II. *va.* (*Pf.* -кра́с=ить I. 3.) to colour; to paint; (*fig.*) to embellish (a story) || **–критикова́ть** *cf.* **критикова́ть** || **–крич=а́ть** I. [a] *va. Pf.* (что *or* о чём) to publish by crying; ~ (кому́) **у́ши** to deafen one with one's cries || **~ся** *vr.* to utter loud cries, to begin to cry || **–кромса́ть** *cf.* **кромса́ть** || **–кроши́ть** *cf.* **кроши́ть** || **–кру́чива-ть** II. *va.* (*Pf.* -крут=и́ть I. 2. [a & c]) to untwist, to untwine || **–крыва́-ть** II. *va.* (*Pf.* -кры́ть 28. [b]) to unroof; to uncover, to unveil; to open (a window, a book, a table, etc.); to put up (an umbrella); (*fig.*) to discover, to reveal, to disclose || **–купа́-ть** II. *va.* (*Pf.* -куп=и́ть II. 7. [c]) to buy up *or* out || **–ку́порива-ть** II. *va.* (*Pf.* -ку́пор=ить II.) to uncork; to open (a parcel, etc.) || **–ку́рива-ть** II. *va.* (*Pf.* -кур=и́ть II. [a & c]) to colour by smoking (a pipe); to consume in smoking, to go off in smoke || **–ку́сыва-ть** II. *va.* (*Pf.* -кус=и́ть I. 3. [c]) to bite in two, to crack (nuts); (*fig.*) to understand, to see to the bottom of || **–ку́тыва-ть** II. *va.* (*Pf.* -ку́та-ть II.) to uncover, to unfold.

рас/пада́-ться II. *vn.* (*Pf.* -па́сться 22. [a 1.]) to fall to pieces, to go to ruin || **–паде́ние** *s.* falling to pieces, going to ruin || **–па́ива-ть** II. *va.* (*Pf.* -пая́-ть II.) to unsolder || **–паля́-ть** II. *va.* (*Pf.* -пал=и́ть II. [a]) to heat strongly; (*fig.*) to anger, to incense; to excite (passions) || **–па́рива-ть** II. *va.* (*Pf.* -па́р=ить II.) to soften, to moisten (by steam or in hot water); (*culin.*) to steam, to stew || **–па́рыва-ть** II. *va.* (*Pf.* -пор-о́ть II. [c]) to unrip, to rip open || **~ся** *vr.* to come unstitched, undone || **–па́сться** *cf.* **–пада́ться** || **–па́хива-ть** II. *va.* (*Pf.* -пах-а́ть I. 3. [c]) to plough up, to break up (fresh land); (*Pf.* -пахн-у́ть I. [a]) to throw, to fling wide open (a door, one's coat) || **–па́шка** *s.* (*gpl.* -шек) ploughing up, breaking up (fresh land) || **–пая́ть** *cf.* **–па́ивать** || **–пе́в** *s.* a drawling song *or* speech || **–пева́-ть** II. *va.* (*Pf.* -пе́ть 39. [a 1.]) to sing with a drawling voice || **–пека́-ть** II. *va.* (*Pf.* -пе́чь 18. [a 2.]) to soften by heat (stale bread); (*fig.*) to give one a good scolding || **–пере́ть** *cf.* **–пира́ть** || **–печа́тыва-ть** II. *va.* (*Pf.* -печа́та-ть II.) to unseal; to break the seal (of a letter, etc.) || **–пива́-ть** II. *va.* (*Pf.* -пи́ть 27. [a 1.], *Fut.* разопью́,

-бёшь, etc.) to drink up *or* off together (*e. g.* a bottle of wine) || **-пи́вочный** *a.* retail, from the tap (of sale of liquors) || **-пи́лива-ть** II. *va.* (*Pf.* -пил=и́ть II. [a&c]) to saw to pieces *or* up || **-пина́-ть** II. *va.* (*Pf.* -пя́ть 34. [a] & разопн-у́ть I. [a]) to crucify || **-пира́-ть** II. *va.* (*Pf.* -пере́ть 13.) to thrust, to push asunder; to open by pressure (a lock, a casket) || **-писа́ние** *s.* colouring, painting; list; ~ **поездо́в** time-table || **-пи́ска** *s.* (*gpl.* -сок) painting; receipt, acknowledgment || **-пи́сыва-ть** II. *va.* (*Pf* -пис-а́ть I. 3. [c]) to paint, to cover with paintings; (*mil.*) to assign, to fix (quarters); to describe in detail || **~ся** *vn.* [b] (в получе́нии чего́) to receipt, to write *or* give a receipt || **-пи́ть** *cf.* **-пива́ть** || **-пи́хива-ть** II. *va.* (*Pf.* -пиха́-ть II.) to push, to shove aside *or* asunder || **-плавля́-ть** II. *va.* (*Pf.* -пла́в=ить II.) to melt, to fuse || **~ся** *vr.* to melt, to be liquified || **-пла́к-аться** I. 2. *vn. Pf.* to burst into tears, to begin to weep || **-пла́стывать** *cf.* **пласта́ть** || **-пла́та** *s.* pay, payment || **-пла́чива-ться** II. *vn.* (*Pf.* -плат=и́ться I. 2. [c]) (с + *I.*) to pay off, to discharge; to be quits (with) || **-плета́-ть** II. *va.* (*Pf.* -плести́ & -пле́сть 23. [a 2.]) to untwine, to untwist, to undo || **-пложа́-ть** II. *va.* (*Pf.* -плод=и́ть I. 1. [a]) to propagate, to breed; (*fig.*) to spread || **-пложе́ние** *s.* propagation, breeding || **-плыва́-ться** II. *vn.* (*Pf.* -плы́ться 31. [a 1.]) to separate (in swimming); to run out, to spread (of ink, etc.) || **-плы́вчивый** *a.* very fluid, running out (of ink) || **-плю́щива-ть** II. *va.* (*Pf.* -плющ=ить I. & -плю́сн-уть I.) to flatten out, to hammer out, to roll (metals) || **-познава́ть** 39. *va.* (*Pf.* -позна́-ть II. [b]) to distinguish, to discern || **-позна́ние** *s.* distinguishing, discerning || **-полага́-ть** II. *va.* (*Pf.* -полож=и́ть I. [c]) to place, to dispose; to distribute, to lay out; to station; to dispose of; to interest, to gain over (a person); (*Ipf. aspect*) to intend, to purpose || **~ся** *vr.* to be disposed, to be stationed; to camp; to resolve || **-полза́-ться** II. *vn.* (*Pf.* -ползти́сь 25. [a 2.]) to crawl asunder; to go to pieces, to unravel (of old clothes) || **-положе́ние** *s.* disposition, arrangement, order; tendency, inclination; ~ **ду́ха** humour, temper, frame of mind || **-поло́женный** *a.* disposed, inclined (to, towards) || **-положи́ть** *cf.* **-полага́ть** || **-по́рка** *s.* (*gpl.* -рок) stretcher, cross-bar, cross-rail, stay || **-поро́ть** *cf.* **-па́рывать** & **поро́ть** || **-поряди́тель** *s. m.* arranger, manager, steward; **дире́ктор** ~ managing director || **-поряди́тельный** *a.* active, orderly || **-поряди́ться** *cf.* **-поряжа́ться** || **-поря́док** *s.* (*gsg.* -дка) arrangement, order || **-поряжа́-ться** II. *vn.* (*Pf.* -поряд=и́ться I. 1. [a & c]) (+ *I.*) to arrange, to manage; to dispose; to order; **-поряжа́йтесь как до́ма** make yourself at home || **-поряже́ние** *s.* arrangement, disposition, order; disposal || **-поте́ш=ить** I. *va. Pf.* to amuse, to cause to laugh || **-поя́сыва-ть** II. *va.* (*Pf.* -поя́с-ать I. 3.) to ungirdle, to ungird || **-пра́ва** *s.* tribunal, court; justice; punishment || **-правля́-ть** II. *va.* (*Pf.* -пра́в=ить II. 7.) to set right, to redress; to straighten; to smooth || **~ся** *vr.* to make one's arrangements, to settle; (с кем) to manage (one) || **-преде́ле́ние** *s.* assignment, assessment, distribution, allocation || **-преде́ля́-ть** II. *va.* (*Pf.* -предел=и́ть II.) to distribute, to share, to allocate, to assign; ~ **по кла́ссам** to classify || **-продава́ть** 39. *va.* (*Pf.* -прода́ть 38. [a 4.]) to sell off *or* out || **-прода́жа** *s.* sale; selling off || **-простира́-ть** II. *va.* (*Pf.* -простере́ть 14. [a 1.]) to stretch out (wings, one's arms); to extend (boundaries) || **-прост=и́ться** I. 4. [a] *vr.* (с кем) *Pf.* to take leave (of one) || **-простра́ни́тель** *s. m.* propagator || **-пространя́-ть** II. *va.* (*Pf.* -простран=и́ть II.) to extend, to enlarge; to extend; to spread, to propagate; to diffuse || **~ся** *vr.* to extend; to become larger; (о чём) to expatiate; to spread (of rumours).

ра́спря *s.* quarrel, difference, dispute.

рас/пряга́ть = **отпряга́ть** || **-пуска́-ть** II. *va.* (*Pf.* -пуст=и́ть I. 4. [c]) to let go, to dismiss; to disband, to break up; to let loose; to unfurl; to spread (a rumour) || **~ся** *vr.* to dissolve; to open (of flowers) || **-пу́тица** *s.* season when the roads are bad; a bad road || **-пу́тник** *s.*, **-пу́тница** *s.* licentious, dissolute person || **-пу́тный** *a.* dissolute, licentious, loose || **-пу́тыва-ть** II. *va.* (*Pf.* -пу́та-ть II.) to unravel, to disentangle; to clear up (a question) || **-пу́тье** *s.* cross-roads *pl.* || **-пуха́-ть** II. *vn.* (*Pf.* -пу́хнуть 52.) to swell up *or* out; to warp

(of wood) || **-пу́хлый** *a.* swollen up, out || **-пуши́ть** *cf.* **пуши́ть** || **-пу́щенный** *a.* dissolute, rakish, loose, wanton
-пыли́тель *s.m.* atomizer || **-пя́лива-ть** II. *va.* (*Pf.* -пя́л=ить II.) to stretch, to spread, to extend || **-пя́тие** *s.* crucifixion; crucifix || **-пя́ть** *cf.* **-пина́ть.**

рас/са́дка *s.* (*gpl.* -док) planting here and there; transplanting || **-са́дник** *s.* hot-bed; nursery(-garden) || **-са́жива-ть** II. *va.* (*Pf.* -сажа́-ть II & -сад=и́ть I. 1. [a & c]) to plant here and there; to transplant; to place (pupils), to place apart || **-све́т** *s.* dawn, day-break || **-света́-ть** II. *v.imp.*, **-света́ет** the dawn is breaking; **уже́ -свело́** it is already light; **ско́ро -светёт** daylight will soon appear || **-сева́-ть** II. *va.* (*Pf.* -се́-ять II.) to sow, to strew; to spread (rumours); to disperse, to scatter, to dissipate || **-сёдлыва-ть** II. *va.* (*Pf.* -седла́-ть II.) to unsaddle || **-сека́-ть** II. *va.* (*Pf.* -се́чь 18. [a 1.]) to cut asunder, to hew up; (*med.*) to dissect || **-се́лина** *s.* crack, cleft, slit, crevice || **-селя́-ть** II. *va.* (*Pf.* -сел=и́ть II. [a & c]) to settle in different places, to transplant || **-серди́ть** *cf.* **серди́ть** || **-се́чь** *cf.* **-сека́ть** || **-се́яние** *s.* sowing; dispersion, dissipation || **-се́янный** *a.* dispersed, scattered; (*fig.*) confused, absent-minded || **-се́ять** *cf.* **-сева́ть.**

расска́/з *s.* tale, story, narration || **-зчик** *s.* story-teller, narrator, relator || **-зыва-ть** II. *va.* (*Pf.* -з-а́ть I. 1. [c]) to relate, to recount, to narrate, to tell.

рас/слабева́-ть II. *vn.* (*Pf.* -слабе́-ть II. & -сла́бнуть 52.) to grow weak || **-слабле́ние** *s.* weakening, prostration, enervation; (*med.*) palsy || **-слабля́-ть** II. *va.* (*Pf.* -сла́б=ить II. 7.) to weaken, to enfeeble, to enervate || **-славля́-ть** II. *va.* (*Pf.* -сла́в=ить II. 7.) to trumpet forth, to divulge, to proclaim; to spread (rumours) || **-сле́дование** *s.* investigation, inquiry; exploration; research || **-сле́дыва-ть** II. *va.* (*Pf.* -сле́до+вать II.) to investigate; to explore || **-слыш=ать** I. *va.* *Pf.* to hear distinctly || **-сма́трива-ть** II. *va.* (*Pf.* -смотр=е́ть II. [c]) to contemplate, to inspect, to behold; to examine, to consider || **-смеши́ть** *cf.* **смеши́ть** || **-сме-я́ться** II. [a] *vn.* *Pf.* to burst into laughter, to burst out laughing || **-смо́тр** & **-смотре́ние** *s.* examination, inspection, revision, scrutiny || **-смотре́ть** *cf.* **-сма́тривать** || **-сна́стка** *s.* (*gpl.* -ток) dismantling (of a ship) || **-сна́щива-ть** II. *va.* (*Pf.* -снаст=и́ть I. 4. [c]) to dismantle (a ship) || **-со́выва-ть** II. *va.* (*Pf.* -со+ва́ть II. [a & b] & -су́н-уть I.) to shove asunder; to put in here and there, to place here and there || **-со́л** *s.* brine; pickle || **-со́льник** *s.* a kind of soup of sour cucumbers || **-со́льный** *a.* salt, briny; salted, pickled || **-со́р=ить** II. *va.* *Pf.* to set at variance || **~ся** *vr.* to fall out, to disagree || **-сортирова́ть** *cf.* **сортирова́ть** || **-со́ха** *s.* mould-board (of a plough); forked branch || **-со́хнуться** *cf.* **-сыха́ться** || **-спра́шива-ть** II. *va.* (*Pf.* -спрос=и́ть I. 3. [c]) (o чём) to question; to inquire; to make inquiries || **-сро́чива-ть** II. *va.* (*Pf.* -сро́ч=ить I.) to allow to pay by instalments; to postpone a payment, to prolong a term || **-сро́чка** *s.* (*gpl.* -чек) prolongation of a term; **~ платежа́** payment by instalments, instalment || **-става́ние** *s.* parting, leave-taking || **-става́ться** 39. *vn.* (*Pf.* -ста́ться 32. [b]) (с + *I.*) to part (with), to take leave (of), to separate || **-ставля́-ть** II. *va.* (*Pf.* -ста́в=ить II. 7.) to set, to put, to place, to post (in various places) || **-стана́влива-ть** II. *va.* (*Pf.* -станов=и́ть II. 7. [c]) = *prec.* || **-стано́вка** *s.* (*gpl.* -вок) setting in various places; interval; pause; **~ слов** (*gramm.*) arrangement of words || **-ста́ться** *cf.* **-става́ться** || **-стега́й** *s.* small pie (with fish stuffing) || **-стёгива-ть** II. *va.* (*Pf.* -стегн-у́ть I. [a]) to unbutton, to unfasten, to undo, to unbuckle || **-стила́-ть** II. *va.* (*Pf.* разостла́ть 9. [c]) to spread out (a carpet) || **~ся** *vr.* to spread, to stretch; (*fig.*) to humble o.s., to cringe || **-сти́лка** *s.* (*gpl.* -лок) spreading, extending; something spread out || **-стоя́ние** *s.* distance, extent; expanse; duration (of time) || **-стра́(о́)ива-ть** II. *va.* (*Pf.* -стро́=ить II.) to put out of tune; to set at variance; to disorder, to disturb; to frustrate (plans); to put out of order; to derange, to disconcert || **-стре́лива-ть** II. *va.* (*Pf.* -стреля́-ть II.) to shoot, to fire (away); to riddle with bullets; to execute (a criminal by shooting) || **-стри́га** *s.* an unfrocked priest *or* monk || **-стрига́-ть** II. *va.* (*Pf.* -стри́чь 15. [c]) to degrade; to unfrock (a priest) || **-стриже́ние** *s.* unfrocking, degradation || **-стро́ить** *cf.*

–стра́ивать || **–стро́йство** *s.* disorder, disarray, confusion; indisposition || **–ступа́-ться** II. *vn.* (*Pf.* -ступ=и́ться II. 7. [c]) to go asunder; to give way, to make room; to make way; to open, to split (open), to burst (of the earth) || **–суди́тельный** *a.* deliberate, considerate, judicious, sagacious, sensible, reasonable || **–суди́ть** *cf.* **–сужда́ть** || **–су́док** *s.* (*gsg.* -дка) commonsense, understanding, judg(e)ment; **брак по –су́дку** "mariage de convenance"; **потеря́ть ~** to be out of one's wits || **–сужда́-ть** II. *va.* (*Pf.* -суд=и́ть I. 1. [c]) to reason, to deliberate, to discuss, to consider || **–сужде́ние** *s.* deliberation, consideration, reasoning || **–су́нуть** *cf.* **–со́вывать** || **–счётливый** *a.* prudent, calculating; cautious, circumspect, sparing, economic(al) || **–счи́тыва-ть** II. *va.* (*Pf.* -счита́-ть II.) to count, to calculate, to compute; to settle (with), to pay off; (на что) to rely (on), to depend (upon) || **~ся** *vrc.* (с кем) to settle accounts, to come to terms (with one), to pay off || **–сыла́-ть** II. *va.* (*Pf.* разосла́ть 40. [a]) to send off, to despatch (in various directions) || **–сы́лка** *s.* (*gpl.* -лок) despatch, sending off || **–сы́лочный** *a.* for despatch(ing) || **–сы́льный** (*as s.*) messenger, servant, errand-boy || **–сыпа́-ть** II. *va.* (*Pf.* -сы́п-ать II. 7.) to disperse, to scatter, to spill; to strew || **~ся** *vr.* to be dispersed *or* scattered; to crumble to dust; **~ в похвала́х** (о ком) to launch into praises || **–сы́пка** *s.* (*gpl.* -пок) scattering, dispersal, strewing || **–сыпно́й** *a.* crumbling; scattered, dispersed || **–сы́пчатый** & **–сы́пчивый** *a.* loose, crumbling; friable || **–сыха́-ться** II. *vn.* (*Pf.* -со́хнуться 52.) to dry up, to shrink; to come asunder (as a result of dryness).

рас/та́лкива-ть II. *va.* (*Pf.* -толка́-ть II. & -толкн-у́ть I. [a]) to push asunder *or* apart || **–та́плива-ть** II. *va.* (*Pf.* -топ=и́ть II. 7. [c]) to heat; to kindle (a fire in a stove); to melt (butter, wax, etc.) || **–та́птыва-ть** II. *va.* (*Pf.* -топт-а́ть I. 2. [c]) to trample on, to tread under foot; to wear out (shoes) || **–та́скива-ть** II. *va.* (*Pf.* -таска́-ть II. & -тащ=и́ть I. [c]) to drag apart, asunder, to drag off, away || **–та́ять** *cf.* **та́ять** || **–тво́р** *s.* solution, mixture; mortar || **–творе́ние** *s.* dissolving, dilution, solution || **–твори́мый** *a.* soluble || **–твори́тель** *s.m.* solvent || **–творя́-ть** II. *va.* (*Pf.* -твор=и́ть II. [a & c]) to open; to dissolve; to mix || **–тека́-ться** II. *vn.* (*Pf.* -те́чься 18. [a 2.]) to divide into arms *or* branches; to run, to be spilt (of liquids).

расте́ние *s.* plant, vegetable.

рас/тере́ть *cf.* **–тира́ть** || **–те́рзыва-ть** II. *va.* (*Pf.* -терза́-ть II.) to tear, to lacerate, to rend; to harrow, to torture || **–те́рива-ть** II. *va.* (*Pf.* -теря́-ть II.) to lose || **~ся** *vr.* (*fig.*) to lose one's head, one's presence of mind || **–теря́ха** *s. m&f.* one who is always losing things || **–те́чься** *cf.* **–тека́ться.**

расти́ 35. [a 2.] *vn.* (*Pf.* вы́-) to grow, to thrive; to increase.

рас/тира́-ть II. *va.* (*Pf.* -тере́ть 14. [a 1.], *Fut.* разотру́, -ёшь) to rub small, to grind, to triturate || **–ти́рка** *s.* (*gpl.* -рок) grinding, trituration || **–ти́скива-ть** II. *va.* (*Pf.* -ти́ска-ть II. & -ти́сн-уть I.) to press apart; to squash, to bruise.

расти́тельный *a.* vegetable, vegetative.

раст=и́ть I. 4. [a] *va.* to grow, to cultivate (plants); to breed (animals).

рас/тлева́-ть II. *va.* (*Pf.* -тл=и́ть II. [a]) to corrupt, to deprave; to seduce; to rape || **–тле́ние** *s.* putrefaction; corruption || **–тли́тель** *s. m.* corrupter, seducer || **–толка́ть** & **–толкну́ть** *cf.* **–та́лкивать** || **–толко́выва-ть** II. *va.* (*Pf.* -толко+ва́ть II. [b]) to explain, to expound || **–толсте́ть** *cf.* **толсте́ть** || **–топи́ть** *cf.* **–та́пливать** || **–то́пка** *s.* (*gpl.* -пок) heating, firing; chips, shavings *pl.* (for lighting a fire) || **–топта́ть** *cf.* **–та́птывать** || **–топы́рива-ть** II. *va.* (*Pf.* -топы́р=ить II.) to spread out, open, wide (wings, the hands); to bristle up (one's feathers) || **–торга́-ть** II. *va.* (*Pf.* -то́ргнуть 52.) to rend, to break; **~ брак** to dissolve a marriage || **–торго́выва-ться** II. *vn.* (*Pf.* -торго+ва́ться II. [b]) to extend one's business; to grow rich in business || **–торже́ние** *s.* break, rupture, dissolution; **~ бра́ка** divorce, dissolution of marriage || **–торо́пный** *a.* quick, smart; clever || **–точа́-ть** II. *va.* (*Pf.* -точ=и́ть I. [a]) to squander, to waste, to dissipate, to lavish; to disperse (the enemy) || **–точи́тель** *s. m.* spendthrift, prodigal, waster || **–точи́тельный** *a.* prodigal, wasteful.

ра́стра *s.* (*mus.*) music-pen (for ruling paper).

рас/травле́ние *s.* opening, irritation (of a wound) || **–тра́влива-ть** II. & **–травля́-ть** II. *va.* (*Pf.* -трав=и́ть II. 7. [a & c]) to open, to irritate (a wound); to set on (dogs); (*chem.*) to corrode || **–транжи́рить** *cf.* **транжи́рить** || **–тра́та** *s.* squandering, waste, dissipation; defalcation || **–тра́тчик** *s.* squanderer, defalcator || **–тра́чива-ть** II. *va.* (*Pf.* -тра́т=ить I. 2.) to squander, to fling away; to run through; to lavish; to defalcate || **–трёпа** *s. m&f.* person with dishevelled hair, mop-head || **–трёпыва-ть** II. *va.* (*Pf.* -треп-а́ть II. 7. [c]) to dishevel, to tousle; to pick to pieces || **–тре́скива-ться** II. *vn.* (*Pf.* -тре́ска-ться II. & -тре́сн-уться I.) to crack, to burst, to split || **–тро́гива-ть** II. *va.* (*Pf.* -тро́га-ть II.) to put in disorder, to throw into confusion; to tear open (a wound); (*fig.*) to irritate, to move, to affect; ~ **до слёз** to move to tears || **–тру́б** *s.* funnel-shaped opening, bell (of a horn); boot-top || **–труси́ть** *cf.* **труси́ть** || **–трясá-ть** II. *va.* (*Pf.* -трясти́ 26. [a 2.]) to jolt asunder; to spread, to scatter about; (*fig.*) to shake up, to bring one to || **–тря́ска** *s.* (*gpl.* -сок) jolting asunder; scattering about || **–тушёвыва-ть** II. *va.* (*Pf.* -туше+ва́ть II. [b]) to shade off *or* in (a drawing) || **–тя́гива-ть** II. *va.* (*Pf.* -тян-у́ть I. [c]) to stretch out, to extend, to distend; to expand; (*fig.*) to drag out || **–тяже́ние** *s.* extension, expansion || **–тяжи́мый** *a.* expansible || **–тя́жка** *s.* (*gpl.* -жек) stretching, extending || **–тяну́ть** *cf.* **–тя́гивать** || **–франт=и́ться** I. 2. [a] *vr. Pf.* to deck o.s. out *or* up.

рас/ха́жива-ть II. *vn.* to go up and down, to walk about || **~ся** *vn.* (*Pf.* -ход=и́ться I. 1. [c]) to get a fit of walking; to get angry || **–ха́ять** *cf.* **ха́ять** || **–хва́лива-ть** II. *va.* (*Pf.* -хвал=и́ть II. [c]) to laud, to extol, to praise greatly || **–хва́т** *s.* snatching away; quick disposal of wares; **на ~** bought up at once; (*fam.*) like hot cakes || **–хва́тыва-ть** II. *va.* (*Pf.* -хвата́-ть II. & -хват=и́ть I. 2. [c]) to snatch away, to sweep off; to buy up quickly || **–хвора́-ться** II. *vn. Pf.* to fall ill *or* sick (of), to be ill for a long while || **–хища́-ть** II. *va.* (*Pf.* -хи́т=ить I. 6.) to plunder, to rob || **–хище́ние** *s.* plunder, robbing || **–хлёбыва-ть** II. *va.* (*Pf.* -хлеба́-ть II.) to scoop out with a spoon, to sip up, to eat out || **–хо́д** *s.* expenditure, outlay; (*in pl.*) expenses *pl.*; sale; consumption || **–ход=и́ться** I. 1. [c] *vn.* (*Pf.* разойти́сь 48. [a 2.]) to separate, to part, to be dispersed; (of goods) to be sold, to be disposed of; (of money) to be spent; to dissolve, to melt; to become disjointed; to differ (of opinions); to pass by (without noticing), to miss (*cf.* -ха́живать) || **–хо́дный** *a.* for expenditure, of expense || **–хо́до+вать** II. *va.* (*Pf.* из-) to expend, to spend, to pay away || **–хола́жива-ть** II. *va.* (*Pf.* -холод=и́ть I. 1. [a]) to cool, to chill || **–хорохо́риться** *cf.* **хорохо́риться** || **–храбри́ться** *cf.* **храбри́ться** || **–ху́лива-ть** II. *va.* (*Pf.* -хул=и́ть II. [a]) to cut up, to blacken, to censure severely.

рас/цара́пыва-ть II. *va.* (*Pf.* -цара́па-ть II.) to scratch (open) || **–цве́т** *s.* blowing, opening (of flowers) || **–цвета́-ть** II. *vn.* (*Pf.* -цвести́ & -цве́сть 23. [a 2.]) to blow, to bloom, to blossom, to open (of flowers) || **–цело+ва́ть** II. [b] *va. Pf.* to kiss heartily || **–це́нива-ть** II. *va.* (*Pf.* -цен=и́ть II. [c]) to value, to estimate, to appraise || **–це́нка** *s.* (*gpl.* -нок) valuation, estimate, appraisement || **–цепле́ние** *s.* unhooking, unclasping, unloosing, uncoupling || **–цепля́-ть** II. *va.* (*Pf.* -цеп=и́ть II. 7. [c]) to unhook, to unclasp, to uncouple.

рас/че́сть *cf.* **–счи́тывать** || **–чёсыва-ть** II. *va.* (*Pf.* -чес-а́ть I. 3. [c]) to comb thoroughly; to part (one's hair); to scratch (while combing) || **–чёт** *s.* calculation, account, computation; consideration; **принима́ть в ~** to take into account, to take into consideration || **–чётливый** *a.* calculating, prudent; economic(al) || **–числе́ние** *s.* calculation, computation || **–числя́-ть** II. *va.* (*Pf.* -чи́сл=ить II.) to calculate, to compute || **–чи́стка** *s.* (*gpl.* -ток) clearing away, cleaning (the yard); clearing (a wood) || **–чища́-ть** II. *va.* (*Pf.* -чи́ст=ить I. 4.) to clear away, to clean, to clear.

рас/шага́-ться II. *vn. Pf.* to take long steps, to step out || **–шал=и́ться** II. *vn. Pf.* to be very frolicsome, to be naughty || **–ша́тыва-ть** II. *va.* (*Pf.* -шата́-ть II.) to shake loose || **~ся** *vr.* to be shaken loose, to become unsettled || **–шеве́лива-ть** II. *va.* (*Pf.* -шевел=и́ть II. [c]) to move, to stir up, to set in motion, to throw into disorder; (*fig.*) to inflame, to encourage || **–шиба́-ть** II.

va. (*Pf.* -шиб=и́ть I. [a]) to dash, to break, to smash to pieces || **–шива́-ть** II. *va.* (*Pf.* -ши́ть 27., *Fut.* разошью́, -ьёшь) to rip up, to unstitch; to embroider (a dress) || **–шире́ние** *s.* widening, enlargement; extension; (*phys.*) expansion, dilation || **–ширя́-ть** II. *va.* (*Pf.* -ши́р=ить II.) to widen, to enlarge, to extend; (*phys.*) to expand, to dilate || **–ши́ть** *cf.* **–шива́ть** || **–шифро́выва-ть** II. *va.* (*Pf.* -шифро+ва́ть II. [b]) to decipher, to decode || **–шнуро́выва-ть** II. *va.* (*Pf.* -шнуро+ва́ть II.) to untie, to unlace.

рас/ще́др=иться II. *vr. Pf.* to be liberal, to open one's purse || **–ще́пывать** *cf.* **щепа́ть.**

ратиф/ика́ция *s.* ratification || **–ици́ро+вать** II. *va.* to ratify.

ра́т/ник *s.* (*obs.*) warrior, soldier || **–ный** *a.* military, war- || **–о+вать** II. *vn.* to fight, to make war (upon).

ра́туша *s.* town-hall, city-hall.

рать *s. f.* army, host.

ра́ут *s.* rout, informal party.

рафин/а́д *s.* refined sugar, white sugar || **–и́ро+вать** II. *va.* to refine.

рахити́зм *s.* rachitis.

рацио́н/ *s.* ration || **–али́зм** *s.* rationalism || **–али́ст** *s.* rationalist || **–алисти́ческий** *a.* rationalistic(al) || **–а́льный** *a.* rational, reasonable.

рачи́тельный *a.* assiduous, careful, diligent.

ра́шкуль *s. m.* charcoal-crayon.

ра́шпер *s.* gridiron, grill (for roast meat).

ра́шпиль *s. m.* rasp.

раще́ние *s.* growing, growth.

рв-ать I. *va.* (*Pf.* разо-, изо-, *mom.* рван-у́ть I. [a]) to rend, to tear to pieces; (*Pf.* на-) to pluck, to cull, to gather; (*Pf.* вы́-) to tear out || ~ *v.imp.* to vomit; **его́ рвёт** he vomits; **его́ вы́рвало** he vomited.

рве́ние *s.* zeal, ardour.

рво́т/а *s.* vomiting || **–ина** *s.* vomit || **–ный** *a.* emetic || **–ное** (*as s.*) an emetic.

рву *cf.* **рвать.**

рде-ть(-ся) II. *vn.* (*Pf.* за-) to redden, to turn red.

реаге́нт & **реакти́в** *s.* (*chem.*) reagent.

реак/ционе́р *s.* reactionary || **´–ция** *s.* reaction.

реал/иза́ция *s.* realization || **–изи́ро+вать** II. & **–изо+ва́ть** II. [b] *va.* to realize || **–и́зм** *s.* realism || **–и́ст** *s.* realist.

реа́льный *a.* real; **–ое учи́лище** school at which the modern languages are taught.

ребён/ок *s.* (*pl.* ребя́та) child, baby; **грудно́й ~** suckling; **ребя́та!** (in addressing soldiers) men! my men! || **–очек** *s.* (*gsg.* -чка) *dim. of prec.*

ребёрный *a.* rib-.

ребро́ *s.* [d] rib; edge, border, brink.

ре́бус *s.* rebus.

ребя́/та *cf.* **ребёнок** || **–ти́шки** *s. pl.* (*gpl.* -шек) *dim.* little children || **–ческий** *a.* childish; of children || **–чество** *s.* childhood, infancy; childishness || **–ч=иться** I. *vr.* (*Pf.* по-) to behave childishly.

рёв *s.* bellow(ing), roar(ing), scream(ing).

рева́нш *s.* satisfaction, requital.

реве́н/ный *a.* (of) rhubarb || **–ь** *s. m.* [a] rhubarb.

релера́нс *s.* reverence, bow, curtsy.

реве́рс *s.* counterfoil.

рев-е́ть I. [b] *vn.* (*Pf.* за-) to howl, to bellow, to roar, to low.

реви́з/ия *s.* revision || **–о+ва́ть** II. [b] *va.* (*Pf.* об-) to revise || **–о́р** *s.* inspector.

ревмат/и́зм *s.* rheumatism || **–и́ческий** *a.* rheumatic.

ревн/и́вец *s.* (*gsg.* -вца) jealous man || **–и́вица** *s.* jealous woman || **–и́вый** *a.* jealous || **–о+ва́ть** II. [b] *va.* (*Pf.* при-, воз-) to be jealous of.

ре́вност/ный *a.* zealous, fervent || **–ь** *s. f.* zeal, fervour; jealousy; envy.

рево́л/ьвер *s.* revolver || **–юционе́р** *s.* revolutionary || **–юцио́нный** *a.* revolutionary || **–ю́ция** *s.* revolution.

реву́н/ *s.*, **–ья** *s.* squaller, bawler.

рега́лия *s.* regalia.

ре́гент *s.* precentor, leader of a choir.

реги́стр/ *s.* (*mus.*) register || **–а́тор** *s.* registrar || **–ату́ра** *s.* registry.

регла́мент *s.* regulation, rule.

регули́ро+вать II. *va.* to regulate, to rule, to order.

ре́гул/ы *s. fpl.* menstruation || **–я́рный** *a.* regular || **–я́тор** *s.* regulator.

редакти́ро+вать II. *va.* to edit.

реда́к/тор *s.* editor || **–торство** *s.* editorship || **–ция** *s.* edition, editing.

ре́денький *a.* rather sparse, scarce.

реде́-ть II. *vn.* (*Pf.* по-) to grow thin(ner).

ре́дечка *s.* (*gpl.* -чек) *dim. of* ре́дька.

ред=и́ть I. 1. [a] *va.* to thin, to make thin.

ре́д/кий *a.* (*comp.* ре́же; *sup.* -ча́йший) thin; sparse, scarce || **–ко** *ad.* rarely,

seldom; thinly, at long intervals || **-кость** *s. f.* rarity, rareness; scarcity.
реду́т *s.* redoubt.
ре́дька *s.* (*gpl.* -дек) black radish.
рее́стр *s.* register, list, record.
ре́же *cf.* **ре́дкий.**
реж/и́м *s.* regime || **-иссёр** *s.* stage-manager. [(of a plough).
реза́к *s.* [a] chopper; billhook; coulter
ре́зальщик *s.* cutter, carver.
ре́з-ать I. 1. *va.* to cut, to carve, to slice || **~ся** *vrc.* to be cut; **у э́того ребёнка зу́бы ре́жутся** this child is cutting its teeth; (*Pf.* за-) to slaughter, to kill; (*Pf.* вы́-) to engrave, to cut; (*Pf.* с-) to cut off; to fail, to be plucked (in an examination) || **~ся** *vn.* to fail, to be plucked.
резв-и́ться II. 7. [a & c] *vr.* (*Pf.* по-) to sport, to frolic, to frisk; to be frolicsome, frisky.
ре́зв/ость *s. f.* friskiness; petulance, wantonness, exuberance of spirits || **-у́н** *s.* [a], **-у́нья** *s.* & **-у́ха** *s.*, **-у́шка** *s.* [*gpl.* -шек] frolicsome, wanton person || **-ый** *a.* sportive, playful, waggish, frolicsome; frisky, mettlesome.
резеда́ *s.* (*bot.*) mignonette.
резе́рв/ *s.* reserve || **-ный** *a.* reserve || **-уа́р** *s.* reservoir; container, tank.
резе́ц *s.* [a] (*gsg.* -зца́) graver, chisel; incisor. [sidence.
резиде́н/т *s.* resident || **-ция** *s.* re-
рези́н/а *s.*, *dim.* **-ка** *s.* (*gpl.* -нок) rubber, India rubber || **-овый** *a.* rubber.
ре́зк/а *s.* (*gpl.* -зок) cutting; cutting-knife; chopped up strand || **-ий** *a.* (*comp.* ре́зче) sharp, bitter, keen, shrill, piercing; loud, glaring, garish (of colours) || **-ость** *s. f.* sharpness, keenness, shrillness.
резн/о́й *a.* cut, carved, engraved || **-я́** *s.* massacre, slaughter, shambles *pl.*
резолю́ция *s.* resolution.
резо́н *s.* reason.
резона́нс *s.* resonance.
результа́т *s.* result.
ре́зч/е *cf.* **ре́зкий** || **-и́к** *s.* [a] engraver, carver.
резь/ *s. f.* stitch, gripe, colic || **-ба́** *s.* cutting, carving; carved work.
рей/ *s.* (*mar.*) (sail-)yard || **-д** *s.* (*mar.*) road (stead), anchorage || **ˊ-ка** *s.* (*gpl.* ре́ек) (carpenter's) lath, sarking.
рейнве́йн *s.* Hock.
рейс *s.* (*mar.*) voyage, passage.
рейту́зы *s. mpl.* riding-breeches *pl.*
рек/а́ *s.* [e] river; stream; **~ слёз** (*fig.*) a flood of tears; **вверх по -е́** up-stream; **вниз по -е́** down-stream || **-визи́ция** *s.* requisition || **-ла́ма** *s.* advertisement, puff || **-ламиро+вать** II. *va.* to puff up, to advertise.
рекогносциро́вка *s.* (*gpl.* -вок) (*mil.*) reconnoitring.
рекоменд/а́тельный *a.* of recommendation || **-а́ция** *s.* recommendation || **-о+ва́ть** II. [b] *va.* (*Pf.* за-, от-) to recommend, to commend.
ре́кр/ут *s.* recruit, conscript || **-у́тчина** *s.* recruitment; time of recruiting.
ре́ктор *s.* rector.
рели́г/ия *s.* religion || **-ио́зный** *a.* religious, pious.
рели́квии *s. fpl.* relics *pl.*
релье́ф/ *s.* relief || **-ный** *a.* relief.
рельс/ *s.* rail (of a railway); **сойти́ с ˊ-ов** to be derailed, to run off the rails || **ˊ-овый** *a.*, **~ путь** (railway)line, railway-track.
реме́н/щик *s.* belt-maker || **-ь** *s. m.* [a] strap, belt; **бри́твенный ~** razor-strop.
реме́сл/енник *s.* tradesman, artisan || **-енный** *a.* artisan's, trade- || **-о́** *s.* [h] (*gpl.* -сел) handicraft, trade, profession.
реме́сса *s.* remittance.
ремешо́к *s.* [a] (*gsg.* -шка́) *dim. of* **реми́з** *s.* fine (at cards). [реме́нь.
ремиттиро+вать II. *va.* to remit.
ремо́нт/ *s.* remount; repair || **-иро+вать** II. *va.* to remount; to repair.
ренега́т *s.* renegade.
ренесса́нс *s.* renaissance.
ренкло́д *s.* greengage.
ре́нта *s.* annuity, income. [X-rays.
ре́нтгеновский *a.*, **-ие лучи́** *m. pl.*
реорганиз/а́ция *s.* reorganization || **-о+ва́ть** II. [b] *va.* to reorganize.
ре́па *s.* rape, turnip.
репе́й/ & **-ник** *s.* bur, burdock.
репертуа́р *s.* repertoire, repertory.
репет/и́тор *s.* tutor, crammer || **-и́ция** *s.* repetition; (*theat.*) rehearsal; **часы́ с -и́цией** repeater. [*a.* turnip-.
ре́п/ка *s.* (*gpl.* -пок) *dim. of* ре́па || **-ный**
репортёр *s.* reporter.
репута́ция *s.* reputation, fame.
рескри́пт *s.* rescript, mandate.
ресни́ца *s.* (eye)lash.
респу́блик/а *s.* republic || **-а́нец** *s.* (*gsg.* -нца), **-а́нка** *s.* (*gpl.* -нок) republican || **-а́нский** *a.* republican.
рессо́р/а *s.* spring (of a carriage) || **-ный** *a.* spring-.

реставр/áция *s.* restoration || **–и́ро+вать** II. *va.* to restore.
ресторáн *s.* restaurant || **–áтор** *s.* innkeeper, owner of a restaurant.
рети́вый *a.* eager, zealous, ardent, spirited; mettlesome (of horses).
ретирáда *s.* W.C. (water-closet), lavatory; (*mil.*) retreat.
ретиро+вáться II. [b] *vr.* (*Pf.* от-) to retire, to retreat.
ретóрта *s.* retort.
ретрогрáд *s.* reactionary.
ретуши́ро+вать II. *va.* to retouch.
рефер/áт *s.* report; review || **–éнция** *s.* reference; information.
рефлéк/с *s.* reflex, reflection || **–тор** *s.* reflector.
рефóрм/а *s.* reform || **–áтор** *s.* reformer || **–áтский** *a.* (*ec.*) reformed || **–áция** *s.* reformation.
рефрáктор *s.* refractor.
рехну́ться *cf.* **ряхну́ться.**
реценз/éнт *s.* reviewer, critic || **–и́ро+вать** II. *va.* to review.
рецéнзия *s.* review, critique.
рецéпт *s.* (*med.*) prescription; (*culin.*) recipe.
рециди́в *s.* (*med.*) relapse.
рéч/ка *s.* (*gpl.* -чек) & **–енька** *s.* (*gpl.* -нек) small river || **–и́стый** *a.* eloquent, voluble || **–итати́в** *s.* recitation || **–нóй** *a.* river- || **–óнка** *s.* (*gpl.* -нок) (*abus.*) little river, rivulet.
речь *s. f.* [c] speech, oration; discourse, talk; word, term; language; **о чём ~?** what are you talking about? **об э́том нé было и рéчи** that wasn't even mentioned.
решá-ть II. *va.* (*Pf.* реш=и́ть I. [a]) to decide, to settle, to determine; to solve; to make up one's mind, to resolve; **решенó!** agreed! || **~ся** *vr.* to resolve, to make up one's mind; **на что вы решáетесь?** what have you decided on? **не ~** to hesitate, to waver, to vacillate.
реш/éние *s.* decision, resolution; solution || **–ётка** *s.* (*gpl.* -ток) grating, grate, lattice; trellis-work; check, gridiron, grill; **орёл и́ли ~!** head or tail! || **–ётник** *s.* sieve-maker || **–ётный** *a.* sieve-; sieved, riddled, bolted || **–етó** *s.* [h] sieve, riddle || **–ёточка** *s.* (*gpl.* -чек) *dim. of* решётка || **–ётчатый** *a.* checked; latticed, lattice- || **–и́мость** *s. f.* resoluteness, determination || **–и́тельный** *a.* decided, determined, resolute, decisive; peremptory.
рé-ять II. *vn.* (*Pf.* ри́н-уть I.) to flow, to rush rapidly (of water); to blow (of the wind) || **~ся** *vr.* (на + *Pr.*) to rush on, to fly at; to attack one, to go for one, to pitch into one.
ржа/ & **´вина** *s.* rust; mildew || **´ве-ть** II. *vn.* (*Pf.* за-) to rust, to grow rusty || **´вистый** *a.* rather rusty || **´в=ить** II. 7. *va.* to cause to rust, to rust || **´вчина** *s.* rust; dross; mildew; blight || **´вый** *a.* rusty || **´ние** *s.* neighing || **–нóй** *a.* rye-.
рж-ать I. *vn.* (*Pf.* за-) to neigh.
ри́га *s.* corn-kiln.
ри́з/а *s.* (*ec.*) chasuble, restments *pl.*; ornament (on ikon) || **–ница** *s.* sacristy, vestry.
рикошéт *s.* ricochet.
ри́нуть *cf.* **рéять.**
рис *s.* rice.
риск/ *s.* risk, hazard, venture || **–óванный** *a.* risky, hazardous || **–о+вáть** II. [b] *va.* (*Pf.* -н-у́ть I.) (что *or* чем) to risk, to hazard, to venture, to run the risk of.
рис/овáльный *a.* drawing-, for drawing || **–овáльщик** *s.* drawer, designer || **–овáние** *s.* drawing || **–о+вáть** II. [b] *va.* (*Pf.* на-) to draw, to sketch, to design || **~ся** *vr.* to parade, to show off || **–óвка** *s.* showing off, parading, putting on airs || **´овый** *a.* rice- || **–тáлище** *s.* hippodrome, racecourse || **–у́нок** *s.* (*gsg.* -нка) drawing, sketch, design.
ритм/ *s.* rhythm || **–и́ческий** *a.* rhythmic(al).
ри́т/ор *s.* rhetorician, orator || **–óрика** *s.* rhetoric || **–ори́ческий** *a.* rhetorical.
риф/ *s.* (*mar.*) reef || **´ма** *s.* rhyme, rime || **–мáч** *s.* [a] & **–моплёт** *s.* poetaster, versifier, rhymer || **–мо+вáть** II. [b] *vn.* to rhyme.
рóббер *s.* rubber (at whist).
роб/é-ть II. *vn.* (*Pf.* о-) to be timid, to quail; **не робéй!** cheer up! courage! || **´кий** *a.* (*comp.* рóбче) timid, cowardly, faint-hearted, timorous; fragile, brittle, frail, delicate || **´кость** *s. f.* timidity, shyness, fearfulness, faint-heartedness, timourousness; fragility, brittleness, frailty, delicacy.
ров/ *s.* (*gsg.* рва) ditch, pit, trench || **–éсник** *s.*, **–éсница** *s.* person of the same age; colleague, compeer; **он мой ~** he is the same age as I || **–éсный** *a.* of the same age || **´но** *ad.* just, exactly; positively; fluently, smoothly, evenly || **´ный** *s.* smooth, even, level, plain;

steady, monotonous (of life); fluent, easy (of reading, etc.) || **҆ня** *s. m&f.* (person) equal (in age and rank) || **–ня́-ть** II. *va. cf.* **выра́внивать.**

рог/ *s.* [b] horn || **–а́тина** *s.* boar-spear || **–а́тый** *a.* horned; **~ муж** cuckold || **–а́ч** *s.* [a] cuckold; (*zool.*) stag-beetle || **–ови́к** *s.* [a] horn-comb; (*min.*) hornstone || **–ово́й** *a.* of horn, horn-, horny || **–о́жа** *s.*, *dim.* **–о́жка** *s.* (*gpl.* -жек) mat || **–о́жный** *a.* mat- || **–оно́сец** *s.* (*gsg.* -сца) cuckold.

род/ *s.* [c*] race, family; birth, descent; species, genus; kind, sort; way, manner; (*gramm.*) gender; **҆ом** by birth; **о́т-роду & с ро́ду (о́троду & сро́ду)** all one's (my, etc.) life ever; **ему 20 лет о́т-роду** he is 20 years of age || **–и́льница** *s.* woman in childbed || **–и́льный** *a.* lying-in-; of confinement; puerperal || **–и́льня** *s.* (*gpl.* -лен) lying-in hospital || **–и́мец** *s.* (*gsg.* -мца) & **–и́мчик** *s.* (*med.*) childish eclampsy || **–и́мый** *a.* native; birth-; related (to), dear; **–и́мое пятно́** birth-mark, mole || **҆ина** *s.* native country; birth-place || **҆инка** *s.* (*gpl.* -нок) a small birth-mark *or* mole || **–и́ны** *s. fpl.* confinement, delivery, accouchement || **–и́тель** *s. m.* father; (*in pl.*) parents *pl.* || **–и́тельница** *s.* mother || **–и́тельный** *s.*, **~ паде́ж** (*gramm.*) genitive (case) || **–и́тельский** *a.* parental; paternal || **–и́ть** *cf.* **рожда́ть** || **҆ич** *s.* relative || **–ни́к** *s.* [a] spring, source || **–нико́вый** *a.* spring- || **–ничо́к** *s.* [a] (*gsg.* -чка́) small spring || **–но́й** *a.* german, own; native; **~ брат** full brother || **~** (*as s.*) my dear friend; (*in pl.*) relatives *pl.* || **–ня́** *s.* relation, relative, kinsmann; **он мне ~** he is related to me; *coll.* kindred || **–ови́тый** *a.* of noble race, of illustrious descent; (of animals) thoroughbred || **–ово́й** *a.* of birth, patrimonial; generic; **–ово́е име́ние** family seat, ancestral estate || **–овспомога́тельный** *a.* obstetric; **–ное иску́сство** obstetrics *pl.* || **–оначá льник** *s.* ancestor || **–оначá льный** *a.* ancestral || **–осло́вие** *s.* genealogy || **–осло́вная** (*as s.*) genealogy, pedigree, family-tree || **–осло́вный** *a.* genealogical || **҆ственник** *s.* relative, kinsman || **҆ственница** *s.* relative, kinswoman || **҆ственный** *a.* of relationship, of kindred; kindred, related || **–ство́** *s.* relationship; **я с ним в –стве́** he and I are related || **҆ы** *s. mpl.* [c] childbed, delivery, confinement; **лежа́ть в а́х** to be confined.

рое́ние *s.* swarming (of bees).

ро́жа *s.* (*abus.*) phiz, face; (*med.*) erysipelas.

рожд/а́-ть II. *va.* (*Pf.* род=и́ть I. 1. [c]) to bear, to give birth to, to bring forth; to beget, to generate || **~ся** *vn.* to be born || **–е́ние** *s.* birth; **день –е́ния** birthday; **ме́сто –е́ния** birth-place || **–е́ственский** *a.* of Christmas, Christmas- || **–ество́** *s.* nativity, birth; **Р–ество́ Христо́во** Christmas; **до Р–ества́ Христо́ва** before the birth of Christ (*abbr.* B. C.); **по Р–естве́ Христо́вом** anno domini (*abbr.* A. D.).

рож/о́к *s.* [a] (*gsg.* -жка́) small horn; feeding-bottle; **га́зовый ~** gas-burner; **служово́й ~** ear-trumpet || **–о́н** *s.* [a] (*gsg.* -жна́) stake; (*culin.*) spit || **–ь** *s. f.* (*gsg.* ржи) rye.

ро́з/а *s.* rose || **–вальни** *s. fpl.* a broad sleigh || **–га** *s.* (*gpl.* -зог) twig, switch, rod || **–говенье** *s.* the first meat-day after the fast.

ро́з/дых *s.* rest, repose; (*mil.*) halt; **дать ~** to call a halt, to halt || **–е́тка** *s.* (*gpl.* -ток) rosette; (*min.*) rose-diamond || **–мари́н** *s.* rosemary || **–ница** *s.* separateness; **в –ницу** *cf.* **вро́зницу** || **–ничный** *a.* by retail, retail || **–ный** *a.* separate; unmatched, odd || **–нь** *s. f.* difference, diversity || **–овый** *a.* rose-, rose-coloured, rosy || **–очка** *s.* (*gpl.* -чек) *dim. of* ро́за || **–ыгрыш** *s.* quits (a drawn game) || **–ыск** *s.* inquest, inquisition, inquiry.

ро=и́ться II. [a] *vn.* (*Pf.* от-) to swarm.

рой *s.* swarm (of bees).

рок/ *s.* fate, destiny || **–ово́й** *a.* fateful, fated || **҆от** *s.* roll, grumble || **–от-а́ть** I. 2. [c] *vn.* (*Pf.* за-) to resound; to grumble, to roll (of thunder); to roar (of the sea).

ро́лик *s. dim.* roll; roller (on furniture).

роль *s. f.* (*theat.*) part, role.

ром *s.* rum.

рома́н/ *s.* novel, romance || **–и́ст** *s.* novelist || **–и́стка** *s.* (*gpl.* -ток) lady novelist || **–и́ческий** *a.* of romance, romantic || **–с** *s.* (*mus.*) romance || **–ти́зм** *s.* romanticism || **–ти́ческий** *a.* romantic(al).

рома́шка *s.* (*gpl.* -шек) camomile.

ромб/ *s.* rhomb(us); lozenge, diamond || **҆овый** *a.* rhombic || **–о́ид** *s.* rhomboid.

рондо́ *s. indecl.* rondeau.
роня́-ть II. *va.* (*Pf.* урон=и́ть II. [c]) to let fall, to drop; to lose.
ро́пот/ *s.* murmur, grumbling || **–ли́вый** *a.* morose, surly.
ропт-а́ть I. 2. [c] *vn.* (*Pf.* воз-, за-) to murmur, to grumble.
рос/а́ *s.* [d] dew || **–и́на** *s., dim.* **–и́нка** *s.* (*gpl.* -нок) dew-drop || **–и́стый** *a.* dewy, bedewed || **–и́ть** *v.imp.*, **–и́т** the dew is falling.
роско́шный *a.* sumptuous, luxurious, splendid, opulent; pompous; magnificent, lavish.
ро́скошь *s. f.* luxury, sumptuousness; magnificence, pomp, splendour.
ро́слый *a.* full-grown, grown up, tall.
ро́с/пись *s. f.* list, catalogue || **–пуск** *s.* dismissal (of pupils and workmen) || **–пуски** *s. mpl.* long and low waggon, dray || **–сыпь** *s. f.* scattered matter; shifting-sand; **золотоно́сная ~** auriferous sand; **в ~ = вро́ссыпь.**
рост/ *s.* stature, size, height; (*esp. in pl.*) interest, usury; **он ́–ом с меня́** he is of my height; **во весь ~** at full length; **портре́т во весь ~** a full-length portrait || **́–биф** *s.* roastbeef || **–и́ть = расти́ть** || **–овщи́к** *s.* [a] usurer, money-lender || **–овщи́чество** *s.* usury || **–о́к** *s.* [a] (*gsg.* -тка́) sprout, shoot, germ.
рот/ *s.* (*gsg.* рта) mouth || **́–а** *s.* (*mil.*) company, squad || **́–ик** *s. dim. of* рот || **́–мистр** *s.* (cavalry) captain || **́–ный** *a.* company-, squad- || **–озе́й** *s.*, **–озе́йка** *s.* (*gpl.* -озе́ек) gaper || **–озе́йннча-ть** II. *vn.* to gape, to stare || **–озе́йство** *s.* gaping, staring || **–о́нда** *s.* rotunda.
ро́ща *s.* grove, wood.
роя́ль *s. m.* grand piano.
рта́чливый *a.* restive, obstinate (of horses).
рту́т/ный *a.* mercurial, mercury- || **–ь** *s. f.* mercury, quicksilver.
руб/а́ка *s. m.* bully, bravo || **–а́нок** *s.* (*gsg.* -нка) trying-plane, jack-plane || **–а́ха** *s.* shirt; chemise || **–а́шечка** *s.* (*gpl.* -чек) & **–а́шка** *s.* (*gpl.* -шек) *dim.* shirt; chemise, smock; **оста́ться в одно́й –а́шке** to be beggared, to be reduced to poverty || **–а́шечный** *a.* shirt- || **–ашо́нка** *s.* (*gpl.* -нок) miserable shirt || **–е́ж** *s.* [a] bound, limit || **–е́ц** *s.* [a] (*gsg.* -бца́) rib, groove; hem, seam; scar, cicatrice; paunch (of ruminants); (*in pl. culin.*) tripe || **–и́н** *s.* ruby || **–и́новый** *a.* ruby-.
руб=и́ть II. 7. [c] *va.* (*Pf.* на-) to cut down, to hew, to fell (wood); to chop up (cabbage); (*Pf.* об-) to hem || **~ся** *vrc.* (*fam.*) to fight (with).
ру́б/ище *s.* rags, tatters *pl.*; bad clothes || **–ка** *s.* (*gpl.* -бок) cutting down, felling; (*mar.*) round-house, deck-cabin || **–лёвый** *a.* worth *or* costing one rouble || **–леный** *a.* minced; **–леное мя́со** minced meat, mince || **–лик** *s. dim. of* рубль || **–ль** *s. m.* [a] rouble || **–рика** *s.* rubric, title, heading || **–цы́** *s. mpl.* [a] tripe.
ру́г/ань *s. f.* & **–а́ние** *s.* abusing || **–а́тель** *s. m.* reviler, abuser || **–а́тельный** *a.* abusive, invective || **–а́тельство** *s.* abuse, abusiveness, invective || **–а́-ть** II. *va.* (*Pf.* об-, вы́-, *mom.* -н-у́ть I. [a]) to abuse, to revile, to rail at, to insult.
руд/а́ *s.* [e] ore || **–ни́к** *s.* [a] mine || **–ни́чный** *a.* mine-, mining || **́–ный** *a.* containing ore, of ore || **–око́п** *s.* miner || **–око́пня** *s.* mine || **–оно́сный** *a.* containing ore.
руж/е́йник *s.* gunsmith || **–е́йный** *a.* of gun(s), gun- || **–ьё** *s.* [d] gun, fire-arm, musket || **–ьецо́** *s. dim. of prec.*
руи́на *s.* ruin(s).
рук/а́ *s.* [f] arm; hand; handwriting; signature; **он на все ́–и ма́стер** he is a Jack of all trades; **по –а́м!** agreed! **–о́й пода́ть** within a stone's throw (of) || **–а́в** *s.* [a] sleeve; arm, branch (of a river); hose (of a fire-engine) || **–ави́ца** *s.* mitten || **–оби́тие** *s.* handshake || **–оводи́тель** *s.m.* guide || **–оводи́тельный** *a.* guide- || **–оводи́тельство** *s.* direction, guidance || **–овод=и́ть** I. 1. [c] *va.* to guide, to lead, to direct || **–ово́дство** *s.* direction, guidance; manual, guide(-book); text-book || **–ово́дство+вать** II. *va.* to guide, to lead, to direct, to instruct, to conduct || **~ся** *vr.* (чем) to be guided (by), to follow || **–оде́лие** *s.* handiwork, handicraft || **–оде́льник** *s.* handicraftsman || **–омо́йник** *s.* wash-hand-basin || **опа́шный** *a.*, **~ бой** a hand-to-hand fight || **–описный** *a.* manuscript, written || **́–опись** *s. f.* manuscript || **–оплеска́ние** *s.* applause, clapping (of hands) || **–оплеск-а́ть** I. 4. [c] *vn.* to applaud, to clap one's hands || **–опожа́тие** *s.* handshake || **–ополага́-ть** II. *va.* (*Pf.* -полож=и́ть I. [c]) to ordain (a priest) || **–оположе́ние** *s.* ordination || **–отво́рный** *a.* artificial, made by human hands

|| **–оя́тка** *s.* (*gpl.* -ток) handle, haft; hilt.

рул/а́да *s.* (*mus.*) roulade, run || **–ево́й** (*as s.*) helmsman, steersman || **–е́т** *s.* meat-roll || **–е́тка** *s.* (*gpl.* -ток) roulette; tape-measure || **–ь** *s. m.* [a] rudder, helm.

рум/я́нец *s.* (*gsg.* -нца) the natural red (of the cheeks) || **–я́н=ить** II. *va.* (*Pf.* на-) to rouge, to paint red || **∼ся** *vr.* to rouge one's face || **–я́на** *s. fpl.* rouge || **–я́ный** *a.* rosy, ruddy.

рун/ду́к *s.* [a] raised estrade; box-seat || **´–ный** *a.* of fleece, fleece-; gregarious (of fish) || **–о́** *s.* [d] fleece; shoal (of fish) || **´–ы** *s. fpl.* Runes *pl.*, Runic characters.

ру́пор *s.* [b] speaking-trumpet, megaphone.

рус/а́к *s.* [a] grey hare || **–а́лка** *s.* (*gpl.* -лок) water-nymph || **–е́-ть** II. *vn.* (*Pf.* по-) to grow dark blond || **´–ло** *s.* [d] channel, bed (of a river); current; mill-trench || **´–ый** *a.* dark blond, light-brown.

рути́на *s.* routine.

ру́х/лый *a.* friable, brittle || **–лядь** *s. f.* furniture; *coll.* lumber; **мя́гкая ∼** peltry || **–н-уть** I. & **∼ся** *vn.* to fall down, to fall in, to fall into ruin.

руч/а́тельство *s.* bail, warranty, guarantee || **–а́-ться** II. *vc.* (*Pf.* поруч=и́ться I. [c]) (кому́ за кого́ *or* в чём чем) to answer for, to vouch for, to guarantee, to warrant, to go bail for one || **–еёк** *s.* [a] (*gsg.* -ейка́) & **–еёчек** *s.* (*gsg.* -еёчка) *dim.* runnel, brooklet || **–е́й** *s.* [c] (*gsg.* -ья́) brook, rill, stream || **–и́ща** *s.* large hand || **´–ка** *s.* (*gpl.* -чек) small hand; handle, haft; penholder; arm (of an arm-chair) || **–но́й** *a.* hand-, manual; tame; **∼ бой** fisticuffs *pl.* || **–о́нка** *s.* (*gpl.* -нок) small hand.

ру́шить *cf.* **на–, об–, разру́шить.**

ры́б/а *s.* fish || **–а́к** *s.* [a] fisherman; fishmonger || **–а́цкий** & **–а́чий** (-ья, -ье) *a.* fisherman's, fishing- || **–а́чка** *s.* (*gpl.* -чек) fishwife || **–ий** (-ья, -ье) *a.* of fish; **∼ клей** fish-glue; **∼ жир** cod-liver oil || **–ка** *s.* (*gpl.* -бок) small fish || **–ный** *a.* fish-, of fish || **–ово́дство** *s.* pisciculture, fish-breeding || **–оло́в** *s.* fisherman, fisher || **–оло́вный** *a.* fishing- || **–оло́вство** *s.* fishing, fishery || **–опромы́шленник** *s.* fishmonger.

рыга́-ть II. *vn.* (*Pf.* рыгн-у́ть I.) to belch, to eructate.

рыда́-ть II. *vn.* (*Pf.* за-) to sob, to wail, to scream, to cry, to weep bitterly.

рыдва́н *s.* old type of travelling carriage.

рыж/еборо́дый *a.* red bearded, with a red beard || **–ева́тый** *a.* reddish (of hair) || **–е́-ть** II. *vn.* (по-) to grow red || **´–ий** *a.* redhaired; chestnut (of horses) || **´–ик** *s.* cibarius (a kind of red mushroom).

рык/ & **–а́ние** *s.* roar(ing), bellow(ing), growl || **–а́-ть** II. *vn.* (*Pf.* -н-у́ть I. [a]) to roar, to bellow.

ры́л/о *s.* muzzle, snout || **–ьце** *s.* (*pl.* -ьцы, -ьцев, etc.) spout, nozzle; & *dim. of prec.*

ры́н/ок *s.* (*gsg.* -нка) market || **–очный** *a.* market-.

рыс/а́к *s.* [a] trotter, courser || **–ачо́к** *s.* [a] (*gsg.* -чка́) *dim. of prec.* || **´–ий** (-ья, -ье) *a.* lynx-, of lynx || **–и́стый** *a.*, **–и́стая ло́шадь** (a good) trotter.

ры́ска-ть II. & **рыск-а́ть** I. 4. [·] *vn.* (*Pf.* по-) to run about, to travel about; to loaf about.

рыс/ца́ *s. dim.* gentle trot, jog-trot || **–ь** *s. f.* trot; **´–ью** at a trot; (*zool.*) lynx.

ры́т/ва & **–вина** *s.* ravine, gully.

рыть 28. [b 1.] *va.* (*Pf.* по-) to dig, to hollow, to excavate, to burrow; (*fig.*) to ransack || **∼ся** *vn.* to scrape, to rake, to rummage in, to poke about in.

рыхл/е́-ть II. *vn.* (*Pf.* по-) to grow soft *or* loose, to loosen || **´–ый** *a.* soft, loose.

ры́цар/ский *a.* knightly, chivalrous || **–ство** *s.* knighthood, chivalry || **–ь** *s. m.* knight; **стра́нствующий ∼** knight-errant.

рыч/а́г *s.* [a] lever || **–а́жный** *a.* lever- || **–ажо́к** *s.* [a] (*gsg.* -жка́) *dim. of* рыча́г || **–а́ние** *s.* bellow, roar, growl, shriek, scream.

рыч=а́ть I. [a] *vn.* to cry (of animals); to snarl (of dogs); to creak.

рья́ный *a.* fierce, fiery, ardent, fervent.

рю́м/ка *s.* (*gpl.* -мок) wineglass || **–очка** *s.* (*gpl.* -чек) *dim. of prec.*

ря́б/енький *a.* rather spotted, checkered; (of horses) dappled; rather pock-marked || **–е́-ть** II. *vn.* (*Pf.* по-) to become pock-marked; to ripple, to curl (of water) || **–и́на** *s.* pock-mark; (*bot.*) mountain-ash, quicken-tree || **–и́нка** *s.* (*gpl.* -нок) *dim. of prec.*; (*bot.*) milfoil || **–и́нник** *s.* grove of mountain-ash; (*orn.*) missel-thrush || **–и́новка** *s.* (*gpl.* -вок) cordial made of the berries of the mountain-ash || **–и́новый** *a.* mountain-ash.

ряб=и́ть II. 7. [a] *va.* to ripple (the sur-

face of water) || ~ *v.imp.*, (**у меня́**) **ряби́т в глаза́х** my sight is troubled.
ряб/о́й *a.* pock-marked; spotted, speckled || **-́чик** *s.* wood-hen || **-ь** *s. f.* ripple, rippling (of water).
ряд/ *s.* [b°] row, file, line; series, train; **торго́вые -ы́** row of shops; **-́ом** in a row, side by side.
ряд=и́ть I. 1. [a & c] *va.* (*Pf.* по-) to manage; to hire, to engage; (*Pf.* на-) to attire, to adorn.
ряд/ко́м *ad.* side by side, in a row || **-́ный** *a.* according to contract, contractual || **-ово́й** *a.* common, ordinary, customary, usual, everyday || ~ (*as s.*) (*mil.*) private.
ряж/е́ние *s.* hiring, engaging; adorning || **-́еный** *a.* masked, disguised.
ря́са *s.* cassock.
ряхн-у́ться I. [a] *vn. Pf.* to lose one's senses, to go mad.

С

с *prp. before a double consonant* **со**; (+ *G.*) from; down from; since; (*fig.*) of, for; **я снял карти́ну со стены́** I took the picture down from the wall; **со стола́** from the table; **с головы́ до ног** from head to foot; **снача́ла до конца́** from beginning to end; **с утра́ до ве́чера** from morning till evening; **с ча́су на́ час** from hour to hour; **с не́которого вре́мени** for some time; **умере́ть с го́лоду** to die of hunger; **ката́ться со́ смеху** to burst one's sides with laughter; **с дозволе́ния** with permission; **сойти́ с ума́** to become mad || ~ (+ *A.*) about; approximately; as; **фу́нта с два ча́ю** about 2 pounds of tea; **с неде́лю** about a week; **с ме́сяц тому́ наза́д** about a month ago; **он ро́стом с меня́** he is as tall as I || ~ (+*I.*) with; by means of, by; on; **мы с ним** he and I; **мы с тобо́й** you and I; **что с ним?** what's the matter with him?
са́б/ельный *a.* sabre- || **-ля** *s.* sabre.
сабу́р/ *s.* aloes || **-овый** *a.* of aloes.
са́ван *s.* shroud, winding-sheet.
савра́с/ка *s.* (*gpl.* -сок) a roan (horse) || **-ый** *a.* roan.
са́га *s.* saga.
са́го/ *s.* sago || **-вый** *a.* sago-.
сад/ *s.* [b], *dim.* **-́ик** *s.* garden.
сад=и́ть I. 1. [a & c] *va.* (*Pf.* по-) to set, to put; to plant; **посади́ть в тюрьму́** to imprison, to incarcerate || **~ся** *vr.* (*Pf.* сесть 44. [b]) to sit (down), to take a seat; to alight, to perch; to set (of the sun); to go down; to get into (a carriage); to mount (a horse); to contract, to shrink (of cloth); to begin, to commence, to start; **прошу́ ~!** please be seated!
садо́/вник *s.*, **-вница** *s.* gardener || **-во́д** *s.* gardener, horticulturist || **-во́дство** *s.* horticulture, gardening || **-вый** *a.* garden-.
садо́к *s.* [a] (*gsg.* -дка́) fish-pond; aviary, poultry-house; warren (for rabbits).
са́ечка *s.* (*gpl.* -чек) *dim. of* са́йка.
са́жа *s.* soot, smoke-black, smut.
сажа́-ть II. *va.* to place, to put; to plant (*cf.* сади́ть).
са́ж/енец *s.* [a] (*gsg.* -нца́) sapling, slip, set(ting) || **-е́нный** *a.* a fathom (= 7 feet) long.
са́же́нь *s. f.* [c] (*gpl.* -не́й & са́жен) measure of length = 7 feet.
сажу́ *cf.* **сади́ть.**
сайга́ *s.* (*gpl.* са́ег) saiga, antelope.
са́йка *s.* (*gpl.* са́ек) small roll (of bread).
сак/ *s.* bag-net, purse-net || **~-воя́ж** *s.* carpet-bag, hold-all.
са́кля *s.* hut (in Caucasian highlands).
сала́з/ки *s. fpl.* (*G.* -зок), *dim.* **-очки** *s. fpl.* (*G.* -чек) small sleigh, sled.
салама́ндра *s.* salamander.
сала́т/ *s.* salad || **-ник** *s.* salad-bowl || **-ный** *a.* salad-.
са́лить *cf.* **заса́ливать.**
салици́ловый *a.* salicylic.
са́ло *s.* fat, tallow, suet; **гуси́ное ~** goose-fat.
сало́н *s.* saloon, drawing-room.
сало́п *s.* (woman's) mantle, cloak.
салото́пня *s.* tallow-boilery.
салфе́тка *s.* (*gpl.* -ток) (table-)napkin.
сальдиро+вать II. *va.* (*comm.*) to balance.
са́льдо *s. indecl.* (*comm.*) balance (of an account).
са́льный *a.* tallowy, suety, fatty; tallow-; (*fig.*) filthy, obscene.
салю́т/ *s.* salute || **-о+ва́ть** II. [b] *va.* to salute.
сам *prn.* (сама́, само́, *pl.* са́ми) self, one's self; **я сам** I myself; **ты сам** you yourself; **оно́ -о́** itself; **он сам не свой** he is not himself; **сам-друг** himself and another; **сам-трете́й** himself and two others.
сам *s.* principal, head, chief (of a firm); (*Am.*) boss.
самарития́нин *s.* (*pl.* -я́не, -я́н) Samaritan.

саме́ц *s.* [a] (*gsg.* -мца́) male, he (of animals); cock (of birds).
са́ми *cf.* **сам.**
са́мка *s.* (*gpl.* -мок) female, she (of animals); hen (of birds).
само́ *cf.* **сам.**
само/бы́тный *a.* original, independent || **-ва́р** *s.* samovar, tea-urn || **-ви́дец** *s.* (*gsg.* -дца) (eye-)witness || **-вла́стный** *a.* autocratic(al) || **-внуше́ние** *s.* auto-suggestion || **-возгара́ние** *s.* spontaneous cumbustion || **-во́льный** *a.* self-willed, wilful; headstrong, arbitrary; unmanageable, disobedient, frisky (of children) || **-держа́вие** *s.* autocracy || **-довле́ющий** & **-дово́льный** *a.* self-satisfied; self-sufficient || **-ду́р** *s.*, **-ду́рка** *s.* (*gpl.* -рок) obstinate stupid person || **-зва́нец** *s.*, **-зва́нка** *s.* (*gpl.* -нок) usurper, pretender, impostor || **-ка́т** *s.* merry-go-round || **-лёт** *s.* flying-machine || **-ли́чный** *a.* personally present, present in person || **-любивый** *a.* selfish, egoistic(al) || **-лю́бие** *s.* selfishness, egoism || **-мне́ние** *s.* self-conceit || **-наде́янный** *a.* self-confident || **-обма́н** *s.* self-deception || **-оборо́на** *s.* self-defence || **-обуче́ние** *s.* self-instruction || **-отверже́ние** *s.* self-denial || **-произво́льный** *a.* voluntary; arbitrary; (*med.*) spontaneous || **-пря́лка** *s.* (*gpl.* -лок) spinning-wheel || **-ро́дный** *a.* native, virgin (of metals) || **-сохране́ние** *s.* self-preservation || **-стоя́тельный** *a.* independent || **-стре́л** *s.* cross-bow || **-су́д** *s.* lynch-law || **-уби́йство** *s.* suicide (act); felo de se || **-уби́йца** *s.* *m&f.* suicide (person); felo de se || **-уве́ренный** *a.* self-confident || **-упра́вный** *a.* arbitrary || **-учи́тель** *s. m.* self-instructor || **-у́чка** *s. m&f.* (*gpl.* -чек) self-taught person || **-хва́л** *s.*, **-хва́лка** *s.* (*gpl.* -лок) boaster, braggart || **-хва́льство** *s.* self-praise; boasting, bragging || **-цве́тный** *a.* of natural colour; genuine (of diamonds, etc.).
са́мый *prn.* same; very; **тот** ~ the same, that very; **в са́мом де́ле** indeed, in very deed; **в са́мом нача́ле** at the very beginning; ~ **но́вый** the newest; ~ **лу́чший** the very best.
сан *s.* rank, dignity.
сангвини́ческий *a.* sanguine.
санда́лия *s.* sandal.
са́ни *s. fpl.* [c] sledge, sleigh, sled.
санита́рный *a.* sanitary.
са́нки *s. fpl.* (*gpl.* -нок) *dim. of* са́ни.
санк/циони́ро+вать II. *va.* to sanction || **-́ция** *s.* sanction.
са́нный *a.* sledge-, sleigh-.
сан/ови́тый *a.* stately, dignified, distinguished || **-о́вник** *s.* dignitary || **-о́вный** *a.* of high rank.
са́ночки *s. fpl.* (*gpl.* -чек) *dim. of* са́ни.
сантиме́тр *s.* centimetre.
сап *s.* glanders *pl.*
са́п/а *s.* (*mil.*) sap || **-ёр** *s.* (*mil.*) sapper.
сап/о́г *s.* [a] boot || **-о́жник** *s.* shoemaker, bootmaker || **-о́жничество** *s.* bootmaking || **-о́жный** *a.* boot-, shoe- || **-ожо́к** *s.* [a] (*gsg.* -жка́) *dim. of* сапо́г.
сапфи́р *s.* sapphire.
сара́й/ *s.* shed; coach-house; barn; **пожа́рный** ~ fire-station, engine-house; **това́рный** ~ (*rail.*) goods-station, goods-depot || **-чик** *s. dim. of prec.*
саранча́ *s.* locust, grasshopper.
сарафа́н *s.* sarafan (long sleeveless gown, worn by Russian peasant-women).
сардони́ческий *a.* sardonic.
са́ржа *s.* serge.
сарк/а́зм *s.* sarcasm || **-асти́ческий** *a.* sarcastic(al) || **-офа́г** *s.* sarcophagus.
сатан/а́ *s.* Satan, the devil || **-и́нский** *a.* satanic(al), diabolic(al).
сати́н/ *s.* satin || **-овый** *a.* satin-.
сати́р/а *s.* satire || **-ик** *s.* satirist || **-и́ческий** *a.* satiric(al).
сафья́н *s.* Morocco(-leather).
са́хар/ *s.* sugar; **щипцы́ для -у** sugar-tongs; **без -у** unsugared || **-и́стый** *a.* sugary; saccharine || **-ница** *s.* sugar-bowl, sugar-basin || **-ный** *a.* sugar- || **-ова́р** *s.* sugar-refiner || **-ова́рня** *s.* sugar-refinery.
сачо́к *s.* [a] (*gsg.* -чка́) = **сак.**
сба́вка *s.* (*gpl.* -вок) diminution, decrease; lessening, abatement; reduction, fall (in price).
сбавля́-ть II. *va.* (*Pf.* сба́в=ить II. 7.) to diminish, to decrease; ~ **с цены́** to lower, to reduce the price.
сба́вок *cf.* **сба́вка.**
сбега́-ть II. *vn.* (*Pf.* сбежа́ть 46. [a]) to run down, to come running down; to run off (of water) || **~ся** *vr.* to flock, to crowd together.
сбе́га-ть II. *vn. Pf.* to come running in haste; (за + *I.*) to fetch in haste, to hasten for.
сберега́тельный *a.* for saving; **-ая ка́сса** savings-bank.

сберегá-ть II. *va.* (*Pf.* сберéчь 15. [a 2.]) to preserve, to keep; to save, to spare; to save up; **сберéчь копéйку на чёрный день** to lay by for the rainy day || **~ся** *vr.* to be preserved, to wear well.

сбережéние *s.* saving up, sparing; preserving.

сбивá-ть II. *va.* (*Pf.* сбить 27. [a 1.], *Fut.* собью, -ьёшь) to strike off, to knock off, to beat off; to knock down, to fell; to churn (butter); to whip (cream); to beat (eggs); to join, to mortise; to heap together; to reduce, to lower (prices); **сбить** (когó) **с тóлку** to disconcert, to confuse; **сбить** (когó) **с пути́** to lead astray || **~ся** *vr.* to lose one's way, to go astray; (*fig.*) to become confused, to lose the thread of one's speech.

сби́вчивый *a.* confused, obscure.

сбирáть *cf.* **собирáть.**

сби́тен/щи́к *s.* seller of "сби́тень" || **–ь** *s. m.* (*gsg.* -тня) a popular Russian beverage made from water, honey and spices.

сбить *cf.* **сбивáть.**

сблевáть *cf.* **блевáть.**

сближá-ть II. *va.* (*Pf.* сбли́з=ить I. 1.) to bring near, to bring together || **~ся** *vr.* to come nearer, to approach.

сбóку *cf.* **бок.**

сбор/ *s.* assembling, collecting; collection, gathering; raising, levying (of taxes); (*mil.*) roll-call; **тамóженный ~** custom-duty || **˘ище** *s.* concourse, assembly, muster; crowd, mob || **˘ка** *s.* (*gpl.* -рок) fold, plait (of a dress); assembling (a machine) || **˘ник** *s.* collection (of articles, etc.) || **˘щик** *s.* collector || **˘ы** *s. mpl.* preparations *pl.*

сбрáсыва-ть II. *va.* (*Pf.* сбрóс=ить I. 3.) to throw, to fling down; (*Pf.* сбросá-ть II.) to fling together.

сбрехну́ть *cf.* **брехáть.**

сбривá-ть II. *va.* (*Pf.* сбрить 30. [b]) to shave off.

сброд *s. coll.* rabble, riff-raff, gang of ruffians.

сбрóсить *cf.* **сбрáсывать.**

сброшировáть *cf.* **брошировáть.**

сбру́я *s.* harness.

сбывá-ть II. *va.* (*Pf.* сбыть 49.) to get rid of; to sell off, to dispose of || **~** *vn.* to fall, to sink (of water, prices) || **~ся** *vn.* to be realized; to happen.

сбыт/ *s.* sale || **˘очный** *a.* possible, feasible.

сбыть *cf.* **сбывáть.**

свáд/ебный *a.* nuptial, wedding- || **–ьба** *s.* (*gpl.* -деб) wedding, nuptials *pl.*

свáй/ка *s.* (*gpl.* свáек) a kind of game played with a large-headed nail and a ring; (*mar.*) marline-spike || **–ный** *a.* pile-, of piles.

свáлива-ть II. *va.* (*Pf.* свал=и́ть II. [a & c]) to throw down; to upset; to unload; (с себя́) to relieve o.s. of; (на когó) to impute to, to ascribe to || **~ся** *vn.* to fall down, to tumble down || **~** *va.* (*Pf.* сваля́-ть II.) to felt (together).

свáлка *s.* (*gpl.* -лок) throng; scuffle, brawl; heap, accumulation; unloading.

свар/и́ть *cf.* **вари́ть** || **–ли́вый** *a.* quarrelsome, cross, waspish.

сват/ *s.* [b] (*pl.* -овья́, -овéй, -овья́м, etc.) match-maker; father of the son- *or* daughter-in-law || **˘ание** *s.* (за + *A.*) courting, wooing.

свáта-ть II. *va.* (*Pf.* по-) to seek in marriage, to make a match for || **~ся** *vr.* to court, to woo.

сватовствó *s.* match-making; wooing, courting.

свáтья *s.* (*gpl.* -тий) mother of the son- *or* daughter-in-law.

свáха *s.* match-maker.

свáя *s.* pile, stake.

свéда-ть II. *vn. Pf.* to learn, to get to know.

свéдение *s.* knowledge; intelligence, information; learning.

сведéние *s.* leading down; contraction (of the limbs); **~ счётов** settling.

сведёный *a.* step-; **~ брат** step-brother.

свéдущий (-ая, -ее) *a.* learned, skilled, well-informed.

свежевáтый *a.* somewhat fresh.

свéжесть *s. f.* freshness, coolness.

свежé-ть II. *vn.* (*Pf.* по-) to become fresh, cool; to freshen.

свéжий *a.* (*pd.* свеж, -á, -ó, -и́; *comp.* свежéе) fresh, cool; new, recent.

свезти́ *cf* **свози́ть.**

свеклови́ца *s.* beet(root).

свекóльный *a.* beetroot-.

свёкор *s.* (*gsg.* -кра) father-in-law (the husband's father).

свекрóвь *s. f.* mother-in-law (the husband's mother).

свергá-ть II. *va.* (*Pf.* свéргнуть 52.) to throw off *or* down; to precipitate; **~ с престóла** to dethrone.

свержéние *s.* throwing off *or* down.

свéр/ить *cf.* **–я́ть** || **–ка** *s.* (*gpl.* -рок) comparison; (*comm.*) verification || **–кáние** *s.* scintillation, glitter; sparkling, (of stars) twinkling.

сверкá-ть II. *vn.* (*Pf.* сверкн-у́ть I. [a]) to sparkle, to glitter, to flash, to gleam, to

twinkle; **мо́лния сверка́ет** it lightens, the lightning flashes.
сверл/е́ние *s.* boring, drilling || **-и́льный** *a.* for boring, drilling.
сверл=и́ть II. *va.* (*Pf.* про-) to bore, to drill, to perforate.
сверло́ *s.* [d] borer, drill, auger.
сверну́ть *cf.* **свёртывать.**
све́рст/ник *s.*, **-ница** *s.* person of the same age *or* rank.
свёрстывать *cf.* **верста́ть.**
сверте́ть *cf.* **свёртывать.**
свёрток *s.* (*gsg.* -тка) roll (of paper, etc.), bundle.
свёртыва-ть II. *va.* (*Pf.* сверн-у́ть I. [a]) to turn, to twist off || **~ся** *vr.* to turn, to curdle (of milk) || **~** *vn.* to turn aside; to slip off, to escape.
сверх/ *prp.* (+ *G.*) beyond, above; besides, in addition to, over and above; **~ того́** moreover; **~ земли́** above the earth || **-сме́тный** *a.* above the estimate(s) || **-́у** *ad.* from above; at the top, above, over, uppermost, on the surface || **-’есте́ственный** *a.* supernatural.
сверчо́к *s.* [a] (*gsg.* -чка́) cricket.
сверша́-ть II. *va.* (*Pf.* сверш=и́ть I. [a]) to complete, to finish; (*fig.*) to achieve, to accomplish || **~ся** *vr.* to happen, to come to pass, to be realized *or* accomplished.
сверя́-ть II. *va.* (*Pf.* све́р=ить II.) to compare, to collate, to verify; to regulate (a clock).
све́сить *cf.* **ве́сить & све́шивать.**
свести́ *cf.* **своди́ть.**
свет *s.* light, clearness, lighting; world; darling; **дневно́й ~** daylight; **вы́йти в ~** to come out, to be published (of a book); **тот ~** the next world.
света́-ть II. *v.imp.* to dawn.
светёлка *s.* (*gpl.* -лок) small room with a large window.
све́тик *s.* darling.
свет/и́ло *s.* star; light || **-и́льник** *s.* lamp, light || **-и́льня** *s.* wick.
свет=и́ть I. 2. [a & c] *vn.* to shine (of the sun, the moon); (*Pf.* по-) (кому́) to light (a person's way) || **~ся** *vn.* to gleam, to glisten; to beam (with joy).
све́т/ленький *a.* brightish || **-ли́ца** *s.* room with a large window || **-ложёлтый** *a.* light-yellow || **-локра́сный** *a.* light-red || **-лоси́ний** *a.* light-blue || **-́лость** *s. f.* brightness, lucidity; (as title) Serene Highness || **-́лый** *a.* (*pd.* све́тел, -тла́, -тло́, -тлы́; *comp.* светле́е) light, bright, clear, shining, lucid || **-ля́к** *s.* [a] glow-worm || **-ово́й** *a.* light-; world- || **-олече́бница** *s.* light-cure institution || **-́опись** *s. f.* photography || **-опреставле́ние** *s.* the end of the world, doomsday || **-оте́нь** *s. f.* (*art.*) light and shade, chiaroscuro || **-́оч** *s.* torch || **-́ский** *a.* worldly, mundane; (*ec.*) secular; **~ челове́к** man of the world.
свеч/а́ *s.* [e] & **-́ка** *s.* (*gpl.* -чек) candle, light || **-но́й** *a.* candle-.
све́шива-ть II. *va.* (*Pf.* све́с=ить I. 3.) to weigh; to let down, to lower, to hang down.
свива́ль/ник *s.* swaddling-band (child's) || **-ный** *a.* for swathing, swaddling.
свива́-ть II. *va.* (*Pf.* свить 27.) to roll up (paper); to twist together, to coil; to bind, to plait together; to swathe, to swaddle (a child); **~ гнездо́** to build.
свид/а́ние *s.* meeting, appointment, rendezvous; **до -а́ния!** au revoir! || **-е́тель** *s. m.*, **-е́тельница** *s.* witness || **-е́тельство** *s.* evidence, testimony; certificate, testimonial || **-е́тельствование** *s.* evidence, testimony; attestation; examination; inspection, visitation || **-е́тельство+вать** II. *va.* (*Pf.* за-) to bear witness to, to testify to; to give evidence; to attest, to certify, to authenticate (documentarily); **~ свою́ ли́чность** to prove one's identity; **~** (кому́) **своё почте́ние** to pay one's respects, to give one's compliments to; (*Pf.* о-) (*mil.*) to examine, to inspect.
сви́д=еться I. 1. *vrc.* to meet, to come together.
свин/а́рня *s.* (*gpl.* -рен) pigsty || **-ево́дство** *s.* pig-keeping, hog-breeding || **-е́ц** *s.* [a] (*gsg.* -нца́) lead || **-и́на** *s.* pork.
сви́н/ка *s.* (*gpl.* -нок) small pig; (*med.*) mumps *pl.*; pig, block (of metal) || **-о́й** *a.* pig-, pig's || **-опа́с** *s.* swine-herd || **-́ский** *a.* swinish; filthy, dirty || **-́ство** *s.* swinishness; filthiness, dirtiness; (*fig.*) dirty action || **-цо́вый** *a.* lead(en), of lead; lead-coloured || **-ча́тка** *s.* (*gpl.* -ток) a knuckle-bone loaded with lead (for playing).
свинчива-ть II. *va.* (*Pf.* свинт=и́ть I. 1. [a]) to screw together, to fasten with screws.
свинья́ *s.* [e] (*gpl.* -не́й) pig, hog, swine; (female) sow.
свире́ль *s. f.* reed-pipe, shawm.
сви́репе́-ть II. *vn.* (*Pf.* о-) to grow fierce, savage, furious; to rage.

свирéп/ость *s. f.* ferocity, fury, rage, fierceness, cruelty || **–ство+вать** II. *vn.* to be furious, to ravage everything; to rage, to roar, to storm || **–ый** *a.* ferocious, fierce; violent, raging, furious.

свисá-ть II. *vn.* (*Pf.* свúснуть 52.) to hang over, to bend aside, to hang down, to sink down, to dangle, to droop.

свúслый *a.* hanging down, dangling, drooping.

свист *s.* whistle.

свист-áть I. 4. [c] *vn.* (*Pf.* за-, *mom.* свúстн-уть I.) to whistle.

свист=éть I. 4. [a] *vn.* = **свистáть.**

свист/óк *s.* [a] (*gsg.* -ткá) pipe; whistle || **–ýлька** *s.* (*gpl.* -лек) bird-call || **–ýн** *s.* [a], **–ýнья** *s.* whistler.

свúта *s.* suite, retinue, train; smock-frock.

свúток *s.* (*gsg.* -тка) roll, scroll (of papers).

свить *cf.* **свивáть.**

свúхива-ть II. *va.* (*Pf.* свихн-ýть I. [a]) to dislocate, to put out of joint, to sprain, to wrench.

свищ *s.* [a] flaw, crack; worm-hole (in a nut); knot-hole (in wood); fistula.

свобóд/а *s.* freedom, liberty || **–ный** *a.* free, at liberty; exempt (from); disengaged, at leisure; easy, fluent || **–омы́слие** *s.* liberality; (*parl.*) liberalism || **–омы́слящий** (-ая, -ее) *a.* liberal.

свод *s.* bringing together; (*arch.*) vault, arch; **~ счётов** settlement of accounts; **~ закóнов** code of laws.

свод=úть I. 1. [c] *va.* (*Pf.* свестú & свесть 22. [a 2.]) to lead down; to assist down; to bring together; to lead away; to fell, to cut down (trees); to settle (accounts); **~ знакóмство** to make an acquaintance; **~ с умá** to drive crazy, mad; **~ концы́ с концáми** to make ends meet || **~ся** *vr.* to appear, to turn out; **дéло свóдится к томý, чтóбы** the result of all this is; it is now a question of . . .

свóд/ка *s.* (*gpl.* -док) (*typ.*) revise || **–ник** *s.* pimp, procurer || **–ница** *s. f.* procuress || **–нича-ть** II. *vn.* to pimp, to procure || **–ничество** *s.* pimping || **–ный** *a.* combined, compound; vault-; **~ брат** step-brother || **–ня** *s. coll.* procurer, procuress || **–чатый** *a.* vaulted, arched.

своё *cf.* **свой.**

свое/врéменный *a.* seasonable, timely || **–коры́стие** *s.* self-interest, cupidity || **–коры́стный** *a.* selfish, self-interested, mercinary || **–кóштный** *a.* at one's own expense || **–нрáвный** *a.* wilful, capricious || **–обрáзный** *a.* original, peculiar.

своз=úть I. 1. [c] *va.* (*Pf.* свезтú & свезть 25. [a 2.]) to convey, to carry (in a vehicle); to carry off *or* away; *Pf.* to take, to bring (in a car).

свóзка *s.* (*gpl.* -зок) removal, carrying.

свой *prn.* (своя́, своё, *pl.* свои́) his, her, its, their; my, your, our; (*always refers to subject of sentence*); one's own.

свóй/ский *a.* own || **–ственник** *s.*, **–ственница** *s.* relative by marriage || **–ственный** *a.* native, innate, characteristic || **–ство** *s.* property, nature, virtue || **–ствó** *s.* relationship by marriage.

сволáкива-ть II. *va.* (*Pf.* сволóчь 18. [a]) to drag, to force away, to drag off, to draw, to pull down *or* away.

свóлочь *s. f. coll.* rabble, mob, riff-raff.

свóра *s.* leash, couple (of hounds).

сворáчива-ть II. *va.* (*Pf.* сворот=úть I. 2. [c]) to displace, to remove; to roll down, away (*e. g.* a stone, a block); to tear away (of a bridge); to turn aside.

свóр=ить II. *va.* to leash, to couple (hounds).

свóрный *a.* in leash, coupled.

своровáть *cf.* **ворова́ть.**

своротúть *cf.* **сворáчивать.**

своя́ *cf.* **свой.**

свояк *s.* [a] brother-in-law (wife's sister's husband).

своя́/си *s. mpl.* (*G.* -сей) his property; **во ~** home || **–че(н)ница** *s.* sister-in-law (wife's sister).

свыкá-ться II. *vr.* (*Pf.* свы́кнуться 52.) (с кем, с чем) to get, to grow, to become accustomed to, to accustom o.s. to.

свысокá *ad.* from above; high-sounding, bombastic(al).

свы́ше *ad.* from on high; beyond, above; upwards of, over; **~ ста** upwards of a hundred.

связáть *cf.* **свя́зывать.**

свя́з/ка *s.* (*gpl.* -зок) bundle, bunch (of clothes, straw); pack; (*med.*) ligament, tenon; (*gramm.*) copula || **–ность** *s. f.* connectedness, connection; conciseness (of speech); (*phys.*) coherence || **–ный** *a.* connected; concise; coherent || **–очка** *s.* (*gpl.* -чек) *dim. of* свя́зка.

свя́/зыва-ть II. *va.* (*Pf.* -з-áть I. 1. [c]) to bind, to tie fast, up, together, to fasten (to), to unite, to join (with); (*fig.*) to connect || **~ся** *vrc.* (с кем) to have intercource, to keep company with one, to be in touch with; to engage in, to meddle with.

связь *s. f.* [c] junction; connection; tie, bond; coherence; (*chem.*) cohesion; **любо́вная ~** intrigue, love-affair.

святе́й/шество *s.* Holiness (as title) || **–ший** (-ая, -ее) *a.* most holy.

свят/и́лище *s.* sanctuary || **–и́тель** *s. m.* prelate.

свят=и́ть I. 6. [a] *va.* (*Pf.* о-) to consecrate; to inaugurate; to sanctify; to celebrate.

свя́т/ки *s. fpl.* (*G.* -ток) Christmas-tide (from 25th December to 6th January || **–о́й** *a.* (*pd.* свят, ́та, ́о, ́ы) holy, sacred; **Свята́я неде́ля** Easter-week || **~** (*as s.*) saint || **–ость** *s. f.* holiness, sanctity || **–ота́тец** *s.* (*gsg.* -тца) sacrilegious person || **–ота́тство** *s.* sacrilege || **–очный** *a.* Christmas- || **–о́ша** *s. m&f.* hypocrite, sanctimonious person || **–цы** *s. mpl.* church-calendar || **–ы́ня** *s.* shrine; holy relic.

свяще́нн/ик *s.* clergyman, priest || **–ический** *a.* priestly, sacerdotal; priest's || **–ичество** *s.* priesthood || **–одействие** *s.* celebration of divine service || **–оде́йство+вать** II. *vn.* to celebrate divine service, to say mass || **–ый** *a.* holy, consecrated.

свяще́нство *s.* priesthood; *coll.* clergy.

сгиб *s.* bend, turning, curve; joint, articulation; fold, plait; (*fig.*) dog's ear; (*typ.*) quire.

сгиба́-ть II. *va.* (*Pf.* согн-у́ть I. [a] to bend, to curve.

сгла́жива-ть II. *va.* (*Pf.* сглад=ить I. 1.) to make smooth *or* even || **~ся** *vr.* (*fig.*) to be settled, equalized, arranged.

сглода́ть *cf.* **глода́ть.**

сглупа́ *ad.* foolishly, in a foolish way.

сгнива́-ть II. *vn.* (*Pf.* сгн=ить II. [a 1.]) to rot, to putrefy; to decay.

сгнои́ть *cf.* **гнои́ть.**

сгова́рива-ть II. *va.* (*Pf.* сговор=и́ть II.) (кого́ за кого́) to betroth (with), to affiance (to) || **~** *vn.* (с кем) to talk over; to persuade, to convince (of) || **~ся** *vrc.* (с кем о чём) to agree upon (a thing with one), to come to an agreement.

сгово́р *s.* betrothal, engagement.

сгово́рчивый *a.* accomodating, compliant, yielding, ready, willing.

сгон/ *s.* & **́ка** *s.* (*gpl.* -нок) driving away; floating (of timber).

сгоня́-ть II. *va.* (*Pf.* согна́ть 11. [c], *Fut.* сгоню́, сго́нишь) to drive away *or* off, to chase, to turn away; to scare away, to frighten away (birds); to float, to raft (timber).

скора́емый *a.* combustible.

сгора́-ть II. *vn.* (*Pf.* сгор=е́ть II. [a]) to burn up, down, off, away; to become bankrupt; to rot (of corn).

сго́рбить *cf.* **го́рбить.**

сгороди́ть *cf.* **городи́ть.**

сгоряча́ *ad.* in a passion, in the heat of passion.

сгреба́-ть II. *va.* (*Pf.* сгрести́ & сгресть 21. [a 2.]) to rake, to shovel away *or* up; to scrape, to rake together; to grasp, to seize, to lay hold of.

сгрёбка *s.* (*gpl.* -бок) raking away *or* together, etc.); (*in pl.*) scrapings, rakings *pl.*

сгруби́ть *cf.* **груби́ть.**

сгуби́ть *cf.* **губи́ть.**

сгуща́-ть II. *va.* (*Pf.* сгуст=и́ть I. 4. [a]) to thicken, to condense; to compress.

сгуще́ние *s.* thickening, condensation; compression.

сда́брива-ть II. *va.* (*Pf.* сдо́бр=ить II.) to appease; to improve; to give a better taste to, to season.

сдава́ть 39. *va.* (*Pf.* сдать 38.) to give up, to deliver; to resign (a post); to surrender; to deal (cards); to return, to give back; to give tit for tat; **~ экза́мен** to pass an examination || **~ся** *vr.* to surrender; to yield, to give in; **мне сдаётся** it seems to me.

сда́влива-ть II. *va.* (*Pf.* сдав=и́ть II. 7. [c]) to compress, to squeeze together.

сда́ча *s.* surrender; delivery; cession; change; deal (at cards); **у вас ~** your deal now.

сдвига́-ть II. *va.* (*Pf.* сдви́н-уть I.) to remove, to put aside, to move, to shove away, off, on; to move, to bring together.

сдвои́ть *cf.* **двои́ть.**

сде́лать *cf.* **де́лать.**

сде́лка *s.* (*gpl.* -лок) arrangement, settlement, agreement, terms *pl.*

сдёргива-ть II. *va.* (*Pf.* сдёрн-уть I.) to draw down *or* off, to drag, to pull down, to pull, to tear off (*e. g.* the counterpane, boots, etc.).

сде́ржанный *a.* reserved, modest.

сде́ржива-ть II. *va.* (*Pf.* сдерж=а́ть I. [c]) to support, to endure, to bear; to stop, to hold, to keep back; to check, to restrain; **~ сло́во** to keep one's word; **~ смех** to suppress a laugh.

сдёрнуть *cf.* **сдёргивать.**
сдира́-ть II. *va.* (*Pf.* содра́ть 8. [a 3.]) (с + *G.*) to skin; (*zool.*) to cast, to slough; to strip, to tear, to pull off.
сдо́бный *a.* prepared with milk, eggs and butter.
сдо́брить *cf.* **сда́бривать.**
сдоброва́ть (*only in Infinitive with* **не**) **не ~ тебе́** it will turn out badly for you.
сдружи́ть *cf.* **дружи́ть.**
сдува́-ть II. *va.* (*Pf.* сду-ть II. [b], *mom.* сду́н-уть I.) to blow away, off, down; (с кого́ что) to cheat one, to overreach; (*fam.*) to foist (a thing upon one); **с меня́ сду́ли мно́го де́нег** I was swindled out of a lot of money.
сду́ру *ad.* foolishly, from silliness.
сеа́нс *s.* sitting; (*art.*) seance.
себя́/ *prn. refl.* oneself; myself, yourself, etc. (*always refers to subject of sentence*); **та́к себе** so-so; **не по себе́** not feeling well || **-лю́бец** *s.* (*gsg.* -бца) egoist.
се́вер/ *s.* north; north wind || **-ный** *a.* northern, northerly.
се́веро/восто́к *s.* north-east || **-восто́чный** *a.* north-eastern, north-easterly || **-за́пад** *s.* north-west || **-за́падный** *a.* north-western, north-westerly.
севрю́га *s.* (*ich.*) (kind of) sturgeon.
сегме́нт *s.* segment.
сего́ *cf.* **сей.**
сего́/дня *ad.* to-day, this day || **-дня́шний** *a.* to-day's, of to-day, this day's.
седа́лище *s.* seat, chair.
седе́-ть II. *vn.* (*Pf.* по-) to turn, to grow grey.
седина́ *s.* grey hair.
седла́-ть II. *va.* (*Pf.* о-) to saddle.
седло́ *s.* [d] (*pl.* сёдла) saddle.
седо/боро́дый *a.* grey-bearded || **-ва́тый** *a.* greyish || **-воло́сый** *a.* grey-haired || **-голо́вый** *a.* grey-headed.
седо́й *a.* grey.
седо́к *s.* [a] passenger; rider.
седьмо́й *num.* seventh.
сезо́н *s.* season.
сей *prn.* (сия́, сиё, *pl.* сии́) this; **сим** herewith; **при сём** enclosed, herein; **сию́ мину́ту** directly; **до сих пор** up to now.
сейча́с *ad.* at once; just now.
сейм *s.* diet.
секве́стр/ *s.* sequestration || **-о+ва́ть** II. [b] *va.* (*Pf.* за-) to sequester.
секи́ра *s.* (*obs.*) (battle-)axe.
секре́т/ *s.* secret || **-а́рство** *s.* secretaryship || **-а́рь** *s. m.* [a] secretary || **-ни́ча-ть** II. *vn.* to be mysterious, to act secretly || **-ный** *a.* secret, mysterious.
се́кст/а *s.* (*mus.*) sixth || **-е́т** *s.* (*mus.*) sextette.
се́кт/а *s.* sect || **-а́нт & -а́тор** *s.* sectarian || **-ор** *s.* (*geom.*) sector.
секуляриза́ция *s.* secularization.
секу́нд/а *s.* second || **-а́нт** *s.* second (in a duel) || **-а́рный** *a.* secondary.
селёд/ка *s.* (*gpl.* -док) & **-очка** *s.* (*gpl.* -чек) *dim.* herring || **-очник** *s.*, **-очница** *s.* herring-seller || **-очный** *a.* herring-.
селезёнка *s.* (*gpl.* -нок) milt, spleen.
се́лезень *s. m.* (*gsg.* -зня) drake.
селе́н *s.* selenium.
селе́ние *s.* settlement; village.
сели́тра *s.* saltpetre, nitre.
сел=и́ть II. = **поселя́ть.**
село́ *s.* [d] village (with a church).
сельдере́й *s.* celery.
сель/ди́на *s.* & **-дь** *s. f.* [c] herring.
се́льский *a.* country, rural, rustic; village-.
се́льтерский *a.*, **-ая вода́** seltzer-water.
сель/цо́ *s. dim. of* село́ || **-чани́н** *s.* [h] (*pl.* -ча́не), **-ча́нка** *s.* (*gpl.* -нок) & **селяни́н** *s.* [h] (*gpl.* селя́не), **селя́нка** *s.* (*gpl.* -нок) villager.
семафо́р *s.* semaphore.
сёмга *s.* (*gpl.* сёмог) (*ich.*) salmon.
семе́й/ка *s.* (*gpl.* -еек) small family || **-(ствен)ный** *a.* family, domestic || **-ство** *s.* family.
семен=и́ть II. [a] *vn.* (*Pf.* за-) to swagger; to trip, to take short steps.
сем/ери́к *s.* [a] a measure of seven chetveriks; sold seven to the pound (candles, etc.) || **-ёрка** *s.* (*gpl.* -рок) seven (at cards).
се́меро *num.* seven (together); **нас бы́ло ~** there were seven of us.
семе́стр *s.* six months, half-year.
семи/ *in cpds.* = seven- || **-гла́вый** *a.* seven-domed, with seven cupolas || **-десятиле́тний** *a.* septuagenarian || **-деся́тый** *num.* seventieth || **-дне́вный** *a* sevenday, lasting seven days || **-кра́тный** *a.* sevenfold, seven times repeated || **-ле́тний** *a.* seven years old, of seven years.
семина́р/ия *s.* seminary || **-и́ст** *s.* pupil of a seminary, seminarist.
семи/неде́льный *a.* seven weeks' || **-со́тый** *num.* seven-hundredth.
семна́дцат/ый *num.* seventeenth || **-ь** *num.* seventeen.
сёмог *cf.* **сёмга.**
сему́, сём *cf.* **сей.**

семь/ *num.* seven || **-десят** *num.* seventy || **-сот** *num.* seven hundred.
семья/ *s.* [e] (*gpl.* семей) family, household || **-нин** *s.* father of a family, paterfamilias.
сенат/ *s.* senate || **-ор** *s.* senator.
сени *s. fpl.* (entrance-)hall, vestibule.
сенн/ик *s.* [a] hayloft || **-ой** *a.* hay, of hay.
сено/ *s.* hay || **-вал** *s.* hayloft || **-ворошилка** *s.* (*gpl.* -лок) hay-turning machine || **-кос** *s.* haymaking, mowing; hay-time; **второй ~** aftermath || **-косец** *s.* (*gsg.* -сца) haymaker, mower; (*zool.*) daddylonglegs || **-косный** *a.* mowing-.
сент/енция *s.* sentence; judg(e)ment; aphorism || **-иментальный** *a.* sentimental || **-ябрь** *s. m.* [a] September.
сень *s. f.* shade; (*fig.*) shelter, protection.
сепар/атизм *s.* separatism || **-атный** *a.* separate.
сера *s.* brimstone, sulphur; **~ в ушах** ear-wax.
сераль *s. m.* seraglio.
серафим *s.* seraph.
серв/из *s.* service, set || **-иро+вать** II. [b] *vn.* to serve, to wait at table.
сердеч/ко *s.* (*gpl.* -чек) *dim. of* сердце || **-ный** *a.* hearty, cordial; **~ друг** bosom-friend.
сердитый *a.* angry, vexed.
серд=ить I. 1. [c] *va.* (*Pf.* рас-) to anger, to vex, to annoy || **~ся** *vr.* (на + *A.*) to become *or* to get angry (with).
сердо/больный *a.* merciful, compassionate || **-лик** *s.* (*min.*) carnelian.
сердце/ *s.* [b] heart; anger, wrath; indignation || **-биение** *s.* palpitation (of the heart) || **-вед** *s.* searcher of hearts || **-вина** *s.* heart, core, pith.
серебристый *a.* argentiferous; silvery.
серебр=ить II. [a] *va.* (*Pf.* по-, о-, вы-) to silver, to (silver)plate || **~ся** *vn.* (*Pf.* за-) to gleam like silver.
серебро *s.* silver.
серебрян/ик *s.* silversmith; silver coin || **-ый** *a.* silver, of silver.
середин/а *s.*, *dim.* **-ка** *s.* (*gpl.* -нок) middle, midst; centre-piece.
серёжка *s.* (*gpl.* -жек) *dim.* ear-ring; ring, loop; (*bot.*) catkin.
серенада *s.* serenade.
сере-ть II. *vn.* (*Pf.* по-) to grow grey.
серия *s.* series.
сермя/га & -жина *s.* coat of coarse uncoloured cloth; caftan, smock-frock.
серн/а *s.* chamois || **-истый** *a.* sulphurous || **-окислый** *a.* sulphate, sulphuric.
серобурый *a.* greyish-brown.
серп/ *s.* [a] sickle, reaping-hook || **-овидный** *a.* sickle-shaped.
серьга *s.* [e] ear-ring.
серьёзный *a.* serious, in earnest; grave, stern, gloomy.
сессия *s.* session.
сестра *s.* [e] (*gpl.* сестёр) sister.
сестр/ин *a.* sister's || **-ица** *s.* dear sister (as address) || **-ичка** *s.* (*gpl.* -чек) little sister.
сесть *cf.* **садиться.**
сетка *s.* (*gpl.* -ток) *dim.* net; hair-net; (gas-)mantle.
сето+вать II. *vn.* (о чём) to sorrow (for), to grieve, to lament; (на что) to complain.
сет/очка *s.* (*gpl.* -чек) *dim. of* сетка || **-очный** *a.* net- || **-чатка** *s.* (*gpl.* -ток) reticular membrane, retina (of eye) || **-чатый** *a.* net-like; retiform, reticular || **-ь** *s. f.* [c] net; (*fig.*) trap, snare.
сеч/а *s.* hewing; wood-felling; clearing (in a wood) || **-ение** *s.* cutting up, cut; (*chir. & geom.*) section; whipping, flogging || **-ка** *s.* (*gpl.* -чек) chopper, clearer; chaff-cutter; chopped (up) straw.
сечь 18. [a 1.] *va.* (*Pf.* вы-, по-) to hack; to chop; to hew, to whip, to flog || **~ся** *vr.* to whip, to scourge o.s. || **~** *vn.* to split (of hair); to unravel, to fray (of stuff).
се́я/лка *s.* (*gpl.* -лок) drill-plough, sowing-machine || **-тель** *s. m.* sower.
се-ять II. *va.* (*Pf.* по-) to sow; (*Pf.* про-) to sift.
сжал=иться II. *vr. Pf.* (над + *I.*) to pity, to have pity *or* mercy (on).
сжарить *cf.* **жарить.**
сжат/ие *s.* pressure, compression || **-ость** *s. f.* compactness; closeness; conciseness (of the style); flattening (of the globe) || **-ый** *a.* compact; compressed; close; clinched (of the fist); (*gramm.*) concise || **-ь** *cf.* **сжимать.**
сжевать *cf.* **жевать.**
сжива-ть II. *va.* (*Pf.* сжить 31. [a 1.]) to get rid of, to shake off || **~ся** *vrc.* (с кем) to make o.s. at home (with), to accustome o.s. to.
сжига-ть II. *va.* (*Pf.* сжечь 16. [a 2.], *Fut.* сожгу, сожжёшь, etc.; *Pret.* сжёг, сожгла, etc.) to burn (down).
сжима-ть II. *va.* (*Pf.* сжать 33. [a 1.], *Fut.* сожму, -ёшь, etc.) to compress; to squeeze together; to condense; to clench (one's fist).

сжить *cf.* **сживать.**
сзади *ad.* from behind || ~ *prp.* (+ *G.*) behind.
сзыва́-ть II. *va.* (*Pf.* созвать 10. [a 3.] to call together, to convene, to convoke; to invite (together), to bid (guests).
сибарит *s.* sybarite.
сив/ка *s.* (*gpl.* -вок) a grey horse || **-уха** *s.* bad brandy.
сиг *s.* [a] gang-fish, houting.
сигар/а *s.* cigar || **-ный** *a.* cigar- || **-ка** *s.* (*gpl.* -рок) & **-очка** *s.* (*gpl.* -чек) cigarillo || **-очница** *s.* cigar-case.
сигнал/ *s.* signal || **-ьный** *a.* signal-; ~ **аппарат для пожаров** fire-alarm.
сигнатура *s.* signature; label; mark (on a package).
сидел/ец *s.* (*gsg.* -ьца) shopman; barman || **-ка** *s.* (*gpl.* -лок) (sick-)nurse.
сидение *s.* sitting; seat.
сидень *s. m.* (*gsg.* -дня) a child (not yet able to walk); a stick-at-home.
сид=еть I. 1. [a] *vn.* (*Pf.* по-, *iter.* сиживать II.) to sit, to be seated; to perch, to roost (of birds); to fit, to suit (of clothes); (*mar.*) to draw, to run aground; ~ **яйцах** to brood (of birds); ~ **дома** to be a stay-at-home; **ему не сидится** (*fam.*) to be fidgety.
сидр *s.* cider.
сидьмя *ad.* without moving, sitting continuously.
сидячий *a.* sitting; sedentary; **-ая ванна** hip-bath.
сизый *a.* dove-coloured, greyish-blue.
сикомор *s.* sycamore.
сил/а *s.* strength, vigour; (*fig.*) force, power, might; energy, intensity; (*mil.*) forces, troops *pl.* || **-ач** *s.* [a] stout, robust man, athlete || **-ачка** *s.* (*gpl.* -чек) stout athletic woman || **-ен** *cf.* **сильный.**
сил=иться II. *vr.* to exert o.s.
силок *s.* [a] (*gsg.* -лка) running-noose, snare.
силомер *s.* (*el.*) dynamometer.
силуэт *s.* silhouette.
сильный *a.* (*pd.* силен & силён, сильна, **'**льно, **'**льны; *comp.* -сильнее) strong, vigorous, stout, robust, energetic; powerful, mighty; violent, severe.
сим *cf.* **сей.**
символ/ *s.* symbol, emblem || **-ический** *a.* symbolic(al).
симметр/ия *s.* symmetry || **-ический** *a.* symmetric(al).
симп/атический *a.* sympathetic(al) || **-атичный** *a.* congenial (to one) || **-атия** *s.* sympathy || **-том** *s.* symptom.
симфон/ический *a.* symphonious || **'ия** *s.* symphony.
синагога *s.* synagogue.
синдик/ *s.* syndic || **-ат** *s.* syndicate.
синева/ *s.* blue colour, blueness; **небесная** ~ sky-blue; bruise, livid spot || **-тый** *a.* bluish, pale blue.
синерод *s.* (*chem.*) cyanogen.
сине-ть II. *vn.* (*Pf.* по-) to grow *or* to become blue.
син/ий *a.* (dark-)blue; **-яя бумажка** fifty rouble note || **-ильник** *s.* (*bot.*) dyer's woad || **-ильный** *a.* for dyeing (dark-)blue; **-ильная кислота** (*chem.*) prussic acid.
син=ить II. [a] *va.* (*Pf.* на-) to blue (washing); to dye (dark-)blue.
синица *s.* (*orn.*) tomtit, titmouse.
синод *s.* synod.
синон/им *s.* synonym || **-имный** *a.* synonymous.
синтак/сис *s.* syntax || **-сический** & **-тический** *a.* syntactic(al).
синь/ *s. f.* blue (colour) || **'ка** *s.* (*gpl.* -нек) blue (for washing); blueing.
синяк *s.* [a] bruise, livid mark (of a blow).
сип=еть II. 7. *vn.* to speak hoarsely, with a hoarse voice.
сип/лость *s. f.* & **-ота** *s.* hoarseness || **-лый** *a.* hoarse || **-нуть** 52. *vn.* (*Pf.* о-) to become hoarse.
сирена *s.* siren.
сирень *s. f.* lilac.
сиречь *ad.* (*sl.*) namely, that is to say.
сироп *s.* syrup.
сирот/а *s.* [h] *m&f.* orphan; **круглый** ~ orphan who has lost both parents || **-е-ть** II. *vn.* (*Pf.* о-) to become an orphan.
сирот/ка *s.* (*gpl.* -ток), *dim. of* сирота || **-инка** *s.* (*gpl.* -нок) & **-очка** *s. m&f.* (*gpl.* -чек) little orphan-child || **-ство** *s.* orphanhood.
сирый *a.* orphan(ed).
систем/а *s.* system || **-атический** & **-атичный** *a.* systematic(al).
ситец *s.* (*gsg.* -тца) chintz, printed calico.
ситечко *s.* (*gpl.* -чек) *dim. of* сито.
сит/ник *s.* bread made from bolted meal; (*bot.*) rush, bulrush || **-ный** *a.* sifted, bolted (of meal) || **-о** *s.* sieve, bolt || **-уация** *s.* situation || **-цевый** *a.* chintz, of chintz.
сифил/ис *s.* syphilis || **-(ит)ический** *a.* syphilitic.
сифон *s.* siphon.
сия/ние *s.* light, shine, brightness; radiance, nimbus; **северное** ~ northern

lights *pl.*, aurora borealis || **-тельный** *a.* illustrious, noble || **-тельство** *s.*, **Его С-** His Grace.
сия́-ть II. *vn.* (*Pf.* за-) to shine, to radiate, to sparkle, to gleam, to beam (with joy).
скабрёзный *a.* obscene, indecent.
сказ/а́ние *s.* narrative, tale, recital; legend, tradition || **-а́тель** *s. m.* narrator; interpreter || **-а́ть** *cf.* **говори́ть** & **´ывать.**
ска́/зка *s.* (*gpl.* -зок) tale, story, yarn; (*abus.*) fib || **-зочник** *s.* story-teller || **-зочный** *a.* fairy-tale; fabulous, legendary || **-зу́емое** (*as s.*) (*gramm.*) predicate || **-зыва-ть** II. *va.* (*Pf.* -з-а́ть I. 1. [c]) to say; to recite; to narrate, to relate, to tell; to order, to declare (*cf.* говори́ть) || **~ся** *vr.* (чем) to profess to be, to give o.s. out for.
скак-а́ть I. 2. [c] *vn.* (*Pf.* по-) to spring, to jump, to hop; to gallop; (*Pf.* скоч=и́ть I. [c], *mom.* скокн-у́ть I. [a]) to leap over *or* across, to make a spring.
скак/ово́й *a.* race-, racing || **-у́н** *s.* [a] leaper, jumper; racehorse.
скала́ *s.* [e] rock, cliff; (*bot.*) birch-bark.
ска́л/а *s.* (*mus.* & *phys.*) scale || **-и́стый** *a.* rocky, cliffy || **-ить** *cf.* **оска́ливать** || **-ка** *s.* (*gpl.* -лок) rolling-pin; mangle || **-озу́б** = **зубоска́л** || **-ыва-ть** II. *va.* (*Pf.* скол-о́ть II. [c]) to cleave off, to split off; to copy (a pattern) by pricking.
скальп/ *s.* scalp || **´ель** *s. m.* (*chir.*) scalpel || **-и́ро+вать** II. *va.* to scalp.
скам/е́ечка *s.* (*gpl.* -чек) *dim.* footstool || **-е́йка** *s.* (*gpl.* -е́ек) form (in schools), (small) bench || **-ья́** *s.* (*gpl.* -е́й) bench; **~ подсуди́мых** (*leg.*) dock.
сканда́л/ *s.* scandal || **-ьный** *a.* scandalous.
сканд(и́р)о+ва́ть II. [b] *vn.* to scan (verses).
ска́плива-ть II. *va.* (*Pf.* скоп=и́ть II. 7. [c]) to hoard up, to treasure (up), to lay up.
скарб *s.* household goods, utensils, goods and chattels *pl.*; **весь ~** (*fam.*) belongings *pl.*
ска́ред/ник *s.*, **-ница** *s.* nasty person; niggard, skinflint || **-ничa-ть** II. *vn.* to be stingy *or* niggardly || **-ный** *a.* stingy, niggardly; vile, odious.
скарлати́на *s.* (*med.*) scarlatina, scarlet fever.
ска́рмлива-ть II. *va.* (*Pf.* скорм=и́ть II. 7. [c]) to use up in feeding.

ска/т *s.* rolling down; slope, declivity || **-та́ть** *cf.* **´тывать** || **´ерть** *s. f.* [c] table-cloth || **´ыва-ть** II. *va.* (*Pf.* -т=и́ть I. 2. [a & c]) to roll down *or* off; (*Pf.* -та́-ть II.) to roll up.
ска́ч/ка *s.* (*gpl.* -чек) race, horse-race; leaping; **~ с препя́тствиями** steeplechase || **-о́к** *s.* [a] (*gsg.* -чка́) jump, spring, leap.
сква́ж/ина *s.* chink, crevice, hole; pore || **-истый** *a.* porous.
сквер *s.* square.
скверно/сло́вие *s.* obscenity, smut || **-сло́в=ить** II. 7. *vn.* to talk smut *or* obscenely.
скве́рный *a.* filthy, dirty; nasty; obscene.
сквита́ться *cf.* **квита́ться.**
сквоз=и́ть I. 1. [a] *vn.* to pass through; to shine, to glimmer through; **здесь сквози́т** there is a draught.
сквозно́й *a.* transparent; through-; **~ ве́тер** a draught.
сквозь *prp.* (+ *A.*) through.
скворе́ц *s.* [a] (*gsg.* -рца́) starling.
скеле́т *s.* skeleton.
ске́пт/ик *s.* sceptic || **-ици́зм** *s.* scepticism || **-и́ческий** *a.* sceptic(al).
ски́/дка *s.* (*gpl.* -док) throwing down; abatement, discount, reduction (in price) || **-дыва-ть** II. *va.* (*Pf.* -да́-ть II. & -н-уть I.) to throw off *or* down; to heap up; to take off (one's clothes); to diminish, to deduct; to lower (prices).
ски́петр *s.* sceptre.
скипе́ть *cf.* **кипе́ть.**
скипида́р *s.* turpentine.
скирд/ & **-а́** *s.* hayrick, haystack; cornstack.
скис/а́ть, ´нуть *cf.* **ки́снуть.**
скит/ *s.* [b] hermitage || **-а́лец** *s.* (*gsg.* -а́льца) stroller, rover, roamer, vagabond || **-а́-ться** II. *vc.* (*Pf.* по-) to stroll, to roam, to rove about || **´ник** *s.* hermit.
склад/ *s.* warehouse; proportions, dimensions *pl.*; fashion, cut; coherence (in speech); (*mus.*) harmony; **ни ´у, ни ла́ду** neither rhyme nor reason; [b] syllable; **чита́ть по -а́м** to spell || **´ка** *s.* (*gpl.* -док) piling up (of wood); (*comm.*) storage; laying together; fold (in dress) || **-но́й** *a.* folding- || **´ный** *a.* harmonious; well-proportioned; concise; connected (of speech) || **´очка** *s.* (*gpl.* -чек) small fold || **´очный** *a.* store-, ware-; clubbed together (of money) || **´чи́на** *s.* contribution (in money), clubbing together || **´ыва-ть**

II. *va.* (*Pf.* слож=и́ть I. [c]) to pile up, to stack (wood); (*comm.*) to store up; to lay *or* to put down (a load); to add (up); to spell; to invent, to compose; (*Pf. also* скласть 22. [a 1.]) to put together; to lay together, to fold up; to put into (an envelope); **сиде́ть сложа́ ру́ки** to sit with folded arms.
скле́ива-ть II. *va.* (*Pf.* скле=и́ть II. [a]) to glue, to paste together.
склеп *s.* vault, crypt.
склепа́ть *cf.* **клепа́ть.**
склёпка *s.* (*gpl.* -пок) riveting; piece riveted on.
склеро́з *s.* sclerosis.
склика́-ть II. & **скли́к-ать** I. 2. *va.* (*Pf.* скли́кн-уть I.) to call together.
скли́чка *s.* (*gpl.* -чек) calling together.
скло/н *s.* persuading (to do a thing) || **-не́ние** *s.* declivity, slope; (*gramm.*) declension; (*astr.*) declination || **-ни́ть** *cf.* **-ня́ть & клони́ть** || **´нность** *s. f.* inclination, propensity || **´нный** *a.* disposed, inclined, prone (to) || **-ня́емый** *a.* (*gramm.*) declinable || **-ня́-ть** II. *va.* (*Pf.* -н=и́ть II. [c]) to incline, to bow, to bend, to stoop; (кого́ на что, к чему́) to dispose, to win over, to persuade, to persuade, to interest one in a thing; (*gramm. & phys.*) to decline || **~ся** *vr.* to bend, to bow down; to yield, to comply; (*Pf.* про-) (*gramm.*) to be declined.
скля́нка *s.* (*gpl.* -нок) phial, flask, (medicine-)bottle; sand-glass, hour-glass.
скоба́ *s.* [e] cramp, brace, clasp, handle.
ско́бка *s.* (*gpl.* -бок) cramp; (*typ.*) brackets *pl.*
скобл=и́ть II. [a & c] *va.* (*Pf.* по-) to scrape (with a scraping-knife); to erase (with an indiarubber).
ско́бочка *s.* (*gpl.* -чек) *dim. of* ско́бка.
скова́ть *cf.* **ско́вывать.**
сковор/ода́ *s.* [e] (*pl.* ско́вороды) frying-pan || **-о́дка** *s.* (*gpl.* -док) *dim. of prec.*
ско́вородень *s. m.* (*gsg.* -дня) dove-tail (in carpentry).
ско́выва-ть II. *va.* (*Pf.* ско+ва́ть II. [a]) to weld *or* to forge together; (*fig.*) to fetter.
скок/ *s.* bound, leap; **на -у** in a bound, at a gallop || **-ну́ть** *cf.* **скака́ть.**
скола́чива-ть II. *va.* (*Pf.* сколот=и́ть I. 2. [c]) to knock off; to knock together, to join; to spare, to amass (money).
сколо́ть *cf.* **ска́лывать.**
сколь *ad.* how much, how many; **~ ни** what(so)ever.
скольз=и́ть I. 1. [a] *vn.* (*Pf.* скользн-у́ть I.) to slip, to slide; to skim over.
ско́льзкий *a.* slippery; (*fig.*) ticklish.
ско́лько *ad.* how much, how many; **~-нибу́дь** (only) a little.
сколю́ *cf.* **ска́лывать.**
скома́ндовать *cf.* **кома́ндовать.**
ско́мкать *cf.* **ко́мкать.**
скомор/о́х *s.* buffoon, juggler, mummer || **-о́шество** *s.* buffoonery.
сконфу́зить *cf.* **конфу́зить.**
сконча́ние *s.* end, termination, conclusion.
сконча́-ть II. *va.* to end, to finish, to terminate, to conclude || **~ся** *vr.* to cease, to stop, to be finished; to expire, to die.
скопе́ц *s.* [a] (*gsg.* -пца́) eunuch, castrated person; (*in pl.*) members of a sect practising mutilation.
скопидо́м/ *s.*, **-ка** *s.* (*gpl.* -мок) thrifty housekeeper.
скопи́ровать *cf.* **копи́ровать.**
скопи́ть *cf.* **ска́пливать.**
ско́пище *s.* multitude, crowd; band, gang.
скопле́ние *s.* accumulation; castration.
скопля́ть *cf.* **ска́пливать.**
ско́пческий *a.* of *or* belonging to the sect of the "скопцы́" (*cf.* скопе́ц).
скорб=е́ть II. 7. [a] *vn.* (*Pf.* вос-) to suffer, to be sick; to sorrow, to grieve, to mourn.
ско́рб/ный *a.* sorrowful, mournful, sad; **~ лист** sick-list || **-у́т** *s.* scurvy || **-ь** *s. f.* [c] sorrow, grief, affliction, distress.
скорл/упа́ *s.* [e & f] shell (of eggs, nuts, etc.) || **-у́пка** *s.* (*gpl.* -пок) *dim.* thin shell.
скорми́ть *cf.* **ска́рмливать.**
скорня́к *s.* [a] furrier.
ско́ро/ *ad.* quickly, rapidly, promptly; soon || **-гово́рка** *s.* (*gpl.* -рок) quick speech; *m&f.* person who speaks very quickly || **-зре́лый** *a.* precocious, forward, early.
скор/о́м=иться II. 7. *vr.* to eat forbidden food during Lent || **-о́мный** *a.* forbidden during Lent.
скоро/печа́тный *a.* quick-printing || **-пи́сный** *a.* stenographic(al).
ско́ропись *s. f.* shorthand, stenography.
скоро/пости́жный *a.* sudden, unexpected || **-преходя́щий** (-ая, -ее) *a.* transient, transitory || **-спе́лый** *a.* precocious, early || **-стре́льный** *a.* quick-firing.
ско́рость *s. f.* rapidity, speed; swiftness, quickness; velocity; vehemence; shortness; readiness, promptness.
скоро/та́ть *cf.* **корота́ть** || **-те́чный** *a.* transient, ephemeral; **-те́чная чахо́т-**

ка galloping consumption || **–хо́д** *s.* quick runner; swift messenger.
скорпио́н *s.* scorpion.
ско́рчить *cf.* **ко́рчить.**
ско́рый *a.* (*comp.* скоре́е) fast, quick, swift, rapid; prompt; hasty; **~ по́езд** express (train).
скоси́ть *cf.* **коси́ть.**
скоти́на *s.* cattle; (*abus.*) beast, brute, blockhead.
скот/ *s.* [a] cattle || **´ник** *s.* cow-herd, drover || **´ница** *s.* cow-maid || **´ный** *a.* of, for cattle; cattle- || **–ово́д** *s.* (cattle-) breeder || **–ово́дство** *s.* cattle-breeding || **–олече́бный** *a.* veterinary || **–опри-го́нный** *a.*, **~ двор** cattle-market || **–опромы́шленник** *s.* (cattle-)sales-man || **´ский** *a.* cattle-; bestial, beastly, brutish || **´ство** *s.* bestiality, brutality.
скоше́ние *s.* mowing.
скра́дыва-ть II. *va.* (*Pf.* скрасть 22. [a 1.]) to steal, to take away; to hide, to conceal || **~ся** *vr.* to conceal o.s., to hide.
скра́ивать *cf.* **кро́ить.**
скра́шива-ть II. *va.* (*Pf.* скра́с=ить I. 3.) to embellish, to adorn, to decorate.
скреб/ни́ца *s.* curry-comb || **–ну́ть** *cf.* **скрести́** || **–о́к** *s.* [a] (*gsg.* -бка́) scraper.
скре́ж/ет *s.* gnashing, grinding (of teeth) || **–ет-а́ть** I. 6. [c] *vn.* (*Pf.* за-), **~ зуба́ми** to gnash the teeth.
скре́/па & **–пле́ние** *s.* fastening; strengthening; countersign(ature) || **–пля́-ть** II. *va.* (*Pf.* -п=и́ть II. 7. [a]) to strengthen, to consolidate; to counter-sign; (*leg.*) to make valid.
скрести́ & **скресть** (√скреб-) 21. [a 2.] *va.* (*Pf.* скребн-у́ть I.) to scrape.
скреща́-ть II. & **скре́щива-ть** II. *va.* (*Pf.* скрест=и́ть I. 4. [a]) to cross; to fold (one's arms).
скрижа́ль *s. f.* (*ec.*) table; **–и заве́та** the tables of the Ten Commandments.
скри/п *s.* creaking; squeak || **–па́ч** *s.* [a], **–па́чка** *s.* (*gpl.* -чек) violinist; fiddler **–п=е́ть** II. 7. [a] *vn.* (*Pf.* за-, *mom.* ´пн-уть I.) to creak, to grate, to squeak || **–пи́чный** *a.* violin- || **´пка** *s.* (*gpl.* -пок) violin, fiddle || **´почка** *s.* (*gpl.* -чек) *dim. of prec.* || **–пу́чий** (-ая, -ее) *a.* creaking, squeaky || **–пчо́нка** *s.* (*gpl.* -нок) bad violin.
скрои́ть *cf.* **крои́ть.**
скро́м/ник *s.*, **–ница** *s.* modest, un-assuming person || **–ный** *a.* modest, unassuming; plain, simple; frugal.
скру́пул *s.* scruple.
скру́чива-ть II. *va.* (*Pf.* скрут=и́ть I. 2. [a & c]) to twist together; to pinion, to bind; (*fig.*) to drive to straits.
скрыва́-ть II. *va.* (*Pf.* скрыть 28. [b 1.]) to conceal, to hide; to dissemble; to suppress || **~ся** *vr.* to be hid(den) *or* in hiding, to be secreted; to conceal o.s.
скры́тный *a.* concealed, hidden; secret; stealthy; reserved, close; (*phys.*) latent.
скрю́чива-ть II. *va.* (*Pf.* скрюч=ить I.) to crook, to bend; to oppress.
скря́га *s. m&f.* miser, niggard, cur-mudgeon.
скря́жнич/а-ть II. *vn.* to be miserly, stingy || **–ество** *s.* avarice, stinginess, niggardliness.
скуде́льный *a.* earthen, of clay; (*fig.*) fragile, brittle; frail.
ску́д/ный *a.* scanty, poor, miserable || **–оу́мный** *a.* stupid, dull, silly.
ску́ка *s.* tediousness, wearisomeness, boredom.
скул/а́ *s.* [d] cheek-bone; (*an.*) jaw(-bone) || **–а́стый** *a.* having prominent cheek-bones || **–ьпту́ра** *s.* sculpture.
скупа́-ть II. *va.* (*Pf.* скуп=и́ть II. 7. [c]) to buy up, to forestall.
скупе́ц *s.* [a] (*gsg.* -пца́) miser.
скуп=и́ться II. 7. [c] *vc.* to be miserly *or* avaricious.
ску́п/ка *s.* (*gpl.* -пок) buying up || **–ова́тый** *a.* somewhat miserly || **–о́й** *a.* miserly, stingy; scanty, sparing || **–ость** *s. f.* stinginess, miserliness, niggardli-ness, scantness || **–щик** *s.* [a] engrosser, forestaller.
скуф/е́йка *s.* (*gpl.* -еек) small skull-cap || **–ья́** *s.* [e] skull-cap.
скуча́-ть II. *vn.* (*Pf.* по-) to be tired, wearied, bored; to yearn, to long for.
ску́чива-ть II. *va.* (*Pf.* ску́ч=ить I.) to heap, to pile up.
скучнова́тый *a.* rather tedious.
ску́чный *a.* wearisome, tedious, boring; sad, melancholy.
ску́ша-ть II. *va. Pf.* to eat up, to con-sume.
слаб/е́-ть II. & **´нуть** 52. *vn.* (*Pf.* о-) to grow weak, to pine away; to slacken, to weaken || **–и́тельный** *a.* purgative, laxative.
сла́б=ить II. *v.imp.* (*Pf.* про-) to purge; **его́ сла́бит** he has diarrhoea.
слабо/ва́тый *a.* rather weak *or* feeble || **–ду́шный** *a.* pusillanimous || **–у́мный** *a.* weak-minded, imbecile.
сла́бый *a.* (*pd.* слаб, -ба́, ´бо, ´бы;

comp. слабе́е) weak, feeble, faint; delicate, slight.

сла́в/а *s.* glory, fame, praise; reputation; rumour, report; ~ **Бо́гу!** thank God! ~ **тебе́!** hail! **на –у** wonderfully well || **–ильщик** *s.* (Christmas) waits *pl.*, carol-singer.

сла́в=ить II. 7. *va.* (*Pf.* про-) to glorify, to extol, to praise; ~ **Христа́** to sing Christmas-carols || **~ся** *vr.* to be celebrated, famous.

сла́влива-ть II. *va.* (*Pf.* слов=и́ть II. 7. [c]) to catch, to seize.

сла́в/ный *a.* famous, renowned; capital, topping || **–о́нский** *a.* Slavonic || **–осло́в=ить** II. 7. *va.* to glorify, to extol || **–яни́н** *s.* (*pl.* -я́не), **–я́нка** *s.* (*gpl.* -нок) Slav || **–янофи́л** *s.* Slavophile || **–я́нский** *a.* Slav(onic).

слага́-ть II. *va.* (*Pf.* слож=и́ть I. [c]) to put together; to join; to fold (up); to add (up); to remit; to compose || **~ся** *vn.* to be formed of, to be composed of.

сла́д/енький *a.* sweetish || **–ить** *cf.* **сла́живать** || **–кий** *a.* (*pd.* сла́док, -дка́, -дко, -дки; *comp.* сла́ще) sweet; savoury, tasty; pleasant, agreeable || **–кова́тый** *a.* sweetish || **–козву́чный** *a.* melodious.

сла́до/стный *a.* sweet, delightful, charming, graceful, lovely || **–стра́стие** *s.* sensuality || **–стра́стный** *a.* voluptuous, sensual || **–сть** *s. f.* sweetness; (*fig.*) delight, pleasure, charm, grace, loveliness.

сла́жива-ть II. *va.* (*Pf.* сла́д=ить) I. 1.) to arrange, to settle || ~ *vn.* (с кем) to agree, to come to an understanding (with one); to become reconciled (with).

сла́зить *cf.* **ла́зить.**

сла́мыва-ть II. *va.* (*Pf.* слом-а́ть II. & слом=и́ть II. 7. [c]) to break, to demolish; to conquer, to subdue; **сломя́ го́лову** head over heels.

сла́нец *s.* (*gsg.* -нца) schist.

сла́сти *s. fpl.* [c] sweets, sweetmeats *pl.*

сласт=и́ть I. 4. [a] *va.* (*Pf.* по-) to sweeten.

сласто/лю́бец *s.* (*gsg.* -бца) sensual man || **–люби́вый** *a.* sensual.

сласть *s. f.* [c] sweetness.

слать 40. *va.* (*Pf.* по-) to send.

слащ/а́вый *a.* sweetish || **–е** *cf.* **сла́дкий.**

сле́ва *ad.* from the left.

слега́-ть II. *va.* (*Pf.* слечь 43. [b 2.]) to take to one's bed; to be bedridden.

слегка́ *ad.* lightly, slightly; superficially.

след *s.* [b°] track, footprint, footstep; (*fig.*) trace, vestige; sole of the foot.

след=и́ть I. 1. [a] *va.* (*Pf.* на-) to leave traces on; (*Pf.* о-, вы́-) to track, to trail, to pursue || ~ *vn.* (*Pf.* про-, по-) (за чем) to watch, to keep an eye on.

сле́д/ование *s.* (за кем) following; procession; (*mil.*) march; (чего́ *leg.*) inquiry || **–ова́тель** *s. m.*, **суде́бный** ~ (*leg.*) examining magistrate || **–о+вать** II. *vn.* (*Pf.* по-) (за + *I.*) to follow, to go after; (+ *D.*) to follow, to imitate || ~ *v.imp.* to be due *or* fit, to become (one); **ско́лько –ует с меня́?** how much do I owe you? **вам –ует учи́ться** you ought to learn || **–ственный** *a.* inquiry-, of inquiry || **–ствие** *s.* consequence, result; (*leg.*) inquest, investigation || **–ующий** (-ая, -ее) *a.* following, next; **на** ~ **день** the day after, the next day; **–ующим о́бразом** in the following way.

слёжива-ться II. *vn.* (*Pf.* слеж=а́ться I. [a]) to be spoiled by lying.

слеза́ *s.* [e] tear.

слеза́-ть II. *vn.* (*Pf.* слезть 25. [b 1.]) to descend, to come, to get down, to alight; to glide down; to wear off (of paint); to come off (of hairs); to peel off (of skin).

слези́нка *s.* (*gpl.* -нок) *dim. of* слеза́.

слез=и́ться II. [a] *vn.* to be full of tears (of the eyes).

слезли́вый *a.* tearful, weeping.

слёз/ный *a.* of tears; deplorable, woeful, sorrowful || **–но** *ad.* tearfully, with tears in the eyes.

слезотече́ние *s.* (*med.*) epiphora.

слезть *cf.* **слеза́ть.**

слеп/е́нь *s. m.* [a] (*gsg.* -пня́) gad-fly, horse-fly || **–е́ц** *s.* [a] (*gsg.* -пца́) a blind man || **–и́ть, –ля́ть** *cf.* **лепи́ть.**

сле́пнуть 52. *vn.* (*Pf.* о-) to become *or* to grow blind.

слеп/ова́тый *a.* weak-sighted, short-sighted || **–о́й** *a.* blind, sightless || ~ (*as s.*) a blind man || **–а́я** (*as s.*) a blind woman.

сле́пок *s.* (*gsg.* -пка) copy, impression, cast.

слепо/рождённый *a.* born blind || **–та́** *s.* blindness.

слес/а́р=ить II. & **–а́рнича-ть** II. *vn.* to follow the trade of a locksmith || **–а́рня** *s.* locksmith's shop || **´–арский** *a.* locksmith's || **´–арство** *s.* locksmith's trade || **´–арь** *s. m.* [& b] (*pl.* -и & -я́) locksmith.

слёт *s.* flying up, flight; flock (of birds).

слета́-ть II. *vn.* (*Pf.* слет=е́ть I. 2. [a]) to fly down, off, away; (с + *P.*) to fall

down, to tumble down || **~ся** *vr.* to fly together, to flock.
слётож *s.* (*gsg.* -тка) fledgling.
слечь *cf.* **слегать.**
слива *s.* plum; plum-tree.
слива-ть II. *va.* (*Pf.* слить 27. [a 3.], *Fut.* солью, -ьёшь, etc.) to pour off; (*chem.*) to decant; to pour together; to cast, to found.
слив/ки *s. fpl.* (*G.* -вок) cream || **-ный** *a.* plum- || **-няк** *s.* [a] orchard of plum-trees || **-очник** *s.* cream-jug || **-очный** *a.* cream-, of cream || **-янка** *s.* (*gpl.* -янок) plum-brandy.
слиз/ень *s. m.* (*gsg.* -зня) slug || **-зетечение** *s.* (*med.*) blennorrhea || **-зистый** *a.* slimy; (*med.*) mucous || **-зкий** *a.* (*comp.* слизче) slippery; slimy || **-зняк** *s.* [a] mollusc || **-зыва-ть** II. *va.* (*Pf.* -з-ать I. 1. [c], *mom.* -зн-уть I.) to lick off || **-зь** *s. f.* slime; (*med.*) mucus.
слинять *cf.* **линять.**
слипа-ть(-ся) II. *vn.* (*Pf.* слипнуть[-ся] 52.) to stick (to), to cling together; to shut, to close (of the eyes).
слит/ие *s.* pouring off; melting, fusion; blending || **-ковый** *a.* bar-, ingot- || **-ный** *a.* united, conjoint; (*gramm.*) inseparable || **-ок** *s.* (*gsg.* -тка) bar, ingot || **-ь** *cf.* **сливать.**
слича-ть II. *va.* (*Pf.* слич=ить I. [a]) to compare, to collate.
слишком *ad.* too; too much; **~ много** (much) too much; **~ сто рублей** more than a hundred roubles; **это ~!** that's going too far!
слияние *s.* union; confluence (of rivers); amalgamation, fusion (of interests).
слобода *s.* [f] large village on main road; (*obs.*) suburb.
словар/ик *s. dim. of* словарь || **-ный** *a.* of dictionary *or* lexicon || **-ь** *s. m.* [a] dictionary, lexicon.
словес/ник *s.* man of letters, literary man || **-ность** *s. f.* literature; letters *pl.* || **-ный** *a.* verbal, oral.
словечко *s.* (*gpl.* -чек) *dim.* word; **замолвить доброе ~** (за кого) to put in a good word for one.
словить *cf.* **ловить.**
слов/но *ad.* as, as if, as though, so to say || **-о** *s.* [b] word; term, speech, discourse, talk; **честное ~** honour bright, (upon my) word of honour; **дар -а** gift of eloquence; (*fam.*) gift of the gab; **~ в ~** word for word || **-олитец** *s.* (*gsg.* -тца) & **-олитчик** *s.* type-founder || **-олитня** *s.* type-foundry || **-оохотливый** *a.* talkative, wordy, verbose, loquacious || **-опрение** *s.* controversy || **-опроизводство** *s.* etymology || **-осочинение** *s.* syntax || **-оударение** *s.* accentuation of words || **-цо** *s. dim. of* слово.
слог *s.* [b°] syllable; style (of writing).
слоёный *a.*, **-ое тесто** puff-paste.
слож/ение *s.* joining, putting together; resignation (from an office); (bodily) constitution; temperament; (*math.*) addition || **-ить** *cf.* **складывать, класть & слагать** || **´-ность** *s. f.* complexity; composite structure; **в ´-ности** on an average, on the whole || **´-ный** *a.* compound, composite; complicated, complex.
слоистый *a.* in layers, in strata; puff-paste-.
сло=иться II. [a] *vr.* to form layers; to be stratified; to peel off in layers *or* in scales, to scale.
слой *s.* [b°] layer, stratum; coating, coat (of paint).
слом/ *s.* & **´-ка** *s.* (*gpl.* -мок) breaking down, demolition || **-ать, -ить** *cf.* **ломать.**
слон/ *s.* [a] elephant; (at chess) bishop || **-ёнок** *s.* (*pl.* -ята, etc.) young elephant || **-иха** *s.* female elephant, cow-elephant || **-овый** *a.* elephant's; **-овая кость** ivory.
слоня-ться II. *vr.* (*Pf.* по-) to stroll, to saunter about.
слопать *cf.* **лопать.**
слуга *s. m.* [e] servant.
служ/ака *s. m.* a zealous soldier *or* servant || **-анка** *s.* (*gpl.* -анок) servant (-maid, -girl), maid(servant) || **-ащий** (-ая, -ее) *a.* serving-, in service || **´-ба** *s.* service; office; (*ec.*) ministration, (divine) service; (*in pl.*) domestic offices, outhouses *pl.* || **-ебник** *s.* mass-book, missal; ritual || **-ебный** *a.* service-, official || **-ивый** (*as s.*) soldier || **-итель** *s. m.*, **-ительница** *s.* official, attendant, servant || **-ительская** (*as s.*) servants' room.
служ=ить I. [c] *vn.* (*Pf.* по-, про-) to serve, to wait on one; to serve as, to be in one's service; to assist (with).
служка *s. m.* (*gpl.* -жек) servant (in monastery); bootjack.
слукавить *cf.* **лукавить.**
слупа-ть II. & **слупля-ть** II. *va.* (*Pf.* слуп=ить II. 7. [c]) to peel, to strip off; to shell; (с кого что *fig.*) to screw out of.

слух/ *s.* hearing; rumour, report, hearsay; **но́сится ~** it is rumoured; **о нём ни ́-у ни ду́ху** nothing has been heard of him || **–ово́й** *a.* hearing, of hearing, auditory.

слу́ч/ай *s.* occurrence, event; chance, opportunity; circumstance; **несча́стный ~** accident; **в –ае** in case; **во вся́ком –ае** in any case, at all events || **–а́йно** *ad.* by chance, accidentally, casually || **–а́йный** *a.* accidental, casual, chance; fit, opportune.

случа́-ть II. *va.* (*Pf.* случ=и́ть I. [a]) to pair, to couple || **~ся** *v.imp.* to happen, to occur, to come to pass; **мне случи́лось быть там** I happened to be there.

слу́шатель/ *s. m.*, **–ница** *s.* auditor, student; (*in pl.*) audience.

слу́ша-ть II. *va.* (*Pf.* по-) to hear, to listen to, to attend to; **слуша́й!** (*mil.*) attention! **слу́шаю-с!** certainly, Sir! at your service! || **~ся** *vn.* to obey, to take advice.

слыть 31. [a 3.] *vn.* (*Pf.* про-) (+ *I. or* за + *A.*) to be reputed, to pass for.

слых=а́ть I. [b] *vn.* (*Pf.* у-) to hear of.

слы́ш=ать I. *va.* (*Pf.* у-) to perceive, to notice, to hear || **~ся** *v.imp.* (*Pf.* по-), **мне слы́шится** I seem to hear, it seems to me.

слы́шный *a.* perceptible, audible; **что –но но́вого?** what news?; **–но** they say, it is reported that.

слюбля́-ться II. *vrc.* (*Pf.* слюб=и́ться II. 7. [c]) to grow fond of one another.

слю́да *s.* (*min.*) mica.

слюна́ *s.* [d] saliva, spit(tle), drivel.

слю́н=ить II. *va.* (*Pf.* за-) to slaver, to (be)slabber, to drivel.

слю́н/ка *s.* (*gpl.* -нок) (drop of) spittle; **у меня́ –ки теку́т** it makes my mouth water || **–отече́ние** *s.* salivation || **–я́вый** *a.* drivelling, slabbering.

сля́кот/ный *a.* slushy, damp || **–ь** *s. f.* slushy, damp weather.

сма́/зка *s.* (*gpl.* -зок) greasing, smearing (over); grease || **–зли́вый** *a.* pretty, comely || **–зно́й** *a.* greased, smeared || **–зочный** *a.* grease-, oil- || **–зыва-ть** II. *va.* (*Pf.* -з-ать I. 1.) to grease, to smear; to lubricate || **–ь** *s. f.* grease.

смако+ва́ть II. [b] *va.* (*Pf.* по-) to smack, to taste.

сма́нива-ть II. *va.* (*Pf.* сман=и́ть II. [a & c]) to entice, to lure, to decoy.

смара́гд *s.* emerald.

смастери́ть *cf.* **мастери́ть.**

сма́тыва-ть II. *va.* (*Pf.* смота́-ть II.) to wind off; to wind up (into a ball).

сма́ч/ива-ть II. *va.* (*Pf.* смоч=и́ть I. [c]) to moisten, to wet || **–ный** *a.* tasty, savoury.

смежа́-ть II. *va.* (*Pf.* смеж=и́ть I. [a]) to shut, to close (the eyes).

сме́ж/но *ad.* hard by, close by, near at hand || **–ность** *s. f.* neighbourhood, vicinity || **–ный** *a.* neighbouring, adjacent; (*geom.*) adjoining.

смека́лка *s.* (*gpl.* -лок) perception, perceptive faculty, power of comprehension.

смека́-ть II. *va.* (*Pf.* смекн-у́ть I. [a]) to understand, to comprehend.

сме́л/ость *s. f.* boldness, daring || **–ый** *a.* bold, daring || **–ьча́к** *s.* [a] fearless man, dare-devil.

сме́/на *s.* replacement, change; (*mil.*) relief; shift (of work) || **–нный** *a.* changeable || **–ня́емый** *a.* removable || **–ня́-ть** II. *va.* (*Pf.* -н=и́ть II. [a & c]) to change, to exchange, to shift; to replace; (*mil.*) to relieve.

смерд=е́ть I. 1. [a] *vn.* to stink.

сме́рить *cf.* **ме́рить.**

смерка́-ться II. *v.imp.* (*Pf.* сме́ркн-уться I.) to grow dark.

смерт/е́льный *a.* mortal, deadly; excessive, utmost || **́-ность** *s. f.* mortality || **́-ный** *a.* mortal; deadly || **~** (*as s.*) a mortal || **–оно́сный** *a.* death-dealing || **–оуби́йство** *s.* manslaughter, murder || **–ь** *s. f.* [c] death; decease || **~** *ad.* extremely.

смерч *s.* water-, (wind-)spout, tornado, cyclone.

смести́ть *cf.* **смеща́ть.**

смесь *s. f.* medley, mixture, mixing.

сме́т/а *s.* estimate, calculation || **–а́на** *s.* sour cream.

смета́-ть II. *va.* (*Pf.* смести́ 23. [a 2.]) to sweep off, away, down; to sweep up.

смётка *s.* (*gpl.* -ток) sweeping off; perception (of), cleverness, skill.

сме́т/ливый *a.* intelligent, sharp-sighted, penetrating || **–ный** *a.* estimated.

смётыва-ть II. *va.* (*Pf.* смета́-ть II.) to throw, to fling down; to sew onto, to tack, to baste.

сме-ть II. *vn.* (*Pf.* по-) to dare, to risk, to venture.

смех/ *s.* laugh(ter); mirth, joke; **в ~** for fun; **со́ –у покати́ться** to burst one's sides with laughter; **мне не до ́-у** I am not inclined for joking; **на́ ~** in defiance (of) || **–отво́рный** *a.* laughable, funny, droll.

смешéние *s.* mixture, mixing; confusion.
смéшива-ть II. *va.* (*Pf.* смешá-ть II.) to mix, to mingle (together); to jumble together; (*fig.*) to confound || **~ся** *vr.* to get mixed; (*fig.*) to get perplexed.
смеш=и́ть I. [a] *va.* (*Pf.* на-, по-, рас-) to make one laugh.
смеш/ли́вый *a.* disposed to laugh, fond of laughing || **–нó** *ad.*, **вам ~** you are joking || **–нóй** *a.* droll, funny, comical, ludicrous.
смещá-ть II. *va.* (*Pf.* смест=и́ть I. 4. [a]) to dismiss, to discharge.
сме-я́ться II. [a] *vc.* (*Pf.* за-) (+ *D.* or над + *I.*) to laugh (at), to deride, to make fun (of), to ridicule.
сми́ло+ваться II. *vr.* (над + *I.*) to have compassion, mercy (on).
сми/рéние *s.* reconciliation; humility, meekness || **–рé-ть** II. *vn.* (*Pf.* при-) to become gentle *or* meek || **–ри́тельный** *a.* appeasing, calming, taming; **~ дом** workhouse, house of correction; **–ая рубáшка** strait-waistcoat || **´–рный** *a.* mild, gentle, meek, tame || **–ря́-ть** II. *va.* (*Pf.* -р=и́ть II. [a]) to appease, to still, to soften down; to subdue, to tame, to master; to humiliate.
смогý, смóжешь *cf.* **мочь.**
смóк/ва *s.* fig || **–óвница** *s.* fig-tree.
смол/á *s.* resin; tar; **чёрная ~** pitch; **гóрная ~** asphalt, bitumen || **–евóй** *a.* of resin; pitch-, tar-; tarred || **–и́стый** *a.* resinous.
смóлкнуть *cf.* **мóлкнуть.**
смóлоду *ad.* from one's youth.
смол/оти́ть *cf.* **молоти́ть** || **–óть** *cf.* **молóть** || **–чáть** *cf.* **молчáть** || **–ь** *s. f.* pitch; soot; **чёрный как ~** black as pitch, pitch-dark, jet-black || **´–ьный** *a.* of resin; pitch-, tar- || **´–ьня** *s.* tar-works *pl.* || **–янóй = ´–ьный.**
сморкá-ть(-ся) II. *va.*(*vr.*) (*Pf.* сморк-н-ýть[-ся] I. [a]) to blow one's nose.
смoрóдина *s.* (red) currant; currant-bush.
смор/чóк *s.* [a] (*gsg.* -чкá) morel (mushroom) || **´–щить** *cf.* **мóрщить.**
смотáть *cf.* **смáтывать & мотáть.**
смотр/ *s.* inspection; (*mil.*) review, muster; **~ войскáм** parade || **–и́ны** *s. fpl.* visit of bridegroom to bride || **–и́тель** *s. m.* overseer, inspector || **–и́тельница** *s.* forewoman, overseer.
смотр=éть II. [c] *vn.* (*Pf.* по-) (на что) to look (at), to view, to see; (за кем, за чем) to look after, to superintend, to supervise; **смотри́** take care; **тогó и смотри́, что . . .** before one is aware of it . . .; **смотря́** (по + *D.*) according to.
смочи́ть *cf.* **смáчивать & мочи́ть.**
смочь *cf.* **мочь.**
смошéнничать *cf.* **мошéнничать.**
смрад/ *s.* stench, stink, offensive smell || **´–ный** *a.* stinking, fetid.
смугл/é-ть II. *vn.* (*Pf.* по-) to grow *or* to become swarthy || **–оли́цый** *a.* tawny, swarthy, dark of complexion || **´–ость** *s. f.* swarthiness || **´–ый** *a.* tawny, swarthy, sunburnt (of skin) || **–я́нка** *s.* (*gpl.* -нок) woman with a swarthy complexion, brunette.
смудри́ть *cf.* **мудри́ть.**
смýрый *a.* dark-grey.
смýт/ность *s. f.* disturbance; uncertainty; confusion || **–ный** *a.* disturbed; uncertain; confused; gloomy; seditious.
смущ/á-ть II. *va.* (*Pf.* смут=и́ть I. 6. [a]) to disturb, to agitate; to shake; to confuse, to take aback, to nonplus || **~ся** *vr.* to be confused, perplexed, troubled || **–éние** *s.* disturbance, agitation; confusion.
смывá-ть II. *va.* (*Pf.* смыть 28. [b]) to wash off, away; (*fig.*) to wipe out.
смыкá-ть II. *va.* (*Pf.* сомкн-ýть I. [a]) to shut, to close (one's eyes); (*mil.*) to close up.
смысл *s.* sense, meaning; judg(e)ment, understanding; **здрáвый ~** common sense.
смы́слить 40. *va.* to understand, to know; to be skilled (in).
смыть *cf.* **смывáть.**
смы́ч/ка *s.* (*gpl.* -чек) (*tech.*) joining, clamp(ing) || **–кóвый** *a.* string-, stringed || **–óк** *s.* [a] (*gsg.* -чкá) fiddle-stick, bow (of violin); leash, couple.
смышлёный *a.* intelligent, clever, smart, versed, skilled (in).
смяг/чá-ть II. *va.* (*Pf.* -ч=и́ть I. [a]) to moisten, to soften, to soak; (*fig.*) to assuage, to soothe, to calm, to appease, to mitigate || **–чéние** *s.* moistening; (*fig.*) softening, mollifying, soothing, mitigation.
смя́кнуть *cf.* **мя́кнуть.**
смят/éние *s.* disturbance, agitation, confusion, revolt, tumult, sedition, riot || **´–ка** *cf.* **всмя́тку.**
снаб/жá-ть II. *va.* (*Pf.* -д=и́ть I. 1. [a]) (чем) to provide, to supply, to furnish (with) || **–жéние** *s.* supply, provision, providing.

снáдобье *s.* ingredient, spice; condiment, seasoning; medicament.

снар/ýжи *ad.* outside, from outside, outwardly || **–я́д** *s.* (*esp. in pl.*) preparations, arrangements *pl.*; furniture, implements *pl.*, apparatus; equipment; (*mil.*) bomb, shell, projectile || **–яжá-ть** II. *va.* (*Pf.* -яд=и́ть I. 1. [a]) to equip, to fit out, to furnish (with) || **–яжéние** *s.* outfit, equipment, provision.

снасть *s. f.* tool, implement; (*mar.*) tackle, rigging.

сначáла *ad.* at first, from the beginning; to begin with, anew, afresh.

снáшива-ть II. *va.* (*Pf.* снос=и́ть I. 3. [c]) to bring together (from different places) (*iter. of* сноси́ть, снести́).

снег/ *s.* [b*] snow; ~ **идёт** it is snowing; **как ~ нá голову** like a bolt from the blue || **–и́рь** *s. m.* [a] bullfinch || **–овóй** *a.* snow-; **–овáя водá** snow-water || **–очисти́тель** *s. m.* (*rail.*) snow-plough || **–ýрка** *s.* (*gpl.* -рок) & **–ýрочка** *s.* (*gpl.* -чек) (*orn.*) snow-bunting; (in fairy-tales) Little Snow-white.

снеж/и́на *s.*, *dim.* **–и́нка** *s.* (*gpl.* -нок) snow-flake || **–и́стый** *a.* plenty of snow; ~ **год** year with plenty of snow || **´–ный** *a.* snowy, covered with snow; snow-white; snow-; ~ **обвáл** snow-drift || **–óк** *s.* [a] (*gsg.* -жкá) *dim.* (light) snow; snowball; **игрáть в –ки́** to play at snowballing, to snowball.

снесéние *s.* carrying away, tearing away (of water); bearing, enduring.

снести́ *cf.* **сноси́ть.**

снеги́рь = снеги́рь.

сни/зойти́ *cf.* **снисходи́ть** || **´–зу** *ad.* below, from below || **´–зыва-ть** II. *va.* (*Pf.* -з-áть I. 1. [c]) to string (beads, pearls, etc.).

снимá-ть II. *va.* (*Pf.* снять 37. [c 3.]) to take off, down, away; to trace (a plan); to gather in (a crop); to cut (cards); to take (a portrait); to skin (milk); to free, to release; to relieve; to snuff (a candle); to undertake; to raise (a siege); to refloat (a ship) || **~ся** *vr.* to fly away; to start off; to get one's portrait taken; ~ **с я́коря** to weigh anchor.

сни́м/ка *s.* (*gpl.* -мок) taking off, down, etc. || **–ок** *s.* (*gsg.* -мка) copy; (*typ.*) impression.

сни́скива-ть II. *va.* (*Pf.* сниск-áть I. 4. [c]) to obtain, to earn, to gain, to win.

снис/ходи́тельный *a.* indulgent, compliant, condescending || **–ход=и́ть** I. 1. [c] *vn.* (*Pf.* снизойти́ 48.) to condescend; (к + *D.*) to yield, to agree to, to give ear (to one); (+ *D.*) to show indulgence to || **–хождéние** *s.* indulgence, condescension; granting || **–шéствие** *s.* descent.

сн=и́ться II. *v.imp.* (*Pf.* при-) to dream; **мне сни́лось** I dreamt.

снобрóд/ *s.*, **–ка** *s.* (*gpl.* -док) sleep-walker, somnambulist.

снóва *ad.* anew, (over)again.

сно+вáть II. [a] *va.* (*Pf.* про-) (*tech.*) to warp || ~ *vn.* to scurry about; to go, to run, to fly to and fro.

сно/видéние *s.* vision, phantom, dream || **–ви́дец** *s.* (*gsg.* -дца), **–ви́дица** *s.* dreamer.

сноп *s.* [a] sheaf.

снорóвка *s.* (*gpl.* -вок) skill, knack, dexterity.

снос *s.* taking away; demolition; theft; *coll.* stolen goods *pl.*

снос=и́ть I. 3. [c] *va.* (*Pf.* снести́ & снесть 26. [a 2.]) to bring down, to take down; to take away; to steal, to rob; to endure, to bear; to reduce, to deduct; to demolish; to discard (a card) || **~ся** *vr.* (с кем о чём) to concert, to agree; to confer, to treat about; to negotiate.

снóс/ка *s.* (*gpl.* -сок) bringing down, taking off || **–ливый** *a.* patient, tolerant; strong, hardened, hardy || **–ный** *a.* stolen; discarded; tolerable, endurable.

снотвóрный *a.* narcotic, soporific.

сноxá *s.* [e] daughter-in-law.

сношéние *s.* bearing, enduring; relation, intercourse, dealing.

сню́хива-ться II. *vrc.* (*Pf.* сню́ха-ться II.) (с + *I.*) to come to a secret understanding (with one).

сня́тие *s.* taking down *or* off; (*mil.*) raising (of a siege).

снять *cf.* **снимáть.**

со = с.

собá/ка *s.* dog || **–чий** (-ья, -ье) *a.* dog's, dog- || **–чина** *s.* dog's flesh || **–чка** *s.* (*gpl.* -чек) *dim.* pup, puppy; **спусковáя ~** trigger (of a gun) || **–чник** *s.* dog-fancier, dog-breeder || **–чóнка** *s.* (*gpl.* -нок) little cur || **–чóночка** *s.* (*gpl.* -чек) nice little dog.

собесéд/ник *s.*, **–ница** *s.* conversationalist || **–ование** *s.* conversation, colloquy || **–о+вать** II. *vn.* to converse, to bear one company.

собирáтель/ *s. m.* collector || **–ный** *a.* collective.

собира́-ть II. *va.* (*Pf.* собра́ть 8. [a 3.]) to gather, to collect; to assemble; to hoard up, to heap up; to summon, to convoke, to convene; to get ready || **~ся** *vr.* to gather, to collect; to assemble, to meet; to prepare, to get ready; to be about to, to intend.

соблаговоля́ть *cf* **благоволя́ть.**

собла́з/н *s.* seduction; temptation || **-не́ние** *s.* seduction, enticement || **-ни́тель** *s. m.* seducer, tempter || **-ни́тельный** *a.* seductive, tempting || **-ня́-ть** II. *va.* (*Pf.* -н=и́ть II. [a]) to seduce, to entice, to tempt || **~ся** *vr.* to be seduced *or* tempted.

соблюд/а́-ть II. *va.* (*Pf.* соблюсти́ 22. [a 2.]) to observe, to keep, to fulfil, to accomplish, to perform || **-е́ние** *s.* observation, fulfilment, performance.

соболе́зно+вать II. *vn.* to condole.

собо́лий (-ья, -ье) *a.* (of) sable.

со́боль *s. m.* [c] sable; sable-skin.

собо́р/ *s.* cathedral; council, assembly; synod || **-ный** *a.* cathedral-; council- || **-о+вать** II. *va.* (*Pf.* о-) to administer extreme unction to || **~ся** *vr.* to receive extreme unction.

собра́н/ие *s.* collection, gathering; session, assembly, meeting; party, society, club || **-ьице** *s. dim. of prec.*

собра́т/ *s.* colleague, fellow || **-ство** *s.* brotherhood, confraternity.

собра́ть *cf.* **собира́ть.**

со́бств/енник *s.* proprietor, owner || **-енница** *s.* proprietress, owner || **-енно** *ad.* really, in truth; properly, strictly; **~ говоря́** strictly speaking || **-енору́чный** *a.* autograph || **-енность** *s. f.* property || **-енный** *a.* own; proper; real, true.

собуты́льник *s.* boon-companion, toper.

собы́тие *s.* event, fact.

сова́ *s.* [e] owl.

со+ва́ть II. [a & b] *va.* (*Pf.* су́н-уть I.) to shove, to push, to move; to pocket; to thrust || **~ся** *vr.* to shove by; to intrude, to meddle (with), to interfere (in).

совер/ша́-ть II. *va.* (*Pf.* -ш=и́ть I. [a]) to accomplish, to fulfil, to perform, to achieve; to commit; to conclude (a bargain); to make (a voyage) || **~ся** *vr.* to be accomplished, etc. || **-ше́ние** *s.* accomplishment, achievement; completion, performance; perpetration; conclusion || **-ше́нно** *ad.* quite, entirely, wholly, completely, perfectly || **-шенноле́тие** *s.* majority, (full) age || **-шенноле́тний** *a.* of age || **-ше́нный** *a.* perfect, accomplished; entire, whole, complete, total; (*gramm.*) perfect(ive) || **-ше́нство** *s.* perfection, accomplishment || **-ше́нство+вать** II. *va.* (*Pf.* у-) to improve on, to perfect || **-ши́тель** *s. m.* one who achieves, etc.

со́вест/ливый *a.* conscientious, scrupulous || **-ный** *a.* of conscience || **-ь** *s. f.* conscience.

сове́т/ *s.* counsel, advice; council; Soviet; decree, decision, conclusion || **-ник** *s.* counsellor, adviser || **-о+вать** II. *va.* (*Pf.* по-) to counsel, to advise || **~ся** *vrc.* (с кем) to consult, to deliberate (on, about), to take the advice (of) || **-ский** *a.* council-; Soviet-.

совещ/а́ние *s.* deliberation, conference, council; consultation || **-а́тельный** *a.* consulting, consultative.

сови́ный *a.* owl's.

совладе́/лец *s.* (*gsg.* -льца), **-лица** *s.* joint owner, copartner || **-ние** *s.* joint ownership; (*leg.*) joint possession.

совладе́-ть II. *vn. Pf.* (с + *I.*) to overpower, to conquer; to manage; to accomplish, to succeed in.

совлека́-ть II. *va.* (*Pf.* совле́чь 18. [a 2.]) to take off *or* down (the cloak, etc.); to strip, to divest.

совмести́мый *a.* compatible.

совме́стный *a.* compatible; (con)joint.

совме/ща́-ть II. *va.* (*Pf.* -ст=и́ть I. 4. [a]) to (re)unite, to put together; to agree upon, to arrange.

сово́к *s.* [a] (*gsg.* -вка́) scoop.

совоку/пле́ние *s.* union; (плотско́е) coition, copulation || **-пля́-ть** II. *va.* (*Pf.* -п=и́ть II. 7. [c]) to join, to unite || **~ся** *vr.* to join; to pair, to mate.

совоку́пный *a.* (con)joint, united.

совпад/а́-ть II. *vn.* (*Pf.* совпа́сть 22. [a 1.]) to coincide (with) || **-е́ние** *s.* coincidence.

соврати́тель/ *s. m.* debaucher, seducer || **-ный** *a.* seducing, leading astray.

совра́ть *cf.* **врать.**

совра/ща́-ть II. *va.* (*Pf.* -т=и́ть I. 6. [a]) to turn aside, to lead astray, to mislead; to seduce.

совреме́н/ник *s.*, **-ница** *s.* contemporary || **-ность** *s. f.* contemporariness; present time || **-ный** *a.* contemporary; present; up to date.

совсе́м *ad.* altogether, quite, wholly, entirely; **~ нет** not at all.

согла́с/ие *s.* harmony, unison, concord;

consent, assent || **-и́ть** *cf.* **соглаша́ть** || **-но** *ad.* in harmony; on good terms; (*D. or* с + *I.*) according to, in compliance with || **-ный** *a.* harmonious; conformable; consenting; **-ная бу́ква** (*gramm.*) consonant || **-ова́ние** *s.* concordance, accordance || **-о+ва́ть** II. [b] *va.* to conciliate; (*gramm.*) to make agree || **~ся** *vr.* (с + *I.*) to agree, to accord, to square (with).

согла/ша́тельство *s.* agreement || **-ша́-ть** II. *va.* (*Pf.* -с=и́ть I. 3. [a]) to induce; (с кем) to conciliate, to reconcile || **~ся** *vr.* (на что) to consent, to comply; (с кем в чём) to agree || **-ше́ние** *s.* agreement, terms *pl.*; assent, consent.

соглядата́й *s.* spy, scout.

согна́ть *cf.* **сгоня́ть.**

согну́ть *cf.* **сгиба́ть & гнуть.**

согрев/а́ние *s.* warming || **-а́тельный** *a.* warming || **-а́-ть** II. *va.* (*Pf.* согре́-ть II.) to heat, to warm (up), to make warm.

согре/ша́-ть II. *vn.* (*Pf.* -ш=и́ть I. [a]) to sin, to transgress || **-ше́ние** *s.* sin, transgression; offence.

согруби́ть *cf.* **груби́ть.**

со́да *s.* soda.

соде́йств/ие *s.* cooperation; assistance, help || **-о+вать** II. *vn.* (в чём) to cooperate, to concur; to assist one (in), to help one (to do a thing).

содерж/а́ние *s.* maintenance, keeping; keep, support; contents *pl.*, subject; salary; (*math.*) ratio || **-а́нка** *s.* (*gpl.* -нок) (kept) mistress || **-а́тель** *s. m.* owner, keeper, proprietor.

содерж=а́ть I. [c] *va.* to keep, to entertain; to detain to confine; to maintain, to support; to contain, to hold || **~ся** *vr.* to support o.s.; to be contained in.

содержи́мое (*as s.*) contents *pl.*

соде́ять *cf.* **де́ять.**

со́довый *a.* soda-.

содра́ть *cf.* **сдира́ть.**

содро/га́ние *s.* shudder, shiver, trembling || **-га́-ться** II. *vn.* (*Pf.* -гн-у́ться I. [a]) to shudder, to shiver, to tremble.

соеди/не́ние *s.* junction; (*fig.*) union; fusion || **-ни́тельный** *a.* joining-, junction-; uniting; (*gramm.*) copulative || **-ня́-ть** II. *va.* (*Pf.* -н=и́ть II. [a]) to unite, to join (with).

сожал/е́ние *s.* compassion, pity, regret (for); **к -е́нию** unfortunately || **-е́-ть** II. *vn.* (о + *Pr.*) to pity, to take pity, to be sorry, to regret.

сожже́ние *s.* burning, consuming.

сожига́ть *cf.* **сжига́ть.**

сожи́тель/ *s.m.*, **-ница** *s.* contemporary; inmate; spouse || **-ство** *s.* cohabitation || **-ство+вать** II. *vn.* (с кем) to cohabit.

сожи́тие *s.* cohabitation.

сожра́ть *cf.* **жрать.**

созва́ть *cf.* **сзыва́ть.**

созве́здие *s.* (*astr.*) constellation.

созвон=и́ться II. [a] *vn.* to communicate by telephone.

созву́ч/ие *s.* harmony; (*poet.*) assonance || **-ный** *a.* harmonious, euphonious.

соз/дава́ть 39. [a] *va.* (*Pf.* -да́ть 50.) to create, to make, to produce; to found || **-да́ние** *s.* creation; creature || **-да́тель** *s. m.* Creator, maker; founder.

созерц/а́ние *s.* contemplation, meditation || **-а́тель** *s. m.* contemplator || **-а́тельный** *a.* contemplative || **-а́-ть** II. *va.* to contemplate, to meditate; to penetrate.

созид/а́ние *s.* erection, construction || **-а́тель** *s. m.* builder, founder || **-а́-ть** II. *va.* to erect, to build; (*fig.*) to edify.

соз/нава́ть 39. [a] *va.* (*Pf.* -на́-ть II.) to acknowledge, to recognize; to be conscious *or* aware (of a thing) || **~ся** *vr.* to confess, to avow || **-на́ние** *s.* acknowledgment; confession, avowal || **-на́тельность** *s. f.* consciousness || **-на́тельный** *a.* conscious (of), done with thorough knowledge.

соз/рева́-ть II. *vn.* (*Pf.* -ре́-ть II.) to ripen, to mature || **-ре́лый** *a.* ripe, matured.

созы́/в *s.* convocation, summons || **-ва́ть** *cf.* **сзыва́ть.**

соизво/ле́ние *s.* consent, approval; approbation, sanction || **-ля́-ть** II. *vn.* (*Pf.* ′л=ить II.) to consent, to sanction.

сонзда́тель *s. m.* co-editor.

соизмери́мый *a.* commensurable.

соимённый *a.* homonymous.

соиск/а́ние *s.* competition || **-а́тель** *s. m.* competitor, rival.

со́йка *s.* (*gpl.* со́ек) jay.

сойти́ *cf.* **сходи́ть.**

сок *s.* juice; gravy; (*bot.*) sap.

со́ко́/л *s.* hawk, falcon || **-лёнок** *s.* (*pl.* -ля́та) young hawk || **′лик** *s. dim.* hawk || **-ли́ный** *a.* falcon's, hawk's || **′льник** *s.* falconer.

сократи́тельный *a.* abbreviatory.

сокра/ща́-ть II. *va.* (*Pf.* -т=и́ть I. 6. [a]) to abbreviate, to abridge, to shorten, to curtail || **~ся** *vr.* to grow short; to diminish (of income); to shrink (of leather) || **–ще́ние** *s.* abbreviation; abridgment, epitome; (*math.*) reduction; shortening || **–щённый** *a.* abbreviated; abridged; short, concise.

сокрове́нный *a.* secret, occult; hidden, concealed.

сокро́вищ/е *s.* treasure; (*fig.*) rarity || **–ник** *s.* treasurer || **–ница** *s.* treasury, treasure-room.

сокру/ша́-ть II. *va.* (*Pf.* -ш=и́ть I. [a]) to break (up), to shatter, to smash (to pieces); (*fig.*) to subdue, to destroy, to ruin; to distress, to afflict || **~ся** *vr.* to be distressed; (*fig.*) to pine away (with grieve for) || **–ше́ние** *s.* breaking, shattering, destruction; subduing; affliction, grief; contrition, compunction || **–ши́тель** *s. m.* destroyer || **–ши́тельный** *a.* destructive.

сокрыва́ть *cf.* **скрыва́ть.**

солда́т/ *s.*, *dim.* **–ик** *s.* soldier || **–ка** *s.* (*gpl.* -ток) soldier's wife || **–ский** *a.* soldier's, soldierly || **–чина** *s.* military service; (*vulg.*) recruiting.

солева́р/ *s.* salter || **–ня** *s.* salt-works *pl.*

сол/е́ние *s.* salting || **–ёный** *a.* (*pd.* со́лон, солона́, со́лоно, -ы) salted || **–е́нье** *s.* salted provisions *pl.*

солида́рность *s. f.* solidarity.

соли́дный *a.* solid; strong, sound; steady.

соли́ст *s.* solist.

солите́р *s.* solitaire (jewel); (*zool.*) tape-worm.

сол=и́ть II. [a] *va.* (*Pf.* по-) to salt, to cure; (кому́ *fig.*) to spoil, to mar.

со́лн/ечный *a.* sun-, of the sun; solar; sunny || **–це** *s.* (*pl.* -ца & -цы) sun; sunshine || **–цестоя́ние** *s.* solstice || **–ышко** *s.* (*gpl.* -шек) *dim. of* со́лнце.

со́ло *s. indecl.* solo.

солове́й *s.* [a] (*gsg.* -вья́) nightingale.

солове́-ть II. *vn.* (*Pf.* по-, о-) to grow dim (of the eyes); to grow fallow-dun (of horses).

соло/во́й & **´–вый** *a.* fallow-dun (of horses).

со́лод/ *s.* malt || **–о́вник** *s.* maltster || **–о́вня** *s.* (*gpl.* -вен) malt-house.

соло́м/а *s.* straw; thatch || **–енный** *a.* of straw, straw; thatched || **–ина** *s.*, *dim.* **–инка** *s.* (*gpl.* -нок) a straw, stalk.

солон/е́-ть II. *vn.* (*Pf.* по-) to become salty || **–и́на** *s.* salt-meat.

соло́н/ка *s.* (*gpl.* -нок) salt-cellar || **–ова́тый** *a.* saltish || **–ча́к** *s.* [a] salt-marsh.

сол/ь *s. f.* [c & g] salt; (*fig.*) wit || **–я́нка** *s.* (*gpl.* -нок) a dish of cabbage with plenty of salt || **–яно́й** *a.* salt-, of salt.

сом/ *s.* [a] (*ich.*) silurus, sheat-fish, wels || **–кну́ть** *cf.* **смыка́ть** || **–намбули́ст** *s.* somnambulist || **–нева́-ться** II. *vc.* (*Pf.* усомн=и́ться II. [a]) to doubt, to suspect, to mistrust || **–не́ние** *s.* (в чём) doubt, suspicion, misgiving || **–ни́тельный** *a.* doubtful, uncertain; suspicious; mistrustful.

сон *s.* (*gsg.* сна) sleep; slumber; dream; **ви́деть во сне** to see in a dream, to dream (of).

сонасле́д/ник *s.* coheir, joint-heir || **–ница** *s.* coheiress, joint-heiress.

сона́та *s.* sonata.

соне́т/ *s.* sonnet || **–ка** *s.* (*gpl.* -ток) bell-rope, bell-pull.

сонли́вый *a.* sleepy, drowsy.

сонм *s.* assembly; crowd.

со́нник *s.* dream-book.

со́н/ный *a.* asleep, sleeping; drowsy, sleepy (of the eyes); sluggish, dull; dream- || **–я** *s. m&f.* sleepyhead, slug-abed; (*zool.*) dormouse.

сообра/жа́-ть II. *va.* (*Pf.* -з=и́ть I. 1. [a]) to conform, to suit; to contrive; to examine, to consider || **~ся** *vr.* to conform, to comply (with) || **–же́ние** *s.* consideration, calculation, combination, comparison.

сообрази́тельный *a.* considering, weighing.

сообра́з/но *ad.* in conformity, suitably to; in accordance with || **–ный** *a.* conformable, suitable, uniform.

сооб/ща́ *ad.* conjointly, together || **–ща́-ть** II. *va.* (*Pf.* -щ=и́ть I. [a]) to communicate; to impart, to inform || **–ще́ние** *s.* communication || **–щи́тельный** *a.* communicative.

соо́бщ/ество *s.* society, company, corporation; association || **–ник** *s.* accomplice, party (to); partner, associate, companion || **–ничество** *s.* complicity, participation (in), interest; accord.

сооруж/жа́-ть II. *va.* (*Pf.* -д=и́ть I. 1. [a]) to erect, to build (up) || **–же́ние** *s.* erection, building, structure; edifice.

соотве́тств/енно *ad.* (чему́) agreeably, suitably, correspondingly || **–енность** *s. f.* conformity, suitability, agreement || **–енный** *a.* conformable, agreeable, suitable || **–ие** *s.* agreement, conformity || **–о+вать** II. *vn.* (+ *D.*) to correspond, to suit, to agree (with); **~ це́ли** to answer the purpose.

сооте́чествен/ник *s.* (fellow-)countryman, compatriot || **–ница** *s.* (fellow-)countrywoman || **–ный** *a.* compatriot.

соотно/си́тельный *a.* correlative || **-ше́ние** *s.* correlation.
сопе́р/ник *s.* rival, competitor, antagonist, opponent || **-ница-ть** II. *vn.* to rival, to emulate, to vie (with) || **-ничество** *s.* rivalry, competition.
соп=е́ть II. 7. *vn.* (*Pf.* за-, *mom.* сопн-у́ть I. [a]) to snore to snort.
со́пка *s.* (*gpl.* -пок) small extinct volcano.
соплеме́нник *s.* man of the same tribe.
сопли́/вец *s.* (*gsg.* -вца), **-вица** *s.* snotty-nosed person || **-вый** *a.* snotty.
сопля́ *s.* (*us. in pl.* со́пли) snot.
сопну́ть *cf.* **сопе́ть.**
сопоста/вле́ние *s.* comparison; confrontation || **-вля́-ть** II. *va.* (*Pf.* ⸗в=ить II. 7.) to compare; to confront.
сопра́но *s. indecl.* soprano.
сопреде́льный *a.* adjacent, adjoining.
сопре́чь *cf.* **сопря́чь.**
сопри/каса́-ться II. *vrc.* (*Pf.* -косн-у́ться I.) to be adjacent, to adjoin; to be contiguous || **-коснове́ние** *s.* contact || **-коснове́нный** *a.* adjacent, contiguous, in contact; (*jur.*) implicated, involved || **-ча́стник** *s.* participator, associate, accomplice || **-ча́стный** *a.* (чему́) participating, implicated || **-числя́-ть** II. *vn.* (*Pf.* -чи́сл=ить II.) (к чему́) to rank, to number (among).
сопрово/ди́тельный *a.* accompanying || **-жда́-ть** II. *va.* (*Pf.* -д=и́ть I. 1. [a]) to accompany, to conduct; (*mil.*) to escort || **-жде́ние** *s.* accompaniment; (*mil.*) escort.
сопроти/вле́ние *s.* resistance, opposition || **-вля́-ться** II. *vr.* (*Pf.* ⸗в=иться II. 7.) to resist, to oppose; to hold out.
сопряга́-ть II. *va.* (*Pf.* сопря́чь 15. [a 2.]) to join (with), to unite.
сопряже́ние *s.* union, junction.
сопу́н/ *s.* [a], **-ья** *s.* snorer.
сопу́тство+вать II. *vn.* (+ *D.*) to accompany, to travel (with one).
сор *s.* [°] litter, dirt, filth.
соразме́/рно *ad.* (чему́) in proportion to, according to || **-рность** *s. f.* proportionality, equality || **-рный** *a.* proportionate, fit, equal || **-ря́-ть** II. *va.* (*Pf.* -р=ить II.) to proportion; to regulate.
сора́тник *s.* companion in arms, fellow-soldier.
сорв/ане́ц *s.* [a] (*gsg.* -нца́) madcap, hare-brained fellow || **-а́ть** *cf.* **срыва́ть.**
соревн/ова́ние *s.* emulation, rivalry || **-о+ва́ть** II. [b] *vn.* (кому́ в чём) to rival, to emulate.
сор=и́ть II. [a & c] *va.* (*Pf.* на-) to fill with dirt; to stop up; (*Pf.* рас-) to squander, to waste.
со́рный *a.* dirty, filthy, full of litter; **-ая трава́** weed.
со́рок *num.* forty; **~-сороко́в** *s.* sixteen hundred; (*fig.*) a great number.
соро́к/а *s.* (*orn.*) magpie || **-адне́вный** *a.* of forty days || **-але́тие** *s.* forty years || **-арублёвый** *a.* worth forty roubles || **-ово́й** *num.* fortieth || **-оно́жка** *s.* (*gpl.* -жек) (*zool.*) milleped; wood-louse || **-опу́т** *s.* (*orn.*) speckled magpie.
соро́ч/ий (-ья, -ье) *a.* magpie's || **-ка** *s.* (*gpl.* -чек) shirt; blouse; (*an.*) caul; **он в -ке роди́лся** he was born with a silver spoon in his mouth.
сорт/ *s.* [b] sort, kind, class, quality || **-иро+ва́ть** II. [b] *va.* (*Pf.* рас-) to sort, to assort || **-иро́вка** *s.* (*gpl.* -вок) sorting, assortment || **-иро́вщик** *s.* sorter || **-ово́й** *a.* assorted.
сос-а́ть I. [a] *va.* (*Pf.* по-) to suck.
сосва́тыва-ть II. *va.* (*Pf.* сосва́та-ть II.) (кого́ кому́ *or* за кого́ *or* с кем) to betroth, to affiance (to).
сосе́д/ *s.* (*pl.* -и & -ы), **-ка** *s.* (*gpl.* -док) neighbour || **-ний** *a.* neighbouring || **-ский** *a.* neighbour's.
со́с/енка *s.* (*gpl.* -нок) small pine || **-и́ска** *s.* (*gpl.* -сок) small sausage || **-ка** *s.* (*gpl.* -сок) (children's) feeding-bottle.
соска́блива-ть II. *va.* (*Pf.* соскобл=и́ть II. [a & c]) to shave, to scrape off, to erase.
соска́кива-ть II. *vn.* (*Pf.* соскоч=и́ть I. [c]) to jump, to spring down *or* off; to fly off (of things), to come off; (*rail.*) to run off (the rails).
соска́льзыва-ть II. *vn.* (*Pf.* соскользн-у́ть I. [a]) to slip, to slide off *or* down.
соскреба́-ть II. *va.* (*Pf.* соскрести́ & соскре́сть [γ/скреб] 21. [a 2.]) to scrape, to scratch off *or* away.
соску́/чива-ться II. *vc.* (*Pf.* -ч=иться I.) to feel bored *or* dull, to find time hang heavy on one's hands.
сослага́тельный *a.*, **-ное наклоне́ние** (*gramm.*) subjunctive (mood).
сосла́ть *cf.* **ссыла́ть.**
сосло́в/ие *s.* class of society; **дворя́нское ~** the nobility || **-ный** *a.* of class, class-, of rank.
сослу/жи́вец *s.* (*gsg.* -вца) colleague || **-ж=и́ть** I. [c]) *va.*, **~** (кому́) **слу́жбу** to render s.o. a service.

сосн/á *s.* [e] pine(-tree), fir(-tree) || **-óвый** *a.* pine-, fir- || **-я́к** *s.* [a] pine-forest.
сосн-у́ть I. *vn.* to take a nap.
сосó/к *s.* [a] (*gsg.* -скá), *dim.* **-чек** *s.* (*gsg.* -чка) nipple, teat.
сóсочка *s.* (*gpl.* -чек) small feeding-bottle.
сосредо/тóченный *a.* concentrated || **-тóчива-ть** II. *va.* (*Pf.* -тóч•ить I.) (*mil.*) to concentrate (forces); to centralize (of administration).
состá/в *s.* composition, structure, formation; personnel; (*comm.*) staff; (*mil.*) effective force, complement; (*rail.*) rolling-stock || **-ви́тель** *s. m.* writer, author || **-влéние** *s.* composing, forming, making || **-вля́-ть** II. *va.* (*Pf.* -в=ить II. 7.) to put together, to prepare; to compose; to form, to constitute; to make up; to write, to draw up (a plan, etc.) || **-внóй** *a.* compound; composed; component.
состáрить *cf.* **стáрить.**
состо/я́ние *s.* state, condition; rank; power; means, wealth || **-я́тельность** *s. f.* solvency || **-я́тельный** *a.* solvent.
состо=я́ть II. *vn.* to be; ~ **на слу́жбе** to be in one's service; (из чегó, в чём) to be composed, to be made (of), to consist of || **~ся** *vn.* to be realized, to come true, to take place.
сострад/áние *s.* compassion, pity || **-áтельный** *a.* compassionate, pitiful.
состря́пать *cf.* **стря́пать.**
состя/зáние *s.* contention, controversy, dispute; competition || **-зáтель** *s. m.* competitor || **-зáтельный** *a.* controversial; competitive || **-зá-ться** II. *vrc.* to dispute, to contend; to compete (with one for).
сосу́д/ *s.* vessel, plates and dishes *pl.*; (*an.*) vessel || **-ец** *s.* (*gsg.* -дца) *dim. of prec.* || **-истый** *a.* (*an.*) vascular.
сосу́лька *s.* (*gpl.* -лек), **ледянáя ~** icicle.
сос/у́н *s.* [a], **-у́нья** *s.* suckling || **-цы́** *s. mpl.* nipples (of breast).
сосчи́тыва-ть II. *va.* (*Pf.* сосчитá-ть II.) to count, to calculate; to add up; to verify accounts.
сотво/рéние *s.* creation || **-ря́-ть** II. *va.* (*Pf.* -р=ить II.) to create, to produce, to make; to do, to commit (sins).
сóтен/ка *s.* (*gpl.* -нок) *dim. of* сóтня || **-ный** *a.* consisting of a hundred.
соткáть *cf.* **ткать.**
сóтн/ик *s.* centurion || **-я** *s.* (*gpl.* -тен) a hundred.
сотовáрищ *s.* copartner, companion, associate.
сотру́дн/ик *s.* collaborator || **-ичество** *s.* collaboration.
сотря/сá-ть II. *va.* (*Pf.* -сти́ 26. [a 2.]) to shake || **~ся** *vr.* to tremble, to vibrate || **-сéние** *s.* shaking; trembling; vibration.
сóтский (*as s.*) commissioner of police (in a village).
сóт/ы *s. mpl.* honeycombs *pl.* || **-ый** *num.* hundredth.
соумы́шленник *s.* fellow-conspirator, accomplice.
сóус/ *s.* sauce || **-ник** & **-ница** *s.* sauce-boat.
соучáст/во+вать II. *vn.* (в чём) to participate, to take part (in) || **-ие** *s.* participation; complicity || **-ник** *s.* associate; accomplice || **-ный** *a.* partaking, sharing, participant.
соуче/ни́к *s.*, **-ни́ца** *s.* school-mate, fellow-scholar.
соф/á *s.* sofa || **-и́зм** *s.* sophism || **-и́ст** *s.* sophist || **-исти́ческий** *a.* sophistic(al).
сохá *s.* [e] plough (used by Russian peasants).
сóхнуть 52. *vn.* to dry, to get dry, to wither, to fade, to dry up (of flower); to get thin, to lose flesh, to pine away.
сохра/нéние *s.* preservation; maintenance; safe-keeping || **ˊнный** *a.* safe, secure, intact; deposit- || **-ня́-ть** II. *va.* (*Pf.* -н=и́ть II.) to preserve, to save; to maintain, to keep; to observe.
социáл/-демокрáт *s.* social-democrat || **-и́зм** *s.* socialism || **-и́ст** *s.* socialist || **-исти́ческий** *a.* socialistic || **-ьный** *a.* social.
социолóгия *s.* sociology.
сочéльник *s.* eve (of Christmas); **Рождéственский ~** Christmas-eve.
соче/тáние *s.* union, joining; combination; ~ **брáком** marriage || **-тавá-ть** II. *va.* (*Pf.* -тá-ть II.) to unite, to join.
сочи/нéние *s.* composition, work, treatise || **-ни́тель** *s. m.* author, writer || **-ня́-ть** II. *va.* (*Pf.* -н=и́ть II.) to compose, to write.
соч=и́ть I. [a] *va.* to draw the sap (of a tree); (у когó что) to get a thing out of one || **~ся** *vr.* to ooze out, to trickle out, to drip.
сочленéние *s.* (*an.*) articulation.
сóчный *a.* juicy, succulent; sappy.
сочу́вств/енный *a.* sympathetic || **-ие** *s.* interest, feeling, sympathy || **-о+вать** II. *vn.* (+ *D.*) to sympathize (with).
сошéствие *s.* descent; ~ **Св. Ду́ха** the descent of the Holy Ghost.

сóш/ка *s.* (*gpl.* -шек) small plough; (*mil.*) gun-rack; **мéлкая ~** (*fig.*) small fry || **-ни́к** *s.* [a] coulter, ploughshare.
сою́з/ *s.* union, alliance, confederation, coalition, league; (*gramm.*) conjunction || **-ный** *a.* allied, confederate || **-ник** *s.* ally, confederate.
спа/дáние *s.* falling out (of hair, etc.); fall, sinking (of water); decline (of prices) || **-дá-ть** II. *va.* (*Pf.* спасть 22. [a 1.]) to fall down *or* off; to fall, to sink (of water); to decline (of prices); to fall out (of hair); **~ с тéла** to grow thin || **-дé-ние = -дáние.**
спáзма *s.* spasm.
спáива-ть II. *va.* (*Pf.* спая́-ть II.) to solder, to weld; (*Pf.* спо=и́ть II. [a]) (когó) to intoxicate; to accustom to drink.
спáйка *s.* (*gpl.* спáек) soldering, welding; place soldered.
спáленка (*s.* (*gpl.* -нок) small bedroom.
спáл/зывать *cf.* **сползáть** || **-и́ть** *cf.* **пали́ть** || **-ьный** *a.* sleeping-; **~ колпáк** night-cap; **~ вагóн** sleeping-car; (*fam.*) sleeper || **-ьня** *s.* (*gpl.* -лен) bedroom.
спаньё *s.* sleeping.
спáржа *s.* asparagus.
спáрыва-ть II. *va.* (*Pf.* спор=óть II. [c]) to rip up, to unsew, to unpick.
спас/ *s.* the Saviour || **-áтельный** *a.* safety- || **-á-ть** II. *va.* (*Pf.* спасти́ 26. [a]) to save, to deliver (from) || **~ся** *vr.* to save o.s., to escape || **-éние** *s.* rescue, safety; (*ec.*) welfare, salvation || **-и́бо** *ad.* thanks, thank you || **-и́тель** *s. m.* saviour, deliverer; (*ec.*) Saviour. Redeemer || **-и́тельный** *a.* salutary, wholesome; (life-)saving || **-овáть** *cf.* **пасовáть** || **-ть** *cf.* **спадáть.**
сп=ать II. 7. *vn.* (*Pf.* по-) to sleep, to be asleep; **итти́ ~** to go to bed; **уложи́ть ~** to put to bed || **~ся** *v.imp.*, **мне спи́тся всегдá хорошó** I always sleep soundly.
спая́ть *cf.* **спáивать.**.
спевá-ться II. *vr.* (*Pf.* спéться 29. [a 2.]) to practise singing, to exercise.
спéвка *s.* (*gpl.* -вок) song-rehearsal; (singing-)practice.
спектáкль *s. m.* show, exhibition, play.
спектр/ *s.* spectrum || **-áльный** *a.* spectral.
спекул/и́ро+вать II. *vn.* to speculate || **-я́нт** *s.* speculator || **-я́ция** *s.* speculation.
спеленáть *cf.* **пеленáть.**
спéл/ость *s. f.* ripeness, maturity || **-ый** *a.* ripe.
сперв/á & -оначáла *ad.* at first, in the beginning, in the first place.
спéреди́ *ad.* in front.
сперéть *cf* **спирáть.**
спермацéт *s.* spermaceti.
спёртый *a.* oppressive, heavy, musty, close, stifling, suffocating.
спес/и́вец *s.* (*gsg.* -вца) *a.* haughty man || **-и́в=иться** II. 7. *vr.* (*Pf.* за-) to be haughty, to be puffed up || **-и́вость** *s. f.* haughtiness, inflation, loftiness || **-и́вый** *a.* haughty, proud, puffed up || **-ь** *s. f.* pride, haughtiness.
спе-ть II. *vn.* (*Pf.* по-) to ripen, to become ripe (*cf.* петь).
спéться *cf.* **спевáться.**
спех *s.* haste, speed, hurry; **э́то не к спéху** that is not an urgent matter.
специал/и́ст *s.* specialist, expert || **ˊьность** *s. f.* speciality; (particular) line || **ˊьный** *a.* special, especial, particular.
спéции *s. fpl.* ingredients *pl.*
специф/икáция *s.* specification || **-и́ческий** *a.* specific.
спéшива-ть II. *va.* (*Pf.* спéш=ить I.) (*mil.*) to dismount || **~ся** *vr.* (*mil.*) to dismount.
спеш=и́ть I. [a] *vn.* (*Pf.* по-) to hasten, to hurry, to make haste; to be fast (of a clock).
спéш/но *ad.* hurriedly, hastily, in haste || **-ность** s. *f.* hurry, haste, promptitude || **-ный** *a.* hurried, hasty, speedy; quick, fast; urgent, pressing; **~ поéзд** express train.
спивá-ть II. *va.* (*Pf.* спить 27. [a 3.]) to drink off, to sip from a glass || **~ся** *vr.* to take to drinking, to be addicted to drink.
спин/á *s.* [f] back || **ˊка** *s.* (*gpl.* -нок) *dim. of prec.*; back (of a chair, a dress, etc.) || **-нóй** *a.* back-, spinal.
спирáль/ *s. f.* spiral || **-ный** *a.* spiral.
спирá-ть II. *va.* (*Pf.* сперéть 14. [a 1.], *Fut.* сопрý, -ёшь, *Pret.* спёр, спёрла) to press together, to compress.
спири́т/ *s.* spiritist || **-и́зм** *s.* spiritism || **-уали́зм** *s.* spiritualism || **-уали́ст** *s.* spiritualist.
спирт/ *s.* spirit(s), alcohol || **ˊный** *a.* spirit-, spirituous.
списáть *cf.* **спи́сывать.**
спи́/сок *s.* (*gsg.* -ска) copy; list, roll || **-сыва-ть** II. *va.* (*Pf.* -с-áть I. 3. [c]) to copy, to transcribe.
спить *cf.* **спивáть.**

спи́хива-ть II. *va.* (*Pf.* спихн-у́ть I. [a]) to shove, to push, to thrust off, away, aside.
спи́ца *s.* pointed stake; knitting-needle; splinter; spoke (of wheel); spine, prickle (of a hedgehog).
спич *s.* speech.
спи́ч/ечница *s.* match-box || **–ечный** *a.* match-, of matches || **–ка** *s.* (*gpl.* -чек) match.
спла/в *s.* melting; rafting, floating || **–вля́-ть** II. *va.* (*Pf.* ⌐в=ить II. 7.) to melt, to smelt; to float (wood) || **–вно́й** *a.* floating-, navigable (for rafts) || **⌐вщик** *s.* smelter; raftsman.
спланирова́ть *cf.* **плани́ровать.**
спла́чива-ть II. *va.* (*Pf.* сплот=и́ть I. 2. [c]) to clamp, to join together.
спле́скива-ть II. *va.* (*Pf.* сплесн-у́ть I.) to dash off (water).
сплет/а́-ть II. *va.* (*Pf.* сплести́ & сплесть 23. [a 2.]) to tress, to plait; to interlace, to interweave; (*fig.*) to invent, to concoct || **–е́ние** *s.* tressing, plaiting; concoction || **⌐ник** *s.*, **⌐ница** *s.* gossip, telltale || **⌐нича-ть** II. *vn.* (*Pf.* на-) to gossip, to tattle || **⌐ня** *s.* (*gpl.* -ен) gossip, talebearing, (tittle-)tattle.
сплин *s.* spleen, melancholy.
спло/ти́ть *cf.* **спла́чивать** & **плоти́ть** || **–че́ние** *s.* joining, clamping || **–шно́й** *a.* continuous, uninterrupted; compact; dense (of wood); **–шна́я неде́ля** a week without fast-days || **–шь** *ad.* without interruption, continuously, one after the other, without exception; very often, frequently.
сплутова́ть *cf.* **плутова́ть.**
сплыва́-ть II. *vn.* (*Pf.* сплыть 31. [a 1.]) to run off *or* over, to flow over, to overflow; to swim away, to drift.
сплю́/щива-ть II. *va.* (*Pf.* -щ=ить I. & -сн-уть I.) to flatten.
сподви́ж/ник *s.*, **–ница** *s.* fellow-champion.
спо́дличать *cf.* **по́дличать.**
сподо/бля́-ть II. *va.* (*Pf.* ⌐б=ить II. 7.) (чего́) to find, to think, to consider one worthy (of a thing); (чем) to reward, to invest one (with).
сподру́чный *a.* handy, convenient.
спозара́нку *ad.* very early (in the morning).
споить *cf.* **спа́ивать.**
споко́й/ный *a.* calm, quiet, still, tranquil; even-tempered; **–ной но́чи!** good night! || **–ствие** & **–ство** *s.* calmness, quiet, tranquility; repose.
спола́горя *ad.* with little trouble *or* care.
спола́скива-ть II. *va.* (*Pf.* сполосн-у́ть I. [a]) to rinse, to wash.
сполза́-ть II. *vn.* (*Pf.* сползти́ 25. [a 2.]) to creep, to crawl, to glide *or* to slip down, off.
сполна́ *ad.* in full, fully; entirely, wholly.
сponде́й *s.* spondee.
спор/ *s.* quarrel, dispute, altercation difference; controversy || **–ади́ческий** *a.* sporadic.
спо́р=ить II. *vn.* (*Pf.* по-) (о чём) to dispute to quarrel, to argue.
спор=и́ться II. [a] *v.imp.* to make rapid progress.
спо́р/ный *a.* disputable, controvertible || **–о́ть** *cf.* **спа́рывать** || **–т** *s.* sport || **–ти́вный** *a.* sportive || **–щик** *s.* quarrelsome person, quarreller, squabbler, disputant || **–ый** *a.* profitable, advantageous.
спо́соб/ *s.* method, way, manner, mode || **⌐ность** *s. f.* talent, capacity, ability, aptitude || **⌐ный** *a.* apt, able, capable, fit; convenient, suitable || **⌐ство+вать** II. *vn.* (*Pf.* по-) (+ *D.*) to aid, to help; to promote, to further.
споспе́ш/е́ство+ва́ть II. [b] *va.* = *prec. verb.* || **–ник** *s.* aider, helper, furtherer.
спотык/а́-ться II. *vr.* (*Pf.* -н-у́ться I. [a]) to stumble, to trip.
спохва́/тыва-ться II. *vc.* (*Pf.* -т=и́ться I. 2. [a]) (+ *G.*) to become suddenly aware of, to miss suddenly, to remember by chance.
спра́/ва *ad.* from the right || **–ведли́вость** *s. f.* justice, righteousness; veracity, truth || **–ведли́вый** *a.* just, equitable, right(eous); upright; true || **–вка** *s.* (*gpl.* -вок) information, inquiry || **–вля́-ть** II. *va.* (*Pf.* -в=ить II. 7.) to redress, to set right again, to repair; to celebrate || **~ся** *vr.* (о чём) to inquire about; to consult (a book); to master || **–вочный** *a.* inquiry-; proof-; **~ лист** proof-sheet.
спра́шива-ть II. *va.* (*Pf.* спрос=и́ть I. 3. [c]) to question, to ask (for), to demand; to inquire; to beg.
спрова́жива-ть II. *va.* (*Pf.* спрова́д=ить I. 1.) to carry away, to transport; (кого́) to get rid of.
спрос/ *s.* question, demand, inquiry; request || **–и́ть** *cf.* **спра́шивать** || **–о́нья** *ad.* drowsy, half-asleep || **–та́** *ad.* unintentionally, innocently, without reflection; **э́то не ~** (*fam.*) it is not to be sneezed at.

спры́гива-ть II. *vn.* (*Pf.* спры́гн-уть I.) to jump down; (at gymnastics) to take off.

спры́скива-ть II. *va.* (*Pf.* спры́сн-уть I.) to (be)sprinkle.

спря/га́-ть II. *va.* (*Pf.* про-) (*gramm.*) to conjugate || **–же́ние** *s.* conjugation || **´тать** *cf.* **пря́тать.**

спу́гива-ть II. *va.* (*Pf.* спугн-у́ть I. [a]) to frighten up, to rouse; to frighten, to scare away.

спуд *s.* (*sl.*) bushel.

спус/к *s.* descent, slope; ~ **корабля́** (**на́ воду**) launch(ing) || **–ка́-ть** II. *va.* (*Pf.* -т=и́ть I. 4. [c.]) to lower (down), to let down; to launch (a ship); to strike (a flag); to uncouple (dogs); to fly (a kite) || ~**ся** *vr.* to descend, to go, to step down.

спустя́ *prp.* (+ *A.*) after.

спу́/тник *s.* fellow-traveller; (*astr.*) satellite || **–тыва-ть** II. *va.* (*Pf.* -та-ть II.) to entangle, to mix up; to confound, to embarrass, to perplex; to trammel, to fetter || ~**ся** *vr.* to entangle o.s., to get involved (in); (*fig.*) to be confused *or* embarrassed.

спья́на *ad.* in a drunken fit.

спя́чка *s.* (*gpl.* -чек) sleepiness; coma, lethargy; **зи́мняя** ~ hibernation.

срабо́та-ть II. *va. Pf.* to make, to execute; to finish one's work.

срав/не́ние *s.* comparison; **сте́пень –не́ния** (*gramm.*) comparative (degree) || **´нива-ть** II. *va.* (*Pf.* -н-и́ть II.) to compare; (*Pf.* -ня́-ть II.) to equalize, to balance; (*Pf.* сровня́-ть II.) to level, to make even || **–ни́тельно** *ad.* comparatively || **–ни́тельный** *a.* comparative, relative; **–ни́тельная сте́пень** (*gramm.*) comparative (degree).

сраж/а́-ть II. *va.* (*Pf.* сраз=и́ть) I. 1. [a]) to throw down, to strike down; to cut down, to kill; (*fig.*) to smite, to discourage, to dismay || ~**ся** *vrc.* to fight, to struggle || **–е́ние** *s.* fight, combat, battle, engagement.

сра́зу *ad.* at once, at one stroke.

срам = **срамота́.**

срам=и́ть II. 7. [a] *va.* (*Pf.* о-) (кого́) to shame, to cover with shame, to disgrace.

срам/ни́к *s.* shameless person, wretch, scoundrel || **´ный** *a.* shameful, disgraceful, infamous, ignominious || **–ота́** *s.* shame, infamy, ignominy, disgrace.

сраста́-ться II. *vr.* (*Pf.* срасти́сь 35. [a]) to grow together.

сребролю́бец *s.* person fond of money.

сред/а́ *s.* [e] Wednesday || **–и́** *prp.* (+ *G.*) amidst, among || **–изе́мный** *a.* inland, mediterranean || **–и́на** *s.* middle, midst; centre; heart || **–и́нный** *a.* central- || **–невеко́вый** *a.* mediæval || **–невеко́вье** *s.* the Middle Ages *pl.* || **´ний** *a.* middle; mean, average; ~ **род** (*gramm.*) neuter; **´ним число́м** on an average || **–о́чие** *s.* centre || **´ственный** *a.* mediocre, commonplace || **´ство** *s.* means *pl.*, resource; remedy.

сreза́-ть II. & **сре́зыва-ть** II. *va.* (*Pf.* сре́з-ать I. 1.) to cut off; to fail, to pluck (at examination) || ~**ся** *vr.* (*fig.*) to fail.

срисо́выва-ть II. *va.* (*Pf.* срисо+ва́ть II. [b]) to draw; to copy a drawing.

сровня́ть *cf.* **сра́внивать.**

срод/н=и́ться II. [a] *vr. Pf.* (с кем) to become related to || **´ный** *a.* inborn, innate || **´ственник** *s.*, **´ственница** *s.* relative || **–ство́** *s.* relationship, kindred; (*chem.*) affinity || **´у** *ad.* from birth.

срок *s.* term, time; date; **в** ~ when due; ~ **да́вности** prescription; **по ´ам** by instalments, at stated times.

сро́чный *a.* of term; to be paid *or* executed at a fixed date; due, payable.

сру/б *s.* framework, woodwork || **–ба́-ть** II. *va.* (*Pf.* -б=и́ть II. 7. [c]) to fell, to cut down || **´бка** *s.* (*gpl.* -бок) felling of wood || **´бок** *s.* (*gsg.* -бка) cut timber.

срыва́-ть II. *va.* (*Pf.* сорв=а́ть I. [a 3.]) to tear off; to pluck off, to pick (*e.g.* fruits, flowers); ~ (с кого́) **взя́тку** to extort a thing (from one) || ~**ся** *vr.* to break, to become loose, to come off; to slip (of a word); (*Pf.* срыть 28. [b]) to level, to demolish, to raze.

сры́тие *s.* demolition (of a fortress).

сря́ду *ad.* one after another, successively; consecutively; **три дня** ~ for three consecutive days.

сса́д/ина *s.* scratch, excoriation || **–ка** *s.* (*gpl.* -док) setting down; shrinking (of cloth).

сса́жива-ть II. *va.* (*Pf.* ссад=и́ть I. 1. [a & c]) to set down, to take down (from a seat); to land, to put on shore; to scratch, to graze (the skin).

ссо́ра *s.* quarrel, altercation, dispute.

ссо́р=ить II. *va.* (*Pf.* по-) to set at variance || ~**ся** *vr.* (с + *I.*) to quarrel (with), to be at variance (with).

ссо́рливый *a.* quarrelsome.

ссу́д/а *s.* loan || **–ный** *a.* loan-.

ссужá-ть II. *va.* (*Pf.* ссуд=и́ть I. 1. [a & c]) (когó чем) to lend, to advance (money).
ссучи́ть *cf.* **сучи́ть.**
ссылá-ть II. *va.* (*Pf.* сослáть 40. [a]) to send away, to dismiss; to banish, to exile || **~ся** *vr.* (на когó, на что) to refer to, to appeal to; to cite, to quote.
ссы́л/ка *s.* (*gpl.* -лок) sending away; banishment, exile, deportation; quotation, reference || **–очный** *a.* banished, deported || **~** & **–ьный** (*as s.*) exile, outlaw, convict.
стáвень *s. m.* (*gsg.* -вня) (window-) shutter.
стáв=ить II. 7. *va.* (*Pf.* по-) to set, to put, to place; to consider, to value, to estimate.
стáвка *s.* (*gpl.* -вок) setting, putting (up), placing; tent; stake (at play).
стáд/ий & **–ия** *s.* stadium; stage (of development) || **–ный** *a.* herd-, drove- || **–о** *s.* [b] herd, drove; flock (of birds).
стáнва-ть II. *vn.* (*Pf.* стá-ять II.) to melt away, to thaw.
стакáн/ *s.* glass, tumbler; barrel (of a pump) || **–ный** *a.* glass- || **–чик** *s. dim. of* стакáн.
сталелитéйный *a.* steel-foundry-.
стáлкива-ть II. *va.* (*Pf.* столкá-ть II.) to push off, down, away || **~ся** *vr.* to strike together, to come into collision, to collide; to stumble on a thing.
стáло-быть *c.* consequently, therefore.
сталь/ *s. f.* steel || **–нóй** *a.* steel-.
стамéзка *s.* (*gpl.* -зок) (driving) chisel; **кру́глая ~** gouge.
стан/ *s.* stature, size; camp; police district; quarters, lodgings *pl.*; body (of a shirt); work-table, bench; den, haunt || **–нóль** *s. m.* tinfoil || **–и́ца** *s.* herd, drove; flock; migration, flight (of birds); Cossack village || **–ов=и́ть** II. 7. [c] = **стáвить** || **~ся** *vr.* (*Pf.* стать 32. [b]) to become, to get, to grow; (на что) to place o.s., to put o.s. (*cf.* стать) || **–овóй** *s.*, **~ при́став** commissary of rural police || **–óк** *s.* [a] (*gsg.* -нкá) bench, work-bench; stand, rack, frame; machine; **печáтный ~** printing-press; **токáрный ~** lathe; **ткáцкий ~** loom || **–с** *s.* stanza || **–циóнный** *a.* station-; **~ зал** waiting-room || **∸ция** *s.* (railway)-station.
стáплива-ть II. *va.* (*Pf.* стоп=и́ть II. 7. [c]) to melt together, to fuse together.
стáптыва-ть II. *va.* (*Pf.* стопт-áть I. 2. [c]) to trample, to tread under foot; to wear on one side *or* down (at the heels).

стар/áние *s.* endeavour, effort, care, pains *pl.* || **–áтельный** *a.* careful, diligent, assiduous || **–á-ться** II. *vc.* (*Pf.* по-) (о чём) to endeavour, to strive, to take pains, to exert o.s. to; to apply o.s. to || **∸енький** *a.* rather old, oldish || **–é-ть(-ся)** II. *vn.* (*Pf.* о-, по-, у-) to age, to grow old; to decay || **∸ец** *s.* (*gsg.* -рца) old man, aged person; elder; monk || **–и́к** *s.* [a] an old man || **–инá** *s.* antiquity, times of yore, the good old days; (*s. m.*) old man || **–и́нный** *a.* ancient, antique, old.
стáр=ить II. *va.* (*Pf.* со-) to make old, to make look old || **~ся** *vr.* to grow old, to look old.
стáр/ица *s.* old woman; nun || **–ичóк** *s.* [a] (*gsg.* -чкá) *dim. of* стари́к.
старо/бы́тный *a.* old, ancient; old-fashioned || **–вéр** *s.*, **–вéрка** *s.* (*gpl.* -рок) old-believer (member of a Russian sect) || **–дáвний** *a.* ancient, as old as the hills || **–жи́л** *s.* & **–жи́лец** *s.* (*gsg.* -льца), **–жи́лка** *s.* (*gpl.* -лок) old inhabitant || **–закóнный** *a.* of the Old Testament || **–обрáзный** *a.* old-looking || **–обря́дец** = **–овéр** || **–печáтный** *a.* printed long ago.
стáр/оста *s. m.* bailiff (of a village); overseer; **сéльский ~** country-judge || **–остиха** *s.* wife of a village bailiff || **–ость** *s. f.* old age || **–у́ха** *s.* an old woman || **–у́шка** *s.* (*gpl.* -шек) *dim. of prec.* || **–чество** *s.* old age, agedness || **–ше** (*comp. of* стáрый), **он ~ меня́** he is older than I || **–ший** *a.* older, elder, eldest; senior (in rank) || **–шинá** *s. m.* senior, chief, head; foreman (of a jury) || **–шинствó** *s.* seniority.
стá/рый *a.* (*pd.* стар, -á, -о, -ы; *comp.* стáрше) old, aged, elderly; decayed, shabby; former || **–рьё** *s.* old things, lumber, rubbish.
стáскива-ть II. *va.* (*Pf.* стаскá-ть II.) to drag together; (*Pf.* стащ=и́ть I. [c]) to drag off, down, away; to steal.
стасовáть *cf.* **тасовáть.**
стат/éйка *s.* (*gpl.* -éек) short article, essay || **–éйный** *a.* of article; **~ купéц** wholesale merchant || **∸ика** *s.* statics *pl.* || **–и́ст** *s.* (*theat.*) super(numerary) || **–и́стик** *s.* statistician || **–и́стика** *s.* statistics *pl.* || **–исти́ческий** *a.* statistic(al) || **∸ность** *s. f.* stateliness || **∸ный** *a.* stately, shapely, well-shaped || **∸очный** *a.* feasible, practicable, possible.
стат/с- *in cpds.* = state-, of state || **–ский**

a. civil; of state || **–ýйка** *s.* (*gpl.* -ýек) small statue || **´–уя** *s.* statue.
стать *s. f.* form, figure, stature, shape; cause, purpose, reason; **с какóй ´–и?** why? for what purpose?
стать 32. [b] *vn.* to become, to get, to grow; to set, to put, to place; to stop, to cease; (*before Inf.*) to begin, to commence; **~ на колéни** to kneel down; **~ на я́корь** to anchor; **~ нá мель** to run aground; **рекá стáла** the river is frozen; **ему́ стáло лу́чше** he began to feel better || **~ся** *v.imp.* to happen; **что с ним стáлось?** what is the matter with him? (*cf.* станови́ться).
статья́ *s.* (*gpl.* -тéй) article; chapter, part; paragraph, clause, condition; item (of an account).
стáчечник *s.* striker.
стáч/ива-ть II. *va.* (*Pf.* стачá-ть II.) to quilt together; (*Pf.* сточ=и́ть I. [c]) to grind off || **–ка** *s.* (*gpl.* -чек) quilting-seam, closing-seam; secret understanding, connivance; **~ рабóчих** strike.
стащи́ть *cf.* **стáскивать.**
стáя *s.* flight, flock, covey; herd, drove, band.
стáять *cf.* **стáивать.**
ствол *s.* [a] trunk (of a tree); stalk, stem, shaft; barrel (of a gun); **~ перá** quill.
створ/ *s.* (*us. in pl.* створы) leaf (of a door); casement (of a window) || **–áжива-ть** II. *va.* (*Pf.* -óж=ить I.) to cause to curdle || **´–ный** & **´–чатый** *a.* folding (of a door).
стеари́н/ *s.* stearin(e) || **–овый** *a.* stearin(e).
стеб/елёк *s.* [a] (*gsg.* -елькá) & **–елёчек** *s.* (*gsg.* -чка) *dim. of foll.* || **´–ель** *s. m.* [c] (*gsg.* -бля) stalk, stem.
стёганый *a.* quilted.
стегá-ть II. *va.* (*Pf.* со-) to quilt; (*Pf.* стегн-у́ть I. [a]) to whip.
стёжка *s.* (*gpl.* -жек) quilting(-seam).
стежóк *s.* [a] (*gsg.* -жкá) stitch (in sewing).
стезя́ *s.* (foot-)path.
стекá-ть II. *vn.* (*Pf.* стечь 18. [a 2.]) to run off, down, to trickle down || **~ся** *vr.* to run, to flow together; to flock, to crowd together (of people).
стекл́о/ *s.* [d] glass; pane of glass || **–ви́дный** *a.* glassy, vitreous || **–вóй** *a.* (*an.*) glass- || **–плави́льный** *a.*, **~ завóд** glassworks *pl.*
стёклышко *s.* (*gpl.* -шек) *dim.* piece of glass.
стекля́/нный *a.* glass, of glass || **–рус** *s. coll.* glass-beads *pl.*
стекóль/ный *a.* glass-, glazier's || **–щик** *s.* glazier.
стéль/ка *s.* (*gpl.* -лек) inner sole || **–ная** *a.* in calf (of a cow).
стем *s.* (*mar.*) stem, bow.
стемнéть *cf.* **темнéть.**
стенá/ *s.* [f] wall || **–ние** *s.* groan(ing), sigh(ing).
стенá-ть II. *vn.* (*Pf.* за-) to groan, to moan.
стéн/ка *s.* (*gpl.* -нок) *dim. of* стенá || **–нóй** *a.* wall-, mural || **–огрáф** *s.* stenographer, shorthand-writer || **–огрáфия** *s.* stenography, shorthand || **–опись** *s. f.* mural painting, fresco.
степéнный *a.* sedate, steady, staid.
стéп/ень *s. f.* [c] degree, grade, rank, class; (*math.*) power || **–нóй** *a.* of steppe, steppe- || **–ня́к** *s.* [a], **–ня́чка** *s.* (*gpl.* -чек) inhabitant of the steppe || **–ь** *s. f.* [c] steppe.
стéрва *s.* carcase, carrion.
стереоскóп/ *s.* stereoscope || **–и́ческий** *a.* stereoscopic.
стереоти́п/ *s.* stereotype || **–ный** *a.* stereotype.
стерéть *cf.* **стирáть.**
стерéчь 15. [a 2.] *va.* (*Pf.* по-) to guard, to watch over.
стéржень *s. m.* (*gsg.* -жня) heart, core (of a tree); core (of a boil); nipple (of a gun); (*mech.*) spindle, rod, pin.
стерилиз/áция *s.* sterilization || **–óванный** *a.* sterilized.
стéрл/ядь *s. f.* [c] (*ich.*) sterlet || **–я́жий** (-ья, -ье) *a.* of sterlet.
стерп=éть II. 7. [c] *va. Pf.* to bear, to tolerate.
стес/нéние *s.* compulsion; constraint; uneasiness || **–ни́тельный** *a.* heavy, oppressive; troublesome || **–ня́-ть** II. *va.* (*Pf.* -н=и́ть II. [a]) to press (together); to bound, to limit, to hinder, to trouble, to disturb || **~ся** *vr.* to crowd (in a little room); to restrain o.s., to feel embarrassed.
стёсыва-ть II. *va.* (*Pf.* стес-áть I. 3. [c]) to hew off.
стетоскоп *s.* stethoscope.
стеч/éние *s.* flowing off; confluence, meeting (of two rivers); throng, concourse; concurrence || **–ь** *cf.* **стекáть.**
сти́брить *cf.* **ти́брить.**
стиль/ *s. m.* style || **´–ный** *a.* of style.
стип/ендиáт *s.* exhibitioner, holder of a scholarship || **–éндия** *s.* scholarship, exhibition.
стир/áлка *s.* (*gpl.* -лок) dishcloth, duster **–áльный** *a.* washing-, for washing || **–á-ть** II. *va.* (*Pf* вы́-) to wash (clothes); (*Pf.* стерéть 14. [a 1.], *Fut.* сотру́, -ёшь, *Pret.* стёр, стёрла) to rub off; to gall; to

wipe off, to dust; to pulverize || **ˊ-ка** *s.* (*gpl.* -рок) wash, washing; **отдáть в ˊ-ку** to send to the wash.

сти́скива-ть II. *va.* (*Pf.* сти́сн-уть I.) to squeeze together, to compress.

стих/ *s.* [a] verse; (scriptural) sentence || **-áрь** *s. m.* [a] surplice || **-á-ть** II. *vn.* (*Pf.* ˊ-нуть 52.) to grow calm, still, speechless; to fall (of the wind) || **-и́йный** *a.* elementary || **-и́я** *s.* element || **-оплёт** *s.* rhymer, poetaster || **-осложéние** *s.* versification || **-творéние** *s.* poem || **-твóрец** *s.* (*gsg.* -рца) poet || **-твóрный** *a.* poetic(al) || **-твóрство** *s.* poetry.

стишóк *s.* [a] (*gsg.* -шка́) *dim. of* стих.

сткля́нка = **скля́нка.**

стлать 9. [c] *va.*, ~ **ковры́** to lay carpets; ~ **скáтерть** to lay the table; ~ **постéль** to make a bed; ~ **пол** to floor || ~**ся** *vr.* to stretch, to extend; to creep (of plants).

сто *num.* hundred.

сто/г *s.* [b] (*pl.* -á & -и́) haystack, hayrick || **-жóк** *s.* [a] (*gsg.* -жка́) *dim. of prec.*

стóик *s.* stoic.

стóимость *s. f.* value, price, worth.

стó=ить II. *vn.* to cost, to be worth, to amount to; to be worth while; **вам стóит тóлько сказáть** you have only to say; **не стóит!** don't mention!

сто/ици́зм *s.* stoicism || **-и́ческий** *a.* stoic(al).

стóй/ка *s.* (*gpl.* стóек) standing; bar, counter; stay, prop, support || **-кий** *a.* (*comp.* стóйче) steady, firm, steadfast || **-кóм** *ad.* upright, erect, on end || **-ло** *s.* (*gpl.* стóйл) stall (in a stable); horsebox || **-мя́** = **-кóм.**

сток *s.* flow(ing), running off; drip, eaves *pl.*; sewer, drain.

стокрáтный *a.* hundredfold.

стол/ *s.* [a] table; board; meal, repast; **со -óм** with board; **сесть за -óм** to sit down to dinner; **óбщий** ~ table d'hôte, ordinary; **áдресный** ~ inquiry-office || **-б** *s.* [a] pillar, post, column || **-бенé-ть** *vn.* (*Pf.* о-) to be dumbfounded || **-бéц** *s.* [a] (*gsg.* -бца́) column || **ˊ-бик** *s. dim. of* столб || **-бня́к** *s.* [a] tetanus || **-бовóй** *a.* post-, column- || **-éтие** *s.* century || **-éтний** *a.* centennial || **ˊ-ик** *s.* small table; stand || **-и́ца** *s.* residence, capital (city) || **-и́чный** *a.* of capital || **-кáть** *cf.* **стáлкивать** || **-кновéние** *s.* collision || **-óвая** (*as s.*) dining-room || **-óвый** *a.* table- || **-оначáльник** *s.* head-clerk (in an office).

стол/п = **столб** || **-пи́ться** *cf.* **толпи́ться** || **-плéние** *s.* crowd(ing).

столь/ *ad.* so; ~ **мнóго** so much, so many; ~ **мáло** so few || **ˊ-ко** *ad.* so much, thus much, as much.

столя́р/ *s.* [a] joiner || **-ный** *a.* joiner's || **-ничество** *s.* joinery.

стон *s.* groan, moan, sigh.

стон-áть I. [c] *vn.* (*Pf.* за-, про-) to groan, to moan, to sigh.

стоп/ *int.* (*mar.*) stop! halt! || **-á** *s.* [e & f] sole (of the foot); foot-mark, footprint, footstep; foot (as measure); (*poet.*) foot; ream (of paper); goblet, rummer || **-тáть** *cf.* **стáптывать** & **топтáть.**

стор/го+вáться II. [b] *vrc. Pf.* to agree about the price, to conclude a bargain || **ˊ-ож** *s.* [b*] (*Pf.* -á) watchman, keeper || **-óжа** *s.* guard; **быть на -ожé** to be on the alert, to be on one's guard || **-ожевóй** *a.* on guard, of guard, guard-, watch-; **-ожевáя бýдка** sentry-box || **-ож=и́ть** I. [a] *va.* to guard, to watch; to lie in wait for || **-óжка** *s.* (*gpl.* -жек) sentry-box, watchman's box || **-онá** *s.* [f] side; region; **шýтки в ˊ-ону** joking aside || **-он=и́ться** II. [c] *vr.* (*Pf.* по-) to stand aside, to make way || **-óнний** *a.* side-; irrelevant, that is beside the question; **э́то дéло -óннее** that is a mere detail || **-óнник** *s.* sider, follower, adherent.

сторублёвый *a.* hundred-rouble-.

стоско+вáться II. [b] *vc.* (по ком) *Pf.* to grieve, to pine away (with grief for).

сточи́ть *cf.* **стáчивать.**

стóчный *a.*, **-ая я́ма** cesspool; **-ая трубá** sewer, drain, sink.

стоя́/ние *s.* standing; height (of the barometer) || **-нка** *s.* (*gpl.* -нок) stay, abode; (*mil.*) quarters *pl.*; **я́корная** ~ anchorage.

сто=я́ть II. [a] *vn.* (*Pf.* по-) to stand, to be standing; to stay, to lodge (in an inn); to last, to continue; to stand still, to be stagnant (of matters); (за когó) to intercede, to stick up (for one), to defend; (*mil.*) to be quartered (upon); **(по)стóй(-те)!** halt! stop!; ~ **на часáх** to stand sentry; ~ **на я́коре** to lie at anchor.

стоя́чий (-ая, -ее) *a.* standing, upright, erect; stagnant; ~ **воротни́к** stand-up collar.

стрáвлива-ть II. *va.* (*Pf.* страв=и́ть II.

7. [c]) to graze; to corrode, to etch; (когó с кем) to set on, to incite.

страдá/ *s.* heavy work in the fields during harvest-time || **–лец** *s.* (*gsg.* -льца) martyr || **–ние** *s.* suffering, pain || **–тельный** *a.* suffering; ~ **залóг** (*gramm.*) passive.

стра/дá-ть II. & **–д-áть** I. 5. [b] *vn.* (*Pf.* по-) to suffer, to endure, to bear; (по ком) to grieve.

стрáдный *a.*, **–ая порá, –ое врéмя** harvest-time.

страж/ *s.* guard, watchman, sentinel, sentry || **∠а** *s.* guard, watch; **под ∠ею** under arrest; **взять** (когó) **под ∠у** to arrest.

стран/á *s.* [a] country, region, land; **∠ы свéта** the cardinal points || **–úца** *s.* page (of a book) || **–úчный** *a.* paginal || **∠ник** *s.* traveller, wanderer, stranger || **∠нича-ть** II. *vn.* to travel, to wander; to affect singularity || **∠нический** *a.* travelling-, of travelling; **∠ническая жизнь** vagrant life || **–ноприúмный** *a.* hospitable || **∠ность** *s. f.* strangeness, queerness, oddness || **∠ный** *a.* strange; odd, singular, curious, queer || **∠ств(ован)ие** *s.* travelling, wandering, roving || **∠ство+вать** II. *vn.* to travel, to wander, to rove; **∠ствующий рыцарь** knight-errant.

страстúшка *s.* (*gpl.* -шек) (*abus.*) amour, love-intrigue.

страст/нóй *a.* of Our Lord's passion; **–нáя недéля** Holy Week; **–нáя пятница** Good Friday || **∠ность** *s. f.* passion || **∠ный** *a.* passionate || **–отéрпец** *s.* martyr.

страсть *s. f.* suffering, torment, pain; (к + *D.*) passion (for); terror, dread; **∠и Христóвы** the Passion of Our Lord || ~ *ad.* extraordinarily, exceedingly; (*fam.*) awfully.

стратéг/ *s.* strategist, commander || **–úческий** & **–úчный** *a.* strategic(al) || **–ия** *s.* strategy.

стрáус *s.* ostrich.

страх/ *s.* fear, dread, awe; fright, terror; risk, danger || ~ *ad.* extremely, dreadfully || **–овáние** *s.* insurance; ~ **от огня́** fire-insurance || **–овáтель** *s. m.* insured person, insured party || **–о+вáть** II. [b] *va.* (*Pf.* за-) to insure || **–овóй** *a.* insurance-, of insurance || **–овщúк** *s.* insurer.

страшú/лище & **–ло** *s.* scarecrow.

страш=úть I. [a] *va.* (*Pf.* у-) to frighten, to terrify, to strike (one) with awe || **~ся** *vr.* (чегó) to be frightened, to be afraid (of), to dread, to fear.

страш/лúвый *a.* timid, fearful || **∠но** *ad.* horribly, awfully; ~ **дóрого** awfully dear; **мне** ~ I am afraid || **∠ный** *a.* terrible, frightful, dreadful, awful.

стращá-ть II. *va.* (*Pf.* по-) to intimidate, to threaten, to menace, to frighten.

стреко/зá *s.* [h] dragon-fly; (*fig.*) madcap || **–т-áть** I. 2. [c] *vn.* (*Pf.* -тн-ýть I.) to chirp (of a cricket); to chatter, to prattle, to jabber.

стрел/á *s.* [d] arrow, bolt; dart || **–éц** *s.* [a] (*gsg.* -льцá) rifleman, marksman; (*astr.*) Sagittarius || **∠ка** *s.* (*gpl.* -лок) small arrow; needle (of compass); hand (of a clock, etc.); tongue (of a balance); spit (of land); clock (of a stocking); (*rail.*) point, switch || **–овúдный** *a.* arrow-shaped || **–óк** *s.* [a] (*gsg.* -лкá) sharpshooter, rifleman || **∠очка** *s.* (*gpl.* -чек) *dim. of* стрéлка || **∠очник** *s.* (*rail.*) pointsman || **–ьбá** *s.* shooting, firing; volley, discharge || **∠ьбище** *s.* shooting-ground || **∠ьчатый** *a.* arrow-shaped || **–я́-ть** II. *vn.* (*Pf.* -ьн-ýть I.) (по ком, в когó) to shoot, to fire (off), to discharge || **~ся** *vrc.* to fight a duel.

стрем/глáв *a.* head foremost, headlong, head over heels || **–úтельный** *a.* impetuous, violent, rapid.

стрем=úть II. 7. [a] *va.* (*Pf.* у-) to drag, to carry away impetuously || **~ся** *vr.* to rush, to run, to flow rapidly; (к чемý *fig.*) to aspire (to), to strive (after).

стрем/лéние *s.* impetuous rush *or* flow; ardour, vehemence, impetuosity; aspiration, endeavour (after) || **–нúна** *s.* rapids *pl.*; steepness, precipice || **∠я** *s. n.* [b] (*pl.* -енá) stirrup || **–яннóй** (*as s.*) groom, ostler || **–я́нный** *a.* stirrup-.

стренóжить *cf.* **тренóжить.**

стриж/ *s.* [a] (*orn.*) martin; **кáменный** ~ black martin, swift || **∠ка** *s.* (*gpl.* -жек) shearing, cutting.

стричь 15. [c 1.] *va.* (*Pf.* по-, вы́-) to shear, to cut || **~ся** *vr.* to get one's hair cut.

строгá-ть II. *va.* (*Pf.* вы́-) to plane.

стрóгий *a.* (*comp.* стрóже; *sup.* строжáйший) severe, strict, precise; watchful, vigilant (of dogs).

стро/евóй *a.* building-, of building; front-; ~ **солдáт** soldier serving at the front || **–éние** *s.* constructing; construction, building; (*mus.*) tuning || **–жáйший** *cf.* **стрóгий** || **∠же** *cf.* **стрóгий** ||

-и́тель *s. m.* builder, architect || **-и́тельный** *a.* building-, for building.
стро́=ить II. *va.* (*Pf.* по-) to construct, to build, to erect; to dispose (of), to arrange; (*Pf.* на-) (*mus.*) to tune; (*Pf.* вы́-) (*mil.*) to draw up.
строй/ *s.* order, arrangement, regime; (*mus.*) tune; (*mil.*) line, front; **боево́й** ~ battle-array || **⸗ный** *a.* proportionate, well-shaped; (*mus.*) harmonious, in tune; **в ⸗ном ви́де** well ordered *or* arranged, well-disposed. [paragraph.
строка́ *s.* [f] line; **кра́сная** ~ (a new)
строп/и́ло *s.* rafter; truss || **-ти́вый** *a.* stubborn, obstinate.
строфа́ *s.* [d] strophe.
строч=и́ть I. [c] *va.* (*Pf.* на-) to scribble.
стро́ч/ка *s.* (*gpl.* -чек) quilting-seam, backstitching; line || **-ный** *a.* line-; small (of letters).
струг *s.* [b] (*pl.* -á) plane; scraper.
стру́жка *s.* (*gpl.* -жек) planing; chip, shaving.
струи́стый *a.* undulating, waving, wavy.
стру=и́ть II. [a] *va.* (*Pf.* за-) to pour out, to let escape || **~ся** *vr.* to flow softly, to purl, to ripple.
стру́й/ка *s.* (*gpl.* -у́ек) *dim. of* струя́ || **-ный** *a.* of current, of stream || **-ча-тый** *a.* watered. [husk.
струк *s.* (*pl.* стру́чья, -ьев) pod, shell,
струн/а́ *s.* [e] string, chord || **⸗ка** *s.* (*gpl.* -нок) a thin string || **⸗ный** *a.* string-, stringed || **⸗очка** *s.* (*gpl.* -чек) *dim. of* стру́нка.
струп/ *s.* (*pl.* стру́пья) scurf, scab || **-ова́-тый** *a.* scurvy, scabby.
стру́сить *cf.* **тру́сить.**
струч/кова́тый *a.* leguminous || **-ко́вый** *a.* shell-, husk- || **-о́к** *s.* [a] (*gsg.* -чка́) *dim.* pod || **⸗ья** *cf.* **струк.**
струя́ *s.* current, stream; jet, spout; (*in pl.*) waves, billows, waters *pl.*, flood.
стря́п/а-ть II. *va.* (*Pf.* со-) to cook, to prepare, to dress (food) || **-анье** & **-ня́** *s.* cooking, dressing (of food); dish, meal, cookery || **-у́ха** *s.* (female) cook || **-чий** (*as s.*) counsel, attorney, solicitor, lawyer.
стряса́-ть II. *va.* (*Pf.* стрясти́ 26. [a 2.]) to shake off; to shake thoroughly.
студ/ени́стый *a.* gelatinous || **-е́нт** *s.* student; **~-ме́дик** a medical student || **-е́нтка** *s.* (*gpl.* -ток) (lady-)student || **-е́нческий** & **-е́нтский** *a.* students' || **-ёный** *a.* cold || **-ёное** (*as s.*) & **⸗ень** *s. m.* jelly, brawn.
студ=и́ть I. 1. [a & c] *va.* (*Pf.* о-) to cool (down), to chill.
сту́жа *s.* cold, frost.
стук/ *s.* rap, tap, knock; chatter, noise, rattle || **⸗ать** & **⸗нуть** *cf.* **стуча́ть** || **-отня́** *s.* rumbling, noise, clatter; rattling (of carriages).
стул/ *s.* chair, seat; stool; (butcher's) block; trunk, stump (of a tree) || **⸗ик** *s. dim.* chair.
сту́/па *s.* mortar || **-па́-ть** II. *vn.* (*Pf.* -п=и́ть II. 7. [c]) to stride, to go, to tread, to step; **-па́й!** go ahead! get along! be off! || **-пе́нь** *s. f.* [c] step; rung (of a ladder) || **-пе́нька** *s.* (*gpl.* -нек) *dim.* step || **-пе́ньчатый** *a.* having many steps || **-пица** *s.* nave (of a wheel) || **-пня́** *s.* ball (of the foot), sole || **-почка** *s.* (*gpl.* -чек) small mortar.
стуч=а́ть I. [a] *va.* (*Pf.* за-, по-, *mom.* сту́кн-уть I.) to knock, to rap, to tap; to clatter; to rattle (of carriages) || **~ся** *vc.*, **~ в дверь** to knock at the door.
стушёвыва-ться II. *vn.* (*Pf.* стуше+ва́ться II. [b]) to vanish, to become of no importance.
стыд *s.* [a] shame.
стыд=и́ть I. 1. [a] *va.* (*Pf.* при-, у-) to shame, to make ashamed || **~ся** *vr.* to be ashamed, to feel ashamed (of).
стыд/ли́вый *a.* bashful, shy; modest, chaste || **⸗ный** *a.* shameful, disgraceful, base || **⸗но** *ad.* ashamed; **мне ⸗но** I am ashamed.
стык *s.* butt; groove; joint, splice.
сты́н-уть I. & **стыть** 32. *vn.* to grow cold, to cool.
сты́чка *s.* (*gpl.* -чек) quarrel; scuffle; (*mil.*) skirmish.
стяг/ *s.* [b] lever; (*obs.*) flag, standard || **⸗ива-ть** II. *va.* (*Pf.* стян-у́ть I. [c]) to draw together, to draw tight, to tie up; to pilfer, to purloin; to extort.
стяж/а́ние *s.* acquiring, acquisition; property || **-а́тельный** *a.* covetous, eager for gain || **-а́-ть** II. *va.* to acquire, to gain (treasures).
стяну́ть *cf.* **стя́гивать.**
суббо́т/а *s.* Saturday; Sabbath; **Вели́кая** ~ Easter eve || **-ний** *a.* of Saturday || **-ник** *s.* Sabbatarian. [jective.
суб'е́кт/ *s.* subject || **-и́вный** *a.* sub-
субордина́ция *s.* subordination.
субре́тка *s.* (*gpl.* -ток) (*theat.*) soubrette.
суб/сидиро+вать II. *va.* to subsidize || **-си́дия** *s.* subsidy || **-ста́нция** *s.* sub-
субти́льный *a.* subtile. [stance.

сугли́нок *s.* (*gsg.* -нка) soil of mixed sand and clay.
сугро́б *s.* heap of snow.
сугу́бый *a.* double, twofold.
суд/ *s.* [a] court of justice; jurisdiction; trial; judg(e)ment, conclusion; **вое́нный ~** court martial; **стра́шный ~** doomsday || **-а́к** *s.* [a] (*ich.*) sandre || **-а́рик** *s. dim. of* су́дарь || **-а́рка** *s.* (*gpl.* -рок) *dim. of foll.*; (*fam.*) mistress, sweetheart || **-а́рыня** *s.* madam, mam || **´-арь** *s. m.* sir; master || **-а́рь** *s. m.* (*sl.*) sudarium || **-а́ч=ить** I. *va.* (*Pf.* по-) (о ком *vulg.*) to carp at; (*fam.*) to backbite, to slander || **-е́бник** *s.* code of laws (of Ivan IV.) || **-е́бный** *a.* judicial; of justice, court-; **~ при́став** usher, process-server || **-е́йский** *a.* judge's, judg(e)ment- || **-и́лище** *s.* tribunal, court of justice; court-room.
суд=и́ть I. 1. [c] *va.* (*Pf.* по-) (кого́) to judge, to try; (о чём) to judge (of, on, by), to criticize, to consider, to think, to be of (the) opinion; **судя́** (по + *D.*) to judge by || **~ся** *vrc.* (с кем) to go to law, to be at law (with).
су́д/но *s.* (*pl.* суда́) vessel, craft, ship || **-но́** *s.* (*pl.* су́дна) vessel, dish, basin || **-ный** *a.* juridical, court-; legal, of law || **-ово́й** *a.* ship-, ship's; **~ ма́клер** ship-broker || **-овщи́к** *s.* [a] shipowner, bargeman || **-оговоре́ние** *s.* proceedings, pleadings *pl.* (at court) || **-о́к** *s.* [a] (*gsg.* -дка́) set of dishes; cruet-stand || **-омо́йка** *s.* (*gpl.* -мо́ек) scullion, kitchen-maid || **-опроизво́дство** *s.* law-proceedings *pl.*, administration of justice || **-орога** *s.* (*esp. in pl.*) cramp, convulsion || **-орожный** *a.* convulsive, spasmodic(al) || **-острое́ние** *s.* ship-building || **-острои́тель** *s. m.* ship-builder || **-острои́тельный** *a.* ship-building- || **-охо́дный** *a.* navigable || **-охо́дство** *s.* navigation || **-охозя́ин** *s.* (*pl.* -зя́ева) shipowner || **-ьба́** *s.* [e] (*gpl.* -деб) & **-ьби́на** *s.* fate, destiny, lot, fortune || **-ья́** *s. m.* [e] judge.
суеве́р/ *s.* a superstitious person || **-ие** *s.* superstition || **-ный** *a.* superstitious.
суета́ *s.* vanity; care, anxiety; bustle; *coll. m&f.* restless person, bustler.
сует=и́ться I. 2. [a] *vr.* (*Pf.* за-, по-) to bustle, to be restless; to be anxious; to fidget.
суетли́вый *a.* bustling, restless, anxious; troublesome.
су́ет/ность *s. f.* vainness, nothingness, futility || **-ный** *a.* vain, void, futile.
сужде́ние *s.* judg(e)ment, sentence; opinion.
суж/дёный & **´-еный** *a.* fated, destined.
су́жива-ть II. *va.* (*Pf.* су́з=ить I. 1.) to narrow, to make narrower || **~ся** *vr.* to shrink, to contract.
сук/ *s.* [a° & d°] (*pl. coll.* су́чья, etc.) branch, twig, bough; knot (in wood) || **´-а** *s.* bitch || **´-ин** *a.* of a bitch || **-но́** *s.* [d] cloth; **положи́ть де́ло под ~** to shelve, to put off || **-нова́льня** *s.* (*gpl.* -лен) fulling-mill || **-нова́тый** *a.* knotty, branchy || **-о́нка** *s.* (*gpl.* -нок) (piece of) cloth, rag || **-о́нный** *a.* cloth, of cloth; made of cloth || **-о́нщик** *s.* draper, cloth-merchant.
сулема́ *s.* corrosive sublimate.
сул=и́ть II. [a] *va.* (*Pf.* по-) to offer, to promise.
султа́н *s.* sultan; plume, tuft (of feathers).
сума́ *s.* [e] bag, sack; wallet; **ходи́ть с -о́ю** to go begging.
сумасбро́д/ *s.* extravagant, mad person, fool || **-нича-ть** II. *vn.* to drivel; (*med.*) to rave; to do mad things || **-ный** *a.* extravagant, foolish, mad.
сумасше́дший (-ая, -ее) *a.* mad, insane || **~** (*as s.*) madman, lunatic; **дом -их** lunatic asylum. [hurly-burly.
сумато́ха *s.* bustle, confusion, uproar,
сумбу́р/ *s.* absurdity, nonsense || **-ный** *a.* absurd, nonsensical.
су́мер/ечный *a.* crepuscular || **-ки** *s. fpl.* (*gpl.* -рек) twilight, dusk.
суме́ть *cf.* **уме́ть.** [satchel.
су́мка *s.* (*gpl.* -мок) *dim.* bag, wallet;
су́мма *s.* sum, amount, total.
су́мр/ак *s.* twilight, dusk, obscurity || **-ачный** *a.* dark, dusky; cloudy, overcast (of the sky); gloomy. [burly.
сум/я́тица *s.* bustle, confusion, hurly-
сунду́/к *s.* [a] chest, box, trunk, coffer || **-чо́к** *s.* [a] (*gsg.* -чка́) *dim. of prec.*
су́нуть *cf.* **сова́ть.**
суп/ *s.* soup || **´-ник** & **´-ница** *s.* (soup-) tureen || **-ово́й** *a.* soup- || **-о́нь** *s. f.* & **-о́ня** *s.* collar-belt, -thong (of a harness) || **-оро́сая** (*as s.*) with young (of a sow) || **-оста́т** *s.* enemy, adversary.
су́проти́в *prp.* opposite to, against; in comparison (with).
супру́/г *s.* husband, spouse || **-га** *s.* wife, spouse || **-жеский** *a.* conjugal || **-жество** *s.* matrimony, wedlock, marriage.

сургу́ч *s.* [a] sealing-wax.
сурди́н/а *s.*, *dim.* **–ка** *s.* (*mus.*) damper; **под –ку** secretly, covertly.
су́рик *s.* red lead.
суро́в/ость *s. f.* roughness, rudeness, harshness, rawness; austerity, severity; inclemency (of weather) || **–ый** *a.* rough, rude, harsh; inclement; austere, severe, rigorous.
суро́к *s.* [a] (*gsg.* -рка́) marmot.
суррога́т *s.* surrogate, substitute.
сурьма́ *s.* antimony.
сурьм=и́ть II. 7. [a] *va.* (*Pf.* на-) to blacken (the eyebrows).
суса́ль/ *s. f.* gold-leaf || **–ный** *a.* gold-leaf.
су́слик *s.* Siberian marmot.
су́сл=ить II. *va.* (*Pf.* за-) to sip; to beslabber, to slaver, to drivel.
су́с/ло *s.* mash || **–та́в** *s.* joint, articulation || **–та́вный** *a.* joint-, of articulation.
су́т/ки *s. fpl.* (*G.* -ток) a complete day (of 24 hours), day and night || **–олока** *s.* crowd, bustle, hurly-burly || **–очный** *a.* of 24 hours, diurnal || **–у́лина** *s.* curve, bend; crookedness || **–у́лова́тый** & **–у́лый** *a.* stooping, bent; humped, hump-backed.
сут/ь *s. f.* essential *or* main point, the substance, quintessence; the pith (of a story) (*cf.* быть) || **–я́га** *s. m&f.* intriguer, litigious person; plotter || **–я́ж=ить** I. & **–я́жнича-ть** II. *vn.* to intrigue, to be litigious, to be fond of going to law || **–я́жнический** *a.* litigious.
суфл/ёр *s.* (*theat.*) prompter || **–ёрский** *a.* prompter's || **–и́ро+вать** II. *vn.* to prompt.
суффи́кс *s.* suffix.
суха́р/ик *s.* small biscuit || **–ница** *s.* biscuit-box || **–ь** *s. m.* [a] biscuit.
су́х/о *ad.* drily; coldly, unfriendly || **–ова́тый** *a.* somewhat dry || **–ожи́лие** *s.* tendon, sinew || **–ожи́льный** *a.* sinew-; sinewy || **–о́й** *a.* (*comp.* су́ше) dry; thin, spare, lean; (*fig.*) cold, dry, unfeeling; **–и́м путём** by land || **–онький** *a.* nice and dry || **–опа́рый** *a.* lean, spare, thin || **–опу́тный** *a.* land-, by land || **–ость** *s. f.* & **–ота́** *s.* [h] dryness || **–о́тка** *s.* (*gpl.* -ток) consumption, tuberculosis || **–оща́вый** *a.* spare, lean, thin || **–оя́де́ние** *s.* diet of dry food.
су́чий (-ья, -ье) *a.* of bitch.
суч=и́ть I. [a & c] *va.* (*Pf.* с-) to twist (thread); to knead, to roll out (paste); to roll up (one's sleeves).
су́ч/ка *s.* (*gpl.* -чек) small bitch || **–кова́тый** *a.* geniculated || **–о́к** *s.* [a] (*gsg.* -чка́) *dim. of* сук || **–ья** *cf.* **сук.**
су́ш/а *s.* dry land, terra firma, continent || **–е** *cf.* **сухо́й** || **–е́ние** *s.* drying; dessication || **–и́льня** *s.* (*gpl.* -лен) drying-room, -loft.
суш=и́ть I. [a & c] *va.* (*Pf.* вы́-) to dry; (*Pf.* ис-) (*fig.*) to consume (of grief).
су́ш/ка *s.* (*gpl.* -шек) = **суше́ние.**
сушь *s. f.* dry matter; *coll.* brushwood; dryness, dry weather.
сущ/е́ственный *a.* essential, substantial, main || **–естви́тельный** *a.*, **и́мя –ное** (*gramm.*) substantive, noun || **–ество́** *s.* being, creature; essentiality, nature (of a thing) || || **–ествова́ние** *s.* being, existence || **–ество+ва́ть** II. [b] *vn.* to be, to exist || **–ий** (-ая, -ее) *a.* existing, which (who) is; real, true; **–ая пра́вда** (that's) the downright truth; **~ вздор** absolute nonsense || **–ность** *s. f.* substance, nature, essence, essential *or* main point; **в –ности** in the main.
суя́гная (*as s.*) in lamb (of a ewe).
сфальши́вить *cf.* **фальши́вить.**
сфе́р/а *s.* sphere || **–и́ческий** *a.* spheric(al).
сфинкс *s.* sphinx.
сформирова́ть *cf.* **формирова́ть.**
сфотографи́ровать *cf.* **фотографи́ровать.**
схва́/тка *s.* (*gpl.* -ток) conflict, scuffle; (*mil.*) skirmish, fray || **–тыва-ть** II. *va.* (*Pf.* -т=и́ть I. 2. [c]) to seize, to grasp; to catch (a cold, etc.) || **~ся** *vr.* (за что) to set about, to begin speedily; (чего́) to recollect, to remember suddenly || **~** *vrc.* to come to blows, to come to close quarters (with).
схе́м/а *s.* scheme || **–ати́ческий** *a.* schematic.
схи́зма *s.* schism.
схи́м/ник *s.*, **–ница** *s.* monk, nun of severest order || **–ни́ческий** *a.* ascetic(al).
схитри́ть *cf.* **хитри́ть.**
схлёбыва-ть II. *va.* (*Pf.* схлебн-у́ть I.) to sip up, to scoop out with a spoon.
сход/ *s.* descending, descent; meeting, crowd; **~ с ре́льсов** derailment || **–бище** *s.* assembly, meeting.
сход=и́ть I. 1. [c] *vn.* (*Pf.* сойти́ 48. [a 2.]) to go down, to descend, to come down, to alight; to leave, to stir from; to disappear, to vanish; **сойти́ с ума́** to go mad; **сойти́ с ре́льсов** to be derailed; **снег сошёл** the snow has disappeared; **кра́ска сошла́** the colour faded || **~ся**

vn. to meet, to join, to come together; to assemble; to agree, to come to an agreement; to become reconciled.

схо́д/ка *s.* (*gpl.* -док) meeting, assembly || **–ня** *s.* (*mar.*) gang-way, (landing-) stage || **–ный** *a.* analogous, similar, like; cheap, moderate, low-priced, fair (of price) || **–ственный** *a.* conformable, analogous || **–ство** *s.* conformity, likeness, similarity.

схо́жий (-ая, -ее) *a.* like, similar.

схоласти́ческий *a.* scholastic.

схорони́ть *cf.* **хорони́ть.**

сцара́п/ыва-ть II. *va.* (*Pf.* -н-уть I.) to scratch, to graze (the skin); to pilfer.

сцéжива-ть II. *va.* (*Pf.* сцед≠и́ть I. 1. [c]) to draw off, to decant, to strain, to filter.

сцéн/а *s.* (*theat.*) stage; (*theat.* & *fig.*) scene || **–и́ческий** *a.* scenic, theatrical || **–и́чный** *a.* scene-, stage-.

сцеп/ля́-ть II. *va.* (*Pf.* сцеп≠и́ть II. 7. [c]) to hook, to chain, to link together; to join, to couple || **~ся** *vrc.* & *vr.* to be caught, to catch (in); (с кем) to come to blows || **–нóй** *a.* hooked in; coupling, for chaining together.

счаст/ли́вец *s.* (*gsg.* -вца), **–ли́вица** *s.* a lucky dog || **–ли́вый** *a.* fortunate, lucky; happy || **´–ие** & **´–ье** *s.* fortune, good luck; happiness; fate; **к ´–ью** fortunately.

счéрчива-ть II. *va.* (*Pf.* счерт≠и́ть I. 2. [c]) to sketch, to copy, to draw (from).

счёсыва-ть II. *va.* (*Pf.* счес-а́ть I. 3. [c]) to comb off, to scrape off.

счёт/ *s.* [b] (*pl.* счета́ *only for account and bill*) account, bill; reckoning, calculation; costs *pl.*; **теку́щий ~** current account; **на свой ~** at one's own expense; **в ~** on account; **жить на чужо́й ~** to live at another person's expense; **по сему́ счёту де́ньги полу́чены** paid with thanks; (*pl.* счёты) abacus, counting-board || **´–ный** *a.* account-, of accounts.

счетово́д/ *s.* book-keeper || **–ство** *s.* book-keeping, keeping of accounts, accountantship.

счётчик *s.* accountant.

счис/лéние *s.* reckoning, calculation; (*math.*) numeration; **~ по ла́гу** (*mar.*) dead reckoning || **–ля́-ть** II. *va.* (*Pf.* ´–л≠ить II.) to count, to reckon, to calculate.

счи́стить *cf.* **счища́ть.**

счита́-ть II. *va.* (*Pf.* счесть 24. [a 2.], *Fut.* сочту́, -ёшь, *Pret.* счёл, сочла́, etc.) to count, to compute; to reckon, to calculate; to collate, to compare (with); (кого́ чем, за кого́) to think one, to take one for || **~ся** *vrc.* to settle accounts (with one); to be reputed (to be).

счища́-ть II. *va.* (*Pf.* счист≠ить I. 4.) to clean, to clear off, to brush off.

сшиба́-ть II. *va.* (*Pf.* сшиб≠и́ть I. [a]) to knock off *or* down, to throw, to cast down, to overthrow; to tear one's skin || **~ся** *vr.* to lose one's way, to go astray || **~** *vrc.* to bound against one another; to come to blows; (*mil.*) to fall in (with).

сши́бка *s.* (*gpl.* -бок) struggle; (*mil.*) skirmish.

сшива́-ть II. *va.* (*Pf.* сшить 27. [a 1.], *Fut.* сошью́, -ьёшь) to sew up; to darn, to seam, to tack.

с'ед/а́-ть II. *va.* (*Pf.* с'есть 42.) to eat up, to devour; to gnaw, to corrode || **–о́бный** *a.* eatable, edible.

с'езд *s.* meeting, assembly, congress; descent.

с'езжа́-ть II. *vn.* (*Pf.* с'éхать 45.) to come down, to descend (not on foot); to tumble down; (с кварти́ры) to change one's lodgings || **~ся** *vn.* to meet; to assemble.

с'ёжива-ть II. *va.* (*Pf.* с'ёж≠ить I.) to draw together, to contract || **~ся** *vr.* to shrink up, to shrivel.

с'éзжий (-ая, -ее) *a.* arrived (from different regions), assembled.

с'ём/ка *s.* (*gpl.* -мок) plan, survey; undertaking, contract; cut (at cards); taking (of a picture) || **–ный** *a.* for taking off, away, taken off, away || **–щик** *s.* land-surveyor; tenant.

с'ест/но́й *a.* eatable, edible; **–ны́е припа́сы** *mpl.* eatables, victuals *pl.* || **–ь** *cf.* **с'еда́ть.**

с'éхать *cf.* **с'езжа́ть.**

сы́ворот/ка *s.* (*gpl.* -ток) whey || **–очный** *a.* whey-.

сы́грыва-ть II. *va.* (*Pf.* сыгра́-ть II.) (*theat.* & *mus.*) to play, to perform; to go through; to win back (at cards); **~ (с кем) шу́тку** to play (one) a trick || **~ся** *vrc.* (*theat.* & *mus.*) to rehearse, to exercise, to practise (an instrument).

сыз/мала *ad.* from a child || **–нова** *ad.* anew, again, once more.

сыма́ть *cf.* **снима́ть.**

сын/ *s.* [b] (*pl.* -овья́; [*fig.*] -ы́) son || **–и́шка** *s.* (*abus.*) bad son || **–о́вний** *a.* son's; filial || **–о́к** *s.* [a] (*gsg.* -нка́) & **–о́чек** *s.* (*gsg.* -чка) *dim. of* сын.

сы́п-ать II. 7. *va.* (*Pf.* по-) to strew, to pour, to scatter.
сыпу́чий (-ая, -ее) *a.* for scattering; **~ песо́к** quicksand.
сыпь *s. f.* (*med.*) rash, eruption.
сыр/ *s.* [b] cheese; **кусо́к ˊ-у** a piece of cheese || **~-бо́р** *s.*, **~ загоре́лся** ("the damp spruce-wood has caught fire"); (*fig.*) much ado about nothing || **-е́-ть** II. *vn.* (*Pf.* о-) to grow moist *or* damp || **-е́ц** *s.* [a] (*gsg.* -рца́) raw material; **шёлк-~** raw silk || **ˊ-ный** *a.* cheese-; cheesy || **-ова́р** *s.* cheesemonger || **-ова́тый** *a.* dampish, somewhat damp, wet || **-oе́жка** *s.* (*gpl.* -жек) kind of mushroom || **-о́й** *a.* damp, moist, wet; raw; unripe (of fruits); untanned (of leather); (*culin.*) underdone || **-опу́ст** & **-опу́стне** *s.* the last day before Lent || **-опу́стный** *a.* Shrove- || **ˊ-ость** *s. f.* dampness, moisture, humidity || **-ьё** *s. coll.* raw materials *pl.*
сыск/ *s.* search, quest, discovery, finding || **ˊ-ива-ть** II. *va.* (*Pf.* сыск-а́ть I. 4. [c]) to search (for), to seek out; to find out, to discover || **-но́й** *a.* detective-; **-на́я поли́ция** detective-force.
сы́т/ный *a.* satiating, nourishing; lucrative || **-ый** *a.* satiate(d), not hungry.
сыч *s.* [a] (*orn.*) dwarf-owl.
сы́щик *s.* detective, officer of the secret police.
сюда́ *ad.* here, hither.
сюже́т *s.* subject, matter.
сюрпри́з *s.* surprise.
сюрт/у́к *s.* [a] frock-coat || **-учо́к** *s.* [a] (*gsg.* -чка́) *dim. of prec.*
сюсю́ка-ть II. *vn.* (*Pf.* за-) to lisp.
сяжо́к *s.* [a] (*gsg.* -жка́) (*zool*). tentacle; antenna, feeler.
сяк/ *ad.* so; **так и ~** in every possible way, this way and that || **-о́й** *a.* such.
сям *ad.*, **там и ~** here and there.

Т

та *cf.* **тот.**
таба́к/ *s.* [a] tobacco; **ню́хательный ~** snuff || **-е́рка** *s.* (*gpl.* -рок) tobacco box, snuff-box || **-ово́дство** *s.* tobacco cultivation.
табач/и́шко *s.* bad, inferior tobacco; shag || **ˊ-ник** *s.*, **ˊ-ница** *s.* tobacco seller, tobacconist; tobacco smoker; snuff-taker || **ˊ-ный** *a.* of, for tobacco; tobacco-; **ˊ-ная ла́вка** tobacco-shop, tobacconist's || **-о́к** *s.* [a] (*gsg.* -чка́) a bit of tobacco, a pinch of snuff.
та́бель/ *s. f.* table, list; **~ о ра́нгах** official list, army-list || **-ный** *a.* table-, list-; **~ день** bank holiday, official holiday.
табл/е́тка *s.* tablet || **-и́ца** *s.* table; **~ умноже́ния** multiplication table || **-и́чка** *s.* (*gpl.* -чек) little table, list || **-и́чный** *a.* tabular, in tables.
та́бор *s.* gipsy camp *or* encampment.
табу́н/ *s.* [a] herd of horses || **-щик** *s.* horse-herd.
тавли́нка *s.* (*gpl.* -нок) tobacco-case of wood *or* birch-bark.
тавро́ *s.* brand; stamp, mark.
тага́н/ *s.*, *dim.* **-чик** *s.* andiron, fire-dog; iron tripod.
та́ег *cf.* **тайга́.**
таз/ *s.* [b] basin, wash-basin; (*an.*) pelvis || **ˊ-ик** *s. dim. of prec.* || **-и́ща** *s. m.* large basin || **ˊ-овый** *a.* of basin; (*an.*) pelvic; **ˊ-овая кость** pelvic bone.
таи́нствен/но *ad.* secretly, mysteriously || **-ность** *s. f.* secrecy, mysteriousness, mysticism.
та́ин/ственный *a.* sacramental || **-ство** *s.* secret, mystery; (*ec.*) sacrament.
та=и́ть II. [a] *va.* to conceal, to keep secret, to hide || **~ся** *vr.* (*Pf.* при-) to conceal, to hide o.s., to act mysteriously.
тайга́ *s.* (*gpl.* та́ег) thick wood, impassable forest (in Siberia).
тайко́м *ad.* in secret, secretly.
та́йн/а *s.* (*gpl.* тайн) secret; (*gpl.* та́ин) (*ec.*) sacraments *pl.* || **-и́к** *s.* secret place *or* passage; hiding-place, lurking-place || **-обра́чный** *a.* morganatic, left-handed; (*bot.*) cryptogamic || **-ость** *s. f.* secrecy, secret || **-ый** *a.* secret, clandestine, concealed; **~ сове́тник** Privy Councillor.
так *ad.* so; thus; to such an extent; **~ сказа́ть** so to say; **не ~-ли?** isn't that so? **то́чно ~** quite right, just so || **~-как** *c.* seeing that, since, as.
такела́ж *s.* (*mar.*) rigging.
та́кже *ad.* also, too, likewise, equally; **~ . . . как** as . . . as; **~ как и** in the same way as.
таки́ *c.*, **всё-~** nevertheless, however, all the same, for all that.
таково́й *a.* such a; **како́в поп тако́в и прихо́д** like master, like man.
тако́вский *a.* such a one.
тако́й *a.* such, such a one; **кто он ~?** who is he then?

такс *s.* dachshund, terrier.
та́кс/а *s.* set rate, tariff, fixed price; (*zool.*) terrier || **-а́ция** *s.* taxation || **-и́ро+вать** II. *va.* to tax, to assess || **-оме́р** *s.* taximeter.
такт *s.* tact; (*mus.*) time, measure.
та́кт/ик *s.* tactician || **-ика** *s.* (*mil.*) tactics *pl.* || **-и́ческий** *a.* tactic(al).
тала́нт/ *s.* talent || **-ливый** *a.* talented, gifted.
та́лер *s.* thaler.
та́ли *s. fpl.* (*mar.*) long-tackle.
талисма́н *s.* talisman.
та́л/ия *s.* shuffle, cutting (at cards) || **-ья** *s.* waist.
талму́д *s.* Talmud.
тало́н *s.* talon, dividend-warrant; coupon, check; stock (at cards).
та́лый *a.* thawed, melted.
тальк *s.* talc.
там *ad.* there; ~ **же** in the same place.
тамари́нд *s.* tamarind.
тамбу́р/ *s.* tambour-work (embroidery) || **-и́н** *s.* (*mus.*) tambourine, tabor.
тамо́жня *s.* custom-house.
та́мошний *a.* there, at that place (existing, to be found).
та́нгенс *s.* tangent.
та́ндем *s.* tandem.
та́нец *s.* (*gsg.* -нца) dance.
танк *s.* tank.
танни́н *s.* tannin.
танцме́йстер *s.* dancing-master.
танцова́льный *a.* dance-, dancing-, of dancing.
танцо+ва́ть II. [b] *va.* (*Pf.* по-) to dance.
танцо́в/щик *s.*, **-щица** *s.* dancer.
танцо́р/ *s.*, **-ка** *s.* (professional) dancer, ballet-dancer.
тапёр/ *s.*, **-ша** *s.* piano-player (for dancing.
тапио́ка *s.* tapioca.
тапи́р *s.* tapir.
та́ра *s.* (*comm.*) tare.
тара́бар/ский *a.* gibberish; unintelligible; **э́то для меня́ -ская гра́мота** that's Greek to me || **-щина** *s.* gibberish, unintelligible talk.
тарака́н *s.* cockroach.
тара́н *s.* ram, battering-ram.
таранта́с *s.* a half covered-in vehicle, the body of which is supported on two longitudinal wooden bars, which act as springs.
тара́нтул *s.* (*zool.*) tarantula.
тара́нь *s. f.* (*ich.*) abramis vimba.
тарара́х *int.* crack! bang!
тарата́йка *s.* (*gpl.* -та́ек) a two-wheeled vehicle.
тарато́р/а *s.*, **-ка** *s.* (*gpl.* -рок) babbler, prattler, chatterbox.
тарато́р=ить II. *vn.* to chatter, to prattle.
тара́щ=ить I. *va.* (*Pf.* вы́-) to open wide; (*fam.*) to gape || **~ся** *vr.* to stretch out (one's hands) for.
таре́л/ка *s.* (*gpl.* -лок) plate; (*in pl.*) (*mus.*) cymbals *pl*; **он не в свое́й -ке** he is out of sorts, he is not in good spirits || **-очка** *s.* (*gpl.* -чек) small plate || **-очный** *a.* plate-.
тари́ф *s.* tariff.
тарлата́н *s.* light cotton stuff.
тарти́нка *s.* (*gpl.* -нок) small sandwich.
та́ска *s.* (*gpl.* -сок) dragging, pulling.
таска́-ть II. *va.* (*Pf.* на, по-, вы́-) to drag, to trail, to pull; to carry (on the back); to take, to drag away secretly; (*Pf.* ис-) to wear out (clothes); (*Pf.* от-) ~ (кого́) **за́ волосы** to pull (s.o.) by the hair || **~ся** *vr.* to drag, to loaf about; to move slowly.
тасо+ва́ть II. [b] *va.* (*Pf.* с-) to shuffle (cards).
тасо́вка *s.* (*gpl.* -вок) shuffling (cards).
тата́р/ин *s.*, **-ка** *s.* (*gpl.* -рок) Ta(r)tar || **-щина** *s.* period of the Ta(r)tar dominion; (*fig.*) despotism.
татуи́ро+вать II. *va.* to tattoo.
тать *s. m.* thief.
тафт/а́ *s.* taffeta || **-яно́й** & **-я́ный** *a.* taffeta, of taffeta.
тача́-ть II. *va.* to sew through, to quilt.
та́чка *s.* (*gpl.* -чек) sewing through, quilting; wheelbarrow.
тащ=и́ть I. [a & c] *va.* (*Pf.* по-) to drag, to draw, to pull away *or* off || **~ся** *vr.* to drag o.s. on.
та́-ять II. *vn.* (*Pf.* рас-) to melt, to thaw, to dissolve (*also fig.*); (с тоски́) to waste, to pine away; to be enraptured (with).
тварь *s. f.* creature.
тверде́-ть II. *vn.* (*Pf.* о-) to become hard *or* firm, to harden, to grow solid; to solidify.
тверд=и́ть I. 1. [a] *va.* to reiterate, to keep repeating, to repeat over and over; to learn by heart.
твёрд/ость *s. f.* hardness, firmness; solidity; steadiness || **-ый** *a.* (*comp.* твёрже) hard, firm (*also fig.*); sound (of sleep); (*phys.*) solid; (*fig.*) steady.
тверды́ня *s.* (*poet.*) fortress, stronghold.
твердь *s. f.*, **небе́сная ~** firmament, the vault of heaven.
твёрже *cf.* **твёрдый.**
твой *prn. poss.* (твоя́, твоё, *pl.* твои́) thy, thine; your, yours; **по тво́ему** in your opinion, in your way.

твор/éние *s.* creation; production, work || **-éц** *s.* [a] (*gsg.* -рцá) creator; author || **-и́тельный** *a.*, ~ **падéж** (*gramm.*) instrumental (case).
твор=и́ть II. [a] *va.* (*Pf.* со-) to create; to produce, to make || **~ся** *vr.* to be made; to happen.
творóг *s.* [a] curds *pl.*
творóж/ник *s.* curd cake || **-ный** *a.* curd-.
творцá *cf.* **творéц.**
твóрческий *a.* creative.
твоя́ *cf.* **твой.**
т.-е. *abbr.* = **тó-есть.**
те *cf.* **тот** || ~ *particle added to the 1st pers. pl. of Pres., e. g.* **пойдёмте!** let us be off!
теáтр/ *s.* theatre || **-áльный** *a.* theatrical; theatre-.
тебé *D. & Pr. of* ты.
тебя́ *G. & A. of* ты.
тéзис *s.* thesis, dissertation.
тёзка *s. m&f.* (*gpl.* -зок) namesake.
тезоименúтство *s.* name-day (of exalted personages).
текст *s.* text.
текýчий (-ая, -ее) *a.* fluid, liquid; fluent, flowing (of language).
текýщий (-ая, -ее) *a.* flowing; (*comm.* & of time) running, current; ~ **счёт** current account; 10-**го числá -его мéсяца** the 10th inst., the 10th of this month.
телéга *s.* (four-wheeled) cart (of peasants).
теле/грáмма *s.* telegram, wire || **-грáф** *s.* telegraph-office || **-графи́ро+вать** II. *va.* (*Pf.* про-) to telegraph, to wire || **-графи́ст** *s.*, **-графи́стка** *s.* (*gpl.* -ток) telegraphist || **-грáфный** *a.* telegraphic.
телён/ок *s.* (*pl.* теля́та) calf || **-очек** *s* (*gsg.* -чка) *dim. of prec.*
теле/скóп *s.* telescope || **-скопи́ческий** *a.* telescopic(al) || **-скóпный** *a.* of telescope || **-´сный** *a.* bodily, corporal; of the body || **-фóн** *s.* telephone || **-фони́ро+вать** II. *vn.* to telephone, to phone.
телéц *s.* [a] (*gsg.* тельцá) young ox; (*astr.*) Taurus, the Bull.
тел=и́ться II. [a & c] *vc.* (*Pf.* о-) to calve.
тёлка *s.* (*gpl.* -лок) heifer.
теллýрий *s.* orrery.
тéло/ *s.* [b] body; the flesh || **-грéйка** *s.* (*gpl.* -грéек) body-warmer, comforter || **-движéние** *s.* (bodily) exercise || **-сложéние** *s.* structure of the body, build, stature, frame; constitution || **-храни́тель** *s. m. coll.* body-guard.
тéль/ный *a.* body-, of body || **-це** *s.* (*phys.*) small body.
теля́та *cf.* **телёнок.**
теля́тина *s.* veal.
теля́чий (-ья, ье) *a.* calf's; veal-.
тем *cf.* **тот** || ~ *ad.* therefore; (*before comp.*) the; ~ **бóльше** all the more; ~ **не мéнее** none the less.
тéма *s.* theme.
тембр *s.* timbre.
тéмень *s. f.* = **темнотá.**
темля́к *s.* [a] sword-knot.
тёмненький *a.* pretty dark, darkish.
темнé-ть II. *vn.* (*Pf.* за-, по-) to grow dusky, to get, to become dark || **~ся** *v.imp.* to appear dimly (in outline).
темн/ёхонький *a.* pitch-dark || **-и́ца** *s.* prison, jail, dungeon || **-и́чный** *a.* prison-, jail- || **-´о** *in cpds.* = dark-, *e. g.* **-обýрый** dark-brown, **-окрáсный** dark-red || ~ *ad.* darkly; (*fig.*) obscurely, gloomily || **-отá** *s.* darkness, obscurity, gloom.
тёмный *a.* dark, obscure; gloomy; ignorant; vague; suspicious.
темп/ *s.* tempo; (*mus.*) time, measure; (*mil.*) movement || **-ерáмент** *s.* temperament || **-ератýра** *s.* temperature.
темь *s. f.* darkness; (*fig.*) ignorance.
тéмя *s. n.* (*gsg.* тéмени) the top, crown (of the head); summit, peak (of a mountain).
тенд/енциóзный *a.* tendentious || **-éнция** *s.* tendency, purpose.
тéндер *s.* tender (of an engine).
тенёта *s. npl.* hunting-net.
тени́стый *a.* shady, shadowy.
тенóр *s.* tenor
тень *s. f.* [c] shade, shadow; shadowing.
тео/крáтия *s.* theocracy || **-´лóг** *s.* theologian || **-логи́ческий** *a.* theologic(al) || **-лóгия** *s.* theology.
теор/éма *s.* theorem || **-ети́ческий** *a.* theoretic(al).
теóрия *s.* theory.
тепéр/ешний *a.* present, now existing || **-ь** *ad.* now, nowadays, at present.
тёпленький *a.* nice and warm.
теплé-ть II. *vn.* (*Pf.* по-) to become *or* to grow warm.
тепл/и́ца *s.* hothouse; (*esp. in pl.*) warm springs || **-и́чный** *a.* hothouse- || **-ó** *s.* warmth, heat, warm weather || ~ *ad.* warmly; heartily || **-овáтый** *a.* tepid, lukewarm || **-окрóвный** *a.* warm-blooded || **-омéр** *s.* calorimeter, thermometer || **-опровóдный** *a.* heat-conducting || **-орóдный** *a.* calorific || **-отá** *s.* heat; warmth; **скры́тая** ~ latent heat.

тёплый *a.* warm, hot; (*fig.*) fervent, ardent, eager; cordial, hearty.
теплы́нь *s. f.* great heat.
терапе́вт/ика *s.* therapeutics *pl.* || **-и́ческий** *a.* therapeutic(al).
тереб=и́ть II. 7. [c] *va.* (*Pf.* рас-) to pull, to tug, to tousle; to pluck (a bird); (кого́) to trouble, to worry.
те́ре/м *s.* [b], *dim.* **-мо́к** *s.* [a] (*gsg.* -мка́) garret, attic.
тере́ть 14. *va.* (*Pf.* по-) to rub, to grate, to shave, to scrape, to rake.
терза́-ть II. *va.* (*Pf.* ис-, рас-) to lacerate (of wild animals); to tear to pieces, to tear up; (*fig.*) to torment, to torture, to plague.
тёрка *s.* (*gpl.* -рок) grater.
те́рмин/ *s.* term, expression || **-оло́гия** *s.* terminology.
терми́т *s.* termite, white ant.
термо́ме́тр/ *s.* thermometer || **-и́ческий** *a.* thermometrical.
тёрн *s.* sloe(thorn), blackthorn.
терн/и́стый *a.* thorny, prickly || **-о́вка** *s.* (*gpl.* -вок) liqueur made from sloes || **-о́вник** *s.* thorn-bush; furze, gorse || **-о́вый** *a.* of thorns, thorn-; ~ **вене́ц** crown of thorns.
тёрочка *s.* (*gpl.* -чек) small grater.
терпёж *s.*, **не в ~ ста́ло** it became unbearable (*cf.* терпе́ние).
терпели́вый *a.* patient, forbearing, indulgent, tolerant.
терпе́ние *s.* patience, forbearance, endurance.
терпенти́н *s.* turpentine.
терп=е́ть II. 7. [c] *va.* (*Pf.* по-) to suffer, to endure, to bear, to stand, to tolerate || ~ *vn.* (кому́) to show indulgence to, to indulge (one in); to have patience, to wait patiently; **вре́мя те́рпит** there is no hurry, there's plenty of time; **вре́мя не те́рпит** time presses; **де́ло не те́рпит отлага́тельства** the business admits of no delay.
терпи́мый *a.* tolerated.
те́рпкий *a.* bitter, sour, tart, acrid (of fruits).
террит/ориа́льный *a.* territorial || **-о́рия** *s.* territory.
террор/изи́ро+вать II. *va.* to terrorize || **-и́ст** *s.* terrorist.
те́рция *s.* (*mus.*) third; tierce (at cards and fighting); (*typ.*) great primer.
теря́-ть II. *va.* (*Pf.* по-) to lose, to forfeit || **~ся** *vr.* to disappear; (*fig.*) to lose one's head.
тёс *s. coll.* planks, boards *pl.*
теса́к *s.* [a] side-arm, short sabre; (*mar.*) cutlass.
тес-а́ть I. 3. [c] *va.* (*Pf.* с-) to hew, to cut (lengthwise).
тесём/ка *s.* (*gpl.* -мок) *dim.* tape || **-очный** *a.* tape-.
тесни́на *s.* narrow pass; defile.
тесн=и́ть II. *va.* to press, to squeeze; (кого́) to oppress || **~ся** *vr.* to squeeze (through), to press together, to crowd.
те́сный *a.* (*comp.* тесне́е) narrow, tight, close, tight-fitting (of garments); limited; crowded; straitened (of circumstances).
теснота́ *s.* narrowness; crowd, throng, press.
тесо́вый *a.* of planks, of boards.
те́сто *s.* dough.
тесть *s. m.* father-in-law (the wife's father).
те́стюшка *s. m.* (*gpl.* -шек) (dear) father-in-law.
тесьма́ *s.* (*gpl.* тесём) tape, braid, ribbon.
те́терев *s.* [b] (*pl.* -ева́, -еве́й, etc.) grouse, woodcock.
тетива́ *s.* [h] string (of a bow), bow-string.
тётка *s.* (*gpl.* -ток) aunt.
тетра́/дка *s.* (*gpl.* -док) *dim. of foll.* || **-дь** *s. f.* copy-book, exercise-book.
тёт/ушка *s.* (*gpl.* -шек) (dear) aunt || **-я** = **тётка.**
техн/и́ческий *a.* technical || **-ологи́ческий** *a.* technological || **-оло́гия** *s.* technology.
тече́ние *s.* current, flow; course; **по -нию реки́** down-stream; **про́тив -ния реки́** up-stream; **в ~** (+ *G.*) in the course of, during.
те́чка *s.* (*gpl.* -чек) rut, heat (in animals).
течь [√тек] 18. [a 2.] *vn.* (*Pf.* по-) to stream, to flow; to pass (away); **вре́мя течёт бы́стро** time flies; (*Pf.* про-) to leak (through); to trickle through (of rain); **бочёнок течёт** the cask is leaking.
течь *s. f.* leak; **получи́ть ~** to spring a leak.
те́ш=ить I. *va.* (*Pf.* по-, у-) (кого́) to do a thing to please one, to gratify (one's wishes), to amuse, to divert (one) || **~ся** *vr.* (чем) to delight in, to rejoice at, to be amused (with); (над кем) to make a fool of, to dupe.
тёща *s.* mother-in-law (the wife's mother).
тиа́ра *s.* tiara.
ти́гель/ *s. m.* crucible || **-ный** *a.* crucible-.
тигр/ *s.* tiger || **-ёнок** *s.* (*pl.* -я́та) young tiger || **-и́ца** *s.* tigress || **-́овый** *a.* tiger-, tiger's.
тик/ *s.* ticking (cloth); (*bot.*) teak; **~-так** tick-tack, ticking.
ти́ка-ть II. *vn.* to tick (of a watch); to chatter (of a woodpecker).

тимпа́н *s.* kettledrum; (*an.*) tympanum.
ти́н/а *s.* muddy ground || **-истый** *a.* muddy, slimy.
тинкту́ра *s.* tincture.
тип/ *s.* type || **-и́чный** *a.* typical || **-огра́фия** *s.* typography; printing-office.
тир/ *s.* target-practice; shooting-stand || **-а́да** *s.* tirade || **-а́ж** *s.* drawing (of a lottery).
тира́н/ *s.*, **-ка** *s.* (*gpl.* -нок) tyrant || **-и́ческий** & **-ский** *a.* tyrannic(al) || **-ство** *s.* tyranny || **-ство+вать** II. *vn.* to tyrannize.
тирé *s. indecl.* hyphen, dash.
тис *s.* yew(-tree).
ти́ска-ть II. *va.* (*Pf.* с- & (с)ти́сн-уть I.) to squeeze, to press; to print, to imprint, to coin || **~ся** *vr.* to throng in, to squeeze, to press (through).
тиски́ *s. mpl.* press; vice; **быть в -а́х** (*fig.*) to be at a loss, in a fix, in sore straits.
тисне́ние *s.* printing; coining; edition, [impression.
ти́снуть *cf.* **ти́скать.**
ти́совый *a.* yew, of yew.
титани́ческий *a.* titanic.
ти́тло *s.* title, heading.
титу́л *s.* title, title of honour.
титуло+ва́ть II. [b] *va.* to title, to give a title to, to entitle.
титуля́рный *a.* titular.
ти́тька *s.* (*gpl.* -тек) teat.
тиф/ *s.* typhus || **-о́зный** *a.* typhoid.
ти́хий *a.* (*comp.* ти́ше; *sup.* тиша́йший) still, quiet, silent; gentle, soft, mild; slow, calm (of the air, the sea); light (of sleep); low, dull (of sound).
тихомо́лком *ad.* silently, in secret.
тихо́нький *a.* very slow, very gentle.
тихо́ня *s. m&f.* quiet, modest, reserved person.
ти́хость *s. f.* quietness, gentleness, softness; calmness (of the sea); mildness (of weather); slowness.
тих/охо́д *s.* (*zool.*) sloth || **-о́хонький** *a.* very quiet, very still.
ти́ш/е (*comp. of* ти́хий), **~ е́дешь, да́льше бу́дешь** more haste, the less speed; **~!** hush! hist! silence! || **-ина́** & **-ь** *s. f.* calm, tranquility; quiet, quietness; silence.
ткань *s. f.* texture, tissue (*also fig.*).
тк-ать I. & 20. *va.* (*Pf.* на-, со-, вы́-) to weave. [loom.
тка́цкий *a.* weaving, weaver's; **~ стано́к**
ткач/ *s.* [a], **-и́ха** *s.* weaver.
ткнуть *cf.* **ты́кать.**
тлен/ *s.* mould, dust, rot || **´-ие** *s.* corruption, putrefaction, rottenness || **´-ный** *a.* perishable, corruptible.
тле-ть II. *vn.* (*Pf.* ис-) to rot, to putrefy, to moulder away; (*fig.*) to die || **~** (*Pf.* за-) & **~ся** *vn.* to glow, to smoulder, to burn slowly *or* faintly.
тля *s.* rottenness, mould; rust (on iron); moth; (*zool.*) plant-louse.
тмин *s.* cumin, caraway.
то *prn.*, **за то** for that; **в том** in that, therein; **к тому́** to that, thereto; **и без того́** without that, in any case; **то же** the same; **одно́ и то же** all the same; **~ и де́ло** continually, always, for ever (*cf.* тот) || **~** *c.* then, in that case; **~ . . . ~** now . . . now.
тобо́й *I. of* ты.
това́р/ *s.* merchandise, wares, goods *pl.* || **-ищ** *s.* companion, comrade, colleague, mate; (*comm.*) associate, partner; assistant || **-ищеский** *a.* companionable, social; of comrade, of partner || **-ищество** *s.* fellowship; association, union; (*comm.*) partnership, company; **~ с ограниченной отве́тственностью** limited-liability company || **-ный** *a.* goods-; **~ по́езд** goods train || **-опассажи́рский** *a.*, **~ поезд** mixed (goods and passenger) train.
то́га *s.* toga. [of that time.
тогда́/ *ad.* then, at that time || **-шний** *a.*
то́-есть *ad.* that is to say, namely.
то́ж/ественный & **-де́ственный** *a.* identical, equivalent.
то́же *ad.* also, too; likewise, equally; **~ да не то** not quite the same.
ток *s.* flow, current; flood (of tears); threshing-floor; pairing time (of birds).
тока́р/ный *a.* turner's, turning; **~ стано́к** turner's lathe || **-ня** *s.* turnery, turner's workshop || **-ь** *s. m.* [a] turner.
толк *s.* sense, meaning; doctrine; sect; rumour; **взять** (что) **в ~** to grasp, to comprehend; **знать** (в чём) **~** to know thoroughly, to be a good judge of, to be a connoisseur in.
толка́-ть II. *va.* (*Pf.* толкн-у́ть I. [a]) to thrust, to push, to shove; to give a blow || **~ся** *vr.* to push one another, to jostle; to hurt o.s.
толка́ч *s.* [a] pestle; pounder.
толк/ова́ние *s.* explaining, explanation, interpretation, commentary || **-ова́тель** *s. m.* interpreter, commentator.
толко+ва́ть II. [b] *va.* (*Pf.* ис-) to interpret, to explain, to comment on || **~** *vn.*

(*Pf.* по-) (о чём) to speak of, to talk over, to converse, to discuss, to confer (with).
толко́вый *a.* commented on; clever.
толкотня́ *s.* press, crowd, throng.
толку́ч/ий (-ая, -ее) *a.*, ~ **ры́нок** rag fair || **-ка** *s.* (*gpl.* -чек) = *prec.*
толма́ч *s.* [a] interpreter.
толма́ч=ить I. *va.* to interpret, to translate.
толо́ка *s.* manuring a field by letting cattle graze.
толокно́ *s.* [h] oatmeal (pounded in a mortar).
толо́чь 19. [a 2.] *va.* (*Pf.* ис-, на-) to pound, to grind, to crush || ~**ся** *vr.* to lounge, to stroll, to saunter.
толпа́ *s.* crowd, throng, mob.
толп=и́ться II. 7. [a] *vr.* (*Pf.* с-) to crowd, to throng.
то́лстенький *a.* thickish, stoutish.
толсте́-ть II. *vn.* (*Pf.* по-, рас-) to put on flesh, to grow *or* to become stout.
толстёхонький *a.* very thick, stout.
толсто/брю́хий *a.* big-bellied || **-голо́вый** *a.* thick-headed || **-гу́бый** *a.* thick-lipped || **-ко́жий** *a.* thick-skinned; (*zool.*) pachydermous || **-та́** *s.* [h] thickness, stoutness; (*geom.*) solid contents *pl.*
толст/у́ха *s.* stout woman || **-у́шка** *s.* (*gpl.* -шек) *dim. of prec.*
то́лстый *a.* (*comp.* то́лще; *sup.* толсте́йший) thick, stout, fat, corpulent.
толстя́к *s.* [a] stout, corpulent man.
толче́ние *s.* pounding, crushing, stamping.
толчёный *a.* pounded.
толчея́ *s.* stamper; stamping-mill; surge (of the sea).
толчо́к *s.* [a] (*gsg.* -чка́) push, thrust, blow; jolt, bump, shock.
то́лща *s.* thickness, mass, lump.
то́лще *cf.* **то́лстый.**
толщина́ *s.* thickness, size.
то́лько *ad.* only, merely, but; ~ **тепе́рь** this moment; **как** ~ *or* ~ **что** just now; but now; **е́сли** ~ **возмо́жно** if at all possible.
том/ *s.* (*pl.* -ы & -а́) volume, tome || **-а́т** *s.* tomato || **´ик** *s.* small volume || **-и́тельный** *a.* harassing, tiresome, heavy, oppressive.
том=и́ть II. 7. [a] *va.* (*Pf.* ис-, у-) to trouble, to plague, to oppress, to weary, to fatigue; to stain (wood); to stew (*e. g.* onions) || ~**ся** *vr.* to fatigue, to tire o.s.; to be parched (with thirst).
томле́ние *s.* torment, trouble, weariness, fatigue; staining; stewing.
то́мный *a.* languid, tired, faint; half-dead (of fishes).
томпа́к *s.* pinchbeck (alloy of copper and zinc).
тому́ *cf.* **тот.**
тон *s.* (*mus.* & *fig.*) tone; sound (of instruments); (*mus.*) key; manner, habit.
то́ненький *a.* thinnish.
тони́ческий *a.* tonic.
то́нкий *a.* (*comp.* то́ньше; *sup.* тонча́йший) thin, fine; subtile, slender; acute, cunning, sly.
то́нн/а *s.* ton || **-а́ж** *s.* tonnage || **-е́ль** *s. m.* tunnel.
то́нок *cf.* **то́нкий.**
тон-у́ть I. [c] *vn.* (*Pf.* по-, за-) to sink, to go down; to founder (of ships); (*Pf.* у-) to drown, to be drowned (*esp.* of animals).
тонча́йший *cf.* **то́нкий.**
тонча́-ть II. *vn.* (*Pf.* ис-, по-) to grow thin.
то́ньше *cf.* **то́нкий.**
то́ня *s.* [c] haul *or* draught of fish, cast of a net; fishing, fischery; fishing-ground.
топа́з *s.* topaz.
то́па-ть II. *vn.* (*Pf.* за-, *mom.* то́пн-уть I.) to stamp with the feet, to trample.
топ=и́ть II. 7. [c] *va.* (*Pf.* за-, по-) (*mar.*) to sink, to scuttle; to inundate, to flood, to submerge; (*Pf.* ис-) to heat (the stove); (*Pf.* рас-) to melt, to smelt; (*Pf.* у-) to drown.
то́пка *s.* (*gpl.* -пок) firing; melting; mouth of an oven; (*tech.*) fire-place.
то́пкий *a.* boggy, marshy, swampy; easy to melt; good for fuel.
то́пливо *s.* fuel.
то́пнуть *cf.* **то́пать.**
топо/графи́ческий *a.* topographical || **-гра́фия** *s.* topography.
то́поль *s. m.* [c] poplar.
топо́р/ *s.*, *dim.* **-ик** *s.* axe, hatchet || **´ища** *s. m.* large axe || **-и́ще** *s.* (*pl.* -и́ща) helve, handle of an axe || **-ный** *a.* of an axe; rough, clumsy, coarse (of work done).
то́пот *s.* stamping, trampling.
то́псель *s. m.* topsail.
топт-а́ть I. 2. [c] *va.* (*Pf.* за-) to tread down, to trample on, to crush; (*Pf.* с-) ~ **сапоги́** to wear boots down; (*Pf.* вы́-) to press (grapes).
топты́г/а *s. m&f.* big clumsy lout || **-ин** *s.* Bruin.
топы́р=ить II. *va.* (*Pf.* рас-) to ruffle (the feathers); to spread open, to open (*e. g.* the fingers).

топь *s. f.* swamp, marsh, fen.
то́рба *s.* (horse's) nose-bag.
торг *s.* trade, commerce; bargaining, bargain; market; (*esp. in pl.*) auction; **продава́ть с –о́в** to sell by auction.
торга́ш/ *s.* [a] dealer || **–ество** *s.* dealing, trading.
торго+ва́ть II. [b] *va.* (*Pf.* по-) (что) to trade, to deal in; to bid (for) || ~ *vn.* (*Pf.* с-) (чем) to bargain, to haggle (over).
торго́в/ец *s.* (*gsg.* -вца) tradesman, merchant, dealer, shopkeeper || **–ка** *s.* (*gpl.* -вок) tradeswoman, female dealer || **–ля** *s.* trade, commerce, traffic || **–ый** *a.* trading-, commercial; market-.
то́ре́ц *s.* the butt end of a beam.
торже́ст/венный *a.* solemn, festal; triumphal || **–во́** *s.* feast, festival; triumph || **–во+ва́ть** II. [b] *va.* (*Pf.* от-) to celebrate, to solemnize || ~ *vn.* (*Pf.* вос-) (над кем) to triumph (over).
то́ржище *s.* (*sl.*) market(-place).
тор=и́ть II. [a] *va.* (*Pf.* про-) to tread out, to beat, to level (a path, a road).
то́рмоз *s.* [b] (*pl.* -á) drag, brake (*also fig.*); skid.
тормоз=и́ть I. 1. [a] *va.* (*Pf.* за-) to check, to brake, to put the brake on.
тормош=и́ть I. [a] *va.* (*Pf.* вс-, за-, по-) to pull (about), to maul; (кого́ *fig.*) to harass, to worry, to tease.
то́рный *a.* beaten, trodden down (of a path).
торова́тый *a.* liberal, generous, open-handed.
торопе́-ть II. *vn.* (*Pf.* о-) to get confused, perplexed, to grow timid.
тороп=и́ть II. 7. [c] *va.* (*Pf.* по-) to hasten, to hurry, to quicken, to urge one on || **~ся** *vr.* to hasten, to make haste, to hurry.
торопли́в/ость *s. f.* hurry, haste, speed, hastiness || **–ый** *a.* hasty, hurried, quick, speedy.
торпе́д/ный *a.* torpedo- || **–а** *s.* torpedo, torpedo-boat.
торс *s.* torso, trunk.
торт *s.* tart, cake.
торф/ *s.* turf, peat || **–яни́к** *s.* [a] turf-pit, peat-bog, -soil.
торцево́й *a.*, **–а́я мостова́я** wood *or* block pavement.
торч=а́ть I. [a] *vn.* to stand out, to project, to tower, to be prominent.
торч/ко́м & **–мя́** *ad.* on end, upright, erect.
тоск/а́ *s.* anguish, affliction, pain, grief; weariness, boredom, oppression; ~ **по ро́дине** home-sickness || **–ли́вый** *a.* afflicted, grieved (at), anxious (about), oppressed, melancholy, sad || **–о+ва́ть** II. [b] *vn.* (*Pf.* за-) to grieve (at, for), to be sorry (for, about), to be sad, to pine away; (по ком) to long (for).
тост *s.* toast.
тот *prn. dem.* (та, то, *pl.* те) that, this.
тотализа́тор *s.* totalizator.
то́тча́с *ad.* at once, immediately, directly, on the spot.
то́чечка *s.* (*gpl.* -чек) small point, dot.
точи́л/о *s.* whetstone, grindstone || **–ьный** *a.* for whetting, for sharpening; grinding-; ~ **реме́нь** (razor-)strop; ~ **ка́мень** whetstone || **–ьня** *s.* grind-mill || **–ьщик** *s.* sharpener, (knife-) grinder.
точ=и́ть I. [c] *va.* (*Pf.* на-) to sharpen, to whet; (*Pf.* из-) to gnaw (to pieces); to pour out; (*fig.*) to exhale (of perfumes); ~ **слёзы** to shed tears.
то́чка *s.* (*gpl.* -чек) point; full stop; dot; ~ **зре́ния** point of view; ~ **в то́чку** thoroughly, exactly.
точ/нёхонько *ad.* exactly, to a nicety || **´–но** *ad.* exactly, accurately, punctually; ~ **так** just so, quite right, all right || **´–ность** *s. f.* exactness, accuracy, punctuality || **´–ный** *a.* accurate, exact, punctual, explicit.
точь-в-точь *or* ~ **в** ~ to a tittle, to a hair.
тошн=и́ть II. [a] *v.imp.* to cause nausea; **меня́ тошни́т** I am feeling sick.
тошнота́ *s.* sickness, nausea.
то́ш/ный *a.* causing nausea, nauseating; disgusting, nauseous, loathsome || **–но** *ad.*, **мне –о** I feel sick; I feel disgusted.
тоща́-ть II. *vn.* (*Pf.* о-) to grow *or* to get thin, to pine away, to waste away.
то́щий (-ая, -ее) *a.* lean, thin, gaunt, emaciated; fasting, empty (of stomach).
тпру *int.* gee! gee-(h)up! gee-wo!
трав/а́ *s.* [d] grass, herb || **–и́на** *s.*, *dim.* **–и́нка** *s.* (*gpl.* -нок) blade of grass.
трав=и́ть II. 7. [a & c] *va.* (*Pf.* за-) to hunt, to bait; (*Pf.* с-, вы́-) to graze down (a field); to destroy, to corrode away.
тра́в/ка *s.* (*gpl.* вок-) *dim.* blade of grass || **–ле́ние** *s.* hunting, baiting || **–ля** *s.* hunting with hounds, on horseback, coursing || **–мати́ческий** *a.* traumatic || **–ни́к** *s.* [a] herbarium; (*orn.*) hedge-sparrow || **–оя́дный** *a.* herbivorous || **–яно́й** *a.* grass-, of grass; herbaceous.
траге́дия *s.* tragedy.

тра́г/ик *s.* tragedian || **-и́ческий** *a.* tragic(al).
трад/ицио́нный *a.* traditional || **-и́ция** *s.* tradition.
траекто́рия *s.* trajectory.
тракт/ *s.* highroad, highway || **-а́т** *s.* treatise; treaty || **-и́р** *s.* inn, restaurant || **-и́рщик** *s.* innkeeper, landlord, host || **-о+ва́ть** II. [b] *va.* (кого́) to treat, to entertain || ~ *vn.* (о чём) to treat, to handle; (с кем) to negotiate, to treat (with one).
трамб/о+ва́ть II. [b] *va.* (*Pf.* у-) to ram, to beat || **-о́вка** *s.* (*gpl.* -вок) ramming; ram, paving-beetle.
трамва́й *s.* tramway.
транжи́р=ить II. *va.* (*Pf.* рас-) to squander, to dissipate.
транзи́т *s.* transit.
транскри́пция *s.* transcription.
тра́нспо́рт/ *s.* transport, conveyance; (in book-keeping) amount carried forward || **-и́р** *s.* (*math.*) protractor || **-и́ро+вать** II. *va.* to transport, to convey.
трансцendéнтный *a.* transcendental.
транше́я *s.* (*mil.*) trench.
трап *s.* (*mar.*) trap-ladder.
тра́п/е́за *s.* (*sl.*) table, food, meal; refectory (in monasteries) || **-е́ция** *s.* trapeze.
трасс/а́нт *s.* drawer (of a bill of exchange) || **-а́т** *s.* drawee (of a bill of exchange) || **-и́ро+ва́ть** II. [& b] *va.* to draw on (a bill of exchange).
тра́та *s.* extravagance.
тра́т=ить I. 2. *va.* (*Pf.* ис-, по-) to squander, to waste, to dissipate.
тра́тта *s.* bill of exchange, draft.
тра́ур/ *s.* mourning || **-ный** *a.* mourning-.
трафаре́т/ *s.* (*art.*) stencil || **-ный** *a.* stencilling-.
тра́ф=ить II. 7. *va.* (*Pf.* по-) to hit the mark; to catch a likeness.
трах *int.* crack! bang!
тре́б/а *s.* (*sl.*) sacrifice; religious ceremony || **-ник** *s.* missal || **-ование** *s.* demand, request, claim || **-овательный** *a.* exacting, particular, fastidious, hard to please.
тре́бо+вать II. *va.* (*Pf.* ис-, по-, вы́-) to claim, to demand, to exact; to require, to need; ~ (кого́) **в суд** to summon before a court || **~ся** *vn.* (*Pf.* по-) to be required, to be in demand.
требу/ха́ & **-ши́на** *s.* tripe, guts *pl.*, entrails *pl.*
трево́га *s.* unrest, disturbance, trouble, excitement; (*mil.*) alarm.
трево́ж=ить I. *va.* (*Pf.* вс-, по-) to disturb, to trouble, to disquiet; to alarm.
трево́жный *a.* alarming, troubling; restless, turbulent.
треволне́ние *s.* (*sl.*) violent storm; great agitation, alarm.
трегла́вый *a.* three-headed; with three cupolas.
трезво́н *s.* a treble peal of bells.
трезво́н=ить II. *vn.* to ring a treble peal of bells.
тре́звый *a.* sober, temperate.
трезу́бец *s.* (*gsg.* -бца) trident.
трек *s.* racecourse, track; cycle-track.
трель/ *s. f.* trill, quaver || **-я́ж** *s.* trellis-work.
тре́нзель *s. m.* (horse's) snaffle.
тре́ние *s.* rubbing; friction.
трениро+ва́ть II. [b] *va.* to train.
трено́ж=ить I. *va.* (*Pf.* с-) to fetter (a horse), to hobble.
трено́жник *s.* tripod.
трепа́к *s.* [a] a Russian dance.
трепа́ло *s.* hemp-brake, flax-brake.
трепан/а́ция *s.* trepanning || **-и́ро+вать** II. *va.* to trepan.
треп-а́ть II. 7. [c] *va.* (*Pf.* вы́-) to break (hemp, flax); (*Pf.* по-, ис-) to tousle; to worry (of dogs).
тре́пет/ *s.* trembling, quaking, palpitation; ~ **се́рдца** palpitations *pl.*; anguish of mind || **-ный** *a.* trembling, quaking, shaking.
трепет-а́ть I. 6. [c] *vn.* (*Pf.* за-) to tremble, to quake; to flare (of light).
трёпка *s.* breaking (hemp, flax).
треск/ *s.* cracking, crackling (of fire); rattling (of rain); chirping (of crickets) || **-а́** *s.* cod(-fish).
тре́ска-ться II. *vr.* (*Pf.* ис-, рас-) to burst, to explode; to break up, to get slit up.
тресково́й *a.* cod-; ~ **жир** cod-liver oil.
трескотня́ *s.* continual cracking, crackling.
треску́чий (-ая, -ее) *a.* crackling (of firewood); ~ **моро́з** strong, hard frost.
трест *s.* trust.
трете́йский *a.* arbitrational, by arbitration; ~ **суд** arbitration.
тре́т/ий (-ья, -ье) *num.* third; **-ьего дня** the day before yesterday || **-и́чный** *a.* tertiary || **-ь** *s. f.* a third || **-ьего́дняшний** *a.* of the day before yesterday.
треуго́л/ка *s.* (*gpl.* -лок) three-cornered hat || **-ьник** *s.* triangle.
тре́фы *s. fpl.* clubs *pl.* (at cards).
трёхгра́нный *a.* three-sided.

трёх/колёсный *a.* three-wheeled || **–лётный** *a.* of three years || **–ли́стный** *a.* three-leaved || **–ма́что́вый** *a.* three-masted; **~ кора́бль** three-master || **–ме́стный** *a.* three-seater, with three seats || **–ме́сячный** *a.* quarterly || **–неде́льный** *a.* every three weeks || **–рублёвка** *s.* three-rouble note || **–сло́жный** *a.* trisyllabic(al) || **–со́тый** *num.* three-hundredth || **–ство́льный** *a.* three-barrelled || **–сторо́нний** *a.* three-sided || **–цве́тный** *a.* three-coloured || **–чле́нный** *a.* of three members || **–эта́жный** *a.* with three storeys.

трещ=а́ть I. [a] *vn.* (*Pf.* за-) to crack, to crackle, to crash, to crunch (of snow); to wrinkle (of paper); to creak (of wheels, shoes, etc.); to chirp (of crickets); (*Pf.* тре́сн-уть I.) to burst, to crack.

тре́щин/а *s.* interstice, chink, cleft, crack rift; crevasse (of a glacier) || **–ка** *s.* (*gpl.* -нок) *dim. of prec.*

трещо́тка *s.* (*gpl.* -ток) rattle; chatterbox.

три *num.* three.

триангуля́ция *s.* triangulation.

трибу́н/ *s.* tribune, popular speaker || **–а** *s.* tribune || **–а́л** *s.* tribunal.

тривиа́льный *a.* trivial.

тригоно/метри́ческий *a.* trigonometric(al) || **–ме́трия** *s.* trigonometry.

три́/девять (*obs.*) thrice nine (in fairy-tales) || **–деся́тый** (*obs.*) thirtieth; far away (in fairy-tales).

тридцатиле́тний *a.* thirty years old, of thirty years.

тридца́тый *num.* thirtieth.

три́дцать *num.* thirty.

три́жды *ad.* three times, thrice.

три́зна *s.* ancient feast in memory of the dead, celebrated with banqueting and games.

трико́/ *s. indecl.* tricot; (*theat.*) tights *pl.* || **–та́ж** *s.* hosiery.

три/кра́тный *a.* repeated three times; threefold, triple || **–ли́стник** *s.* trefoil, clover || **–ло́гия** *s.* trilogy || **–на́дцатый** *num.* thirteenth || **–на́дцать** *num.* thirteen.

три́/о *s.* trio || **–ста** *num.* three hundred || **–умви́р** *s.* triumvir || **–умвира́т** *s.* triumvirate || **–умфа́льный** *a.* triumphal || **–цикл** *s.* tricycle.

трихи́на *s.* (*zool.*) trichina.

тро́гательный *a.* touching, affecting, moving.

тро́га-ть II. *va.* (*mom.* тро́н-уть I.) (что, кого́) to touch, to handle; (кого́ чем *fig.*) to touch, to move, to affect || **~ся** *vr.* to move (o.s.); to leave (of a train); (*fig.*) to be moved *or* touched; to become bad *or* tainted (of eatables).

тро́е/ *num. coll.* three things, *esp.* persons together; **их бы́ло ~** there were three of them || **–же́нство** *s.* trigamy || **–кра́тный** *a.* repeated three times; threefold, triple || **–кра́тно** *ad.* three times, thrice.

тро́еч/ка *s.* (*gpl.* -чек) *dim.* small troika || **–ник** *s.* postillon, driver of a troika || **–ный** *a.* drawn by three horses harnessed abreast.

тро=и́ть II. [a] *va.* to divide into three equal parts, to trisect.

тро́иц/а *s.* Trinity; Whitsuntide || **–ын** *a.* Whitsun-; **~ день** Whitsunday.

тро́й/ка *s.* (*gpl.* тро́ек) three (at cards); troika (vehicle drawn by three horses abreast); **е́хать на –ке** to travel by troika || **–ни** *s. pl.* (*G.* -не́й) *m&f.* triplets *pl.* || **–но́й** *a.* triple, threefold; **–но́е пра́вило** (*math.*) rule of three || **–ственность** *f.* triplicity || **–ственный** *a.* triple, treble.

тромбо́н *s.* trombone.

трон *s.* throne.

тро́нуть *cf.* **тро́гать.**

тропа́ *s.* path, pathway, foot-path.

тропа́рь *s. m.* [a] (*ec.*) (short) hymn.

тро́п/ик *s.* tropic || **–и́нка** *s.* (*gpl.* -нок) & **–и́ночка** *s.* (*gpl.* -чек) foot-path, pathway || **–и́ческий** & **–и́чный** *a.* tropic(al).

трост/и́на *s.* reed || **–и́нка** *s.* (*gpl.* -нок) slender reed || **–ни́к** *s.* [a] rush, reed, sedge; place planted with reeds.

тро́сточка *s.* (*gpl.* -чек) *dim.* walking-stick.

трость *s. f.* [c] reed, cane; walking-stick.

тротуа́р *s.* pavement, side-walk.

трофе́й *s.* trophy.

трохе́й *s.* trochee.

троюро́дный *a.* related in the third degree; **~ брат** second cousin; **–ная сестра́** second cousin.

троя́кий *a.* threefold, of three different sorts.

тру *cf.* **тере́ть.**

труб/а́ *s.* [d] pipe, tube, trumpet, trombone; **дымова́я ~** chimney flue; **зри́тельная ~** telescope; **пожа́рная ~** fire-engine || **–а́ч** *s.* [a] trumpeter.

труб=и́ть II. 7. [a & c] *vn.* (*Pf.* про-) to trumpet, to blow the trumpet, to sound; (*fig.*) to trumpet forth, to cry up, to puff.

тру́б/ка s. (*gpl.* -бок) tube, pipe; tobacco-pipe; roll, scroll; ~ **из бума́ги** small paper-bag || **-ный** *a.* pipe-, tube-, funnel-; trumpet-, of trumpet- || **-очи́ст** s. chimney-sweeper, sweep || **-очка** s. (*gpl.* -чек) *dim. of* тру́бка || **-очник** s. pipe-maker || **-ча́тый** *a.* tubular.
труд s. [a] trouble, pains *pl.*, labour, toil, work; trouble, difficulty.
труд=и́ться I. 1. [a & c] *vr.* (*Pf.* по-) to take pains, to exert o.s., to work hard, to take trouble, to occupy o.s. (with).
труд/нова́тый *a.* rather difficult || **-'ность** s. *f.* difficulty, hardship || **-'ный** *a.* difficult, hard, arduous || **-ово́й** *a.* earned by labour || **-олюби́вый** *a.* assiduous, industrious || **-олю́бие** s. assiduity, industry || **-оспосо́бный** *a.* capable of working.
тру́же/ник s., **-ница** s. hard-working, laborious person, toiler.
трун=и́ть II. [c] *vn.* (*Pf.* по-) (над + *I.*) to make fun (of), to make a fool (of), to dupe, to chaff (one), to mock, to scoff (at), to banter (one).
труп/ s. corpse || **-'ный** *a.* corpse-; cadaverous.
тру́ппа s. troop, company (of actors).
трус s. coward, poltroon, craven.
тру́с=ить I. 3. *vn.* (*Pf.* с-) (+ *G.*) to be afraid (of), to be frightened, to fret (about), to lose courage.
трус=и́ть I. 3. [c] *va.* (*Pf.* на-, рас-, про-) to strew, to scatter, to sprinkle, to spread, to powder, to throw *or* to cast upon; to shake, to cast off (*e. g.* apples); to trot easily (of horses).
трус/и́ха s. cowardly woman || **-и́шка** s. *m.* (*gpl.* -шек) miserable coward || **-ли́вый** *a.* cowardly, faint-hearted, chicken-hearted, timid, timorous, anxious, fearful.
трут s. tinder.
тру́тень s. *m.* (*gsg.* -тня) (*zool. & fig.*) drone; (*fig.*) idler, loiterer.
трухле́-ть II. *vn.* (*Pf.* ис-) to grow rotten.
тру́хлый *a.* rotten, decayed.
тру́шу́ *cf.* **тру́си́ть.**
трущо́ба s. thicket; secret corner, lurking-place.
трын-трава́ s. trifle, nothing to speak of; **мне всё** ~ that's all one to me, I don't care a fig about that.
трюм s. hold (of a ship).
трюмо́ s. *indecl.* pier-glass.
трю́фель s. *m.* truffle.
тряпи́чник s. ragman, rag-picker.

тря́п/ка s. (*gpl.* -пок) rag, dish-clout, dish-cloth; (*fam.*) milksop || **-очка** s. (*gpl.* -чек) small rag, clout || **-ьё** s. *coll.* rags, tatters *pl.*
тряс/е́ние s. shaking, jolting; trembling, shivering || **-и́на** s. marsh, bog, moor, swamp, quagmire || **-и́нный** *a.* moory, marshy, boggy, swampy.
тря́ск/а s. (*gpl.* -сок) bumping, shaking, jolting (of a carriage); (*fig.*) a sound thrashing || **-ий** *a.* shaky; jolting (of a carriage); uneven, rough (of a road).
трясогу́зка s. (*gpl.* -зок) wagtail.
трясти́ 26. [a 2.] (*Pret.* тряс, трясла́, etc.) *va.* (*Pf.* тряхн-у́ть I. [a]) to shake, to jolt || ~**сь** *vr.* (*only in Ipf.*) to tremble, to shake, to quake, to wobble, to dodder.
трясу́чка s. (*gpl.* -чек) shaking palsy; (*bot.*) quaking-grass; (*orn.*) lesser bustard.
тс *int.* hush!
ту *cf.* **тот.**
туале́т/ s. toilet-stand; toilette, dress || **-ный** *a.* toilet-; dressing.
тубе́ркул/ s. tubercle || **-о́зный** *a.* tuberculous.
ту́го/ *ad.* stiffly, tightly; (*fig.*) hardly, dully || **-ва́тый** *a.* stiffish, rather tight.
туго́й *a.* (*comp.* ту́же) stiff, tight; (*fig.*) hard (of times); (*comm.*) dull; miserly, close-fisted; **он туг на́ ухо** he is hard of hearing.
ту́гость s. *f.* stiffness, tightness; (*fig.*) hardness, dul(l)ness.
туда́ *ad.* thither, there.
ту́же *cf.* **туго́й.**
туж=и́ть I. [a & c] *vn.* (*Pf.* по-) (о чём, по ком) to grieve, to mourn, to be sorry (for, about), to take to heart.
тужу́рка s. (*gpl.* -рок) everyday coat, undress coat.
тузе́м/ец s. (*gsg.* -мца), **-ка** s. (*gpl.* -мок) native || **-ный** *a.* native, indigenous.
туз s. [a] (*A.* -а́) ace (at cards); (*fam.*) a swell, a bigwig.
тузлу́к s. brine, pickle (for fish, *esp.* for caviar).
ту́ловище s. trunk.
тулу́п/ s. sheepskin coat || **-ец** s. (*gsg.* -пца) *dim. of prec.* || **-чик** s. short sheepskin coat.
тума́к s. [a] (*A.* -а́) blow with the fist, buffet, cuff; (*ich.*) tunny.
тума́н s. fog, mist, haze.
тума́н=ить II. *va.* (*Pf.* о-, за-) to envelop in a mist; to dim, to obscure, to darken || ~**ся** *vr.* to become foggy *or* misty.
тума́нный *a.* misty, foggy, gloomy, dim; (*fig.*) gloomy, melancholy.

ту́мба *s.* curb-stone.
ту́ндра *s.* tundra.
ту́нец *s.* (*gsg.* -нца) (*ich.*) tunny.
тунея́д/ец *s.* (*gsg.* -дца) idler, sluggard; parasite || **-ный** *a.* idle; parasitic(al) || **-ство** *s.* idleness, sloth, laziness; sponging.
тунне́ль *s. m.* tunnel.
тупе́-ть II. *vn.* (*Pf.* за-, по-, о-) to become blunt *or* dull.
тупи́к *s.* [a] blunt knife; blind alley, cul-de-sac; **поста́вить** (кого́) **в** ~ to nonplus, to put out of countenance.
туп=и́ть II. 7. [a & c] *va.* (*Pf.* за-, ис-) to blunt, to dull.
туп/и́ца *s. m&f.* blockhead, dolt, stupid person || **-ова́тый** *a.* somewhat blunt, dull; rather stupid || **-оголо́вый** *a.* thick-headed, stupid, thick-skulled || **-о́й** *a.* blunt, dull; stupid, dull-witted; obtuse (of angles) || **-оно́сый** *a.* snub-nosed.
ту́по/сть *s. f.* bluntness, dul(l)ness; stupidity || **-уго́льный** *a.* obtuse-angled || **-у́мие** *s.* stupidity, dul(l)ness || **-у́мный** *a.* feeble-minded, stupid, doltish, dull-witted.
ту́ра *s.* castle, rook (at chess).
турби́на *s.* turbine.
тури́ст *s.* tourist.
турнике́т *s.* turnstile; (*chir.*) tourniquet.
турни́р *s.* tourney, tournament.
турн-у́ть I. *va. Pf.* to drive away; to spur, to urge (on).
туру́сы *s. mpl.* rubbish; **нести́** ~ **на колёсах** (*fam.*) to talk stuff and nonsense, to twaddle.
турухта́н *s.* (*orn.*) ruff (a kind of strand-piper.
тусклова́тый *a.* dim, dullish.
ту́склый *a.* dull, dim, tarnished.
ту́скн-уть I. & **тускне́-ть** II. *vn.* (*Pf.* за-, по-) to become dim *or* dull.
тут/ *ad.* here, there; then || ~ *s.* mulberry-tree || **_овый** *a.* mulberry-.
туф/ *s.* (*min.*) tufa, tuff || **_ель** *s. m.* (*gsg.* _ля) slipper || **_елька** *s.* (*gpl.* -лек) *dim.* slipper || **_ля** = **_ель.**
ту́хлый *a.* rotten, tainted, decayed (of food).
ту́хнуть 52. *vn.* (*Pf.* про-) to get tainted, to begin to rot, to decay, to putrefy; (*Pf.* по-, за-) to be extinguished, to go out (of fire, a candle).
ту́ч/а *s.* storm-cloud; (*fig.*) (immense) swarm, throng || **-ка** *s.* (*gpl.* -чек) *dim.* storm-cloud.
тучне́-ть II. *vn.* (*Pf.* у-) to grow fat, stout, obese, to put on flesh.
ту́чный *a.* fat, stout, obese; well fed, corpulent; fertile, rich (of soil).
туш/ *s.* flourish of trumpets || **_а** *s.* an eviscerated animal (*esp.* a pig) || **-ева́льный** *a.* for shading.
туше+ва́ть II. [b] *va.* (*Pf.* на-, от-) to draw with Indian ink; to shade.
тушёвка *s.* (*gpl.* -вок) shading.
туш=и́ть I. [a & c] *va.* (*Pf.* за-, по-) to extinguish, to put out, to stifle; (*fig.*) to settle, to soothe (a quarrel); ~ **де́ло** to hush up a matter.
тушь *s. f.* Indian ink.
тфу = **тьфу.**
тща́тельный *a.* careful, attentive, accurate.
тщеду́ш/ие *s.* & **-ность** *s. f.* sickliness, infirmity, weak health || **-ный** *a.* infirm, feeble, weakly, sickly, emaciated.
тщесла́вие *s.* vanity, ostentation, boasting.
тщесла́в=иться II. 7. *vn.* (чем) to boast (of), to brag, to vaunt, to parade, to make a display (of).
тщесла́вный *a.* haughty, vain, ostentatious, boastful, puffed up.
тще́т/но *ad.* in vain, vainly, to no purpose || **-ность** *s. f.* vainness, uselessness, failure || **-ный** *a.* vain, useless, fruitless.
ты *prn. pers.* (thou) you; **мы с тобо́ю** you and I; **быть** (с кем) **на** ~ to be very intimate with a person, to thou (one).
ты́ка-ть II. *vn.* (кому́) to thee and thou.
ты́ка-ть II. & **ты́к-ать** I. 2. *va.* (*Pf.* ис- & ткн-уть I.) to thrust in, to stick in.
ты́кв/а *s.* pumpkin, gourd || **-енник** *s.* pumpkin-gruel || **-енный** *a.* pumpkin-.
тыл/ *s.* [°] back, rear, reverse || **_ьный** *a.* back-, rear-.
тын *s.* paling, fence, hedge.
ты́сяч/а *num.* thousand || **-еле́тие** *s.* a thousand years, millennium || **-еле́тний** *a.* of a thousand years || **-ели́стник** *s.* (*bot.*) milfoil, common yarrow || **-ный** *num.* thousandth.
тычи́н/а *s.* pale, post, stake || **-ка** *s.* (*gpl.* -нок) *dim. of prec.*; (*bot.*) filament.
тычо́к *s.* [a] (*gsg.* -чка́) point, (sharp) edge (of a stone); **дать тычка́** to give a blow with the fist.
тьма *s.* darkness, obscurity; an immense number; ~ **вопро́сов** a flood of questions; ~**-тьму́щая** a prodigious number.
тьфу *int.* fie! ~ **про́пасть!** deuce take it!
тюк *s.* bale, package.
тю́левый *a.* tulle, of tulle

тюл/е́ний (-ья, -ье) *a.* seal-, seal's || **-е́нь** *s. m.* seal; (*fig.*) lazy-bones, clumsy fellow.
тюль/ *s. m.* tulle || **-па́н** *s.* tulip.
тюр/е́мщик *s.* gaoler || **-ьма́** *s.* [d] gaol, jail, prison, dungeon.
тю́ря *s.* bread steeped in kvass.
тюф/я́к *s.* [a], *dim.* **-ячо́к** *s.* [a] (*gsg.* -чка́) mattress.
тя́вкан/ие & **-ье** *s.* bark, yelp, barking, yelping. [to bark.
тя́вка-ть II. *vn.* (*Pf.* тя́вкн-уть I.) to yelp,
тя́г/а *s.* drawing; draught (of air); (*fig.*) **дать -у** to take to one's heels; **у сига́ры нет -и** the cigar is not drawing well.
тяга́-ться II. *vr.* (*Pf.* по-) (с + *I.*) to litigate, to carry on a lawsuit; (*fig.*) to try conclusions (with one).
тя́гост/ный *a.* heavy, oppressive, burdensome, troublesome || **-ь** *s. f.* (*esp. fig.*) burden, weight, heaviness; weariness, fatigue.
тяготе́ние *s.* (*phys.*) power of attraction, gravitation, gravity.
тяготе́-ть II. *vn.* (*Pf.* о-) (на ком, на чём) to weigh on, to press heavily on; (*phys.*) to gravitate.
тягот=и́ть I. 2. [a] *va.* (*Pf.* о-) (что) to burden, to load; (кого́) to trouble, to bother, to oppress || **~ся** *vr.* (чем) to feel the weight of, to feel burdened.
тягу́чий (-ая, -ее) *a.* ductile, tensile, malleable (of metals).
тя́ж/ба *s.* lawsuit, action, litigation || **-ебник** *s.*, **-ебница** *s.* litigant.
тяжеле́-ть II. *vn.* (*Pf.* о-) to grow *or* to become heavy.
тяжело/ва́тый *a.* somewhat heavy || **-ве́сный** *a.* ponderous, weighty.
тяжёл/ость *s. f.* heaviness, weight || **-ый** *a.* heavy, weighty; difficult (of work); indigestible (of food).
тя́жесть *s. f.* heaviness, weight, load; (*phys.*) gravity; **центр -и** centre of gravity.
тя́жкий *a.* (*esp. fig.*) heavy, grievous, oppressive; weighty, serious.
тян-у́ть [√тяг] I. [c] *va.* (*Pf.* по-) to draw; to stretch, to extend; to weigh; (*fig.*) to protract, to delay || **~** *v.imp.*, **меня́ тя́нет** I have an inclination || **~ся** *vr.* to stretch, to extend; (с + *I.*) to aspire (after, to), to strive to equal, to emulate.
тя́па-ть II. *va.* (*Pf.* тя́пн-уть I.) to hack, to seize; to take hold (of); to tear away, to appropriate, to steal; to strike.
тя́п/ка *s.* (*gpl.* -пок) chopper, cleaver; cut, stroke || **-ать** *va.* to hack, to chop (cabbage). [(dear) papa.
тя́т/енька *s. m.* (*gpl.* -нек) & **-я** *s. m.*

У

у *prp.* (+ *G.*) by, to, at; near, close by *or* to; **~ са́мой две́ри** close to the door; **я купи́л ло́шадь ~ бра́та** I bought a horse of my brother; **~ себя́** at home; **~ меня́ голова́ боли́т** I have a headache; **~ меня́ (есть) . . .** I have . . .; **~ него́ (есть) . . .** he has . . .; **~ меня́ был . . .** I had.
уба́/вка *s.* (*gpl.* -вок) diminution, decrease, reduction || **-вле́ние** *s.* diminishing, lessening, reducing || **-вля́-ть** II. *va.* (*Pf.* -в=ить II. 7.) to diminish, to reduce, to lessen, to shorten; to deduct (of salary) || **~ся** *vr.* to diminish, to decrease, to grow less *or* shorter; to be on the wane (of the moon); to sink (of water).
убаю́кива-ть II. *va.* (*Pf.* убаю́ка-ть II.) to lull, to sing to sleep.
убега́-ть II. *vn.* (*Pf.* убежа́ть 44.) to run away, off; to fly, to flee, to make one's escape, to desert; (чего́) to avoid, to shun; to escape (a danger). [earnest.
убеди́тельный *a.* convincing, conclusive;
убежд/а́-ть II. *va.* (*Pf.* убед=и́ть I. 5. [a]) (кого́ в чём) to persuade, to convince (of); (кого́ к чему́, на что) to induce || **-е́ние** *s.* conviction, persuasion.
убе́жище *s.* refuge, shelter, asylum.
уберега́-ть II. *va.* (*Pf.* уберéчь 15. [a 2.]) что, кого́, от чего́) to guard, to keep, to preserve (from), to watch (over), to protect || **~ся** *vr.* to guard o.s., to protect o.s.
уби/ва́-ть II. *va.* (*Pf.* уби́ть 27. [a 1.]) to kill, to slay, to murder; to stamp (a path); to nail, to set with nails; to kill, to pass away (of time); (*fig.*) to grieve, to mortify, to discourage || **~ся** *vr.* to hurt o.s.; to be killed (by an accident); (по ком) to grieve, to pine away || **-е́ние** *s.* murder.
уби́й/ственный *a.* mortal, deadly; murderous; (*fig.*) wearisome, boring, terrible || **-ство** *s.* murder, assassination || **-ца** *s.* murderer, assassin; (*f.*) murderess.
убира́-ть II. *va.* (*Pf.* убра́ть 8. [a]) to take off, away; to put away; to arrange, to

put in order (books, dishes); to hang away (clothes); to tidy up a room; ~ **го́лову** to dress (one's) hair; ~ **со стола́** to remove the cloth, to take away; ~ **хлеб с по́ля** to gather in, to reap || ~**ся** *vr.* to attire, to dress o.s.; (с чем) to finish, to get done; (*fig.*) to be off, to depart, to make off; **убира́йся**! be off! go to Jericho!

уби́ть *cf.* **убива́ть.**

ублажа́-ть II. *va.* (*Pf.* ублаж=и́ть I. [a]) to glorify; to entreat, to supplicate; to enrapture, to make happy.

ублю́док *s.* (*gsg.* -дка) mongrel, half-breed; (*bot.*) hybrid.

убо́/гий *a.* poor, needy, wretched; crippled; silly || **-жество** *s.* poverty, wretchedness.

убо́й/ *s.* slaughter(ing) || **-ный** *a.* for slaughtering.

убо́р/ *s.* finery, set of jewels; **головно́й** ~ head-dress || **-истый** *a.* close (of handwriting) || **-ка** *s.* (*gpl.* -рок) trimming, decoration; arranging, putting in order; furnishing (of rooms); ~ **воло́с** hair-dressing; ~ **хле́ба** gathering in, getting in the harvest || **-ная** (*as s.*) dressing-room; lavatory || **-ный** *a.* attired; dressing-.

убра́нство *s.* adornment, decoration, finery; ornament; equipment.

убра́ть *cf.* **убира́ть.**

убы/ва́ние *s.* & **у́быль** *s. f.* decrease, diminution, fall || **-ва́-ть** II. *vn.* (*Pf.* убы́ть 49.) to decrease, to diminish; to decline (of the day), to wane (of the moon); to fall, to sink (of the water).

убы́т/ок *s.* (*gsg.* -тка) loss, damage, detriment, disadvantage, prejudice; **прода́ть в** ~ to sell at a loss || **-очный** *a.* detrimental, at a loss.

уваж/а́-ть II. *va.* (*Pf.* ува́ж=ить II.) (кого́) to esteem (highly), to honour, to respect; (что) to consider, to take into consideration, to appreciate || **-е́ние** *s.* (к + *D.*) esteem, respect; consideration, regard; **приня́ть в** ~ to take into consideration || **-и́тельный** *a.* noteworthy, worthy of consideration; (*leg.*) valid; (к + *D.*) respectful.

у́валень *s. m.* (*gsg.* -льня) sluggard, idler, lazy-bones.

уведом/и́тельный *a.* (*comm.*) of advice || **-ле́ние** *s.* information, advice, notification; **согла́сно -ию** as advised, as per advice || **-ля́-ть** II. *va.* (*Pf.* уве́дом=ить II. 7.) (кого́ о чём) to inform (one of a thing), to notify, to announce, to give notice, to send word of, to advertise; ~ **о получе́нии письма́** to acknowledge the receipt of a letter.

увезти́ *cf.* **увози́ть.**

увеко/ве́чива-ть II. *va.* (*Pf.* -веч=ить I.) to immortalize.

увели́/че́ние & **-чиванне** *s.* augmentation, enlargement, increase; (цен) rise || **-чива-ть** II. *va.* (*Pf.* -ч=ить I.) to augment, to enlarge, to increase; to magnify; to exaggerate; to prolong, to extend (a term) || ~**ся** *vr.* to increase, to grow.

увеличи́тельный *a.* magnifying; **-ное стекло́** magnifying-glass; (*gramm.*) augmentative.

уве́нчива-ть II. *va.* (*Pf.* увенча́-ть II.) to crown; to wreathe.

увере́нне, *s.* assurance; certainty, surety.

уве́р/енность *s. f.* (в чём) assurance, certainty, confidence, firm belief, conviction || **-енный** *a.* convinced (of), assured, certain, sure || **-ить** *cf.* **-я́ть** || **-ну́ться** *cf.* **увёртываться** || **-овать** *cf.* **ве́ровать.**

уве́рт/ка *s.* (*gpl.* -ток) wrapping up, packing up; (*fig.*) subterfuge, evasion, shift || **-ливый** *a.* evasive, shifty, cunning || **-ыва-ться** II. *vr.* (*Pf.* увер-н-у́ться I. [a]) (от чего́) to avoid, to evade, to use evasions; **он из-под рук уверну́лся** he slipped between my fingers.

увертю́ра *s.* (*mus.*) overture.

уверя́-ть II. *va.* (*Pf.* уве́р=ить II.) (кого́ в чём) to assure (one of a thing), to convince || ~**ся** *vn.* (в чём) to ascertain, to make sure (of).

увесе/ле́ние *s.* amusement, enjoyment, diversion || **-ли́тельный** *a.* diverting, entertaining, amusing || **-ля́-ть** II. *va.* (*Pf.* -л=и́ть II.) to amuse, to entertain, to divert.

уве́систый *a.* weighty, ponderous.

увести́ *cf.* **уводи́ть.**

уве́/ч=ить I. *va.* (*Pf.* из-) to maim, to cripple, to mutilate, to disable || **-чный** *a.* lame, crippled, maimed || **-чье** *s.* mutilation, lameness.

уве́шива-ть II. *va.* (*Pf.* уве́ша-ть II.) to hang (with).

увещ/а́ние *s.* admonition, exhortation || **-а́тель** *s. m.* admonisher || **-ева́-ть** II. *va.* (*Pf.* -а́-ть II.) to admonish, to exhort.

увива́-ть II. *va.* (*Pf.* уви́ть 27. [a 3.]) (что чем) to twist, to twine, to wind round, to wrap up || ~**ся** *vr.* (о́коло кого́) to court, to pay court to; to wheedle, to fawn on.

увида́ть, уви́деть *cf.* **вида́ть & ви́деть.**

уви́ть *cf.* **увива́ть.**

уви́лива-ть II. *vn.* (*Pf.* увиль-ну́ть I. [a]) to come, to get off; to extricate o.s.; (*fam.*) to decamp.

увлек/а́тельность *s. f.* attractiveness, charmingness || **–а́тельный** *a.* attractive, charming, ravishing, captivating; tempting || **–а́-ть** II. *va.* (*Pf.* увле́чь 18. [a 2.]) to carry away, to tear away, to draw along; (*fig.*) to attract, to charm, to captivate || **~ся** *vr.* (чем) to (allow o.s. to) be carried away, to be captivated.

увлече́ние *s.* impulse, enthusiasm, passion.

увод=и́ть I. 1. [c] *va.* (*Pf.* увести́ & уве́сть 22. [a 2.]) to lead away, off, along; to entice away.

увоз=и́ть I. 1. [c] *va.* (*Pf.* увезти́ & уве́зть 25. [a 2.]) to carry *or* to take away (in a vehicle); to carry off, to abduct.

уволь/не́ние *s.* discharge, leave; **~ в о́тпуск** leave of absence, furlough; **~ в отста́вку** superannuation || **–ни́тельный** *a.* of discharge || **–ня́-ть** II. *va.* (*Pf.* уво́л=ить II.) to discharge, to dismiss; (кого́ от чего́) to free, to exempt from; **~ в о́тпуск** to furlough, to give leave of absence; **~ в отста́вку** to pension off.

уврачева́ть *cf.* **врачева́ть.**

увы́ *int.* alas! woe!

увяд/а́ние *s.* withering, fading || **–а́-ть** II. *vn.* (*Pf.* увя́нуть 52.) to wither, to fade, to droop.

увяза́-ть II. *vn.* (*Pf.* увя́знуть 52.) to sink in, to stick fast in; to be caught, to catch (in).

увя́зыва-ть II. *va.* (*Pf.* увяз-а́ть I. 1. [c]) to tie (up); to pack up.

увя́нуть *cf.* **увяда́ть & вя́нуть.**

угада́ть *cf.* **уга́дывать.**

уга́д/ка *s.* (*gpl.* -док) guess(ing); **на –ку** at random, hit or miss || **–чивый** *a.* good at guessing; resourceful || **–чик** *s.* guesser || **–ыва-ть** II. *va.* (*Pf.* -а́-ть II.) to guess; to divine; to foresee, to see into, to understand.

уга́р/ *s.* fumes *pl.* (from charcoal, from a stove) || **–ный** *a.* full of charcoal fumes.

угаса́-ть II. *vn.* (*Pf.* уга́снуть 52.) to go out, to be extinguished; (of passion) to cool.

угаша́-ть II. *va.* (*Pf.* угас=и́ть I. 3. [a & c]) to extinguish, to quench; (*fig.*) to quell, to check, to suppress, to stifle.

угле/водоро́д *s.* (*chem.*) carburetted hydrogen || **–кислота́** *s.* (*chem.*) carbonic acid || **–ки́слый** *a.* (*chem.*) carbonic; **~ газ** carbonic acid gas; **–ки́слая соль** carbonate || **–ро́д** *s.* (*chem.*) carbon || **–ро́дистый** *a.* containig carbon, carbonaceous || **–ро́дный** *a.* carbon-.

угло/ва́тость *s. f.* angularity; (*fig.*) awkwardness || **–ва́тый** *a.* angular; (*fig.*) awkward, coarse || **–во́й** *a.* corner-, angle-; **~ дом** corner house || **–ме́р** *s.* goniometer.

углу/бле́ние *s.* deepening, excavation, cavity, hole, hollow; (*fig.*) absorption (in a thing) || **–бля́-ть** II. *va.* (*Pf.* -б=и́ть II. 7. [a]) to deepen, to excavate || **~ся** *vr.* (*fig.*) to give o.s. up to, to become absorbed in.

угля́дыва-ть II. *va.* (*Pf.* угляд=е́ть I. 1. [a]) to perceive, to become aware of, to behold || **~** *vn.* (за + *I.*) to keep an eye on, to look after.

угна́ть *cf.* **угоня́ть.**

угнет/а́тель *s. m.* oppressor, pursuer || **–а́-ть** II. *va.* (*Pf.* угне́сть 23. [a 2.]) to press (down), to squeeze (together), to compress; to stamp; (*fig.*) to oppress, to afflict || **–е́ние** *s.* compression; (*fig.*) oppression.

угова́рива-ть II. *va.* (*Pf.* уговор=и́ть II. [a]) to persuade (to do a thing), to talk over, to induce, to prevail upon || **~ся** *vrc.* (с кем) to concert, to agree, to arrange.

угово́р/ *s.* agreement, arrangement, settlement, condition; **с –ом . . .** on condition . . .

уго́д/а *s.* gratification, contentment, satisfaction; **я гото́в сде́лать ему́ э́то в –у** I am willing to oblige him in that || **–и́ть** *cf.* **угожда́ть.**

уго́д/ливость *s. f.* obligingness, willingness to oblige, complaisance || **–ливый** *a.* obliging, willing to oblige *or* to please, complaisant || **–ник** *s.*, **–ница** *s.* obliging person; **~ Бо́жий** a saint || **–ный** *a.* pleasing; **что вам –но?** what do you wish? **как вам –но** as you will, as you like, as you please; **–но ли вам . . .?** do you want . . .? || **–ье** *s.* (*esp. in pl.*) appurtenances, premises, grounds *pl.*

угожда́-ть II. *va.* (*Pf.* угод=и́ть I. 1. [a]) (кому́, на кого́) to please, to gratify, to humour, to do one a favour; (чем во что) to strike, to hit.

у́гол/ *s.* [a] (*gsg.* угла́) angle; corner; **о́стрый ~** acute angle; **прямо́й ~** right angle; **тупо́й ~** obtuse angle || **–ёк** *s.* [a] (*gsg.* -лька́) & **–ёчек** *s.* (*gsg.* -чка) small piece of coal || **–о́вный** *a.* criminal, penal; **–о́вные зако́ны** *mpl* penal code || **–о́вщина** *s.* (*vulg.*) capital crime || **–о́к** *s.* [a] (*gsg.* -лка́) & **–о́чек** *s.* (*gsg.* -чка) small corner, angle.

у́гол/ь *s. m.* [c] (*pl.* у́гли, угле́й, etc.; *coll.* -ья, -ьев, etc.) (ка́менный) coal; (древе́сный) charcoal || **–ье** *s. coll.* coal(s).

уго́ль/ник *s.* (carpenter's) square || **–ный** *a.* corner-.

у́голь/ник = **–щик** || **–ный** *a.* coal-, charcoal- || **–щик** *s.* charcoal-burner, coal-man; coal-merchant.

угомо́н *s.* quiet, rest, repose.

угомо/ня́-ть II. *va.* (*Pf.* -н=и́ть II. [a]) to quiet, to calm, to soothe, to appease, to still; to lull to sleep || **~ся** *vr.* to grow quiet, to calm, to abate; to be lulled to sleep.

уго́н/ *s.* & **–ка** *s.* (*gpl.* -нок) driving away.

угоня́-ть II. *va.* (*Pf.* угна́ть 11. [c]) to drive away *or* off, to turn away; to expel; to catch up, to overtake || **~** *vn.* to escape, to get off, to steal away, to drive away hastily || **~ся** *vc.* (за кем) to run, to hasten after, to pursue; to imitate, to equal, to emulate one.

угора́зд=ить I. 1. *va. Pf.* to urge, to induce.

уго/ра́-ть II. *vn.* (*Pf.* -р=е́ть II. [a]) to get sick from the fumes of charcoal || **–ре́лый** *a.* asphyxiated (by the fumes of charcoal).

у́горь *s. m.* [b] (*gsg.* у́гря) pimple, pustule; (*zool.*) eel.

угости́ть *cf.* **угоща́ть.**

угота́влива-ть II. & **уготовля́-ть** II. *va.* (*Pf.* уното́в=ить II. 7.) to prepare, to get ready.

угощ/а́-ть II. *va.* (*Pf.* угост=и́ть I. 4. [a]) to treat, to entertain || **–е́ние** *s.* treat, entertainment, reception.

угрева́тый *a.* pimply, blotched.

угрева́-ть II. *va.* (*Pf.* угре́-ть II.) to warm, to heat.

угрёвый *a.* eel's, eel-.

угро/жа́-ть II. *va.* (*Pf.* -з=и́ть I. 1. [a]) (кому́ чем) to threaten, to menace || **–жа́ющий** (-ая, -ее) *a.* threatening, menacing, impending.

угро́за *s.* threat, menace.

угрызе́ние *s.* bite, biting; **~ со́вести** the stings of conscience, remorse.

угрю́м/ость *s. f.* moroseness, surliness, gruffness, peevishness || **–ый** *a.* morose, surly, gruff, peevish, cross.

уда́ *s.* [e] (fish-)hook; **лови́ть удо́ю** to angle.

уда́брива-ть II. *va.* (*Pf.* удо́бр=ить II.) to manure.

уда́в *s.* (*zool.*) boa constrictor.

удава́ться 39. *vn.* (*only in the 3rd pers.* удаётся, удаю́тся (*Pf.* уда́ться 38. [a 2.] уда́стся, удаду́тся) to succeed; (в + *A.*) to resemble, to take after; **не ~** to miscarry.

удав=и́ть II. 7. [c] *va. Pf.* to strangle, to throttle, to choke.

уда́вленник *s.* a strangled person.

удал/е́ние *s.* removal; **~ от до́лжности** discharge, dismissal || **–е́ц** *s.* [a] (*gsg.* -льца́) bold *or* daring man; dare-devil || **–о́й** *a.* bold, daring, venturesome, foolhardy, rash.

у́даль/ *s. f.* & **–ство́** *s.* boldness, audacity, foolhardiness.

удаля́-ть II. *va.* (*Pf.* удал=и́ть II. [a]) (кого́ от чего́) to remove; to keep off; to banish; **~ от до́лжности** to dismiss, to discharge || **~ся** *vr.* to go away, to leave, to quit, to retire, to withdraw; (от кого́) to avoid, to shun.

уда́р/ *s.* stroke, blow, knock, hit; (*el.*) shock; (*med.*) apoplectic fit; **со́лнечный ~** sunstroke; **быть в –е** to be in luck, to be in high spirits; **быть не в –е** to be in low spirits; **~ кинжа́лом** a stab with a dagger || **–е́ние** *s.* striking; accent, stress, emphasis || **–ный** *a.* of percussion; **~ знак** bruise || **–я́-ть** II. *va.* (*Pf.* уда́р=ить II.) to beat, to strike, to smite, to hit; **~ в ко́локол** to ring the bell; to accentuate (a word); (на + *A.*) to fall on, to charge, to attack || **~ся** *vr.&n.* (обо что) to strike, to push, to bound against; to rush upon; (*fig.*) to give o.s. up to.

уда́ться *cf.* **удава́ться.**

уда́ч/а *s.* success, luck, chance, good fortune; **на –у** at random; **вы́стрел на –у** a random shot || **–ливый** = **–ный** || **–ник** *s.*, **–ница** *s.* lucky person, upstart || **–ный** *a.* lucky, fortunate.

удв/а́ивание & **–ое́ние** *s.* doubling, duplication || **–а́(о́)ива-ть** II. *va.* (*Pf.* -о́=ить II.) to double, to duplicate.

уде́л/ *s.* lot, share; appanage || **–е́ние** *s.* allotment || **–ьный** *a.* appanaged; (*phys.*) specific; **~ вес** specific gravity || **–я́-ть** II. *va.* (*Pf.* удел=и́ть II. [c]) to allot, to apportion, to share.

у́держ/ *s.* stopping, delay; **без –у** without stopping || **–а́ние** *s.* keeping back, retaining, retention; stoppage.

удéр/жива-ть II. *va.* (*Pf.* -ж=áть I. [c]) to hold; to last (of colours); to stop, to hold in, to delay, to detain; to restrain, to check; to keep back, to deduct; to withhold, to retain; **~ что в пáмяти** to recollect, to remember || **~ся** *vr.* (за что) to cling to, to hold fast to *or* on to; (от чегó) to avoid, to shun; to abstain, to restrain (from), to forbear; **я не могý ~ от смéха** I cannot help laughing.

удеш/евлéние *s.* reduction, fall in price || **–евля́-ть** II. *va.* (*Pf.* -ев=и́ть II. 7. [a]) to reduce the prices.

удиви́тель/ный *a.* astonishing, amazing, wonderful, surprising || **–но** *ad.* wonderfully, surprisingly; **не ~ что . . .** no wonder that . . .

уди/влéние *s.* astonishment, wonder, surprise, amazement; **знак –влéния** note of exclamation (!) || **–вля́-ть** II. *va.* (*Pf.* -в=и́ть II. 7. [a]) to astonish, to surprise, to amaze || **~ся** *vr.* (чемý) to be astonished, amazed, surprised (at); to wonder (at); to admire.

уди́л/ище *s.* (fishing-)rod || **–о** *s.* [b] (*us. in pl.*) (horse-)bit || **–ьщик** *s.* angler.

удирá-ть II. *vn.* (*Pf.* удрáть 8. [a]) to take to one's heels, to scamper away, off, to make off.

уд=и́ть I. 1. [a & c] *va.* (*Pf.* на-, по-) to angle.

удли/нéние *s.* lengthening, prolongation || **–ня́-ть** II. *va.* (*Pf.* -н=и́ть II. [a]) to lengthen, to prolong, to stretch out.

удóб/ность *s. f.* convenience, comfort, easiness, ease || **–ный** *a.* convenient, comfortable, favourable, suitable; easy, handy; **–ное крéсло** easy chair || **–оварúмость** *s. f.* digestibility || **–оварúмый** *a.* digestible || **–оисполни́мый** *a.* feasible, practicable || **–опоня́тность** *s. f.* intelligibility || **–опоня́тный** *a.* intelligible, comprehensible.

удобр/éние *s.* manure; manuring || **–и́тельный** *a.* serving as manure; dung- || **–я́ть** *cf.* **удáбривать.**

удóбство *s.* convenience, accomodation; comfort.

удовлетво/рéние *s.* satisfaction, atonement, indemnification; amends *pl.*, reparation; granting (a request) || **–ри́тельность** *s. f.* satisfactoriness || **–ри́тельный** *a.* satisfactory || **–ря́-ть** II. *va.* (*Pf.* -р=и́ть II. [a]) to satisfy, to gratify; to indemnify, to make amends || **~ся** *vr.* to be satisfied *or* contented (with), to rest content (with), to acquiesce (in); to get redress.

удов/óльствие *s.* pleasure, enjoyment; gratification, diversion || **–óльствование** *s.* satisfying || **–óльствоваться** *cf.* **довóльствоваться.**

удóд *s.* (*orn.*) hoopoe.

удóй/ *s.* quantity of milk given by a cow at a milking || **–ливый** *a.* milch-; **–ливая корóва** a good milker, milch-cow || **–ник** *s.* milk-pail.

удостове/рéние *s.* evidence, testimony; assurance, attestation, legalization, confirmation, proof, certificate; testimonial; **в ~** (чегó) in testimony whereof; **представить ~ о своéй ли́чности** to give an account of o.s. || **–ри́тельный** *a.* certifying, attesting, legalizing || **–ря́-ть** II. *va.* (*Pf.* -́р=ить II.) (когó в чём) to assure of, to convince of; (что) to certify, to warrant, to attest, to legalize, to certify, to assert, to confirm; **~ свою ли́чность** to give an account of o.s. || **~ся** *vr.* to ascertain, to make sure; to be assured.

удостóива-ть II. *va.* (*Pf.* удостó=ить II.) to honour; to deign, to consider one worthy; (когó чегó *or* чем) to consider, to esteem, to think one worthy (of a reward) || **~ся** *vr.* to be honoured, to be deemed worthy of; **я удостóился чéсти егó визи́та** I was honoured by his visit.

удосý/жива-ть II. *va.* (*Pf.* -ж=ить I.) (когó на что) to allow time (for), to give time || **~ся** *vn.* to find leisure (for), to have time (for).

ýдочка *s.* (*gpl.* -чек) *dim.* angle; **итти́ на –у** to take the bait.

удрáть *cf.* **удирáть.**

удружи́ть *cf.* **дружи́ть.**

удру/чá-ть II. *va.* (*Pf.* -ч=и́ть I. [a]) to oppress, to persecute, to overwhelm; to overburden (with work); **он –чён гóрестью** he is oppressed with grief || **–чéние** *s.* dejection, despondency; oppression || **–чённость** *s. f.* despondency.

удушá-ть II. *va.* (*Pf.* удуш=и́ть I. [c]) to choke, to strangle, to suffocate (*cf.* души́ть).

удýш/ливый *a.* suffocating, stifling, choking || **–ье** *s.* asthma; **ночнóе ~** nightmare.

уеди/нéние *s.* solitude, loneliness, isolation || **–нённость** *s. f.* solitariness, retirement, seclusion || **–нённый** *a.* solitary, isolated, lonely, retired, secluded || **–ня́-ть** II. *va.* (*Pf.* -н=и́ть II. [a]) to isolate, to separate, to detach || ~ся vr. to retire (from the world), to live in solitude.

уе́зд/ s. district || **-ный** a. district-; ~ **го́род** county town.

уезжа́-ть II. vn. (*Pf.* уе́хать 45.) to go away, to drive away, to set out, to depart.

уе́зжива-ть II. va. to make smooth a road (by much driving and riding on); (*Pf.* уе́зд=ить I. 1.) to tire out (a horse).

уж s. [a] adder, snake || ~ ad. (= уже́); **не у́ж-то** really, indeed.

ужа́лить cf. **жа́лить.**

у́жас/ s. horror, terror, fright; dread, fear || ~ ad. (= ужа́сно) horribly, awfully, dreadfully; ~ **как жа́рко** it is awfully warm || **-а́-ть** II. va. (*Pf.* -н-у́ть I. [a]) (кого́ чем) to frighten, to terrify, to startle, to shock || **~ся** vr. (чего́, чему́) to be frightened, to be terrified, to be horrified, to be shocked (at); to fear, to dread.

ужа́сный a. terrible, dreadful, horrible; fearful, hideous; awful.

уже́ ad. already; ~ **не** no more, no longer; ~ **год** since a year, a year already.

у́же cf. **у́зкий.** [deed?

уж/е́ли & **-е́ль** ad. is it possible? in-

уже́ние s. angling.

ужива́-ться II. vn. (*Pf.* ужи́ться 31.) (у кого́) to live long (with); to remain in (one's) service; (с кем, с чем) to accustom o.s. to, to get used to; to agree, to live in harmony (with), to get on well together.

ужи́вчивый a. sociable, accommodating, easy to get on (with); peaceable, peaceful. [wry face.

ужи́мка s. (*gpl.* -мок) (*us. in pl.*) grimace,

у́жин/ s. supper || **-а-ть** II. vn. (*Pf.* **по-**) to sup, to take supper.

ужи́ться cf. **ужива́ться.**

ужо́ ad. afterwards, later || ~ *int.*, ~ **я тебя́!** (*pop.*) (threateningly) just you wait! wait a while!

узако/не́ние s. ordinance, statute, decree, edict || **-ня́-ть** II. va. (*Pf.* ∸н=ить II.) to ordain, to decree; to legitimatize (a child). [-чек) *dim. of prec.*

узд/а́ s. [e] bridle; curb || **-е́чка** s. (*gpl.*

у́зел/ s. [a] (*gsg.* узла́) knot; bundle || **-о́к** s. [a] (*gsg.* -лка́) *dim. of prec.*

у́зенький a. rather narrow.

у́зк/ий a. (*comp.* у́же) narrow, tight || **-околе́йный** a. (*rail.*) narrow-gauge || **-ость** s. f. narrowness, tightness.

узло/ва́тый a. knotty, knotted || **-во́й** a. knot-.

узнава́ть 39. va. (*Pf.* узна́-ть II.) to recognize, to know; (что, о чём) to hear, to learn, to ascertain, to find out; to be informed of, to become acquainted (with).

у́зник s., **у́зница** s. prisoner, captive, convict, slave.

узо́р/ s. (*also in pl.*) pattern, design || **-ный** a. pattern || **-чатый** a. figured, flowered.

узре́ть cf. **зреть.**

узурпа́тор s. usurper. [shackles *pl.*

у́зы s. *fpl.* bands, bonds, fetters, chains,

уйти́ cf. **уходи́ть.**

ука́з/ s. edict, ukase || **-а́ние** s. indication; hint; information, assignation, instruction, direction, order || **-а́тель** s. m. guide, leader; indicator; index, table of contents; hand of a clock; ~ (**доро́ги**) signpost; **желе́зно-доро́жный** ~ a Bradshaw, railway-guide || **-а́тельный** a. indicating; (*gramm.*) demonstrative; ~ **па́лец** forefinger; ~ **столб** signpost || **-ный** a. decreed, prescribed by ukase; lawful, legal; according to regulations || **-чик** s. overseer, master(-workman); instructor || **-ыва-ть** II. va. (*Pf.* указ-а́ть I. 1. [c]) to indicate; to point out, to show, to direct to; to appoint, to fix; to instruct, to inform; to order; (на что) to refer (to), to point (to, at).

ука́лыва-ть II. va. (*Pf.* укол-о́ть II. [c]) to stab; to prick, to sting (*also fig.*).

ука́тыва-ть II. va. (*Pf.* уката́-ть II.) to roll smooth; to ram; to level, to even; to full; (*Pf.* -т=и́ть I. 2. [a & c]) to roll away || ~ vn. to drive off; to be off.

ука́чива-ть II. va. (*Pf.* укача́-ть II.) to rock, to lull to sleep || ~ *v.imp.* to cause to be seasick; **меня́ -ча́ло на мо́ре** I was seasick.

укла́д/ s. (puddle-)steel (for tools); agreement, arrangement || **-истый** a. roomy, spacious; easily packed || **-ка** s. (*gpl.* -док) folding up, packing (of goods); trunk; laying (rails) || **-чик** s. packer; ~ **пути́** (*rail.*) plate-layer || **-ыва-ть** II. va. (*Pf.* улож=и́ть I. [c] (что во что) to lay *or* to put in, to pack, to pack up, to stow away (goods); to put, to place, to set up, to arrange; (в посте́ль) to put to bed; (что чем) to lay, to set, to pave || **~ся** vr. to pack up (one's things), to get ready to start; to find room in, to go into (a trunk).

укло́н/ *s.* slope, declivity, steepness; rake (of a mast) || **-е́ние** *s.* deviation, avoiding, evasion; declination (of magnetic needle) || **-чивый** *a.* yielding, compliant; close, reserved; subtle, cunning, sly || **-я́-ть** II. *va.* (*Pf.* уклон=и́ть II. [a]) to turn aside, to bend, to bow down; to prevent, to avert (a mischief); (кого́) to remove || **~ся** *vr.* to shun, to avoid, to evade, to elude; (*phys.*) to deviate, to deflect.

уклю́чина *s.* (*mar.*) tholes *pl.*, rowlock.

уко́л/ *s.* prick, sting, stab || **-о́ть** *cf.* **ука́лывать.**

укомплектова́ть *cf.* **комплектова́ть.**

уконопа́/чива-ть II. *va.* (*Pf.* -т=ить I. 2.) to caulk (thoroughly).

уко́/р *s.* reproach, blame || **-ра́чива-ть** II. *va.* (*Pf.* -рот=и́ть I. 2. [a & c]) to shorten (clothes) || **-реня́-ть** II. *va.* (*Pf.* -рен=и́ть II. [a]) to implant, to inculcate || **~ся** *vr.* to root, to take root, to be rooted || **-ри́зна** *s.* reproach, censure || **-ри́зненный** *a.* reproachable, blamable, censurable || **-ри́тельный** *a.* reproachful, upbraiding || **-роти́ть** *cf.* **-ра́чивать** || **-ря́-ть** II. *va.* (*Pf.* -р=и́ть II. [a]) (кого́ чем, за что, в чём) to reproach, to upbraid one with a thing, to blame one for.

уко́с/ *s.* mowing(-time) || **-ни́тельный** *a.* tardy, dilatory, slow.

укра́дкой *ad.* stealthily, secretly, silently, covertly.

укра́сть *cf.* **красть.**

укра/ша́-ть II. *va.* (*Pf.* ⁓с=ить I. 3.) to adorn, to decorate, to garnish, to embellish, to deck || **-ше́ние** *s.* adornment, decoration, finery, embellishment, ornament(ation).

укре/пле́ние *s.* fortress, fortification, bulwark, strengthening, fortifying || **-пля́-ть** II. *va.* (*Pf.* -п=и́ть II. 7. [a]) to fortify; to strengthen, to invigorate; to consolidate, to steady, to fasten; to settle (one's property on a person).

укро́м/ность *s. f.* seclusion, retirement; commodiousness, easiness, cosiness || **-ный** *a.* secluded, retired; commodious, comfortable, snug, easy.

укро́п *s.* (*bot.*) dill.

укроти́тель *s. m.* tamer.

укро/ща́-ть II. *va.* (*Pf.* -т=и́ть I. 6. [a]) to tame, to domesticate (wild animals); to quell; (*fig.*) to appease, to calm, to check || **-ще́ние** *s.* taming; calming, appeasing.

укрыв/а́тель *s. m.* concealer; (*leg.*) receiver (of stolen goods) || **-а́тельство** *s.* concealment, hiding; receiving (of stolen goods) || **-а́-ть** II. *va.* (*Pf.* укры́ть 28. [b 1.]) to cover; to protect, to shelter; to cover over, to wrap up; (*fig.*) to conceal, to hide (suspected people); to trump (at cards) || **~ся** *vr.* to take shelter, to hide o.s.

у́ксус/ *s.* vinegar || **-ница** *s.* vinegar-bottle || **-ноки́слый** *a.*, **-ноки́слая соль** (*chem.*) acetate || **-ный** *a.* vinegar-.

уку́по/рива-ть II. *va.* (*Pf.* -р=ить II.) to cork, to bung; to pack up, to nail up (a box) || **-рка** *s.* (*gpl.* -рок) corking, bunging; packing, package || **-рщик** *s.* corker, packer.

уку́с/ *s.* bite, biting || **-и́ть** *cf.* **куса́ть.**

уку́тыва-ть II. *va.* (*Pf.* уку́та-ть II.) to wrap up, to muffle up; to envelop.

ула́влива-ть II. *va.* (*Pf.* улов=и́ть II. 7. [c]) to catch (up), to snatch; (*fig.*) to bide one's time.

ула́жива-ть II. *va.* (*Pf.* ула́д=ить I. 1.) to bring to pass, to bring about; to re-establish, to restore; to settle, to arrange (a thing); to make up (a quarrel); to reconcile (quarrellers).

ула́мыва-ть II. *va.* (*Pf.* улома́-ть II.) to break off *or* away, to crumble off; to prevail upon, to persuade (with difficulty).

ула́н *s.* Ulan, lancer.

улега́-ться II. *vr.* (*Pf.* уле́чься 43.) to lie down, to go to bed; (*fam.*) to turn in; to go down (of the wind); to cease (of noise).

у́лей/ *s.* (*gsg.* у́лья) beehive || **⁓ный** *a.* beehive-.

улепётыва-ть II. *vn.* (*Pf.* улепетн-у́ть I. [a]) to slip away quietly; to take to one's heels.

улёт & **улета́ние** *s.* flight, migration (of birds).

уле/та́-ть II. *vn.* (*Pf.* -т=е́ть I. 2. [a]) to fly off, away; to hasten, to hurry away; to volatilize, to evaporate; to pass away (of time); (*fig.*) to make one's escape || **-ту́чива-ть** II. *va.* (*Pf.* -ту́ч=ить I.) (*chem.*) to exhale, to volatilize || **~ся** *vr.* to become volatile.

улеща́-ть II. *va.* (*Pf.* улест=и́ть I. 4. [a]) to prevail upon by coaxing.

ули́з/ыва-ть II. *va.* (*Pf.* -н-у́ть I. [a]) to lick at; to lick off, up || **~** *vn.* to slip off, to vanish, to disappear; to bolt, to make o.s. scarce.

ули́ка *s.* evidence, convincing proof (of a crime).

улит/ка *s.* (*gpl.* -ток) snail; **~ в ухе** (*an.*) cochlea || **-ковидный** & **-кообразный** *a.* snaillike, helical, spiral || **-очка** *s.* (*gpl.* -чек) small snail.

улица *s.* street.

ули/ча-ть II. *va.* (*Pf.* -ч=ить I. [a]) (кого в чём) to convict; **~** (кого) **на деле** to take in the very act || **-чение** *s.* conviction || **-чительный** *a.* convincing.

улич/ка *s.* (*gpl.* -чек) small street, lane || **-ный** *a.* street-.

улов/ *s.* a take, a catch (of fish) || **-ка** *s.* (*gpl.* -вок) trick, artifice, dodge, shift, expedient || **-лять** = **улавливать.**

улож/ение *s.* packing up; statute, law; code || **-ить** *cf.* **укладывать.**

уломать *cf.* **уламывать.**

улу/ча-ть II. *va.* (*Pf.* -ч=ить I. [a]) to bide (one's time), to wait for (a good opportunity); (кого) to find, to meet with; (чем во что) to hit (the mark) || **-чение** *s.* biding (one's time); finding.

улуч/ша-ть II. *va.* (*Pf.* -ш=ить I. [a]) to improve, to better || **-шение** *s.* improvement, amelioration, bettering.

улыб/а-ться II. *vc.* (*Pf.* -н-уться I. [a]) to smile; (кому) to smile at *or* on || **´-ка** *s.* (*gpl.* -бок), *dim.* **´-очка** *s.* (*gpl.* -чек) smile.

ультиматум *s.* ultimatum.

ультрамарин *s.* ultramarine.

улюлюкать *cf.* **люлюкать.**

ум *s.* [a] mind, intellect, sense, wit; **мне пришло на ~** it struck me; **сойти с -а** to go mad; **свести** (кого) **с -а** to drive mad; **в -е ли ты?** have you taken leave of your senses? **быть без -а** (от кого, от чего) to be passionately fond of.

умал/ение *s.* diminution, decrease || **´-ить** *cf.* **-ять.**

умалишённый *a.* mad, insane; feeble-minded; **дом -ых** lunatic asylum, madhouse.

умалч/ивание *s.* reserve, omission, passing over in silence || **-ива-ть** II. *va.* (*Pf.* умолч=ать I. [a]) (о + *Pr.*) to pass over in silence, to omit, to suppress.

умаля-ть II. *va.* (*Pf.* умал=ить II. [a]) to diminish, to decrease, to lessen.

умаслива-ть II. *va.* (*Pf.* умасл=ить II.) to oil, to grease, to anoint; (*fig.*) to persuade by coaxing, to coax a person into (doing something).

умаща-ть II. *va.* (*Pf.* умаст=ить I. 4. [a]) (*sl.*) to anoint with balsam, to embalm.

ума-ять II. *va. Pf.* (*pop.*) to fatigue, to tire out; to worry || **~ся** *vr.* to weary, to exhaust o.s. in; to be fatigued, to be tired out.

умение *s.* knowledge, capacity, ability, understanding; attainments, acquirements *pl.*

умедля-ть II. *va.* (*Pf.* умедл=ить II.) (что) to delay, to retard || **~** *vn.* (чем) to delay, to linger, to let slip the time.

умень/ша-ть II. *va.* (*Pf.* -ш=ить I. [c]) to diminish, to lessen, to reduce; (*fig.*) to extenuate; **~ в пять раз** to divide by five || **~ся** *vr.* to diminish, to decrease, to grow small; to begin to fail (of strength); to sink (of water) || **-шение** *s.* diminution, decrease, lessening || **-шительный** *a.* diminishing, diminutive; **-шительное слово** (*gramm.*) diminutive.

умер/енность *s. f.* moderation, temperance, sobriety || **-енно** *ad.* moderately, in moderation || **-енный** *a.* moderate, temperate, sober; middle || **-еть** *cf.* **умирать** || **-ить** *cf.* **-ять** || **-ший** (-ая, -ее) *a.* defunct, deceased || **-щвление** *s.* killing, putting to death; (*fig.*) mortifying || **-щвля-ть** II. *va.* (*Pf.* -твить 13. [a]) to put to death, to kill; to mortify (the flesh) || **-я-ть** II. *va.* (*Pf.* умер=ить II.) to moderate; to check, to restrain; to mitigate.

умест/ительный *a.* roomy, spacious; commodious, handy, easy to place (of things) || **-ить** *cf.* **умещать** || **´-ный** *a.* seasonable, timely, opportune.

уме-ть II. *va.* (*Pf.* с-) to know, to understand; to be able, to know how to.

уме/ща-ть II. *va.* (*Pf.* -ст=ить I. 4. [a]) (в чём) to put in, to pack in, to make go in; (где) to set up, to put up, to put down || **~ся** *vr.* to go in, to find room in || **-щение** *s.* putting in.

умил/ение *s.* emotion, feeling || **-ительный** *a.* touching, moving; fond || **-ить** *cf.* **-ять** || **-осерд=ить** I. 1. *va. Pf.* to move by entreaty, to touch, to rouse one's pity || **~ся** *vr.* (над кем) to have pity on, to take pity on.

умилостивля-ть II. *va.* (*Pf.* умилостив=ить II. 7.) to propitiate, to conciliate || **~ся** *vr.* to pity, to have mercy on; to be touched *or* moved, to be propitiated.

уми/льный *a.* touching; tender, fond, loving || **-ля-ть** II. *va.* (*Pf.* -л=ить II. [a]) to touch, to move (to compassion).

умир/а-ть II. *vn.* (*Pf.* умереть 14. [a 4.]) (от, с + *G. or I.*) to die, to expire; **он умер** he is dead; **~ с голоду** to starve (to death); **~ со́ смеху** to die of laughter || **-е́ние** *s.* reconciliation; pacification || **-отворя́-ть** II. *va.* (*Pf.* -отвор=и́ть II. [c]) to pacify, to appease, to conciliate, to make peace between.

у́м/ненький *a.* really clever || **-не́-ть** II. *vn.* (*Pf.* по-) to grow wise || **-ник** *s.*, **-ница** *s.* clever, sensible person || **-ни́ча-ть** II. *vn.* (*Pf.* за-, с-) to argue, to subtilize || **-но́** *ad.* wisely, sensibly, cleverly.

умно/жа́-ть II. *va.* (*Pf.* ⌐ж=ить I.) to augment, to increase; (*math.*) to multiply || **-же́ние** *s.* augmentation, increase; (*math.*) multiplication; **табли́ца -же́ния** the multiplication table; **знак -же́ния** sign of multiplication.

у́мный *a.* (*pd.* умён, умна́, -о́, -ы́; *comp.* умне́е) wise, sensible, intelligent, clever.

умо/заключе́ние *s.* syllogism || **-зре́ние** *s.* (*phil.*) speculation || **-зри́тельный** *a.* speculative.

умо́л/ *s.* grinding; loss of meal in grinding || **-а́чива-ть** II. *va.* (*Pf.* -от=и́ть I. 2. [c]) to thrash out (a certain quantity) || **-и́ть** *cf.* **-я́ть** || **-ка́-ть** II. *vn.* (*Pf.* -кнуть 52.) to become silent, to hold one's tongue || **-оти́ть** *cf.* **-а́чивать** || **-о́т** *s.* yield (of grain) || **-ча́ть** *cf.* **ума́лчивать** || **-я́-ть** II. *va.* (*Pf.* умол=и́ть II. [c]) (кого́ о чём) to implore, to entreat, to beseech.

умопо/мраче́ние & **-меша́тельство** *s.* (mental) derangement, insanity.

умо́р/а *s.* humour, joke, laughing matter || **-и́тельный** *a.* laughable, funny, droll || **-и́ть** *cf.* **мори́ть.**

у́мств/енный *a.* mental, intellectual, abstract || **-о+вать** II. *vn.* to reason, to philosophize; to brood over a thing.

умуд/ря́-ть II. *va.* (*Pf.* -р=и́ть II. [a]) to teach, to make wiser; to render fit || **~ся** *vn.* to grow wise; to contrive.

умча́ть *cf.* **мчать.**

умыв/а́льник *s.* wash-basin || **-а́льный** *a.* wash-, toilet- || **-а́-ть** II. *va.* (*Pf.* умы́ть 28. [b 1.]) (кого́) to wash; (*fig.*) to cheat || **~ся** *vr.* to wash o.s.

у́мысел *s.* (*gsg.* -сла) (bad) intention, design, purpose.

умышле́ние *s.* intention, design; plot.

умы́шл/енный *a.* intentional, premeditated || **-я́-ть** II. *va.* (*Pf.* умы́слить 41.) to plot; to contrive, to intend, to premeditate.

умяг/ча́-ть II. *va.* (*Pf.* -ч=и́ть I. [a]) to soften, to mollify; to alleviate, to assuage || **-че́ние** *s.* softening; (*fig.*) alleviation.

унаво́/жива-ть II. *va.* (*Pf.* -з=ить I. 1.) to manure.

унасле́довать *cf.* **насле́довать.**

унести́, уне́сть *cf.* **уноси́ть.**

уни/а́т *s.* person belonging to the Uniate Church || **-а́тский** *a.* Uniate || **-верса́льный** *a.* universal; **~ шарни́р** (*tech.*) universal (joint) || **-версите́т** *s.* university || **-версите́тский** *a.* university-.

униж/а́-ть II. *va.* (*Pf.* уни́з=ить I. 1.) to lower; (*fig.*) to lower, to humble, to disgrace, to degrade; to underrate (merits) || **-е́ние** *s.* humiliation, degradation || **-ённость** *s. f.* humility, meekness || **-ённый** *a.* humbled, abased, humiliated; humble, submissive, meek.

униза́ть *cf.* **уни́зывать.**

унизи́тельный *a.* humiliating, degrading.

уни́зить *cf.* **унижа́ть.**

уни́зыва-ть II. *va.* (*Pf.* униза́-ть II.) (чем) to decorate, to lace, to trim (clothes); to stud (with pearls).

унима́-ть II. *va.* (*Pf.* уня́ть 37., *Fut.* уйму́, уймёшь) to repress, to restrain, to put down; to appease; to soothe, to alleviate (pain); to quiet (children); to silence (a noise); to stop, to staunch (bleeding) || **~ся** *vr.* to abate; to get quiet; to stop; to cease (of pain).

унисо́н *s.* unison.

уничи/жа́-ть II. *va.* (*Pf.* -ж=и́ть I. [a]) to humble, to humiliate; to degrade || **-же́ние** *s.* humiliation; degradation || **-жи́тельный** *a.* humiliating, degrading.

уничто/жа́-ть II. *va.* (*Pf.* ⌐ж=ить I.) to destroy, to ruin; to annul, to abolish, to abrogate, to repeal (a law) || **-же́ние** *s.* destruction; abolition, annulling, annulment, repeal || **-жи́тельный** *a.* destructive.

у́ния *s.* the Uniate Church (that part of the Greek Church in Communion with Rome).

уно́с *s.* taking, carrying away, off; theft, robbery.

унос=и́ть I. 3. [c] *va.* (*Pf.* унести́ & уне́сть 26.) to take, to carry away, off; to rob, to steal, to ravish.

унтер-офице́р *s.* non-commissioned officer.

у́нция *s.* ounce.

уныва́-ть II. *vn.* (*Pf.* уны́ть 28. [b 1.], *Fut. not in use*) to grow downcast, to lose courage.

уны́/лость *s. f.* dejection, despondency; dolefulness, melancholy || **–лый** dejected, lowspirited, downcast, sad, disconsolate || **–ние** *s.* dejection, despondency, low spirits *pl.*
уны́ть *cf.* **унывать.**
уня́тие *s.* repression; alleviation; soothing, calming; stopping (bleeding).
уня́ть *cf.* **унимать.**
упа́д/ *s.*, (**бе́гать, танцова́ть**) **до –у** (to run, to dance) till ready to fall || **–а́-ть** II. *vn.* (*Pf.* упа́сть 22. [a 1.]) to fall (down), to tumble; to sink; to go to ruin, to decay; **упа́сть в о́бморок** to faint; **упа́сть ду́хом** to lose courage || **–е́ние** *s.* (down)fall, falling down || **–ок** *s.* (*gsg.* -дка) decline, decay; growing worse; **~ сил** (*med.*) collapse.
упако́в/ка *s.* (*gpl.* -вок) packing, package || **–щик** *s.* packer || **–ыва-ть** II. *va.* (*Pf.* упако+ва́ть II. [b]) to pack (up).
упа́лзыва-ть = **уползти́ть.**
упа́сть *cf.* **упада́ть.**
упека́-ть II. *va.* (*Pf.* упе́чь 18. [a 2.]) to bake thoroughly; to remove s.b.; **~ в солда́ты** to get a person enlisted.
упива́-ться II. *vr.* (*Pf.* упи́ться 27.) to get drunk.
упира́-ть II. *va.* (*Pf.* упере́ть 13. [a 1.]) (во что) to set (against), to lean, to prop; (на что) to fix; **~ глаза́** (на кого́) to fix one's eyes on, to stare at || **~ся** *vr.* to lean, to rest; (*fig.*) to persist in, to resist, to oppose.
упи́сыва-ть II. *va.* (*Pf.* упис-а́ть I. 3. [c]) to write in (in a certain space).
упи́ться *cf.* **упива́ться.**
упла́та *s.* pay(ment), liquidation, discharge; **с –ою . . .** payable . . .
упла́чива-ть II. *va.* (*Pf.* уплат=и́ть I. 2. [c] *2nd sg. Fut. pron.* упло́тишь) to pay off (a debt), to discharge; to pay in full; **~ по частя́м** to pay by instalments.
уплета́-ть II. *va.* (*Pf.* уплести́ & упле́сть 23. [a 2.]) to plait together; (чем) to plait round, to twist about || **~** *vn.* to devour, to eat greedily || **~** & **~ся** *vr.* to make off, to take to one's heels; (от кого́) to disengage o.s. (from).
уплыва́-ть II. *vn.* (*Pf.* уплы́ть 31. [a 3.]) to swim *or* to sail away, off; (*fig.*) to pass, to elapse (of time).
упов/а́ние *s.* hope, trust, confidence || **–а́-ть** II. *vn.* (на кого́) to trust one, to have confidence in one, to count, to rely on.
уподо/бле́ние *s.* comparison, equalization || **–бля́-ть** II. *va.* (*Pf.* ⁊б=ить II. 7.) to compare (with), to place on a par (with), to resemble, to liken to.
упо/е́ние *s.* rapture, frenzy, transport, ecstasy || **–ённый** *a.* enraptured, intoxicated, elated (with) || **–и́тельный** *a.* intoxicating.
упок/ое́ние & **–о́й** *s.* rest, repose; reassurance, ease of mind.
уполза́-ть II. *vn.* (*Pf.* уполз-ти́ I. [a]) to creep, to crawl away.
уполно/мо́ченный (*as s.*) person authorized to act for another; person having power of attorney || **–мо́чение** *s.* authorization, power of attorney || **–мо́чива-ть** II. *va.* (*Pf.* -мо́ч=ить I.) (кого́ на что) to authorize, to empower, to invest with full power, to give a power of attorney to || **–мо́чивающий** (*as s.*) (*leg.*) mandator, constituent.
упом/ина́ние *s.* mention(ing) || **–ина́-ть** II. *va.* (*Pf.* -ян-у́ть I. [c]) (о чём) to mention (by the way), to make mention of, to refer to; to cite, to quote; (кому́ о чём) to remind one of.
упо́мн=ить II. *va. Pf.* to keep in mind; to remember, to recollect.
упо́р/ *s.* resistance; prop, stay, point of support; (*arch.*) buttress; (*rail.*) bulkhead; **стреля́ть** (в кого́) **в ~** to shoot point-blank || **–ность** *s. f.* stubbornness, obstinacy, tenacity || **–ный** *a.* stubborn *or* obstinate, headstrong || **–ство** = **–ность** || **–ство+вать** II. *vn.* to be stubborn, obstinate; to persist in; to make a point of || **–ха́-ть** II. *vn.* (*Pf.* -хн-у́ть I. [a]) to flutter *or* to fly off, away.
употре/би́тельность *s. f.* use, customariness || **–би́тельный** *a.* usual, customary, in use || **–бле́ние** *s.* use, employment, application; **вы́шедший из –бле́ния** out of use || **–бля́-ть** II. *va.* (*Pf.* -б=и́ть II. 7. [a]) to use, to make use of, to employ; to apply; **~ все уси́лия** to do one's utmost, to leave no stone unturned || **~ся** *vr.* to be used, to be in use.
упра́/ва *s.* board, office; (*leg.*) court; administration, management || **–ви́тель** *s. m.* administrator, manager; **~ име́ния** (land-)steward || **–вле́ние** *s.* administration, management, direction || **–вля́-ть** II. *va.* (*Pf.* ⁊в=ить II.) (+ *I.*) to govern, to rule, to reign over; to conduct, to manage, to direct; to administer; to hold (an office); to carry on (a business); (*mus.*) to conduct; **~**

именнем to administer, to manage an estate || **~ся** *vr.* (+ *I.*) to get on, to cope (with one), to manage, to master (one); to finish, to get done, to be accomplished || **-вля́ющий** *a.* managing, governing || ~ (*as s.*) manager, director, administrator; ~ **ба́нком** bank-director; ~ **име́нием** steward.

упраж/не́ние *s.* practice, exercise; occupation || **-ня́-ть** II. *va.* (кого́ чем) to instruct, to drill; to employ, to occupy || **~ся** *vr.* to exercise in, to practise; to occupy o.s. (in, with).

упразд/не́ние *s.* abolition (of a law); vacancy (of an office); breaking-up (of a meeting); suppression || **-ня́-ть** II. *va.* (*Pf.* -н=и́ть II. [a]) to abolish, to annul; to break up, to close (a school, etc.).

упра́шива-ть II. *va.* (*Pf.* упрос=и́ть I. 3. [c]) to entreat, to beg, to beseech; to move by begging.

упрежда́-ть II. *va.* (*Pf.* упред=и́ть I. 5. [a]) to anticipate, to forestall.

упрёк *s.* reproach, reproof; **взаи́мные -и** mutual recriminations; **без -а** blameless.

упрека́-ть II. *va.* (*Pf.* упрекн-у́ть I. [a]) to reproach one (with), to reprove, to blame.

упроси́ть *cf.* **упра́шивать.**

упрости́ть *cf.* **упроща́ть.**

упро́чение *s.* strengthening, consolidation.

упро́чива-ть II. *va.* (*Pf.* упро́ч=ить I.) to strengthen, to consolidate; to secure.

упрощ/а́-ть II. *va.* (*Pf.* упрост=и́ть I. 4. [a]) to simplefy || **-е́ние** *s.* simplification.

упру́г/ий *a.* elastic || **-ость** *s.f.* elasticity.

упря́ж/ка *s.* (*gpl.* -жек) team (of horses) || **-но́й** *a.* draught-, coach-, team-.

у́пряжь *s. f.* harness (for horses).

упря́/мец *s.* (*gsg.* -мца), **-мица** *s.* a stubborn, obstinate person || **-м=иться** II. 7. *vr.* to be obstinate, stiff-necked, stubborn || **-мство** *s.* obstinacy, stubbornness, wilfulness || **-мый** *a.* obstinate, stubborn, headstrong, stiff-necked.

упря́тыва-ть II. *va.* (*Pf.* упря́т-ать I. 2.) to hide, to conceal; to keep; to put aside; to put in.

упуска́-ть II. *va.* (*Pf.* упуст=и́ть I. 4. [c]) to let escape, to let go, to let fall, to let slip; to lose, to fail, to let pass, to miss; to neglect.

упуще́ние *s.* neglect, negligence, omission.

ура́ *int.* hurra(h)!

уравне́ние *s.* levelling, smoothing; (*math.*) equation.

ура́вн/ива-ть II. *va.* (*Pf.* уровня́-ть II.) to level, to even, to smooth; (*Pf.* уравн=и́ть II. [a] & уравня́-ть II.) to equalize, to counterbalance, to place on a par (with) || **-и́тельный** *a.* equalizing; ~ **вес** specific gravity; **-и́тельная по́шлина** differential duty || **-ове́шива-ть** II. *va.* (*Pf.* -ове́с=ить I. 3.) to balance, to place in equilibrium || **-я́ть** *cf.* **-ивать.**

урага́н *s.* hurricane.

уразу/мева́-ть II. *va.* (*Pf.* -мé-ть II.) to understand, to comprehend, to conceive, to grasp || **-ме́ние** *s.* comprehension, understanding.

урва́ть *cf.* **урыва́ть.**

урезо́/нива-ть II. *va.* (*Pf.* -н=ить II.) to bring one to his senses, to make a person listen to reason.

уре́зыва-ть II. *va.* (*Pf.* уре́з-ать I. 1.) to cut off, away; to shorten.

ури́на *s.* urine.

у́рна *s.* urn.

у́ров/ень *s. m.* (*gsg.* -вня) level; water-level; **в ~** horizontal || **-ня́ть** *cf.* **ура́внивать.**

уро́д/ *s.* monster; abortion, deformed being || **-ец** *s.* (*gsg.* -дца) *dim. of prec.* || **-ить** *cf.* **-овать** || **-ина** *s.* (*abus.*) *coll.* monster, ugly being || **-ище** *s.* big monster || **-ливость** *s. f.* monstrosity; deformity; abnormity || **-ливый** *a.* monstrous, deformed; misshapen, crippled; abnormal || **-о+вать** II. *va.* (*Pf.* уро́д=ить I. 1.) to cripple, to stunt, to maim, to deform, to disfigure; to mutilate; to spoil, to bungle.

урожа́й/ *s.* (abundant) harvest, crop, yield || **-ный** *a.*, ~ **год** year with an abundant harvest.

урож/(д)а́-ть II. *va.* (*Pf.* урод=и́ть I. 1. [c]) to bring forth, to produce; to yield || **~ся** *vr.* to be born; to grow well, to thrive (of crops) || **-дённый** *a.* born, by birth || **-е́нец** *s.* (*gsg.* -нца), **-е́нка** *s.* (*gpl.* -нок) native; **она -е́нка Пари́жа** she is a native of Paris.

уро́к *s.* lesson, lecture; task; **дава́ть -и** to give lessons; **ча́стный ~** private lesson.

уро́н/ *s.* loss || **-и́ть** *cf.* **урони́ть.**

уро́чный *a.* fixed, determined; appointed.

урча́ние *s.* rumbling (of the bowels); purr (of cats).

урыва́-ть II. *va.* (*Pf.* урв-а́ть I. [a]) to tear off; to pluck off; to snatch (a moment's leisure).

уры́вка *s.* (*gpl.* -вок) a moment's leisure; **-ами** in leisure moments, by fits and starts. [of the Cossacks.

уря́дник *s.* village policeman; sergeant

ус *s.* [a] (*us. in pl.* усы́) moustache; feeler (of insects); shoot (of a vine); beard (of corn); **кито́вый ~** whalebone; **он себе́ и в ~ не ду́ет** it's all one to him.

уса́д/ебка *s.* (*gpl.* -бок) *dim. of* уса́дьба || **-ебный** *a.* farm- || **-ьба** *s.* (*gpl.* -деб) farm, farm-house; manor-house.

уса́жива-ть II. *va.* (*Pf.* усад=и́ть I. 1. [a & c]) (кого́) to seat, to set down, to place; to show one to a seat; (чем) to set (with plants), to plant all over (with trees) || **~ся** *vr.* (*Pf.* усе́сться 44.) to sit down, to take place *or* a seat; to get in (in a carriage, etc.).

ус/а́тый *a.* moustached || **-а́ч** *s.* [a] a man with bushy moustache; (*zool.*) wood-beetle.

усвое́ние *s.* appropriation.

усво́(а́)ива-ть II. & **усвоя́-ть** II. *va.* (*Pf.* усво́=ить II.) to appropriate to o.s., to seize; to adopt; to master.

усева́-ть II. *va.* (*Pf.* усе́-ять II.) to sow (with).

усека́-ть II. *va.* (*Pf.* усе́чь 18. [a 1.]) to hew (stones); to cut off, away, to chop off, to beat off; to truncate; to apocopate (syllables, etc.).

усекнове́ние *s.* (*sl.*), **~ главы́** decapitation, beheading.

усе́рд/ие *s.* & **-ность** *s. f.* zeal, ardour, eagerness, assiduity || **-ный** *a.* zealous, assiduous, fervent, ardent, eager || **-ство+вать** II. *vn.* (кому́, чему́, в чём) to be zealous, to be assiduous; to take pains, to strive, to use one's best endeavours.

усе́сться *cf.* **уса́живаться.**

усеч/е́ние *s.* cutting off, away; **~ оконча́ния сло́ва** (*gramm.*) apocope || **-ённый** *a.* cut off, away; **~ ко́нус** a truncated cone, frustrum.

усе́чь *cf.* **усека́ть.**

усе́ять *cf.* **усева́ть.**

уси́д/чивый *a.* persevering || **-чивость** *s. f.* perseverance.

уси́жива-ть II. *vn.* (*Pf.* усид=е́ть I. 1. [a]) to keep one's seat, to remain seated; (*fig.*) to persist in, to be very persevering || **~ся** *vr.* (*fig.*) to get used to, to accustom o.s. to, to remain in (one's) office.

у́сик *s. dim. of* ус.

уси/ле́ние & **´ливание** *s.* reinforcement, strengthening; recrudescence || **´лива-ть** II. *va.* (*Pf.* **´л=ить** II.) to reinforce, to strengthen || **~ся** *vr.* to increase; to augment; to aggravate; to spread, to gain ground (of fire); (*fig.*) to exert o.s. || **´лие** *s.* effort, exertion || **´льный** *a.* pressing, urgent; earnest.

уска́кива-ть II. *vn.* (*Pf.* ускак-а́ть I. 2. [c]) to gallop off, away.

уска́льзыва-ть II. & **ускольза́-ть** II. *vn.* (*Pf.* ускользн-у́ть I. [a]) to slip off, away; (*fig.*) to steal away, to escape.

ускор/е́ние *s.* acceleration, hastening || **-я́-ть** II. *va.* (*Pf.* ускóр=ить II.) to accelerate, to hasten, to quicken.

усла́д/а *s.* delight, pleasure, solace || **-и́тельный** *a.* delightful, pleasant, refreshing, comfortable, agreeable.

услажд/а́-ть II. *va.* (*Pf.* услад=и́ть I. 1. & 6. [a]) to delight, to charm, to cheer, to comfort, to solace || **-е́ние = усла́да.**

услаща́-ть II. *va.* (*Pf.* усласт=и́ть I. 4. [a]) to sweeten.

услежа́-ть II. *vn.* (*Pf.* услед=и́ть I. 1. [a]) (+ *I.*) to observe, to watch one; to attend (to a thing).

усло́/вие *s.* condition, stipulation, proviso; agreement, contract; **по -вию** upon condition, according to agreement || **-вленный** *a.* stipulated, agreed upon; conventional || **-влива-ться** II. *vr.* (*Pf.* -в=иться II. 7.) (с кем в чём) to agree upon a thing with one, to make an agreement, to settle a thing with one, to come to terms; to condition, to stipulate; to reserve a thing for o.s. || **-вно** *ad.* conditionally, on condition || **-вный** *a.* conditional; according to contract, stipulated; conventional.

услож/не́ние *s.* complication || **-ня́-ть** II. *va.* (*Pf.* -н=и́ть II. [a]) to entangle, to complicate.

услу́га *s.* service, good turn; help, aid; *coll.* servants, domestics *pl.*

услуже́ние *s.* service; serving, waiting on; **быть** (у кого́) **в -ии** to be in (one's) service.

услу́/жива-ть II. *vn.* (*Pf.* -ж=и́ть I. [c]) to serve, to wait on; (кому́) to do one a service *or* a good turn || **-жливый** *a.* obliging, kind; officious.

услыха́ть *cf.* **слыха́ть.**

услы́шать *cf.* **слы́шать.**

усма́трива-ть II. *va.* (*Pf.* усмотр=е́ть II. [c]) to perceive, to observe, to discern, to descry.

усмеха́-ться II. *vn.* (*Pf.* усмехн-у́ться I. [a]) to smile at, to smirk.
усме́шка *s.* (*gpl.* -шек) smile, smirk.
усми/ре́ние *s.* pacification, peacemaking || **-ри́тель** *s. m.* peacemaker; subduer || **-ри́тельный** *a.* pacifying, appeasing || **-ря́-ть** II. *va.* (*Pf.* -р=и́ть II. [a]) to pacify; to appease; to quell, to put down (a riot).
усмотре́ние *s.* perceiving, observing; discerning; **де́лайте по ва́шему -ию** use your own discretion.
усмотре́ть *cf.* **усма́тривать.**
усну́ть *cf.* **усыпа́ть.**
усоверше́нство/вание *s.* perfection, improvement || **-вать** *cf.* **соверше́нствовать.**
усо́вещива-ть II. *va.* (*Pf.* усо́вест=ить I. 4.) to exhort, to admonish, to remind.
усомни́ться *cf.* **сомнева́ться.**
усо́пший *a.* deceased, departed, late lamented || ~ (*as s.*) the deceased.
усо́хнуть *cf.* **усыха́ть.**
успева́-ть II. *vn.* (*Pf.* успе́-ть II.) (в чём) to succeed, to be successful, to get on, to improve in; to progress, to make progress in; to come in time; ~ **де́лать** (что) to have time to do something; **он успе́л** he has been successful.
успе́х *s.* success, improvement; progress; **без -а** unsuccessfully.
успе́н/ие *s.* decease; **У- Пресвяты́я Богоро́дицы** the Assumption of the Holy Virgin || **-ский** *a.* of the Assumption.
успе́ш/ность *s. f.* success(fulness) || **-ный** *a.* successful.
успок/ое́ние *s.* appeasing, calming, soothing, solace; rest, tranquility || **-о(а́)ива-ть** II. *va.* (*Pf.* -о́=ить II.) to appease, to quiet, to calm, to soothe; to reassure, to set at ease || **-ои́тельный** *a.* calming, soothing; reassuring, quieting.
уста́ *s. npl.* mouth; lips *pl.*
уста́в *s.* statute; regulations, bylaws *pl.*; **тамо́женный** ~ custom-house regulations; **па́спортный** ~ passport regulations.
устава́ть 39. *va.* (*Pf.* уста́ть 32.) to tire, to fatigue; to get tired, to be fatigued.
уставля́-ть II. *va.* (*Pf.* уста́в-ить II. 7.) to place, to put, to set up; to set in order, to arrange; to fix, to settle, to appoint, to dispose of; to direct || **~ся** *vr.* to go on, to find room in, on; to resist, to turn restive against; to continue, to last (of the weather).

уста́ива-ть II. *vn.* (*Pf.* усто=я́ть II. [a]) (про́тив кого́, чего́) to withstand, to offer resistance, to resist; to bear up (against), to keep one's ground || **~ся** *vn.* to settle (of liquids); (*chem.*) to filter, to decant.
уста́л/ость *s. f.* weariness, fatigue, lassitude, exhaustion || **-ый** *a.* tired, weary, exhausted.
у́сталь *s. f.*, **без -ли** untiring.
устан/а́влива-ть II. *va.* (*Pf.* -ов=и́ть II. 7. [c]) to place, to set, to put right; to dispose, to arrange || **~ся** *vr.* to find room in; (*mil.*) to form (in square, etc.); to settle, to grow settled (of the weather) || **-о́вка** *s.* (*gpl.* -вок) & **-овле́ние** *s.* putting, setting; institution, establishment; ordinance, statute, law || **-овля́ть** = **-а́вливать.**
устар/е́лый *a.* aged, elderly; grown old, antiquated, obsolete || **-е́ть** *cf.* **старе́ть.**
устерега́-ть II. *va.* (*Pf.* устере́чь 15. [a]) to spy on, to observe, to keep an eye on; to preserve, to take care of, to guard || **~ся** *vr.* to have a care, to take heed, to look out, to be on one's guard (against), to beware of.
устила́-ть II. *va.* (*Pf.* устла́ть 9.) to cover (with); to pave, to floor.
у́стный *a.* mouth-; verbal, oral.
усто́й/ *s.* cream; (*arch.*) abutment, vaulting pillar; pier (of bridges) || **-чивость** *s. f.* stability; perseverance || **-чивый** *a.* stable; persevering; true to one's word.
устоя́ть *cf.* **уста́ивать.**
устра́(о́)ива-ть II. *va.* (*Pf.* устро́=ить II.) to arrange, to organize, to get up; to establish, to found, to institute; to settle, to place.
устра/не́ние *s.* removal, setting aside || **-ня́-ть** II. *va.* (*Pf.* -н=и́ть II. [a]) to remove, to set, to put aside; to keep away || **~ся** *vr.* (от + *G.*) to keep (from), to avoid.
устра/ша́-ть II. *va.* (*Pf.* -ш=и́ть I. [a]) to frighten, to terrify, to intimidate, to overawe || **~ся** *vr.* to get frightened, to be afraid of; to fear (*cf.* страши́ть) || **-ше́ние** *s.* frightening, terrifying; intimidation.
устре/мле́ние *s.* directing, turning, bending || **-мля́-ть** II. *va.* (*Pf.* -м=и́ть II. 7. [a]) to direct, to turn, to bend; to cast (a look at), to fix (one's eyes upon) || **~ся** *vr.* (на + *A.*) to rush on, to swoop down on (*cf.* стреми́ть).
у́стр/ица *s.* oyster || **-ичный** *a.* oyster-.
устро́ить *cf.* **устра́ивать.**

устройство *s.* arrangement, organization; order.
усту́/п *s.* landing, step, terrace; **–пами** terraced || **–па́-ть** II. *va.* (*Pf.* -п=и́ть II. 7. [c]) (что кому́) to give up, to yield up, to leave; (*leg.*) to cede (a thing to one); (кому́ в чём) to give way, to concede, to grant, to relent, to abate; (*comm.*) to abate, to discount || **´–пистый** *a.* resembling steps, in the form of a terrace, terraced || **–пи́тельный** *a.* conceding, granting; (*leg.*) concessive, of cession.
усту́п/ка *s.* (*gpl.* -пок) yielding; (*leg.*) concession, cession; (*comm.*) abatement, allowance || **–очный** *a.* abated, reduced, allowed off (the price) || **–чивый** *a.* yielding, compliant.
устыжа́-ть II. *va.* (*Pf.* устыд=и́ть I. 1. [a]) to shame, to make ashamed, to put to shame.
у́стье *s.* estuary, mouth (of a river); muzzle (of a gun).
усугу/бле́ние *s.* reduplication; increase **–бля́-ть** II. *va.* (*Pf.* -б=и́ть II. 7. [a]) to reduplicate, to redouble; to increase.
усчи́тыва-ть II. *va.* (*Pf.* усчита́-ть II.) (*comm.*) to discount, to deduct; to check, to verify (an account).
усыла́-ть II. *va.* (*Pf.* усла́ть 40.) to send out to dispatch (a messenger); to banish, to exile.
усыно/ви́тель *s.m.* foster-father, adopter || **–ви́тельница** *s.* foster-mother, adoptress || **–вле́ние** *s.* adoption || **–вля́-ть** II. *va.* (*Pf.* -в=и́ть II. 7.) to adopt (a child).
усып/а́льница *s.* mausoleum, burial vault || **–а́-ть** II. *vn.* (*Pf.* усп-у́ть I. [a]) to fall asleep || **~** *va.* (*Pf.* усы́п-ать II. 7.) to bestrew; (*fig.*) to stud || **–и́тельный** *a.* lulling; sleeping-, soporific, narcotic; **~ порошо́к** sleeping-powder || **–и́ть** *cf.* **–ля́ть.**
усы́/пка *s.* (*gpl.* -пок) (be)strewing; litter || **–пле́ние** *s.* lulling to sleep; stupefaction || **–пля́-ть** II. *va.* (*Pf.* -п=и́ть II. 7. [a]) to lull to sleep; (*med.*) to stupefy. [dry up.
усыха́-ть II. *vn.* (*Pf.* усо́хнуть 52.) to
ута́ива-ть II. *va.* (*Pf.* ута=и́ть II.) to conceal, to secrete, to hide; to receive (stolen goods); to embezzle (funds); to intercept (letters).
ута́й/ка *s.* (*gpl.* ута́ек) concealment, hiding; receiving (stolen property); embezzlement (of funds) || **–щик** *s.* concealer; (*leg.*) receiver.
ута́птыва-ть II. *va.* (*Pf.* утопт-а́ть I. 2. [c]) to stamp, to tread smooth (a path).
ута́скива-ть II. *va.* (*Pf.* утащ=и́ть I. [a & c]) to drag off, away; (*fig.*) to take away, to steal.
у́тварь *s. f. coll.* utensils *pl.*; furniture; implements *pl.*; **церко́вная ~** church-plate.
утвер/ди́тельный *a.* affirmative, positive || **–жда́-ть** II. *va.* (*Pf.* -д=и́ть I. 1. [a]) to affirm, to assert, to declare; to confirm, to corroborate; to ratify || **–жде́ние** *s.* assertion, affirmation; confirmation, corroboration; ratification.
утёк *s.* flight; **пусти́ться на ~** to take to one's heels.
утека́-ть II. *vn.* (*Pf.* утёчь 18. [a 2.]) to flow, to run off, away; (*fig.*) to pass (of time).
утён/ок *s.* (*pl.* утя́та), **–очек** *s.* (*gsg.* -чка), **–ыш** *s.* duckling, young duck.
утере́ть *cf.* **утира́ть.**
||**утерп=е́ть** II. 7. [c] *vn. Pf.* to suffer, to endure, to bear, to have patience.
утёс/ *s.* rock, cliff, steep side of a rock || **–истый** *a.* rocky, craggy.
утесня́-ть II. *va.* (*Pf.* утесн=и́ть II. [a]) to narrow, to limit, to restrain, to force in; (*fig.*) to oppress, to press hard.
уте́ха *s.* delight, enjoyment, diversion; consolation, solace.
уте́чка *s.* (*gpl.* -чек) running out; (*comm.*) leakage, ullage.
утёчь *cf.* **утека́ть.**
утеш/а́-ть II. *va.* (*Pf.* утёш=ить I.) to cheer, to divert, to delight, to amuse; to console, to solace, to soothe || **–е́ние** *s.* delight, pleasure, comfort; consolation, solace; relief || **–и́тель** *s. m.*, **–и́тельница** *s.* comforter, consoler || **–и́тельный** *a.* delightful, pleasing, consoling, comforting, consolatory.
утил/иза́ция *s.* utilization || **–изи́ро+вать** II. *va.* to utilize || **–ита́рный** *a.* utilitiarian.
ути́ный *a.* duck's, of duck, duck-.
утира́-ть II. *va.* (*Pf.* утере́ть 14.) to wipe (one's face), to wipe dry; to wipe away, to dry (tears). [duster.
ути́рка *s.* (*gpl.* -рок) wiping away; wiper,
утиха́-ть II. *vn.* (*Pf.* ути́хнуть 52.) to grow calm, still; to abate *or* to go down.
утиша́-ть II. *va.* (*Pf.* утиш=и́ть I. [a]) to calm, to soften (down), to still, to appease, to soothe.
у́тка *s.* (*gpl.* -ток) duck; **~ газе́тная** canard.

уткну́ть *cf.* **утыка́ть.** [bill.
утконо́с *s.* (*zool.*) ornithorhynchus, duck-
у́тлый *a.* (*prov.*) fragile, frail; rotten,
уто́к *s.* woof, weft. [leaky.
утол/е́ние *s.* alleviation, relief (of pain); quenching, appeasing (of thirst, hunger) || **-и́тельный** *a.* appeasing, allaying, calming || **-и́ть** *cf.* **-я́ть** || **-ща́-ть** II. *va.* (*Pf.* -ст=и́ть I. 4. [a]) to thicken; to condense || **-ще́ние** *s.* thickening; condensation || **-я́-ть** II. *va.* (*Pf.* утол=и́ть II. [a]) to appease, to allay, to alleviate; to quench (thirst); to appease, to satisfy (hunger); to gratify (passions).
утом/и́тельность *s. f.* fatigue, tiresomeness || **-и́тельный** *a.* tiresome, wearisome, fatiguing || **-ле́ние** *s.* fatigue, weariness; faintness, lassitude, exhaustion || **-ля́-ть** II. *va.* (*Pf.* утом=и́ть II. 7. [a]) to fatigue, to tire, to weary, to exhaust || **~ся** *vr.* to get *or* to grow tired, to be weary *or* fatigued, to fatigue o.s.
утону́ть *cf.* **утопа́ть** & **тону́ть.**
утон/ча́-ть II. *va.* (*Pf.* -ч=и́ть I. [a]) to thin, to make thinner; (*fig.*) to refine, to purify || **-че́ние** *s.* refining, refinement || **-чённость** *s. f.* refinement (of manners) || **-чённый** *a.* refined, subtle, nice, delicate.
утоп/а́-ть II. *vn.* (*Pf.* утон-у́ть I. [c]) to drown; to sink, to founder; (*fig.*) to be dissolved (in tears); to wallow in (abundance) || **-и́ть** *cf.* **-ля́ть.**
уто́п/ия *s.* utopia || **-ленник** *s.*, **-ленница** *s.* a drowned person || **-ле́ние** *s.* drowning || **-ля́-ть** II. *va.* (*Pf.* утоп=и́ть II. 7. [a & c]) to drown; to scuttle, to sink (a ship) || **-та́ть** *cf.* **ута́птывать** || **-ший** (-ая, -ее) *a.* drowned.
у́точка *s.* (*gpl.* -чек) *dim. of* у́тка.
утрам/бо́выва-ть II. *va.* (*Pf.* -бо+ва́ть II. [b]) to ram.
утра́та *s.* loss. [to lose.
утра́чива-ть II. *va.* (*Pf.* утра́т=ить I. 2.)
у́трен/ний *a.* morning-, early || **-ник** *s.* morning frost; (*theat.*) matinée || **-я** *s.* early mass, morning-service, matins *pl.*
утри́ро+вать II. *va.* to exaggerate, to overdo, to lay it on thick.
у́тро *s.* [b] morning; **по -у́, по -а́м** in the morning; **в семь часо́в -а́** at seven in the morning.
утро́ба *s.* (*sl.*) belly, abdomen.
утрое́ние *s.* trebling.
утро́ива-ть II. & **утроя́-ть** II. *va.* (*Pf.* утро́=ить II.) to treble.
у́тром *ad.* in the morning; **за́втра ~** tomorrow morning.
утружд/а́-ть II. *va.* (*Pf.* утруд=и́ть I. 1. [a]) (кого́ чем) to trouble, to molest, to inconvenience || **-е́ние** *s.* troubling, molestation, annoyance, inconvenience.
утучня́-ть II. *va.* (*Pf.* утучн=и́ть II. [a]) to fatten, to bring up by feeding.
утыка́-ть II. *va.* (*Pf.* уты́ка-ть II. & уты́к-ать I. 2.) to stick (into), to fix in, to put in; to stop up (a chink); (*Pf.* уткн-у́ть I. [a]) to stick, to shove into.
утю́/г *s.* [a] iron, flat-iron || **-же́ние** *s.* ironing || **-ж=ить** I. *va.* (*Pf.* вы́-) to iron || **-жный** *a.* ironing-, (flat-)iron- || **-жо́к** *s.* [a] (*gsg.* -жка́) *dim. of* утю́г.
утя́гива-ть II. *va.* (*Pf.* утян-у́ть I. [c]) (за собо́ю) to draw away, to drag away *or* along, to pull after *or* towards o.s.; to bind, to tie; to draw tight; (у кого́ что *fig.*) to bargain, to haggle, to squeeze a thing out of one.
ух *int.* oh! pooh!
уха́ *s.* fish-soup.
уха́б/ & **-ина** *s.* hole, hollow (worn in a road) || **-истый** *a.* full of holes *or* hollows (of a road).
уха́ж/ивание *s.* (за кем) service, attendance; supervision; (за больны́ми) nursing; (о́коло кого́) courting, love-making, wooing || **-ива-ть** II. *vn. Pf.* (за + *I.*) to serve, to attend; to nurse, to tend; to court, to woo, to pay attentions to.
у́хание *s.* shouting "yo-ho' etc. (at works).
у́хар/ский *a.* audacious, daring, bold, foolhardy, rash || **-ь** *s. m.* daring man, dare-devil.
ухва́/т *s.* oven-fork || **-тка** *s.* (*gpl.* -ток) manners *pl.*, way; trick, knack || **-тыва-ть** II. *va.* (*Pf.* -т=и́ть I. 2. [c]) to lay hold of, to seize, to grasp || **~ся** *vr.* (за + *A.*) to clutch at; to cling to, to clasp, to take hold of, to hold fast to.
ухитря́-ться II. *vr.* (*Pf.* ухитр=и́ться II. [a]) to contrive, to set one's wits to work.
ухищр/е́ние *s.* cunning, artifice, craftiness || **-ённый** *a.* cunning, artful, crafty.
ухмыля́-ться II. *vn.* (*Pf.* ухмыльн-у́ться I. [a]) to smile, to smirk.
у́хо/ *s.* (*pl.* у́ши, уше́й, etc.) ear; **он туг на́ ~** he is dull of hearing; **навостри́ть у́ши** to prick up one's ears; **пропуска́ть ми́мо уше́й** to turn a deaf ear to; **сказа́ть** (кому́ что) **на́ ~** to whisper

to; **по́ уши** over head and ears, up to the ears; **он и -м не ведёт** he doesn't care a jot about it || **-вёртка** *s.* (*gpl.* -ток) ear-pick; (*zool.*) earwig.

ухо́д *s.* going away, setting out, departure; care, attendance, nursing.

уход=и́ть I. 1. [c] *vn.* (*Pf.* уйти́ 48., *Fut.* уйду́, уйдёшь) to go, to go away, off, to go out, to leave, to depart; to make off, to withdraw, to retire; to run away, off; to pass, to go by (of time); to be fast (of a watch) || ~ *va. Pf.* to spend, to squander; to kill, to make away (with) || **~ся** *vn. Pf.* to exhaust o.s.; to grow calm, to abate.

ухочи́стка *s.* (*gpl.* -ток) ear-pick.

ухудша́-ть II. *va.* (*Pf.* уху́дш=ить I.) to make worse, to aggravate.

уцеле́-ть II. *vn. Pf.* to remain whole, safe, undamaged; to be spared, to escape.

уцепля́-ть II. *va.* (*Pf.* уцеп=и́ть II. 7. [c]) (за что) to hook on, to catch at, to fasten to.

уча́ст/во+вать II. *vn.* (*Pf.* по-) (в чём) to participate, to take part in, to share in, to have a hand in || **-ие** *s.* partaking, participation, share; interest || **-и́ть** *cf.* **учаща́ть** || **-ник** *s.*, **-ница** *s.* participant, partaker; partner; ~ **в преступле́нии** accomplice || **-ок** *s.* (*gsg.* -тка) part, share, portion; quarter of a town; district; lot, allotment, piece (of land) || **-очек** *s.* (*gsg.* -чка) *dim. of prec.*

у́часть *s. f.* fate, destiny, lot.

уча/ща́тельный *a.* (*gramm.*) frequentative || **-ща́-ть** II. *va.* (*Pf.* -ст=и́ть I. 4. [a]) to reiterate, to repeat frequently || **-ще́ние** *s.* reiteration, repetition.

уче́б/ник *s.* school-book, manual, compendium (of instruction) || **-ный** *a.* school-, of teaching, educational.

уче́н/ие *s.* learning; studying, study; apprenticeship; teaching, instruction; doctrine; science; (*mil.*) drill || **-и́к** *s.* [a] pupil, scholar, schoolboy; disciple; apprentice || **-и́ца** *s.* pupil, schoolgirl.

учён/ость *s. f.* learning, erudition || **-ый** *a.* learned, erudite, scholarly, scientific(al) || ~ (*as s.*) scholar, learned man.

уче́сть *cf.* **учи́тывать.**

учёт/ *s.* discount(ing); deduction || **-ный** *a.* discounting-, of discount.

учетверя́-ть II. *va.* (*Pf.* учетвер=и́ть II. [a]) to quadruple.

учи́лищ/е *s.* school, college, academy || **-ный** *a.* school-.

учиня́-ть II. *va.* (*Pf.* учин=и́ть II. [a]) to do, to perpetrate, to commit; to take (an oath).

учи́тель/ *s. m.* [& b] (*pl.* -и & -я́) teacher, schoolmaster, master || **-ница** *s.* teacher, (school)mistress || **-ский** *a.* teacher's; for teachers || **-ство+вать** II. *vn.* to teach, to be a teacher.

учи́тыва-ть II. *va.* (*Pf.* уче́сть 24.) = **усчи́тывать.**

уч=и́ть I. [c] *va.* (*Pf.* на-) (кого́ чему́) to teach, to instruct, to drill || **~ся** *vr.* (чему́) to learn, to study; to be apprenticed || ~ *va.* (*Pf.* при-) to train, to drill; (*Pf.* вы́-) to learn by heart.

учреди́тель/ *s.m.* founder || **-ница** *s.* foundress.

учрежд/а́-ть II. *va.* (*Pf.* учред=и́ть I. 1. & 5. [a]) to found, to establish, to institute || **-е́ние** *s.* foundation, establishment, institution.

учти́в/ость *s. f.* politeness, civility, courteousness || **-ый** *a.* polite, civil, courteous.

уша́стый *a.* having long ears, long-eared.

уша́т *s.* tub.

ушиб *s.* thrust, blow; hurt, bruise, contusion.

ушиба́-ть II. *va.* (*Pf.* ушиби́ть 51. [a]) to thrust, to strike; to hurt, to bruise, to wound.

уши́ца *s.* fish-soup.

уш/ко́ *s.* (*pl.* -ки́, ко́в) small ear; eye (of a needle); shank (of a button); strap (of a boot) || **-но́й** *a.* ear-, of the ear(s); auricular.

уще́лье *s.* pass, defile, gorge.

ущемля́-ть II. *va.* = **щеми́ть.**

уще́рб *s.* damage, detriment, prejudice, loss; wane (of the moon).

ущи́пыва-ть II. *va.* (*Pf.* ущипн-у́ть I. [a]) to pinch off, to nip off.

ую́т/ *s.* comfortableness; comfort, cosiness || **-ность** *s. f.* snugness, cosiness || **-ный** *a.* snug, cosy, comfortable; agreeable, easy, well-to-do.

уяз/ви́мый *a.* vulnerable || **-вле́ние** *s.* wounding, wound; bite, sting || **-вля́-ть** II. *va.* (*Pf.* -в=и́ть II. 7. [a]) to wound, to sting; (*fig.*) to offend, to hurt.

уяс/не́ние *s.* explanation, elucidation, interpretation || **-ня́-ть** II. *va.* (*Pf.* -н=и́ть II. [a]) to clear up, to explain, to elucidate || **~ся** *vr.* to be cleared up, to be explained.

Ф

фа́бра *s.* wax, pomade (for the moustache).
фа́брик/а *s.* factory, mill, works *pl.* || **–а́нт** *s.* manufacturer || **–а́т** *s.* manufacture || **–а́ция** *s.* manufacture || **–о+ва́ть** II. [b] *va.* (*Pf.* с-) to manufacture.
фабри́чный *a.* manufactured, manufacturing; factory- || ~ (*as s.*) factory-hand, workman.
фа́була *s.* subject-matter, plot (of a drama).
фавн *s.* faun.
фавори́т/ *s.*, **–ка** *s.* (*gpl.* -ток) favourite, pet, favoured one.
фаго́т *s.* (*mus.*) bassoon.
фаза́н/ *s.*, *dim.* **–чик** *s.* pheasant.
фаз & **фа́зис** *s.* phase.
фа́кел/ *s.* torch || **–ьщик** *s.* torch-bearer, link-man.
факи́р *s.* fakir.
факси́миле *s.* facsimile.
факт/ *s.* fact, matter of fact || **–и́ческий** *a.* actual, founded on fact || **´–ор** *s.* factor, foreman; agent || **´–орство** *s.* factorship; commission-agency || **–о́тум** *s.* factotum || **–у́ра** *s.* invoice.
факуль/тати́вный *a.* facultative, optional || **–те́т** *s.* faculty.
фала́нга *s.* phalanx.
фал/бала́ *s.* & **–бора́** *s.* [h] furbelow, flounce.
фа́лда *s.* fold, plait; (*us. in pl.*) skirt, flap, tail (of a coat).
фальсифи/ка́ция *s.* falsification || **–ци́ро+вать** II. *va.* to falsify.
фальц/ *s.* groove, mortise || **–е́т** *s.* falsetto.
фальш/и́вый *a.* incorrect; false, spurious, counterfeit; insincere || **–ь** *s. f.* falsification; falsehood; deceit, fraud.
фами́л/ия *s.* surname; **как ва́ша** ~ what is your (sur)name? || **–ьный** *a.* family || **–ья́рнича-ть** II. *vn.* (с кем) to be (too) familiar (with) || **–ья́рный** *s.* familiar.
фанабе́рия *s.* haughtiness, arrogance.
фана́т/ик *s.* fanatic || **–и́ческий** *a.* fanatic(al).
фане́р/а *s.* & **–ка** *s.* (*gpl.* -рок) veneer.
фант/ *s.* forfeit (at games); **игра́ть в ´–ы** to play forfeits || **–азёр** *s.*, **–азёрка** *s.* visionary || **–а́зия** *s.* fancy, imagination || **–асти́ческий** *a.* fantastic(al), fanciful, chimerical || **–о́м** *s.* phantom, vision.
фанфаро́н *s.* boaster, braggart, swaggerer, windbag.
фарва́тер *s.* (*mar.*) track, channel, fairway.
фарисе́йский *a.* pharisaic(al).
фарма/коло́гия *s.* pharmacology || **–це́втика** *s.* pharmaceutics *pl.* || **–цевти́ческий** *a.* pharmaceutical.
фарс *s.* (*also in pl.* -ы́) (*theat.*) farce.
фа́рт/ук *s.* apron || **–учек** *s.* (*gsg.* -чка) small apron, pinafore.
фарфо́р/ *s.* porcelain, china || **–овый** *a.* porcelain, china; ~ **заво́д** china-factory.
фарш/ *s.* (*culin.*) stuffing, filling; **мясно́й** ~ force-meat || **–иро+ва́ть** II. [& b] *va.* to stuff.
фаса́д *s.* façade, front (of a building).
фасо́ль *s. f.* (*bot.*) kidney-bean.
фасо́н *s.* cut, fashion; pattern.
фат *s.* fop, coxcomb.
фатал/и́зм *s.* fatalism || **–и́ст** *s.*, **–и́стка** *s.* (*gpl.* -ток) fatalist || **–исти́ческий** *a.* fatalist(ic).
фата́льный *a.* fatal.
фау́на *s.* fauna.
фаши́зм *s.* Fascism.
фаши́на *s.* (*mil.*) fascine.
фаэто́н *s.* phaeton.
фая́нс/ *s.* faience, crockery-ware, delf || **–овый** *a.* of faience, delf-.
февра́ль/ *s. m.* [a] February || **–ский** *a.* of February, February.
федера́ция *s.* (con)federation.
фейерве́рк *s.* firework.
фельд/ма́ршал *s.* Field Marshal || **–фе́бель** *s. m.* (*pl.* -я́) (*mil.*) sergeant major || **´–шер** *s.* (*pl.* -ы & -а́) assistant-surgeon, hospital-assistant.
фельд'е́герь *s. m.* (*pl.* -я́) courier, king's messenger.
фельето́н *s.* feuilleton.
фемини́ст *s.* feminist.
фе́никс *s.* phoenix.
фено́мен/ *s.* phenomenon || **–а́льный** *a.* phenomenal.
феода́льный *a.* feudal.
ферзь *s. f.* the queen (at chess).
фе́рма *s.* farm.
ферме́нт *s.* ferment.
фе́рмер *s.* farmer.
фе́рт(ик) *s.* (*pop.*) fop, swell, dandy.
фе́ска *s.* (*gpl.* -сок) fez.
фесто́н *s.* festoon.
фе́тиш *s.* fetish.
фехт/ова́льный *a.* fencing- || **–ова́льщик** *s.* fencer || **–ова́ние** *s.* fencing || **–о+ва́ть** II. [b] *vn.* to fence.
фешене́бельный *a.* fashionable.
фиа́л/ка *s.* (*gpl.* -лок), *dim.* **–очка** *s.* (*gpl.* -чек) violet.
фиа́ско *s.* fiasco.
фи́бра *s.* fibre.
фи́га *s.* fig.

фигля́р/ *s.* juggler || **–нича-ть** II. *vn.* to juggle || **–ство** *s.* jugglery.
фи́говый *a.* fig-.
фигу́р/а *s.* figure; form, shape; (в ка́ртах) court-card, picture-card || **–а́льный** *a.* figurative, metaphoric(al) || **–а́нт** *s.*, **–а́нтка** *s.* (*gpl.* -ток) (*theat.*) ballet-dancer || **–ка** *s.* (*gpl.* -рок) *dim. of* фигу́ра || **–ный** *a.* figured.
фи́жмы *s. fpl.* farthingale, hoop petticoat.
физ/ик *s.* physicist || **–ика** *s.* physics *pl.* || **–иогра́фия** *s.* physiography || **–иоло́гия** *s.* physiology || **–ионо́мия** *s.* physiognomy || **–и́ческий** *a.* physical.
фиксиро+вать II. *va.* to fix.
фикти́вный *a.* fictitious.
фи́кция *s.* fiction.
филантро́п/ *s.*, **–ка** *s.* (*gpl.* -пок) philanthropist || **–ия** *s.* philanthropy || **–и́ческий** *a.* philanthropic(al).
филе́й *s.* fillet (of beef).
филён/ка *s.* (*gpl.* -нок) panel || **–чатый** *s.* (of a door) panelled.
филигра́н *s.* filigree.
фи́лин *s.* (*zool.*) horn-owl.
фили́пповки *s. fpl.* (*G.* -вок) forty days fast at Advent.
фило́/ло́г *s.* philologist || **–логи́ческий** *a.* philologic(al) || **–ло́гия** *s.* philology.
фило́/соф *s.* philosopher || **–софи́ческий** *a.* philosophic(al) || **–со́фия** *s.* philosophy || **–со́фский** *a.* philosophic(al); philosopher's.
фи́льма *s.* film.
фильтр/ *s.* filter || **–о+ва́ть** II. [b] *va.* (*Pf.* про-) to filter.
фимиа́м *s.* (*sl.*) incense.
фина́л *s.* (*mus.*) finale.
фина́нс/овый *a.* financial || **–ы** *s. mpl.* finances *pl.*
фи́ник *s.* date.
фи́ниш *s.* (*sport*) finish.
фини́фть *s. f.* enamel.
финт=и́ть I. 2. [a] *vn.* (*Pf.* с-) to feint; to shuffle, to beat about the bush.
фиоле́товый *a.* violet.
фи́рма *s.* (*comm.*) firm.
фиск/ *s.* state-treasury || **–а́л** *s.* spy, informer || **–а́л=ить** II. *vn.* (*Pf.* с-) to spy out, to denounce, to inform against || **–а́льный** *a.* fiscal || **–а́льство** *s.* denunciation.
фиста́шка *s.* (*gpl.* -шек) pistachio(-nut).
фи́стула *s.* (*med.*) fistula; (*mus.*) falsetto.
фита́ *s.* the letter Θ (*now replaced by* Ф).
фити́ль *s. m.* [a] tinder, match, fuse.
фи́ш/а *s.*, *dim.* **–ка** *s.* (*gpl.* -шек) counter (in games).

флаг/ *s.* (*mar.*) flag; англи́йский ~ the Union Jack; подня́ть ~ to hoist the flag || **́–ман** *s.* chief of squadron, squadron-commander || **́–манский** *a.* flag-; **́–манское су́дно** flagship || **–што́к** *s.* flagstaff.
флако́н/ *s.*, *dim.* **–чик** *s.* flask, small bottle, flagon.
фланг/ *s.* (*mil.*) flank || **–о́вый** *a.* flank-.
флане́л/евый *a.* flannel || **–ь** *s. f.* flannel.
флан/ёр *s.* stroller, lounger || **–и́ро+вать** II. *vn.* to stroll *or* to lounge about || **–ки́ро+ва́ть** II. [& b] *vn.* (*mil.*) to flank.
фле́гм/а *s.* phlegm || **–а́тик** *s.* phlegmatic man || **–ати́ческий** *a.* phlegmatic.
фле́йт/а *s.* flute || **–и́ст** *s.* flute-player.
фле́ксия *s.* (*gramm.*) flexion.
флёр/ *s.* gauze, crape || **́–овый** *a.* crape.
фли́гель *s. m.* (*pl.* -и & -я́) wing (of a building); (*mus.*) grand piano.
фло́ра *s.* flora.
флот/ *s.* fleet; (*esp.*) вое́нный ~ the navy || **–и́лия** *s.* flotilla, squadron || **́–ский** *a.* fleet-, naval.
флюга́рка *s.* (*gpl.* -рок) cowl.
флю́гер *s.* [b] (*pl.* -а́) weathercock, vane, turn-cap; (*fig.*) time-server, a fickle person.
флюс *s.* catarrh; (*met.*) melting, fusion.
фля́/га *s.* & **–жка** *s.* (*gpl.* -жек) flask.
фойе́ *s. indecl.* (*theat.*) foyer, lobby.
фок *s.* (*mar.*) foremast; foresail.
фо́кус/ *s.* focus; jugglery, legerdemain || **–ник** *s.* juggler, conjurer || **–нича-ть** II. *vn.* to juggle, to conjure || **–ный** *a.* focal-.
фолиа́нт *s.* folio.
фон *s.* background.
фона́р/ик *s. dim. of* фона́рь || **–щик** *s.* lantern-maker; lamp-lighter || **–ь** *s. m.* [a] lantern, lamp.
фо́нд/ы *s. mpl.* stocks *pl.*, public funds *pl.* || **–овый** *a.* stock-.
фон/е́тика *s.* phonetics *pl.* || **–ети́ческий** *a.* phonetic(al) || **–о́гра́ф** *s.* phonograph || **–та́н** *s.* fountain.
форе́йтор *s.* outrider; postilion.
форе́ль *s. f.* (*ich.*) trout.
фо́рм/а *s.* form, shape; model, pattern; uniform; mould, cast; **по –е** according to regulations || **–али́зм** *s.* formalism; канцеля́рский ~ red-tape || **–а́льность** *s. f.* formality || **–а́льный** *a.* formal; punctilious || **–а́т** *s.* (*typ.*) form, chase; size (of a book) || **–а́ция** *s.* formation || **–иро+ва́ть** II. [b] *va.* (*Pf.* с-) (*mil.*) to form || **–о+ва́ть** II. [b] *va.* (*Pf.* с-) to form, to fashion, to shape; (*tech.*) to

mould, to model, to cast || **-о́вка** *s.* (*gpl.* -вок) moulding, casting || **-овщи́к** *s.* moulder, caster || **-ула** *s.* formula || **-ули́ро+вать** II. *va.* to formulate || **-уля́р** *s.* formulary; service-list.
форпо́ст *s.* (*mil.*) outpost, picket(s).
форси/ро+ва́ть II. [b] *va.* to force || **-ро́ванный** *a.*, ~ **марш** forced march.
форс=и́ть I. 3. [a] *vn.* (*Pf.* по-) to brag, to boast, to swagger.
форт/ *s.* (*mil.*) fort || **´ель** *s. m.* trick, turn, dodge || **-епиа́но** *s. indecl.* piano-(forte) || **-ифика́ция** *s.* (*mil.*) fortification.
фо́рт/ка *s.* (*gpl.* -ток), *dim.* **-очка** *s.* (*gpl.* -чек) sliding-window, vasistas.
форту́н/а *s.* fortune; fate, destiny || **-ка** *s.* (*gpl.* -нок) game of chance.
форшта́т *s.* suburb.
форшу́ *cf.* **форси́ть.**
фосфа́т *s.* phosphate.
фо́сфо́р *s.* phosphorus.
фото́гра́ф/ *s.* photographer || **-и́ро+ва́ть** II. [& b] *va.* (*Pf.* с-) to photograph || **-и́ческий** *a.* photographic.
фотогра́фия *s.* photography.
фо́фан *s.* (*pop.*) blockhead, fool, ninny.
фра́з/а *s.* phrase; (*in pl.*) windy rhetoric, claptrap || **-еоло́гия** *s.* phraseology || **-ёр** *s.*, **-ёрка** *s.* (*gpl.* -рок) phrasemonger, prattler; pompous writer *or* talker || **-иро́вка** *s.* (*gpl.* -вок) (*theat.*) delivery.
фрак *s.* dress-coat.
франк/ *s.* franc || **-и́ро+ва́ть** II. [& b] *va.* to prepay (letters) || **~-масо́н** = **масо́н** || **´о** *ad.* post-paid, post-free; ~ **до су́дна** free on board (f. o. b.).
франт/ *s.*, *dim.* **´ик** *s.* dandy, swank, fop.
франт=и́ть I. 2. [a] *vn.* (*Pf.* по-) to play the swell, to cut a great dash.
франт/и́ха *s.* fashionable lady || **-овство́** *s.* dandyism.
фрахт/ *s.* freight || **-о+ва́ть** II. [b] *va.* (*Pf.* за-) to freight, to charter (a vessel) || **-о́вый** *a.* freight-; ~ **догово́р** charter-party || **-овщи́к** *s.* freighter.
фра́чный *a.* dress-.
фрега́т *s.* frigate; (*zool.*) frigate-bird.
фре́йлина *s.* maid of honour.
френоло́гия *s.* phrenology.
фре́ска *s.* fresco.
фриз *s.* baize (stuff); (*arch.*) frieze.
фронт *s.* front (of a building); (*mil.*) front.
фрукт/ *s.* fruit || **-овщи́к** *s.* [a] fruiterer, fruit-seller.
фу́г/а *s.* (*mus.*) fugue || **-а́нок** *s.* (*gsg.* -нка) rabbet-plane.
фу́ка-ть II. *va.* (*Pf.* фу́кн-уть I.) to huff (at draughts).
фукс *s.* fluke (at billiards).
фуля́р *s.* foulard.
фунда́мент/ *s.* foundation, basis, groundwork || **-а́льный** *a.* fundamental.
фу́нкция *s.* function.
фунт *s.*, *dim.* **´ик** *s.* pound || **-ови́к** *s.* [a] pound-weight || **-ово́й** *a.* of one pound; pound-.
фу́р/а *s.* cart, van, waggon || **-а́ж** *s.* (*mil.*) forage, fodder || **-а́жный** *a.* forage-, foraging || **-а́жечка** *s.* (*gpl.* -чек) small cap || **-ажи́ро+вать** II. *vn.* to forage || **-а́жка** *s.* (*gpl.* -жек), **фо́рменная ~** (*mil.*) forage-cap || **-го́н** *s.* tilt-cart, covered baggage-waggon, furniture-van || **-ия** *s.* fury || **-ма́нка** *s.* (*gpl.* -нок) small cart, waggon || **-о́р** *s.* furore, ecstasy || **-шта́т** *s.* (*mil.*) *coll.* baggage-train.
фут *s.* foot (as measure).
футля́р/ *s.*, *dim.* **-чик** *s.* box, case, sheath.
фуфа́йка *s.* (*gpl.* -а́ек) jacket, undervest.
фы́рка-ть II. *vn.* (*Pf.* фы́ркн-уть I.) to snort (of horses); (*fig.*) to burst out (with), to pop out; ~ **со́ смеху** to burst out laughing.

Х

ха́живать *iter. of* ходи́ть.
хала́т/ *s.*, *dim.* **-ик** *s.* dressing-gown || **-ный** *a.* (*fig.*) careless, negligent, languid.
ха́лда *s.* impudent woman, hussy.
халу́й *s.* (*prov.*) low fellow, lackey, lick-spittle, toady.
хам *s.* menial; boor, coarse fellow.
хан *s.* khan (Eastern prince).
хандра́ *s.* melancholy, spleen, depression.
хандр=и́ть II. *vn.* to be melancholy, to have a fit of the blues.
ханж/а́ *s. m&f.* sanctimonious person, hypocrite, bigot, devotee || **-ество́** *s.* hypocrisy, sanctimoniousness, bigotry.
ханж=и́ть I. [a] *vn.* to play the hypocrite, to affect piety.
ха́нство *s.* khanate.
хао́/с *s.* chaos || **-ти́ческий** *a.* chaotic.
ха́па-ть II. *va.* (*Pf.* ха́пн-уть I.) to snatch, to clutch, to seize.
хара́ктер/ *s.* character || **-изо+ва́ть** II. [b] *va.* (*Pf.* о-) to characterize || **-исти́-**

ческий *a.* characteristic(al) || **-ность** *s. f.* firmness of character, backbone || **-ный** *a.* firm of character; character-, of character.
ха́рка-ть II. *vn.* (*Pf.* ха́ркн-уть I.) to spit out; to bring up (blood, slime).
ха́ртия *s.* chart, document; charter, deed of gift.
харч/ *s.* [a] (*us. in pl.*) provisions, victuals *pl.*; board || **-е́вня** *s.* eating-house.
ха́ря *s.* grimace, caricature; mask.
ха́т/а *s.* hut (*esp.* of Ukrainian peasants); **моя́ ~ с кра́ю, ничего́ не зна́ю** the matter doesn't concern me at all || **-ка** *s.* (*gpl.* -ток) & **-очка** *s.* (*gpl.* -чек) *dim. of prec.*
ха́-ять II. *va.* (*Pf.* за-, о-, по-, рас-) to blame, to scold, to reprove; to disapprove of, to carp at.
хвал/а́ *s.* praise, eulogy; **~ Бо́гу** God be praised || **-е́бный** *a.* laudatory, eulogistic || **-е́ние** *s.* praising, eulogizing.
хвал=и́ть II. [c] *va.* (*Pf.* по-) to praise, to commend, to extol || **~ся** *vr.* to boast of, to glory in, to vaunt.
хвальба́ *s.* (*gpl.* -леб) boasting, ostentation.
хва́ста-ть II. (*Pf.* по-) & **~ся** *vn.* (чем) to boast, to brag.
хвастли́вый *a.* boastful, vain, self-conceited.
хваст/овство́ *s.* boasting, bragging, vaunting || **-у́н** *s.*, **-у́нья** *s.* boaster, braggart, swaggerer.
хват *s.* sharp lad, the devil of a fellow.
хвата́-ть II. *va.* (*Pf.* хват=и́ть I. 2. [c]) to take hold of, to seize; to snatch at, to strike, to hit (with) || **~** *vn.* (до чего́) to be sufficient; **у меня́ де́нег не хвата́ет** I have not sufficient money || **~ся** *vr.* (за что) to grasp at; to take hold of; to undertake; **~ за у́м** (*fig.*) to come to one's senses.
хво́й/ный *a.*, **~ лес** pine-wood; coniferous trees *pl.* || **-ные** (*as s. mpl.*) pines and firs, conifers *pl.*
хвора́-ть II. *vn.* to be indisposed, to be ailing *or* sickly.
хво́рост/ *s. coll.* dry branches *pl.*, brushwood; underwood; windfall || **-и́на** *s.* a long switch *or* rod || **-ный** *a.* of brushwood.
хво́р/ость & -ь *s. f.* sickliness || **-ый** *a.* sickly, ailing.
хвост/ *s.* [a] tail; train, skirt || **-а́тый** *a.* tailed || **´-ик** *s. dim. of* хвост.
хвощ *s.* [a] (*bot.*) shave-grass, horse-tail.
хво́я *s.* needles, branches *pl.* (of needle-leaved trees).

херуви́м *s.* cherub.
хи́жин/а *s.*, *dim.* **-ка** *s.* (*gpl.* -нок) hut.
хи́лый *a.* frail, weak, sickly, infirm.
химе́р/а *s.* chimera || **-и́ческий** *a.* chimerical.
хи́м/ик *s.* chemist || **-и́ческий** *a.* chemical || **-ия** *s.* chemistry.
хини́н *s.* quinine.
хире́-ть II. *vn.* (*Pf.* за-) to grow feeble, to pine away.
хирома́нтия *s.* chiromancy.
хирото́ния *s.* consecration, ordination; imposition of hands.
хиру́рг/ *s.* surgeon || **-и́ческий** *a.* surgical || **-ия** *s.* surgery.
хитре́ц *s.* [a] crafty, sly man.
хитр=и́ть II. [a] *vn.* (*Pf.* по-, с-) to act craftily, to dodge.
хи́тр/ость *s. f.* slyness, cunning, craftiness || **-ый** *a.* sly, cunning, crafty, artful.
хихи́ка-ть II. *vn.* (*Pf.* хихи́кн-уть I.) to titter, to giggle.
хище́ние *s.* robbery, theft, rape.
хи́щ/ник *s.* robber, spoiler || **-ни́ческий** *a.* rapacious || **-ни́чество** *s.* rapine, pillage, plunder || **-ный** *a.* rapacious, predatory; **-ные живо́тные** *mpl.* carnivorous animals; **-ные пти́цы** *fpl.* birds of prey.
хладнокро́в/ие *s.* coolness, presence of mind, coldbloodedness || **-ный** *a.* cool, cool-headed; calm.
хла́дный = холо́дный.
хлам *s. coll.* rubbish, odds and ends.
хлеба́-ть II. *va.* (*Pf.* по-, *mom.* хлебн-у́ть I.) to ladle out; to sup, to sip.
хлеб/ *s.* (*pl.* хле́бы, -ов, etc.) bread; means of subsistence; **быть** (у кого́) **на ´-ах** to board (with); (*pl.* -а́, -о́в) grain, corn || **´-ец** *s.* (*gpl.* -бца) & **´-ик** *s.* a small loaf of bread || **´-ник** *s.*, **´-ница** *s.* baker || **´-ный** *a.* of bread, bread-; corn-, grain-; (*fig.*) lucrative || **-опа́шество** *s.* agriculture || **-опа́шец** *s.* (*gsg.* -пца) agriculturist || **-опека́рня** *s.* bakery, bakehouse || **-оро́дный** *a.* fertile || **-осо́л** *s.*, **-осо́лка** *s.* (*gpl.* -лок) hospitable person || **-осо́льный** *a.* hospitable || **-осо́льство** *s.* hospitality.
хле́б-соль *s. f.* (*gsg.* хле́ба-со́ли) hospitality; **хле́б да соль!** good appetite!
хлев/ *s.* [a] (*gsg.* хле́ва, *pl.* -а́, -о́в, etc.) cow-house, cattle-shed; sty (for pigs) || **-о́к** *s.* [a] (*gsg.* -вка́) *dim. of prec.*
хлёст *s.* lash.
хлест=а́ть I. 4. [c] *va.* (*Pf.* хлес(т)н-у́ть I. [a]) to whip, to lash.

хлёс(т)кий *a.* easy; quick, swift; slippery.
хлоп *int.* bang! bump! splash! (*fam.*) flop! [plauder.
хло́пальщ/ик *s.*, **–ица** *s.* clapper, ap-
хло́па-ть II. *vn.* (*Pf.* по-, *mom.* хло́пн-уть I.) to knock; to clap, to bang; ~ **в ладо́ши** to applaud; ~ **глаза́ми** (*fig.*) to blink.
хло́пок *s.* (*gsg.* -пка) flock (of wool); flake (of snow); cotton.
хлопот-а́ть I. 2. [c] *vn.* (*Pf.* по-) (о чём) to busy o.s. (with), to bestir o.s., to give o.s. much trouble; to exert o.s., to toil and moil; to be concerned *or* anxious about.
хлопот/ли́вый *a.* busy, bustling; troublesome || **–у́н** *s.*, **–у́нья** *s.* busy-body.
хло́поты *s. fpl.* (*G.* хлопо́т, *D.* хло́потам, etc.) efforts *pl.*, trouble, toil, drudgery, worry, vexatiousness, difficulties *pl.*
хлопу́шка *s.* (*gpl.* -шек) pop-gun, cracker; fly-flap.
хлопча́т/ник *s.* cotton-plant || **–обума́жный** *a.* cotton-, of cotton.
хло́пья *s. npl.* flakes, flocks *pl.*
хлор/ *s.* chlorine || **´истый** *a.* chloridic || **´ный** *a.* chloride of, chloric- || **–офо́рм** *s.* chloroform.
хлы́н-уть I. *vn. Pf.* to gush out, to pour forth, to burst forth (of water, blood).
хлыст/ *s.* [a] (riding-, horse-)whip; switch, rod; (*fig.*) gallows-bird; (sect) flaggellant || **´ик** *s. dim. of prec.*
хлябь *s. f.* abyss.
хмелёк *s.*, **он под хмелько́м** he is slightly elevated *or* a little drunk.
хмеле́-ть II. *vn.* (*Pf.* о-) to get intoxicated, tipsy, drunk.
хмель/ *s. m.* (*gsg.* хме́ля *or* -лю; во -лю́) hop (plant); intoxication, inebriety || **–но́й** *a.* drunk, tipsy, intoxicated; (of drinks) strong, heady, intoxicating.
хму́р=ить II. *cf.* **нахму́ривать.**
хму́рый *a.* (*prov.*) morose, gloomy; cloudy.
хны́ка-ть II. & **хны́к-ать** I. 2. *vn.* (*mom.* хны́кн-уть I.) to whimper, to whine, to sob.
хо́бот/ *s.*, *dim.* **–о́к** *s.* [a] (*gsg.* -тка́) trunk, proboscis.
ход/ *s.* [b°] course; going, march, way; move (at chess); turn (at cards); motion, movement; rate, speed, velocity; vogue, fashion; entrance, issue, passage; ~ **де́ла** the course of an affair; **судя́ по хо́ду дел** to judge by the way things are going; **ваш** ~ *or* **за ва́ми** ~ it is your turn, your move now (at games); **по́льный** ~ full speed; **э́тот рома́н в большо́м ходу́** this novel is in great vogue; **э́тот това́р в большо́м ходу́** these goods are in great demand; **чёрный** ~ back-entrance; **ему́ хо́ду нет** he doesn't get on || **–а́тай** *s.* interceder, mediator || **–а́тайство** *s.* intercession, mediation || **–а́тайство+вать** II. *vn.* (*Pf.* по-) (за кого́) to intercede, to mediate, to make intercession (for s.o.).
ход=и́ть I. 1. [c] *vn.* (*Pf.* с-) to walk, to go; to play (out) (a card); to move (at chess); to pass current (of money); (за + *I.*) to tend, to take care of, to look after; ~ **по́ миру** to go begging (*cf. also* итти́).
хо́д/кий *a.* (*comp.* хо́дче) that goes easily (of carriages); turning easily (of wheels) || **–ово́й** *a.* passable, practicable (of a path); ~ **я́корь** kedge-anchor; ~ **коне́ц сна́сти** draw-line; **–ово́е колесо́** treadmill; ~ **това́р** goods in good demand || **–о́к** *s.* [a] a good pedestrian *or* walker; foot-messenger; pettifogger || **–у́льный** *a.* affected, mincing, stilted || **–у́ля** *s.* (*us. in pl.*) stilt.
хо́дче *cf.* **хо́дкий.**
ходьба́ *s.* walking *or* going about.
ходя́чий (-ая, -ее) *a.* current.
хожде́ние *s.* going, walking; (за + *I.*) nursing, looking after; ~ **горы́** mountaineering.
хожу́ *cf.* **ходи́ть.**
хоз/я́ин *s.* (*pl.* -я́ева, -я́ев, etc.) master, chief, principal; host; proprietor, (ship)-owner; ~ **гости́ницы** innkeeper || **–я́йка** *s.* (*gpl.* -я́ек) mistress of the house; hostess, landlady; proprietress.
хозя́й/ннча-ть II. *vn.* (*Pf.* по-) to keep house || **–ственный** *a.* household-, of economy; economic(al) || **–ство** *s.* household, housekeeping, household management, economy.
хозя́юшка *s.* (*gpl.* -шек) *dim. of* хозя́йка.
холе́р/а *s.* cholera || **–ик** *s.* choleric, hot-tempered person || **–и́ческий** *a.* choleric, hot-tempered.
хо́л=ить II. *va.* (*Pf.* по-) to dress, to deck out; to take care of, to tend, to nurse; to foster, to caress, to pamper, to fondle, to pet.
холм/ *s.* [b], *dim.* **´ик** *s.* hillock, hill, mount || **–и́стый** *a.* hilly, undulating || **–ого́рье** *s.* hilly land || **–ообра́зный** *a.* hill-like, like a hill.

хо́лод/ *s.* [b] cold, coldness || **-е́-ть** II. *vn.* to cool (down) || **-и́льник** *s.* cooler, cooling-vat, cooling-tube; refrigerator; condenser || **-и́льный** *a.* refrigerating.
холод=и́ть I. 1. [a] *va.* (*Pf.* о-, по-) to cool, to refrigerate.
холодне́-ть II. *vn.* (*Pf.* по-) to grow colder (of the weather).
холоднова́тый *a.* coolish, rather cool.
холо́д/ный *a.* (*pd.* хо́лоден, -дна́, -дно́, *pl.* -дны́; *comp.* -дне́е) cold; **-ная оде́жда** light dress, summer-dress; **-ное ору́жие** cold steel; **здесь хо́лодно** it is cold here || **-ное** (*as s.*) cold viands *pl.*
холодо́к *s.* [a] (*gsg.* -дка́) coolness, freshness.
холо́п/ *s.* serf, thrall, bondman; (*fig.*) bootjack || **-ский** *a.* servile, slavish || **-ство** *s.* bondage, serfdom.
холост=и́ть I. 4. [a] *va.* (*Pf.* вы́-) to castrate, to geld.
холост/о́й *a.* single, unmarried; **-а́я жизнь** celibacy, single state; **~ патро́н** blank cartridge; **~ вы́стрел** blank shot || **~** (*as s.*) & **-я́к** *s.* [a] bachelor.
холст/ *s.* [a] linen, sheeting || **-и́на** *s.* linen || **-и́нный** & **-яно́й** *a.* linen, made of linen.
хо́ля *s.* fondling, caressing, petting; cosiness, comfortableness.
хому́т *s.* [a] collar (for horse); (*fig.*) yoke.
хомя́к *s.* [a] (*zool.*) hamster; (*fig.*) dawdler, trifler.
хор/ *s.* chorus; (*in pl.* хо́ры) choir, church-gallery || **-а́л** *s.* choral || **́-да** *s.* (*geom.*) chord || **-е́й** *s.* trochee || **-еогра́фия** *s.* choreography || **-ёк** *s.* [a] (*gsg.* -рька́) (*zool.*) polecat || **-и́ст** *s.*, **-и́стка** *s.* (*gpl.* -ток) chorist; chorus-singer || **-ово́д** *s.* a kind of round dance with singing.
хоро́мы *s. fpl.* large wooden dwelling-house.
хорон=и́ть II. [c] *va.* (*Pf.* по-) to bury, to inter; (*Pf.* с-) to hide, to conceal.
хорохо́р=иться II. *vn.* (*Pf.* рас-) (*pop.*) to brag, to talk big, to ride the high horse.
хоро́ш/енький *a.* pretty, fine || **-е́нько** *ad.* well, soundly, smartly; **мы его́ ~ поколоти́ли** we have given him a sound thrashing || **-е́-ть** II. *vn.* (*Pf.* по-) to grow prettier || **-ий** (-ая, -ее) *a.* (*comp.* лу́чше; *sup.* лу́чший) good, fine; **~** (**собо́ю**) pretty, handsome || **-о́** *ad.* well, very well, all right.
хору́гвь *s. f.* (church) standard, banner.
хорь *s. m.* [a] *cf.* **хорёк.**
хот-е́ть I. 2. [c] *va.* (*pl. Pres.* хоти́м, -и́те, -и́т) (*Pf.* за-) to wish, to desire; **я хоте́л бы** I should like; **хо́чешь не хо́чешь** willy-nilly || **~ся** *v.imp.*, **мне хо́чется, мне хоте́лось** I want to; **чего́ вам хо́чется?** what would you like? **мне хо́чется есть** I am hungry.
хотя́, хоть *c.* although, though; **хоть бы** if only, at least.
хохла́т/ка *s.* (*gpl.* -ток) crested bird *or* hen || **-ый** *a.* crested.
хохо́л/ *s.* [a] (*gsg.* -хла́) tuft (of hair); crest, plume of feathers; nickname of the Ukrainians || **-о́к** *s.* [a] (*gsg.* -лка́) *dim. of prec.*
хо́хот *s.* laughter, burst of laughter.
хохот-а́ть I. 2. [c] *vn.* to laugh, to burst out laughing; **~ во всё го́рло** to roar with laughter.
хохоту́н *s.* [a] great laugher.
храбре́ц/ *s.* [a] a brave man || **-кий** *a.* brave; hero's.
храбре́-ть II. *vn.* (*Pf.* по-) to become brave *or* audacious.
храбр=и́ться II. [a] *vr.* (*Pf.* рас-) to act bravely; to brag, to boast.
хра́бр/ость *s. f.* valour, bravery, courage, boldness || **-ый** *a.* brave, valorous, courageous.
храм/ *s.* temple; church || **-ово́й** *a.* temple-; church-.
хран/е́ние *s.* keeping, safe-keeping; care || **-и́лище** *s.* repository; receptacle || **-и́тель** *s. m.*, **-и́тельница** *s.* keeper, preserver, custodian; guardian; **а́нгел ~** guardian angel.
хран=и́ть II. [a] *va.* (*Pf.* со-) to conserve, to preserve, to keep, to guard; to keep, to observe (a law); **храни́ Бог!** God forbid! **Бо́же царя́ храни́!** God save the King!
храп *s.* snoring, snore; snout (of animals); (*tech.*) click, brake.
храп=е́ть II. 7. [a] *vn.* (*Pf.* по-, *mom.* храпн-у́ть I.) to snore; to snort (of a horse).
храпу́н/ *s.* [a], **-ья** *s.* snorer.
хребе́т *s.* [a] (*gsg.* -бта́) mountain-ridge; (*an.*) spine, backbone.
хрен *s.* (*bot.*) horse-radish; **ста́рый ~** old fogey.
хрестома́тия *s.* chrestomathy.
хрип/ & **-е́ние** *s.* hoarseness; rattle.
хрип=е́ть II. 7. [a] *vn.* to rattle in one's throat; to speak hoarsely.
хри́п/лость *s. f.* & **-ота́** *s.* hoarseness || **-лый** *a.* hoarse.

хри́пн-уть I. *vn.* to be *or* to become hoarse.

христ/ара́днича-ть II. *vn.* to beg, to go begging, to ask for alms || **-иа́ни́н** *s.* (*pl.* -иа́не, -иа́н, etc.), **-иа́нка** *s.* (*gpl.* -нок) Christian || **-иа́нский** *a.* Christian || **-иа́нство** *s.* Christendom, Christianity || **Х-о́в** *a.* of Christ; ~ **день** Easter Sunday || **-олюби́вый** *a.* Christian (in spirit) || **-о́со+ваться** II. *vrc.* (*Pf.* по-) to kiss one another on Easter Sunday.

хром/ *s.* chromium || **-ати́ческий** *a.* chromatic(al).

хрома́-ть II. *vn.* to limp, to halt, to be lame; to be slack (of trade).

хро́м/истый *a.* chromic || **-о́й** *a.* lame, halting || **-олитогра́фия** *s.* chromolithography || **-оно́гий** *a.* limping || **-оно́жка** *s.* (*gpl.* -жек) *coll.* a lame person || **-ота́** *s.* lameness.

хро́н/ика *s.* chronicle || **-и́ческий** *a.* chronic(al) || **-о́ло́г** *s.* chronologer || **-ологи́ческий** *a.* chronologic(al) || **-о́ме́тр** *s.* chronometer.

хру́пкий *a.* (*comp.* хру́пче) brittle, frail, fragile.

хруст *s.* crackling; crunching (of snow).

хруста́ль/ *s. m.* [a] crystal || **-ный** *a.* crystal, of crystal.

хруст=е́ть I. 4. [a] *vn.* (*Pf.* хру́с[т]н-уть I.) to crack *or* to burst asunder; to crackle; to grit, to crunch.

хрущ *s.* [a] cockchafer.

хрыч *s.* [a] old fogey.

хрю́ка-ть II. *vn.* (*Pf.* хрю́кн-уть I.) to grunt (of pigs).

хрящ/ *s.* [a] cartilage, gristle; gravel, grit || **-ева́тый** *a.* gristly || **-́ик** *s.* *dim. of* хрящ.

худе́-ть II. *vn.* (*Pf.* по-) to get thin, to lose flesh.

ху́д/о *s.* evil || ~ *ad.* badly || **-оба́** *s.* [h] thinness, leanness; evil, injustice.

худо́ж/ественный *a.* artistic(al) || **-ество** *s.* art || **-ник** *s.*, **-ница** *s.* artist.

худо́й *a.* (*comp.* ху́же; *sup.* ху́дший) bad, evil, wicked; (*comp.* худе́е) thin, lean, emaciated.

худоща́вый *a.* lean, thin, lank.

ху́дший *cf.* **худо́й.**

ху́же *cf.* **худо́й.**

хула́ *s.* blame, censure, dispraise.

хулига́н *s.* hooligan.

хули́тель *s. m.* blamer; blasphemer.

хул=и́ть II. [c] *va.* (*Pf.* о-, по-) to blame, to censure, to reproach; to abuse, to defame, to blaspheme.

ху́тор *s.* [b] farm, farm-house.

Ц

ца́па-ть II. *va.* (*Pf.* ца́пн-уть I.) to seize, to clutch, to grasp at; to tear away; (*fam.*) to snatch (at) || **~ся** *vr.* (за + *A.*) to be caught, to catch in; to hang on to.

ца́пля *s.* (*zool.*) heron.

ца́пнуть *cf.* **ца́пать.**

ца́пфа *s.* (*tech.*) pin, axle, pivot; (*in pl. mil.*) trunnions *pl.* (of a cannon).

цара́па-ть II. *va.* (*Pf.* цара́пн-уть I.) to scratch, to scar; (*Pf.* рас-) to claw; (*Pf.* на-) (*fig.*) to scrawl, to scribble.

цара́пина *s.* scratch, scar.

царе́в/ич *s.* son of the tsar || **-на** *s.* (*gpl.* -вен) daughter of the tsar.

цар/едво́рец *s.* (*gsg.* -рца) courtier || **-ёк** *s.* [a] (*gsg.* -рька́) *dim. of* царь || **-еуби́йство** *s.* regicide (act) || **-еуби́йца** *s. m&f.* regicide (person).

ца́р=ить II. [a] *vn.* to rule, to reign.

цар/и́ца *s.* tsarina (tsar's wife) || **-и́цын** *a.* tsarina's || **-́ский** *a.* tsar's, imperial; **-́ские врата́** (*npl.*) *or* **две́ри** (*fpl.*) door leading to the Holy of Holies in Russian churches || **-́ственный** *a.* imperial, of the empire || **-́ство** *s.* kingdom, empire; government || **-́ствование** *s.* reign || **-́ство+вать** II. *vn.* to reign.

царь *s. m.* [a] tsar (*formerly* emperor of Russia); (*sl.*) Lord, Almighty; (*fig.*) king; ~ **небе́сный** the heavenly Father; **~-пу́шка** name of a huge cannon in the Kremlin; **~-ко́локол** name of a huge bell in the Kremlin; **~-пти́ца** the king of birds (in Russian fairy-tales).

цвести́ & цвесть 23. [a 2.] *vn.* to bloom, to flower, to blossom; (*fig.*) to flourish.

цвет/ *s.* [b] (*pl.* -а́) colour; (*pl.* -ы́) blossom, bloom, flower; **в -у́** in bloom; **в -́е лет** in the prime of life || **-е́ние** *s.* blooming || **-́ик** *s.* *dim. of* цвет || **-и́стый** *a.* flowery, full of *or* rich in flowers; blooming, blossoming; richly coloured, glaring; florid (of style) || **-ни́к** *s.* [a] flower-bed; (*us.*) flower-garden || **-но́й** *a.* coloured; full of flowers, flowered, figured || **-ово́дство** *s.* floriculture || **-о́к** *s.* [a] (*gsg.* -тка́), *dim.* **-о́чек** *s.* (*gsg.* -чка) flower, bloom || **-о́чник** *s.*, **-о́чница** *s.* florist, horticulturist.

це́вка *s.* (*gpl.* -вок) (weaver's) spool.

цеди́лка *s.* (*gpl.* -лок) filter, strainer, colander.

цед=и́ть I. 1. [c] *va.* (*Pf.* про-, на-) to filter, to strain.

цеже́ние *s.* filtering, straining, filtration; drawing off, bottling (of beer).
цезу́ра *s.* caesura.
целе́бный *a.* salubrious, salutary; healing, medicinal.
целесообра́зный *a.* suitable, expedient.
целико́м *ad.* entirely, completely, all, on the whole.
цели́тельный *a.* healing, curative.
целя́ть *cf.* **исцеля́ть.**
це́л=ить II. & **~ся** *vn.* (*Pf.* при-) (в кого́, во что) to aim at, to take aim at; to allude to, to drive at, to strive, to aspire (after).
целко́вый (*as s.*) a silver rouble.
цело+ва́ть II. [b] *va.* (*Pf.* по-) to kiss.
целому́дренный *a.* chaste, pure.
це́л/ость *s. f.* integrity, entirety || **–ый** *a.* entire, whole, complete; integral, intact, solid, pure; **~ день** the whole day || **–ь** *s. f.* aim; mark, target; purpose, design; intention || **–ьный** *a.* complete, undivided, whole.
цеме́нт *s.* cement.
цена́ *s.* [f] price; value, worth.
ценз/ *s.* census || **´–ор** *s.* (*pl.* -ы & -а́) censor || **´–орство** *s.* censorship || **–у́ра** *s.* censorship, censoring.
цени́тель *s. m.* appraiser, valuer; connoisseur, expert; reviewer, critic.
цен=и́ть II. [a & c] *va.* (*Pf.* о-) to value, to appraise; (*fig.*) to appreciate.
це́нн/ость *s. f.* value, price; costliness; (*in pl.*) bonds, securities *pl.* || **–ый** *a.* valuable, of great value; dear, costly.
цент *s.* cent.
цента́вр *s.* centaur.
це́нтнер *s.* hundredweight (*abbr.* cwt.).
центр/ *s.* centre; **~ тя́жести** centre of gravity || **–ализа́ция** *s.* centralization || **–ализи́ро+вать** II. & **–ализо+ва́ть** II. [b] *va.* to centralize || **–а́льный** *a.* central || **–обе́жный** *a.* centrifugal || **–острреми́тельный** *a.* centripetal.
цеп *s.* [a] flail.
цепене́лый *a.* stiff, numb, benumbed.
цепене́-ть II. *vn.* (*Pf.* о-) to stiffen, to grow stiff, to get benumbed.
це́пкий *a.* climbing, winding, clinging to; sticky, viscid; (*fig.*) quarrelsome.
цепля́-ться II. *vr.* (за + *A.*) to fasten o.s. (to); to cling (to); (*fig.*) to pick a quarrel (with).
цепно́й *a.* chain-.
цепо́чка *s.* (*gpl.* -чек) small chain; **~ у часо́в** *or* **~ к часа́м** watch-chain.
цеппели́н *s.* Zeppelin (airship).
церем/она́л *s.* ceremonial || **–она́льный** *a.* ceremonial, ceremonious, of ceremony || **–о́н=иться** II. *vc.* (*Pf.* по-) to stand on ceremony, to make a fuss || **–о́ния** *s.* ceremony || **–о́нный** *a.* formal, ceremonious.
церко́в/ник *s.* cleric, churchman; sexton || **–ный** *a.* church-, ecclesiastical.
це́рковь *s. f.* [c] church.
цесаре́в/ич *s.* heir to the throne (*formerly* in Russia) || **–на** *s.* (*gpl.* -вен) wife of the heir to the throne.
цеса́рка *s.* (*gpl.* -рок) guinea-fowl.
цех *s.* guild, corporation, society.
циа́нистый *a.* cyanic; **–ая кислота́** prussic acid.
цивилиз/а́ция *s.* civilization || **–о+ва́ть** II. [b] *va.* to civilize.
циви́льный *a.* civil (as opposed to military).
цикл/ *s.* cycle || **–и́ст** *s.* cyclist.
цико́рий *s.* chicory.
цили́ндр/ *s.* cylinder, roller; tall hat, silk hat, topper || **–и́ческий** *a.* cylindrical.
ци́н/ик *s.* cynic || **–и́ческий** & **–и́чный** *a.* cynic(al).
цинк/ *s.* zinc || **´–овый** *a.* zinc, of zinc.
цирк/ *s.* circus || **´–уль** *s. m.* pair of compasses (for drawing) || **–уля́р** *s.* circular || **–уля́ция** *s.* circulation.
цисте́рна *s.* cistern.
цитаде́ль *s. f.* citadel.
цита́та *s.* quotation, citation.
цити́ро+вать II. & **цито+ва́ть** II. [b] *va.* to quote, to cite.
цифербла́т *s.* dial, face (of a watch).
ци́фра *s.* cipher, figure, numeral.
ци́церо *s. indecl.* pica (type).
цо́коль *s. m.* (*arch.*) socle.
цуг *s.* team of horses (harnessed one behind the other).
цы́бик *s.* tea-chest (of leather).
цыга́н/ *s.* (*pl.* -а́не, -а́н), **–ка** *s.* (*gpl.* -нок) gipsy || **–ский** *a.* gipsy.
цымба́лы *s. fpl.* cymbals *pl.*
цынг/а́ *s.* (*med.*) scurvy || **–о́тный** *a.* scorbutic.
цыно́вка *s.* (*gpl.* -вок) double mat (of bast).
цыплён/ок *s.* (*pl.* -ля́та), *dim.* **–очек** *s.* (*gsg.* -чка) young chick(en).
цыпля́тина *s.* flesh of young chicken.
цы́почки *s. fpl.* (*G.* -чек) tiptoe, the tips of the toes.
цырю́льн/ик *s.* barber || **–я** *s.* barber's (shop).
цыц *int.* quiet! be quiet! lie down! (to dogs).

Ч

ча́вка-ть II. *vn.* (*Pf.* ча́вкн-уть I.) to munch; to smack (one's lips).
чад *s.* vapcur (of burning coal), steam; smell of burning; smoke.
чад=и́ть I. 1. [a] *va.* (*Pf.* на-) (чем) to vapour, to steam, to smell of burning; to smoke, to fume.
ча́до/ *s.* (*sl.*) child (to be baptized) || **-люби́вый** *a.* fond of children || **-лю́бие** *s.* love of children.
чадра́ *s.* long veil (worn by Caucasian women).
чаёк *s.* [a] (*gsg.* чайка́) *dim.* tea; **дать на** ~ to give a tip.
чаепи́тие *s.* tea-drinking.
ча́ешь *cf.* **ча́ять.**
чажу́ *cf.* **чади́ть.**
чай *s.* [b°] (*gsg. also* ча́ю, *pl.* чаи́) tea; **ча́шка ча́ю** a cup of tea; **дать на** ~ to give a tip, to tip; ~ **в накла́дку** tea taken with sugar in it; ~ **в прику́ску** tea taken without sugar in it, a piece of lump sugar being held in the mouth.
чай *ad.* probably, possibly, perhaps.
ча́йка *s.* (*gpl.* ча́ек) (*orn.*) sea-gull.
ча́йник *s.* tea-pot.
ча́йница *s.* tea-canister; tea-caddy.
ча́йнича-ть II. *vn.* (*pop.*) to pass time in drinking tea.
ча́й/ный *a.* tea-; **-ная ча́шка** tea-cup; **-ная ло́жка** tea-spoon; ~ **прибо́р** tea-things, tea-set || **-ная** (*as s.*) tea-room.
ча́лить *cf.* **прича́лить.**
чалма́ *s.* turban.
ча́лый *a.* roan, mottled grey (of a horse).
чан *s.* [b] coop, tub, vat.
чапра́к *s.* [a] saddle-cloth, housing(s), caparison.
ча́рка *s.* (*gpl.* -рок) dram-glass, small glass (for liqueur *or* brandy).
чаро+ва́ть II. [b] *vn.* (*Pf.* о-) (*sl.*) to bewitch, to charm.
чароде́й/ *s.* (*sl.*) magician, sorcerer, enchanter || **-ка** *s.* (*gpl.* -де́ек) witch, sorceress || **-ственный** *a.* magic, bewitching || **-ство** *s.* magic, witchcraft, sorcery || **-ство+вать** II. *vn.* to practise magic.
ча́рочка *s.* (*gpl.* -чек) *dim. of* ча́рка.
ча́ры *s. fpl.* sorcery, charms *pl.*, witchcraft, spells *pl.*
час *s.* [b°] (*gsg.* ча́са; *after* два, три, четы́ре: часа́) hour; (*in pl.*) clock, watch; timepiece; **би́тый** ~ a full hour; **кото́рый** ~**?** what time is it? what o'clock is it? **уже́ два часа́** it's already two o'clock; **в шесть часо́в утра́** at six o'clock in the morning; **полчаса́** half an hour; **не в** ~ untimely; **наня́ть по часа́м** to hire by the hour; **в до́брый** ~**!** good luck! **на часа́х** on guard; **час** one o'clock; **три часа́** three o'clock; **тро́е часо́в** three clocks.
ча́с/ик *s. dim.* час; (*in pl.*) small clock, watch || **-о́венка** *s.* (*gpl.* -нок) *dim. of foll.* || **-о́вня** *s.* chapel, oratory || **-ово́й** *a.* of one hour, that lasts an hour; hour-; clock-, watch-; **-ова́я стре́лка** hour-hand; **-ова́я цепо́чка** watch-chain || ~ (*as s.*) sentry, sentinel || **-овщи́к** *s.* [a] watch-maker, clockmaker || **-о́к** *s.* [a] (*gsg.* -ска́) & **-о́чек** *s.* (*gsg.* -чка) *dim. of* час || **-осло́в** *s.* prayer-book.
част/е́нько *ad.* pretty often, frequently || **-и́ца** *s.* particle, small part, small piece.
ча́ст/ность *s. f.*, **в -ности** in particular || **-ный** *a.* partial, particular, special; private, confidential || **-о** *ad.* often, frequently, many a time; closely, densely, thickly || **-око́л** *s.* palisade, paling, stockade || **-ый** *a.* (*comp.* ча́ще) frequent, repeated; close, thick, dense.
част/ь *s. f.* [c] part, portion, share; ward, quarter (of a town); police-station; branch (of knowledge); **бо́льшею** **´-ью** for the most part; **по -я́м** in instalments.
часы́ *s. mpl.* clock; **карма́нные** ~ watch, timepiece; ~ **с буди́льником** alarm-clock; **со́лнечные** ~ sundial; **стоя́ть на -а́х** (*mil.*) to stand sentry, to be on guard.
ча́хлый *a.* emaciated, pining away.
ча́хнуть 52. *vn.* (*Pf.* за-, ис-) to pine away, to waste away.
чахо́т/ка *s.* consumption, phthisis || **-очный** *a.* consumptive.
ча́ш/а *s.* bowl, cup, goblet; chalice || **-ечка** *s.* (*gpl.* -чек) *dim. of foll.* || **-ка** *s.* (*gpl.* -шек) cup; **цвето́чная** ~ (*bot.*) calyx; **коле́нная** ~ knee-pan.
ча́ща *s.* thicket, dense, thick forest; jungle.
ча́ще *cf.* **ча́стый.**
ча́яние *s.* expectation, anticipation, hope; **сверх -ия** unexpectedly.
ча́-ять II. *va.* to expect, to anticipate; to trust, to hope.
чва́н=иться II. *vn.* (чем) to pride o.s. (on); to pride (in); to boast, to brag.
чван/ли́вый & **´-ный** *a.* self-conceited, proud; boastful || **´-ство** *s.* self-conceit, pride; boast, vaunt.

чей *prn. poss. & interr.* (чья, чьё, *pl.* чьи) whose?; to whom?; ~ **этот дом?** whose house is that? **чьё это ружьё?** to whom does that gun belong?
чек *s.* cheque, check.
чека́ *s.* linchpin (of a wheel); peg, pin; [sap-wood.
чека́н *s.* punch (tool); die, stamp.
чека́н=ить II. *va.* (*Pf.* ис-, вы́-) to coin (money); to strike (medals); to emboss; to chase.
чека́н/ка *s.* (*gpl.* -нок) coining; embossing; chasing || **-ный** *a.* stamping-; chased, embossed || **-щик** *s.* coiner, stamper; chaser.
чекме́нь *s. m.* Cossack's coat.
чёлн & челно́к *s.* [a] canoe; **тка́цкий ~** shuttle.
чело́ *s.* (*obs.*) forehead; **бить** (кому́) **-о́м** to make obeisance to.
челове́к/ *s.* (*pl.* люди) man, person, individual; servant, waiter || **-олюби́вый** *a.* philanthropic(al), humane || **-олю́бие** *s.* philanthropy, humanity || **-ненави́стник** *s.* misanthrope.
челове́ч/ек *s.* (*gsg.* -чка) *dim. of* челове́к || **-еский** *a.* human || **-ество** *s.* mankind; humanity || **-ный** *a.* humane.
че́люсть *s. f.* jaw, jaw-bone.
че́лядь *s. f. coll.* servants, domestics *pl.*
чем (*I. of* что) with what? by what? || ~ *c.* than (*after comp.*); ~ **бы** instead of (*with Inf.*); ~ **бы поду́мать** (о + *Pr.*) instead of thinking of; ~ . . . **тем** the . . . the; ~ **скоре́е тем лу́чше** the quicker the better; ~ **да́льше тем ху́же** from bad to worse, worse and worse; ~ **свет** as soon as it was daylight, at the break of day.
чём *Pr. of* что.
чему́ *D. of* что.
чемода́н/ *s.* travelling-trunk, -box, portmanteau; **ручно́й ~** hand-bag || **-чик** *s. dim. of prec.*
чепе́ц *s.* [a] (*gsg.* -пца́) (woman's) cap.
чепуха́ *s.* nonsense, rubbish, twaddle.
че́пчик *s. dim. of* чепе́ц.
че́рв/и *s. fpl.* [c] hearts (at cards); **туз -е́й** the ace of hearts || **-и́вый** *a.* wormy, full of worms; worm-eaten || **-лёный** *a.* purple, scarlet || **-о́нец** *s.* (*gsg.* -нца) a ducat, a ten rouble-piece || **-о́нка** *s.* (*gpl.* -нок) a heart (at cards) || **-о́нный** *a.* of hearts; very fine (of gold) || **-ообра́зный** *a.* vermiform; ~ **отро́сток** (vermiform) appendix || **-ото́чина** *s.* worm-hole; (*bot.*) dry-rot || **-ото́чный** *a.* worm-eaten.
черв/ь *s. m.* [c] worm || **-я́к** *s.* [a], *dim.* **-ячо́к** *s.* [a] (*gsg.* -чка́) worm, maggot.
черд/а́к *s.* [a] garret, loft; attic || **-а́чный** *a.* garret-, attic- || **-ачо́к** *s.* [a] (*gsg.* -чка́) *dim. of* черда́к.
черёд & черед/а́ *s.* turn, order; (*bot.*) bud-marigold; **тепе́рь моя́ ~** it's my turn now || **-о+ва́ться** II. [b] *vrc.* to follow by turns *or* in succession; to take turns (with one), to alternate.
че́рез *prp.* (+ *A.*) over, across; along, through, by, via; from; within, in, after; ~ **год** in a year; ~ **Москву́** via Moscow; **я узна́л э́то ~ ва́шего бра́та** I heard of that from your brother; ~ **час по ло́жке** a spoonful every hour.
черём(у)ха *s.* black-alder (tree); bird-cherry (fruit).
че́рен/ *s.* (*pl.* черенья, -ьев, etc.) & **-о́к** *s.* [a] (*gsg.* -нка́) handle, haft, helve; graft, scion.
че́реп/ *s.* [b*] (*an.*) skull, brain-pan; cranium, shell (of crustaceans) || **-а́ха** *s.* (sea) turtle; (land) tortoise; tortoise-shell || **-а́ховый** *a.* (of) tortoise-shell || **-а́ший** (-ья, -ье) *a.* turtle's, of turtle; tortoise- || **-и́ца** *s.* tile || **-и́чный** *a.* of tile(s), tile, tiled || **-но́й** *a.* skull-, cranial || **-о́к** *s.* [a] (*gsg.* -пка́) potsherd, piece of broken glass.
чересполо́сный *a.*, **-ное владе́ние** a property, in which the fields are separated from each other by strips of land belonging to other proprietors.
чересчу́р *ad.* too, too much, too many; overmuch, exceedingly.
чере́шня *s.* wild cherry-tree, bird-cherry [(tree).
черка́-ть II. *va.* (*Pf.* черкн-у́ть I. [a]) to scribble, to scrawl; to strike, to blot out, to cancel; to write, to put, to note down.
че́рмный *a.* (*sl.*) dark-red; **Че́рмное Мо́ре** the Red Sea.
черна́вка *s.* (*gpl.* -вок) brunette.
чёрненький *a.* blackish.
черн/ёхонький *a.* jet-black, pitch dark || **-е́ц** *s.* [a] monk, friar || **-и́ка** *s. coll.* bilberries, whortleberries *pl.* || **-и́ла** *s. npl.* ink || **-и́льница** *s.* inkstand || **-и́льный** *a.* ink-; ~ **оре́шек** gall-nut, oak-apple.
черн=и́ть II. *va.* (*Pf.* о-) to black(en); to colour black; (*fig.*) to slander, to calumniate; (*Pf.* за-) to dirty, to stain, to soil.
черн/и́ца *s.* nun || **-и́чка** *s.* (*gpl.* -чек) *dim. of* черни́ка || **-обу́рый** *a.* dark-brown || **-ова́тый** *a.* blackish, rather

black || **-овой** *a.* in the rough || **-оволосый** *a.* black-haired || **-оглазый** *a.* black-eyed || **-озём** *s.* black earth, mould || **-окнижие** *s.* the black art, magic || **-окнижник** *s.* magician || **-окнижный** *a.* magic(al) || **-олесье** *s. coll.* leafy forest *or* wood || **-омазый** *a.* (*pop.*) dark-complexioned, swarthy || **-окий** = **-оглазый** || **-орабочий** (*as s.*) (unskilled) workman || **-ослив** *s. coll.* (dried) plums || **-ота** *s.* [h] blackness, darkness.

чёрный *a.* (*pd.* чёрен, черна, -о, чёрны; *comp.* чернее) black, dark, of a deep colour; soiled, dirty; **-ное бельё** soiled linen; **~ день** a fatal, unlucky day; **беречь денежку на ~ день** to lay by for the rainy day; **-ное дерево** ebony; **-ное духовенство** friars, monks *pl.*; **-ная лестница** backstairs *pl.*; **-ная книга** daybook; **-ная работа** rough, dirty work; **-ная сотня** the mob, the rabble; **-ная кухарка** inferior cook, cook's help; **черным-черно** jet-black, pitch dark.

чернь *s. f.* mob, rabble.

черп/ак *s.* [a] scoop, well-bucket || **-ало** *s., dim.* **-альце** *s.* scoop, ladle.

черпа-ть II. *va.* (*Pf.* черпн-уть I. [a]) to draw *or* to scoop out, to draw up; (*fig.*) to borrow (from), to obtain, to get.

черстве-ть II. *vn.* (*Pf.* за-, о-, по-) to grow stale (of bread); (*fig.*) to harden.

чёрствый *a.* stale (of bread); hard, rude, unfeeling.

чёрт *cf.* **чорт.**

черт/а *s.* line, mark, dash; (*gramm.*) stroke; feature, lineament, trait || **-ёж** *s.* [a] plan, sketch, design, draught, outline, contour || **-ёжник** *s.* draughtsman, designer || **-ёжный** *a.* for drawing, drawing-; **-ёжная доска** drawing-board.

чертёнок *s.* (*pl.* -енята) imp, little devil; dare-devil.

черт=ить I. 2. [a & c] *va.* (*Pf.* на-) to draw, to sketch, to trace, to design, to outline.

чертов/ка *s.* (*gpl.* -вок) witch, hag, sorceress || **-ский** *a.* devilish, diabolical || **-щина** *s.* devilry, devilment, devilish trick.

чертог *s.* state-room; (*in pl.*) palace.

чертополох *s.* (*bot.*) thistle.

чёрточка *s.* (*gpl.* -чек) *dim. of* черта.

черчение *s.* drawing, tracing, sketching, outlining.

чесалка *s.* (*gpl.* -лок) carding-comb, wool-card.

чесание *s.* carding, hackling.

чес-ать I. 3. [c] *va.* (*Pf.* по-) to scratch; to card, to hackle; (*Pf.* при-) to comb, to dress (the hair) || **~ся** *vr.* to scratch, to rub o.s. || **~** *vn.* to itch; **рука чешется** my hand itches; (*fig.*) **у него язык чешется** he is itching to speak.

чёска *s.* (*gpl.* -сок) carding, hackling.

чесно/к *s.* [a] (*bot.*) garlic || **-чный** *a.* garlic-.

чесот/ка *s.* itch; mange (in dogs) || **-очный** *a.* scabbed, itchy; mangy.

чест/вование *s.* reverence, mark of honour, honouring; greeting; solemn reception || **-во+вать** II. *va.* to esteem, to respect, to honour, to do *or* to pay honour to one, to celebrate.

чест=ить I. 4. [a] *va.* to honour; (*fig.*) to scold, to abuse, to asperse one.

чест/ность *s. f.* honesty, probity, integrity || **-ный** *a.* honest, upright, of honour; **-ное слово!** honour bright! on my word of honour! || **-олюбец** *s.* (*gsg.* -бца), **-олюбица** *s.* an ambitious person || **-олюбивый** *a.* ambitious, aspiring || **-олюбие** *s.* ambition.

честь *s. f.* honour; reputation, respect; **имею ~** I have the honour to (*with Inf.*); **отдать ~** (*mil.*) to salute; **по чести!** honour bright!; **не имею чести знать его** I have not the honour of being acquainted with him; **надо и ~ знать** one must draw the line somewhere, one must not go too far.

честь [г/чт] 24. [a 2.] *va.* to regard (as), to deem, to assume; to think one . . ., to take one for . . .

чёт *s.* even number; **~ или нечет** odd or even.

чета *s.* pair, couple; **он вам не ~** he cannot be compared to you, he is not your equal.

четверг/ *s.* [a] Thursday; **Великий ~** Holy Thursday, Maundy Thursday || **-овый** *a.* of Thursday.

четвереньки *s. fpl.* hands and feet (of men); all fours (of animals); **ходить на -ах** to go on all fours.

четверик *s.* [a] a Russian measure for corn = roughly 3 pecks; **свечи-~** four candles to the pound; **~ лошадей** carriage and four.

четвёрка *s.* (*gpl.* -рок) four (at cards); four-in-hand, a team of four horses; four-oar (boat).

четвер/ной *a.* fourfold, quadruple || **-ня** *s.* four-in-hand; (*in pl.*) four at a birth.

че́тверо/ *num.* (+ *G.*) *coll.* four; **нас ~** there are four of us || **-но́гий** *a.* quadruped, four-footed.
четверт/а́к *s.* [a], **-ачо́к** *s.* [a] (*gsg.* -чка́) quarter of a rouble, 25 copecks (silver coin).
четвёртка *s.* (*gpl.* -ток) quarter; **кни́га в -у** a book in quarto; **~ ча́ю** a quarter pound of tea.
четверт/но́й *a.* quarter-, containing a quarter || **-на́я** (*as s.*) twenty-five rouble note || **-о+ва́ть** II. [b] *va.* to quarter.
четвёртый *num.* fourth; **~ час** between three and four; **в -ых** fourthly.
че́тверть *s.f.* [c] quarter; corn-measure (about 6 bushels); **без -и три часа́** a quarter to three; **два часа́ с -ью** a quarter past two; **~ пя́того** a quarter past four; **по -и часа́** every quarter of an hour; **по -я́м (го́да)** quarterly.
чётки *s. fpl.* (*G.* -ток) rosary, beads *pl.*
чёт/кий *a.* legible || **-кость** *s. f.* legibility || **-ный** *a.* even (of numbers).
четы́ре/ *num.* four || **-жды** *ad.* four times || **-ста** *num.* four hundred || **-уго́льник** *s.* (*geom.*) quadrangle, tetragon.
четырёх/дне́вный *a.* (of) four days' || **-ле́тний** *a.* (of) four years' || **-ме́сячный** *a.* (of) four months' || **-со́тый** *num.* four-hundredth || **-сторо́нний** *a.* (*geom.*) quadrilateral || **-чле́нный** *a.* four-limbed, of four members.
четы́рнадцат/ый *num.* fourteenth || **-ь** *num.* fourteen.
че́тьи-мине́и *s. fpl.* martyrology, legends of the saints.
чехо́л *s.* [a] (*gsg.* -хла́) cover, case.
чехорда́ *s.* leap-frog.
чечев/и́ца *s.* lentil || **-и́чный** *a.* lentil.
че́/чет *s.* (*orn.*) finch || **-чётка** *s.* (*gpl.* -ток) hen-finch.
чешу́й/ка *s.* (*gpl.* -у́ек) *dim. of* чешуя́ || **-ный** *a.* scaly, squamous; scale- || **-чатый** *a.* scaly.
чешуя́ *s.* scale.
чи́бис *s.* (*orn.*) peewit, lapwing.
чиж/ *s.* [a] & **-́ик** *s.* (*orn.*) siskin, greenfinch || **-о́вка** *s.* (*gpl.* -вок) hen-siskin; (*fam.*) detention-room (for prisoners under arrest).
чи́ка-ть II. *vn.* (*Pf.* чи́кн-уть I.) to chirp (of young birds); to cut with scissors.
чили́ка-ть II. *vn.* (*Pf.* чили́кн-уть I.) to chirp, to twitter (of birds).
чин *s.* [b] rank, grade; post, office, calling.
чина́р *s.* (Caucasian) plane-tree.
чин=и́ть II. [a & c] *va.* (*Pf.* у-) to make, to do, to execute; (*Pf.* на-) to stuff, to fill, to cram; (*Pf.* по-) to mend, to repair; (*Pf.* о-) to point, to sharpen || **~ся** *vr.* to stand on ceremony.
чи́н/но *ad.* as is fitting *or* becoming; dedecently, decorously || **-о́вник** *s.* official, functionary || **-о́вный** *a.* having rank *or* grade || **-оположе́ние** *s.* church-service, ritual; ceremonial || **-опочита́ние** *s.* respect due to rank, discipline || **-опроизво́дство** *s.* promotion.
чи́рей *s.* (*gsg.* -рья) boil, ulcer, abcess.
чири́кать = чили́кать.
чи́сл/енность *s. f.* number, quantity; (*mil.*) strength || **-и́тель** *s. m.* (*math.*) numerator || **-и́тельный** *a.*, **и́мя -и́тельное** (*gramm.*) numeral.
чи́сл=ить II. *va.* to count, to number, to reckon.
число́ *s.* [d] number, figure; quantity; date, day of the month; **дро́бное ~** (*math.*) fraction; **дели́мое ~** (*math.*) dividend; **ча́стное ~** (*math.*) quotient; **кото́рое (како́е) сего́дня ~?** what day of the month is it? **кото́рого -а́?** on what date? **от сего́ -а́** (*comm.*) from to-day; **сре́дним -о́м** on an average; **еди́нственное & мно́жественное ~** singular & plural (number).
чистага́н/ *s.* cash, ready money || **-ом** *ad.* in cash, on the nail.
чи́ст/енький *a.* neat, tidy || **-и́лище** *s.* Purgatory || **-и́льщик** *s.* cleaner, cleanser.
чи́ст=ить I. 4. *va.* (*Pf.* по-, вы́-) to cleanse, to clean, to scour; to sweep, to brush; to polish; to peel (potatoes); to shell (peas); to gut (fishes).
чи́ст/ка *s.* (*gpl.* -ток) cleaning, cleansing, scouring; brushing; polishing || **-ога́н = чистага́н** || **-окро́вный** *a.* thoroughbred || **-описа́ние** *s.* penmanship, calligraphy || **-опло́тный** *a.* clean, neat, tidy || **-осерде́чный** *a.* candid, frank, sincere || **-ота́** *s.* cleanness, cleanliness, purity || **-ый** *a.* (*comp.* чи́ще) clean, neat, tidy; pure; clear; correct; virgin (of metal).
чит/а́льня *s.* reading-room || **-а́тель** *s. m.*, **-а́тельница** *s.* reader.
чита́-ть II. *vn.* (*Pf.* по-) to read; to deliver (a lecture), to lecture; **~ по скла-да́м** to spell.
чиха́нье *s.* sneezing.
чиха́-ть II. *vn.* (*Pf.* чихн-у́ть I. [a]) to sneeze.
чичеро́не *s. indecl.* cicerone, guide.

чи́ще *cf.* **чи́стый.**
член/ *s.* limb; member, fellow (of society); (*gramm.*) article; (*math.*) term || **–овреди́тельство** *s.* mutilation || **´–ский** *a.* of member, fellow- || **´–ство** *s.* membership, fellowship.
чмок *s.* smacking, smack; hearty kiss.
чмо́ка-ть II. *vn.* (*Pf.* по- & чмо́кн-уть I.) to kiss with a sharp noise; to smack.
чо́ка-ться II. *vn.* (*Pf.* чо́кн-уться I.) to clink glasses.
чо́лка *s.* (*gpl.* -лок) forelock (of horses).
чолн = чёлн.
чо́порный *a.* pedantic, punctilious; affected, mincing.
чорт/ *s.* [c] (*gsg. also* черта́, *pl.* че́рти, -е́й, etc.) devil; (*fam.*) old Nick, deuce, dickens; **~ возьми́!** deuce take it! **~ тебя́ побери́!** go to Jericho! || **´–ов** *a.* devil's.
чо́тки = чётки.
чрев/а́тый *a.* big-bellied, paunch-bellied; big, full || **–а́тая** (*fam.*) pregnant || **–овеща́ние** *s.* ventriloquism || **–овеща́тель** *s. m.* ventriloquist || **–оуго́дие** *s.* (*sl.*) gluttony || **–оуго́дник** *s.*, **–оуго́дница** *s.* glutton.
чреда́ = череда́.
чрез = че́рез.
чрез/вычáйный *a.* extraordinary, excessive; unusual, uncommon || **–ме́рный** *a.* excessive; exorbitant, immoderate, inordinate, extravagant.
чте́ние *s.* reading; lecture, delivery (of a lecture); **библио́тека для –ия** library.
чтец *s.* [a], **чти́ца** *s.* reader; reciter.
чт=ить I. *va.* (*Pf.* по-) to honour, to esteem, to respect.
что *prn. rel. & interr.* that; what? **~ с ва́ми?** what is the matter with you? **~ за несча́стие!** what a misfortune! **~ за де́рзость!** what impudence! **~-нибу́дь, ´~-либо** something, anything; **~ бы ни случи́лось** whatever happens; **для чего́?** why?; **не́ за ~** don't mention; **ни по чём** it's all one to me; **~ до меня́, ~ каса́ется до меня́** as for me, for my [part.
что́б(ы) *c.* that, in order that.
чу *int.* hear! hist!
чуб/ *s.* tuft; (*fam.*) head of hair; crest (of birds) || **–а́рый** *a.* mottled, spotted, speckled (*esp.* of horses) || **–у́к** *s.* [a] a long pipe-tube (as used in Turkey).
чу́вств/енный *a.* sensual, sensuous || **–и́тельный** *a.* tender, feeling, sensitive (of persons); acute, severe, painful || **–о** *s.* sense; *e. g.* **~ слу́ха** sense of hearing; feeling, sensation; sentiment; **лиши́ться чувств** to lose consciousness || **–о+вать** II. *va.* (*Pf.* по-) to feel, to perceive, to be sensible of, to have the sensation of || **~ся** *vr.* to be felt, to be perceived, to make itself felt.
чугу́н/ *s.* [a] pig-iron, cast-iron; cast-iron vessel || **–ка** *s.* (*gpl.* -нок) cast-iron stove; (*pop.*) railway || **–ный** *a.* cast-iron || **–олите́йный** *a.*, **~ заво́д** cast-iron foundry, smelting-house || **–оплави́льный** *a.*, **–оплави́льная печь** smelting-furnace.
чуд/а́к *s.* [a] queer fellow, odd character; eccentric person, original || **–е́сный** *a.* wonderful, marvellous, miraculous.
чуд=и́ть I. 1. [a] *vn.* (*Pf.* на-, по-) to behave queerly, to play tricks || **~ся** *vc.* (*sl.*) to be astonished, to be surprised, to wonder.
чу́д=иться *v. imp.* to seem, to appear; to occur, to happen.
чу́д/ный *a.* wonderful, marvellous || **–о** *s.* (*pl.* чудеса́, -де́с, -деса́м) miracle; marvel, wonder || **–о́вище** *s.* monster, prodigy || **–о́вищный** *a.* monstrous, unnatural || **–оде́й** *s.* droll person; wag || **–оде́йственный** *a.* (*sl.*) miraculous, performing miracles || **–отво́рный** *a.* wonder-working; **~ о́браз** miraculous image.
чуж/а́к *s.* [a], **–а́чка** *s.* (*gpl.* -чек) (*pop.*) stranger, foreigner || **–би́на** *s.* foreign country || **–да́-ться** II. *vrc.* to become estranged (with); to retire, to withdraw; to shun, to avoid || **´–дый** *a.* foreign, stranger to; strange, incomprehensible; not taking part in, standing aloof from || **–езе́мец** *s.* (*gsg.* -мца), **–езе́мка** *s.* (*gpl.* -мок) *s.* foreigner || **–езе́мный** *a.* foreign || **–естра́нец** *s.* (*gsg.* -нца), **–естра́нка** *s.* (*gpl.* -нок) foreigner || **–естра́нный** *a.* foreign, outlandish || **–еядный** *a.* parasitic(al) || **–о́й** *a.* foreign, strange; of another, of others, of a third party.
чула́н/ *s.* lumber-room; larder, storeroom || **–ец** *s.* (*gsg.* -нца) & **–чик** *s.* *dim. of prec.*
чул/о́к *s.* [a] (*gsg.* -лка́) stocking, sock || **–о́чек** *s.* (*gsg.* -чка) *dim. of prec.* || **–о́чник** *s.*, **–о́чница** *s.* stocking-knitter.
чум/а́ *s.* plague, pest || **–а́зый** *a.* (*pop.*) dirty, filthy, nasty, slovenly || **–и́чка** *s.* (*gpl.* -чек) skimmer, ladle; (*fig.*) *coll.* dirty fellow, pig; sloven, slut || **´–ный**

a. plague-; pestilential, pestiferous, plague-stricken.

чур/ *s.* boundary, limit || ~ *int.*, ~ **молчать!** silence! ~ **пополам!** I cry halves! ~ **меня!** leave me alone! || **–бáн** *s.* [a] block, log.

чýт/кий *a.* quick (of ear); sharp (of hearing); light (of sleep); perceptible, sensible || **–очку** *ad.* a little, a bit.

чуть *ad.* almost; hardly; ~ **не** nearly, on the point of; ~-~ within a hairbreadth; ~-**свет** at day-break.

чутьё *s.* feeling, hearing, taste; (*esp.*) scent, smell; instinct (of animals).

чýчело *s.* a stuffed bird; scarecrow, bugbear; **снéжное** ~ snowman.

чýшка *s.* (*gpl.* -шек) a young pig.

чушь *s. f.* nonsense, stuff, twaddle.

чý-ять II. *va.* (*Pf.* по-) to scent, to smell, to perceive; to divine.

Ш

шáбаш Sabbath.

шабáш *s.* rest from work, (time of) rest || ~ *int.* enough! stop!

шабáш=ить I. *vn.* (*Pf.* за-) to leave off *or* to cease working.

шаблóн *s.* model, mould, pattern.

шáвка *s.* (*gpl.* -вок) shepherd's dog.

шаг/ *s.* [b°] (*after* два, три, четы́ре: шагá) step, stride, pace; ~ **за** **–ом** step by step; **–ом** at a walk; **скóрым** **–ом** with rapid strides; **ти́хим** **–ом** with measured steps.

шагá-ть II. *vn.* (*Pf.* шагн-ýть I. [a]) to stride, to step (along).

шагомéр *s.* pedometer.

шагрéнь *s. f.* shagreen.

шажóк *s.* [a] (*gsg.* -жкá) *dim. of* шаг.

шáйка *s.* (*gpl.* шáек) (wooden) pail; band, gang; ~ **разбóйников** gang of robbers.

шайтáн *s.* Satan, the devil (Tartaric).

шакáл *s.* jackal.

шалáш *s.* [a] hut, shelter, tent (made of branches).

шалé-ть II. *vn.* (*Pf.* о-) to grow crazy, to become insane, to be off one's head.

шал=и́ть II. [a] *va.* (*Pf.* на-, по-) to play pranks, to sport, to frolic, to be in riotous spirits; to steal, to pilfer.

шалнéр = **шарни́р.**

шаловли́вый *a.* sportive, frolicsome, wanton, mischievous.

шалопáй *s.* lounger, idler, loafer, good-for-nothing.

шáл/ость *s. f.* prank, frolic; friskiness, mischievousness || **–ýн** *s.* [a], **–ýнья** *s.* scamp, madcap, mischievous monkey (of children) || **–фéй** *s.* (*bot.*) sage.

шаль/ *s. f.* shawl || **–нóй** *a.* crazy, insane, mad; **как** ~ like a madman; **–нáя горя́чка** (*fam.*) the jim-jams *pl.*; **–нáя пýля** a random shot.

шампáнский *a.* champagne-.

шампиньóн *a.* mushroom.

шампýнь *s. f.* shampoo.

шандáл *s.* candlestick.

шáнец *s.* (*gsg.* -нца) (*mil.*) entrenchment, trench.

шанс *s.* chance.

шантáж *s.* [a] blackmail, extortion.

шáпка *s.* (*gpl.* -пок) (fur-)cap.

шапо-кля́к *s.* opera-hat, crush hat.

шáпоч/ка *s.* (*gpl.* -чек) *dim. of* шáпка || **–ник** *s.* capmaker || **–ный** *a.* cap-; **–ное знакóмство** (с кем) nodding acquaintance; **к –ному разбóру** at the very end, too late.

шар/ *s.* [b & a] ball; globe; sphere; **воздýшный** ~ balloon; **хоть –óм покати́** swept clean, without leaving a trace || **–абáн** *s.* charabanc || **–áда** *s.* charade.

шарáхн-уться I. *vn.* to tumble down, to fall, to rush headlong; to run away, to bolt (of horses).

шарж *s.* caricature.

шáрик *s. dim. of* шар.

шáр=ить II. *va.* (*Pf.* об-) to search thoroughly, to rummage in, to fumble in, to ransack.

шáрканье *s.* scraping (with the feet).

шáрка-ть II. *vn.* (*Pf.* шáркн-уть I.) to scrape (with the feet); ~ **ногáми** to make *or* to scrape a bow.

шарлатáн/ *s.* charlatan, quack || **–ство** *s.* charlatanism, quackery.

шармáн/ка *s.* (*gpl.* -нок) barrel-organ || **–щик** *s.* organ-grinder.

шарни́р *s.* hinge, joint.

шаровáры *s. fpl.* wide breeches *pl.*, trunk hose(s).

шаро/ви́дный & **–обрáзный** *a.* globular, spheric(al).

шарф *s.* scarf, sash.

шатá-ть II. *va.* (*Pf.* шатн-ýть I. [a]) to shake, to joggle, to rock || ~**ся** *vr.* to move, to budge; to stagger, to waver, to reel, to totter; to stroll, to ramble.

шатёр/ *s.* [a] (*gsg.* -трá) tent || **–ный** *a.* tent-.

шáткий *a.* tottering, unsteady; wavering, shaky; uncertain, precarious, fickle, inconstant, doubtful, variable.

шатну́ть *cf.* **шата́ть.**
шатра́ *cf.* **шатёр.**
шату́н *s.* [a] rover, stroller, idler; (*tech.*) connecting-rod.
ша́ф/ер *s.* best man (at a wedding) || **-ра́н** *s.* saffron.
шах *s.* shah (of Persia); check (at chess); **коро́ль стои́т под ⸗ом** *or* **на -у́** the king is in check; **~ и мат** checkmate.
ша́хмат/ный *a.* chess-; chequered, check; **-ная доска́** chess-board; **~ игро́к** chess-player || **-ы** *s. mpl.* chess.
ша́хта *s.* shaft (of a mine).
ша́шеч/ница *s.* draught-board, chess-board || **-ный** *a.* of draughts; **-ная игра́** draughts.
ша́шка *s.* (*gpl.* -шек) (Caucasian) sabre; man, piece (at draughts); **игра́ть в -и** to play draughts.
ша́шни *s. fpl.* intrigues, plots *pl.*
шва́бра *s.* mop; (*mar.*) swab.
шва́льня *s.* tailor's workshop.
шве́й/ка *s.* (*gpl.* шве́ек) = **швея́** || **-ный** *a.* sewing- || **-ца́р** *s.* porter, concierge, door-keeper.
швея́ *s.* needlewoman, seamstress.
швыря́-ть II. *vn.* (*Pf.* швырн-у́ть I. [a]) to hurl, to fling, to throw.
шевел⸗и́ть II. [a & c] *vn.* (*Pf.* по-, *mom.* шевельн-у́ть I. [a]) to move, to stir (up), to rouse.
шевро́н *s.* (*mil.*) stripe, chevron.
шедёвр *s.* masterpiece.
ше́дший *cf.* **итти́.**
шей/, ⸗те *cf.* **шить.**
ше́й/ка *s.* (*gpl.* ше́ек) *dim.* neck || **-ный** *a.* neck-.
шёл *cf.* **итти́.**
ше́лест *s.* rustle, rustling.
шелест⸗и́ть I. 4. [a] *vn.* to rustle (of leaves, paper, silk).
шёлк *s.* [g°] silk; **на шелку́** silk-lined.
шелко/ви́на *s.* a silk thread || **-ви́стый** *a.* silky || **-ви́ца & -ви́чник** *s.* mulberry-tree || **-ви́чный** *a.*, **~ червь** silkworm || **-во́д** *s.* rearer of silkworms || **-во́дство** *s.* sericulture, rearing of silkworms.
шёлковый *s.* silken; silk-, of silk.
шелко/де́лие *s.* silk manufacture || **-заво́дчик** *s.* silk manufacturer || **-пря́д** *s.* (*zool.*) silk-moth || **-пряде́ние** *s.* silk-spinning || **-пряди́льня** *s.* silk-factory.
шелохну́ть *cf.* **шелыха́ть.**
шёлуди *s. mpl.* scurf, scab; mange (of dogs).
шелуди́вый *a.* scurvy, scabby; mangy.
шелуха́ *s.* shell (of eggs *or* nuts), hull, husk; **ры́бья ~** scale of fish.
шелуш⸗и́ть I. [a] *va.* (*Pf.* о-) to shell, to hull, to husk.
шелыха́-ть II. *va.* (*Pf.* шелохн-у́ть I. [c]) to move, to stir, to agitate; to scare away || **~ся** *vr.* to move (o.s.), to stir, to be agitated.
ше́льма *s. m&f.* rascal, rogue.
шельмо+ва́ть II. [b] *va.* (*Pf.* о-) to treat like a rascal; to defame.
шельмовство́ *s.* roguery, rascality.
шемизе́тка *s.* (*gpl.* -ток) chemisette, shirt-front.
шепеля́вый *a.* lisping.
шепе/ля́-ть II. & **-т-а́ть** I. 2. [c] *vn.* (*Pf.* про-) to lisp.
шептала́ *s. coll.* dried peaches *pl.*
шепт-а́ть I. 2. [c] *vn.* (*Pf.* про-, *mom.* шепн-у́ть I. [a]) to whisper; **~** (кому́) **на́ ухо** to whisper into one's ear.
шепту́н/ *s.* [a], **-ья** *s.* whisperer; tale-bearer, slanderer.
шербе́т *s.* sherbet.
шере́нга *s.* (*gpl.* -ног) (*mil.*) rank, file.
шеромы́жник *s.* swindler, sharper; loafer; sponger.
шерохова́тый *a.* rough, rugged.
шерсти́нка *s.* (*gpl.* -нок) a single woollen hair.
шёрстка *s.* (*gpl.* -ток) *dim. of* шерсть.
шерсто/бо́й *s.* wool-beater || **-пряди́льня** *s.* wool-spinning mill.
шерст/ь *s. f.* [c] wool; hair; **про́тив ⸗и** against the grain, the wrong way || **-яно́й** *a.* woollen; wool-.
шерхе́бель *s. m.* (*tech.*) jack-plane.
шерша́вый *a.* shaggy, hirsute, rough.
ше́ршень *s.m.* (*gsg.* -шня) (*zool.*) hornet.
шест *s.* [a] pole, perch.
ше́ств/ие *s.* procession, train || **-о+вать** II. *vn.* to walk gravely along, to walk in a procession.
шест/ери́к *s.* [a] anything made up of six similar things, *e. g.* **свеча́ ~** six candles to the pound; **гвоздь ~** a six-inch nail, etc. || **-ёрка** *s.* (*gpl.* -рок) six-in-hand, a team of six horses; six oared boat; six (at cards) || **-ерно́й** *a.* six-fold, of six parts || **-ерня́** *s.* (*tech.*) driving-wheel, cog-wheel; lantern-wheel.
ше́ст/еро *num.* six together; **нас ~** there are six of us, we are six || **-идне́вный** *a.* six days' || **-иле́тний** *a.* six years' || **-идеся́тый** *num.* sixtieth || **-исо́тый** *num.* six-hundredth || **-исторо́нний** *a.* six-sided, hexahedral || **-иуго́льный** *a.* hexagonal || **-на́дцатый** *num.* six-

teenth || **–на́дцать** *num.* sixteen || **–о́й** *num.* sixth.
шесто́к *s.* [a] (*gsg.* -тка́) hearth (of a Russian oven).
шесть/ *num.* six || **–деся́т** *num.* sixty || **–со́т** *num.* six hundred || **–ю́** *ad.* six [times.
шеф *s.* chief, principal.
ше́я *s.* neck. [quick; violent.
ши́бкий *a.* (*comp.* ши́бче) swift, rapid,
ши́ворот *s.* collar; **взять** (кого́) **за ~** to catch a person by the scruff of the neck; **~ на вы́ворот** upside down, topsy-turvy.
шик/ *s.* elegance, stylishness, taste || **–а́рный** *a.* chic, stylish, elegant.
ши́ка-ть II. *vn.* (*Pf.* о-, по-, *mom.* ши́кн-уть I.) to hiss.
ши́л/о *s.* (*pl.* ши́лья, -ьев, etc.), *dim.* **–ьце** *s.* awl.
ши́на *s.* tyre, wheel-band.
шине́ль *s. f.* cloak, greatcoat.
шинка́р/ство *s.* ale-house, tavern || **–ь** *s. m.* ale-house keeper, tavern-keeper.
шинко+ва́ть II. [b] *va.* (*Pf.* на-) to chop, to shred (cabbage). [house.
шино́к *s.* [a] (*gsg.* -нка́) tavern, ale-
шинши́лла *s.* (*zool.*) chinchilla.
шип *s.* [a] (*bot.*) spine; (*also fig.*) thorn, prickle; sharp scale (of fishes); hobnail (of a horseshoe); (*arch.*) tenon.
шипе́ние *s.* hissing, sizzling, frothing; buzzing (of a spindle).
шип=е́ть II. 7. [a] *vn.* (*Pf.* про- & шипн-у́ть I. [a]) to hiss; to froth (up), to sparkle (of wine).
шипова́тый *a.* thorny, prickly.
шипо́вник *s.* wild rose, dog-rose.
шипу́чий (-ая, -ее) *a.* sparkling, effervescent.
ши́р/е *cf.* **широ́кий** || **–ина́** *s.* breadth, width.
ши́р=ить II. *va.* (*Pf.* рас-) to widen, to broaden; to spread (*e. g.* wings).
ши́рма *s.* (*us. in pl.*) (folding-)screen, stove-screen.
широ́к/ий *a.* (*pd.* широ́к, -а́, -о́, *pl.* -и́; *comp.* ши́ре) broad, wide; unrestrained; **жить на –ую ногу** to live in grand style || **–опле́чий** *a.* broad-shouldered || **–опо́лый** *a.* wide-skirted (of a coat); wide-brimmed (of a hat).
широта́ *s.* [h] (*astr. & geog.*) latitude; **ни́зкие широ́ты** low latitudes.
широча́йший *sup. of* широ́кий.
ширь *s. f.* = **ширина́.**
шить 27. *va.* (*Pf.* с-, *Fut.* сошью́, -ьёшь) to sew; to embroider.
шитьё *s.* sewing; needlework; sewing-implements *pl.*
ши́фер *s.* (*min.*) slate, schist. [fonier.
шифонье́рка *s.* (*gpl.* -рок) (шкап) chif-
шифр/ *s.* (*mil.*) monogram (of tsar) || **⌐а** *s.* (*us. in pl.*) cipher, code, secret writing || **–о+ва́ть** II. [b] *va.* to write in cipher.
шиш/ *s.* [a], **ни –а́** not a fig || **~** *int.* hush! quiet! || **⌐ечка** *s.* (*gpl.* -чек) *dim. of foll.* || **⌐ка** *s.* (*gpl.* -шек) bump, swelling; boss; knob || **–кова́тый** *a.* knobby, knotty.
шка́лик *s.* fire-pot, small lamp (for illumination); small glass (of brandy).
шкап & **шкаф** *s.* [b] cupboard, clothes-press; **де́нежный шкаф** safe.
шкату́лка *s.* (*gpl.* -лок) casket.
шквал *s.* (*mar.*) (a sudden) squall.
шкво́рень *s. m.* (*gsg.* -рня) (*tech.*) coupling-bolt.
шкив *s.* (*tech.*) sheave (of a block).
ши́пер *s.* (*pl.* -а́) skipper.
шко́ла *s.* school. [train.
шко́л=ить II. *va.* (*Pf.* вы́-) to school, to
шко́ль/ник *s.* schoolboy, scholar, pupil || **–ница** *s.* schoolgirl, scholar || **–ничество** *s.* schoolboy's tricks *pl.* || **–ный** *a.* school-.
школя́р *s.* scholar, schoolboy, disciple.
шху́на *s.* schooner.
шку́р/а *s.* hide, skin, pelt; **спасти́ свою́ –у** to save one's bacon; **содра́ть –у** (с кого́) to give a good whipping to, to fleece one || **–ка** *s.* (*gpl.* -рок) *dim. of* [*prec.*
шла *cf.* **итти́.**
шлагба́ум *s.* barrier, turnpike.
шлак *s.* (*met.*) scoria, slag.
шла́фрок *s.* dressing-gown.
шлейф *s.* train (of a dress).
шлем *s.* helmet; slam (at whist).
шлёп *int.* smack! flop! bump!
шлёпа-ть II. *vn.* (*Pf.* шлёпн-уть I.) to slap, to clap; to dash; **~ башмака́ми** to shuffle || **~ся** *vr.* to fall down with a flop, to flop down.
шле́я *s.* [a] (*exc. N. pl.* шле́и) breeching (of a harness).
шлиф/ова́льщик *s.* polisher || **–о+ва́ть** II. [b] *va.* (*Pf.* от-, вы́-) to polish.
шло *cf.* **итти́.**
шлюз *s.* sluice, lock, flood-gate.
шлюп/ка *s.* (*gpl.* -пок) (*mar.*) jolly-boat || **–очка** *s.* (*gpl.* -чек) *dim. of prec.*
шля́п/а *s.* hat (*esp.* man's); **де́ло в –е** (*fig.*) the business is settled || **–ёнка** *s* (*gpl.* -нок) (*abus.*) bad hat || **–ка** *s.* (*gpl.*

-пок) small hat; woman's hat; ~ **гвоздя́** head of a nail || **–ник** & **–очник** *s.* hatter || **–ный** & **–очный** *a.* hat-.
шля́-ться II. *vc.* (*Pf.* по-) (*pop.*) to saunter, to stroll about.
шлях/е́тский *a.* noble (in Poland) || **–е́тство** & **–́та** *s.* nobility (in Poland) || **–́тич** *s.* (Polish) noble.
шмель *s. m.* [a] drone, humble-bee.
шмыг *int.* hush! quick!
шмы́га-ть II. *vn.* (*Pf.* шмыгн-у́ть I. [a]) (*pop.*) to hasten to and fro, to scuttle, to slip in (quickly).
шнур/ *s.* [a] lace, cord, string, line || **–о+ва́ть** II. [b] *va.* (*Pf.* за-) to lace, to tie up, to cord, to string || **–о́вка** *s.* (*gpl.* -вок) lacing, tying; **сапожо́к со –о́вкой** lace-boots *pl.* || **–о́к** *s.* [a] (*gsg.* -рка́) *dim. of* шнур.
шныря́-ть II. *vn.* (*Pf.* шнырн-у́ть I. [a]) to move about quickly; to slip away quickly.
шов *s.* (*gsg.* шва) seam; joint; (*chir.* & *an.*) suture.
шовини́ст *s.* chauvinist.
шокола́д/ *s.* chocolade || **–ный** *a.* (of) chocolade.
шо́мпол *s.* (*pl.* -ы & -а́) ramrod (of a gun).
шо́пот *s.* whisper(ing); **–ом** in a whisper.
шо́рник *s.* harness-maker, saddler.
шо́рох *s.* (dull) noise; rustling (of dry leaves).
шо́ры *s. fpl.* harness, set of harness; blinkers *pl.*
шосс/е́ *s. indecl.* highway, causeway, highroad || **–иро+ва́ть** II. [b] *va.* to macadamize.
шоф(ф)ёр *s.* chauffeur.
шпа́га *s.* sword.
шпа́жный *a.* sword-.
шпа́ла *s.* (*rail.*) sleeper.
шпале́р *s.* (*us. in pl.*) espalier, trellis; (*mil.*) line (of troops).
шпа́нка *s.* (*gpl.* -нок) (Spanish) cherry.
шпа́р=ить II. *va.* (*Pf.* о-) to scald.
шпат *s.* (*min.*) spar.
шпа́ция *s.* (*typ.*) space, distance.
шпик/ *s.* bacon || **–о+ва́ть** II. [b] *va.* (*Pf.* на-) (*culin.*) to lard.
шпиль/ *s. m.* spire; (*mar.*) capstan || **–́ка** *s.* (*gpl.* -лек) hairpin; shoemaker's peg *or* brad; tack; (*fig.*) taunt.
шпина́т *s.* (*bot.*) spinach.
шпио́н/ *s.* spy || **–ство** *s.* espionage, spying.
шпио́н=ить II. *va.* (*Pf.* по-) to spy (out).
шпиц *s.* spire (of a church); Pomeranian dog, pom.
шпон *s.* riglet; (*typ.*) space-line; composing-rule.
шпо́ра *s.* spur.
шпо́р=ить II. *va.* (*Pf.* при-) to spur (on).
шприц *s.* squirt, syringe.
шпу́лька *s.* (*gpl.* -лек) spool; bobbin.
шрам *s.* scar, gash, slash.
шрапне́ль *s. f.* shrapnel.
шрифт *s.* type, character, print.
штаб/ *s.* (*mil.*) staff; **гла́вный** *or* **генера́льный** ~ general staff || **~-офице́р** *s.* staff-officer || **–́ский** *a.* staff- || **–с-капита́н** *s.* (*mil.*) second captain.
штамб *s.* stem, trunk (of a tree).
штамп *s.* (*tech.*) punch, stamp.
шта́нга *s.* (upright) post.
штанда́рт *s.* standard.
штани́шки *s. mpl.* (*G.* шок) (*abus.*) bad trousers *pl.*
штаны́ *s. mpl.* trousers, breeches *pl.*
штат/ *s.* (*mil.* & *parl.*) Estimates *pl.*, establishment; civil list || **–́ный** *a.* state-, established.
штати́в *s.* (*phot.*) support, rest.
штем/пеле+ва́ть II. [b] & **–́пел=ить** II. *va.* to stamp || **–́пель** *s. m.* stamp.
штибле́ты *s. fpl.* high-lows, half-boots *pl.*
штиль *s. m.* (*mar.*) a calm.
шти́фтик *s.* (*tech.*) pin, tack.
што́льня *s.* (*min.*) adit, gallery.
што́пальщица *s.* darner, patcher, mender (of stockings, old clothes).
што́па-ть II. *va.* (*Pf.* за-) to mend, to patch, to darn (stockings, etc.).
што́пор *s.* cork-screw.
што́ра *s.* roller-blind, window-blind.
шторм *s.* (*mar.*) storm, tempest.
штос *s.* a card game.
штоф *s.* a liquid measure (about 2 pints); square bottle (for brandy); damask (stuff).
штраф/ *s.* fine || **–о+ва́ть** II. [b] *va.* (*Pf.* о-) to fine.
штри́пка *s.* (*gpl.* -пок) band, strap (on trousers).
штрих *s.* [a] stroke, dash (of pen).
шту́к/а *s.* piece; ~ **сукна́** a bale of cloth; trick, juggling-tricks *pl.* || **–а́рь** *s. m.* [a] a tricker, juggler; slyboots || **–ату́р=ить** II. *va.* (*Pf.* вы́-) (*arch.*) to rough-cast, to stucco || **–ату́рка** *s.* (*gpl.* -рок) stucco || **–ату́рщик** *s.* stucco-worker.
штурм/ *s.* (*mil.*) storm, storming || **–́ан** *s.* (*pl.* -а́) (*mar.*) steersman, pilot || **–о+ва́ть** II. [b] *va.* to storm, to take by storm.
шту́цер *s.* carbine.
шту́ч/ка *s.* (*gpl.* -чек) *dim. of* шту́ка || **–ный** *a.* piecemeal, in pieces, made of pieces; ~ **пол** parquet(te)-floor.
штык *s.* [a] bayonet; bar (of metal).
шу́б/а *s.* fur, fur-coat || **–ка** *s.* (*gpl.* -бок) *dim. of* шу́ба; short fur-cloak (lady's).

шу́лер/ *s.* [b*] (card-)sharper, shark || **–ство** *s.* (card-)sharping.
шум *s.* noise, din, roar, uproar; murmur; ~ **в уша́х** buzzing in the ears; **мно́го** **_́у из-за пустяко́в** much ado about nothing.
шум=е́ть II. 7. [a] *vn.* (*Pf.* на-, по-) to make a great noise, to be noisy, to kick up a row, to brawl; to roar (of the wind).
шум/и́ха *s.* tinsel || **–ли́вый** *a.* noisy, clamorous.
шу́мный *a.* noisy, loud.
шумо́вка *s.* (*gpl.* -вок) skimmer.
шумо́к *s.* [a] (*gsg.* -мка́) *dim. of* шум.
шу́рин *s.* [b & c] (*pl.* шу́рья, -ьев, etc.) brother-in-law (the wife's brother).
шу́стрый *a.* (*prov.*) vigilant, expert, dexterous.
шут *s.* [a] jester, buffoon, wag.
шут=и́ть I. 2. [c] *vn.* (*Pf.* по-) to jest, to joke; to make merry (with); (над + *I.*) to make fun of; **шутя́** in jest, jestingly, for fun; **не шутя** in earnest, joking apart || ~ *v.imp.* to haunt; **в э́том лесу́ шу́тит** this wood is haunted.
шут/и́ха *s.* (female) jester; (fireworks) cracker || **_́ка** *s.* (*gpl.* -ток) jest, joke, fun; (*theat.*) farce; **в _́ку** in jest, as a joke; **без _́ок** in earnest, seriously; **_́ки в сто́рону** joking aside; **мне не до _́ок** I'm not inclined for joking, I'm in no joking (laughing) mood; **де́ло пошло́ не на _́ку** things begin to look serious || **–ли́вый** *a.* jocular, jocose; droll, laughable, funny || **–ни́к** *s.* [a], **–ни́ца** *s.* joker, jester, buffoon, wag; banterer || **–овско́й** *a.* droll, comical; foolish, foppish || **–овство́** *s.* bufoonery; tomfoolery || **_́очка** *s.* (*gpl.* -чек) *dim. of* шу́тка || **_́очный** *a.* playful, droll, funny, facetious.
шу́шера *s.* (*pop.*) *coll.* trash, lumber, rubbish; (*fig.*) mob, rabble, riffraff.
шушу́ка-ть II. *vn.* (*Pf.* по-) to whisper || **~ся** *vrc.* to whisper together.
шхе́ры *s. fpl.* cliffs and fiords of Scandinavia.
шьёшь, шью *cf.* **шить.**

Щ

щаве́ль *s. m.* [a] (*bot.*) sorrel, dock.
щад=и́ть I. 1. [a] *va.* (*Pf.* по-) to have mercy on, to spare.
щебен=и́ть II. [a] *va.* (*Pf.* за-) to fill up with rubble.
щё́бень *s. m.* (*gsg.* -бня) rubble, gravel.
щё́бет *s.* twitter, chirping.
щебет-а́ть I. 2. [c] *vn.* to chirp, to twitter.
щегл/ё́нок *s.* (*gsg.* -нка) goldfinch || **–о́вка** *s.* hen-goldfinch.
щего́л/ *s.* [a] (*gsg.* -гла́) = **щеглё́нок** || **–ева́тый** *a.* elegant, smart || **–и́ха** *s.* woman fond of dressing elegantly, fond of finery, woman of fashion.
щё́голь/ *s. m.* fop, dandy, swell || **–ско́й** *a.* foppish; fashionable, smart || **–ство́** *s.* foppishness; showiness, boasting.
щеголя́-ть II. *vn.* (*Pf.* по-) to play the dandy, to cut a dash; to parade, to make a show of.
ще́дрый *a.* liberal, generous, openhanded.
щека́ *s.* [f] (*pl.* щёки) cheek.
щеко́лда *s.* latch (of a door).
щекот-а́ть I. 2. [c] *va.* (*Pf.* по-) to tickle.
щеко́т/ка *s.* (*gpl.* -ток) tickling || **–ли́вый** *a.* ticklish (*also fig.*); sensitive.
щели́стый *a.* fissured, cracked, chinky; full of cracks, chinks *pl.*
щё́лка *s.* (*gpl.* -лок) *dim. of* щель.
щё́лка-ть & щелка́-ть II. *vn.* (*Pf.* щёлкн-уть & щелкн-у́ть I. *the 2. accentuation esp. for va.*) to smack; to chatter (of the teeth); to crack (of a whip); to snap (of fingers *or* a lock); to click (one's tongue); to warble (of nightingale) || ~ *va.* to crack (nuts); ~ (кого́) **по́ носу** to fillip one.
щелку́н *s.* [a] leaping-beetle.
щё́лоч/ный *a.* alkaline || **–ь** *s. f.* alkali.
щелчо́к *s.* [a] (*gsg.* -чка́) rap; fillip.
щель *s. f.* [c] (*pl. also* ще́лья) chink, cleft, crevice, crack.
щем=и́ть II. 7. [a] *va.* (*Pf.* за-, у-) to pinch, to nip; to press in, to squeeze in, to jam in; ~ **оре́хи** to crack nuts with nut-crackers; (*fig.*) to wring (one's heart).
щен=и́ться II. [a] *vn.* (*Pf.* о-) to pup, to whelp (of dogs).
щено́к *s.* [a] (*gsg.* щенка́, *pl. also* щеня́та) pup, whelp, cub.
щепа́ *s.* splinter, chip (of wood).
щепа́-ть II. *va.* (*Pf.* рас-) to split, cleave.
щепети́льный *a.* pedantic, petty.
ще́п/ка *s.* (*gpl.* -пок) *dim. of* щепа́ || **–но́й** *a.* of chips.
щепо́т/ка *s.* (*gpl.* -ток) *dim. of foll.* || **–ь** *s. f.* pinch (of snuff, salt, etc.).
ще́почка *s.* (*gpl.* -чек) *dim. of* ще́пка.
щерб/а́тый *a.* cracked, gapped, jagged || **–и́на** *s.* chink, crevice; gap; tooth, notch, jag; scratch, scar; pock-mark.

щети́н/а *s.* bristle; *coll.* bristles *pl.* || **–истый** *a.* bristly.
щети́н=иться II. *vr.* (*Pf.* о-) to bristle up, to stand on end (of hair).
щёт/ка *s.* (*gpl.* -ток) brush; **головна́я ~** hairbrush; **сапо́жная ~** boot-brush; **зубна́я ~** tooth-brush; **~ для ногте́й** nail-brush || **–очка** *s.* (*gpl.* -чек) *dim. of prec.* || **–очник** *s.* brush-maker.
щёчка *s.* (*gpl.* -чек) *dim. of* щека́.
щи *s. fpl.* (*G.* щей) cabbage-soup.
щи́кол/ка *s.* (*gpl.* -лок), **–отка** *s.* (*gpl.* -ток), **–оток** *s.* (*gsg.* -тка) (*an.*) ankle.
щип-а́ть II. 7. [c] *va.* (*Pf.* по-, *mom.* щипн-у́ть I. [a]) to pinch, to nip; to be sharp (of wine); to peck, to pluck, to pull.
щип/о́к *s.* [a] (*gsg.* -пка́) pinch, nip; grip; **–ко́м** (*mus.*) piccicato || **–цы́** *s. mpl.* tongs, pincers *pl.*; **столя́рные ~** nippers *pl.*; **свечны́е ~** snuffers *pl.*; **~ для са́хару** sugar-tongs *pl.*; **оре́шные ~** nut-crackers *pl.*; **свечны́е ~** snuffers *pl.*; **завива́льные ~** curling-irons *pl.* || **´чики** *s. mpl. dim. of prec.*
щит *s.* [a] shelter, shield; buckler; screen; **ками́нный ~** fire-screen; **ге́рбовый ~** (*her.*) escutcheon; **~ от гря́зи** splash-board; target, butt, mark.
щу́ка *s.* (*ich.*) pike.
щуп/ *s.* (*med.*) probe || **´альце** *s.* feeler, antenna (of insects).
щу́па-ть II. *va.* (*Pf.* по-) to feel, to touch, to finger, to handle; to grope (about); (*med.*) to sound, to probe.
щур *s.* [a] bullfinch, chaffinch.
щу́р=ить II. *va.* (*Pf.* за-, при-) to screw up (one's eyes for looking at a thing) || **~ся** *vr.* to wink, to twinkle, to blink.
щуру́п *s.* screw.
щу́чка *s.* (*gpl.* -чек) *dim. of* щу́ка.

Э

эвак/уа́ция *s.* evacuation || **–уи́ро+вать** II. *va.* to evacuate.
эволю́ция *s.* (*mil.*) evolution.
эги́да *s.* (*myth.*) aegis.
эго/и́зм *s.* ego(t)ism, selfishness || **–и́ст** *s.*, **–и́стка** *s.* ego(t)ist || **–исти́ческий** *a.* ego(t)istic(al), selfish.
эде́м/ *s.* Eden, Paradise || **–ский** *a.* of Eden, of Paradise; paradisiacal.
эди́кт *s.* edict.
эй *int.* hey! halloo!
эква́тор/ *s.* equator || **–иа́льный** *a.* equatorial.
экви/вале́нт *s.* equivalent || **–либри́ст** *s.* rope-dancer.
экза́мен/ *s.* examination || **–о+ва́ть** II. [b] *va.* (*Pf.* про-) to examine || **~ся** *v.pass.* to submit to examination; to be examined.
экзеку́/тор *s.* usher; (*leg.*) executor || **–ция** *s.* execution.
экземпля́р *s.* copy; (*bot.*) specimen.
экзоти́ческий *a.* exotic.
экиво́к *s.* ambiguity.
э́кий *prn.* what a . . .! what!
экип/а́ж *s.* carriage, turn-out; crew (of ship) || **–и́ро+ва́ть** II. [& b] *va.* to fit out, to equip; (*mar.*) to man || **–иро́вка** *s.* (*gpl.* -вок) equipment, accoutrement; fitting-out; (*mar.*) armament.
экли́птика *s.* ecliptic.
э́кой = э́кий.
эконо́/м *s.* housekeeper, steward || **–м=ить** II. 7. *vn.* to be sparing of, to be economical, to economize || **–ми́ческий** *a.*, **–ми́ческие де́ньги** savings *pl.* || **–мия** *s.* economy, thrift; housekeeping || **–мка** *s.* (*gpl.* -мок) housekeeper || **–мный** *a.* economical, thrifty, sparing.
экра́н *s.* (fire-)screen.
экс/ку́рсия *s.* excursion || **–панси́вный** *a.* expansive || **–педи́тор** *s.* forwarder, consignor; forwarding-agent || **–педицио́нный** *a.* forwarding-.
экспериме́нт/ *s.* experiment || **–а́льный** *a.* experimental.
экспе́рт *s.* expert.
эксплуат/а́ция *s.* exploitation || **–и́ро+вать** II. *va.* to exploit.
экспони́ро+вать II. *va.* to set forth.
экспо́рт/ *s.* export || **–и́ро+вать** II. *va.* to export.
экспро́мпт/ *s.* impromptu; improvisation || **–ом** *ad.* impromptu, extempore.
экста́з *s.* ecstasy.
экстравага́нтный *a.* extravagant.
экстра́кт *s.* extract.
э́кстренный *a.* extra, special.
эксцентри́ч/еский & –ный *a.* eccentric(al).
эласти́чный *a.* elastic.
элева́тор *s.* elevator.
элега́нтный *a.* elegant, smart.
эле́г/ия *s.* elegy || **–и́ческий** *a.* elegiac.
электр/изо+ва́ть II. [b] *va.* (*Pf.* на-) to electrify || **–ифика́ция** *s.* electrification || **–ифици́ро+вать** II. *va.* to electrify || **–и́ческий** *a.* electric(al) || **–и́чество** *s.* electricity || **–омагни́тный** *a.* electromagnetic || **–о́н** *s.* electron || **–оско́п** *s.* electroscope || **–отерапи́я** *s.* electro-

therapeutics *pl.* || **–отéхник** *s.* electrician, electrical engineer || **–отéхника** *s.* electrotechnics *pl.* || **–охи́мия** *s.* electrochemistry.
элемéнт/ *s.* (*phys. & chem.*) element || **–áрный** *a.* elementary.
э́линг *s.* stocks, slips *pl.* (for launching ship).
элли́п/с & **э́ллипсис** *s.* ellipsis || **–ти́ческий** *a.* elliptic(al).
эмáл/евый *a.* enamel- || **–иро+вáть** II. [b] *va.* to enamel || **–ь** *s. f.* enamel.
эмансипáция *s.* emancipation.
эмблемати́ческий *a.* emblematic(al).
эмбри/олóгия *s.* embryology || **–óн** *s.* embryo.
эмигр/áция *s.* emigration || **–и́ро+вать** II. *vn.* to emigrate.
эмиссиóнный *a.* of emission.
эмпири́ческий *a.* empiric(al).
энерги́ч/еский & **–ный** *a.* energetic(al).
энéргия *s.* energy.
энтузиá/зм *s.* enthusiasm || **–ст** *s.*, **–стка** *s.* (*gpl.* -ток) enthusiast.
энцикло/педи́ческий *a.* (en)cyclop(a)edic(al) || **–пéдия** *s.* (en)cyclop(a)edia.
эпигрáмма *s.* epigram.
эпи́граф *s.* epigraph, motto.
эпидéмия *s.* epidemic.
эпизóд *s.* episode.
э́пик *s.* epic poet.
эпикурéец *s.* epicurean.
эпилéп/сия *s.* epilepsy || **–ти́ческий** *a.* epileptic.
эпилóг *s.* epilogue.
эпитáфия *s.* epitaph.
эпи́тет *s.* epithet.
эпи́ческий *a.* epic.
эполéт *s.* epaulet(te).
э́пос *s.* epos, epic (poem).
эпóха *s.* epoch.
э́ра *s.* era.
эроти́ческий *a.* erotic.
эрцгéрцог *s.* archduke.
эскáдр/а *s.* (*mar.*) squadron || **–óн** *s.* (*mil.*) squadron.
эски́з *s.* sketch, outline.
эскóрт *s.* escort.
эспаньóлка *s.* imperial (beard).
эссéнция *s.* essence.
эстáмп *s.* engraving; (*esp.*) copperplate.
эстети́ческий *a.* æsthetic(al).
эстафéта *s. m.* courier, express (messenger).
э́та *cf.* **э́тот.**
этáж/ *s.* storey, floor || **–éрка** *s.* (*gpl.* -рок) a what-not, shelf.
э́такий *a.* such, such a.
этáп *s.* (*mil.*) halting-place, station.

э́тика *s.* ethics *pl.*
этикéт/ *s.* etiquette, ceremonial || **–ка** *s.* ticket, label.
этимолóг/ *s.* etymologist || **–и́ческий** *a.* etymological || **–ия** *s.* etymology.
этно/грáфия *s.* ethnography || **–лóгия** *s.* ethnology.
э́тот *prn. dem.* (э́та, э́то, *pl.* э́ти) this, that; **э́то я** it is I; **что э́то с Вáми (такóе)?** what's the matter with you?
эфéс *s.* hilt.
эфи́р *s.* (*chem.*) ether; the heavens *pl.*
эф(ф)éкт *s.* effect.
эх *int.* ah!
э́хо *s.* echo.
эшафóт *s.* scaffold.
эшелóн *s.* (*mil.*) echelon.

Ю

юби́л/éй *s.* jubilee || **–éйный** *a.* jubilee- || **–я́р** *s.* person celebrating his jubilee.
ю́б/ка *s.* (*gpl.* -бок) petticoat; skirt || **–очка** *s.* (*gpl.* -чек) *dim. of prec.*
ювели́р/ *s.* jeweller || **–ный** & **–ский** *a.* of jeweller, jeweller's.
юг/ *s.* south; **к ∸у** southward(s) || **–о-востóк** *s.* south-east || **–о-востóчный** *a.* south-east(ern) || **–озáпад** *s.* south-west || **–озáпадный** *a.* south-west(ern).
юдóль *s. f.* (*sl.*) valley, vale; **~ плáча** vale of tears.
юдо/фи́л *s.* pro-semite || **–фóб** *s.* anti-semite || **–фóбский** *a.* antisemitic.
ю́ж/ный *a.* southern || **–áнин** *s.* (*pl.* -áне), **–áнка** *s.* Southerner.
юлá *s.* whirligig; (*fig.*) fidgety person, madcap.
юл=и́ть II. [a] *vn.* (пéред кем) to turn and twist; to wheedle, to ingratiate o.s. (with one), to curry favour (with one), to cajole.
ю́мор/ *s.* humour || **–и́ст** *s.* humorist || **–исти́ческий** *a.* humorous.
ю́нга *s. m.* cabin-boy.
юнé-ть II. *vn.* to grow young again, to revive.
ю́нкер *s.* (*mil.*) cadet.
ю́н/ость *s. f.* youth, youthfulness || **–оша** *s. m.* (a) youth, lad, stripling || **–ошеский** *a.* youthful, juvenile || **–ошество** *s.* youth, adolescence; *coll.* boys || **–ый** *a.* youthful, young.
юр *s.* open exposed place; plain, level field; **на –у́** in the crowd; on an exposed place; **~ реки́** whirlpool.
юриди́ческий *a.* juridic(al).

юрис/ди́кция *s.* jurisdiction || **–ко́нсу́льт** *s.* jurisconsult || **–пруде́нция** *s.* jurisprudence.
юри́ст *s.* jurist.
юрк *int.* hush! quick!
ю́рка-ть II. *vn.* (*Pf.* ю́ркн-уть I.) to disappear, to dive (under water).
ю́ркий *a.* active, quick, nimble; frisky, wanton.
юро́ди́вый *a.* imbecile, crazy (from birth).
ю́рта *s.* nomad's tent (in East Sibiria).
юсти́ция *s.* justice.
ют *s.* (*mar.*) poop.
ют=и́ться I. 2. [a] *vr.* (*Pf.* при-) to seek shelter, to take shelter; to nestle down (in).
юфт/ь *s. f.* Russian leather || **–яно́й** *a.* of Russian leather.

Я

я *prn.* I.
я́бед/а *s.* slander, calumny, aspersion || **–ник** *s.*, **–ница** *s.* slanderer; plotter || **–ннча-ть** II. *vn.* (*Pf.* на-) (на кого́) to slander, to calumniate, to intrigue || **–нический** *a.* slanderous, calumnious, intriguing.
я́бл/око *s.* apple; **ада́мово ~** (*an.*) larynx; **глазно́е ~** eyeball; **~ раздо́ра** (*fig.*) bone of contention || **–онный** *a.* of apple-tree || **–оновка** *s.* (*gpl.* -вок) apple-wine || **–оня** *s.* apple-tree || **–очко** *s.* (*gpl.* -чек) small apple || **–очный** *a.* apple-.
яви́ть *cf.* **явля́ть.**
я́в/ка *s.* (*gpl.* -вок) showing, exhibition (of a passport, etc.); (*leg.*) notice; **~ в суд** appearance || **–ле́ние** *s.* appearance; (*theat.*) scene || **–ля́-ть** II. *va.* (*Pf.* яв=и́ть II. 7. [a & c]) to show, to exhibit, to manifest, to display; to produce, to exhibit || **~ся** *vr.* to appear, to make one's appearance; to prove to be, to appear to be || **–но** *ad.* manifestly, evidently, ostensibly || **–нобра́чный** *a.* phanerogamic || **–ность** *s. f.* clearness, ostensibility || **–ный** *a.* manifest, evident, visible, ostensible, clear || **–ственный** *a.* distinct, clear; legible (of writing) || **–ство+вать** II. *vn.* to be apparent, to appear.
яга́-ба́ба *s.* old witch, hag.
ягнён/ок *s.* (*pl.* ягня́та) lamb || **–очек** *s.* (*gsg.* -чка) lambkin.
ягн=и́ться II. [a] *vc.* (*Pf.* о[б]-) to lamb.
ягня́тник *s.* (*orn.*) lammergeyer.
я́год/а *s.* berry; **ви́нная ~** dried fig; **одного́ по́ля –ы** birds of a feather || **–ица** *s.* (*sl.*) rump, buttock || **–ка** *s.* (*gpl.* -док) small berry || **–ник** *s.* berry-wine; berry-garden; berry-seller || **–ный** *a.* berry-.
ягта́ш = яхта́ш.
ягуа́р *s.* jaguar.
яд/ *s.* poison, venom; (*med.*) virus || **–ови́тый** *a.* poisonous, venomous; (*fig.*) virulent || **–рёный** *a.* juicy (of fruits); strong, stout, lusty, vigorous || **–ро́** *s.* [d] (*pl.* я́дра, я́дер, *etc.*) kernel (of a nut); stone (of a plum); **пу́шечное ~** cannon-ball; (*an.*) testicle; (*fig.*) gist, substance.
я́зв/а *s.* boil, abcess; (*med.*) ulcer; (**морова́я**) **~** plague, pestilence || **–енный** *a.* sore; gangrenous || **–и́тельный** *a.* caustic, biting; (*fig.*) spiteful, wicked.
язв=и́ть II. 7. [b & a] *va.* (*Pf.* у-) to wound, to hurt; (*fig.*) to taunt, to nag, to jeer (at).
язы́к/ *s.* [a] tongue; language; clapper, tongue (of a bell) || **–ове́дение** & **–озна́ние** *s.* philology.
язы́ч/еский *a.* heathenish, heathen, pagan || **–ество** *s.* heathenism, paganism || **–ник** *s.*, **–ница** *s.* heathen, pagan || **–ный** *a.* tongue-, of the tongue; lingual || **–о́к** *s.* [a] (*gsg.* -чка́) small tongue; small clapper; bolt (of a lock); (*an.*) uvula.
яи́ч/ко *s.* (*gpl.* -чек) small egg || **–ник** *s.* egg-merchant; (*an.*) ovary || **–ница** *s.* egg-seller; (*culin.*) fried egg; scrambled egg || **–ный** *a.* egg-, of eggs.
яйце/ви́дный & **–обра́зный** *a.* oval, egg-shaped.
яйцо́ *s.* [d] (*gpl.* яи́ц) egg.
я́корь *s. m.* [& b] (*pl.* -и & -я́) anchor; **стать на ~** to cast anchor, to come to anchor; **стоя́ть на я́коре** to lie at anchor; **сня́ться с я́коря** to weigh anchor.
я́лик *s.* (*mar.*) yawl, skiff.
ялове́-ть II. *vn.* (*Pf.* о-) to be barren, sterile (of cattle).
я́ловый *a.* barren, sterile; **–ая коро́ва** cow without milk.
я́ма *s.* ditch, pit, hole; cavity, hollow.
ямб/ *s.* iambus || **–и́ческий** *a.* iambic.
я́м/ка *s.* (*gpl.* -мок) & **–очка** *s.* (*gpl.* -чек) small hole; dimple || **–ско́й** *a.* cart- || **–ска́я** (*as s.*) a quarter *or* street where carters live || **–щи́к** *s.* [a] postillion, coachman; carter, driver, wag(g)oner, carrier.

январ/ский *a.* of January, January || **-ь** *s. m.* [a] January.
янтар/ный *a.* amber, of amber || **-ь** *s. m.* [a] amber.
яр *s.* [°] cliff, bluff; steep bank.
·**ералаш** *s.*, *us.* **ералаш** nonsense; hotch-potch, medley; a card-game.
ярем/ *s.* [a] (*gsg.* ярма) (*sl.*) yoke || **-ный** *a.* yoke-; of burden, draught-.
яр=ить II. [a] *va.* to irritate, to provoke || **~ся** *vr.* to get furious, to fly into a passion.
яркий *a.* (*comp.* ярче) clear, bright; shrill (of sounds); glaring (of colours); dazzling (of light); blazing (of fire).
ярлык *s.* [a] label, ticket.
ярма *cf.* **ярем.**
ярмарка *s.* (*gpl.* -рок) fair.
ярмо *s.* [d] (*gpl.* ярем) yoke; (*fig.*) load, burden.
яровой *a.* spring-, summer (of corn).
ярост/ный *a.* furious, fierce, raging, enraged, mad || **-ь** *s. f.* fury, rage, wrath, madness, frenzy.
ярус *s.* storey, floor; layer, stratum, couch, bed; (*theat.*) tier, row, circle, gallery, lobby.
ярче *cf.* **яркий.**
ярыж/ник *s.* loafer, wastrel, drinker || **-ный** *a.* dissipated.
ярый *a.* choleric, passionate, violent; ardent, eager, spirited; piercing (of wind).
ясак *s.* [a] tribute (in furs).
ясельный *a.* manger-, crib-.
ясен/евый *a.* ash-, ashen || **-ь** *s. m.* ash, ash-tree.
ясли *s. mpl.* manger, crib; crèche, home for infants.
ясн/енький *a.* nice and bright || **-е-ть** II. *vn.* (*Pf.* про-) to clear up, to brighten, to become bright || **-ый** *a.* clear, bright; (*fig.*) clear, distinct, evident, plain || **-овидение** *s.* second-sight; clear-sightedness || **-овидец** *s.* (*gsg.* -дца), **-овидица** *s.* clairvoyant || **-овидящий** (-ая, -ее) *a.* clairvoyant || **-ость** *s. f.* clearness, brightness, serenity; (*fig.*) clearness, distinctness.
яства *s. npl.* (*sl.*) food, eatables *pl.*
ястреб/ *s.* [& b] (*pl.* -а) (*orn.*) hawk || **-ёнок** *s.* (*pl.* -ята) young hawk.
яхонт/ *s.* precious stone; ~ **красный** ruby; ~ **синий** sapphire || **-овый** *a.* of precious stone.
яхта *s.* yacht.
ягташ *s.* game-bag.
яхт-клуб *s.* yacht-club.
яче/йка *s.* (*gpl.* -еек) *dim. of foll.* || **-я** *s.* cell; mesh (of a net, a stocking).
ячмен/ный *a.* of barley, barley- || **-ь** *s. m.* [a] barley.
яшм/а *s.* (*min.*) jasper || **-овый** *a.* jasper, of jasper.
ящер/ *s.* scaly animal, armadillo || **-ица** *s.* lizard.
ящ/ик *s.* box, chest, case, trunk; drawer; **зарядный** ~ ammunition waggon; **откладывать дело в долгий** ~ to put off, to shelve, to postpone indefinitely || **-ичек** *s.* (*gsg.* -чка) *dim. of prec.* || **-ур** *s.* inflammation of the tongue (of horses and cattle); (*zool.*) dormouse.

Ѳ

This letter has now been replaced by **Ф.**

Ѵ

This letter, formerly used in a few words borrowed from Greek, has now been replaced by **И.**

Наиболее употребительные личные имена

A List of the more usual Christian Names

Абра́м = Авраам.
А'вгуст Augustus.
Авдо́тья = Евдокия.
А'вель Abel.
Авраа́м Abraham.
Агафо́н Agathon.
Ага́фья Agatha.
Агне́са Agnes.
Аграфе́на, Агриппи́на Agrippina.
Ада́м Adam.
Аделаи́да, Аде́ль Adelaide.
Адо́льф Adolph.
Адриа́н Adrian.
Аки́м = Иоаким.
Акси́нья = Ксения.
Алексе́й Alexis.
Алекса́ндр Alexander.
Алекса́ндра Alexandra.
Алёна = Елена.
Алёша *dim. of* **Алексей.**
Али́са Alice.
Альбе́рт Albert.
Альфо́нс Alphonso.
Альфре́д Alfred.
Ама́лия Amelia.
Амвро́сий Ambrosius.
Анаста́сия Anastasia.
Анато́лий Anatolius.
Андре́й Andrew.
А'нна Ann, Anna.
Анто́н, Анто́ний Anthony.
Аню́та *dim. of* **Анна.**
Аполло́н Apollo.
Ари́на = Ирина.
Арка́дий Arcadius.
Арно́льд Arnold.
Арсе́ний Arsenius.
Арту́р Arthur.
Архи́п Archippus.
Афана́сий Athanasius.
Афроси́нья = Евфросинья.

Беатри́са Beatrice, Beatrix.
Берна́рд Bernard.
Бе́рта Bertha.
Богда́н Bogdan.
Бори́с Boris.
Бо́ря *dim. of prec.*

Валенти́н Valentine.
Валериа́н, Валерья́н Valerian.
Вале́рий Valerius.
Вале́рия Valeria.
Ва́льтер Walter.
Ва́ля *dim. of* **Валентин, Валентина, Валерий.**
Ва́ня *dim. of* **Иван.**
Варва́ра Barbara.
Варна́ва Barnabas, Barnaby.
Ва́ря *dim. of* **Варвара.**
Варфоломе́й Bartholomew.
Васи́лий Basil.
Ва́ся *dim. of prec.*
Венеди́кт Benedict.
Вениами́н Benjamin.
Ве́ра Vera.
Вике́нтий Vincent.
Ви́ктор Victor.
Вильге́льм William.
Ви́тя *dim. of* **Виктор.**
Влади́мир Vladimir.
Владисла́в Vladislaus, Ladislaus.
Воло́дя *dim. of* **Владимир.**
Вячесла́в Venceslaus.

Гара́льд, Гаро́льд Harold.
Гви́до, Гвидо́н Guy.
Ге́нрих Henry.
Генрие́тта Henrietta.
Ге́оргий George.
Ге́рман Herman.
Гермоге́н Hermogenes.
Гертру́да Gertrude.
Глафи́ра Glaphyra.
Гла́ша *dim. of prec.*
Глеб Gleb.
Глике́рия Glyceria.
Го́тфрид Geoffrey.
Григо́рий Gregory.
Гри́ша *dim. of prec.*
Гру́ня, Гру́ша *dim. of* **Аграфена.**
Гу́берт Hubert.
Гу́го Hugh.

Дави́д, Давы́д David.
Дании́л, Дани́ло Daniel.
Да́рья Dorothy.
Да́ша *dim. of prec.*
Демья́н Damian.
Дени́с = Дионисий.
Дими́трий Demetrius.
Диони́сий Denis.
Дми́трий = Димитрий.
Дороте́я Dorothy.
Ду́ня *dim. of* **Евдокия.**

Е'ва Eva.
Евге́ний Eugene.
Евге́ния Eugenia.
Евдоки́м Eudokimus.
Евдоки́я Eudoxia.
Евпра́ксия Eupraxia.
Евста́фий Eustace.
Евфроси́нья Euphrosyne.
Его́р = Георгий.
Екатери́на Catherine.
Еле́на Helen.
Елизаве́та, Елисаве́та Elizabeth.
Ереме́й = Иеремия.
Ефи́м = Иоаким.
Ефре́м Ephraim.

Же́ня *dim. of* **Евгений, Евгения.**
Жорж *dim. of* **Георгий.**

Заха́р, Заха́рий Zacharias.
Зи́на *dim. of foll.*
Зинаи́да Zeneide.
Зино́вий Zenobius.

Ива́н = **Иоанн.**
Игна́тий Ignatius.
И'да Ida.
Иереми́я Jeremiah.
Инсу́с Jesus.
Иларио́н Hilarion.
Илья́ Elias, Elijah.
Илю́ша *dim. of prec.*
Иоаки́м Joachim.
И'ов Job.
Иоа́н John.
Иоа́нна Joanna.
Ионафа́н Jonathan.
Ио́сиф Joseph.
Ири́на Irene.
И'род Herod.
Исаа́к Isaac.
Иса́й, Иса́йя Isaiah.

Карл Charles.
Кароли́на Caroline.
Катери́на = **Екатерина.**
Ка́тя *dim. of prec.*
Кла́вдий Claudius.
Кла́вдия Claudia.
Кла́ра Clara.
Кла́ша *dim. of* **Клавдия.**
Клеме́нтий, Кли́мент Clement.
Ко́ля *dim. of* **Николай.**
Кондра́т, Кондра́тий, Конра́д Conrad.
Константи́н Constantine.
Корне́лий, Корни́л Cornelius.
Ко́стя *dim. of* **Константин.**
Ксе́ния Xenia.
Кузьма́ Cosmus.

Лавре́нтий Laurence.
Ла́зарь Lazarus.
Ларио́н = **Иларион.**
Лёв Leo.
Лёля *dim. of* **Елена.**
Леони́д Leonidas.
Леопо́льд Leopold.
Ли́за *dim. of* **Елизавета.**
Луи́за Louisa.
Лука́ Luke.
Луке́рья = **Гликерия.**
Лукья́н Lucian.
Лю́ба *dim. of foll.*
Любо́вь Amy.
Людми́ла Ludmila.
Людо́вик Louis.

Маври́кий Maurice.
Магдали́на Magdalen.
Мака́р Macarius.
Макс, Макси́м, Максимилиа́н Maximilian.
Мала́нья = **Мелания.**
Маргари́та Margaret.
Мариа́нна Marianne.
Мари́я, Ма́рья Maria, Mary.
Марк Mark.
Марти́н, Марты́н Martin.
Ма́рфа Martha.
Матве́й Matthew.
Мати́льда Mathilda.
Ма́ша *dim. of* **Мария.**
Мела́ния Melanie.
Ми́тя *dim. of* **Димитрий.**
Михаи́л, Миха́йло Michael.
Ми́ша *dim. of prec.*
Моисе́й Moses.
Мори́с = **Маврикий.**

Навуходоносо́р Nebuchadnezzar.
Наде́жда Esperantia.
На́дя *dim. of prec.*
Наста́сья = **Анастасия.**
На́стя *dim. of prec.*
Ната́лия Natalie.
Ната́ша *dim. of prec.*
Ники́та Nikita.
Никоди́м Nicodemus.
Никола́й Nicholas.
Ной Noah.

Оле́г Oleg.
О'льга Olga.
О'ля *dim. of prec.*
Оре́ст Orestes.
Осва́льд Oswald.
О'сип = **Иосиф.**
Оска́р Oscar.

Па́вел Paul.
Па́вла Pauline.
Павлу́ша *dim. of* **Павел.**
Пала́ша *dim. of* **Пелагея.**
Пара́ша *dim. of* **Прасковья.**
Па́ша *dim. of* **Павел, Павла, Пелагея.**
Пелаге́я Pelagia.
Пётр Peter.
Петру́ша, Пе́тя *dims. of prec.*
Плато́н Plato.
Поли́на Pauline.
По́ля *dim. of prec. and of* **Пелагея.**
Проско́вья = **Евпраксия.**
Проко́п, Проко́фий Prokope.

Рахи́ль Rachel.
Реве́кка Rebecca, Rebekah.
Robе́рт Robert.
Ро́за Rosa.
Роза́лия Rosalie.
Рудо́льф Rudolph.
Руфь Ruth.

Са́вва Sabbas.
Само́йло = **Самуил.**
Сампсо́н, Самсо́н Samson.
Самуи́л Samuel.
Са́ра Sarah.
Са́ша *dim. of* **Александр, Александра.**
Святосла́в Sviatoslaff.
Севастья́н Sebastian.
Семён = **Симеон.**
Се́ня *dim. of prec.*
Серге́й Sergius.
Серёжа *dim. of prec.*
Симео́н, Си́мон Simon.
Соломо́н Solomon.
Со́ня *dim. of foll.*
Софи́я, Со́фья Sophia.
Стёпа *dim. of foll.*
Степа́н, Стефа́н Stephen.
Суса́нна Susan.

Тере́за Theresa.
Тимофе́й Timothy.
Тимо́ша *dim. of prec.*
Тит Titus.
Ти́хон Tychon.
Ти́ша *dim. of prec.*

У'ленька *dim. of foll.*
Улья́на = **Юлиана.**

Фадде́й Thaddeus.

Фёдор, Феóдор Theodore.
Федóра, Феодóра Theodora.
Федóсий, Феодóсий Theodosius.
Федóсья, Феодóсия Theodosia.
Федя *dim. of* **Федор.**
Фёкла Thecla.
Фéликс Felix.
Фели́ция Felicia.
Фердинáнд Ferdinand.
Фили́пп Philip.
Флор Florus.
Фомá Thomas.

Франц Francis.
Фрол = Флор.
Фрóся *dim. of* **Евфроси́нья.**

Христиáн Christian.
Христофóр Christopher.

Цеци́лия Cecily.

Шарлóтта Charlotte.

Эдгáр Edgar.
Эдмýнд Edmund.
Эдуáрд Edward.
Элеонóра Eleanor.

Эмануи́л Immanuel.
Эми́лия Emily.
Э'рих, Э'рик Eric.
Эрнéст Ernest.
Эсфи́рь Esther.

Юлиáн Julian.
Юлиáна Juliana.
Ю'лий Julius.
Ю'лия Julia.
Ю'рий = Георгий.

Я'ков Jacob, James.
Ярослáв Yaroslaff.
Я'ша *dim. of* **Яков.**

Важнейшие географические имена

A List of the more important Geographical Names

Абисси́ния Abyssinia.
Австрáлия Australia.
А'встрия Austria.
Адриати́ческое море the Adriatic.
А'зия Asia || **азиáт** *m.*, **азиáтский** *a.* Asiatic.
Азóв Azof || **Азóвское мóре** Sea of Azof.
Азóрские островá the Azores.
Албáния Albania.
Александри́я Alexandria.
Алжи́р Algiers.
А'льпы the Alpes.
Амазóнская река the Amazon.
Амéрика America || **американец** *m.*, **америкáнский** *a.* American.
А'нглия England || **англичáнин** Englishman || **áнглийский** English.
Анды the Andes.
Антвéрпен Antwerp.
Анти́льские островá the Antilles.
Антиохи́я Antioch.
Апенни́ны the Apennines.
Арáбия Arabia || **арáб** *m.*, **арáбский** *a.* Arab, Arabian.
Аргенти́на Argentina.
Ардéнны the Ardennes.

Армéния Armenia || **армяни́н** *m.*, **армя́нский** *a.* Armenian.
Архáнгельск Archangel.
Архипелáг the Archipelago.
А'страхань Astrakhan.
Атланти́ческий океан the Atlantic.
Афи́ны Athens || **афи́нянин** *m*,, **афи́нский** *a.* Athenian.
А'фрика Africa || **африкáнец** *m.*, **африкáнский** *a.* African.

Бавáрия Bavaria.
Бáзель Bale.
Байкáл Lake Baïkal.
Бакý Baku.
Балéарские островá the Balearic Isles.
Балкáны Balkan.
Балти́йское мóре the Baltic.
Башки́р Bashkir.
Белгрáд Belgrad.
Бéлое мóре the White Sea.
Бéльгия Belgium.
Бенгáлия Bengal.
Бéрингов проли́в Behring's Strait.
Бессарáбия Bessarabia.
Богéмия Bohemia.
Бóденское óзеро the Lake of Constance.

Болгáрия Bulgaria || **болгáрин** *m.*, **болгáрский** *a.* Bulgarian.
Бордó Bordeaux.
Бóсния Bosnia || **босня́к** Bosnian.
Ботни́ческий зали́в the Gulf of Bothnia.
Брази́лия Brazil.
Брáуншвейг Brunswick.
Бреслáвль Breslau.
Бретáнь Brittany || **бретóнец** *m.*, **бретóнский** *a.* Breton.
Британия Britain.
Брю́гге Bruges.
Брю́ссель Brussels.
Булóнь Boulogne.
Бургýндия Burgundy.
Бухáра Bucharia.

Вавилóн Babylon.
Вайт Wight.
Валáхия Wallachia.
Вáллис Valais.
Варшáва Warsaw.
Вашингтóн Washington.
Везýвий Vesuvius.
Великобритáния Great Britain.
Вéна Vienna.
Вéнгрия Hungary || **венгр**, **венгéрец** *m.*, **венгéрка** *f.*, **венгéрский** *a.* Hungarian.

Вене́ция Venice || **венециа́нец** *m.*, **венециа́нский** Venetian.
Верса́ль Versailles.
Вест-Индия the West Indies.
Вестфа́лия Westphalia.
Византи́я Byzantium.
Ви́сла the Vistula.
Вифлее́м Bethlehem.
Владивосто́к Vladivostok.
Воге́зы the Vosges.
Во́лга Volga.
Вюртембе́рг Wurtemberg.

Га́ага the Hague.
Галиле́я Galilee.
Га́ллия Gaul || **галл** Gaul.
Гали́ция Galicia || **галича́нин** *m.*, **га́лицкий** *a.* Galician.
Га́мбург Hamburg.
Ганно́вер Hannover.
Гаско́нь Gascony.
Гебри́ды the Hebrides.
Ге́льголанд Heligoland.
Ге́нуя Genoa || **генуэ́зец** *m.*, **генуэ́ский** *a.* Genoese.
Герма́ния Germany.
Ге́ссен Hesse.
Голла́ндия Holland || **голла́ндец** Dutchman || **голла́ндский** Dutch.
Гре́ция Greece || **грек** *m.*, **греча́нка** *f.*, **гре́ческий** *a.* Greek.
Гренла́ндия Greenland.
Гру́зия Georgia || **грузи́н** Georgian.

Далма́тия Dalmatia.
Да́ния Denmark || **да́тчанин** Dane || **да́тский** Danish.
Двина́ Duna.
Дерпт Dorpat.
Днепр Dnieper.
Дунай the Danube.
Дюнке́рк, Дюнки́рхен Dunkirk.
Евро́па Europa.
Евфра́т Euphrates.
Еги́пет Egypt || **египтя́нин** *m.*, **еги́петский** *a.* Egyptian.

Жене́ва Geneva.

Зела́ндия Zealand.
Зю́йдерзе the Zuider Zee.

Иерусали́м Jerusalem.
И́ндия India.
Ирла́ндия Ireland.
Исла́ндия Iceland.
Испа́ния Spain.
Ита́лия Italy || **италья́нец** *m.*, **италья́нский** *a.* Italian.
Иуде́я Judea.

Кавка́з the Caucasus.
Ка́дикс Cadiz.
Каза́нь Kazan.
Кала́брия Calabria.
Калифо́рния California.
Калмы́к Kalmuck.
Ка́ма Kama.
Камеру́н Cameroon.
Кана́рские острова́ the Canaries.
Ка́ндия Candia.
Кари́нтия Carinthia.
Карпа́ты the Carpathians.
Каспи́йское мо́ре the Caspian Sea.
Касти́лия Castile.
Катало́ния Catalonia.
Кёльн Cologne.
Киев Kieff.
Кипр Cyprus.
Кита́й China.
Константино́поль Constantinople.
Копенга́ген Copenhagen.
Кордильеры the Cordilleras.
Коре́я Corea.
Коринф Corinth.
Ко́рсика Corsica || **корсика́нец** *m.*, **корсика́нский** *a.* Corsican.
Крайн Carniola.
Кра́ков Cracow.
Крит Crete.
Крым the Crimea.
Курля́ндия Courland.
Лама́нш the British Channel.
Лапла́ндия Lapland.
Ла́твия Lettonia.
Латы́ш Lett || **латы́шский** Lettish.
Ле́йпциг Leipsic.
Ленингра́д Leningrad.

Либа́ва Libau.
Лива́н the Lebanon.
Лилль Lisle.
Лио́н Lyons.
Лиссабо́н Lisbon.
Литва́ Lithuania || **литви́н** *m.*, **лито́вский** *a.* Lithuanian.
Лифля́ндия Livonia.
Ломба́рдия Lombardy.
Лопа́рь Lapp, Lapplander.
Лотари́нгия Lorraine.
Лужи́цы Lusatia.
Львов Lemberg.
Льеж, Лю́ттих Liege.
Люце́рн Luzerne.

Мавр Moor || **маврита́нский** Moorish.
Маде́ра Madeira.
Майнц Mentz.
Македо́ния Macedonia.
Ма́льта Malta || **мальти́ец** *m.*, **мальти́йский** Maltese.
Маро́кко Morocco.
Марсе́ль Marseilles.
Ме́ксика Mexico || **мексика́нец** *m.*, **мексика́нский** *a.* Mexican.
Мёртвое мо́ре the Dead Sea.
Мила́н Milan.
Мита́ва Mitau.
Мо́зель the Moselle.
Молда́вия Moldavia || **молдава́нин** *m.*, **молда́вский** *a.* Moldavian.
Молу́ккские острова́ the Moluccas.
Мона́ко Monaco.
Монго́лия Mongolia || **монго́л** *m.*, **монго́льский** *a.* Mongol.
Мора́вия Moravia.
Москва́ Moscow || **москви́ч** *m.*, **моско́вский** *a.* inhabitant of Moscow.
Мю́нхен Munich.

Неа́поль Naples.
Нева́ Neva.
Не́мец *m.*, **не́мка** *f.*, **не́мецкий** *a.* German.
Неме́цкое мо́ре the North Sea.
Нидерла́нды the Netherlands, the Low Countries.

Ни́жний-Но́вгород Nijni-Novgorod.
Нил the Nile.
Ни́цца Nice.
Но́вгород Novgorod.
Норве́гия Norway || **норве́жец** *m.*, **норве́жский** *a.* Norwegian.
Норма́ндия Normandy.
Ну́бия Nubia.
Нью-Йорк New York.
Ню́рнберг Nuremberg.

Оде́сса Odessa.
Ока́ Oka.
Ост-И'ндия the East Indies.

Палести́на Palestine.
Патаго́ния Patagonia.
Пенсильва́ния Pensylvania.
Пе́рсия Persia || **перс, персия́нин** *m.*, **перси́дский** *a.* Persian.
Перу́ Peru || **перуа́нец** Peruvian.
Петербург = Санкт-Петербург.
Пирине́и the Pyrenees.
Пи́тер = Санкт-Петербург.
Пиэмо́нт Piedmont.
Позна́нь Posen.
По́льша Poland || **поля́к** *m.*, **по́лька, поля́чка** *f.* Pole || **по́льский** Polish.
Помера́ния Pomerania.
Португа́лия Portugal || **португа́лец** *m.*, **португа́льский** *a.* Portuguese.
Пра́га Prague.
Пру́ссия Prussia || **пруса́к** *m.*, **пру́сский** Prussian.
Псков Pskoff.
Пфальц the Palatinate.
Ре́вель Revel.
Ре́генсбург Ratisbon.
Рейн the Rhine.
Ри́га Riga.
Рим Rome || **ри́млянин** *m.*, **ри́мский** *a.* Roman.
Росси́я, Русь Russia || **ру́сский** Russian.
Румы́ния Roumania || **румы́н** *m.*, **румы́нский** *a.* Roumanian.
Ряза́нь Riazan, Ryazan.

Саво́йя Savoy.
Саксо́ния Saxony.
Сама́ра Samara.
Сара́тов Saratoff.
Сарди́ния Sardinia.
Саха́ра Sahara.
Севасто́поль Sebastopol.
Се́на Seine.
Се́рбия Servia || **серб** *m.*, **се́рбский** *a.* Servian.
Сиби́рь Siberia || **сибиря́к** *m.*, **сибиря́чка** *f.*, **сиби́рский** Siberian.
Силе́зия Silesia.
Си́рия Syria.
Сици́лия Sicily.
Скандина́вия Scandinavia.
Славяни́н Sclavonian.
Соединённые Шта́ты the United States.
Средизе́мное мо́ре the Mediterranean.
Суда́н Soudan.
Суде́ты the Sudetic Mountains.

Тата́рин Tartar.
Тегеран Teheran.
Темза the Thames.
Тигр the Tigris.
Тиро́ль the Tyrol.
Тифли́с Tiflis.
Ти́хий Оке́ан the Pacific.
Трир Treves.
Тро́я Troja.
Ту́рция Turkey || **ту́рок** *m.*, **турча́нка** *f.* Turk || **туре́цкий** Turkish.
Тюри́нгия Thuringia.

Украи́на, Укра́йна Ukraine.
Ура́л Ural.
У́эльс Wales.

Фермопи́лы Thermopylae.
Фесса́лия Thessaly.
Фи́вы Thebes.
Финля́ндия Finland || **финн** Finn || **фи́нский** Finnish || **Фи́нский зали́в** Gulf of Finland.
Флама́ндец Fleming || **флама́ндский** Flemish.
Фла́ндрия Flanders.
Флоре́нция Florence || **флоренти́нец** *m.*, **флоренти́нский** Florentine.
Франко́ния Franconia.
Фра́нкфурт Frankfort.
Фра́нция France || **францу́з** *m.*, **францу́женка** *f.* Frenchman || **францу́зский** French.

Ха́рьков Charkow.
Хорва́тия Croatia.

Царьгра́д Constantinople.
Цю́рих Zurich.

Черке́с Circassian.
Черного́рия Montenegro.
Чёрное мо́ре the Black Sea.
Чехослова́кия Czecho-Slovakia || **чех** *m.*, **че́шский** *a.* Bohemian.
Чухо́нец Finn.

Швейца́рия Switzerland.
Шве́ция Sweden || **швед** Swede || **шве́дский** *a.* Swedish.
Ше́льда the Sheldt.
Шотла́ндия Scotland || **шотла́ндец** Scot, Scotchman || **шотла́ндский** Scotch, Scottish.
Шти́рия Styria.

Эге́йское мо́ре the Aegaen Sea.
Э'зель Oesel.
Э'льба Elbe.
Эльза́с Alsace.
Эрзеру́м Erzeroom.
Эстля́ндия Esthonia || **эсто́нец** *m.*, **эсто́нский** Esthonian.
Э'тна Etna, Ætna.

Югосла́вия Yougoslavia.

Япо́ния Japan || **япо́нец** *m.*, **япо́нский** *a.* Japanese.
Яросла́вль Yaroslavl.